Pour Zélia entourée de petits-enfants.

Pour Glória et Aldredo Machado, Haydée et Paulo Tavares, Helen et Alfred Knopf, Lúcia et Paulo Peltier de Queiroz, Lygia et Juarez da Gama Batista, Lygia et Zitelman Oliva, Toninha et Camafeu de Oshossi et pour Carlos Bastos.

« Un bon endroit pour attendre la mort. »
(Phrase d'un commis-voyageur sur Sant'Ana de l'Agreste)
« ... ceux qui transforment la mer en poubelle... »
(Sentence du juge Viglietta condamnant à la prison les directeurs de la Montedison, en Italie)
« Un beau brin de pacholette ! »
(Exclamation de Pue-le-Bouc en voyant Tieta)

Du même auteur

Jorge Amado

Tieta d'Agreste

*gardienne de chèvres
ou le retour de la fille prodigue,
mélodramatique feuilleton en cinq
épisodes sensationnels et un
surprenant épilogue :
émotion et suspense !*

ROMAN

TRADUIT DU BRÉSILIEN
PAR
ALICE RAILLARD

 Editions de Mortagne
MONTRÉAL
ÉDITIONS STOCK
PARIS

Titre original :
TIETA DO AGRESTE
pastora de cabras
ou a volta da filha pródiga,
melodramático folhetim em cinco
sensacionais episódios
e comovente epilogo :
emoção e suspense !

édition : Les Éditions de Mortagne

distribution : Les Presses Métropolitaines Inc.
175, boul. de Mortagne
Boucherville, Qué.
J4B 6G4
Tél.: (514) 641-0880

droits : Tous droits réservés pour tous pays.
© 1977, Jorge Amado, Bahia, Brésil.
© 1979, Éditions Stock pour la présente
traduction.
Pour l'édition au Canada :
Les Éditions de Mortagne
© Copyright Ottawa 1983

dépôt légal : Bibliothèque nationale du Canada
Bibliothèque nationale du Québec

2e trimestre 1983

ISBN 1-89074-077-3

IMPRIMÉ AU CANADA

Silence et solitude, le fleuve pénètre dans la mer, océan sans limites, sous le ciel implacable, fin et commencement. Des dunes immenses, d'étincelantes montagnes de sable, la petite courant comme une chevrette vers le haut, l'éclat du soleil sur son visage et le sifflement du vent, les pieds légers et nus mettant une distance entre elle et l'homme robuste, dans la force de ses quarante ans, qui la poursuit.

Haletant, l'homme monte, le chapeau à la main pour qu'il ne vole ni ne se perde. Ses souliers s'enfoncent dans le sable ; le miroitement du soleil l'aveugle ; fine lame de couteau, le vent lui cisaille la peau ; la sueur coule sur tout son corps ; le désir et la rage — quand je t'attraperai, peste !, je te prends et te tue.

La petite se retourne et regarde, mesure la distance qui la sépare du colporteur, la peur et le désir : s'il m'attrape il va faire la chose, elle tremble de peur ; mais si je n'attends pas, il renonce, ah ! ça non, elle ne peut l'accepter quoiqu'elle veuille, car le temps est venu.

L'homme aussi s'est arrêté et parle, il crie des mots qui n'atteignent pas la petite, perdus dans le sable, emportés par le vent. Elle n'entend pas mais devine et répond :

« Bééé ! » Ainsi chantent les chèvres qu'elle mène paître.

Le défi fouette la face, pénètre dans les œufs du colporteur, ranime ses forces, il avance. En suspens, la petite attend.

Là derrière le fleuve, en face l'océan, les yeux adolescents parcourent et dominent le paysage démesuré. En cet instant d'attente, d'envie et d'angoisse, la petite a fixé dans sa mémoire l'éblouissante immensité du lit de noces qui est le sien. De l'autre côté de la barre, la beauté de la plage longue et nue du Saco, sur

11

une mer d'eaux tranquilles, dans l'État de Sergipe, le vaste hameau de pêcheurs, avec boutique, chapelle et école, un petit village. Le contraire des dunes monumentales où elle se trouve, qui envahissent les eaux, l'espace de la mer, retenues par les rouleaux dans une fureur de guerre. Ici le vent dépose sa cueillette quotidienne de sable, le plus blanc, le plus fin, choisi tout exprès pour former la plage unique du Mangue Seco, incomparable à tout autre, ici où Bahia naît dans la convulsive conjonction du Rio Real et de l'Océan.

Une douzaine, une douzaine et demie de cabanes provisoires, se déplaçant au gré du vent et du sable qui les envahit et les enterre, demeures des rares pêcheurs qui habitent ce côté de la barre. Durant le jour, les femmes pêchent des crabes dans le Mangue, les hommes lancent les filets à la mer. Parfois ils partent pour une pêche miraculeuse, audacieux à fendre les rouleaux hauts comme les dunes dans les seules barques capables de les affronter et de poursuivre en pleine mer, à la rencontre des navires et des goélettes, les nuits de plomb, pour le débarquement de la contrebande.

Le faux colporteur vient dans le canot à moteur recueillir les caisses d'alcool, de parfums, les ballots de soie italienne, de casimir et de lin anglais, d'autres raretés, et faire le modique paiement — de l'argent pour la farine, le café, le sucre, la cachaça, la corde de tabac. De temps en temps il amène dans la barque une belle et, tandis qu'on transporte des cahutes les caisses et les ballots, il va se l'envoyer dans les dunes, sous les palmes des cocotiers, pour passer le temps. Un gaillard, le colporteur ; les pêcheurs l'estiment. En plus d'une occasion ne les a-t-il pas accompagnés dans les barques, indifférent aux vagues, jusqu'en haute mer, ses navires et ses requins ?

La petite laisse l'homme approcher tout près — c'est alors qu'elle s'élance plus haut dans le sable et du sommet chante à nouveau l'exigeant et tremblant appel des chèvres. D'amour elle ne connaît d'autre expression, d'autre mot, d'autre son. Ce jour-là encore, elle l'avait entendu de la chevrette dans son premier rut, quand le bouc Inácio, le père du troupeau, se dirigea vers elle, balançant sa barbe et ses bourses. Ensuite le colporteur apparut et la petite accepta l'offre d'une promenade en canot, vingt minutes de fleuve, cinq de mer agitée et la splendeur du Mangue Seco. Comment résister, dire merci, mais je n'y vais pas ? Mensonge : ce n'est pas la course sur le fleuve qui l'avait séduite, la traversée du bras de mer, pas même les dunes bien-aimées depuis l'enfance. La petite ne tente pas de se justifier.

12

Elle avait refusé des invitations antérieures, le colporteur l'avait à l'œil depuis longtemps. Cette fois elle a dit allons, sachant où elle allait.

Quand, pourtant, elle sent la main pesante lui saisir le bras, la peur l'envahit tout entière, de la tête aux pieds. Elle se contient néanmoins, ne cherche pas à fuir.

L'homme la renverse sur les feuilles des cocotiers, relève sa jupe, arrache sa culotte, une pauvre chose. A genoux sur elle, il enfonce son chapeau dans le sable pour qu'il ne vole ni ne se perde, ouvre sa braguette. La petite le laisse faire et veut qu'il le fasse. Pour elle l'heure avait sonné, comme pour les chevrettes l'heure redoutée et désirée, l'heure implacable du bouc Inácio, le sac traînant quasi par terre tant il est grand. Son heure était venue, le sang ne coulait-il pas entre ses cuisses tous les mois ?

Dans les dunes du Mangue Seco, Tieta[1]*, gardienne de chèvres, connut le goût de l'homme, mélange de mer et de sueur, de sable et de vent. Quand le colporteur la prit, comme la chevrette des heures avant, elle cria. De douleur et de contentement.*

---

1. Se prononce « Tiéta ».

Premier épisode

Mort et résurrection de Tieta
ou la fille prodigue

Comprenant une introduction et les sentiments de l'auteur, d'inoubliables dialogues, de fins détails psychologiques, des touches de paysages, des secrets, des énigmes, outre la présentation de quelques personnages qui joueront un rôle de premier plan dans les événements passés et futurs racontés dans ce passionnant feuilleton — A chaque page le doute, le mystère, la vile trahison, le sublime dévouement, la haine et l'amour.

EXORDE OU INTRODUCTION OÙ L'AUTEUR, UN FINAUD, TENTE DE SE DÉGAGER DE TOUTE RESPONSABILITÉ, ET FINIT PAR LANCER UN IMPRUDENT DÉFI À LA SAGACITÉ DU LECTEUR AVEC UNE SIBYLLINE QUESTION.

D'abord, que j'avertisse : je n'assume aucune responsabilité quant à l'exactitude des faits, je n'en mets pas ma main au feu, il faudrait être fou. Non seulement parce que se sont écoulés plus de dix ans, mais surtout parce que, la vérité, chacun a la sienne, et qu'aussi, dans le cas présent, je ne vois pas de compromis, d'accord possible entre les partis.

Intrigue incohérente, épisode confus, plein de contradictions et d'invraisemblances, il parvint à franchir la distance qui sépare la somnolente petite ville frontalière et la capitale — les deux cent soixante-dix kilomètres de trous dans l'asphalte de deuxième catégorie, et les quarante-huit de boue de première ou de poussière de toute première, une poudre rouge qui s'incruste dans la peau et résiste aux fines savonnettes — pour aller remplir les colonnes de la presse de la métropole.

Nouvelle d'abord mi-facétieuse mi-tapageuse, puis bientôt patriotique et discrète — car très bien payée —, se perdant rapidement dans des publicités, quelques-unes sur une page entière.

Certain hebdomadaire de traditions douteuses — l'épithète est impropre : pourquoi douteuses ? — partit en guerre dans un éditorial de première page, et une rouge manchette agressive, menaça d'envoyer reporter et photographe dans ces confins pour éclaircir la gravissime accusation, le monstrueux complot, le danger fulminant, etc. Arrogance et indignation durèrent juste un numéro, sa bravache, le vaillant directeur se la mit quelque part et il oublia le thème brûlant. Encore jeune mais déjà vétéran dans les joutes de la presse, revendiquant en

17

sourdine une idéologie radicale et des principes explosifs, mais visant des fins bénéfiques, Leonel Vieira noya protestations et menaces dans le whisky écossais, en l'aimable compagnie du Dr Mirko Stefano et de quelques filles appétissantes, toutes relations publiques d'une grande efficacité et d'une vêture réduite. Réduite, c'est le mot : deux des mieux modelées exhibaient de longues tuniques transparentes et rien dessous, ou presque rien — ces tuniques étant, de l'avis des connaisseurs, plus excitantes que les courts shorts ou les sommaires bikinis. Un thème aimable de débat entre le docteur et le journaliste, l'unique divergence qui les séparât, au bar, au bord de la piscine. Pour le reste, accord total. Quant à moi, si l'on me permet de dire mon mot, je préfère les longs écrans léchés par un rayon de lumière, révélant les volumes et les ombres, ah! mais qu'importe mon opinion?

La mienne, la vôtre, n'importe laquelle, devant les puissants arguments du Dr Stefano, arguments en devises, affirme-t-on, sans qu'on ait de certitude sur la monnaie d'origine, dollars ou marks occidentaux, les deux peut-être. Si irrésistible la dialectique du sympathique fondé de pouvoir, que le remuant chroniqueur mondain, Dorian Grey Junior, n'hésita pas à le proclamer Mirkus le Magnifique, dans une débauche d'admiration. Simple fondé de pouvoir de patrons inconnus, comme l'insinua l'hebdomadaire dans cet éditorial exclusif et audacieux — audacieux, exclusif et très bien capitalisé, c'était, de plus, une garantie à gauche car quel autre organe de la presse parlée ou écrite osa interpeller et menacer? Une position claire et décidée, une preuve à faire valoir en cas de besoin; nul ne sait de quoi demain sera fait, nous avons, récemment, l'exemple du Portugal, qui aurait pu prévoir? Enfin, ce n'est pas un simple chèque, si substantiel soit-il, des bouteilles de scotch et le ventre en fleur des faciles public-relations qui iraient ébranler les convictions et les solides principes de l'intrépide et souple journaliste; Leonel Vieira a de l'estomac, assez pour digérer chèque, alcools et beautés en gardant immuables principes et idéologie. Il empoche le chèque, descend le whisky, lorgne les mignonnes, met une sourdine au journal et en même temps proclame — tout bas — ses principes, radicalissimes. Un luron.

Quant aux grands patrons, eux ne se montrent pas dans les bars, ne trinquent pas avec les journalistes véreux et préfèrent les belles toutes nues, dans le calme et le confort, loin de toute exhibition publique. Ah, que ne donnerais-je pour avoir l'honneur, la gloire suprême, que l'un d'eux apparaisse dans les pages maladroites de ce récit ! Ce serait le comble pour le modeste écrivain que je suis, de compter avec de pareils personnages. Réaliste, les pieds sur terre, je n'attends pas ce miracle ; où sont les forces capables de traîner un riche étranger dans ce cul-du-monde, à travers la poussière et la boue ? Au cas où tout marche bien, le projet approuvé, installé le complexe industriel quand le progrès arrivera avec un asphalte solide, des routes à sens unique, des motels, des piscines, des filles aux tuniques transparentes, une police de sûreté, là oui, peut-être aurons-nous le privilège d'apercevoir, de nos yeux que la terre mangera, un de ces grands du monde, nageant dans l'or.

Quoi qu'il en soit, je vais de l'avant, même sachant que quelques détails seront difficilement crédibles pour les personnes sensées, les assener exige « un marteau russe et un clou forgé », pour reprendre l'expression de la vieille Milu, qui la répète chaque fois que le barde Barbozinha finit d'évoquer l'au-delà et le passé, ou, intrépide, pénètre le futur, d'une voix éloquente et voilée — voilée par une embolie qui l'avait surpris des années auparavant et, pour un peu, le désincarnait. Sans aller si loin, ce fut suffisant, pourtant, pour le faire se retirer du corps des fonctionnaires de la préfecture de la capitale où il exerçait, avec une relative capacité et une certaine négligence, les fonctions de commis aux écritures, et le ramener aux rues rares et paisibles de Sant'Ana de l'Agreste, dont les limites culturelles s'en trouvèrent aussitôt élargies, car Barbozinha — Gregório Eustáquio de Matos Barbosa — est l'auteur de trois livres, publiés à Bahia, deux de poésie et un de maximes philosophiques.

Nous reviendrons là-dessus au cours de l'action. Je veux simplement ici tirer mon épingle du jeu, décliner toute responsabilité. Je relate les faits tels qu'ils m'ont été racontés, par les uns et par les autres. Si, de temps en temps, je mets mon grain de sel et fais le point, c'est que je ne suis pas insensible et ne me prétends pas indifférent aux « agitations sociales, tourbillons du siècle qui bouleversent le monde » (de Matos Barbosa, in *Maximes et Minimes de philosophie*, Dmeval Chaves Ed., Babia, 1950). Je ne suis que prudent, ce qui, à l'heure actuelle, n'est ni une vertu ni un mérite, mais bien une nécessité vitale.

Il est une chose dont je voudrais vraiment être certain au moment de mettre un point final à ce feuilleton, et je compte pour ça sur votre aide à tous. je vous lance un défi : dites-moi quels sont les héros de l'histoire, qui a lutté pour le bien de sa terre et du peuple ? Tout le monde parle au nom de la terre et du peuple, chacun plus ardent et gratuit défenseur. Il suffit que l'argent s'en mêle, dans la poche des malins, et le peuple et la terre peuvent aller au diable.

Dans cet embrouillamini, dont je commence à défaire les nœuds, qui mérite son nom sur une plaque de rue, d'avenue ou de place, des articles louangeurs, des hommages, des médailles, le titre de héros ? — dites-le-moi. Ceux qui bataillent pour le progrès à tout prix — qu'on paie le prix sans protester, quel qu'il soit — à l'exemple d'Ascânio Trindade ? Si on le payait de sa vie ce serait moins cher. Si ce n'est eux. qui d'autre ? Ce n'est pas à Barbozinha ou à Dona Carmosina, à Dário, commandant sans troupes à commander que l'on décernera ces honneurs, encore moins à Tieta, ou plutôt à *Madame*[1]. Les mots aussi valent de l'argent, héros est un terme noble, de haute considération.

Je remercierai qui m'éclairera quand, ensemble, nous arriverons à la fin, à la morale de l'histoire. Si morale il y a, ce dont je doute.

CHAPITRE PROTOCOLAIRE OÙ L'ON FAIT LA CONNAISSANCE DES TROIS SŒURS, LA PAUVRE, L'AISÉE ET LA RICHE, CETTE DERNIÈRE ABSENTE — A JAMAIS, QUI SAIT ? OÙ L'ON EST INFORMÉ DE LA LETTRE MENSUELLE ET DU CHÈQUE IDEM, ANXIEUSEMENT ATTENDUS, SURTOUT LE CHÈ-QUE, CELA VA DE SOI ; OÙ, EN RÉSUMÉ, L'ON POSE CETTE INQUIÉTANTE QUESTION : TIETA EST-ELLE MORTE OU VIVE ? FEND-ELLE LES MERS EN CROI-SÌRE TOURISTIQUE OU GÎT-ELLE DANS UN CIME-TIÈRE PAULISTE ?

Raide sur sa chaise, les mains croisées sur sa poitrine maigre, tout en noir des chaussures à son châle, en grand deuil

---

1. En français dans le texte.

depuis la mort de son mari, Perpétua baisse la voix, lance la sinistre hypothèse :

« Et s'il lui est arrivé quelque chose ? » Elle avance la tête vers sa sœur, chuchote : « Et si elle a passé ? » Même chuchotée la voix, sifflante et dure, est désagréable : « Et si elle est morte ? »

Élisa frémit, lâche le torchon, anéantie par le mauvais présage. Depuis deux jours et deux longues nuits elle tente d'arracher de son esprit ce maudit pressentiment qui la poursuit, lui vole le sommeil, lui laisse les nerfs à vif.

« Ah, Seigneur mon Dieu ! »

Perpétua décroise les mains, lisse sa jupe d'ottoman bien repassée, confirme d'un mouvement de tête ; elle n'a pas émis une question mais une affirmation. Facile à vérifier, d'ailleurs :

« Nous sommes le vingt-huit, pratiquement à la fin du mois. La lettre arrive toujours vers le cinq, jamais plus tard que le dix. Pour moi elle a passé. »

Même dans l'abandon du matin et de ses occupations domestiques, le visage d'Elisa est joli : brune au teint pâle, yeux mélancoliques, lèvres charnues. Sous la négligence de la robe vieille et froissée, des pantoufles usées, se dresse le corps svelte, les hanches fermes et les seins pleins. Un éclair de curiosité traverse ses yeux apeurés. Elisa cherche dans la figure de sa sœur un autre sentiment que celui de la préoccupation pour l'argent. Elle ne trouve pas : la proclamation de la mort de Tieta n'afflige pas Perpétua, elle tremble seulement pour le chèque. L'arrêt de l'envoi mensuel effraie également Elisa : elles perdraient l'aide indispensable et devraient aussi entretenir le père et la mère, où trouver l'argent nécessaire ? Une horreur, Dieu ne peut le permettre !

Une horreur sans doute, mais il y avait plus et pire. Au frisson de peur succède la tristesse, un serrement de cœur. Si elle est morte, alors tout est fini pour toujours, pas seulement le chèque, le mince espoir aussi ; il ne resterait que le vide. Cette sœur Antonieta — demi-sœur d'ailleurs, car Elisa était née des secondes noces, inattendues, du vieux Zé Esteves — dont elle ne conserve aucun souvenir, dont elle sait si peu, est la raison d'être d'Elisa.

Ces dernières années, surtout après son mariage, elle avait commencé à idéaliser la figure de l'absente, espèce de bon génie, d'héroïne de conte de fées, image fugitive, presque irréelle, qui se concrétisait dans l'aide mensuelle, les éventuels présents. Elle rassemblait des bouts de phrases, des récits d'anecdotes anciennes, des commentaires du père et de la mère, l'écriture grande et ronde des courtes lettres — économes en mots et en nouvelles, réduites aux mêmes questions sur la santé des vieux, des sœurs, des neveux, mais pas sèches ni froides, chargées, outre du chèque, de tendresses et de baisers —, le parfum qui émanait encore de l'enveloppe après tant de jours de voyage ; les paquets de vêtements usagés, peu usagés, presque neufs ; le titre de Commandeur du mari ; la photographie dans le magazine. Elisa s'était fabriqué peu à peu un portrait imaginaire de sa sœur, fée joyeuse, belle et bonne, qui habitait un monde riche et heureux. Cette image l'accompagne et la soutient quand elle rêve à une autre vie, par-delà la torpeur et la fatigue. Antonieta morte, que restera-t-il à Elisa ? Les magazines de photos-romans, c'est tout. Pas même, mon Dieu ! Où trouver les quelques sous, la monnaie des dépenses, pour les acheter ?

Tristesse pour tout ce qu'elle perdra, l'argent mensuel, les cadeaux, l'illusion, le rêve, mais tristesse aussi, simplement, de la mort de la sœur ; avait-elle aimé quelqu'un autant qu'elle aime cette demi-sœur qu'elle ne connaît pas ? Elle réagit, il lui faut au moins garder l'espoir : Perpétua imagine toujours le pire, bouche de mauvais augure :

« Si elle était morte, on le saurait déjà, quelqu'un aurait annoncé la nouvelle. Chez elle ils ont notre adresse, elle écrit chaque mois, non ? Ils auraient averti... », depuis deux jours, dans ses tâches ménagères, dans son lit sans sommeil, elle se répète ces arguments.

« Avertir ? Qui ? Il faudrait que son mari et les siens soient fous !

— Fous ? Je ne vois pas pourquoi. »

Perpétua étudie sa sœur en silence, se demande si elle doit ou non parler, elle se décide enfin, de toute façon elle saura :

« Parce que, elle morte, on a droit à une part de l'héritage. Nous trois : le Vieux, toi et moi. »

Elisa se remet à essuyer les assiettes, où Perpétua avait-elle été trouver cette idée d'héritage ? Des sottises !

« C'est son mari qui va hériter, le Commandeur. Pourquoi hériterions-nous ? Au père, elle laisse peut-être quelque chose, ç'a toujours été une bonne fille, trop bonne. Mais à nous, pourquoi ? Quand elle a quitté la maison, j'avais moins d'un an. Et toi, n'est-ce pas par ta faute qu'elle est partie ?

— Elle est partie parce qu'elle l'a voulu. Je n'y suis pour rien

— Ce n'est pas toi qui a jasé ? mouchardé au père ? Il a roué la pauvre de coups, elle s'est sauvée, pas vrai ? Mère m'a raconté comment ça s'est fait et Père l'a confirmé, il a dit que c'était toi la coupable.

— Ils disent ça maintenant pour l'encenser. Depuis qu'elle a commencé à envoyer de l'argent, c'est devenu une sainte. Pourquoi ta mère n'a-t-elle pas pris son parti sur le moment ? Qui l'a corrigée, l'a mise à la porte ? Moi ou le Vieux ? »

Elisa étend sur la table la nappe tachée d'huile, de haricot noir, de café — Astério a la main malheureuse, il ne peut se servir sans renverser la sauce ou le jus, l'infortuné. Elle hausse les épaules, ne répond pas, que le père et la sœur décident entre eux à qui revient la faute ; à elle, Elisa, certainement pas, elle n'avait pas un an quand dénonciation, expulsion et fugue s'étaient produites.

Perpétua ferme à demi ses yeux vairons, pourquoi Elisa s'entête-t-elle à rappeler le passé ? Antonieta elle-même n'avait-elle pas oublié, depuis longtemps, injures et injustices ? N'envoie-t-elle pas de l'argent, des cadeaux ? N'aide-t-elle pas aux dépenses ? De plus, d'un mal peut venir un bien, non ? Si elle n'avait pas été mise à la rue, au lieu de partir vers le Sud et de triompher à São Paulo, bien mariée, pleine d'argent, heureuse de la vie, elle serait restée ici, dans ce trou, à végéter dans la pauvreté, sans le droit de se marier, car l'histoire avec le commis voyageur avait tout de suite été de notoriété publique. Sans droit à rien, simple servante du père et de la marâtre.

« Si elle ne se rappelle plus, pourquoi le rappeler, toi ?

— Je ne pensais pas à mal. Simplement pour montrer qu'elle n'a pas de raison de vouloir nous laisser d'héritage.

— Ça ne dépend pas d'elle... » Perpétua ouvre en plein les yeux, arrange sa jupe, ôte un imperceptible grain de poussière de sa blouse : « A sa mort, la moitié de sa fortune revient au mari et, comme elle n'a pas d'enfants, l'autre moitié est partagée entre sa famille, sa proche famille, le Vieux et nous, le père et les sœurs.

— Comment le sais-tu ?

— Le Dr Almiro me l'a dit...

— L'avoué ? Tu as été lui en parler ?

— Parler vraiment, non. Il causait avec le Padre Mariano, moi et d'autres dames patronnesses, nous écoutions. Ils

23

parlaient de l'héritage de *seu* Lito, qui a laissé tout son argent au curé afin qu'il dise des messes à l'église de la Senhora Sant'Ana pour le salut de son âme. Il y a plus de six mois qu'il est mort, et le curé n'a pas vu la couleur de l'argent. Il est déposé en justice, à Esplanada, parce que la famille a fait un procès, avec avocat et tout. Le Dr Almiro dit que, de par la loi, la moitié est pour eux. Alors j'ai questionné, l'air de rien...

— Tu veux dire que lorsqu'une personne meurt, la moitié de ce qu'elle a est pour la famille ?

— Exactement... » Perpétua cherche dans la poche de sa jupe un mouchoir pour essuyer la sueur fine sur son front, avec le mouchoir apparaît un chapelet de perles noires.

« C'est-à-dire que, si tu meurs, la moitié de ce qui est à toi va à Père et à moi...

— Tu n'écoutes pas ce qu'on te dit. Uniquement quand le défunt n'a pas d'enfants ; c'est son cas, pas le mien. Ce que je laisserai à ma mort sera partagé entre Ricardo et Peto, mes fils, mes uniques héritiers. Ç'a s'est passé comme ça quand le Major est mort », elle fait le signe de croix, lève les yeux en murmurant Dieu le garde dans sa sainte paix : « l'héritage a été divisé, la moitié pour moi, la moitié pour les enfants. Le Dr Almiro...

— Tu lui as demandé ça aussi ?

— Ça vaut toujours la peine de savoir.

— Tu penses qu'elle est morte et que le mari ne dit rien pour tout garder ?

— Pourquoi pas ? elle ne nous a jamais donné son adresse. Elle nous fait écrire poste restante, tu as déjà vu ça ? Ordre du mari, pour qu'on ne sache rien. Tu connais son nom ? Moi pas. Le Commandeur par-ci, le Commandeur par-là, et terminé, pas de nom. Pourquoi ? Tu ne réfléchis pas à ces choses, mais j'y ai beaucoup pensé et j'ai tiré mes conclusions. »

Elisa aussi avait remarqué ces détails étranges. Pour elle, pourtant, l'absence d'adresse, de nom, de toute information sur sa vie et sur sa famille, tout ça avait un autre sens : Antonieta avait pardonné les injures, ne gardait pas rancune, mais elle n'avait pas oublié le passé, elle ne voulait pas s'encombrer de sa famille, de petites gens de l'intérieur, elle ne désirait pas les mêler à son monde merveilleux. Elle aidait son père et ses sœurs comme il convient à une fille parvenue à une bonne position. Son devoir accompli, la conscience en paix, point final : réserve et distance. S'ils voulaient son avis, elle faisait très bien ! C'était ça, et rien de plus, tout le reste n'était qu'invention de Perpétua, toujours prête à imaginer méfaits et malheurs. Si Antonieta désirait laisser quelque chose au père et à ses sœurs après sa mort, elle prendrait les mesures nécessaires, tout serait prêt et réglé.

« Je n'y crois pas, non. Si elle était morte, on l'aurait su. »

Elle achève de mettre la table, s'immobilise, le regard perdu :

« Elle voyage, elle profite de la vie. Chaque fois qu'elle part, la lettre est en retard. En retard mais elle arrive. Tu te rappelles quand elle est allée à Buenos Aires et a envoyé cette si jolie carte ? C'est ça, sa vie : des voyages, des promenades, des fêtes. Tieta est bien bonne de penser à nous au milieu de tant de distractions. Si c'était moi, jamais plus, jamais plus je ne donnerais de nouvelles. »

Elle se tourne vers Perpétua qui, maintenant, égrène son chapelet :

« Je vais te dire une chose, crois-moi si tu veux. Même si je devais hériter de tout l'argent sans avoir à partager avec personne, je ne souhaiterais pas sa mort.

— Et qui la souhaite ? » Perpétua interrompt sa prière, la perle noire entre les doigts : « Mais, s'il n'arrive plus de lettre, c'est signe alors qu'Antonieta est morte. Là je vais remuer ciel et terre jusqu'à ce que je découvre son mari et prenne ma part.

— Tu deviens folle à force de penser des sottises. Elle se promène, s'amuse. Pourquoi mal augurer d'une créature si droite ? La lettre sera là demain.

— Plût au ciel ! J'ai été chez le Vieux, il est dans tous ses états. Tu sais ce qu'il m'a demandé ? Si Astério n'avait pas mis la main sur l'argent pour payer une dette, comme il l'a fait la fois où il a utilisé le chèque pour se libérer d'une traite. Le Vieux pense qu'on passe sa vie à le voler », elle reprend le chapelet, les lèvres sans fard remuent en silence.

Avec Perpétua c'est comme ça, du tac au tac : Elisa avait fait allusion aux racontars, cause du départ d'Antonieta ; au détour de la conversation, elle lui rend la monnaie de sa pièce, elle exhume la fâcheuse histoire de la créance, vieille de cinq ans. La voix lasse, Elisa rétorque sans véhémence :

« Tu sais que, s'il ne payait pas, le magasin allait à la faillite. Tu le sais, Père le sait... »

Son ton ne change pas, monotone :

« Mais qu'on passe sa vie à voler, ah ! ça oui, tu as beau être là le chapelet à la main, à mâcher des Notre Père avec ton air de sainte.

— Je n'ai jamais pris un sou au Vieux...

— Il ne se laisserait pas faire. C'est elle que l'on vole Pour quoi envoie-t-elle le chèque chaque mois ?

— Pour les dépenses du Vieux.

— Et pour quoi encore ?

— Pour aider à élever ses neveux.

— Exactement. Pour élever nos enfants. Le mien n'a pas atteint deux ans, et jamais plus je n'ai pu en faire d'autres Jamais plus. Dieu n'a pas voulu. »

Ses yeux vont de la salle à manger à la chambre, par la porte ouverte elle voit le lit matrimonial encore défait. Dieu n'a pas voulu ? Même pour ça Astério n'est bon à rien .. La voix neutre, elle poursuit :

« Et toi ? Tu as fait savoir à Tieta que Peto est à l'école publique, qu'il ne paie pas un centime ? Que le Padre Mariano s'est arrangé avec l'évêque pour qu'on prenne gratuitement Cardo au séminaire ? Je sais ce que tu lui as fait savoir : le prix de l'école de dona Carlota, la mensualité du séminaire. Ça oui, tu le lui as fait savoir, pour le reste, bouche cousue. Pourquoi vas-tu chercher cette histoire de créance d'Astério, alors que chacun de nous a ses faiblesses ?

— C'est le Vieux qui l'a dit, je n'ai fait que le répéter

— Un jour, je prends mon courage, je lui écris la vérité . que je n'ai plus d'enfant, celui que j'avais, la maladie me l'a pris, mais qu'on a tant besoin de l'argent qu'elle envoie, mais tant, que la force m'a manqué pour lui apprendre la mort de Toninho. Elle était capable d'avoir pitié et d'envoyer même plus. Sauf que je n'ai pas eu le courage de risquer. . Pourquoi est-on ainsi, Perpétua ? Pourquoi ne vaut-on rien ? C'est pour ça qu'elle ne veut pas s'encombrer, qu'elle n'envoie pas d'adresse, qu'elle aide de loin. »

Sa voix se fait âpre, dure, presque désagréable, comme celle de Perpétua :

« Et elle fait très bien, car si j'avais l'adresse... » Ses yeux fixent le vide : « Ah ! Si je savais l'adresse, je serais déjà là-bas ! »

Perpétua arrive à la fin du chapelet, elle baise la petite croix ·

« Il y a des moments où tu n'as pas l'air d'une femme faite et mariée, tu dis n'importe quoi. Tu devrais aller aider à l'église, au lieu de rester chez toi à lire des magazines et à écouter la radio, à gaspiller ton temps avec ces saletés. »

Elisa laisse choir ses bras, la voix à nouveau neutre :

« Demain, dès que la marineti arrive, je passe à la poste ; viens demain, tu verras.

— Dieu t'entende ! Sous prétexte de maladie, Lula-le-Maçon ne paie plus son loyer depuis trois mois. Maintenant il a rendu la clef, il est allé vivre chez son fils, il a laissé la maison immonde, une porcherie. Pour louer, je vais devoir passer au moins une main de chaux.

— Tu n'as pas à te plaindre. Tu as une maison à toi et encore deux autres à louer, sans compter la pension du défunt. Moi, s'il n'y avait pas l'argent qu'elle envoie pour mon petit ange, je ne pourrais même pas aller à une séance de cinéma.

— Demain, fais-moi savoir s'il y a quelque chose ou pas. S'il n'y a rien, je prendrai des mesures.

— Pourquoi ne restes-tu pas déjeuner ? Quand il y en a pour deux, il y en a pour trois.

— Moi ? Manger de la viande un vendredi ? Tu sais bien que c'est un péché. C'est pour ça que vous n'arrivez à rien. Vous ne respectez pas la loi de Dieu. »

Elle se lève de sa chaise, range le chapelet dans la poche de sa jupe. Tout en noir, la blouse à manches longues, sans décolleté, fermée jusqu'au cou, le chignon haut couvert par la mantille, le visage sévère, veuve vertueuse et dévote. Elle se signe en entendant la cloche de la cathédrale qui sonne midi, se dirige vers la porte. Dans la rue déserte résonnent les pas d'Astério. La chaleur monte du sol, descend du ciel. Elisa soupire, se dirige vers la cuisine

D'ELISA BELLE A MOURIR DEVANT SON MIROIR, ET DE SON MARI, ASTÉRIO, BON TIREUR — CHAPITRE OÙ IL NE SE PASSE RIEN

Quand, le lendemain, la marineti corna au dernier tournant avant l'entrée de la ville, Elisa, assise à la vieille table — de valeur, qui sait ? — lui servant de coiffeuse, avait terminé de

27

se mettre du rouge à lèvres et souriait à l'image renvoyée par le miroir bon marché suspendu au mur. Elle se trouva jolie. Sa noire chevelure touffue, maintenant soignée, tombe sur ses épaules, encadre sa face pâle, la langueur des yeux, la bouche aux lèvres gourmandes, accentuée par le rouge. « Belle à mourir », comme dit, pour parler des étoiles de la radio, TV et cinéma, l'admirable Mozart Cooper — prononcer Couperr —, « voix de velours sur les ondes hertziennes, qui berce les cœurs solitaires ». Cœur solitaire, belle à mourir.

Pendant quelques minutes, elle a oublié tout ce qui l'afflige et essayé des poses et des mimiques, imitations des scènes des romans-photos, une moue sur les lèvres, regard passionné, sourire tentateur, langueur amoureuse, la bouche qui s'ouvre pour le baiser, le bout de la langue qui apparaît entre les lèvres, vermeille et humide. Embrasser qui ? D'un geste las, elle hausse les épaules, ses yeux s'assombrissent. Elle repense à la lettre, cherche à se rassurer : elle arrive dans la malle du courrier, apportée par la marineti, aujourd'hui sans faute. Et si elle n'arrive pas ?

La veille, au déjeuner, Astério, glouton et pressé, la bouche pleine, mâchant mots et haricots noirs, avait repris ses questions et ses plaintes :

« Pourquoi tant de retard ? Et en novembre, un mois où l'on ne vend guère, quasiment rien. Que diable peut-il être arrivé ? »

Elisa avait serré les lèvres, si elle avait émis le doute qui lui brûle la poitrine, son mari se serait affolé. Faible de nature, incapable d'effort et de lutte, le jour entier adossé à la banque du magasin dans l'attente de la maigre clientèle, il ne s'anime que lorsque apparaît un de ses partenaires de billard — Seixas, Osnar, Aminthas ou Fidélio —, pour commenter paris et coups ; si Ascânio Trindade s'entraînait, Astério aurait un adversaire en perspective. Osnar, inoccupé, est assidu au magasin, la cigarette de maïs collée aux lèvres, infaillible le samedi, quand le mouvement s'accroît à cause de la foire. Après avoir vendu la semoule, la viande sèche, le haricot noir, les fruits, le produit de leurs plantations et les terres cuites des fours rudimentaires — cruches et jarres, bœufs et chevaux, brigands et soldats, le padre-curé et les mariés main dans la main, marmites et écuelles —, les cultivateurs et les métayers envahissent la boutique pour acheter étoffes, souliers, pantalons et chemises, des bricoles, de temps à autre un transistor. Juché sur une vieille chaise, Osnar observe du coin de l'œil les jeunes *caboclos,* engage la conversation quand ça lui paraît valoir la peine. Le samedi, Sabino le galopin gagne cinq cruzeiros pour aider, il sert la majorité des clients — cinq cruzeiros et ce qu'il gagne en rendant la monnaie.

Si Elisa racontait sa conversation, Astério serait capable d'avoir une de ces crises qui reviennent à chaque problème d'argent, à chaque difficulté avec les fournisseurs ; sueurs froides, tremblement dans les jambes, nausées, vomissements. Il se met au lit, claquant des dents, abandonne la boutique à Sabino. Seul Osnar parvient à le faire lever, en le traînant vers le billard, au bar des Açores, de *seu* Manuel Portugais.

Au billard il se transforme, devient un autre homme. Il rit et plaisante, fait le dur, parie sans crainte, fait défier Ascânio, certain de sa victoire. Bon tireur, au billard, seulement au billard, se surprend à grommeler Elisa. Coupables ricanements, mauvaises pensées, surgissaient ainsi brusquement, la poursuivaient, les maudites, *cruz credo.*

La face pensive dans le miroir. Belle à mourir, perdue là, à vieillir dans ces rues immobiles, dans l'attente de la lettre et du chèque. S'il n'y avait le transistor et les magazines, qu'adviendrait-il d'Elisa ?

Si elle révélait à Astério le sujet débattu avec Perpétua, la probabilité — pour sa sœur, la certitude — de la mort de Tieta, il vomirait les haricots, le riz, la viande, les morceaux de mangue, tout de go, sur la table du déjeuner. Hormis le billard, une chiffe molle, sans énergie, sans ambition, sans conversation, sans gaieté. Ses rares histoires, ses très rares sourires provenaient encore du bar, de piquantes anecdotes de ses partenaires, de Seixas et Aminthas, rarement Fidélio, réservé par nature et par prudence, presque toujours Osnar, opulent, obscène et coureur. Les histoires d'Osnar, dont l'aventure fameuse avec la Polonaise, sont à mourir de rire, en général elles mettent en cause la taille exceptionnelle de ses organes sexuels. Une bigue de mulet, affirme Astério, écartant les mains pour suggérer la dimension stupéfiante : de là jusque-là.

Le poussif moteur d'électricité cesse de fonctionner à neuf heures du soir, indiquant l'heure du coucher que confirment les cloches de la cathédrale. Astério termine sa partie, pose la queue du billard, empoche ou paie les paris, prend le chemin de chez lui. De temps à autre, si Elisa n'est pas encore endormie, en se déshabillant il répète la même phrase. le prologue habituel : « Il en est arrivé une bien bonne ! »

Osnar ou Aminthas, quel que soit, des quatre, le héros, ou que ce soit un autre personnage de la ville, le thème est presque toujours scabreux, une affaire de femmes et de lit — lit ou fourrés, au bord du fleuve. Elisa écoute en silence, tendue, se risquant parfois à demander des détails, si nécessaires pourtant à l'échafaudage du monde imaginaire dans lequel elle s'est enfermée pour subsister, où chaque élément compte ; la splendeur d'Antonieta, la carte de Buenos Aires, les exploits d'Aminthas, l'anatomie d'Osnar. Pendant la journée, la radio ouverte en permanence, Elisa repasse et reprise, fait la vaisselle, la cuisine, lit et relit des magazines, rend visite à dona Carmosina à la poste, supporte, après le dîner, les jacasseries de la voisine, dona Lupicinia, dont le mari s'est expatrié, depuis plus d'un lustre, quelque part dans le sud de Bahia et n'annonce pas son retour ; aussi bien il ne revient pas.

Belle à mourir, vraiment à mourir, et à quoi d'autre, quoi ? Devant le miroir la bouche s'ouvre, avide, au baiser. Quel baiser ? Elisa se lève, ah ! que n'a-t-elle une glace où se voir tout entière ! Belle à mourir, et à la pointe de la mode.

Finalement, se demande-t-elle en haussant à nouveau les épaules, pourquoi tout ce temps passé à se farder, à coiffer sa noire chevelure, à se faire aussi élégante dans la robe retouchée, cadeau de Tieta comme toutes celles qu'elle possède, toutes de la meilleure étoffe et de la coupe la plus nouvelle — portées, mais peu, presque neuves. Pourquoi tant de soins, d'attentions à son maquillage, à ce que le décolleté montre les épaules, la naissance des seins ?

Pour traverser les rues désertes, aux rares passants, sentir peser sur elle le regard de l'Arabe Chalita, moustache de sultan, barbe pas faite, un éternel cure-dent à la bouche, patron du cinéma Tupy et du débit de sorbets, vieux et négligé ; ou deviner sans le voir le coup d'œil canaille de Sabino le galopin, fixé sur les déhanchements de l'inaccessible femme du patron ; entendre le sifflement du pestilent Pue-le-Bouc, ivrogne et mendiant ? Si pauvre et misérable, il peut se permettre toutes les audaces sans crainte de représailles. Ces trois malheureux et c'est fini. A part ça, un « bonjour, dona », un chapeau qui se soulève pour une muette salutation, la bénédiction du vicaire et l'envie effrénée des femmes : « On dirait qu'elle va au bal, la chérie. »

Discrète et convenable, épouse honnête et vertueuse, au

passage elle recueille dans son décolleté le regard cupide du Levantin : en la voyant il se rappelle certainement des joies d'antan et des corps de femmes ; la convoitise du gamin accentue les ondulations de sa croupe, ainsi, ce soir, Sabino rêvera d'elle. Elle ne méprise pas même le sifflement fétide du mendigot. Quant à l'envie des femmes, elle a également son charme. Modeste, Elisa répond : « Une robe que m'a envoyée ma sœur Tieta, le goût et l'élégance sont d'elle. Devrais-je la jeter ? » On loue alors en chœur l'absente Antonieta, sœur généreuse, fille exemplaire, l'infaillible aide mensuelle, les présents royaux — royaux, oui ma chère, une seule de ces robes vaut un argent fou !

Elisa laisse à la petite Araci la garde de la maison, ferme la porte de la rue, se dirige vers la poste. Elle traverse le marché, passe près de l'Arabe, du gamin, du fou, des commères sur le parvis de l'église. Le visage grave, comme il convient à une femme mariée, bien mariée. Le cœur serré par la certitude que la lettre n'est pas arrivée.

BRÈVE EXPLICATION À L'USAGE DE CEUX QUI CHERCHENT DES PUCES SUR UN ÉLÉPHANT.

A peine ai-je commencé ce récit que déjà je reçois des critiques. Un ami intime, camarade de travail et de belles lettres, que comme moi il cultive mais dans un amer anonymat, Fúlvio d'Alambert (José Simplício da Silva, dans le civil), a la primeur de mes manuscrits qu'en général il me rend avec des éloges doux à entendre, et quelques corrections d'orthographe ou de grammaire — virgules et points, temps des verbes. Cette fois pourtant, il est allé plus loin et je réplique aussitôt, tandis qu'Elisa marche en direction de la poste.

Fúlvio trouve absurde l'emploi du mot marineti, un mot vieilli pour désigner un véhicule automobile qui transporte des passagers. Omnibus, autobus, pullman seraient des termes modernes, corrects, adaptés à l'époque de progrès dans laquelle nous avons le privilège de vivre. Il m'accuse d'être sous-développé et argumente. Quand nous frayons de nouvelles voies comparables aux meilleures de l'étranger ; quand sont implantées des industries à la pelle, quand, répondant aux appels du progrès, s'éveille un nouveau Nordeste, délivré des sécheresses, des épidémies, de cette faim centenaire et — ne l'oublions pas — de l'analphabétisme rapidement enrayé ; quand la presse, la radio, la TV uniformisent mœurs, morale, modes et langage, balayant comme une lie les coutumes régionales, les expressions, les divertissements, quand les gratte-ciel monumentaux unifient le paysage citadin, se dressant sur les décombres de l'histoire et des quartiers d'une prétendue valeur artistique ; quand notre musique populaire se fonde enfin sur des mélodies et des thèmes universels, surtout yankees, et abandonne les rythmes d'un méprisable folklore national ; quand le mysticisme hindou (et annexes) illumine l'âme des jeunes dans la fumée de la drogue d'Alagoas ; quand des idéologues avancés s'efforcent de liquider les principes du métissage et d'implanter le racisme parmi nous, le Blanc, le Noir et le Jaune, pour que nous ne soyons pas en reste sur les nations réellement civilisées et que la violence marque notre face, la lavant de l'antique cordialité brésilienne, signe de retard ; quand l'art conscient de son rôle nie la terre et l'homme et se fait concret, abstrait, objet, identique en tout à l'européen, au nord-américain, au japonais ; quand nous créons un langage nouveau pour les écrivains, ésotérique mais extrêmement révolutionnaire dans son fond et sa forme, d'autant plus actuel que plus inintelligible ; quand, appuyés sur la censure et sur la trique, nous créons la démocratie, la vraie, pas l'ancienne qui menait le pays à l'abîme ; quand nous entrons miraculeusement dans l'ère de la prospérité au rythme des nations riches, productrices de pétrole, de blé, de bombes atomiques et de satellites, de whisky et de bandes dessinées, summum de la littérature ; quand nous sommes en passe d'occuper notre place parmi les grandes puissances et que, dans des usines installées ici, nous produisons des véhicules nationaux — Mercedes Benz, Ford, Alfa-Romeo, Volkswagen, Dodge, Chevrolet, Toyota, etc. — comment un écrivain ose-t-il appeler marineti le bus qui conduit les passagers de Sant'Ana de l'Agreste à Esplanada et vice versa ? Un arriéré, l'auteur, perdu dans le temps, aux calendes grecques.

Que d'Alambert me pardonne, que me pardonnent aussi les émérites critiques universitaires, avec thèse et doctorat, mais, dans le cas présent, il s'agit bien de marineti. La dernière peut-être — qui tient compagnie aux sécheresses, aux épidémies, à la faim obstinée qui, à travers le sertão, résistent, subversives, à la patriotique offensive des articles et des discours.

La dernière, sans doute, qui circule sur une route brésilienne, mais qui roule impavide. Ne dépassant jamais la vitesse de trente kilomètres à l'heure — moyenne obtenue dans les six kilomètres bien entretenus qui traversent la *fazenda* du colonel Vasconcelos, à la sortie d'Esplanada. Dans les quarante-deux autres, elle se traîne par monts et par vaux, car la route est à peine carrossable, les véhicules modernes ne s'y aventurent pas, ils n'en ont ni l'audace ni la compétence. Seule une longue habitude permet ce prodige quotidien — du lundi au samedi, avec repos le dimanche —, que réalise la marineti de Jairo, familière des fondrières, des bourbiers, des passerelles pourries, des côtes et des tournants impossibles. La marineti de Jairo date de la Seconde Grande Guerre mondiale, ç'a été une voiture moderne, d'une suspension moelleuse, bancs confortables, et même elle avait des vitres aux fenêtres. En ce temps, si incroyable que cela paraisse, elle faisait l'aller et retour Agreste-Esplanada en un seul jour, partant tôt le matin, rentrant sur le soir

Si longtemps après, il faut la voir, une pièce de musée, tout chez elle est remplacé ou trafiqué. Dans le moteur et la carcasse coexistent des pièces de marques et de provenances les plus étranges, y compris une radio russe. Ingénieuses adaptations, trouvailles mécaniques, fils de fer, bouts de ficelle. De vieux journaux servent à boucher les fenêtres quand la poussière devient insupportable. Les clients assidus, expérimentés, emportent des coussins pour les bancs et de solides sandwiches, des bouteilles de soda.

Vieille et fatiguée, imbattable, dernière et éternelle, elle part les lundi, mercredi et vendredi d'Agreste pour Esplanada, les mardi, jeudi et samedi elle rentre d'Esplanada. Soufflant, toussant, hoquetant, s'arrêtant, s'arrêtant beaucoup, menaçant d'une panne définitive, jamais définitive, poursuivant, eu égard à la capacité de Jairo, ses supplications, jurons et flatteries — Jairo traite le véhicule démantelé avec des tendresses d'amant, la marineti est son gagne-pain, son unique bien et le seul lien entre Sant'Ana de l'Agreste et le monde.

Si tout marche à la perfection, le voyage dure trois heures, avec le record de seize kilomètres à l'heure. L'hiver, avec les pluies. l'expédition se prolonge, l'horaire est imprévisible. Exact au départ. Jairo n'admet pas de retard ; l'arrivée, quand Dieu le veut. Il s'est trouvé que la marineti de Jairo couche sur la route, embourbée, dans l'attente d'un attelage de bœufs. Pour ces occasions, Jairo compte sur un substantiel répertoire d'anecdotes, et la collaboration de la radio russe. Enrouée, grincheuse, indolente, l'humeur instable, avec des cris stridents et des parasites, l'insolite appareil aide à tuer le temps par des bribes de musique et de nouvelles. Mais, passer la nuit en chemin n'arrive que de cent en quatre, une rareté. Habituellement, l'hiver, le trajet dure de cinq à six heures.

Un bon voyage, confortable et rapide, de l'avis du moins du colonel Artur da Tapitanga, octogénaire planteur de manioc et éleveur de chèvres, chef politique, il y a plus de trente ans qu'il ne met plus le pied hors de ses terres et des rues d'Agreste. Après quasi sept heures de route — la marineti était tombée trois fois en panne —, en descendant, le *fazendeiro* déclara :

« Une machine rapide, cette marineti de Jairo. Un fameux voyage !

— Rapide, colonel ?

— De mon temps, il fallait deux jours de cheval, et encore... »

Sécheresse, variole, fièvres, lèpre et faim, enfants qui meurent à tour de bras, je sais que ça dure encore à travers le sertão. Mais de marineti, je pense qu'il n'en existe pas d'autre que celle de Jairo. Il l'appelle comtesse, ma belle, étoile du jour, Mae West, perle d'Agreste, mon amour. Quand il se fâche il perd la tête et la traite de putain.

OÙ L'ON FAIT CONNAISSANCE DE DONA CARMO-SINA, CITOYENNE IMPORTANTE ET EMPLOYÉE DES POSTES, OÙ L'ON A DES NOUVELLES DES ENFANTS DE SEU EDMUNDO RIBEIRO, RECEVEUR, QUI COMPENSENT L'ABSENCE DE LETTRE ET DE CHÈQUE DE TIETA, DONT L'ÉTAT DE SANTÉ INQUIÈTE DE PLUS EN PLUS.

De loin, avant d'avoir franchi le seuil de la poste, Elisa lit dans l'attitude de dona Carmosina la confirmation de ce qu'elle savait avec certitude : la lettre n'était pas arrivée. Les bras ballants, ses yeux perçants mi-clos, l'air grave, l'active fonctionnaire vit, elle aussi, le drame de l'inexplicable retard. La face d'Elisa devient plus pâle, les pieds de plomb, la voix inaudible, presque un gémissement :

« Rien ? »

Cinquantenaire, rousse, corpulente, figure carrée, voix rauque, dona Carmosina indique la correspondance du jour, mince, éparpillée sur le bureau :

« Rien ! Aujourd'hui il n'est arrivé aucune lettre recommandée. Pour être bien sûre, j'ai vérifié deux fois les malles, lettre par lettre. Tout est là, peu de chose. Je n'ai encore rien distribué, tu es la première à apparaître. Il y a des journaux et des revues, ça oui, nous sommes samedi aujourd'hui. »

Elle remarque la pâleur de son amie : « Tu veux un peu d'eau ?

— Non, merci, les mots sortent étranglés.

— Quel retard, hein ? Dans toutes ces années, ça n'a jamais été si long...

— Plus de dix ans..., gémit Elisa.

— Onze ans et sept mois », corrigea dona Carmosina, scrupuleuse pour les détails : « Je me rappelle encore la première lettre, comme si j'y étais. Quand j'ai ouvert le sac, j'ai tout de suite senti l'odeur, à cette époque elle usait d'un parfum plus fort que maintenant, il a empli la salle. Que peut être cette lettre ? me suis-je demandé à moi-même, et j'ai lu en vitesse l'adresse et le nom de l'expéditeur. Elle était adressée à ton père ou à un quelconque membre de la famille Esteves, et celle qui l'envoyait était Antonieta Esteves, Boîte postale 6211, São Paulo, capitale. Je vais te chercher de l'eau, avec cette chaleur et pas de lettre, pauvrette... »

Tandis que, dans son dos, dona Carmosina prend la cruche et remplit le verre, Elisa se penche sur la correspondance, non pas qu'elle garde espoir, mais par acquit de conscience.

« J'ai mis deux gouttes d'eau de fleur d'oranger. C'est bon pour les nerfs. »

Elisa boit à petites gorgées, dona Carmosina reprend son récit :

« L'enveloppe rose, je crois la voir. Par feu *seu* Lima j'ai fait avertir ton mari au magasin, vous étiez tout jeunes mariés. Il est venu avec Osnar, je la lui ai remise, il l'a lue ici même.

35

Une belle lettre, demandant des nouvelles du père, des sœurs, comment étaient la vie et la santé, si vous aviez besoin d'aide. J'ai même collaboré à la réponse, tu te rappelles ?

— Je me rappelle... Le Major était vivant, c'est lui qui a écrit...

— Il était bête comme une borne, mais il avait une belle écriture. Il a écrit, j'ai rédigé. Depuis elle n'a jamais fait défaut. Chaque mois, la lettre avec le chèque, avec le bel argent... »

Prise par son sujet, dona Carmosina ne sent même pas la moiteur qui entre par les deux portes, asphyxiante. Pensive, regardant Elisa :

« Elle n'a jamais tardé de la sorte... bizarre. »

Elisa sent, dans la voix de l'amie, un inquiétant signe d'alarme. Elle tente de la calmer et de se calmer :

« Une fois, quand elle se promenait à Buenos Aires...

— Elle est arrivée le 17... le 17 février, exactement. Nous sommes le 28 novembre. A quoi attribues-tu ça ? La maladie ? » Les yeux étroits de dona Carmosina observent Elisa qui tient le verre vide sans trouver de réponse, des sanglots dans la gorge.

Heureusement apparaît *seu* Edmundo, Edmundo Ribeiro, le receveur, endimanché, veste, cravate et chapeau, il souhaite le bonjour :

« Quelque chose pour moi, Carmosina ?

— Deux lettres, une du fils, l'autre du gendre... ». Elle rit de ses lèvres sans grâce, amusée : « Je parie que les deux demandent de l'argent.. »

Le receveur prend les lettres, regarde à travers les enveloppes, contre la lumière, qui peut empêcher dona Carmosina de connaître et de commenter la vie de son prochain, lettres et télégrammes ne passent-ils pas par ses mains (et sa vue) ? Carmosina, presque albine, plus qu'habile, voix masculine, langue féline, douce assassine — déclamait Aminthas, son cousin et commensal assidu. Dona Carmosina est de bonne trempe, fameuse au *pirão* au lait et à la sauce brune. Et au couscous de maïs ?

« Comme si j'étais un sac sans fond, bourré d'argent... » *Seu* Edmundo soupire, il n'est pas pressé d'ouvrir l'enveloppe malgré son désir d'avoir des nouvelles de ses enfants. Il s'adresse à Elisa : « Heureux Zé Esteves, votre père, dona Elisa. Il a une fille riche qui envoie au lieu de demander. Moi, c'est tout le contraire... »

36

Dona Carmosina jette un regard oblique, considère Elisa, informe :

« Ce mois-ci la lettre de Tieta n'est pas encore arrivée. Bizarre, vous ne trouvez pas, *seu* Edmundo ? Un retard pareil... »

Le receveur ne dissimule pas sa surprise, l'une des enveloppes ouverte à la main :

« Pas encore ? Que s'est-il passé, dona Elisa ?

— Qui sait, *seu* Edmundo ? Pour moi, elle voyage, ces promenades qu'elle fait tous les ans, en bateau...

— Croisières maritimes... », éclaircit dona Carmosina, mais, sous ses sourcils roux, le regard exprime le doute. *Seu* Edmundo hoche la tête, ne trouve pas de commentaires à faire, retourne à la lettre du gendre.

Elisa prend congé, une faiblesse dans les jambes tout comme Astério :

« Merci, Carmosina.

— Maintenant, ma chérie, pas avant mardi. » Pour la réconforter, ne pas la laisser partir si abattue, elle ajoute :

« Tu es à croquer aujourd'hui. Je ne connaissais pas cette robe...

— C'est Tieta qui l'a envoyée . »

Seu Edmundo interrompt la lecture de la lettre, donne libre cours à son mécontentement :

« Suzana attend encore un enfant... »

Elisa rassemble ses forces :

« Mes félicitations, *seu* Edmundo. Quand vous écrirez à Suzi, embrassez-la pour moi...

— Le quatrième, n'est-ce pas ? Vous êtes encore si jeune et déjà chargé de petits-enfants. C'est beau, je trouve ça très beau. » La voix rauque de dona Carmosina, sincère ou moqueuse ?

« Beau ? Je sais ce que ça me coûte... manque de réflexion.

— Que ce soit cher, c'est certain... alors que maintenant c'est si facile à éviter, avec la pilule. A Bahia, on la trouve dans toutes les pharmacies, la vente est libre... même l'Église l'autorise », appuie dona Carmosina, douce assassine.

Elisa dit à bientôt, traverse le marché bruyant, vers la maison de Perpétua. Elle ne sent pas le poids du regard de l'Arabe, le coup d'œil d'aucun gamin ne caresse sa croupe pas plus que ne lui écorche les oreilles le sifflement du mendiant Maladie, avait insinué Carmosina pour ne pas parler du pire. Morte, oui. Elisa n'en doute plus. Perpétua sait ce qu'elle dit.

Depuis vingt-trois ans à l'agence postale, dona Carmosina émet des jugements définitifs sur les gens et sur les choses :

« Une bonne fille, et sérieuse, *seu* Edmundo. J'ai connu Elisa petite fille. Toujours droite, accomplie. Elle fait tout à la perfection. Travailleuse, sa maison est un bijou, et elle aime s'habiller, s'arranger, ce n'est pas comme d'autres qui vivent dans l'incurie. Sauf que maintenant, la pauvrette... »

Pour mieux l'écouter *seu* Edmundo interrompt la lecture de la lettre de son fils étudiant :

« A quoi attribuez-vous ce retard ?

— Si Tieta n'est pas morte, elle doit être très malade. Son mari pourrait bien donner des nouvelles, mais il n'a jamais rien voulu savoir de la famille d'ici. Je vais conseiller à Elisa ou à Perpétua de télégraphier. »

Revenu à la lettre, le receveur explose :

« L'imbécile ! Il n'est bon qu'à ça !

— Qu'a fait cette fois Leléu, *seu* Edmundo ?

— Il a attrapé la vérole ; pardon, Carmosina, je veux dire une blennorragie, et il demande d'envoyer de l'argent pour le médecin et les médicaments...

— Avec deux doses de pénicilline, il est guéri. C'est infaillible. Un traitement bon marché, pas besoin de médecin. »

Dona Carmosina lit les journaux avant de les distribuer, elle sait ce qui se passe de par le monde, s'y entend en cinéma, politique, science. Elle cumule sa charge à la poste et la représentation de *A Tarde,* de Bahia, de revues de Rio et de São Paulo.

« Pauvre Elisa, elle était troublée, elle n'a pas emporté les magazines. Plus tard, je les laisserai chez elle. »

Elle met à part la lettre adressée à Ascânio Trindade, car elle le voit de l'autre côté de la rue ; une lettre de Máximo Lima, un ami de la capitale, sans intérêt. Autrefois oui, si romantique : quand Astrud écrivait des lettres d'amour et qu'Ascânio, en réponse, emplissait des pages de litanies passionnées et nostalgiques. Un poète, Ascânio, dommage qu'il n'écrive pas de vers. Dona Carmosina revient au silence de Tieta :

« Vous voulez mon avis, *seu* Edmundo ? Antonieta n'est plus de ce monde. Elle est morte et enterrée. »

OÙ RICARDO, NEVEU ET SÉMINARISTE, ALLUME AUX PIEDS DES SAINTS DES CIERGES CONTRADICTOIRES ; CHAPITRE BAIGNÉ DE LARMES, QUELQUES-UNES DE CROCODILE.

« Alors ? Quoi ? » interroge Perpétua et elle-même répond, triomphante, triste victoire : « Lettre et chèque, tintin, ma belle miss Bahia ! » elle déverse sur sa sœur le fiel qui lui emplit la bouche : « Si j'étais Astério, tu ne sortirais pas dans cette tenue indécente, la poitrine dehors. Mais maintenant c'est terminé, cet étalage de vêtements. C'est terminé. Le temps de la pauvreté va commencer. »

Elisa se laisse choir sur une chaise, cache son visage dans ses mains, elle ne réplique pas : elle pourrait rappeler que, lorsqu'elles se partagent les cadeaux, Perpétua ne critique pas les robes, elle tâche de subtiliser les meilleures et les plus osées pour les vendre un bon prix à Aracaju, à des dames riches. Elle se tait pourtant : elle aimerait, ça oui, se boucher les oreilles pour ne pas entendre ; la voix acide de sa sœur rend les mots plus cruels.

Auparavant Elisa était passée au magasin, déjà plein à cette heure, Osnar réfugié sur sa chaise. Elle avait juste échangé un coup d'œil avec son mari, assez pour qu'Astério lâche le mètre et la pièce de calicot. Osnar s'était mis debout : Bonjour, dona Elisa. Bonjour, patronne — Sabino loucha sur le décolleté et les hanches, salve salve à qui inventa ces vêtements étroits, collés au corps, laissant voir jusqu'à la courbe des fesses, une chouette mode. Un veinard, le patron.

« Trois mètres... » réclama la cliente en remarquant aussi l'élégance d'Elisa, ça c'était une étoffe.

Astério s'était remis à mesurer, tenant à grand-peine mètre et ciseaux.

« Je vais jusque chez Perpétua, je t'envoie bientôt Araci avec la marmite », avait lancé Elisa : « Au revoir, *seu* Osnar, bonne journée. »

Pendant le trajet elle n'avait pu retenir ses larmes. Chaque mot, au magasin, avait été un effort. Maintenant, elle s'effondre sous les critiques de Perpétua, comme si ne lui

39

suffisait pas d'arriver les mains vides, sans la lettre et le chèque.

« Elle a passé, je te dis. Tu en doutes encore ? » la voix sifflante, le doigt brandi.

Elisa découvre sa face, hoche la tête, vaincue, les larmes coulent. Des larmes, à quoi bon ? elles ne résolvent aucun problème, ne remplacent pas le chèque, ne ressuscitent pas la morte, ne déterminent pas les mesures à prendre. Perpétua, cependant, connaît et respecte les convenances, elle tient aux formes. De la poche de sa jupe noire elle tire son mouchoir et s'en tamponne le coin des yeux — même invisibles, ce sont des larmes de deuil. Elle met un accent de douleur dans la dureté de sa voix en criant à son fils aîné :

« Cardo ! Viens ici, vite ! Ah, mon Dieu ! »

Elle porte à nouveau le mouchoir à ses yeux, Elisa doit bien voir, être témoin du sentiment qui l'afflige maintenant que l'hypothèse se confirme et que la mort d'Antonieta n'admet plus de discussion. Dieu la tienne en sa sainte paix et lui pardonne ses péchés ; son assistance envers les siens lui sera comptée à l'heure du jugement.

Courant, apparaît un garçon en sueur, les pieds nus. Grand, beau, fort, dix-sept ans qui s'épanouissent en boutons sur la figure. Sur la lèvre rieuse, l'ombre d'une moustache. Vêtu seulement d'un short — il jouait au ballon dans la cour.

« Vous m'avez appelé, Mère ? » en découvrant Elisa, il ajoute :

« Votre bénédiction, tante. »

Il respire la santé et la joie, ne perçoit pas tout de suite l'atmosphère funèbre de la salle. Pour la troisième fois, vu la présence de son fils, Perpétua essuie des larmes rares mais, enfin, visibles. L'adolescent s'en rend compte, devient grave :

« Il est arrivé quelque chose à grand-père ? Ce matin, très tôt, quand j'ai été servir la messe, je l'ai vu qui faisait ses emplettes au marché... »

Perpétua ordonne :

« Va chercher un cierge béni, allume-le dans l'oratoire. Ta tante Antonieta, hélas...

— Tante Tieta ? Elle est morte ? »

Vaincue, oui, convaincue, non, Elisa relève la tête, se rebelle :

« On ne sait encore rien de sûr... rien ! »

Perpétua ne répond pas, répète son ordre :

« Allons, va, je sais ce que je dis : un cierge aux pieds de

Notre Seigneur Jésus-Christ pour l'âme d'Antonieta. Ensuite prends une douche, mets ta soutane, pour aujourd'hui la récréation est terminée. Où est Peto ?

— Il pêche au fleuve...

— Dis-lui de rentrer. Après le déjeuner, nous irons parler au Padre Mariano. » Un soupir, la main sur la poitrine, sans doute pour réprimer son cœur.

Pétrifié, Ricardo, muet, cloué dans la salle par la nouvelle. Il se tourne vers Elisa. Les épaules courbées accentuent le décolleté sur la peau brune. Malgré les critiques constantes de sa mère, le garçon n'avait jamais remarqué l'élégance de sa tante. Pour la première fois il se rend compte qu'elle s'habille bien, qu'elle est belle ; on dirait une sainte, désemparée ainsi sur la chaise, malheureuse, refusant la mort de sa sœur, luttant contre l'évidence que reflètent la physionomie et les geste de la mère. Dans la voix de la tante, étouffée de larmes, une prière, une supplication :

« Il faut attendre d'être sûres pour en parler au Révérend... pourquoi tant de hâte ? »

Ricardo ne comprend pas les motifs de discorde, et avant même de pleurer sur la morte, il a pitié de tante Elisa, aussi éplorée que la statue de sainte Marie-Madeleine, dans une niche de la chapelle du séminaire.

Perpétua ne se laisse pas ébranler :

« Il n'est jamais trop tôt pour demander un bon conseil. Qu'attends-tu là, Cardo ? Tu n'as pas entendu ce que je t'ai dit de faire ?

— J'y vais, Mère... »

Il voudrait ajouter une parole de circonstances, sa pensée va vers la tante inconnue dont la mort est annoncée et discutée — un nom obligatoire dans ses prières : n'envoyait-elle pas de l'argent chaque mois ? Quand il était entré au séminaire, encore enfant, il avait reçu de São Paulo un somptueux bréviaire à tranche dorée, papier bible, lettres en couleur, écrin de velours, une merveille, cadeau de tante Antonieta pour le futur prêtre qui entrevit à peine ce trésor aussitôt offert par Perpétua à l'évêque, dom José, par l'intermédiaire du Padre Mariano. Le ballon de football numéro cinq, c'est elle aussi qui l'avait envoyé ; en cachette de la mère, Cardo avait écrit un bout de lettre demandant ballon et secret, « si Maman savait, elle m'assommerait ». Il reçut ballon, short et chemise du Palmeiras. Ils avaient un secret en commun, tante Tieta et lui. Il relève la tête, fait face à Perpétua :

« Pourvu que ce ne soit pas vrai ! »

Il part chercher les cierges. Il n'est plus joyeux et, s'il ne verse pas de larmes, il sent un picotement dans les yeux. Pour son propre compte, il allumera un cierge aux pieds de la Vierge et lui promettra un rosaire de cinq chapelets, récité à genoux sur des grains de maïs, pour que la nouvelle ne se confirme pas.

Dans la salle, le silence tombe sur les deux sœurs, sur elles et sur l'autre — multiples sont les visages de l'absente. Jeune fille, belle et effrontée, tenant tête à la colère du père et à l'accusation de la sœur : tu es jalouse parce qu'aucun homme ne te regarde, épouvantail ; effrontée déjà petite fille, gardienne de chèvres sur les tertres de la terre ingrate de Zé Esteves ; sautant la nuit par la fenêtre, adolescente, pour retrouver des hommes, le commis voyageur n'avait pas été le premier, Perpétua en est certaine ; audacieuse, méprisant les préceptes de Dieu, l'église n'était que prétexte à rendez-vous ; riant, cynique et superbe, dans la cabine du camion, en route vers Bahia, s'en allant pour toujours ; sœur riche, épouse du Commandeur à São Paulo, envoyant les mensualités pour le père et pour les neveux, digne de considération, épongé le passé, enterrée la folle adolescence, tante évoquée dans la prière des enfants, louée par le Padre Mariano ; fée généreuse des rêves d'Elisa, heureuse et fidèle bienfaitrice, havre d'espoir ; dans la ville, exemple de bonne fille, une étoile filante, une légende, un sujet inépuisable.

Perpétua rentre son mouchoir, le rituel terminé, elle demande :

« Et Astério ?

— Je suis passée au magasin... il sait que la lettre n'est pas arrivée mais, aujourd'hui samedi, il ne peut même pas le quitter pour le déjeuner. A propos, je m'en vais, je dois lui envoyer la marmite.

— Ce soir, je passe chez vous, vous dire ce que le Padre a conseillé. Nous déciderons quoi faire. »

Elisa debout, un sanglot la secoue :

« Pourquoi n'attend-on pas jusqu'à la fin du mois ?

— On a déjà trop attendu. Nous allons en discuter, je ne vais pas rester les bras croisés, je te l'ai dit. Je veux ma part. » Déjà sans larmes et sans soupirs, Perpétua troque le mouchoir pour le chapelet. Mieux vaut les prières.

Elisa use du dernier argument :

« Qui sait, la lettre s'est perdue...

— Une lettre recommandée ne se perd pas En toutes ces années, il s'en est perdu une ? Sottise. Dis à Astério de m'attendre. Pas de billard aujourd'hui. Avec sa belle-sœur morte...

— Et le père ? »

Perpétua commence à faire glisser les grains du chapelet :
« Demain, on l'avertira.

— Il peut avoir quelque chose...

— Lui ? Le Vieux ? Il va écumer de rage, il va vouloir prendre notre argent, le plus qu'il peut, ça oui. Prépare-toi, le temps des largesses est fini. »

En passant devant le corridor, Elisa distingue au fond la flamme des cierges qui illuminent les saints dans l'oratoire. Un pour le salut de l'âme de la morte, aux pieds du Christ crucifié ; l'autre pour la vie de la tante, aux pieds de la Vierge. Elle entend la voix du jeune homme qui récite *Salve Regina,* mère de miséricorde.

Miséricorde, mon Dieu !

DE LA PRIÈRE POUR LA SANTÉ DE LA VIEILLE TANTE INCONNUE, CHAPITRE CHASTE ET PIEUX.

... vie, douceur, notre espérance, salut ! Les paroles de la prière jaillissent sincères et désolées du cœur naïf, du nébuleux chagrin. Machinale cependant, la pensée de Ricardo vagabonde vers cette tante dans les affres de la mort ou déjà dans le cercueil — il sait peu d'elle, presque rien.

Vie, douceur et espérance, la tante de São Paulo, qu'elle ne soit pas défunte comme Mère l'assure — Mère voit tout en noir — que se confirme la foi de tante Elisa et que le danger s'éloigne nous crions vers Vous, nous pêcheurs fils d'Eve. Nous soupirons vers Vous et Vous offrons pour la santé de tante Antonieta un rosaire récité à genoux sur des grains de maïs. Une promesse chiche, une misère en échange de l'immense miracle. Il s'en rend compte et, excessif, l'étend à une semaine entière de rosaires complets et de genoux lacérés, gémissant et pleurant dans cette vallée de larmes, sauvez de la mort tante Antonieta.

Quelle maladie l'avait tuée ou la tuait ? Il n'avait entendu aucune allusion, Mère et tante Elisa doivent savoir mais gardent le secret, il s'agit certainement d'une mauvaise maladie, dont on ne prononce pas le nom, phtisie ou cancer. Qui avait envoyé la nouvelle, et comment ? Une lettre, un télégramme ? Quand le père d'Austragésilo est mort, il y a eu un premier télégramme annonçant son état grave, une hémoptysie. Deux heures après, le recteur du séminaire était venu en personne avec un second télégramme, le fatal, et des paroles de consolation. Il avait serré Austragésilo contre sa poitrine, avait parlé du royaume des cieux. De la même façon maintenant, le premier télégramme était arrivé parlant de maladie et diagnostic pessimiste. Mère, qui connaissait la vie, avait compris, on les préparait au pire ; tante Elisa ne perdrait espoir que lorsque le second télégramme dirait la vérité nue et crue. Dans cette vallée de larmes, soyez notre avocate, pour Vous Mère de Notre Seigneur, rien n'est impossible : Vous pouvez arrêter le cours des télégrammes, révoquer les arrêts de mort, le Fils écoute toutes Vos prières. Contrit, Cardo répète son vœu sept fois plus grand. Un vœu et quel vœu !

Zéro sur la maladie et sur tante Antonieta ? Zéro fois zéro, imprécises, fugaces nouvelles, tante inconnue, presque une abstraction. Personne pourtant de si concret, présent, indispensable à la vie de chacun, de toute la famille. La tante de São Paulo, la richarde.

Pour Ricardo juste un nom, un surnom d'enfance, Tieta, de vagues et enthousiastes références au mari millionnaire et Commandeur, mensuellement la lettre et le chèque, les cadeaux, le ballon de football numéro cinq, précisant une image, quelle image ?

Tournez vers nous des yeux miséricordieux, dans cette vallée de larmes, de pauvreté et de privations, à l'image de la sainte patronnesse, la protectrice qui permet de petits extras et l'argent que Mère dépose à la Caisse d'épargne pour la fête de la première messe, si loin encore, et pour les études de Peto si un jour Peto se décide à étudier. En pensant à la tante inconnue il ne la compare pas à la Vierge qu'il prie pour elle, mais à la Senhora Sant'Ana, patronne de la ville, protectrice de la famille, de la sainte famille et de toutes les autres. A la flamme des cierges il voit l'image de la vieille dame, mains généreuses, pleines de tendresse, douce patronne.

Est-elle une croulante vieille ou se maintient-elle encore droite et vaillante, comme Mère ? Laquelle des deux est l'aînée? Ricardo n'a jamais entendu la moindre allusion à l'âge de la tante, le sien, Mère le diminue quand on le lui demande. L'absente doit être bien plus vieille, puisqu'elle est riche, puissante, le véritable chef de la famille, que Grand-père lui-même respecte. Bouche de malheur et de malédiction, grognant plaintes et menaces, Grand-père se répand en louanges lorsqu'il prononce le nom de Tieta, que Dieu lui donne la santé et augmente sa fortune, elle le mérite, une bonne fille. Grand-mère au pas fatigué, aux cheveux blancs — ou conserve-t-elle ses cheveux d'antan? A la flamme des cierges, ils sont blancs, les cheveux de tante Antonieta.

Il connaît son écriture, grande, d'écolière, incertaine, qui remplit en peu de mots la jolie feuille de papier tantôt bleu, tantôt orange, tantôt vert clair, chic il faut voir! L'écriture et le parfum, un arôme rare pour les narines habituées à la puanteur des cierges consumés, au relent de moisi des ornements, des fleurs fanées, à la pauvre odeur des sacristies, des salles de classe renfermées, à la fumée de l'encens. En adressant le ballon de football, la tante avait ajouté sur une feuille, pour Ricardo : « A mon neveu chéri, modeste souvenir de tante Tieta. » Heureux, il avait glissé le papier plié en quatre dans son livre de messe et, en cachette, aspirait le parfum. Dans un élan d'orgueil, il montra la dédicace à Cosme, ami d'élection, compagnon de dévotions et de retraites spirituelles, voisin de classe. Cosme, un ascète, refusa de humer, il voyait le péché partout, la tentation du diable. Parfum? Péché mortel, pour les serviteurs de Dieu, l'encens suffit. Le père confesseur tranquillisa Ricardo : chaste parfum de la vieille tante, il ne renfermait ni péché mortel ni véniel.

Tournez vers nous vos yeux miséricordieux — comment étaient les yeux, le visage de tante Antonieta? Austère comme celui de Mère, rigide et dévote? Inquiet, mélancolique comme celui de tante Elisa? Ou ressemblait-il à celui de Grand-père, dure trogne de caboclo? Un jour, il y a des années, on lui avait montré, une seconde, une photo de la tante dans un magazine de Rio — magazine dont Elisa s'empara et qu'on ne revit plus. Ricardo garde uniquement le souvenir des cheveux blonds, des boucles d'or — comment était-ce possible alors que tous dans la famille étaient très bruns? Il apprit alors que les femmes décoloraient et même teignaient leurs cheveux, et il y eut une discussion à ce sujet entre Mère et tante Elisa. Une mode condamnable, selon Perpétua, Dieu décide de la couleur des cheveux de chacun, nul n'a le droit d'en changer. Elisa avait répliqué, taxant sa sœur de retardataire, de souris de sacristie. Les yeux, la bouche, Ricardo ne s'en souvient pas ; il se rappelle seulement les boucles, d'or pur. Maintenant, à la lueur des cierges, il les voit blancs comme du coton, tant d'années avaient passé — il était petit, maintenant c'est un jeune homme.

Et après cet exil, montrez-nous Jésus, le fruit béni de vos entrailles, depuis combien de temps dure l'exil de la tante ? Quand Ricardo naquit, Tieta était partie depuis longtemps et jamais il n'avait entendu la moindre allusion à cette autre parente, de la bouche de sa mère, de tante Elisa, du grand-père ou de sa seconde femme, grand-mère Tonha. De la tante de São Paulo, il n'apprit l'existence qu'après la première lettre et il en sait encore si peu, à part sa richesse, sa bonté, sa vieillesse.

Si la Vierge la sauve, peut-être un jour apparaîtra-t-elle en visite, en chair et en os, adorable aïeule, presque une grand-mère. Ricardo n'a jamais connu de véritable grand-mère, la maternelle étant morte avant le mariage tardif de Perpétua avec le Major, dont les parents reposaient déjà au cimetière de Quintas, à Bahia, quand le militaire à la retraite survint à Agreste, par hasard, et d'un coup se remit de son asthme, récupéra ses forces, un climat de sanatorium.

Tante Antonieta comble le vide de grand-mères, Senhora Sant'Ana, la protectrice de la famille. Si elle se remet, si la Vierge lui rend la santé, Ricardo après avoir accompli son vœu, pourra lui écrire une autre lettre, sollicitant une canne à pêche avec un moulinet, un fil de nylon et des appâts artificiels, comme dans la réclame de *La Chasse et la Pêche*, feuilleté à la poste avec la permission de dona Carmosina. Implorant le secret à Tieta — si Mère le savait, le monde s'écroulerait. En échange des genoux lacérés, de la semaine entière de prières, ce n'était pas demander beaucoup ; canne à pêche et moulinet, un secret de plus entre eux. C'est bon un secret. Ricardo en a avec quelques saints, avec la Vierge et surtout avec sainte Rita de Cássia dont il est dévot.

O Clémente, ô pieuse, ô douce Marie toujours Vierge, priez pour elle et pour nous afin que nous soyons dignes des promesses du Christ. Faites que la tante se lève du lit ou du cercueil, ô clémente, ô pieuse, ô douce Marie toujours Vierge.

Dans le cierge allumé sur ordre de la mère pour l'âme de la sœur, le feu de la mort vacille et s'éteint seul. Les yeux de Ricardo s'écarquillent, stupéfaits du miracle. Seule la flamme

46

de la vie persiste dans l'autre cierge, puissante est la sainte Mère de Dieu, amen.

OÙ DONA CARMOSINA LIT UN ARTICLE, RÉSOUT UN PROBLÈME DE MOTS CROISÉS ET DES PROBLÈMES RELATIFS A LA SITUATION DE TIETA, DIGNES DES PLUS HABILES DÉTECTIVES ; OÙ L'ON FAIT LA CONNAISSANCE DU COMMANDANT DÁRIO DE QUELUZ ET OÙ SURVIENT, À LA FIN DU CHAPITRE, LE POÈTE BARBOZINHA (GREGÓRIO EUSTÁQUIO DE MATOS BARBOSA), LE CŒUR BRISÉ.

« C'est bien fait ! En prison ! » s'écrie tout haut dona Carmosina, au comble de l'enthousiasme. Enfin s'était révélé un juge indépendant et digne, capable d'une juste sentence, envoyant en taule des canailles : — Bande d'assassins !

Enthousiasme et indignation sans témoins, seule au bureau au début de l'après-midi. Mais quand le commandant Dário le saura, il va nager dans le bonheur, lui si passionné lorsqu'il discute pollution. « Ces individus devraient être tous bouclés, ma bonne Carmosina, ce sont des assassins de l'humanité. » Le commandant est un peu grandiloquent, il aime les phrases sonores. Baroque, selon Barbozinha.

Elle arrache la page, elle va la garder pour le commandant. Peu importe que le journal soit adressé au Col. Artur de Figueiredo — le vieux colonel Artur da Tapitanga, abonné à l'*Estado de São Paulo* depuis des temps immémoriaux ; depuis 1924, avait élucidé dona Carmosina. Pendant des décennies, l'*Estado* tint le fazendeiro au courant des nouvelles du monde. Actuellement, il n'envoie chercher que de mois en mois le monceau de journaux qui encombrent la salle. Il ne les lit plus — c'est dona Carmosina qui les lit et en fait son profit —, mais il renouvelle l'abonnement le jour voulu, —, être abonné au journal pauliste est indispensable à son rang, et dona Carmosina, la principale intéressée, le lui rappelle à temps, avec des éloges pour la gazette et les chèvres du colonel.

Une page de plus, une page de moins, un cahier de plus, un

cahier de moins, pour l'octogénaire — quatre-vingt-six ans le 18 janvier, pourrait dire dona Carmosina — qu'est-ce que ça change ? Il se moque de ce qui se passe dans ce monde fou, de guerres et de convulsions, de violence et de haine, de mensonges à gros tirages : cette histoire d'hommes dans la lune est une craque pour berner les naïfs. C'est dans le journal, à la première page de l'*Estado* ? Je n'y crois pas, Carmosina, je suis vieux mais je ne suis pas gâteux. Bien que la grille de la Fazenda Tapitanga soit à moins d'un kilomètre du bout de la rue, le colonel apparaît rarement à une séance du conseil municipal de Sant'Ana de l'Agreste, qu'il préside, premier conseiller, édile élu et réélu un nombre incalculable de fois, ex-intendant et ex-maire. Quand il vient, il ne manque pas de rendre visite à l'employée des Postes :

« Carmosina, racontez-moi ce que vous avez lu dans mon journal. Mais gare aux mensonges.. », il la menace de sa canne, il aime encore rire.

Il envoie son homme de main déposer les journaux dans la carriole, il en fait des usages divers : envelopper des paquets, allumer le feu, se torcher. Ses chèvres en ont mangé des éditions entières et, si elles n'ont pas grossi, ça ne leur a pas fait mal.

Soigneusement, dona Carmosina plie la feuille de façon que l'article soit en vue, sur le haut de la page le titre en gros caractères : L'ITALIE CONDAMNE A LA PRISON CEUX QUI POLLUENT SA MER. Le commandant va se régaler. Barbozinha aussi s'intéresse au problème, déplorant « les inévitables méfaits inhérents au progrès », tandis que le commandant est radical dans sa condamnation de cette « insigne folie de progrès qui empoisonne l'humanité entière, menace la vie sur la terre, ma bonne Carmosina ! » Dramatique, les bras ouverts :

« Si on n'y met pas un terme, bientôt les enfants naîtront avec le cancer ! Voyez le Japon... »

Pour fuir les effets et les causes, pour jouir des vrais plaisirs de l'existence pendant qu'il en est encore temps, il avait abandonné une prometteuse carrière dans la marine de guerre, suspendant son uniforme dans l'armoire du bungalow, réduisant ses tenues aux shorts et aux chemisettes de matelot, au luxe vespéral du pyjama quand il était à la plage, et aux pantalons et chemises de sport à la ville. Ça, c'était vivre. Dans le climat béni d'Agreste, dans la splendeur du Mangue Seco. Au paradis

« Une bonne leçon ! » répète dona Carmosina avant de se livrer aux mots croisés et aux logogriphes.

Grande, la soif de savoir de dona Carmosina, multiples et éclectiques les thèmes qui l'intéressent, de la politique à la science, des plus graves problèmes de notre temps aux potins sur la vie sexuelle des idoles des foules, de l'O.N.U. à l'O.E.A., de la C.I.A. au K.G.B., de la N.A.S.A. aux O.V.N.I., du M.P.B. au F.E.B.E.A.P.A., elle en connaît des sigles !

Dans la cohorte d'amis et d'admirateurs qui fréquentent l'agence des Postes et Télégraphes, meublant de bavardages et de discussions les heures mortes — tant ! —, dona Carmosina trouve des partenaires pour chaque champ du savoir : avec Aminthas et Fidélio — faiblard, Fidélio — elle discute musique, compositeurs et interprètes ; avec Ascânio, le tourisme dans le monde et à Bahia ; avec Elisa elle papote sur les astres et les étoiles de notre scintillant ciel artistique ; avec Barbozinha, vaste est le terrain de dialogue et de polémique : de la délicate et agreste fleur de la poésie aux arcanes de la philosophie spiritualiste, car le poète est spirite et voyant et elle, incrédule, refuse incarnation et réincarnation, se rit, impie, du ciel et de l'enfer, se vante de sa condition d'athée. Athée non, mâtine, Carmosina, glose Aminthas, humoriste à ses heures.

Avec le commandant Dário, le registre des débats n'est pas moindre : les problèmes actuels de l'homme et du monde, tous, des explosions atomiques à l'explosion démographique ; de la pollution qui s'étend sur Los Angeles et São Paulo, Tokyo et Rio de Janeiro, à la guerre coloniale portugaise ; les probabilités d'une troisième grande guerre et les intentions secrètes des dirigeants des puissances et super-puissances — n'oubliez pas la Chine, ma bonne amie —, le Moyen-Orient, le destin d'Israël, le pétrole arabe, les Palestiniens, et les derniers romans qu'ils ont lus, policiers et de science-fiction, le commandant préférant ces derniers qui l'entraînent vers de lointaines planètes, elle ceux de détectives, surtout les classiques, à la manière d'Agatha Christie, qui défient la sagacité du lecteur. Dona Carmosina se flatte de découvrir toujours l'assassin avant Hercule Poirot.

Des centres culturels d'Agreste, l'agence des Postes est de loin le plus important. Lors de sa mémorable visite à la ville, invité par le poète Barbozinha, ex-compagnon de bohème dans les rues, bars et « châteaux » de la capitale, le bien connu chroniqueur de *A Tarde,* Giovanni Guimarães, infaillible l'après-midi dans la salle de l'agence, l'avait baptisée l'Aréopage, et le nom resta. Il arrive fréquemment que s'y trouvent réunis à la fois dona Carmosina, le poète et le commandant : l'Aréopage s'enflamme, les étincelles d'esprit attirent des gens du bar et des magasins, rien que pour écouter. L'Arabe Chalita est un habitué, il ne perd pas un mot ; il ne comprend rien mais comme il admire ! Une distraction élevée et gratuite. Un régal.

Il n'y a qu'Osnar avec qui dona Carmosina n'a aucun thème de conversation, depuis sa jeunesse Osnar ne s'intéresse à rien d'autre, dans ce monde de Dieu, qu'à la bière, au billard et aux femmes. Vaste est le cercle des femmes qui éveillent sa convoitise, il n'est ni exigeant ni dogmatique. Malheureusement, dans cette nombreuse assemblée de guignées (quelques-unes conquises), ne se trouve pas dona Carmosina. Admirateur de son intellect, Osnar méprise son physique, « elle ne me dit pas ». A la vérité, dona Carmosina n'était parvenue encore à éveiller la concupiscence d'aucun homme.

Synonyme de concupiscence en six lettres — dona Carmosina mordille son crayon, se creuse la cervelle, ça y est : volupté. Non, volupté a sept lettres ; de six, voyons..., luxure c'est évident. Les yeux de dona Carmosina, bordés de cils roux, se perdent dans la rue où continue l'animation des samedis de marché, les hommes frustes cherchant dans les boutiques, rares et mal fournies, les achats indispensables, dépensant leurs maigres sous. Luxure, un mot fort.

Quand Perpétua se maria, dona Carmosina eut un regain d'espoir. Mais ça, c'est une autre histoire, profitons-en pour faire une pause, pour interrompre le chapitre et laisser le lecteur respirer.

TANDIS QUE LE LECTEUR RESPIRE, L'AUTEUR EN PROFITE ET ABUSE.

Bonne idée, méritoire. De longs chapitres lassent, font languir le récit, relâchent l'attention et endorment. De plus, une pause donne le temps et la place pour des éclaircissements nécessaires, sur des détails que les personnages gauchissent, modifient ou simplement suppriment, au gré de leurs intérêts, avoués ou secrets, mais que le lecteur est en droit de connaître — pour savoir il paie les prix actuels, incroyables !

Carmosina est accoutumée à garder les secrets, à brouiller les pistes, à empêcher que circulent librement certaines nouvelles, causant un grave dommage aux commères du parvis de l'église et à la population d'Agreste en général, car qui ne se mêle de la vie d'autrui, ne questionne, ne commente ? Je ne connais pas d'exception. Parler de son prochain est la distraction principale du lieu, grossièreté et mauvais caractère des uns, art et subtilité des autres.

Intolérable grossièreté de Pue-le-Bouc, rebut de la société, pourri au-dehors et au-dedans. Lors de sa grande cuite hebdomadaire, qui commence le soir du samedi, après le marché où il a mendié au soleil tout le jour, et qui se poursuit le dimanche, ce déchet malodorant descend la rue en zigzaguant, couvrant de boue l'honneur de familles distinguées, clamant indécences, injures et infamies, malheureusement presque toujours prouvées :

« Attention aux cornes, Chico Sobrinho, elles poussent. Ta femme, Ritinha, fricote au bord du fleuve... je ne dirai pas avec qui, je ne suis pas un mouchard. »

Ni lui ni moi, et alors ? Art subtil dans la vieille voix de dona Milu, mère de Carmosina, une sainte, qui en doute ?

« On dit que Ritinha fréquente *seu* Lindolfo, mais ce doit être une calomnie, les gens aiment parler. Ritinha est coquette, trop parfois... c'est son caractère, elle n'est pas fautive. »

La population est fatiguée de savoir que Ritinha et Lindolfo, trésorier de la mairie, se retrouvent dans les recoins du fleuve. Le mieux est de faire comme Chico Sobrinho, la sourde oreille aux racontars, qui prête attention à Pue-le-Bouc ?

Mais revenons à Carmosina et au commandant Dário, car c'est d'eux qu'il s'agit, entre eux il existe un pacte. Non, pas ce que vous pensez ! Comme dit Osnar, prenant comme exemple le commandant, il n'y a personne de parfait. Par l'entrebâillement des fenêtres, des regards langoureux ou ardents, selon l'âge et le tempérament, suivent son pas chaloupé d'homme de mer, quand il défile à Agreste, superbe, tout en muscles, corps jeune, visage mûr et vivant, grise chevelure rebelle ; il peut se donner le luxe de choisir, il se permet le gaspillage de les ignorer toutes, sans faire exception pour Carol, la maîtresse de Modesto Pires, un chef-d'œuvre de Dieu et de la fusion des races. Monogame déclaré, le commandant, amoureux de son épouse, dona Laura, et Carmosina est son amie fidèle. Amie fidèle, c'est là le hic de la question. Au profit des lecteurs, j'utilise la pause et tente de déchiffrer l'énigme.

Je vais droit au but : quel est le grade de notre personnage ? combien de galons arbore l'uniforme oublié au fond de l'armoire ? Personne ne sait, le titre de commandant suffit à tous et c'est précisément ce que lui a dit dona Carmosina quand, honnête et modeste il voulut proclamer la vérité. C'est elle la responsable. Elle en dit autant qu'elle en cache, c'est selon.

Que Dário de Queluz, valeureux fils d'Agreste, ait appartenu à la marine de guerre, donnant lustre et éclat au clocher natal, rien de plus certain, les preuves abondent ; l'une d'elles brille dans le bungalow, sur le secrétaire, à côté des œuvres en noix de coco du commandant — une médaille d'or rappelant un acte de bravoure luit sous le verre du globe. Qu'il ait commencé modestement comme marin, adolescent émigré en quête de travail, chacun le sait. Qu'il soit monté, degré par degré, à force d'efforts et d'études, durant les vingt années de sa vie militaire, c'est également de notoriété publique. Mais il monta jusqu'où ? Voilà le mystère : quand, ayant quitté sa tunique il retourna au ciel natal et pur, quelqu'un le proclama aussitôt amiral. Il refusa le titre et la flatterie :

« Je ne suis pas allé jusque-là, pour qui me prenez-vous ? D'ailleurs, amiral est un titre qui n'a cours qu'en temps de guerre. »

On lui dit alors commandant et, si curiosité il y eut, elle ne se manifesta pas, il imposait le respect et était un athlète. Commandant, un titre parfait de toute façon, en toutes circonstances.

Art subtil, la vie du prochain. Un jour, tous deux bavardant seul à seul au bureau de poste, Carmosina demanda, comme par hasard :

« Commandant, expliquez-moi. Dans la marine de guerre, les hommes peuvent arriver au poste de capitaine de frégate dans le cadre des officiers auxiliaires de l'armée, n'est-ce pas ?

Dário sentit la subtilité ; la curiosité qui rongeait le cœur de son amie. Il sourit, il avait un sourire sans malice d'homme droit et bon, et il répondit :

« Je ne suis pas monté si haut, ma bonne Carmosina. Je ne suis arrivé qu'à… »

De la main, elle lui ferma la bouche :

« Tout bas, que personne n'entende…

— Et pourquoi ?

— Les autres pensent que si, que vous y êtes arrivé et au-delà, ils en sont fiers. Pourquoi les décevoir ? Commandant, un point c'est tout. »

Elle tendit l'oreille pour entendre, entendit, et terminé. Commandant qui commande maintenant mer et vent dans les dunes du Mangue Seco, tous détails deviennent inutiles, épaulettes et ordres de service. Carmosina sait, c'est assez, la confidence n'est pas sortie de là, elle n'a rien raconté même à la vieille Milu. Raconter à sa mère ? Vous êtes fous ? Le lendemain, tout Agreste saurait.

Voilà, noir sur blanc, ce que je voulais éclaircir, profitant de l'interruption du chapitre et finissant par en écrire un autre, pardonnez-moi. Quel poste atteignit le commandant ? Ah ! ça, je ne saurais le dire, seule Carmosina sait et, égoïste, elle reste bouche cousue. Si l'un de vous obtient l'information, il serait aimable de me la transmettre.

SUITE DU CHAPITRE INTERROMPU.

Quand Perpétua se maria, dona Carmosina eut un regain d'espoir. Si Perpétua, plus vieille, plus laide — oui, plus laide, car un air sympathique est un atout dans les concours de beauté —, avec cet air constipé, sans charme, revêche, avait trouvé quelqu'un qui veuille d'elle, qui demande sa main et la mène à l'autel avec voile et guirlande — image ridicule ! —, Carmosina, plus jeune, intelligente, cultivée, rieuse et cordiale, et un cordon bleu, avait bien le droit de rêver, de ne pas sombrer dans le désespoir.

Ah ! de Major Cupertino Batista, il n'y en eut qu'un, les miracles ne se répètent pas. Réformé pour raisons de santé, cinquantenaire asthmatique et cardiaque, borné, têtu, obtus, un bouffon, malgré tout un parti non méprisable. Célibataire, il avait des économies, des réserves financières et physiques : quand il partit pour le royaume des cieux, il avait laissé Perpétua avec deux fils et trois maisons en héritage, outre la pension et les rentes. L'héritage, Carmosina le tenait pour quantité négligeable, mais — elle soupire — pendant six ans et un mois, soixante et onze mois, deux mille deux cents vingt et une nuits, en contant l'année bissextile, la mégère, la malheureuse — la chanceuse, la veinarde — avait dormi dans un lit conjugal avec un homme à côté d'elle, sous la même couverture, un mari valide jusqu'au dernier souffle, car Perpétua avait eu une fausse couche peu avant que le Major tombe raide et que la fête se termine.

Elle écrit luxure lettre par lettre dans les cases du mot croisé, sa pensée va de Perpétua à Elisa (la pauvre, ravagée, en avait oublié ses revues) ; d'Elisa à Antonieta.

Antonieta, elle oui, avait mérité la vie conjugale et la fortune : gaie, drôle, généreuse, un vrai charme. Toujours fourrée chez Carmosina, sa compagne à l'école primaire ; dona Milu lui vouait une particulière affection et la défendait quand les mauvaises langues touchaient à un de ses cheveux. Car elle faisait jaser les commères :

« Celle-ci a perdu son pucelage depuis longtemps...

— Elle a déjà été rappelée à l'ordre.

— Une jeune fille, cette rien du tout ? c'est une fille... elle se donne à qui veut... »

Dona Milu mettait fin aux ragots :

« Si elle se donne, c'est son affaire, et, que je sache, elle n'a jamais couché avec un homme pour de l'argent, c'est le corps qui exige, chez elle comme chez toutes, pas vrai, Roberta ? Les autres se gardent, se bouclent à double tour, mais seulement la cage à oiseau. Le reste, il n'y a pas de mal, n'est-ce pas, Gesilda ? De l'aisselle au croupion, tout visité. »

Elle semblait changer de sujet :

« Quel joli surnom ont donné les garçons à tes jumelles, Francisca. Tu ne sais pas ? Mains d'or et d'argent, je trouve ça charmant... » Dona Milu était imparable !

Quand Antonieta, rossée et chassée, était partie dans le camion, Carmosina était venue prendre congé, l'unique. Va dire adieu à ton amie, avait ordonné la mère. Visibles, les marques de la veille, le gourdin avait atteint son visage, des ecchymoses violettes sur les jambes. Tieta ne se plaignit pas. C'est peut-être pour mon bien, dit-elle. Elle avait gagné.

Dans ces derniers onze ans et sept mois, rare le jour où

dona Carmosina n'évoque pas Antonieta. Depuis l'arrivée de la première missive elle avait suivi, lettre par lettre, la correspondance entre Sant'Ana de l'Agreste et la Boîte postale 6211 de São Paulo. Elle est au courant de tout, plus que les propres sœurs de Tieta, beaucoup plus. De visu et non par déduction.

Elle avait vu le chèque grossir avec le temps, la dévaluation du cruzeiro et les plaintes des sœurs. Elle avait corrigé (pratiquement rédigé) les lettres d'Elisa, faible en grammaire ; elle avait lu celles de Perpétua, celles de Perpétua et les autres. Après la mort du Major, les sœurs s'étaient partagé le devoir et le plaisir de répondre, de même qu'elles partageaient le contenu des colis, robes, blouses et camisoles. Quand il lui revenait d'écrire, Perpétua apportait l'enveloppe close, sottise. Dona Carmosina ne mériterait pas son salaire et le privilège de sa charge si elle n'était experte à décoller les enveloppes, à lire les pages en un clin d'œil et à tout remettre en ordre. Il lui en coûtait seulement de réprimer son envie de corriger les fautes de portugais.

Outre l'indéfectible bénédiction du vieux Zé Esteves, Dieu te bénisse et te conserve ma fille, chaque lettre contenait des plaintes sur la vie, des louanges à la sœur dévouée et la curiosité générale. Antonieta répondait par de courts billets, sur un papier cher et chic avec un A gothique en relief, billets qu'Elisa et dona Carmosina dévoraient ensemble, au bureau de poste.

Dona Carmosina avait lu aussi la lettre de Ricardo, et bien d'autres. Ç'avait été d'ailleurs l'ingénieuse épître du garçon, demandant à sa tante bénédiction, ballon de football et discrétion, qui... rien, ça ne regarde personne. Dona Carmosina chasse ce souvenir, retourne aux mots croisés : fruit brésilien d'origine asiatique, cinq lettres. Trop facile.

Cette longue correspondance, maintenant close sans explication valable, sinon une grave maladie ou la mort de Tieta, revêtait des aspects étranges, à commencer par l'absence d'adresse précise à São Paulo, juste une boîte postale, froide et anonyme. Bien qu'Agreste ne soit qu'un trou où tout le monde se connaissait, aussi bien Perpétua qu'Elisa s'étaient empressées d'envoyer leur adresse : Perpétua Esteves Batista, place du Conseiller Oliva, 19 ; Elisa Esteves Simas, rue du Rosaire, même l'adresse du père, José Esteves Filho, impasse du Crime, sans numéro.

Et le mari ? Sans âge, sans visage, impalpable. Prénom,

titre, vagues industries, les cheveux blancs sur la photo de la revue. Dona Carmosina consacra une grande partie de son temps à l'analyse de la passionnante énigme. Réunissant données, pistes, faisant des conjectures.

Le Major, encore vivant, s'était chargé de la réponse initiale, mais il n'en vint pas à bout sans l'aide de dona Carmosina. Elle mit de l'ordre dans les nouvelles, donnant du relief aux faits quand il le fallait. Une longue lettre, récit embrassant presque quinze ans de vie.

Des nouvelles de toute la famille, détaillées. Du père, Zé Esteves, approchant des quatre-vingts ans mais toujours droit, et de Tonha, sa seconde femme (plus jeune que Perpétua, de l'âge de Tieta, mais usée par la pauvreté et l'abandon, un simple appendice du Vieux). Le couple vivait de la charité des filles et des gendres, n'ayant rien en propre, ni biens ni rentes. Zé Esteves, brouillon et se croyant malin, dans sa hâte de berner les autres, s'était défait de ses terres, troupeau de chèvres, plantation de manioc, de sa maison, de tout. Dona Carmosina modifia la rédaction, la forme et le fond, au lieu que Zé Esteves pardonne, il demanda pardon, parla de la vieillesse et de la pauvreté, insinuant une aide ; un père peut demander pardon mais ne peut pas demander l'aumône à son enfant. Le passage émouvant, de la belle écriture du Major, allait toucher le cœur de Tieta, la propre Carmosina en avait eu les larmes aux yeux. Elle avait toujours eu du goût pour écrire, du goût et l'envie. Mais où trouver le courage ?

Récit du mariage de Perpétua, nom et titre du mari, Major Cupertino Batista, officier réformé de la police militaire de l'Etat, son beau-frère à ses ordres. Dieu avait béni leur union, il leur avait donné deux fils, Ricardo, de cinq ans, Cupertino dit Peto, de deux, et il avait encore une fois fécondé le ventre de Perpétua, enceinte de celui qui aurait été le troisième s'il était né. Le Major, bon de l'étoupille, ne manquait pas de feu, avait constaté dona Carmosina, mais elle ne toucha pas à ce passage, elle ne voulait pas d'histoires avec Perpétua. Elle se chargea, en revanche, de décrire le mariage d'Elisa, la plus jolie mariée jamais vue à Agreste, avec Astério Simas, fils et héritier de *seu* Ananias, celui du magasin d'étoffes de la Grand-Rue (rue Colonel-Artur-de-Figueiredo), sauf que le magasin ne semblait plus le même. Dans la lointaine et décadente ville de Sant'Ana de l'Agreste, le commerce s'était réduit de moitié ces quinze dernières années. La population aussi avait diminué, des vieux pour la plupart, car le climat y était toujours admirable, prolongeant la vie de ceux qui y restaient malgré la pauvreté, le manque de ressources et d'avenir. Si le peuple ne mourait pas de faim, c'est que le fleuve et le Mangue fournissaient une abondance de poissons, homards, crabes, crevettes incomparables, et que les fruits étaient en quantité l'année entière : bananes, jaques, mangabas, ananas, goyaves et araças, sapotilles et pastèques, et les cocotiers sans fin ni maître.

Après les nouvelles, les questions : Que faisait Antonieta ? Et son adresse ? Qu'elle raconte tout par le menu.

La réponse ne se fit pas attendre un mois : Antonieta envoya un chèque au nom du Major, en le priant de l'encaisser et de verser l'argent à Zé Esteves, il était destiné à aider son père et sa marâtre. Ils pouvaient compter dessus chaque mois. L'importance du chèque attira l'attention et la jalousie : une grosse somme, bien plus que le couple n'en avait besoin pour payer la bicoque qu'ils habitaient, même en s'acquittant des loyers en retard, pour leur nourriture et pour la gnole comptée mais indispensable au régime de Zé Esteves. Perpétua avait suggéré qu'on partage, mais un regard du Vieux, le gourdin dressé en arme offensive, suffit à enterrer le sujet. Pour éviter que le Major n'aille à Alagoinhas où était la plus proche agence bancaire, Modesto Pires, patron de la tannerie, rendit le service d'endosser le chèque. Celui-ci et les suivants.

Quant aux questions, pas ombre de réponse, Antonieta se bornait à informer que, grâce à Dieu, elle était en bonne santé, s'était mariée et était heureuse bien qu'elle n'eût pas d'enfants. Sur le mari, pas un mot. Adresse ? Rien de plus sûr que d'écrire à la Boîte postale 6211, la correspondance lui parviendrait.

Au long de plus d'une décennie, les relations épistolaires de Tieta et de sa famille restèrent absolument régulières : une lettre par mois de part et d'autre, celle de São Paulo de quelques lignes, papier et enveloppe de couleur, parfumés. La couleur variant d'année en année, le parfum n'ayant changé qu'une fois, plus suave et discret, le dernier, étranger sans aucun doute.

L'importance du chèque croissant, pas seulement à cause de l'inflation. Quand Elisa eut un enfant et que dona Carmosina eut souligné les difficultés d'Astério, Tieta ajouta une certaine somme pour le lait du bébé et sa future éducation. Faisant de même quand Perpétua lui écrivit, dramatique et, pour une fois sincère, pleurant la mort du mari parfait, qui la laissait veuve avec deux fils sur les bras, dans la gêne. Bouche cousue sur les maisons de rapport, les économies à la banque, mais Tieta s'était rendu compte de la différence de situation de ses sœurs, car elle envoyait à chacune une somme identique : si Perpétua avait deux fils, bien pire était le sort d'Elisa. Commencèrent à arriver les paquets de vêtements usagés, les cadeaux de Noël et d'anniversaire, mais d'elle et de son mari ils surent à peine plus.

Guère, presque rien, mais suffisamment pour que dona Carmosina réunisse les pièces et dénoue le nœud.

Il y a neuf ans — neuf ans et neuf mois, exactement — dans un numéro de carnaval de la revue *Manchete*, dona Carmosina reconnut Antonieta, malgré ses cheveux décolorés, sur une photographie de « groupes joyeux au bal du théâtre Excelsior dans la capitale pauliste ». Elle était là, bien au centre de la photo, heureuse, amoureusement blottie dans les bras d'un monsieur d'un certain âge si l'on en croyait ses cheveux blancs. Malheureusement, on ne le voyait que de dos, car ils dansaient ; elle, oui, était de face, la bouche rieuse, le visage franc et malicieux, une aimable dame, plus la jeune écervelée qu'avait vue partir dona Carmosina dans la cabine d'un camion. Elle avait gagné en beauté, opulente de formes.

Dona Carmosina convoqua la famille entière, elle fit sensation. Perpétua branla du chef, d'accord. Antonieta, il n'y avait pas de doute. Elle avait grossi et s'oxygénait les cheveux. Le vieux Zé Esteves aussi reconnut sa fille :

« Elle est bellette, les cheveux peints, à la mode. Dieu te conserve, ma fille ! » il regardait les deux autres, les défiant. Que quelqu'un ose critiquer ! Devant lui, personne.

Elisa délira, elle n'avait aucune idée de comment était sa sœur, désormais elle pourrait mieux l'imaginer, si jolie dans son déguisement d'odalisque. La nouvelle de la découverte, transmise dans une lettre d'Elisa, conduisit à la première piste, car Tieta, dans sa réponse, révéla le prénom du mari ; celui qui la tenait dans ses bras, au rythme du samba de carnaval, c'était Felipe, son époux bien-aimé. Felipe qui ? elle ne le dit pas.

Peu de temps après, dans une lettre datée de Curitiba, elle fit allusion aux affaires de Felipe, industriel avec des intérêts au Paraná. Une autre fois, s'excusant, elle expliqua le retard du chèque — une semaine — par la maladie du Commandeur, au chevet duquel l'épouse dévouée passait la totalité de son temps. Felipe industriel et Commandeur

Pour Perpétua, cela suffisait ; le chèque, d'ailleurs, lui suffisait, le reste était superflu. Elisa, au contraire, voulait en savoir plus, beaucoup plus. Pendant des heures entières, elle commentait avec Carmosina les réserves de Tieta : elle a honte de nous, peur que nous abusions de sa bonté. Elle se dérobe, en fait avec raison. Avec raison, dona Carmosina le sait mieux que personne. Tieta était partie chassée — ici ce n'est pas une maison de putes ! —, bleue de coups, dénoncée par sa sœur aînée. Trop bonne, ça oui, car elle avait oublié affronts, délation, la rossée, le bâton de cognassier, pour venir au secours de sa famille. Trop bonne, un ange, renchérissait dona Carmosina. Quant au motif des réserves et des réticences, l'employée des Postes et Télégraphes le passait sous silence : sur ce sujet, elle avait élaboré en secret sa propre théorie.

Elle réunit dates, indices, pistes ; un mystère digne d'Hercule Poirot. Dona Carmosina le résolut en définitive quand commencèrent à arriver les envois de colis élégants, les jupes et les blouses fines, de tailles diverses. Antonieta, d'une phrase brève, avait expliqué la diversité des tailles : j'envoie quelques vêtements presque neufs, les miens et ceux de mes belles-filles. Belles-filles, remarquez bien, filles du Commandeur mais pas d'elle, qui n'avait pas d'enfants. Clair comme le jour, Sherlock Holmes dona Carmosina. Qui, à Agreste, l'égale en intelligence ?

Dissolution du lien conjugal, en sept lettres ! divorce.

Divorce ou séparation, au Brésil il n'y a pas de divorce, quel pays arriéré ! et voilà l'explication correcte, la seule.

Faisons ici une nouvelle pause, ménageons le suspense propre aux feuilletons. Nous reprendrons après la publicité, comme disent les speakers quand, au meilleur de l'intrigue, au moment le plus palpitant, ils interrompent un roman radiophonique pour annoncer un savon en poudre ou une marque de cigarettes, laissant Elisa émue et vibrante.

ENCORE UNE FOIS LE CASSE-PIEDS EN GUISE DE REPOS

Une rapide parenthèse — je ne m'appesantis pas — pour révéler des faits condamnables, illuminer du faisceau de la vérité des détails obscurs, en démasquant une fois de plus la senhorita Carmosina Sluizer da Consolação.

Ne croyez pas que je lui en veuille, que je ne l'aime pas. Au contraire, je reconnais ses qualités et loue les motifs qui la poussent à violer la loi des hommes et la loi de Dieu, quand ils sont nobles ou généreux. Quant à lui en vouloir, qui oserait à Agreste ? Ni le colonel Artur da Tapitanga, ni Ascânio Trindade, si respectueux de la loi. Avec Ascânio, elle rédige des lettres aux journaux de la capitale, des pétitions au gouvernement de l'État, réclamant de l'aide pour Agreste. Inutiles, lettres et pétitions.

Il y a plus de quinze ans — des vingt-trois de sa nomination aux Postes et Télégraphes — que fonctionne l'illégal système qu'elle a mis sur pied avec Canuto Tavares, l'autre employé de l'agence postale, propriétaire d'un atelier de réparation à Esplanada où il gagne de bons mois, habile comme personne. S'il était resté à Agreste, il aurait végété la vie entière, réduit aux maigres émoluments de télégraphiste d'un bureau de dernière classe ; il décida de déménager définitivement, muni de ses outils et de son ambition. En apprenant la décision de son collègue, Carmosina lui proposa une combinaison avantageuse pour eux deux : Canuto irait tranquillement à Esplanada s'occuper de son atelier, laissant à sa charge exclusive la responsabilité du bureau de poste de Sant'Ana de l'Agreste, finalement ce n'était pas un travail tuant ; en échange, il lui abandonnerait la moitié de son salaire. Pour Canuto, prêt à se démettre, l'offre vint comme du beurre sur une tartine. Pour Carmosina, n'en parlons pas : en augmentant ses revenus indispensables — car dona Milu était réduite à l'inactivité, vu son âge —, elle restait maîtresse unique et absolue des lettres, télégrammes, colis, revues et journaux, de la vie de la cité et du monde. Ça marche ainsi depuis plus de quinze ans et, à aucun moment, il n'est passé par la tête de personne de dénoncer le scandaleux envoi mensuel à Esplanada, par l'intermédiaire de Jaïro, du registre de la poste où Canuto appose sa signature. Qui oserait ?

Ce qui me déplaît chez dona Carmosina, c'est sa partialité. Je voudrais bien voir comment elle agirait si l'un des fils de Perpétua mourait et que la mère veuille cacher la chose à Antonieta, pour conserver l'aide ponctuelle et intégrale. Si elle ferait comme lorsque Elisa entra au bureau de poste, désespérée par la mort de Toninho. Dona Carmosina l'avait consolée, maladif depuis sa naissance, l'innocent avait cessé de souffrir. Quand elle l'avait retiré du ventre d'Elisa, dona Milu avait été saisie, on aurait dit un fœtus en formation, un véritable miracle qu'il ait vécu si longtemps. Ni médecin ni remède, payés grâce à Tieta, rien n'y fit, même le voyage à Esplanada pour consulter le Dr Joelson, spécialiste pour enfants. Le pédiatre avait hoché la tête : toute ordonnance était inutile. Le pauvret repose en paix, et vous aussi, combien de nuits sans dormir ? Néanmoins Elisa ne s'apaise pas.

En plus de perdre Toninho — si rachitique fût-il, c'était son fils et sa consolation —, elle perdait l'aide de sa sœur, l'argent destiné au lait, aux remèdes, au médecin, à sa future éducation et non aux fards, revues, séances de cinéma, piles pour la radio. Avec Toninho partaient pour l'éternité ces extras achetés avec les miettes de la charité de Tieta. Que faire, dis-moi, Carmosina ?

Les yeux perçants, étroits, fixèrent Elisa — Carmosina l'avait vue naître. Dona Milu, éminente accoucheuse, appelée en hâte, au milieu de la nuit, pour assister Tonha dans les douleurs de l'enfantement, qui soufflait dans une bouteille vide sur l'ordre de Zé Esteves, avait amené sa fille pour la seconder. Carmosina et Tieta avaient fait bouillir de l'eau, avaient aidé au moment de la délivrance. Pudique, Perpétua s'était enfermée pour prier. Chacun aide à sa façon.

Toute petite, en allant à l'école, Elisa venait demander sa bénédiction à la matrone, dona Milu, elle se régalait de gâteaux à la goyave et à la noix de coco, un délice. C'est Carmosina la première qui apprit à Elisa l'existence de Tieta, dont la famille ne prononçait jamais le nom, thème scandaleux. Mais Carmosina trouvait le moyen d'évoquer son amie, au hasard d'une anecdote elle rappelait son diminutif et sa beauté : Tieta, ta sœur, était avec moi, jolie à souhait. Elisa aussi était devenue jolie à souhait, s'était mariée, avait accouché ; Carmosina l'avait vue naître. Élégante dans la robe d'Antonieta, désespérée, pas même de fils malade à soigner, que faire ? Infortunée, c'était l'adjectif juste. Carmosina s'approche, murmure :

« Ne dis rien...

— Hein ?

— Fais comme si Toninho n'était pas mort...

— Et si Perpétua jase ? Tu la connais, si moraliste elle ne supporte pas le mensonge, elle le répète sans cesse

— Si elle menace, tu menaces : qui a le plus de petitesses à cacher ? Tu crois qu'elle parle à Tieta des maisons, des loyers. de l'héritage du Major ? dit qu'elle dépose à la caisse d'épargne l'argent que Tieta envoie pour les enfants, parce qu'elle n'en a pas besoin ? Rien du tout ! »

On voit l'absence de morale de Carmosina, qui conseille mensonge et chantage à son amie dans un mauvais pas. Absence d'honneur aussi : au courant du contenu des lettres de Perpétua par un abus de pouvoir, elle n'a pas le droit d'en user. Mais Carmosina n'attache pas d'importance aux principes de la morale, aux règles de l'honneur. Non seulement elle conseille, elle mène l'intrigue :

« Laisse-moi me charger de Perpétua. Je lui parlerai. »

Perpétua leva les yeux au ciel, demanda pardon au Seigneur, elle desserra les lèvres :

« Par moi, elle ne saura rien. Si Antonieta coupe l'argent qu'elle lui donne, qui devra les aider, elle et son mari ? C'est moi. »

Un motif juste, correct. Perpétua est un os dur à ronger, elle ne donne pas prise au chantage. Carmosina rit, un rire enfantin, si innocent.

« Pour ça ou pour le reste, l'important est de fermer ton bec. »

Encore un détail et je disparais. Vous vous rappelez la lettre de Ricardo, demandant un ballon de football ? En y pensant Carmosina manque de révéler son propre secret : elle aussi avait écrit à Antonieta, rappelant les jours lointains de leur adolescence, leur vieille amitié, envoyant les souvenirs de dona Milu qui ne l'oublie pas. Plus une demande : Antonieta pouvait-elle acheter à São Paulo et lui envoyer, en indiquant le prix, un bon, le meilleur dictionnaire de rimes disponible en librairie ? Elle ne le faisait pas acheter à Aracaju ou à Bahia, pour éviter les commérages. Elle ne tarda pas à recevoir le livre, avec une dédicace : « A ma chère amie Carmô, modeste souvenir de son amie Tieta. »

Jusqu'à l'aube, à la lumière de la chandelle, dans le silence de la nuit, Carmosina écrit des vers, compte les syllabes, fait rimer barbare avec Osnar, loisir avec désir.

Maintenant que vous savez, je vous laisse à nouveau au bureau des Postes et Télégraphes, ou plutôt à l'Aréopage. A bientôt.

FIN DU CHAPITRE DEUX FOIS INTERROMPU, OUF!

Si simple l'énigme, elle avait mis longtemps à la résoudre faute de données, tardant à réunir ce minimum d'informations.

Séparation, un des plus grands signes de retard du pays, de sous-développement ; indignée, dona Carmosina s'est lancée dans des discussions homériques avec le Padre Mariano, Carlota Alves l'institutrice, avec le Dr Caio Vilasboas — imaginez : un médecin diplômé de la Faculté, et si rétrograde ! Une personne liée à une autre toute la vie, même après la séparation légale — corps et biens — sans pouvoir se remarier ! Dona Carmosina avait lu une statistique sur le nombre de couples en état de concubinage — un mot horrible ! — au Brésil. Des millions. Vivant comme mari et femme, acceptés, reçus dans la société, le senhor et la senhora Untel, mais sans droits légaux. Épouse, non, concubine. Dona Carmosina trouve la solution si simple. Avec un minimum d'indices et sa capacité de déduction, elle arrive au fin mot de l'énigme. Antonieta vit comme sa femme avec le Commandeur, mais sans l'être réellement. Admise par sa famille, y compris par ses filles — elle avait parlé à plusieurs reprises de ses belles-filles et des enfants du Commandeur —, mais empêchée de légitimer leur union car il est séparé. Connaissant les préjugés d'Agreste, le père attendant dans le noir, à côté de la fenêtre ouverte, le bâton à la main, la rossée réveillant la rue entière, Tieta se tient coite, entoure mari et mariage de mystère et de silence. Elle fait bien.

Une fois, apparut à Agreste un inspecteur des impôts accompagné de sa femme, une dame distinguée, agréable, fort bien élevée, mère d'un couple de jumeaux. D'abord très bien reçus, jusqu'à ce que la dame révèle ingénument qu'ils étaient respectivement séparés, elle et son mari, et qu'ils vivaient heureux ensemble depuis plus de dix ans. Les portes se fermèrent, les visages aussi. Ils durent partir, à Agreste un mariage doit être devant le juge et le curé, sinon il ne vaut rien. Antonieta fait très bien de tenir sa vie conjugale éloignée des mauvaises langues de la ville, à commencer par Perpétua Le nez que ferait Perpétua si elle savait ! Elle en resterait bègue

Pour dona Carmosina, que le couple vive heureux, c est l'essentiel, curé et juge, voile et guirlande, quantité négligeable. Elle-même a renoncé depuis lontemps à toute exigence : mari ou n'importe quoi, vieux garçon, veuf, séparé, marié avec femme et enfants, pourvu que ce soit un mâle qui la remarque et soit décidé à aller de l'avant. Elle sera d'accord. Sur un matelas de plumes ou au bord du fleuve, dans les buissons. Si elle pouvait choisir, Osnar serait élu. A défaut, tout autre ferait l'affaire. Malheureusement, ni Osnar ni tout autre.

Elle oublie pourtant ses déboires amoureux et les problèmes inhérents au retard de la lettre d'Antonieta en apercevant, venant du marché, le commandant. Elle se lève, va à la porte, agite le journal. Quand il s'approche, elle le brandit :

« Je l'ai gardé pour vous. Ça va vous intéresser. »

Le commandant Dário prend le feuillet. Dona Carmosina indique l'article. Il commence à lire pour lui-même mais, saisi, élève la voix : « ...*les transformations politiques qu'a connues dernièrement l'Europe ont fait passer inaperçu un événement important : le président et quatre directeurs de la plus grande firme d'industrie chimique italienne, la Société Montedison, accusés de polluer les eaux de la Méditerranée, ont été condamnés à des peines de prison...* »

Le visage du commandant s'éclaire :

« Brave juge italien, il poursuit : *...l'objet du débat : la fabrique de bioxyde de titane de Scarlino, inaugurée dans l'enthousiasme par les habitants de cette région de Toscane, connaît depuis grèves et constantes interruptions de travail de ses cinq cents ouvriers...* »

Pendant la lecture, arrive le poète Barbozinha, à son tour il écoute. Le commandant tient à tout reprendre pour que son ami ne perde aucun détail : en Italie était apparu un juge *macho :*

« Écoutez bien ça : *L'un des défenseurs, Mᵉ Garaventa, a expliqué que la direction de l'usine était munie de toutes les autorisations nécessaires, que penseraient les citoyens de l'administration en place qui les a accordées ?*

— Bien argumenté ! coupe Barbozinha, ils étaient couverts par la loi, ont agi en accord avec les autorités.

— Couverts, rien du tout ! Les autorités sont des brigands, de connivence avec ces monstres rapaces. Écoutez la suite : *L'argument n'intimida pas le juge Viglietta, qui appartient à une nouvelle génération de jeunes magistrats qui ne plient pas devant les puissants.* Bravo, juge !

— Mais si ces hommes étaient couverts par la loi...

— Quelle loi ? La loi, c'est le juge qui l'a appliquée. Écoutez et n'interrompez pas, on discutera après : *Il s'est appuyé sur la loi du 14 juillet 1965...* », le commandant s'interrompt lui-même pour commenter : « Récent, hein ! On commence enfin à voter des lois indispensables... *rarement invoquée, qui prévoit des peines pour tous ceux qui lancent à la mer des substances étrangères à sa composition naturelle, constituant un danger pour la faune marine et provoquant l'altération chimique ou physique du milieu aquatique.* »

Il poursuit sa lecture jusqu'au bout, dona Carmosina écoutant avec un enthousiasme toujours neuf, Barbozinha distraitement : « *Par son verdict, le juge Viglietta a lancé un avertissement à tous ceux qui prennent la mer pour une poubelle et mettent en danger de mort la Méditerranée.*

— Fameux juge ! Il en faudrait de pareils dans le monde entier, à commencer par São Paulo ! *Seu* Barbozinha, nous ne nous rendons pas compte de notre privilège de vivre dans ce coin de paradis, créé par Dieu et oublié des hommes ! » il se tourne vers dona Carmosina : « Je peux le garder, Carmosina ?

— J'ai déchiré la page pour vous... »

Tandis que le commandant plie la feuille du journal, Barbozinha interroge dona Carmosina :

« Que se passe-t-il avec Tieta ? J'ai entendu dire qu'elle s'est désincarnée... »

La question lui rappelle les revues oubliées par Elisa, dona Carmosina va les chercher, les pose à côté de son sac :

« Plût au ciel que non, mais tout indique que si.

— Qui ? demande le commandant.

— Antonieta, Tieta, vous savez qui c'est, non ?

— Bien sûr... il lui est arrivé quelque chose ?

— Apparemment, elle est morte. Il n'y a aucune information, pas encore...

— Vous verrez, du cancer, de la pollution de São Paulo. Rien que ces milliers d'autos qui vomissent des gaz... »

Il prend congé, dona Laura l'attend :

« Merci pour l'article, Carmosina. Ce juge m'a réchauffé le cœur. »

Carmosina se prépare à fermer le bureau, elle doit encore passer chez Elisa, avant le dîner, la pauvre est aux cent coups, Barbozinha, l'œil sombre, lointain, concentré, cherche à l'horizon quelque chose d'invisible pour dona Carmosina. Barbozinha est voyant.

Personne ne sait — un autre secret jamais révélé, celui-ci — que Tieta fut la muse qui inspira les plus beaux vers des deux livres publiés et des inédits — cinq — du poète Matos Barbosa. Antonieta Esteves, passion dévastatrice, fatale. Désincarnée, dans un cercle astral étoile filante. Il écrira un dernier poème : la mort n'existe pas, ô bien-aimée, le corps est une vile apparence, à nouveau je te trouverai et tu seras enfin mienne car je te désire depuis cinq mille ans quand, esclave, je t'ai connue princesse maya et que l'amour m'a coûté la vie ; j'ai voulu te délivrer d'un couvent au Moyen Âge et j'ai été jeté dans un cul-de-basse-fosse, chargé de chaînes ; j'ai suivi tes traces dans les fleuves d'Hindoustan et mon corps pourri a flotté dans les eaux ; je te retrouverai un jour, gardienne de chèvres, sautant sur les pierres.

DES ROMANS-PHOTOS ET DES PREUVES D'AMITIÉ : CHAPITRE RÉCONFORTANT QUI PRÉPARE A LA GRANDE DISCUSSION FAMILIALE.

« Tu as oublié les revues. » Dona Carmosina les pose sur la table, prend une chaise.

La brise du soir et les couleurs du crépuscule enveloppent Sant'Ana de l'Agreste. Barbozinha a coutume de parodier les vers du poète portugais : Quel des peintres de mon pays divin qui ne vient peindre ? Lui, Matos Barbosa, accomplit son devoir ; il a dédié plus de cinquante poèmes aux paysages d'Agreste, au rio Real coulant vers la mer, aux dunes de la plage du Mangue Seco, où, lors de lointaines vacances bureaucratiques, il déclamait pour Tieta des vers ardents emportés par le vent. Barbozinha a laissé dona Carmosina à la porte de la maison, il n'a pas voulu entrer. Submergé de douleur, mâchant un poème, il s'est dirigé vers le bar des Açores.

Elisa ne sent pas la fraîcheur de la fin de l'après-midi, ne voit pas les nuances de jaune et de mauve, de rouge et de bleu qui embrasent le firmament quand le soleil, emporté par les eaux du fleuve, va se perdre dans la mer, au loin parmi les requins, et que la lune se lève derrière les dunes. Temps de pleine lune. Elisa, défaite, les yeux gonflés par les larmes, dona Carmosina est impressionnée. Un coup terrible, il n'y a pas de doute, pour elle et pour Astério, comment équilibrer le budget sans l'aide de la sœur ? Ils vont finir à ma charge, avait prédit Perpétua.

Perdue, elle ne feuillette même pas les magazines, elle, toujours avide de connaître les amours faites et défaites, les mariages et les séparations, les disputes, les fêtes, la vie brillante des étoiles en tout genre. Les magazines, Perpétua ne les paiera pas, pas un seul. « Des saletés ! Des individus qui ne craignent pas Dieu, des femmes qui montrent tout, une indécence ces revues. Chez moi elles n'entrent pas. Si j'étais Astério... » Heureusement elle ne l'était pas, ainsi Elisa est au fait de tous les potins, et délire avec les romans-photos.

Les connaissances d'Elisa se réduisent aux artistes brésiliens ; une spécialiste en quelque sorte. Elle n'a pas la vision universelle de dona Carmosina, dont l'érudition sur ce passionnant sujet ne se limite pas aux frontières nationales. Sur les Beatles elle n'ignore aucun détail — avant, durant et après la formation et la dissolution du groupe. Érudition, connaissance, curiosité, pour le simple plaisir intellectuel de savoir et d'en remontrer à Aminthas, fanatique des Beatles et de tous les groupes de rock, fou de sonorités modernes. Aminthas possède électrophone et magnétophone, il dépense en disques et en cassettes ce qu'il gagne et ce qu'il ne gagne pas.

Dona Carmosina, cœur romantique en matière de musique, préfère vraiment *Casa de Caboclo* et *Luar do Sertão* ; ça oui, c'est de la musique, avec mélodie et sentiment, et pas ce bruit sans queue ni tête des chevelus.

« Je vais chercher l'argent pour te payer... », neutre la voix d'Elisa, les yeux encore humides.

« Elle a passé l'après-midi à pleurer, constate dona Carmosina.

— Laisse ça pour plus tard.

— Pour celles-ci, j'ai encore assez... »

Ses yeux cherchent son amie de cœur, compagne de longues conversations sur les jeunes premiers de la radio et de la TV. Elisa n'a vu la télévision que durant les trois jours passés à Bahia, quand Astério est allé consulter le médecin, faire faire des radiographies ; heureusement rien de grave, juste la peur qui leur a fait dépenser tant d'argent. Dans le modeste hôtel proche de la gare routière, le luxe était l'appareil de télévision dans la salle commune, à la disposition des clients. Elisa ne pouvait s'en détacher, merveille des merveilles. Maintenant, plus même les magazines. Des yeux jaillissent les larmes, les mots sont des sanglots :

« Si c'est vrai, je ne peux plus les acheter. Raie mon nom de la liste.

— Pour les cinq ? » Dona Carmosina connaît la réponse mais elle parle pour dire quelque chose. Comment Elisa pourra-t-elle vivre sans les romans-photos ?

« Pour tous... »

Dona Carmosina se redresse, magnifique, l'amitié s'éprouve en des heures pareilles :

« Tous les cinq, non ! Je t'en assurerai deux, je paierai sur ma commission. Sans aucun, tu ne tiendras pas. »

Elisa est émue du geste mais la réalité s'impose :

« Merci, Carmosina, tu es trop bonne. Mais je ne peux pas accepter, et tu n'es pas riche pour jeter l'argent par la fenêtre...

— Ce ne sont que des conjectures. Tieta est capable d'être plus vivante que toi et moi... », soulagée, dona Carmosina compense par du réconfort, par de l'espoir, la promesse précipitée.

« C'est ce que je dis à tout le monde, qu'elle se promène à bord d'un bateau, comme d'autre fois...

— Croisière maritime..., précise dona Carmosina.

—... mais je le dis sans conviction, je suis convaincue qu'elle est morte.

— Le pire est que la nouvelle court les rues, on ne parle que de ça. Barbozinha est navré, le pauvre. Il a eu une amourette avec Tieta peu avant qu'elle s'en aille. Il pense que je ne le sais pas...

— *Seu* Barbozinha ? Fini comme il est ?...

— Ça fait presque trente ans... c'était un beau garçon, bien plus âgé qu'elle, c'est vrai, et frêle. Frêle, il l'a toujours été... Tieta n'aimait pas les garçons jeunes..., elle soupire. Comme le temps passe! Tu ne dois pas perdre espoir. Qu'est-ce qui prouve qu'elle est morte, dis-moi? Maintenant je m'en vais. » Elle hésite, la question lui brûle les lèvres : « Tu vas au cinéma? Si tu veux, je passe te prendre.

— Aujourd'hui, non. Perpétua va venir pour discuter avec Astério et moi, elle a inventé une histoire d'héritage... mais ce n'est pas pour ça que je n'y vais pas... C'est qu'aujourd'hui je n'ai pas envie. Je ne profiterais pas du film.

— Je comprends... l'héritage, qu'est-ce que c'est encore? » Elisa lui prend la main, suppliante :

« Si tu laissais le cinéma pour demain et revenais, pour moi ce serait si bien! Pour nous tous je crois, même pour Perpétua. Tu connais ces questions...

— Bon, je reviens, sois tranquille. J'avale mon dîner, termine une chose ou deux, d'ici peu je suis de retour. »

Si elle venait! Aucun film ne lui ferait perdre cette aubaine, qu'était donc cette invention d'héritage? Perpétua n'est pas folle. Et puis, l'amitié lui commandait d'être au côté d'Elisa dans cette épreuve. Les deux : le devoir et le plaisir, il y a si peu de distractions à Agreste, même pour l'employée des Postes.

Dommage que ce soit samedi, jour de cinéma. Le film venait d'Esplanada, par la marineti, et était projeté le samedi soir et deux fois le dimanche — la première à trois heures, en matinée. La séance du samedi rassemble les gens les mieux, les gros bonnets de la ville, certains ont leur place retenue par l'habitude, sur ces sièges-là personne ne s'assied : les sièges de Modesto Pires et de son épouse, dona Aida, et deux rangs derrière, celui de Carol. La matinée, bourrée d'enfants qui crient, insupportable ; à chaque coup de feu ou coup de poing du cow-boy, un charivari, à chaque baiser, le monde s'écroule. A la soirée du dimanche le chahut reprend. Dernière représentation du film, au guichet, l'Arabe Chalita négocie les places selon l'accueil reçu. Pour ceux qui ne marchent guère, il vend n'importe quel prix. Pour les grands succès, même debout ce n'est pas moins cher. L'amitié exige des sacrifices : demain, en compagnie de dona Milu, dona Carmosina affrontera la soirée du dimanche, les hurlements, la fumée.

Tête basse, l'air maladif, Astério arrive directement du magasin, le samedi il ne va au billard qu'après la douche et le dîner Aujourd'hui il aura Perpétua au lieu d'Aminthas, Seixas et Fidélio, au lieu d'Osnar, il perd au change. Dona Carmosina le considère, avec pitié : une loque.

« Bonsoir, Astério. Je vais chez moi mais je reviens pour l'entretien.

— L'entretien ?...

— Sur Tieta...

— Ah! Oui. Une chose inexplicable. Je ne comprends pas... »

La lumière des lampadaires, éclairée au son de l'*Ave Maria*, atteint à peine la chaussée mais la pleine lune répand or et miel sur Agreste, illuminant les rues et le fleuve, la route et les sentiers, les ultimes paysans qui regagnent leur terre.

DE LA SENSATIONNELLE RENCONTRE ENTRE PERPÉTUA ET CARMOSINA, AVEC UN CERTAIN AVANTAGE POUR LA PREMIÈRE DANS LE ROUND INITIAL.

« C'est le Dr Almiro qui l'a dit ? Il sait. Je n'y avais jamais pensé... » Astério s'anime, ses douleurs se calment, son malaise diminue, il prête attention à la conversation.

Allongé dans la chaise longue, sans la présence de sa belle-sœur et de dona Carmosina il serait au lit, enfoui sous ses draps ; il se sent mal depuis le moment où Elisa lui a fait signe au magasin et qu'il a su : ni lettre ni chèque. Malade, au point de ne pas toucher au couscous, aux bananes frites, se contentant d'une tasse de café au lait, pain et fromage. Des crampes d'estomac. Insupportables.

Perpétua était arrivée un peu avant sept heures. Elle avait laissé Ricardo faisant ses devoirs. Lundi, le garçon retournera au séminaire pour les examens écrits et oraux. Les classes étant terminées, et le Padre Mariano de passage à Aracaju, il avait amené son protégé passer la fin de semaine en famille, sous la condition qu'il étudie pour les examens. Un échec lui coûterait la gratuité des cours, avertit une fois de plus Perpétua avant de sortir. Quant à Peto, il avait filé au cinéma, le démon. Il voyait chaque film trois fois, gratuitement, il aidait l'Arabe Chalita au guichet. A Agreste on n'applique pas la censure, tous les films sont autorisés quel que soit l'âge, les mères allaitent leur nourrisson en pleine salle où Peto. à treize ans à peine, apprend plus que Ricardo, qui en a dix-sept, dans les classes du séminaire. Au cinéma, sur la berge du fleuve où il passe une bonne partie de la journée à pêcher et à observer. au bar des Açores, supporter l'après-midi de son oncle Astério. Osnar, quand il gagne, lui offre du *guaraná,* une glace, du Coca-Cola. Peto sait déjà manier la queue du billard. Égrillard, Osnar :

« Et l'autre, sergent Peto, elle fait déjà le carambolage ? Te voilà en âge de perdre ton pucelage… »

A peine Perpétua s'était-elle installée sur une chaise de paille, la meilleure de la maison, que frappait à la porte, avec un sonore « vous permettez ? » dona Carmosina. Perpétua se renfrogna : qu'avait perdu ici de si précieux l'employée des Postes pour renoncer à la séance de cinéma du samedi, habitude sacrée ? Elle venait fourrer son nez là où on ne la demandait pas, trancher de tout, fouiner, étaler intelligence et astuce, la pédante. Elisa s'était précipitée :

« Tu arrives presque en même temps que Perpétua. »

Sans attendre qu'on l'y invite, dona Carmosina prit un siège, et l'initiative de la discussion :

« Dans la rue, on ne parle que de ça. J'entre chez moi et Mère me demande : et Antonieta ? J'ai entendu dire qu'elle est morte. Personne ne sait rien, ai-je répondu, sauf que la lettre et l'argent ne sont pas arrivés ce mois-ci. Mère a écarquillé les yeux : pas arrivés ? Alors elle est morte, seule la mort peut lui faire négliger une obligation. J'ai bien connu cette petite, quand elle prenait une décision, conseils, menaces, punitions, rien ne la faisait changer d'avis. Elle a cessé d'envoyer l'argent : elle est morte. Va, ma fille, et présente mes condoléances. »

L'indiscrète était venue exprès, préférant la discussion au cinéma ; Elisa est capable de le lui avoir demandé ; Perpétua serra dans sa main le crucifix du chapelet, au fond de la poche de sa jupe noire, se contenant. Laissons venir, peut-être même aidera-t-elle ; l'antipathique passe ses journées à ne rien faire, à lire revues et journaux, des articles énormes, elle domine une quantité de questions. Perpétua n'avait pas de doutes :

« Elle a passé ! Je l'ai dit hier à Elisa, elle veut se leurrer et leurrer les autres…

— Nier l'évidence… », renchérit dona Carmosina.

De telles manifestations de bon sens, Perpétua ne les tolère

71

pas Elle se contient en raison du cri d'Astério, poussé du fond de la chaise longue :

« Ah! Vous dites qu'elle est morte? Qu'Antonieta est morte? C'est ça? »

Elisa eut pitié de son mari, le pauvre de Dieu avait reçu un choc; jusque-là, une telle hypothèse ne l'avait pas effleuré. Il avait pensé à une lettre perdue, à des problèmes momentanés d'argent — les riches aussi ont leurs difficultés —, à un voyage, plausible explication d'Elisa. A la maladie et la mort, jamais. Ça lui est tombé dessus comme une volée de plomb.

« Ah! » gémit-il, se tenant l'estomac, sur la figure une grimace de douleur.

« Tu es l'unique à Agreste qui ne sache pas qu'elle est morte, et ta femme l'unique à en douter... » La voix sifflante de Perpétua retournant le fer dans la plaie.

Dona Carmosina revint à la charge :

« A vrai dire, il n'existe aucune preuve. Des suppositions, oui. »

Dure adversaire, Perpétua lui lança à la figure l'argument de dona Milu :

« Quelle preuve de plus veux-tu que l'absence de lettre? Tu n'as pas entendu ce qu'a dit ta mère? Quand Antonieta a décidé de faire quelque chose, elle le fait jusqu'au bout, je suis bien placée pour le savoir.

« Il n'y a pas de doute..., concéda dona Carmosina. Des suppositions appuyées sur des faits concrets, mais des suppositions...

— Nous sommes perdus! » gémit Astério, se rendant compte de l'énormité de l'événement : « Comment va-t-on vivre si elle est morte? »

Retenant ses larmes, Elisa apporta un comprimé et un verre d'eau :

« Tiens, Astério, le remède pour l'estomac...

— Que va-t-on devenir? » le comprimé tomba de la main d'Astério, Elisa et dona Carmosina le cherchèrent sur le dallage, le trouvèrent. Elisa le met dans la bouche de son mari, lui donne l'eau :

« Même de remède on va manquer », conclut Astério dans un hoquet.

Dona Carmosina hocha la tête, d'accord, ce ne serait pas facile. Pas autant pour Perpétua, elle a des maisons de rapport et de l'argent placé, mais Elisa et Astério vivent du magasin mal assorti, des ventes du samedi, maigre lucre. Dona

Carmosina a tenté de laisser de côté ces détails, insignifiants devant la mort de Tieta, amie d'enfance et d'adolescence, dont elle écoutait les confidences il y a tant d'années. Insignifiants? Au prix actuel du rouge et du rimmel, du vernis, des magazines, — cinq par semaine — et Elisa avait oublié de payer ceux d'aujourd'hui. Elle avait parlé d'aller chercher l'argent, elle ne l'avait pas fait. Si la mort se confirme, dona Carmosina en sera de sa poche. L'amitié s'éprouve en des heures pareilles.

Mais voilà que Perpétua se redresse, son chignon paraît grandir au sommet de sa tête, sa voix s'impose :

« Elle est morte et nous sommes ses héritiers... »

La fameuse histoire d'héritage, dona Carmosina branche toutes ses antennes. Astério, dans les affres de l'agonie, ne comprend pas :

« Qu'est-ce que tu dis? Héritiers? Comment? »

Le temps suffisant pour que dona Carmosina rassemble ses connaissances juridiques et se mette de la partie :

« Hum! Tu peux bien avoir raison. Mariée sans enfants... La famille hérite... J'ai lu quelque chose là-dessus, laisse-moi réfléchir... »

Supérieure, Perpétua met les points sur les i :

« J'ai parlé l'autre jour avec le Dr Almiro, quand il était ici pour l'héritage de *seu* Lito. La moitié pour le mari, l'autre pour les proches parents — père, mère, sœurs. Que le mort veuille ou non. »

C'est à ce point de la discussion que se calmèrent les douleurs d'Astério, que diminua son mal d'estomac :

« C'est le Dr Almiro qui l'a dit? Il sait... »

DU SECOND ROUND, TOTALEMENT FAVORABLE À DONA CARMOSINA, CHAMPIONNE DES POSTES ET TÉLÉGRAPHES.

Surprise, dona Carmosina ne tente pas de nier que Perpétua avait marqué un point. Elle approuve l'argument juridique mais arbore un sourire innocent, suspectissime, de quelqu'un qui a une carte dans son jeu, une carte maîtresse :

« Eh oui, vous voilà riches. La moitié pour Zé Esteves, l'autre moitié pour vous deux. Il ne reste plus qu'à trouver le mari.

— Exactement. »

Perpétua domine la discussion et même l'employée des Postes écoute avec attention : « Nous n'avons jamais su le nom de son mari. Felipe, comme s'il n'avait pas eu de père. Riche, on le sait, et Commandeur. Mais Felipe quoi ? Quelle sorte d'industrie ? Commandeur du Pape ou du gouvernement ? J'ai toujours trouvé ça bizarre, mais j'ai découvert l'explication il y a beau temps. »

Au contraire de ce qu'avait cru dona Carmosina, Perpétua ne s'était pas contentée du chèque. Elle aussi avait mis sa cervelle en action, faisant des déductions. Tout comme dona Carmosina qui, pourtant, garde aux lèvres son sourire innocent, enfantin :

« Et quelle explication as-tu trouvée ? »

Tous anxieux de savoir, Perpétua cache sa vanité dans sa voix sifflante, désagréable, malgré sa subite fortune :

« Son mari lui a interdit de nous parler de lui pour ne pas avoir un jour à rendre des comptes... C'est tout.

— Vraiment ? dona Carmosina se montre sceptique.

— Elle avait honte de nous, peur que si on en savait plus, on se mette à les exploiter. » Pour Elisa, les mauvaises intentions sont de leur côté, Tieta et les siens sont bons et inattaquables.

« Peut-être. » Dona Carmosina paraît peser le pour et le contre.

« Quoi qu'il en soit, il va me donner ma part, dussé-je remuer ciel et terre. » De plus en plus importante sur sa chaise, Perpétua ne se donne pas la peine de répondre à Elisa :

« Je vais découvrir l'adresse, quand il s'y attend le moins je débarque chez lui. Ce qui est à moi et à mes enfants, personne ne le prend.

— Tu as parlé au Padre Mariano, que t'a-t-il dit ?

— De ne pas nous presser, qu'il n'y a encore aucune preuve de la mort d'Antonieta, que l'on attende. Attende qui voudra, pas moi ! Lundi, je serai à Esplanada, je vais parler au Dr Rubim...

— Au juge ? » dona Carmosina hoche la tête, semble

d'accord. Ses petits yeux, mi-clos, considèrent Astério et Elisa, se posent sur l'importance de Perpétua qui se rengorge sur sa chaise. On dirait un crapaud-cururu. Pardonne-moi, Elisa, de te voler ton héritage, Astério et toi méritez un meilleur sort. Mais je ne peux pas supporter l'arrogance de cette péronnelle.

« Oui, cette histoire du nom du mari, moi aussi je l'ai toujours trouvée troublante. Sauf que je suis arrivée à une autre conclusion. »

Perpétua ne craint pas la compétition :

« Voyons...

— Tu n'as pas tenu compte de certaines données, Perpétua, de certaines pistes, dirais-je. Elle a parlé de ses belles-filles, non ?

— Oui, la moitié est pour sa famille à lui.

— Il ne s'agit pas de l'héritage, cet héritage n'existe pas.

— Comment ?

— Ne dites pas ça... » supplie Astério, repris de douleurs.

« Je regrette de vous décevoir, Astério, mais si vous réfléchissiez tous une minute, faisiez marcher vos cellules grises, vous comprendriez que Tieta vivait, ou vit, avec ce *senhor* Commandeur comme son épouse, mais sans mariage légal, il était certainement séparé. Un couple comme des milliers d'autres au Brésil. C'est l'unique explication et, dans ce cas, seule sa famille à lui a droit à l'héritage.

— Ah ! » pâlit Astério voyant fondre sa fortune, aller à vau-l'eau sa richesse, brève illusion, à nouveau pauvre comme Job.

OÙ LA CHAMPIONNE DE LA SACRISTIE RÉAGIT ET GAGNE LE ROUND, L'ADVERSAIRE N'ÉTANT SAUVÉE QUE PAR LA CESSATION INESPÉRÉE DE LA LUTTE.

Perpétua est la seule qui ne se trouble pas, si l'on peut appeler sourire le léger rictus de sa bouche :

« Ingénieux comme théorie. A part ça, elle ne vaut rien.

— Tu as mieux ?...

— J'ai mieux et j'ai des preuves.

— Des preuves, comment ?

— Mariée, bien mariée, religieusement et civilement. Je peux l'assurer et je vais le prouver.

— Je voudrais voir ça », une légère hésitation dans la voix de dona Carmosina.

Elisa, en larmes, Astério, riche et pauvre, pauvre et riche, sans savoir si la douleur persiste ou pas. Du fond de sa poche, Perpétua extrait une enveloppe et de l'enveloppe une coupure de journal :

« Toi qui lis tant de journaux aux frais des autres, Carmosina, tu n'as pas lu ça. » Elle se flatte de l'aide divine :

« Quand on est dévote de Sant'Ana et qu'on occupe son temps aux choses de l'église, on peut compter sur la protection de Dieu.

— Parle donc », même Astério s'irrite, lui en général si timide devant sa belle-sœur. « Accouche ! »

Le papier à la main, Perpétua n'est pas pressée :

« Il n'y a pas deux mois, j'ai été à Aracaju baiser la main de dom José, m'informer des études de Ricardo. J'en ai profité et j'ai fait une visite à dona Nícia, l'épouse du Dr Simões, de la banque...

— Tu as été vendre les vêtements envoyés par Tieta...

— Ceux qui me revenaient. Mieux vaut les vendre que de s'exhiber avec. Dans les capitales, ça peut se porter, mais ici... Dona Nícia m'a montré un journal de São Paulo, *Folha da Manhã,* la chronique sociale sur les gens importants où l'on parlait d'une amie à elle qui était allée voir des parents. Elle m'a indiqué un passage en disant : " Je pense qu'il s'agit de votre sœur. " Ensuite elle a découpé l'article et me l'a donné. »

Elle met lentement ses lunettes, approche le papier de la lumière. Elisa change de place pour être plus près, Astério se lève, personne ne veut perdre un mot.

A cet instant précis, on entend des voix à la porte de la rue :

« Du calme, l'homme !

— Ni calme ni calme à demi, bande de voleurs ! »

Le vieux Zé Esteves pénètre dans la salle suivi de Tonha. Planté sur ses jambes, la figure en colère, il brandit le bâton et hurle :

« Je veux mon argent, tas de voleurs ! Où l'avez-vous mis, qu'en avez-vous fait ? L'argent que Tieta m'envoie et que vous

76

m avez volé. Qu'est-ce que c'est cette invention de dire qu'elle est morte, que pour ça il n'est pas arrivé ? Bande de voleurs ! Je veux mon argent, maintenant ! »

OÙ PERPÉTUA PREND LA TÊTE DE LA FAMILLE APRÈS AVOIR ÉLIMINÉ DONA CARMOSINA PAR KNOCK-OUT.

« Votre bénédiction, Père, dit Perpétua. tranquille sur sa chaise. Veuillez vous asseoir, ainsi que Mère Tonha, pour écouter des nouvelles d'Antonieta et de son mari.

— Elle est vivante oui ou non ? Qu'est-ce que c'est cette histoire de dire qu'elle est morte ? Je n'entends que ça. Il est venu au moins dix personnes à la maison.

— Le plus probable est qu'elle est morte. Si elle est morte comme il semble...

— ... nous sommes riches, *seu* Zé. Bigrement riches... » interrompt Astério, déjà rétabli.

Dona Carmosina se reprend :

« *Seu* Zé, Perpétua va lire une nouvelle, dans un journal de São Paulo qui parle de Tieta. »

Tonha prend une chaise, le Vieux reste debout :

« Ben qu'elle lise. »

A nouveau la coupure proche de la lumière, Perpétua toussote pour s'éclaircir la voix, informe avant de commencer la lecture :

« J'ai noté la date, 11 septembre, il n'y a pas trois mois...

— Deux mois et seize jours... », personne ne prend garde aux comptes de dona Carmosina.

« *Le Commandeur Felipe de Almeida Couto,* lit posément Perpétua ; *et son épouse, Antonieta, convient leurs innombrables amis à la messe d'action de grâces, commémorant leurs quinze ans de mariage, qui sera dite à la cathédrale par le père Eugénio Melo, qui avait lui-même célébré leurs noces. Le soir, Antonieta et Felipe ouvriront les portes de leur demeure pour recevoir avec le faste qu'on connaît. Viendra spécialement de Brasília pour participer aux festivités, le ministre Lima Filho lequel, étant à*

l'époque juge à São Paulo, avait présidé à la cérémonie civile.
La fête se prolongera tard dans la nuit, avec bal et souper à
minuit. »

La coupure passe de main en main, chacun la lit, le soulagement est général.

Perpétua fixe dona Carmosina, la défiant :

« Qu'en dis-tu ? »

C'est Elisa qui répond, la voix vibrante :

« Ça veut dire que tu savais le nom du mari et que tu n'en as rien dit ? »Elisa pense à la messe, à la demeure, à la fête.

« Je savais, depuis plus de deux mois. T'en parler, pourquoi ? Pourquoi, tu veux me dire ? »

Astério s'agite et propose :

« Je vais avec toi à Esplanada, parler au juge...

— Parler au juge ? Pourquoi ? demande Zé Esteves.

— A cause de l'héritage. La moitié est à nous. »

Perpétua explique :

« Oui, Père. La moitié est à sa famille à lui, la moitié est à nous, à la famille d'Antonieta.

— J'y vais aussi, je veux savoir ça au juste.

— Personne n'a besoin d'y aller. J'y vais seule, c'est mieux. Je parle au juge au nom de tous, sans confusion. Ensuite on décidera que faire », elle expulse dona Carmosina, la vaincue : « Nous, la famille, sans étrangers. »

Droite sur sa chaise, le buste haut, le chignon sur le sommet de la tête, Perpétua est le chef de famille, elle assume son poste.

DE LA MORT ET DE L'ENTERREMENT DE TIETA, AVEC SERMON ET RÉVÉLATIONS INATTENDUES DU PADRE MARIANO — À L'ENCENSOIR LE NEVEU RICARDO, ENFANT DE CHŒUR.

A Sant'Ana de l'Agreste en cette fin de semaine, Tieta mourut et fut enterrée au milieu de la consternation générale. Il n'est pas exagéré de dire que tous les gens de la petite ville participèrent à cette veillée funèbre précipitée. La nouvelle franchit les portes de la Fazenda Tapitanga, tira le colonel Artur de sa paix dominicale pour l'amener, très affligé, dans les rues d'Agreste : le troupeau de Zé Esteves avait prospéré tant que Tieta, petite fille, s'en occupait. Des chèvres grasses et fécondes.

Larmes et prières, tristesse et craintes, compassion et éloges, projets et commentaires, gens qui présentaient leurs condoléances. Quelques-uns, rancuniers, cachant mal leur satisfaction de voir se terminer la bonne vie, imméritée, de Zé Esteves dont le passé de roublard tortueux leur avait laissé des souvenirs cuisants.

« Sous la coupe de Perpétua, il va se ronger...

— C'est ce que tu crois... maintenant le fils de putain va se remplir les poches, il n'y a pas de justice sur terre...

— De la menue monnaie.

— La famille va hériter d'un gros paquet, la moitié est pour eux. »

De vieilles commères, cancanières d'âge indéfini, oubliées par la mort qui ne se donne la peine que de loin en loin de passer par ces parages, avaient déterré du profond oubli où ils gisaient les frasques et les péchés de Tieta, sa fleur fanée.

« Je revois la rossée. En ce temps-là, le Vieux vivait sur la place, près de nous. Il tapait de bon cœur.

— Aussi, entre nous, elle l'avait cherché. Une dévergondée. Même des hommes mariés...

— Regarde la tête de *seu* Barbozinha, il est tout contrit.

— On dit qu'il ne s'est pas marié à cause d'elle.

— Possible, il en est capable. Et cette histoire d'héritage, que savez-vous ?

— Pscht ! Voilà Perpétua. »

Têtes d'enterrement, yeux larmoyants suivent Perpétua qui marche vers le parvis. Le buste haut, un peigne noir d'Espagnole planté au sommet du chignon — elle ne le portait pas depuis la mort du Major qui le lui avait offert —, la robe des funérailles de son mari, elle paraît pourtant plus jeune que la jeune fille de vingt et quelques années, déjà vieille sous sa mantille noire, déjà vieille fille et bigote malgré son âge, dévote des dévotes, vipère des vipères, qui mouchardait au père : Toutes les nuits elle saute par la fenêtre et va retrouver le commis voyageur au bord du fleuve. Tout le monde en parle, elle nous couvre de honte.

On va vers Perpétua, on l'entoure, en un chœur de louanges à la défunte, fille et sœur admirable, qui aidait sa famille et maintenant va l'enrichir. Combien de messes va-t-on faire dire pour son âme ? pour ses péchés anciens, en partie pardonnés par Dieu sans doute, rachetés par une vie digne et généreuse ?

Même les plus enragées à rappeler ses fautes reconnaissent ses qualités de cœur, bonne et aimable, le rire joyeux, la serviabilité, sans parler de sa grâce et de sa beauté, un visage angélique, un corps, ah ! ondulant et charmeur. Dona Milu résume d'une phrase :

« Elle n'a jamais rien fait pour un mal et le bien qu'elle a fait ne se compte pas. »

La bonne fille, celle qui, sans garder rancune, avait été le soutien des parents et des sœurs, bien que la mère ne soit que marâtre et la plus jeune sœur une demi-sœur, ce qui rend encore plus méritoire sa conduite, plus précieux chaque sou. Et tout ça venant de São Paulo, la grande métropole, où Antonieta avait triomphé, avec un mari industriel, Commandeur, pauliste-de-quatre-cents-ans. Elle grandissait le nom de Sant'Ana de l'Agreste.

Un enfant du pays était parvenu à posséder une boulangerie à Cascadura et, se rappelant sa ville natale et sa sainte patronne, il la baptisa Boulangerie Sant'Ana de l'Agreste ; il envoya à ses parents des photographies de l'inauguration. Des photos, plusieurs ; de l'argent, du bon, pas un centime — à ce qu'il paraît sa femme, grippe-sou, ne le permettait pas. Dans la capitale de l'État, quelques-uns s'étaient signalés, en tête le poète Matos Barbosa, dont le nom s'était réduit à Barbozinha dans l'estime de ses concitoyens, fiers des vers et de la philosophie de l'ex-fonctionnaire de la mairie de Salvador, du bohème évoqué aux tables des cafés qui, d'ailleurs n'existent plus. Annales plus vastes encore, celles du commandant Dário de Queluz, dont l'amour pour le climat d'Agreste et le paysage du Mangue Seco l'avait fait abandonner la marine de guerre pour venir s'installer, une bonne fois et pour toujours, sur son sol natal, en compagnie de son épouse, dona Laura, solide *gaucha* aussitôt adaptée aux coutumes locales. Le couple vit davantage à la Toca da Sogra, maisonnette plantée parmi les cocotiers à côté des dunes du Mangue Seco, que dans le bungalow de la ville où ils ont accumulé masques, barques, saints, animaux, pièces sculptées au couteau dans des écorces de noix de coco sèches ou des morceaux de cocotier. Comme si ne suffisait pas son titre, son enviable condition de militaire, la saga des voyages — il est allé jusqu'au Japon — il y ajoute ses succès d'artisan — un vrai artiste de l'avis général.

Barbozinha et lui, les deux plus grands. A propos de culture, il convient sans doute d'ajouter le nom de dona Carmosina, elle n'en sait que trop ; elle n'est pourtant jamais sortie d'Agreste. sauf pour de rapides voyages à Esplanada. Il lui manque le vernis des grandes villes, de la vie urbaine. Il ne faut pas oublier, parmi les gloires exportées, le Dr João Augusto de Faria, pharmacien à Aracaju. Et la liste est finie, car Ascânio Trindade n'a pas obtenu de diplôme, il a quitté la Faculté de droit en seconde année.

Personne parmi eux, poète, militaire, pharmacien, boulanger à Rio de Janeiro, n'a volé si haut, n'a si bien réussı qu'Antonieta Esteves, unique entre tous à briller d'un tel éclat dans la société pauliste. Une gloire qui rejaillit sur l'obscure et décadente petite ville de Sant'Ana de l'Agreste.

Aminthas, Osnar, Seixas et Fidélio, la queue du billard en suspens :

« Comment est déjà le nom du mari ? Matarazzo ?

— Pas du tout, un nom traditionnel, un vieux nom, Perpétua le sait.

— Prado, peut-être.

— Non, je crois que c'est en deux mots, très connu.

— Astério va faire un fameux coup... »

Le Pauliste sans préjugés avait épousé une fille déflorée. Les mœurs changent d'un endroit à un autre ; à Agreste et ses environs, aujourd'hui encore une fille pour se marier doit être vierge — et même ainsi peu se marient, car les hommes ont émigré en quête de travail ; il reste aux femmes l'église, la cuisine, le crochet, les couvertures faites de morceaux assemblés, les jours interminables, les nuits troublées.

A Rio et à São Paulo, en revanche, mariage n'est plus synonyme de virginité, un préjugé dépassé. D'ailleurs la mode devient nationale, elle se propage à travers le pays, la pilule camoufle le dommage. Mais elle n'est pas arrivée aux rives du rio Real ; si Tieta était restée à Agreste, elle n'aurait pas trouvé de mari. A São Paulo, qui se préoccupe de cette bagatelle ? Ce qui compte c'est la classe, la beauté, l'intelligence. Aucune qualité ne fut refusée à Tieta en cette fin de semaine, quand la ville s'émouvait de l'annonce de sa mort Elle fut enterrée vertueuse, exemplaire.

A la tombée du jour, ce dimanche, à l'heure de la bénédiction, personne ne soutenait plus la fragile thèse d'Elisa — Tieta voyage, elle profite de la vie à New York ou à Paris, à Saint-Tropez ou à Bariloche. Pas plus qu'elle-même, défaite, soutenue par son mari et par dona Carmosina. En bénissant les populations, le Padre Mariano, sans vouloir prendre la responsabilité d'une nouvelle qui n'était pas entièrement confirmée, fit allusion pourtant, d'un air visiblement troublé, au triste bruit qui courait les rues. Il loua le cœur pur de celle qui, ayant reçu en partage les biens de ce monde, n'avait pas oublié sa famille lointaine, la terre où elle était née.

Ému, il révéla aux fidèles qu'avait été un don d'Antonieta, et non d'une paroissienne anonyme comme on l'avait dit alors, la grande et magnifique statue en plâtre de Sant'Ana ; bénie dans la ferveur et la joie il y a trois ans, pour remplacer l'ancienne, si vieille, à demi rongée par le temps, le bois pourri, sans valeur ni attrait.

Comme on voit, le Padre Mariano avait aussi un secret avec Tieta, connu seulement de dona Carmosina naturellement. Lui aussi s'était adressé à elle en cachette, pour faire une demande. A côté d'Elisa, dona Carmosina sourit. Elle préférerait être au fond de la nef avec les gamins, commentant. Mais amitié oblige. Devant l'autel le neveu pleure dans ses ornements rouges et blancs, il agite l'encensoir, pour les serviteurs de Dieu l'odeur de l'encens suffit, jamais plus le parfum de l'enveloppe.

« Beauté d'enfant de chœur ! » murmure Cinira, gourmande, prête à fêter sainte Catherine, un chatouillis quelque part.

« Divin ! » dona Edna s'en lèche les babines de l'autre côté de l'église, à genoux à côté de Terto, son mari malgré les apparences.

Ricardo, dans un nuage de fumée, écoute les louanges du prêtre à la vieille tante. Il pense aux cheveux blancs, aux rides, aux mains tremblantes, plus grand-mère que tante. Modeste, la généreuse donatrice avait exigé qu'on ne révèle pas son nom. Maintenant seulement, malgré sa promesse, le Padre Mariano met les points sur les i, pour que tous les fidèles de Sant'Ana prient avec lui pour la santé de la pieuse fille d'Agreste, demandent à Dieu que la tragique nouvelle ne soit qu'une fausse rumeur, que la bonne dona Antonieta soit en parfaite santé.

Quelques-uns prièrent. Pour l'âme de la défunte ; en parfaite santé, personne n'y crut.

POST-SCRIPTUM SUR LA VIEILLE STATUE.

A aucun moment le Padre Mariano ne parla de la destinée de la vieille statue. Heureusement, car le nouveau cardinal à la manie de s'enquérir du destin des anciennes et précieuses images de saints, volées aux églises ou vendues à des antiquaires et à des collectionneurs.

Qui peut, de bonne foi, accuser le prêtre ? La statue, bout de bois pourri par le temps, en piteux état, inutile, il ne l'avait pas jetée aux ordures parce qu'elle avait été consacrée il y a des siècles. Mais quand le fameux artiste apparut, attiré par la beauté de la plage du Mangue Seco, et que, voyant la statue détrônée reléguée dans un coin de la sacristie, il offrit pour elle l'argent nécessaire à l'achat de l'encensoir, le Padre Mariano n'hésita pas. Le nouvel encensoir, superbe dans les mains de Ricardo, entoure de vapeurs odorantes la statue de la Senhora Sant'Ana — la neuve, reluisante, en plâtre, peinte de belles couleurs, une œuvre d'art ; il a été acquis avec l'argent donné pour ce vieux débris. L'artiste avait affirmé que c'était une question de dévotion personnelle, parmi tous les saints du paradis, la Senhora Sant'Ana était sa préférée, et rien de ce qui la touchait, même sans valeur matérielle comme cette statue, ne le laissait insensible, d'où son geste libéral. Seuls ceux qui le connaissent savent jusqu'où peut aller le bagout du peintre Carybé. Je pourrais en conter beaucoup sur lui, si j'avais le temps, des vertes et des pas mûres.

Aujourd'hui, restaurée, la vieille statue fait partie de la fameuse collection d'un autre artiste, Mirabeau Sampaio. Comment a-t-elle abouti là, je n'ose y penser. Les traficotages entre ces deux messieurs sont plus troubles et plus immoraux que ceux de dona Carmosina et de Canuto Tavares, par moi démasqués plus haut.

DE LA RÉSURRECTION ET DU DEUIL

Tieta ressuscita le mardi, à cinq heures vingt de l'après-midi, et seulement alors la famille parla de deuil. Dans la préoccupation du chèque manquant et des possibilités d'héritage, il n'y avait pas eu le temps. Ni la nécessité. Morte, terminé. A quoi auraient servi des vêtements noirs ? Une messe, pour le repos de l'âme. Du septième jour, certainement. De bout du mois, au cas où le gros paquet se confirmerait.

Le mardi, la marineti fut en retard : deux pneus crevés, le moteur renâclant tous les cinq kilomètres, rien que d'habituel. Ce n'est donc que l'après-midi que dona Carmosina ouvrit la malle du courrier.

Par le même convoi, Perpétua revint d'Esplanada où elle avait été la veille, avec Ricardo qui, de là, prit l'omnibus pour Aracaju. Le juge la reçut après le dîner et, à la fin de leur entretien, la félicita de défendre les intérêts de ses fils, son père et sa sœur. Pour moi je ne veux rien, Méritissime, mais pour les droits des miens, je me battrai jusqu'à la mort. Pauvre, seule et démunie. Le juge fut impressionné et dona Guta, attendrie, servit à la courageuse veuve du gâteau de manioc et de la liqueur de *pitanga*.

Au retour, Perpétua ramenait un volumineux bagage de connaissance et de conseils. A São Paulo, l'avait informé le juge, elle trouverait facilement un avocat prêt à s'occuper de sa cause, finançant ses frais par un tant pour cent sur les gains de l'opération si l'affaire, comme il le semblait, avait de réelles chances de succès. Ils prennent un pourcentage élevé, naturellement. Combien ? Je ne saurais le dire exactement, peut-être quarante, cinquante pour cent. Tant ? C'est du vol, docteur ! Ma bonne dame, pour les risques qu'ils courent, ils prennent cher, c'est normal. Les journaux du Sud publient des listes de bureaux d'avocats qui travaillent dans ces conditions. Il existe même des spécialistes des causes perdues, mais dans ce cas ils demandent soixante-dix, quatre-vingts pour cent.

Le Dr Rubim relut la coupure de la *Folha da Manhã*. Les Almeida Couto, la haute société, madame, le gratin, beaucoup d'argent et d'entregent. Si les données sont telles que vous l'affirmez, il s'agit d'une cause gagnée. Le plus probable est qu'il n'y aura pas procès, qu'on parviendra à un accord, des gens de ce rang n'aiment pas se voir impliqués dans des querelles de justice. Vous et votre famille avez besoin d'un bon avocat Dieu vous paiera, Méritissime, le temps perdu avec une pauvre veuve, votre servante à vos ordres. Au retour, elle avait arrêté avec Astério et le Vieux les modalités du voyage : elle laisserait Peto à Elisa, emmenant Ricardo dont les vacances commençaient dans une semaine. A Espla nada elle s'était informée du prix des billets d'omnibus pour São Paulo, elle s'embarquerait à Feira de Sant'Ana. Ni le prix. les dépenses, la distance, ni les dangers de la grande ville, rien ne l'arrête. Elle n'avait pas réussi à aller à Salvador avec le Major comme ils l'avaient projeté ; Pertétua sent son cœur se serrer en évoquant ce projet. Mais n'était-elle pas allée seule à Aracaju pour parler à l'Évêque, le remercier de l'inscription de Ricardo ? Elle y était retournée plusieurs fois, où était le danger ? São Paulo est plus grand, une capitale plus développée, mais ce ne peut pas être tellement plus grand ni plus terrifiant. Aracaju est énorme.

Perpétua se trouvait encore sous la douche, tentant de se débarrasser de la poussière du voyage, quand dona Carmosina ouvrit la sacoche des lettres recommandées. Il n'y en avait qu'une, celle d'Antonieta. Avec un hurlement d'allégresse dona Carmosina, abandonnant le reste des envois, se précipita vers la porte pour courir chez Elisa, la lettre à la main, tel un étendard déployé :

« Elle est arrivée, Elisa, elle est arrivée !

— Dieu soit loué ! »

Elles ouvrirent l'enveloppe, il y avait le chèque et des nouvelles sensationnelles : il y avait bien eu mort, oui, il n'y a pas de fumée sans feu. Mais c'est le Commandeur qui était mort et ce n'était pas un Almeida Couto d'une famille vieille-de-quatre-cents-ans. Ce n'en était pas moins un riche industriel pauliste, le Commandeur Felipe Cantarelli, mon époux inoubliable, presque un père, dont la disparition me laisse veuve et inconsolable. Pour se consoler, revoir sa famille et, qui sait, acquérir une maison dans la ville, un terrain sur la plage, de préférence aux abords du Mangue Seco — plus tard, elle viendrait y passer sa vieillesse et attendre la mort dans la douceur du climat d'Agreste — Antonieta annonçait sa prochaine venue. J'avertirai à temps et amènerai avec moi Leonora, ma belle-fille, née du premier mariage de Felipe.

« Elle va venir, Carmosina ! Elle va venir, que c'est bon ! » Elisa aussi ressuscite.

Convoqués en hâte, tous accoururent : le père et Tonha,

Astério arrivant du bar accompagné de la bande solidaire Perpétua traînant Peto par l'oreille

Comme si elle était le chef de famille, dona Carmosina, debout, solennelle, déclama la lettre. Astério s'empara du chèque pour l'encaisser

Tandis qu'elle écoutait, Perpétua ravala informations et conseils du juge, le voyage à São Paulo, l'héritage ; avec Antonieta vivante, veuve millionnaire, la situation avait changé, il convenait de s'adapter. Perpétua se dressa sur ces cendres et fixant la famille réunie, ordonna :

« Quoi qu'il en soit, le défunt était notre parent. Nous devons faire dire une messe pour son âme et prendre le deuil. Quand notre chère sœur arrivera, elle doit nous trouver tout en noir, souffrant avec elle Je sais ce qu'elle passe, je connais la douleur du veuvage. »

Dona Carmosina ne connaît pas mais peut imaginer. Allonger la jambe dans le lit conjugal, la nuit, et ne pas trouver le réconfort du corps du mari, de l'homme qui avant partageait votre couche, solitude atroce ! Ah ! Pire seulement la solitude de vieille fille, douleur sans pareille, pas même le souvenir du bon temps.

Deuxième épisode

Des Paulistes heureuses à Sant'Ana de l'Agreste ou la veuve joyeuse

Avec grand deuil, messe des défunts, les enfants du catéchisme, minijupes et caftans transparents, bains au fleuve, sable et dunes du Mangue Seco, intrigues diverses, rêves petit-bourgeois et ambitions maternelles, cuisses, seins et nombrils, promenades et dîners, recettes de cuisine, le problème tant controversé de la lumière électrique, prières et tentations, la crainte de Dieu, les artifices du démon, une chaste idylle, une autre qui l'est moins ; où l'on fait connaissance du Beato Posidônio, prophète antique, avec dialogues romantiques et scènes fortes (pour compenser).

PREMIER FRAGMENT DU RÉCIT DANS LEQUEL — DURANT LE LONG VOYAGE EN PULLMAN DE SÃO PAULO À BAHIA — TIETA ÉVOQUE ET RACONTE À LA BELLE LEONORA CANTARELLI DES ÉPISODES DE SA VIE. EN VOICI UN ÉCHANTILLON : D'AUTRES FRAGMENTS, PLUS FOURNIS, VIENDRONT ENSUITE.

« Je pense que les chèvres ne sentaient pas le soleil, pas cette bonne chaleur d'ici, l'énorme chaleur de là-bas, le soleil de braise sur les pierres. Ni elles, ni moi.

» Sur les pierres, les chèvres immobiles sous le soleil ; pierres, statues, elles aussi. Subitement elles sautent, s'élancent, une puis une autre, toutes. Elles vont à la découverte des touffes d'herbe sur les hauteurs.

» J'allais derrière, je les gardais. Les chèvres me connaissaient, je leur donnais des noms, à chacune. J'appelais, elles répondaient. Je prenais soin d'elles, quand l'une se blessait aux épines, je la pansais, je mettais du passerage sur les blessures.

— Quel âge avais-tu, Petite-Mère ?

— Dix ans je crois, quand j'ai commencé. Dix ou onze, j'avais quitté l'école. »

Elle avait préféré le soleil qui cuisait les pierres, la terre aride, les cactus, les serpents, les lézards, le coassement des crapauds dans l'eau du ruisseau, les chauves têtes des mornes, les bouquets d'herbes, les chèvres — tandis que l'aînée prenait soin de la maison.

« Perpétua est née vieille, je ne sais comment elle a réussi à se marier. Toute jeune, elle s'est fourrée à la sacristie avec les bigotes, la plus dévote de toutes. Pour elle j'étais le diable en personne..., elle rit : Elle avait raison, je n'étais pas une chrétienne. Depuis que je suis petite, j'ai vu le bouc Inácio monter les chèvres. »

Entier, serein et majestueux, le bouc Inácio, père du troupeau, apparaît, pas mesuré, longue barbe, odeur forte.

89

Les bourses grandes comme ça, qui touchent presque terre, seigneur de la troupe, patriarche des capricornes.

Lent et inexorable, il vient du côté de la chevrette impatiente dans son premier rut, les flancs agités à l'approche d'Inácio, les pattes arrière piaffant, en âge d'être couverte et fécondée. Inácio suit le sillage de la femelle, balançant son sac. Il émet un cri, vibrant et clair, annonce, menace, déclaration d'amour.

« D'abord je voyais, je ne remarquais pas, j'étais trop jeune. Mais ensuite, quand j'ai commencé à avoir mes règles, le cri d'Inácio me transperçait. Je me mis à regarder, je me couchais sur le sol pour mieux voir. »

La chevrette s'élance. Inácio ne se donne pas la peine de courir, il s'arrête et attend ; la fillette apprend. Deux ou trois escapades encore et il monte la rebelle quand il le décide, maître, père du troupeau.

Allongée par terre, la gamine observe, ne perd pas un détail. A plat ventre contre le sol rocailleux, elle sent une chaleur qui lui monte dans les jambes jusqu'au gosier, une envie, une mollesse. Inácio était un vrai bouc, un vrai bouc et comment, la chevrette se débattit quand il la fit chèvre et la féconda. Un cri final de douleur et d'acceptation. Qui résonne dans le ventre de la petite. Réunis, chèvre et bouc en haut sur les pierres, pétrifiés, roche unique, éperon, capricorne.

« J'ai appris ainsi. J'en ai vu bien d'autres dans mes débuts. Bien d'autres. »

Non seulement elle assiste, quand le bouc Inácio monte les chèvres. Il lui arrive de voir, cachée derrière les buttes, les gamins les saillir. Osnar et sa bande de fainéants. Des hommes faits aussi. Son propre père, la supposant loin.

« A la maison, un croquemitaine, austère, moraliste de reste, envoyant tout le monde au lit à peine le dîner fini. D'amourette, il n'était pas question d'en parler. »

Les amoureux de mes filles s'appellent férule et cuir à dresser les mules ; bâton de cognassier c'est le nom complet, grondait Zé Estèves. Et de saillir les chèvres quand il pensait le pacage vide. Il existait des chèvres viciées.

« J'étais une chevrette, pareille à elles. La première fois il n'y eut pas de différence.

— A quel âge, Petite-Mère, la première fois ?

— Est-ce que je sais... Treize, quatorze ans, j'ai perdu tôt le sang.

— Ensuite ?

— J'ai été une chèvre viciée, il n'y avait pas d'homme qui me suffise. »

OÙ L'AUTEUR RÉDIGE UNE BRÈVE NOTICE SUR LE PROSPÈRE ET LOINTAIN PASSÉ DU MUNICIPE DE SANT'ANA DE L'AGRESTE ET SUR SA DÉCADENCE ACTUELLE.

Tandis que le peuple s'agite autour du retour prochain de la fille prodigue — les dévotes à l'église, les oisifs au bar, les commentaires qui vont bon train, l'agence des Postes en fête — j'en profite pour constater sans plus attendre la bénéfique influence de Tieta. Encore sur la route de Bahia et déjà agissant sur sa cité natale, la faisant sortir du marasme dans lequel elle était plongée depuis tant d'années.

La nouvelle ne touche pas seulement la population urbaine ; elle se répand dans tout le municipe, éveillant curiosité et intérêt, « de douces berges du fleuve aux flots écumants de l'Atlantique », ainsi que le révèle Barbozinha dans un élan poétique. Il élabore un poème en vers libres, d'une attique saveur, où Vénus surgit des ondes, nue, couverte d'écume et de coquillages, ressuscitée. Très actuel et passablement érotique.

Personne ne resta indifférent de toute la population, quelques milliers de personnes — même dona Carmosina ne peut fournir le nombre exact des habitants d'Agreste ; le recensement de 1960 comptait neuf mille sept cent quarante-deux citoyens valides et invalides, car certains avaient dépassé quatre-vingt-dix ans et beaucoup quatre-vingts ; dans ce dernier lustre la population avait diminué, non tant à cause des morts encore plus rares que les naissances, que du départ systématique des jeunes, en quête d'une chance sur d'autres terres.

Le visiteur qui, au jour d'aujourd'hui, arrive à ces rues mortes, assommé par le trajet dans la marineti de Jairo, abruti de poussière, et qui descend à la pension de dona Amorzinho, ne peut croire qu'avant la construction du chemin de fer reliant Bahia et Sergipe, Agreste ait été un lieu véritablement développé et d'une réelle activité commerciale, un marché de première importance pour tout le sertão des deux États. A cette époque la prospérité présidait au destin de l'actuel cafouchon de Judas. La situation privilégiée du municipe, aux bords du fleuve, s'étendant jusqu'à la mer, avait fait de Sant'Ana de l'Agreste le centre vital de toute une énorme région. Navires et goélettes venaient jusqu'à la hauteur de la barre du Mangue Seco, s'arrêtaient au large, les barges débarquaient le chargement. D'Agreste, à dos de mulet, les marchandises partaient pour le sertão.

Aujourd'hui, il n'existe que la pension de dona Amorzinho, au début du siècle il en existait plus de dix, toutes bourrées de commerçants et de commis voyageurs, les boutiques et les magasins ne suffisaient pas à la clientèle. Des maisons de femmes, n'en parlons pas, un va-et-vient constant, un flux d'argent. Les meilleures résidences de la ville datent de cette époque, ainsi que le pavage de la place de la Cathédrale et des rues du centre. Les riches faisaient venir des pianos et des gramophones, commandaient des portraits en couleur à des firmes du Sud, pour les suspendre aux murs de leur salle. On avait construit l'Hôtel de Ville, on avait élevé la nouvelle cathédrale, abandonnant la vieille chapelle au culte de saint Jean-Baptiste, dont en juin la fête, précédée de celle de saint Antoine et suivie de celle de saint Pierre, attirait à Agreste même des visiteurs du Sergipe, en plus des étudiants en vacances, libérés pour quinze jours des internats de la capitale. Agreste en juin n'était qu'une fête, danses et fusées chaque nuit, après les treizaines et les neuvaines.

L'une des premières villes à avoir installé l'électricité, l'une des dernières à conserver la faible et vacillante lumière jaune du moteur fatigué que n'a pas encore remplacée l'aveuglante lumière de l'usine de Paulo Afonso. C'est l'intendant d'alors, le colonel Francisco Trindade, grand-père d'Ascânio, qui fit l'acquisition du moteur et illumina la cité. Le petit-fils mena à une date récente une lutte obstinée pour faire venir jusqu'ici les câbles à haute tension de l'Hydroélectrique du São Francisco qui, de même que la voie ferrée et la route, étaient passés loin des limites du municipe.

Dans ces dernières décennies le progrès n'avait fait que porter des coups contre Agreste. Le premier, le plus terrible : la construction du chemin de fer, de la ligne qui reliait la capitale bahianaise au Sergipe, s'arrêtant aux rives du São

Francisco, à Propriá ; laissant de côté notre petite ville, privée de train et de gare où s'ébattraient les jeunes filles. Agreste tenta de conserver les navires et les goélettes, mais le transport des marchandises était plus facile et meilleur marché dans les wagons du chemin de fer. Les troupeaux de mulets se dispersèrent, les barges pourrirent sur les rives, de rares navires et goélettes on ne débarque que la contrebande, et encore sans autre profit pour Agreste que les dédommagements octroyés aux pêcheurs du Mangue Seco, car ce n'est pas au municipe que sont destinées les denrées. Les canots ne font pas escale à Agreste, ils vont directement au port du Crasto, au Sergipe. Seul Elieser, qui habite la ville, y jette l'ancre au retour du travail, pour venir coucher chez lui. On ne peut pas considérer comme du commerce la bouteille de whisky écossais, de gin anglais, de cognac espagnol qu'Elieser subtilise et vend à Aminthas ou à Seixas, à Fidélio ; ni le flacon de parfum infailliblement destiné à Carol, la discrète protégée de Modesto Pires. Cette dernière, d'ailleurs, réapparaîtra dans les pages de ce feuilleton pour notre joie à tous.

On espéra longtemps qu'une ère de prospérité nouvelle viendrait avec la route, annoncée à grands cris — depuis le Sud, elle traversait le pays en longeant la côte. Ce faisant, Agreste avait diminué à vue d'œil, les commis voyageurs avaient déserté les rues : il restait peu de magasins, le voyage n'en valait plus la peine. Les pensions fermèrent, personne ne venait plus de loin pour les fêtes de juin, bien que l'eau reste miraculeuse, le climat de sanatorium, l'insolite beauté riveraine et l'attrait de la plage du Mangue Seco, incomparables.

La route, comme on sait, passe à quarante-huit kilomètres, de poussière et de boue. Un nouveau et définitif coup du progrès, Agreste se rendit cette fois, réduite au manioc et aux chèvres. Ni chemin de fer, ni camions, ni ombre de gare, ferroviaire ou routière, où s'ébattraient les jeunes filles. Au mouillage, une demi-douzaine d'embarcations, la barque de Pirica, le canot d'Elieser, et les crabes, gros, énormes. En matière culinaire rien qui vaille un crabe au court-bouillon avec une bouillie de manioc, vert sombre, crabe dans son jus, comme on dit ici. Vous n'en avez jamais mangé ? Dommage, vous ne savez pas ce qui est bon. Un mets qui exige temps et patience pour sucer la chair du crabe, patte après patte, il se fait rare même à Agreste où ne manque ni le temps ni le goût. Mais ça vaut la peine, je vous assure. C'est à s'en lécher les doigts ; on plonge la main dans la bouillie imbibée de sauce grasse et verte, dans le jus incomparable du crabe.

Le peuple a déjà perdu ses dernières espérances, les garçons partent dans la marineti de Jairo, les garçons et les filles, car ces dernières années les femmes aussi ont commencé à chercher une vie meilleure sur des terres plus riches. Elles vont être femmes de chambre ou cuisinières, couturières ou brodeuses, un grand nombre finit dans la zone, à Salvador, à Aracaju, à Feira de Sant'Ana. Très appréciées, entre parenthèses.

D'ASCÂNIO TRINDADE, INDÉFECTIBLE PATRIOTE ET LUTTEUR, ET DES ÉPREUVES QUI FURENT SON LOT.

Seul Ascânio Trindade ne perd pas son ardeur de lutteur ni l'espoir d'un miracle qui sauverait Agreste — il aime la terre où il est né, à laquelle l'avait ramené la maladie de son père, aux dépens de ses études de droit. Plus rien ne le retient à Agreste, car *seu* Leovigildo était finalement mort après cinq années interminables, cloué sur son lit, immobile, juste un œil ouvert qui fixait le vide. Ascânio avait été infirmière et gouvernante. père et mère, lavant le corps inerte, le nettoyant, mettant la nourriture dans sa bouche, dure besogne. Rafa, la noire nourrice, vieille et rhumatisante, sans forces, ne pouvait être d'un grand secours. Ascânio prenait dans ses bras le corps de son père, le transportait au soleil sous le goyavier, dans le jardin, lui tenait compagnie en silence des heures et des heures. Toujours calme, sans une plainte, ni sur ses études interrompues ni sur la longue épreuve. Le regard du père, un œil unique, qui le suit avec reconnaissance, suffit au fils. Il gagne son paradis sur terre, disaient les dévotes.

Après l'enterrement de *seu* Leovigildo, deux ans auparavant, Ascânio aurait pu, s'il l'avait voulu, se démettre de son poste de secrétaire de la mairie que lui avait procuré son parrain, le colonel Artur de Tapitanga, quand il le vit seul avec son père paralysé et sans le sou. Se démettre, pourquoi ?

Pour retourner à la ville de Bahia, reprendre la Faculté ? Pire que le manque de ressources était le manque d'envie. A la capitale, Astrud, mariée, riait de son rire inoubliable, cristallin — ici, dans mon exil, portant la croix de mon calvaire, j'entends ton rire de cristal et je retrouve des forces ; dans les pires jours le souvenir de tes yeux verts me soutient. Dona Carmosina avait versé une larme en lisant les lettres violées, que d'amour !

Ascânio ne pensa à rien d'autre, la première année, qu'au jour du retour. Mais quand, brutale, Astrud lui apprit son prochain mariage, sans même avoir rompu leurs fiançailles, il jura de ne plus remettre les pieds dans la ville qu'habitait la trahison. Surtout après que Maximo Lima, son camarade de Faculté, lui eut révélé que l'immaculée, l'innocente Astrud s'était mariée enceinte, sans sa robe ample on aurait remarqué son ventre de quatre mois. C'est dans cet état qu'elle avait écrit des lettres d'amour à Ascânio, poursuivant leur chaste idylle, la candide enfant, pute sans égale ! C'était là le plus dur : il avait cru à sa pureté, à la solidité de ses sentiments, il s'était laissé avoir comme un gamin, un pauvre sot.

Et puis, il s'était habitué à la vie d'Agreste, à ses bons côtés : l'eau, l'air, le paysage, la fréquentation des amis. Seuls le rebutaient la passivité, la pauvreté, le marasme. La tête pleine de plans, il ne se laisse pas abattre.

Terre misérable et délaissée, Agreste n'intéresse même pas les politiciens, une race d'ailleurs en voie d'extinction. La mairie étant abandonnée au Dr Mauritônio Dantas, chirurgien-dentiste aux forces réduites par les malheurs et par la sclérose, enfermé chez lui par égard pour la moralité publique, celui qui réellement fait la pluie et le beau temps, c'est Ascânio. De l'avis général, quand le docteur cassera sa pipe, on mettra Ascânio à sa place, si possible maire à perpétuité.

En vérité, sans autres fonds pratiquement que les impôts locaux, la chiche aide de l'État, Ascânio tient la ville propre, il a pavé rues et ruelles avec les pierres du fleuve, inauguré deux écoles municipales, une à la Rocinha, une autre à Coqueiro, et cherche à obtenir, à coups de réclamations, de pétitions aux autorités, de lettres aux journaux et aux stations de radio, que l'on étende à Agreste les fils de l'Hydroélectrique. Jusqu'à ce jour, hélas, il n'a pas eu de succès. Poteaux et fils se dressent dans les municipes voisins. Agreste est l'un des rares endroits à avoir été laissé de côté dans le récent plan d'extension du réseau de l'Hydroélectrique. Pourtant Ascânio ne se décourage pas. Il poursuit sa lutte. Il croit qu'un jour, fatalement, la réputation du climat, la qualité de l'eau, la beauté du paysage amèneront aux artères et aux plages d'Agreste des touristes avides de nature et de paix.

En l'entendant parler, certains sourient de l'ardeur de son enthousiasme, Agreste n'a aucune chance, mais d'autres vibrent avec lui, un instant rêvent, voient se réaliser des chimères ; comme toujours l'opinion est divisée. L'unanimité se fait pour juger Ascânio Il n'y a pas, dans tout le municipe, de citoyen plus estimé, mieux vu. Les filles à marier ne le quittent pas des yeux. A vingt-huit ans, qu'attend-il pour se fiancer ? Quand il sera maire, il ne pourra pas continuer à fréquenter la maison de Zuleika.

Plus d'une fois dona Carmosina a évoqué le problème, à l'agence des Postes. Tant de filles jolies et dotées, et toutes consentantes. Il sourit, un sourire triste. Dona Carmosina n'insiste pas, elle a lu toute la correspondance, ligne par ligne, elle se répète de mémoire des passages de la dernière missive, réponse à l'annonce du prochain mariage — celui qui t'écrit, Dalila, est un mort, un cœur froid qui, de la tombe où tu l'as enseveli, te souhaite d'être heureuse ; que le remords ne trouble pas ta vie et que Dieu m'accorde la grâce de t'oublier, d'arracher ton image de ma poitrine... Un poète, Ascânio Trindade, s'il écrivait des vers il n'aurait rien à envier à Barbozinha. Apparemment il n'a pas oublié, il ne pense pas à se fiancer.

Il sourit d'un sourire triste. Une autre ? Jamais. Débarquerait-il un jour de la marineti de Jairo la plus belle des jeunes filles, la plus pure et la plus séduisante. Un cœur mort à l'amour, ma chère dona Carmosina.

DU RETOUR DE LA FILLE PRODIGUE À AGRESTE OÙ, AU TERMINUS DE LA MARINETI, L'ATTENDENT LA FAMILLE EN DEUIL DU COMMANDEUR, LES ENFANTS DU CATÉCHISME, LE PADRE MARIANO, ASCÂNIO TRINDADE, LE COMMANDANT DÁRIO, LE POÈTE MATOS BARBOSA, L'ARABE CHALITA, DIVERSES AUTRES PERSONNALITÉS, SANS OUBLIER L'ÉQUIPE DU BILLARD NI,

BIEN SÛR, DONA CARMOSINA, UN BOUQUET DE FLEURS À LA MAIN — LE CLERGÉ, LA BOURGEOISIE ET LE PEUPLE, CE DERNIER ÉTANT REPRÉSENTÉ PAR SABINO LE GALOPIN ET PAR PUE-LE-BOUC.

Massés en quatre ou cinq points au voisinage du cinéma, terminus de la marineti de Jairo, ils attendent le coup de klaxon au dernier tournant, à l'entrée de la ville. A l'église, sous la houlette du Padre Mariano, les enfants du catéchisme dans leurs vêtements des dimanches, plus Perpétua et son fils séminariste, avec soutane et livre de messe, un joyeux garçon en vacances. Sur le parvis s'agitent les dévotes, bande d'urubus qui croassent ; prêtes pour le grand événement, le débarquement de la veuve riche : elles veulent la voir en deuil, en larmes dans les bras de sa famille, et par-dessus le marché voir la belle-fille, l'étrangère. Une riche journée.

Au bar des Açores, hormis le patron en manches de chemise, tous en cravate : Osnar, Seixas, Fidélio, Aminthas, garde d'honneur d'Astério, le beau-frère, étranglé dans un costume noir, celui de Seixas qui, lui, est maigrelet. Perpétua avait accepté que, pendant la semaine, Astério se contente du brassard noir, du crêpe à son chapeau et à la boutonnière. Mais, pour la cérémonie de bienvenue, elle exige le grand deuil, costume, cravate et componction.

« Tu y tiens parce que tu n'as rien à acheter, tu es toujours en deuil. Mais où vais-je trouver l'argent d'un costume ?

— J'ai dû en acheter un à Peto.

— Une paire de culottes courtes.

— Pourquoi ne l'empruntes-tu pas ? » Seixas le déchargea d'un poids.

Bonne idée, n'eût-été leur différence de taille. A grand-peine, avec l'aide d'Elisa, il parvint à enfiler le pantalon. La veste ne boutonne pas et s'est ouverte sous les aisselles, mais ça ne se voit que lorsque Astério lève les bras.

Peto fuit l'église et sa mère, va au bar. Débarbouillé, peigné, une chose rare ; chemise blanche à manches longues, nœud papillon, relique du défunt Major. Le pire c'est les chaussures. Habitués à la liberté au bord du fleuve, ses pieds ne s'y font pas. Osnar rit de l'allure et des grimaces de l'enfant :

97

« Sergent Peto, tu es à croquer. Si j'étais porté sur les marmots ce serait ton jour. Tu as de la chance que je ne sois pas amateur.

— Ne vous moquez pas. »

Malgré les chaussures, Peto ne cache pas sa satisfaction . durant le séjour de sa tante. il dormira chez Astério, dans la petite chambre du fond, loin du regard et des horaires stricts de sa mère, il pourra suivre Osnar et Aminthas, Seixas et Fidélio dans les rues, le soir, dans leur chasse furtive, provoquant rires et facéties :

« Au large, gamin, ça c'est des histoires d'hommes... »

Seul Osnar lui ouvre des perspectives !

« Un de ces jours, sergent, je te mène en chasse. Tu arrives à l'âge. Prépare l'étoupille. »

Perpétua avait décidé que la chambre de Peto serait pour la belle-fille d'Antonieta. Comme le reste de la maison, elle a été lavée à l'eau de Javel, frottée, époussetée de la moindre particule de poussière, sur le sol des feuilles de pitanga pour parfumer. Depuis une semaine la petite Araci, prêtée par Elisa pour le temps de la visite des Paulistes, se livre à un ménage en règle.

Résidence confortable, à l'angle de la place de la Cathédrale et du passage des Trois-Marias, Peto n'aurait pas besoin de déménager si Perpétua avait écouté l'avis d'Astério : les deux voyageuses dans la chambre de Ricardo, les deux enfants dans celle de Peto. Mais Perpétua, en veine de générosité — c'est la folie des grandeurs ou elle a un plan dans la tête ? Dona Carmosina n'avait su conclure — avait décidé d'installer Antonieta dans l'alcôve fraîche et vaste, lui laissant, si incroyable que cela paraisse, la jouissance du lit conjugal et du matelas moelleux où elle s'était ébattue avec le Major, durant le temps court et heureux de leur mariage. C'est à ne pas y croire : sa chambre, celle du Major ? Impossible ! Comme les choses changent, Dieu du Ciel ! Dona Carmosina écarquille ses petits yeux, stupéfaite.

Chambre conjugale, matelas moelleux, coiffeuse, armoire énorme, lourds meubles de jacaranda. Le Major avait acheté la maison meublée, à la veille de son mariage, une aubaine. L'unique héritier de dona Eufrosina morte dans son quatre-vingt-quatorzième hiver, un neveu, vivait à Porto Alegre, il n'avait jamais mis les pieds à Agreste, il fit vendre meubles et maison pour le prix qu'on en offrirait, pourvu que ce soit comptant. Il n'y eut pas d'autre candidat, ni comptant ni à tempérament.

Du salon, immense, huit fenêtres donnant sur la rue, le corridor va jusqu'à la salle à manger. De chaque côté, deux chambres dont une, en face de l'alcôve, transformée depuis les calendes grecques en cabinet de lecture par le défunt Dr Fulgêncio Neto, époux de dona Eufrosina, médecin de renom en ces temps prospères. Le secrétaire, avec dix-huit tiroirs, dont un secret, la bibliothèque avec des livres de médecine en français et les œuvres d'Alexandre Dumas et de Victor Hugo. Le Major n'a touché à rien dans le cabinet, il aimait s'y tenir après le déjeuner, assis devant le secrétaire, à lire les journaux de Bahia, vieux d'une semaine, ou faisant la sieste dans le hamac. Ricardo y fait ses devoirs, même en vacances, une heure par jour. Ensuite, face à face, les chambres de Ricardo et de Peto, toutes deux réquisitionnées par Perpétua. Dans celle de Ricardo, où est l'oratoire, elle-même couchera ; dans celle de Peto, ladite Leonora. Ricardo occupera le cabinet où il a déjà ses livres d'étude. Elle loge la petite Araci dans la réserve à fruits, dans la cour, sur une couche de fortune. Perpétua a dirigé le nettoyage de la maison. Elle a tout dirigé de ce qui touche à l'arrivée de Tieta.

Pleine, l'agence des Postes et Télégraphes : le commandant Dário et dona Laura, Barbozinha, rasé de frais en hommage à son ancien amour. Ascânio Trindade représentant la mairie — le Dr Mauritônio de pire en pire, qui voit des femmes nues — et Elisa dans une robe de gaze noire, évanescente et vaporeuse, de celles envoyées par Tieta. Elle avait arboré avant l'audacieux décolleté, maintenant elle l'a transformé, fermé autour du cou, exigence de Perpétua, contrôleur des costumes et des modes pour le jour J.

« Au moins couvre tes seins. C'est plus une robe de bal qu'une robe de deuil, mais comme c'est l'unique robe noire que tu aies, tant pis, pourvu que tu l'arranges. Elle va arriver en grand deuil, nous devons être à l'unisson. Figure-toi que le Vieux voulait qu'on fasse une fête, qu'on invite une foule de gens. Elle arrive pleurant son mari et elle trouve une fête, tu imagines ! »

Pour que les fleurs ne se fanent pas, dona Carmosina a mis le bouquet dans un verre d'eau. Influencée par la dialectique de Perpétua, elle avait discuté avec sa mère, peut-être les fleurs n'étaient-elles pas de circonstance pour la veuve affligée, dona Milu ne voulut rien entendre : remets-lui les fleurs

99

et dis-lui que c'est de ma part. On donne bien des fleurs aux défunts, pourquoi n'y aurait-elle pas droit ? Ça alors...

« Mon Dieu, elle n'arrivera jamais ! » Elisa a beau s'efforcer à la componction, elle ne peut réprimer son agitation, mélange de joie et de peur.

Joie sans mesure de connaître sa sœur, la fée, la riche, l'élégante, la dame. Crainte à cause de cette folie, le silence sur la mort de Toninho, dona Carmosina avait fait son possible pour la tranquilliser.

« Quand elle parlera de Toninho, que vais-je dire ?

— Dis-lui la vérité. Dis-lui que je t'ai conseillé de ne pas en parler, ensuite laisse-moi faire.

— Est-ce qu'elle me pardonnera ?

— Je connais Tieta, elle ne se fâchera pas. Tu peux compter sur moi. »

Il y a une autre ombre à sa joie : la venue de la belle-fille, presque une fille, qui a sa place dans le cœur de Tieta qu'Elisa veut tout entier pour elle.

A l'entrée du cinéma l'Arabe Chalita se cure les dents, perdu dans ses souvenirs ; Tieta était plus jolie encore que sa sœur, la femme d'Astério, jolie et attirante, une allumeuse. A côté du cinéma, l'étal de sorbets : un petit comptoir, un tiroir et la caisse en fer-blanc dont Sabino le galopin s'occupe, la remplissant chaque jour de sorbets aux fruits pour se faire quelques sous, payés par l'Arabe. Sabino aussi a mis un pantalon et une chemise propres, des chaussettes et des chaussures. Il aurait bien porté un crêpe, il se considérait comme de la famille, homme à tout faire d'Astério, commis, coursier, bricoleur. S'il ne portait pas de brassard c'était par peur de dona Perpétua, une peste. Assis sur le trottoir, Pue-le-Bouc cuve en silence sa *cachaça*. Curieux de voir la tête de cette fameuse fille de Zé Esteves, qu'il ne connaît pas : quand il est arrivé à Agreste il y a vingt-cinq ans, en quête de ressources et de gnole, elle était déjà partie, par-ci, par-là il a pu recueillir les échos amortis de la rossée, les ultimes commentaires.

Au point précis où s'arrête la marineti, près du poteau devant le cinéma, sur le trottoir, Zé Esteves et son épouse Tonha. Pour le mariage d'Elisa le Vieux avait fait teindre en noir, à Esplanada, son vieux costume bleu passé. Il ne le porte plus depuis. La veste a l'air d'un sac, le pantalon est en accordéon, Zé Esteves n'est plus le géant d'autrefois, un tronc de jacaranda, un roc, mais il tient encore bon, là, debout depuis presque deux heures, mâchant du tabac, appuyé sur son gourdin. Tonha, si elle pouvait, demanderait une chaise à l'Arabe ; où trouver le courage de montrer au Vieux sa fatigue ? Elle est en demi-deuil, juste une jupe noire et un crêpe à sa blouse blanche. Aussi sa parenté est lointaine, comme l'a fait remarquer Perpétua marquant les différences et les distances.

Avec deux heures et dix minutes de retard, retentit au tournant le klaxon de la marineti de Jairo, course générale. Perpétua et le Padre Mariano disposent les troupes. La marineti débouche à la fin de la rue. On entend un sanglot, prématuré.

MINUTIEUSE DESCRIPTION DU CONFUS DÉBARQUEMENT DE TIETA, LA FILLE PRODIGUE, OU ANTONIETA ESTEVES CANTARELLI, LA VEUVE JOYEUSE.

Au premier rang, la famille, tristesse dans les regards, les larmes, les tenues. Un pas en avant des autres, le vieux Zé Esteves, mâchant du tabac. Ensuite les parents endeuillés, le Révérend, les enfants du catéchisme, les personnalités, dona Carmosina bouquet au poing, le coloris gai des fleurs détonnant sur le crêpe et les sanglots — pour se faire remarquer cette créature fait fi des sentiments les plus sacrés, s'indigne Perpétua de sous le voile retenu à son chignon. Enfin les dévotes et le reste de la population.

La marineti approche, Jairo au volant, peu de passagers. Pour Jairo un jour maigre, pour Agreste un riche jour. Jour à tuer l'agneau pascal, à lancer des fusées de fête en l'honneur de la fille prodigue, si elle n'était veuve, plongée dans l'affliction. Seuls le deuil et les larmes conviennent, les chants d'église.

Les conversations cessent, Peto se dresse sur la pointe des pieds, dès que la tante aura débarqué il fiche le camp, arrache ses chaussures. La marineti stoppe dans un bruit las de joints et de ressorts. Peto compte les passagers qui descendent : *seu*

101

Cunha, un, le couple de la campagne, deux, trois, dona Carmelita, quatre, la servante, cinq, celle-ci je ne la connais pas, six, ni celle-ci, sept, *seu* Agostinha de la boulangerie, huit, sa femme, neuf, sa fille, dix, la tante Antonieta et la fille vont être les dernières. Même Jairo saute avant, chargé des valises et des sacs des voyageuses attendues. Avec Jairo ça fait onze, maintenant douze, c'est elle enfin.

Est-ce bien elle ? Peto en doute. Ce n'est pas possible, la tante doit être en deuil, un voile funèbre cachant son visage comme la mère, ce ne peut être en aucune façon cette actrice de cinéma, Gina Lollobrigida. A la porte, sur la marche, majestueuse, Antonia Esteves — Antonia Esteves Cantarelli, s'il vous plaît, exige Perpétua. Éblouissante. Grande, bien en chair, la chevelure blonde s'échappant du turban rouge. Rouge, oui, rouge comme sa blouse sport, en jersey, simple et élégante, qui souligne la fermeté des seins pleins dont on voit un appréciable échantillon à travers l'encolure ouverte. Le jean collé aux cuisses et aux hanches, mettant en valeur volumes et déclivités, quels volumes, quelles déclivités ! Les pieds chaussés de mocassins havane. Le seul détail sombre dans tout le costume de la veuve, c'est les lunettes fumées, verres et monture carrés, le fin du chic, signées Christian Dior. La stupeur dure une minime fraction de temps, un temps immense, une éternité.

Triomphant, Peto s'exclame :

« La tante n'est pas en deuil. Je peux quitter mes chaussures et ma cravate ? »

Antonieta, paralysée sur la marche, à la portière de l'omnibus : devant elle la famille en deuil pour la mort de Felipe, l'inoubliable époux, et elle en Technicolor, en bleu et rouge, blouse ouverte, jean, ah, mon Dieu, comment n'avait-elle pas pensé au deuil ? Elle avait étudié chaque point et en avait discuté avec Leonora, méticuleusement. Elle avait oublié le plus important. Mais déjà Zé Esteves crache le morceau de tabac et tend les bras à la fille prodigue :

« Ma fille ! Je pensais ne plus te revoir, et Dieu a voulu me donner cette consolation avant ma mort. »

Du haut du marchepied de la marineti, Antonieta reconnaît son père. Son père et le bâton. C'est le même ; le même gourdin qui avait chanté sur son dos cette nuit de fin du monde. Un fou rire la prend, elle ne parvient pas à le contenir, elle tremble, un son incontrôlé arrive à sa bouche, elle a juste le temps de cacher son visage dans ses mains avant de sauter.

Tous accourent pour consoler la veuve en pleurs, la fille prodigue étouffant ses sanglots dans les bras de son père, émouvant instant. Même Perpétua ne se rend compte de rien. Elisa pleure et rit, soudain soulagée, sa sœur est telle qu'elle l'avait imaginée, identique. Seule à s'étonner du curieux son initial, dona Carmosina s'approche avec les fleurs si accordées au costume de voyage de Tieta.

Tandis que Tieta va d'embrassade en embrassade, disputée par ses sœurs, par son beau-frère, par ses neveux — ôte tes chaussures, mon beau, mets-toi à ton aise — prise aux baisers sans compte, aux larmes d'Elisa, apparaît à la portière de la marineti de Jairo la plus belle, la plus douce et la plus séduisante des jeunes filles, svelte donzelle, une sylphide comme le proclama aussitôt le poète Matos Barbosa. Immobile, contemplant la scène émouvante, émue elle aussi. Enchanteresse dans son ensemble de toile délavée, casquette assortie auréolée de cheveux blonds, poudrés de poussière. Peto reconnaît l'héroïne des films de cow-boys. Un murmure d'admiration parcourt la rue. Tieta s'arrache aux baisers d'Elisa, présente :

« Leonora Cantarelli, ma belle-fille, ma fille, c'est la même chose. »

Dona Carmosina se tourne vers Ascânio et le voit fasciné. Et maintenant l'ami ? Leonora élargit son sourire timide, s'adressant à tous, s'arrêtant sur Ascânio qui la fixe, bouche bée.

« Ferme la bouche, Ascânio, et va aider la petite à descendre », ordonne dona Carmosina.

Ascânio s'avance, offre sa main à la Pauliste : soyez la bienvenue sur les terres d'Agreste, pauvres, saines et belles, excusez le retard et l'inconfort. Ricardo met un genou à terre pour demander sa bénédiction à sa tante, mais elle le relève et le prend dans ses bras, l'embrasse sur les deux joues : mon gentil petit curaillon !

Après une compréhensible hésitation le Padre Mariano se décide, il ne va pas, pour une question de protocole, laisser perdre le difficile travail d'adaptation d'un cantique et de quinze jours de répétitions.

Il fait un signe, les enfants du catéchisme chantent :

> *Tout de noir vêtue*
> *Elle est apparue*
> *Le cœur endeuillé*

Le regard voilé.
Ave! ave!
Ave Antonieta!

Sa main encore dans la main d'Ascânio, enchantée, Leonora laisse échapper un rire cristallin, beaucoup plus cristallin, oh! beaucoup plus! que celui de la défunte Astrid. Défunte et enterrée, là, à cette heure, devant le cinéma, sous les pneus usés de la marineti de Jairo.

Antonieta, de bras en bras :

« Carmô, mon ange, quelle joie! Comment va dona Milu? C'est elle qui a cueilli les fleurs? Carina... Tu vois, je suis devenue italienne à São Paulo, je veux dire chérie et je dis carina... » la Tieta de toujours, spontanée, malicieuse, elle n'a pas changé.

« Barbozinha! C'est toi? Pour un peu je ne te reconnaissais pas!

— Les déplaisirs de la vie, Tieta, la souffrance...

— Toujours écrivant des vers? Tu te rappelles ceux que tu avais faits pour moi? si jolis.

— Uniquement et toujours pour toi. Tu es plus jeune et encore plus belle.

— Et toi tu restes menteur, Barbozinha. Flatteur. »

La voilà à Sant'Ana de l'Agreste, au milieu de sa famille en deuil, écoutant les enfants du catéchisme : merci, Padre, de tout cœur. De la mer arrive la brise du soir, qui vient la saluer. Avec l'aide de Sabino, Jairo débarque les malles, les bagages voyagent sur le toit de la marineti, couverts d'une bâche comme si quoi que ce soit pouvait protéger de la poussière du chemin.

« Allons, ma fille », invite Zé Esteves, offrant son bras, s'appuyant sur son bâton.

« Chez moi », tente de commander Perpétua, parmi les débris de la componction profanée.

C'est sa faute, à elle seule. Comment avait-elle pu imaginer Tieta en deuil de son mari? Elle avait fait sa sœur à son image, comme si l'argent, la haute société, le mariage avec un Pauliste riche et Commandeur du Pape pouvaient redresser qui est né tordu, rebelle aux codes, lois et respect humain, sans règle ni mesure.

Antonieta Esteves Cantarelli prend le bras de son père, lance un regard circulaire, sourit aux dévotes, à l'Arabe Chalita, au Commandant et à dona Laura, à Jairo, à Sabino le galopin, à Pue-le-Bouc qui la fixe du trottoir, jaugeant et approuvant. Si misérable et pauvre, il a droit à l'insolence. La voix humide de cachaça retentit dans la rue, enthousiaste :

« Vive le beau brin de pacholette !

— Viva ! Viva ! Vivôo ! » appuient les enfants du caté-chisme.

DES PORTES ET DES FENÊTRES ET DU SACRÉ-CŒUR AU SALON, OU LES PREMIERS MOMENTS AU SEIN DE LA FAMILLE.

A l'angle de la place et de l'impasse des Trois-Marias, le cortège s'arrête.

« Nous arrivons, annonce Perpétua. Entrez.

— Ta maison ? Celle-ci ? Celle du docteur et de dona Eufrosina ? » s'étonne Antonieta. Dans ses lettres, Perpétua parlait de « notre petite maison », achetée par le Major avant leur mariage, place du Conseiller-Oliva. « Mais ici c'est la place de la Cathédrale.

— Le nom correct est place du Conseiller-Oliva », explique dona Carmosina.

La maison du docteur, la maison de Lucas. Antonieta s'était préparée à affronter les souvenirs, mais les fausses notes avaient commencé dès le premier instant, quand elle avait aperçu le Vieux tenant son bâton. Elle n'aurait jamais imaginé loger dans la maison où Lucas avait vécu après la mort du docteur, étudiant les possibilités de clientèle. Valait-il la peine de s'établir ?

Perpétua attribue la surprise de sa sœur aux dimensions de la maison, des sentiments contraires l'habitent. Satisfaction qu'elle savoure, elle n'est pas une morte de faim, une misérable mendiante. Peur de la réaction de Tieta qui peut trouver abusive la demande d'une aide mensuelle pour élever ses fils. Une explication s'impose :

« Elle est tombée du ciel, un don de Dieu. Le Major a payé une bagatelle pour la maison et tout ce qu'elle contenait. »

Les amis saluent, promettent leur prochaine visite :

105

« Nous viendrons bientôt, avertit le commandant.

— Venez ce soir bavarder

— Non, pas aujourd'hui, c'est le jour de la famille.

— Le jour des retrouvailles..., ajoute dona Laura, souriant.

— Demain, alors.

— Demain, sans faute. »

Ascânio viendrait bien, lui, ce soir même, le reste de l'après-midi ne suffit-il pas à la famille ? D'ailleurs Leonora est une parente éloignée, elle vient à Agreste pour la première fois, elle va rester en dehors des conversations familiales. Dommage qu'il n'ait pas la tête dure de dona Carmosina :

« Eh bien, moi je viendrai aujourd'hui, avec ma mère. Quand je suis partie, elle m'a dit : ce soir je vais chez Perpétua, voir Tieta.

— Je lui ai apporté un petit souvenir, un rien. Pourquoi ne venez-vous pas dîner avec nous ? Je peux faire des invitations, Perpétua ?

— Tu es chez toi. Grâce à Dieu il y a largement à manger. »

Avant même de prendre une douche — j'ai besoin d'une douche immédiatement, j'ai de la poussière jusqu'à la moelle des os, nous en avons besoin l'une et l'autre —, Antonieta précise :

« Tant que nous sommes ici je prends à ma charge les dépenses de la maison. »

Perpétua ébauche un geste de protestation qui reste inachevé, la richarde coupe court à toute tentative de discussion :

« Sinon nous prenons nos valises et allons à la pension d'Armozinho.

— Dans ce cas je ne discute pas... », s'empresse d'accepter Perpétua, délivrée d'un grand poids. Le reste est un moindre mal, les dépenses faites pour les accueillir convenablement partagées entre elle, Astério et le Vieux.

Ils n'auront même pas ces frais, Antonieta ajoute :

« En commençant par ce que vous avez déjà déboursé pour nous recevoir.

— Ah ! Ça non ! intervient Elisa : ce n'est rien du tout, une bêtise. Nous avons fait une cagnotte, chacun a participé.

— Tu parles comme si tu étais riche. » Perpétua avait démasqué sa sœur, il n'y a rien de pire que les pauvres qui font les fiers : « Tu oublies qu'Astério a dû emprunter de l'argent à Osnar pour compléter votre part ?

— Tais-toi, toi ! » Elisa pâlit. Perpétua l'humilie exprès,

devant leur sœur et l'étrangère. Pourquoi exposer devant elles la pauvreté du couple ?

« Perpétua a raison, Elisa, ma fille. Si je ne pouvais pas, ce serait une chose. Mais pourquoi feriez-vous des sacrifices sans nécessité ? Plus tard Perpétua ou Astério me diront combien vous avez dépensé, et voilà. »

Tout en parlant, Antonieta s'approche, embrasse Elisa, affectueusement — il y a entre elles un air de famille, une ressemblance dans le visage et dans l'allure, sauf que la plus jeune n'a pas hérité de l'obstination, de l'entêtement du vieux Zé Esteves, qui caractérisaient Perpétua et Antonieta, cette dureté de pierre, l'entêtement des chèvres. Mais elle n'a pas hérité non plus de la résignation de sa mère.

« N'aie pas honte de ta pauvreté, ma fille. Aujourd'hui j'ai un certain bien, mais quand j'étais pauvre — j'ai mangé le pain pétri par le diable — je n'ai jamais joué la riche. Sinon, qui allait m'aider ? A peine connaissais-je Felipe que je lui ai demandé de me prêter de l'argent. »

Réconfortée, traitée de fille, Elisa récupère ses couleurs et se remet :

« Tu as emprunté de l'argent à ton fiancé ?

— Quel fiancé ? Pas l'ombre d'un fiancé, c'est après que sont venues les fiançailles. Quand je lui ai été présentée, j'étais à sec. Un jour, tranquillement, je te raconterai. Maintenant, je veux prendre une douche, n'est-ce pas, Nora ?

— Nora ?

— C'est son diminutif. Elle, je l'ai élevée. Elle a vécu avec moi toute petite, ce qu'elle sait, je le lui ai appris. Où est notre chambre ?

— La tienne ici, Tieta, c'est l'alcôve. Là, celle de Leonora, indique Perpétua. Cardo, Peto, portez les valises. Aide aussi, Astério. »

Pourquoi Tieta n'a-t-elle pas protesté, n'a-t-elle pas demandé de loger avec sa fille adoptive comme l'auraient exigé les bonnes manières ? La fenêtre de l'alcôve ouvre sur l'impasse des Trois-Marias, la porte fait face à celle du cabinet de travail.

« Quelqu'un couche dans le cabinet ?

— Ricardo.

— Moi, Tante. Si vous avez besoin de quoi que ce soit, la nuit, vous n'avez qu'à m'appeler. »

Brun, grand, fort, suant la santé et l'innocence dans sa soutane. S'il était à São Paulo, il aurait des cheveux sur les épaules, ne prendrait pas de douche. fumerait, drogué fini comme les fils de tant de ses amis. Antonieta est lasse d'entendre ces histoires tristes. Elle sourit à son neveu.

« Si l'ogre veut me manger, je crierai. » Elle est touchée par les attentions, les gentillesses. « Vous vous êtes tellement dérangés pour nous.

— Trop... », la voix musicale de Leonora, un ton plus bas, elle ne l'élève jamais. « Nous pouvons occuper toutes les deux la même chambre.

— Maintenant tout est arrangé, c'est trop tard », dit Tieta, pourquoi le dit-elle ? L'ombre de Lucas, dans l'alcôve.

Astério, Ricardo et Peto sans chaussures, transportent valises et colis.

« Attention à cette boîte, Peto. C'est fragile. D'ailleurs, le mieux est que je la remette tout de suite. »

Antonieta prend le volumineux paquet, le pose sur la table de la salle à manger, au milieu de la curiosité anxieuse des autres :

« Un souvenir pour ta maison, Perpétua. »

Fort de son expérience, Astério défait les nœuds de la ficelle cirée, la roule, plie le papier d'emballage, parfait, ça pourra servir au magasin. L'impatience grandit devant le beau papier cadeau, faveur rose, longue, le nœud formant une fleur.

« Tu dénoues le ruban, Perpétua. » Astério lui cède la place.

Réprimant son émotion, Perpétua prend le bout du ruban, lit l'étiquette : « AU BON JÉSUS — Objets religieux, comptant et à crédit. Payez vos dévotions en douze mensualités. » Serait-ce, par hasard, ce dont elle rêve depuis si longtemps, l'achat dont elle nourrit l'espoir, qu'elle commanderait à Bahia ? Serait-ce une inspiration divine qui a guidé Tieta, éclairé son choix ? Dieu, parfois, se sert des pêcheurs endurcis pour récompenser les justes.

Elle tire le ruban, la boîte blanche apparaît. Elle soulève le couvercle, le tend à Astério — en quoi est-il pour être si léger ? polystyrène, explique Antonieta à son beau-frère. Une exclamation générale, d'admiration et d'enthousiasme. De la poitrine palpitante de Perpétua s'échappe un oh ! de profond plaisir en voyant, dans la boîte de polystyrène, l'objet de ses rêves, mais bien plus grand et bien plus beau, plus efficient certainement. Plus grande, plus belle et chère est la statue, plus elle est sainte et miraculeuse. Dieu avait inspiré Antonieta : dans la boîte, haut-relief en plâtre, le Sacré-Cœur de

Jésus. Sur les cheveux, la face, la robe. toutes les couleurs de l'arc-en-ciel. Exposé, le rouge, très aimant Cœur, la plaie ouverte. La goutte de sang paraît un énorme rubis. Une pièce digne du maître-autel de la cathédrale d'Aracaju. Aidée d'Astério et de Ricardo, avec un soin extrême, Perpétua retire la précieuse effigie — ni tableau ni sculpture, elle tient des deux, c'est une nouveauté jamais vue à Agreste, un haut-relief à suspendre au mur. Derrière, une forte armature de fil de fer, à part, une sorte de socle en bois où le poser. Il y a même les clous, grands, spéciaux, en acier chromé, une rareté. Tieta respire :

« Heureusement, il est arrivé entier. Pour mettre dans ton salon, Perpétua.

— Ah ! quelle chose divine ! J'en ai des palpitations. Je ne sais comment te remercier, petite sœur ! »

Perpétua embrasse sa sœur sur les deux joues, légèrement et à distance. Ainsi elle embrasse ses fils et la main de Dom José, celle du Padre Mariano. Le Major, comment l'embrassait-elle ? Si on le lui avait demandé, Perpétua aurait répondu que les couples unis par le saint mariage, bénis par Dieu, ont droit aux contacts charnels. Droit et devoir. Mais certainement elle ne dirait pas que, du souvenir de ces baisers, elle en vit.

Peto caresse le polystyrène :

« Vous me donnez la boîte, Mère ?

— Tu es fou ? Laisse cette boîte. Toi aussi, laisse le papier et la ficelle, Astério, je peux en avoir besoin.

— Je vais chercher le marteau, Mère ? Ricardo se propose, tenant le piédestal.

— Il n'y en a aucun de comparable, ni ici ni à Esplanada. A côté, celui de dona Aida et de *seu* Modesto disparaît, se rengorge Perpétua.

— Une sœur pareille, il n'y en a pas d'autre au monde » Même dans la flatterie, Zé Esteves est âpre et virulent.

Pour Perpétua ce n'est pas l'heure de discuter les qualités et les défauts de Tieta, ni même la façon déplacée dont elle porte son veuvage. L'or pauliste, la décoration papale, l'image du Sacré-Cœur la rendent parfaite.

« Vous avez raison, Père. Une sœur généreuse comme Tieta, il n'y en a pas. »

Il lui en coûte de prononcer ces mots mais l'avenir de ses fils exige des sacrifices, le Major les a laissés à sa garde.

Quand il revient, Ricardo ne trouve pas sa tante, elles se

préparent, elle et la jeune fille, pour la douche. Les autres sont au salon. Astério tient le piédestal, Perpétua a déjà choisi la place de la divine image : entre les portraits en couleur, elle en mariée, le Major en uniforme — œuvre d'une firme du Paraná, commande faite juste après leur mariage. Ricardo appuie l'escabeau contre le mur, prend le marteau. Il n'est pas encore parvenu à une conclusion quant à la sainte à laquelle ressemble la tante. Avant de la voir, il l'avait imaginée Senhora Sant'Ana, la patronne, la grand-mère. De la Senhora Sant'Ana, elle n'a rien. Peut-être sainte Rose de Lima, sainte Rita de Cassia ? Elisa tend les clous à son neveu. Là, Mère, c'est bien ?

Du haut de l'escabeau, Ricardo voit la tante sortir de l'alcôve, tenant la serviette de toilette et la savonnette, la douche est dans la cour. Brune, où est la chevelure blonde de son arrivée ? Cheveux noirs, boucles frisées comme celles des anges à la chapelle du séminaire. Peau bronzée, jambes et cuisses apparaissant sous le négligé agité par la brise. Ricardo détourne les yeux. Perpétua fixe le mur, peut-être un peu plus haut, là c'est bien. Elle ne voit pas sa sœur qui s'approche, à son aise dans la robe à dentelles sur les seins, froufroutant à la brise du soir qui va mourir sur les bords du fleuve. Elle ne voit pas ou elle ne veut pas voir ? Tieta regarde et approuve, ça va être formidable. Elisa, baba devant le saint et devant le peignoir.

« Quel amour, cette robe ! »

Perpétua préfère ne pas se retourner :

« Je vais parler au Padre Mariano pour qu'il vienne le bénir dimanche, après la messe. »

Ni sainte Rita de Cassia, ni sainte Rose de Lima, à quelle autre alors, du *Flos Sanctorum* ? Allant vers la douche, balançant les hanches, quelle sainte peut-elle être, la tante de São Paulo ?

CHAPITRE DES CADEAUX OÙ S'ATTENDRISSENT LES CŒURS ET TOMBE UNE LARME INATTENDUE.

La cérémonie de remise des cadeaux se fait après le dîner, une fête d'exclamations et de rires : une fois les assiettes enlevées par la petite Araci, la nappe retirée, Antonieta demande à Ricardo et à Astério d'aller chercher dans l'alcôve la valise bleue, la grande, la seule encore fermée. Ils la posent sur la table, Astério se charge de l'ouvrir. Des rires nerveux, la famille dans l'expectative, Peto impatient, tendant le cou pour voir ce qu'elle contient. Leonora aussi a apporté de sa chambre un sac de voyage, elle le garde sur ses genoux après avoir tiré la fermeture Éclair — une boîte à surprises.

La priorité revient à Zé Esteves : dans un luxueux écrin, une montre-bracelet en or — plaquée or :

« Regardez la marque, Père. Vous avez toujours désiré une montre Oméga Je me rappelle que vous enviiez l'oignon du colonel Artur da Tapitanga. A propos, il est encore en vie ?

— En vie et en forme. Il ne tardera pas à apparaître. Il parle toujours de toi. » C'est dona Carmosina qui répond, ravie à côté de dona Milu.

« Je n'ai plus de vanité, ma fille. Ni vanité ni montre depuis que la mienne s'est cassée, et Roque n'a rien pu faire. Maintenant je vais pouvoir à nouveau regarder l'heure. Je redeviens quelqu'un depuis que tu es là. »

Leonora met la main dans le sac :

« Et ici j'ai une radio à piles, un transistor, pour que dona Tonha et vous écoutiez de la musique, *seu* José.

— Tu te donnes du souci pour nous, petite ! Une radio ? C'est Tonha qui va être heureuse, pas vrai, la femme ? Elle me casse les oreilles pour que j'en achète une... »

Tonha approuve, trop heureuse, elle la voulait tant ! Une fois, effectivement, elle s'était risquée à suggérer l'achat d'une des meilleur marché, suggestion première et unique, elle s'était fait rabrouer de belle façon : tu veux que je gaspille l'argent que ma fille m'envoie ? Et si je tombe malade ? Et quand je casserai ma pipe ? Tu crois que quelqu'un va payer le médecin et les remèdes, le curé et le cimetière ? Ne me demande plus de jeter l'argent par les fenêtres. Tu es folle ?

Nora introduit elle-même les piles dans le petit appareil, un samba retentit, indicatif d'une station de Feira de Sant'Ana.

« Plus grande que la nôtre..., murmure Elisa à Astério. Qui sait si Père accepterait d'échanger, on paierait la différence. Tieta rembourse les dépenses, et une fois retiré l'argent d'Osnar, avec le reste on pourrait... »

Ce ne sera pas nécessaire car Antonieta sort de la valise un imposant appareil, sophistiqué, une quantité de boutons, plusieurs longueurs d'ondes, une antenne emboutie, elle le remet à sa sœur : pour Astério et toi, c'est japonais, on ne fait pas mieux.

« Sainte Vierge ! Tieta, c'est trop ! » une nouvelle pluie de baisers, Elisa remercie pour la radio et le pardon accordé : dona Carmosina lui a confirmé que tout est arrangé pour la mort de Toninho, peu importe où et quand, qu'elle n'y pense plus. « Il y a les piles ? Je veux l'entendre tout de suite.

— Elles doivent être dedans. Il marche aussi à l'électricité. Ce portefeuille, Astério, c'est pour y mettre ce que tu gagnes au billard. Il y a encore quelques babioles pour toi, Elisa. »

Un assortiment complet de produits de beauté. Crèmes et fards, tous les produits pour le maquillage, que de choses, mon Dieu, je vais m'évanouir ! Tant de rouges à lèvres, je n'en ai jamais vu. Essaie le rouge nacré, recommande Leonora. A la radio se succèdent les stations de Bahia, de Rio, de Recife, s'adressant au monde, de São Paulo ; si tu changes d'ondes, regarde ; à ta portée les cinq continents — quelle est cette langue bizarre ? On dirait du russe, mais c'est la radio de Belgrade, Belgrade est la capitale de quel pays ? De la Yougoslavie, informe dona Carmosina.

Ainsi, dans la musique, les rires et les baisers, c'est une fête ce début de soirée. Comment a-t-elle pu deviner les goûts, les désirs de chacun ? Comment connaît-elle les prouesses d'Astério au billard ? Les rêves de Cardo d'une canne à pêche, moulinet, fil de nylon, appâts artificiels ? Comment a-t-elle deviné ? Dona Carmosina sourit en entendant la question réitérée, sans réponse : inspiration divine. Pour Peto apporte n'importe quoi sauf des livres d'étude, il n'aime que s'amuser, nager et plonger dans le fleuve, jouer au ballon dans la rue avec les gamins, assister aux parties de billard ; il va avoir treize ans et il est toujours à l'école publique. Peto a reçu un équipement de plongeur : masque, palmes et harpon. Aux deux jeunes gens Leonora a offert un porte-clefs avec l'effigie du Roi Pelé. A Astério, une cravate. Une mantille gris cendré pour Perpétua. Pour Elisa, une grosse bague, en fibre de verre, la pierre énorme, couleur ambre, qui fait sensation. Le dernier cri de la rue Augusta, dans la capitale pauliste. Antonieta et Leonora en ont une pareille, de couleurs différentes. Nora, va les chercher. La mienne est dans la boîte à bijoux, sur la coiffeuse, dit Tieta. Boîte à bijoux, ça sonne bien aux oreilles de la famille. Leonora montre les deux bagues, vert émeraude la sienne, blanc fumé, celle de Tieta. Une création d'un artiste fameux, Aldemar Martins, ses tableaux valent des millions. Très ami du Commandeur, Tieta le connaît, elle connaît beaucoup de gens importants à São Paulo, dans l'industrie, la politique, le commerce, les arts et les lettres. Menotti del Picchia fréquente sa maison. Doña Carmosina, qui a lu *As Máscaras* et *Juca Mulato*, pose des questions sur le poète, est-il aussi romantique que ses œuvres ? Il est déjà vieux mais toujours entouré de jolies filles, il n'a pas perdu l'appétit, raconte Tieta.

Il ne faut pas croire que Tonha, en tant que marâtre, ait été oubliée. Outre la radio, elle reçoit une jupe et une blouse, apportées par Tieta ; un collier bleu et lilas, souvenir de Leonora. Elle ne peut pas remercier, s'essuie les yeux, il y a si longtemps le dernier cadeau, une barrette pour ses cheveux, achetée par le Vieux au marché. Elle la porte encore, dans ses mains les choses durent.

Pour dona Carmosina, collier, bracelet et bague fantaisie, une parure complète. Tu l'aimes ? s'enquiert Tieta. Elle l'adore. Elle a reçu également un stylobille à plusieurs couleurs : merci, Nora, je suis ton amie pour toujours. Pour les patiences de dona Milu, une boîte de deux jeux de cartes, plastifiées, lavables, et un châle italien pour mettre sur la tête. Même la petite Araci, qui regarde de la porte de la cuisine, a reçu une broche en forme de cœur pour porter sur sa robe des dimanches. Une fois de cent en quatre elle va au cinéma, en matinée.

Un ostensoir pour l'église, viens voir Perpétua. Tu penses que le Padre Mariano va aimer ? S'il va aimer, quelle question ! un objet si beau, ça doit coûter les yeux de la tête. Ce n'est pas donné mais ce n'est pas si cher. Pour racheter mes péchés... — Tieta rit, rejette la tête en arrière, Ricardo ne peut l'imaginer pécheresse. Quelle sainte réunit la joie et la piété ?

Ça y est, les cadeaux sont terminés. Pas encore, il manque le cadre en argent où Perpétua mettra la photographie du Major revêtu de l'uniforme de gala de la police militaire. La veuve en perd la parole, elle fait un geste, Ricardo comprend, il va chercher le portrait enfermé à triple tour dans le secrétaire. Maintenant, en évidence sur la table, le perpétuel sourire (le sourire bestial du Major au dire d'Aminthas qui aime plaisanter), la physionomie franche, il ne manque que sa grosse voix. Perpétua fixe longuement le défunt : son époux cédait à toutes ses volontés et lui avait fait deux fils Tieta était parvenue à l'émouvoir, une larme sourd de ses yeux vairons, la première larme spontanée depuis la mort du Major. Perpétua s'attendrit, sa voix sifflante s'élève :

« Il était trop bon. Je ne pensais plus me marier, encore moins avec un homme comme lui. Ma nature est..., elle cherche le mot : ... rude. Le Padre Mariano dit que je ne sais pas ce qu'est la miséricorde. Avant d'épouser Cupertino je n'ai fait que le mal en pensant faire le bien. Je voudrais Antonieta, que tu me... »

Dona Carmosina écarquille ses petits yeux. Perpétua va demander pardon à sa sœur, un fait inédit. Mais Tieta la coupe :

« Tout ça est passé, Perpétua. Moi non plus je n'ai pas mérité l'homme si bon que j'ai eu et qui a fait de moi ce que je suis aujourd'hui. Je ne le montre pas, mais je souffre de sa disparition. Dommage que le Major soit mort sans que j'aie eu le temps de le connaître. Mais il reste ses fils, elle tend les bras : Venez là, mes amours, embrasser votre vieille tante. »

En soutane, si drôle et gêné, l'aîné. Le plus jeune, espiègle, roublard, du vif-argent. Le baiser de Ricardo lui frôle juste la joue, celui du petit est chaud, il a déjà de la malice.

DE LA CHEMISE DE NUIT, DE LA ROBE DE NUIT, DU POT À EAU ET DE LA PRIÈRE.

Il avait accompli son vœu au séminaire, la semaine des examens, après avoir reçu la lettre de Perpétua avec les nouvelles : la tante en bonne santé et les projets de voyage. Il y avait bien eu mort, mais celle du Commandeur, un moindre mal Pendant sept nuits, Ricardo avait macéré ses genoux sur les grains de maïs, trouvés dans la dépense, et il avait pris l'habitude de réciter un Salve Regina pour la santé de la vieille tante, de l'aïeule.

La vie est un sac à surprises, affirme Dom José dans ses sermons dominicaux, il a raison. Ricardo est resté bouche bée quand il a aperçu tante Antonieta à la porte de la marineti, d'une grand-mère ou d'une aïeule, elle n'avait rien. Ni même d'une veuve, elle n'était pas en deuil. Chevelure blonde sortant du turban, tombant sur les épaules, le corps serré dans la blouse rouge, dans le jean, soulevant des exclamations. Pas seulement le cri, le vivat de Pue-le-Bouc, une indécence ! Ricardo avait également entendu le commentaire d'Osnar, à voix basse, pour Aminthas :

« Quel morceau de femme elle est devenue ! Quelles mamelles ! Une belle chèvre ! Il haussait la voix : Un fruit mûr, capitaine Astério, félicitations pour la belle-sœur. » Osnar distribuait des patentes militaires à ses amis. *Seu* Manuel était amiral. Dona Carmosina, colonelle de l'artillerie lourde

C'était drôle : il n'avait été ni déçu ni frustré par le brusque changement de l'image qu'il s'était faite — se surprend à penser Ricardo tandis qu'il retire sa soutane, il enfile sa chemise de nuit, s'agenouille pour dire ses prières et bénir le Seigneur qui avait fait deviner à sa tante le cadeau qu'il souhaitait. Il avait caché la canne à pêche afin que Peto ne soit pas le premier à s'en servir, son frère n'a pas le moindre respect du bien d'autrui, un anarchiste. Il récite le *Salve Regina* pour la santé de sa tante, elle le mérite.

Il s'allonge dans le hamac. De l'alcôve, la lumière éclairée illumine le corridor, tante Antonieta avait été à la toilette. Au lieu d'une petite vieille, d'une grand-mère, une véritable tante, gaie, ardente — et lui qui l'avait imaginée plus âgée que sa mère. Une absurdité, Ricardo l'avait entendue dire son âge à Barbozinha : quarante-quatre, mon poète. Ici je ne peux pas le cacher, tout le monde le sait. Il y a vingt-six ans qu'elle est partie, elle venait d'en avoir dix-huit. A São Paulo j'en avoue trente-cinq, je parais plus ?

Sa mère, il le sait, diminue son âge. Dévote et exigeante, elle ne supporte pas le mensonge et, pourtant, quand il s'agit de son âge... Le véritable est dans le certificat de mariage, enfermé dans le secrétaire avec les titres de propriété des maisons, la patente du père, son livret militaire, les éloges à ses bons et loyaux services. La tante n'a pas besoin de mentir parce qu'elle est jolie. Même très jolie. Chez elle tout est grand et superbe. A quelle sainte ressemble-t-elle ? A aucune de celles qu'il connaît, ni à sainte Rita de Cassia, ni à sainte Rose de Lima. Tante Elisa, quand elle est mélancolique, rappelle sainte Marie-Magdeleine. La Mère, toujours en deuil, est sainte Hélène avec sa robe noire de veuve et son voile de cendres. Mais la force qui se dégage de la tante, laquelle la possède ? A peine est-elle arrivée qu'aussitôt elle s'est mise à commander. Parce qu'elle est riche et généreuse, certainement, oui, mais pas seulement pour ça. Il y a quelque chose de plus, d'indéfinissable, qui impressionne Ricardo, s'impose, il ne sait pas se l'expliquer. Il la voit entourée d'un halo lumineux, comme certains saints. Sainte ? Pour sa bonté, sa grandeur d'âme, mais elle a d'autres attributs, charnels. Humains, pas charnels, un mot maudit, les péchés de la chair, punis des flammes de l'enfer pour l'éternité.

Des pas dans le corridor, c'est la tante de retour de la douche. La précédant, arrive le parfum, celui des envelopppes, le même, qui se dégage à chaque pas, annonce sa présence proche. Heureusement que le père confesseur lui a dit que ce n'était pas un péché, le parfum de la vieille tante. Vieille ? Mûre.

Un fruit mûr, ç'avait été l'expression d'Osnar pour la définir. A l'heure confuse de l'arrivée, Cardo avait trouvé tout le verbiage du viveur un manque de respect. Mais, maintenant, en entendant les pas de la tante, en sentant son parfum, la comparaison avec un fruit mûr, riche de suc, dans la plénitude de sa force, lui paraît correcte, il n'y voit pas d'irrespect, d'inconvenance, de péché. Un manque de respect que de la comparer avec les chèvres, ça oui. Osnar est sans rémission.

Antonieta porte le pot en émail plein d'eau. Dans l'ombre du corridor, elle marche sur sa robe longue, trébuche, vacille, elle va tomber. Ricardo accourt à temps pour la soutenir et prendre le pot à eau, il le porte dans l'alcôve.

« Merci, mon petit. » Avec un sourire moqueur, elle considère son neveu, si grand dans la chemise de nuit : « Tu couches encore en chemise ?

— Au début de l'année, je vais passer dans la division des grands et coucher en pyjama..., explique-t-il fièrement. Mais Mère ne l'achètera que lorsque j'irai au séminaire. »

Sous le peignoir entrouvert, la courte chemise rose révèle plus qu'elle ne cache les charmes de la tante, Ricardo détourne les yeux, pose le pot dans le cercle de la table à toilette.

« Tire la table à toilette par ici et mets un peu d'eau dans la cuvette », demande Antonieta, assise devant la glace de la coiffeuse, des crèmes diverses devant elle, des flacons avec des liquides de couleur, du coton, un excès de pots et de tubes.

116

Tante Elisa n'en a pas la moitié, la mère ne se maquille pas depuis la mort du père.

Il verse l'eau, se dirige vers la porte. La tante observe ses gestes :

« Tu t'en vas sans me demander ma bénédiction ?

— Votre bénédiction, Tante. Dieu vous accorde une bonne nuit. Il plie un genou : Merci pour la canne à pêche.

— Pas comme ça. Plus près et avec un baiser. »

Cardo lui baisa la main, elle lui prend le visage et l'embrasse sur les deux joues. Le parfum monte des seins. Malgré lui Ricardo les aperçoit, ou les devine débordant de la chemise. Mamelles, avait dit Osnar.

Il se couche dans le hamac, la lumière reste éclairée dans la chambre de la tante qui se démaquille, un rai de lumière entre dans le cabinet par la fente de la porte. Ricardo, qui a le sommeil facile — à peine au lit, ses yeux se ferment — aujourd'hui ne parvient pas à s'endormir. Il n'est pas habitué au hamac, qui sait ? Un trouble pareil à celui de l'arrivée, quand il a vu la tante à la porte de la marineti, le contraire de l'image qu'il s'était faite lors de l'annonce de sa mort. Le mieux est de prier. Il descend du hamac, s'agenouille, croise les mains, Notre Père qui êtes aux cieux. La pensée vers Dieu, loué soit-il.

OÙ PERPÉTUA, BELLE-SŒUR ATTENTIVE, PREND SOIN DE L'ÂME DU COMMANDEUR TANDIS QUE TIETA ET LEONORA, DANS D'ÉLÉGANTES TENUES TRANSPARENTES, SUBJUGUENT LE BOURG ET QU'ASCÂNIO TRINDADE EXPLIQUE LE PROBLÈME DE LA LUMIÈRE ÉLECTRIQUE.

Le matin, pendant le petit déjeuner — igname, manioc, fruit-pain, bananes cuites, couscous de tapioca envoyé par dona Milu ; comment garder la ligne et ne pas grossir ? — Perpétua communique les horaires de la messe pour l'âme du Commandeur et de la bénédiction, la messe le samedi, à huit heures, la bénédiction le dimanche, à onze. Antonieta s'in-

117

quiète si elle ne freine pas sa sœur aînée, elle passera ses vacances à l'église, adieu projets de plage, promenades :

« Une messe ? Nous en avons fait dire à São Paulo, à la cathédrale. De septième jour, de bout du mois. Plusieurs.

— Ça n'a pas d'importance, plus il y en a, mieux c'est pour son âme. De quoi aurait-on l'air si on ne faisait pas célébrer au moins une messe ? Moi, Elisa, le Vieux ? Que diraient les gens ? Un Commandeur du Pape, un noble de l'Église, aujourd'hui encore le Padre Mariano le répétait : nous devons prendre soin de son âme. Il a fait force éloges de toi. A cause de l'ostensoir.

— Tu l'as déjà vu, aujourd'hui ? A quelle heure ?

— Je ne manque pas la messe de six heures. Ni moi ni Ricardo, quand il est ici. C'est lui qui la sert. »

Ricardo en profite et demande s'il peut ôter sa soutane, mettre son maillot, aller au fleuve — essayer le moulinet. Antonieta prend les devants :

« Tu peux, oui, mon fils. Va t'amuser. Et ne reviens qu'à l'heure du déjeuner.

— Merci, Tante. » Il sort rapidement avant que sa mère ne proteste.

« C'est drôle, ton fils apprenti-curé, je ne m'y suis pas encore habituée. Le jour en soutane, la nuit en chemise de nuit. Grand comme il est, Perpétua ! Je vais lui acheter un pyjama.

— Il commencera à en porter lorsqu'il retournera au séminaire. J'ai fait un vœu à la Senhora Sant'Ana : si, un jour, Dieu me donnait un fils, il serait prêtre. Ricardo a été le premier, nous lui avons donné le nom du grand-père, le père du Major. Il aime étudier, il craint Dieu, je suis contente de lui.

— Quelle guigne ! J'avais pensé passer la fin de la semaine au Mangue Seco, montrer la plage à Leonora, voir si je trouve un terrain à acheter. J'allais combiner ça aujourd'hui avec le commandant, il nous a invitées à notre arrivée.

— J'y vais aussi, Tante. » En maillot, tenant les palmes et le masque de plongée, Peto attend son frère.

« Ce samedi, il n'y a pas moyen. Tu ne peux pas manquer à la messe. Ni à la bénédiction, c'est toi qui m'as donné le Sacré-Cœur. Tu y penses ? Ce sont des choses saintes, plus importantes que la plage et les bains de mer », tranche Perpétua.

Antonieta se domine, ravale sa mauvaise humeur. Aussi, quelle idée, venir chargée de trucs religieux, elle qui n'a jamais été portée sur les messes et les sacristies ! C'est la faute de Carmosina : Perpétua a une Dernière Cène dans sa salle à manger, si tu lui apportes un Sacré-Cœur pour son salon, elle sera folle de joie. N'oublie pas un souvenir pour la cathédrale, le Padre Mariano a failli te canoniser quand il a fait ton éloge funèbre. J'ai suivi les conseils de Carmô, voilà le résultat : on me saoule d'église. Moi qui arrive, rêvant de la plage du Mangue Seco, merde ! Elle ravale aussi le gros mot.

En short, montrant ses longues jambes, ses cuisses bien modelées, une blouse nouée sous ses seins, le nombril dehors (ah, ces mœurs de São Paulo, les enfants vont perdre la virginité de leurs yeux ! Perpétua touche les grains du chapelet dans la poche de sa jupe), Leonora sourit, calme Tieta :

« Nous irons à la plage un autre jour, Petite-Mère. Dona Perpétua a raison, la messe est plus importante. Elle sourit à Perpétua : Petite-Mère m'a parlé du Mangue Seco pendant tout le voyage. Mais la messe est sacrée. »

Très bien, ainsi parle une bonne fille, même étant pauliste, peu attentive aux rigueurs du deuil, aux longs rites de la mort, obligatoires et rigides à Agreste. Si Leonora s'habillait décemment, Perpétua ne trouverait que des compliments à faire d'elle. Quel besoin de montrer son nombril, qu'y a-t-il de beau dans un nombril, pour l'amour de Dieu ? Qui sait, Peto pourrait répondre car son œil apprécie, va et vient, des cuisses au nombril, au ventre d'amphore, bien tournée.

« Tu as raison, Nora. Je reste têtue comme une vieille chèvre. Quand je veux quelque chose, plus rien n'existe. Nous irons au Mangue Seco à la fin de la semaine prochaine. »

Conduites par Ricardo — mets ta soutane, accompagne ta tante — elles avaient été, l'après-midi, visiter la maison d'Elisa. Une baraque de pauvre, sœurette, à part le loyer cher. Cher ? Si c'était à São Paulo... Là, pour commencer, seuls les multimillionnaires habitent des maisons, les autres vivent empilés dans des appartements ou pourrissent dans des meublés, des sardines en boîte. En revanche, tous les appartements doivent être merveilleux, non ? Le vôtre, raconte... Plus tard, tranquillement, maintenant nous devons aller. Pas avant de manger un fruit, une douceur, de prendre un petit verre de liqueur, sinon je me sens offensée. Un *araça* confit, on en fait rarement, délicieux ! Une liqueur de *jenipapo*. Ce que je vais grossir, mon Dieu ! Gourmande, retrouvant les saveurs de son enfance, Tieta se ressert.

Dehors, elles rencontrent Ascânio Trindade. Par hasard ou

119

exprès, il a déserté la mairie ? Elles veulent aller où ? Il y a une jolie promenade : un peu plus loin, le fleuve s'élargit et fait comme une petite bassine, domaine des laveuses, un bel endroit, on l'appelle la Bassine de Catarina, un nom certainement donné par un homme de lettres, un ancêtre de Barbozinha. Ou par lui-même dans une autre vie. Aujourd'hui, non, elles doivent aller à l'agence des Postes, elles l'ont promis à Carmosina. Vous allez à l'Aréopage ? Où ? L'Aréopage, c'est le surnom que Giovanni Guimarães, un journaliste de la capitale, a trouvé pour l'agence des Postes : là se réunissent les sages. Très drôle ! Leonora éclate de rire, cristal qui se brise dans les rues d'Agreste.

Une brève station à la porte du cinéma pour dire bonjour à l'Arabe Chalita — vous vous rappelez encore de moi ? Qui peut t'oublier, Tieta ? Un sorbet de mangaba, Leonora ne connaît pas, elle va voir ce qui est bon. Aujourd'hui, c'est gratuit, cadeau de la maison ; l'Arabe se dédommage en lorgnant Tieta et la jeune fille. Il se régale du spectacle digne des mille et une nuits sous les étoffes transparentes s'éclaire un rayon de soleil. Combinaison, jupon ? On n'en porte plus, des pièces de musée. Soutien-gorge ? A quoi bon si les seins sont fermes, pas besoin d'armatures rigides. Culotte ? Un minuscule cache-sexe et c'est tout. Vive la civilisation et revenez toujours, supplie l'Arabe progressiste.

Aux fenêtres, vieilles filles et gamines se penchent pour mieux voir, observant chaque pas, chaque geste, commentant les tenues. Tu aurais le courage de porter ça ? Moi je crois que non. Moi oui, si Maman permettait. Tieta a apporté une minijupe à Elisa mais elle ne s'est pas encore risquée à l'étrenner. Révolution au bar, toute la bande à la porte, qui se rince l'œil. Même *seu* Manuel lâche le comptoir, lui aussi est fils de Dieu. Leonora trouve tout drôle, libres, son rire et ses cheveux ; Ascânio recueille à travers la rue des morceaux de cristal, se rappelle un vers entendu il ne sait où : blonde comme un champ de blé mûr. Il apprend l'ajournement de la visite au Mangue Seco, on l'invite à la messe pour l'âme du Commandeur. Tieta le met à son aise :

« Si vous n'avez pas envie, ne venez pas. Cette histoire de messe de défunt, il faut y être obligé. D'ailleurs Felipe avait une vraie horreur de tout ce qui touche à la mort. Pour moi, j'irais au Mangue Seco. Mais Perpétua y tient, patience. »

Ascânio n'approuve ni ne désapprouve, il ne se mêle pas

des divergences d'opinion des deux sœurs, mais quant à aller à la messe, ça certainement :

« Dimanche prochain ? Bien sûr. Je serai de retour.

— Vous partez ? s'étonne Leonora.

— Pour où ? s'intéresse Tieta.

— Je vais à Paulo Afonso m'occuper du problème de la lumière électrique. On met la lumière de l'Hydroélectrique dans tous les municipes de cette région, sauf trois, dont Agreste, une discrimination qui ne se justifie pas à mon sens. Je vais voir si je peux leur faire faire marche arrière, faire inclure notre ville dans la liste des bénéficiaires. J'ai envoyé des lettres à une foule de gens, sans résultat. Certaines sont restées sans réponse. J'ai décidé de parler personnellement au directeur de l'usine. Dans une conversation face à face, je le convaincrai peut-être et mettrai fin à cette injustice.

— Vous tarderez ? » La question de Leonora est une prière : ne tarde pas, reviens vite, je t'attends. Ainsi disent ses yeux.

« Non, seulement deux jours. Je prends demain la marineti, le même jour je file d'Esplanada à Paulo Afonso. J'y passe la journée d'après-demain, jeudi je suis de retour. Peut-être avec une bonne nouvelle pour Agreste.

— J'aime les gens décidés comme vous, approuve Tieta : Allez, battez-vous et convainquez l'homme, rapportez-nous cette lumière dont Agreste a bien besoin.

— J'étais déjà prêt à me battre, maintenant cela va sans dire. »

Ascânio se sent armé chevalier errant, partant pour le champ de bataille sur l'injonction de sa Dulcinée. Quand il reviendra vainqueur, ayant convaincu les froids et distants directeurs de l'importance historique d'Agreste et de ses possibilités touristiques, tâche difficile, rude combat, il déposera aux pieds de Leonora le trophée conquis : la lumière éclatante de l'Hydroélectrique remplaçant le tremblotant éclairage actuel, dispensé par le moteur qu'installa son grand-père, Francisco Trindade, au bon vieux temps.

Leôncio, ex-soldat de la police militaire, ex-homme de main, actuellement civil et boiteux — un coup de feu accidentel dans la zone, il y a plusieurs années — fonctionnaire municipal, homme orchestre, de balayeur à garçon de courses, de portier à jardinier, apparaît au coin de la rue, traînant la jambe : on réclame la présence d'Ascânio à la mairie.

« Excusez-moi, je dois aller, je sais de quoi il s'agit. Au revoir.

— A jeudi, n'est-ce pas ? Je vous attends, dit Leonora, le regard tendre.

— Jeudi, oui. Mais, si vous le permettez, je passerai ce soir chez dona Perpétua, pour vous saluer.

— Inutile de demander l'autorisation, venez quand vous voulez, dit Tieta.

— Venez sans faute », renchérit la jeune fille.

Au coin de la place, Ascânio se retourne, Leonora lève la main, fait un signe, il répond. Tieta se divertit :

« Tu as déjà conquis la mairie, hein, chevrette ? Un garçon sympathique.

— Un amour... », résume Nora, la voix troublée.

DE LA POLLUTION ET DES OBJETS NON IDENTIFIÉS, OU LA VISITE À L'ARÉOPAGE.

A la porte de l'agence des Postes et Télégraphes, dona Carmosina tend les mains en signe de bienvenue :

« Entrez, petites, je vous attendais. »

Le commandant Dário se lève pour saluer les Paulistes, puis retourne à la lecture de la première page de *A Tarde*, il commente indigné :

« Ce n'est pas possible que le gouvernement permette ça. Les directeurs d'une usine identique, absolument identique, produisant du bioxyde de titane, ont été condamnés en Italie. Le juge, un homme, les a tous mis en taule.

— Une usine de quoi ? Expliquez-moi, commandant.

— Je lis dans la gazette que vient de se créer, à Rio de Janeiro, une société pour monter une usine de bioxyde de titane au Brésil. Une monstruosité.

— Pourquoi ? Parlez clair.

— C'est l'industrie la plus polluante qui soit. Sachez qu'il n'existe que six usines de cette sorte dans le monde entier. Aucune en Amérique, ni du Nord ni du Sud. Aucun pays ne veut ce désastre sur son territoire.

— Vraiment ? »

Dona Carmosina intervient :

« Montrez la coupure de l'*Estado* à Tieta. L'*Estado de São Paulo,* un journal de chez elle — elle rit — a publié un article racontant qu'un juge d'Italie a condamné à la prison les directeurs d'une de ces usines, pour crime de pollution.

— Crime de pollution ? C'est ce qu'on devrait faire à São Paulo, avant que la ville ne meure.

— Le pire, explique le commandant, c'est que le journal ajoute qu'on ne va pas permettre l'installation de l'usine au sud du pays. On veut la mettre dans le Nordeste. C'est toujours pareil : ce qui est bon, dans le sud. Pour le Nordeste, les déchets.

— C'est qu'à São Paulo, commandant, la pollution en est à un tel point qu'on ne supporterait pas plus.

— Où allons-nous ? Heureusement, notre petit paradis privé, Agreste, est loin de tout ça... »

Leonora s'extasie :

« Petite-Mère me disait toujours que c'était si beau ici, mais tant, je ne pensais pas. C'est quelque chose !

— Tu n'as encore rien vu..., dona Carmosina s'enflamme. En matière de paysages, Agreste n'a rien à envier à la Suisse. Tu m'en reparleras quand tu seras allée au Mangue Seco.

— Quand y allez-vous ? Vous resterez avec nous, à la Toca da Sogra, Laura et moi, nous y tenons, offre le commandant.

— Merci, j'accepte. Jusqu'à ce que j'achète un terrain, que je construise ma paillote. Ce sera bientôt, bientôt, répond Tieta. Nous avions pensé y aller samedi. Mais Perpétua fait dire une messe pour Felipe et bénir le Sacré-Cœur du salon.

— Tieta a apporté à Perpétua un Sacré-Cœur qui est un spectacle, explique dona Carmosina.

— Je le verrai ce soir, je pense aller avec Laura faire notre visite de bienvenue. Quant au Mangue Seco, la maison est à vous quand vous voudrez. Là-bas, c'est dimanche tous les jours. »

Le groupe augmente avec l'arrivée d'Aminthas et de Seixas. Leurs yeux goulus percent la transparence des longs caftans des deux élégantes. Seixas en bave. Aminthas demande au commandant :

« Maître Dário, qu'est-ce que c'est que cette histoire qui court les rues ? On m'a dit qu'une soucoupe volante est apparue au Mangue Seco, tout le monde l'a vue.

— Je sais, les pêcheurs m'en ont parlé. Quelques-uns

assurent avoir vu un objet étrange et bruyant survolant la plage et les cocotiers. J'ai pensé que c'était un avion mais ils jurent que non.

— Ce doit être des amis de Barbozinha, venus de l'autre monde rendre visite à notre poète.

— Vous vous moquez de Barbozinha mais il est sincère dans tout ce qu'il dit. Il croit pieusement à ces choses, coupe dona Carmosina.

— Un homme si intelligent, déplore Seixas.

— Pour moi, plaisante Aminthas, ce que les pêcheurs ont vu, c'est le reflet d'un canot de contrebande... cette histoire de soucoupe est une blague.

— Non, proteste Dário. Les pêcheurs ne sont pas idiots et pourquoi auraient-ils voulu me tromper ? J'en ai par-dessus la tête d'entendre parler de contrebande et, quand ça arrive, c'est la nuit. Ils ont vu et entendu quelque chose. Quoi, je ne sais pas, mais ce pourrait bien être une soucoupe volante. Ou vous ne croyez pas à leur existence ? Moi, j'y crois. Pas aux esprits de Barbozinha mais à des êtres d'autres planètes. Pourquoi ne trouverait-on que sur terre la vie et la civilisation ? »

La petite Araci arrive en courant :

« Dona Antonieta, *sinha* Perpétua vous fait demander. *Seu* Modesto est là avec dona Aida, en visite.

— Quel dommage, on était si bien. Allons, Leonora. Venez ce soir. A bientôt, commandant. Carmô, viens sans faute. »

Elles descendent la marche, s'en vont par la rue. Le soleil couchant éclaire les deux femmes, lèche les corps et les révèle dorés et dénudés, comme si la lumière du crépuscule avait dissous le vaporeux tissu des caftans, fascinante mode importée des terres de rêve où est né Chalita.

DES VISITES ET CONVERSATIONS OÙ LEONORA ÉMET UN VŒU INATTENDU.

Le salon plein, le soir. A la demande de Tieta, Peto a commandé au bar une cargaison de bière, guarana, Coca-

124

Cola. La tante Antonieta est la nouvelle idole de Peto, elle a détrôné les vedettes de cinéma, les héros des bandes dessinées. Sabino le galopin casse un pain de glace dans la cour. Au bord du fleuve il a été le seul qui sache pêcher avec la canne neuve, en se servant du moulinet. Il a apporté les poissons à Tieta et lui a demandé sa bénédiction. Cardo et Peto sont revenus chargés d'écrevisses.

On bavarde à bâtons rompus, sur les sujets les plus divers, la conversation tombe sur les modes de São Paulo — les perruques, les étoffes vaporeuses, les pantalons ajustés ont fait sensation.

Perpétua est contre les caftans transparents, les pantalons collés aux fesses, comprimant les hanches, les shorts qui exhibent les cuisses, les blouses nouées sous les seins, les nombrils dehors, elle condamne le dévergondage qui court le monde :

« Vous pouvez me traiter de vieux jeu. Qu'une toute jeune fille en porte, ça peut encore aller... — une concession extrême à Leonora — mais une femme mariée, je trouve ça indécent. Une veuve, encore pire, excuse-moi, Antonieta. Si j'étais Astério, je ne laisserais pas Elisa mettre cette minijupe que tu lui as donnée.

— Tu es rivée au passé, sœurette, Antonieta se met à rire.

— Agreste entier vit dans le passé. » Ascânio Trindade accuse la torpeur, responsable de la médisance des dévotes. « Même un homme qui a voyagé comme le commandant est contre le progrès. Quand je parle de tourisme pour redresser l'économie du municipe, il se fâche.

— Contre le progrès, attention, ami Ascânio. Ne confondons pas. Je suis pour tout ce qui peut être utile à Agreste, mais je suis contre tout ce qui gâcherait notre tranquillité, cette paix sans prix. Je n'ai rien contre la minijupe, mais il faut savoir la porter à bon escient. Chez les femmes d'un certain âge, ça ne va pas.

— Par exemple ? défie dona Carmosina.

— Je citerai l'exemple de deux charmantes dames ici présentes, Laura et Antonieta. A mon sens, elles ont passé l'âge.

— Pour moi, ce n'est pas une question d'âge mais de physique. La minijupe ne convient pas à l'abondance de mes formes », déplore Tieta.

Barbozinha qui, en bon homme de lettres, fume une pipe (presque toujours éteinte), la console :

« Tu as le type classique, Tieta. La beauté suprême. Vénus était ainsi. Je ne supporte pas ces squelettes qui promènent leurs os. Je ne parle pas pour vous, Leonora. Vous êtes une sylphide.

— Merci, *seu* Barbozinha.

— Malheureusement, mon poète, personne ne pense comme toi. Tu es mon unique supporter, Tieta se tourna vers Ascânio. Du tourisme à Agreste ? Vous croyez ça possible ?

— Pourquoi pas ? L'eau est médicinale, on l'a analysée, Modesto Pires en a envoyé un échantillon à son gendre qui est ingénieur à la Petrobras. Les résultats ont été formidables, j'ai une copie à la mairie, si vous voulez voir. Modesto Pires étudie la possibilité de la mettre en bouteille. Le climat est ce qu'on peut voir, il guérit toutes maladies. En matière de plages, où en trouver de plus belles ?

— Ça, c'est vrai, des plages comme le Mangue Seco, je n'en connais pas. Copacabana, les plages de Santos restent loin derrière. Mais pourtant... Enfin, je ne dis rien, je ne veux pas refroidir vos espérances. Mais il faut beaucoup d'argent, beaucoup...

— Je l'ai dit à Ascânio : laissez le Mangue Seco en paix tant que je suis en vie..., résume le commandant.

— Je vais y acheter un terrain, faire une petite maison pour l'été. C'est une des raisons de mon voyage : acquérir un terrain au Mangue Seco et une maison ici à la ville, je veux finir mes jours à Agreste. Tant que je ne reviens pas définitivement, Père et Tonha habiteront la maison, s'en occuperont. Je suis venue pour ça et pour sortir cette malheureuse des fumées de São Paulo, elle montre Leonora, anémique comme elle est, dans cette pourriture...

— C'est vrai, Tieta, ce que les journaux disent ? Que la pollution à São Paulo devient intolérable ?

— Terrible. Il y a des endroits, dans les zones les plus touchées, où les enfants meurent et les adultes deviennent aveugles. On passe des jours et des jours sans voir le ciel.

— Malgré tout, c'est là que je voudrais vivre », défie Elisa.

Timide, Leonora la contredit d'une voix douce :

« Eh bien moi, j'adorerais vivre ici. Si je pouvais, je n'en sortirais jamais plus. Ici je respire, je vis, je rêve. Là-bas, non, là-bas on travaille nuit et jour, jour et nuit. On travaille et on meurt. »

Ascânio a envie de crier : bis, répète ces paroles, ce sont des rayons de miel. Ah ! si au moins elle était pauvre... Absorbé qu'il est à la contempler, il n'entend pas le débat enflammé et philosophique entre dona Carmosina, Barbozinha et le commandant Dário, sur l'objet non identifié qu'ont vu les pêcheurs au-dessus du Mangue Seco et des cocotiers sans fin. Barbozinha s'emporte, avec des explications ésotériques, tandis que le commandant fait montre d'une vaste culture de science-fiction, et que dona Carmosina parle d'illusion collective, un phénomène banal. La coupure de la lumière, les neuf coups au clocher de la cathédrale envoyant les braves gens au lit, interrompent la discussion, tout le monde se lève. Mais Tieta rompt la tradition :

« Mais non, ce ne sont pas des heures pour dormir. Restons à bavarder. Perpétua, fais allumer les lampes. Se coucher à cette heure, c'est bon pour les poules. Heureusement, notre jeune maire va nous amener la lumière de Paulo Afonso. Buvons encore quelque chose, on est si bien... »

Ascânio se rengorge, maire pas encore, candidat sans doute. Il se rassied. Mais le commandant et dona Laura préfèrent reprendre la conversation le lendemain, ils entraînent dona Carmosina, ils vont la raccompagner. Du bar, arrivent Astério, Aminthas, Osnar.

« Attention, cousine, que le loup-garou ne vous mange pas, recommande Aminthas à dona Carmosina.

— Du respect, mal élevé. »

Elisa et Peto suivent le groupe des couche-tôt, à contrecœur. Elisa affiche un air de victime, mélancolique ; Peto pense à s'enfuir plus tard à la recherche d'Osnar. Il a promis de le mener en chasse, il n'a pas tenu parole.

Tieta convie les deux compères :

« Entrez, ne restez pas à la porte. Venez prendre un verre de bière. »

Osnar et Aminthas sont noctambules, ils acceptent. Ricardo a terminé d'allumer les lampes à pétrole, il les porte dans la salle. Perpétua lui ordonne :

« Cardo, va dormir. C'est l'heure passée.

— Bonne nuit à tous, avec la grâce de Dieu. Votre bénédiction, Mère. »

Perpétua lui donne sa main à baiser, le garçon plie un genou en une légère génuflexion.

« Votre bénédiction, Tante.

— Viens là que je te bénisse. Pas de baisemain. »

127

Elle prend dans ses doigts la tête du neveu empêtré dans sa soutane, l'embrasse sur les deux joues, des baisers retentissants, qui laissent une trace de rouge.

« Mon petit curé ! »

Perpétua prend également congé :

« Bonne nuit. Faites comme chez vous. Tu es chez toi. Tieta. »

Si aimable, ce n'est plus la même, transformée.

« Tieta dompte le fauve..., confie Osnar à Aminthas tandis que les sœurs s'embrassent. Tu avais déjà vu Perpétua embrasser quelqu'un ?

— Perpétua n'embrasse pas, elle accole », rectifie Aminthas.

TEMPS MORT OÙ L'AUTEUR, CE FINASSIER, EXPLIQUE SA POSITION OPPORTUNISTE.

Tandis qu'Ascânio Trindade tombe amoureux, qu'Elisa et Leonora rêvent, l'une de São Paulo, l'autre de la paix d'Agreste, j'en profite pour me reporter à la nouvelle publiée dans les colonnes de *A Tarde,* lue dans l'indignation par le commandant Dário. Pauvre Nordeste ! s'exclama le brave marin devant le risque que s'installe l'industrie polluante : une plaie de plus quand nous avons déjà la sécheresse et le *latifundio,* l'habitude de la misère, le goût de la faim et les fameuses ténèbres de l'analphabétisme, avant souvent évoquées, aujourd'hui oubliées, en n'en parlant pas peut-être disparaîtront-elles à la lumière des temps nouveaux. Jeter sur tout ça du bioxyde de titane lui paraît un excès antipatriotique. Ce dont, on le verra, certains discutent, beaucoup d'importants personnages, quelques-uns si puissants que je m'empresse de préciser ma position : je suis neutre. On m'a raconté l'affaire quand je suis arrivé ici, je poursuis, sans opiner.

Ainsi, par exemple, la société citée dans l'article peut être celle qui donna lieu à tant de discussions, partageant le peuple en deux camps, mais ce peut ne pas l'être, car jamais n'a été complètement éclaircie l'origine de la société, ni celle des directeurs, des patrons véritables. Comme on sait, le Dr Mirko Stefano n'est qu'un fondé de pouvoir qui dirige les relations publiques et privées, signant des chèques, ouvrant des bouteilles de whisky dans des cercles joyeux, en l'aimable compagnie de faciles et agréables cocottes, stimulant les espoirs et les ambitions, passant de la vaseline pour faciliter la pénétration des idées et des intérêts.

Un article a paru dans un journal, je ne suis pas responsable de sa divulgation, je ne transcris même pas la raison sociale de la société en cause, ni la sienne ni nulle autre. Si l'usine de bioxyde de titane fait économiser des devises aux coffres de la nation et crée un marché du travail pour quelque cinq cents chefs de famille — cinq cents fois cinq font deux mille cinq cents personnes vivant de l'usine —, comment accuser de manque de patriotisme ceux qui placent dans cette industrie leur argent ou qui appuient ses prétentions? Pour prouver leur patriotisme et leur désintéressement, les arguments ne manquent pas, de tous les styles et pour tous les genres, y compris celui qui convainquit notre ardent Leonel Vieira, plumitif dont l'intégrité idéologique exigeait que le chèque soit accompagné de solides raisons. L'usine aidera à la formation d'un prolétariat qui, demain, étendards révolutionnaires à la main, exigera de prendre le pouvoir. Un théoricien de la qualité de Leonel Vieira ne peut mépriser un tel argument. Comme on voit, de tous les styles et pour tous les genres. Sans bioxyde de titane, pas de progrès.

Les raisons ne manquent pas non plus aux adversaires, car dans la fumée, les gaz expulsés, dans le bioxyde de soufre planent la destruction et la mort. « La présence du SO^2 dans l'atmosphère environnante est éminemment nuisible à la santé des ouvriers et des habitants qui se trouvent dans le rayon de dilution du gaz », a lu le commandant dans l'article du journal. Mort pour la flore et pour la faune, mort pour les eaux et pour les terres. Petit ou grand, c'est le prix à payer.

Non que je reste indécis : je reste neutre, chose très différente. Je ne me mêle pas à la bagarre, qui suis-je? Un écrivain inconnu des vieilles rues restaurées de Bahia, aujourd'hui attractions touristiques, un malade qui cherche la santé dans le climat du sertão, il ne me revient pas de conclure Dans ce temps mort, dans cette pose dans le récit de l'arrivée de Tieta et de Leonora Cantarelli à Agreste, pendant qu'Ascânio discute à Paulo Afonso, avant la messe pour l'âme du

Commandeur, dans ce temps mort je répète, je veux seulement placer une déclaration qu'en général on inscrit en tête des livres de fiction : toute ressemblance avec la réalité est une pure coïncidence. Sans oublier un autre lieu commun : la vie imite l'art. Il me manque l'art, assurément, mais je ne suis pas disposé à répondre du crime de calomnie ou à être agressé par un homme de main de Mirko Stefano, mielleux et onctueux presque toujours. Colérique et violent s'il le faut.

NOUVEAU FRAGMENT DU RÉCIT DANS LEQUEL — DURANT LE LONG VOYAGE EN PULLMAN DE SÃO PAULO A BAHIA — TIETA ÉVOQUE ET RACONTE DES ÉPISODES DE SA VIE A LA BELLE LEONORA CANTARELLI.

« J'ai été gourmande, gourmande d'hommes, plus il y en avait mieux c'était. Père avait beaucoup de chèvres, de bouc entier un seul, Inácio. Moi j'étais une chèvre avec plusieurs boucs, montée par l'un ou par l'autre, sur le sol pierreux, dans les fourrés, sur la rive du fleuve, sur le sable de la plage. Pour moi, le plaisir de l'homme, ça et rien de plus : me coucher par terre et être couverte. A la table du Vieux, toujours la même chose, haricot noir, farine, viande sèche. Celui qui le premier m'a enseigné les plats fins, ceux qui avivent la gourmandise au lieu de la rassasier, c'est Lucas, dans le lit du défunt Dr Fulgêncio. »

Jeune médecin en quête de travail, le Dr Lucas de Lima se précipita à Agreste quand il apprit le décès du Dr Fulgêncio Neto. La veuve l'hébergea dans l'alcôve car elle n'y couchait plus depuis la mort du mari. Elle lui montra le cabinet, les fiches sur chaque client du méticuleux clinicien. Autrefois, avant que Judas ne déchausse ses bottes à Agreste, on comptait jusqu'à cinq médecins en exercice, gagnant du bel argent, accumulant maisons et pécule. Peu à peu ils moururent avec la ville, sans remplaçants. Le Dr Fulgêncio était resté seul, sur le dos de son cheval, sur le banc de sa barque, tant de fois la nuit. La simple présence du vieillard avec sa mallette noire suffisait à soulager les douleurs et à guérir les malades. Des remèdes modestes et puissants : huile de ricin, potion Miracle, Santé de la femme, émulsion Scott, Bromil, infusion de sureau. Administrés avec économie : le meilleur remède c'était l'eau et l'air d'Agreste, la brise du fleuve, le vent de la mer. Dona Eufrosina avait fait prendre les valises du docteur à la pension de dona Amorzinho. Elle n'allait pas laisser un confrère de son mari payer une chambre. Elle cuisina pour lui de la poule bouillie, le plat préféré du Dr Fulgêncio, des écrevisses à la nage, de la viande séchée avec du maïs au lait. A défaut de malades, les petits plats, les gâteaux, les fruits.

Même Tieta ne le retint pas dans ce monde sain et moribond. Peut-être serait-il resté si la nature, le fleuve, la mer, la plage sauvage avaient signifié quelque chose pour lui. Autre, son paysage : noctambule, bohème dans les « châteaux » et les bars de la capitale. A Agreste un médecin ne peut être célibataire, il doit avoir une épouse, fonder une famille, il n'a pas le droit de fréquenter une maison de femmes, de faire la foire.

« Lucas avait peur de la langue des commères, toutes l'œil sur lui, nuit et jour. Pour me vouloir, il me voulait. Mais pas sur la rive du fleuve, ni en risquant une escapade au Mangue Seco. Quand j'ai su qu'il couchait dans l'alcôve, dans le lit du Dr Fulgêncio, j'ai ri et j'ai dit : laisse la fenêtre ouverte. Sauter la fenêtre sans être vue, sans faire de bruit, ça me convenait.

Avant que Lucas s'en soit rendu compte, Tieta était dans le lit, allongée sur le matelas moelleux, s'enfonçant. Ce n'était pas la dureté du sol. Elle s'ouvrit pour être montée.

« Pour être couverte, je ne connaissais rien d'autre. Quand il s'est approché et que ses doigts m'ont touchée, que sa bouche m'a embrassée sur tout le corps, la langue affilée, l'haleine chaude, je voulus l'empêcher, sans comprendre. Avec lui j'ai appris, dans le lit du Dr Fulgêncio et de dona Eufrosina, le piment et les épices, et j'ai su qu'un homme n'était pas seulement un bouc. Avec lui je suis devenue femme. Mais je pense que, même aujourd'hui, il y a en moi une chèvre lâchée que personne ne domine. »

Pas même Tieta ne le retint. Quand, au milieu de la nuit elle arriva, elle se heurta à la fenêtre close. Lucas avait embrassé la face maternelle de dona Eufrosina, je m'en vais quand il est encore temps. Malgré Tieta, il avait pris des kilos, il commençait à aimer cette torpeur, il s'enfuit avant qu'il ne soit trop tard.

Je n'étais plus la même, différente ma gourmandise. Ça ne tarda pas, il y eut l'histoire du commis voyageur ; quand il commença à tourner autour de la maison, Perpétua pensa que c'était pour elle, la malheureuse. Bientôt elle se rendit compte, elle suivit mes pas. Le Vieux me battit comme plâtre et je partis, je voulais à toute force retrouver Lucas à Bahia. Je ne le revis jamais, en revanche je fis la vie dans l'intérieur, une vie de fille, à Jequié, à Milagres, à Feira, et j'en passe. Je te le dis, c'est une école de vérité, une minable maison de femmes dans le sertão. Là oui, on apprend le métier. J'en ai vu de toutes les couleurs dans ce monde-là, jusqu'à ce que je file vers le sud, lasse de souffrir. Je voulais la belle vie, manger du bon et du meilleur, boire du champagne, goûter les fins morceaux de l'homme. Pas le haricot noir et la viande sèche.

« Si seulement j'avais du haricot noir et de la viande sèche, un fils, un foyer. C'est tout ce que je voudrais, dit la belle Leonora Cantarelli.

— Chacun porte son fardeau, et toutes les chèvres ne sont pas pareilles, encore moins les créatures. Je connais les chèvres et les gens, je te le dis. »

DE L'INSOMNIE DANS LE LIT DE DONA EUFRO- SINA, PEUPLÉE D'ÉMOTIONS ET DE SOUVENIRS.

La première nuit, vaincue par la fatigue du voyage, rude épreuve, par les émotions de l'arrivée, après s'être démaquillée Tieta s'était jetée sur son lit et avait dormi d'un seul sommeil, réparateur. Depuis combien de temps ne se couchait-elle pas à neuf heures ? Déjà toute jeune, elle voyait poindre l'aube dans les recoins d'Agreste.

La seconde nuit, pourtant, quand vers onze heures les derniers visiteurs se retirent, Tieta est très éveillée. A la porte, Leonora et elle renouvellent leurs vœux de succès à Ascânio.

« Allez et gagnez..., souhaite Tieta.

— Et revenez... », ajoute Leonora.

Aminthas se déclare pessimiste quant aux résultats : la lumière de l'Hydroélectrique ? Des blagues, aucune chance. Terre oubliée des politiciens, municipe au maigre électorat, sans prestige, sans un leader capable de parler haut, d'influencer la direction, de manœuvrer auprès du président de la société et des autorités fédérales, Agreste est destinée à conserver la pâle lumière du moteur — tant qu'il fonctionne encore. Ensuite, nous reviendrons aux lanternes et aux quinquets, prévoit-il, augurant mal de l'avenir. Ascânio mérite tous les éloges. un brave type, il ne se laisse pas abattre. Mais il n'a pas de prestige politique, de force auprès des grands, voilà la vérité. Pas vrai, Ascânio ? Effectivement, reconnaît le secrétaire de la mairie. Il ne renoncera pas pour autant.

« Pardonnez-moi, mesdames et messieurs, mais je suis contre cette lumière de Paulo Afonso, forte, brillante, illuminant les rues la nuit entière, proclame Osnar. Un désastre pour les pauvres chasseurs nocturnes, ça va effrayer le gibier...

— Quel gibier ? demande Leonora.

— Une grossièreté d'Osnar, ma fille. Par gibier, il veux dire femmes, ces débauchés cherchent des femmes dans les rues...

— Le gibier est déjà rare. Avec toute cette illumination, vous pensez !... »

Ils se séparent dans les rires, Barbozinha déclamant des bribes de poèmes d'amour de sa composition, tous inspirés, à ce qu'il dit, par une unique muse, devinez qui ? Tieta lève les yeux au ciel, met la main sur son cœur, soupire, gamine. Les visiteurs se perdent dans l'obscurité.

Leonora aussi se retire :

« Je suis morte de sommeil. Bonne nuit, Petite-Mère, je suis enchantée.

— Tant mieux. J'avais peur que tu t'ennuies. »

Dans la chambre, Tieta ouvre la fenêtre sur la ruelle, regarde la nuit, le ciel plein d'étoiles. En son temps de jeune fille, elle savait leur nom à toutes et aimait les fixer à l'heure de l'amour, quand elle avait l'herbe pour couche, au bord du fleuve. Durant combien de nuits avait-elle sauté cette fenêtre pour rejoindre Lucas ?

Elle éteint la lampe, s'allonge, où trouver le sommeil ? Elle est là, de nouveau à Agreste, à la recherche de la petite Tieta, gardienne de chèvres. Elle avait fait un long chemin, avait foulé chardons et pierres, s'était rompu les pieds et le cœur avant de commencer à monter, à gagner, à amasser et placer de l'argent sur le conseil de Felipe, à avoir des biens et à être maîtresse de sa personne. Durant tous ces vingt-six ans, elle avait imaginé le retour à Agreste, elle avait rêvé à ce jour.

Elle se rappelle l'embarras de l'arrivée, un sourire effleure ses lèvres : la famille en grand deuil, elle arborant une blouse et un turban rouges, Leonora en délavé bleu, épouse et fille sans cœur, dénaturées. En arrivant à la maison, elle s'était justifiée brusquement : pour moi le deuil se porte dans le cœur, une chose intime ; la douleur de l'absence ne s'affiche pas, ni le regret. Je pense ainsi mais chacun doit penser comme il veut et agir en accord. Point final, Perpétua. Zé Esteves avait renchéri avec son rude accent : bien dit, ma fille, le deuil c'est rien qu'hypocrisie. Moi j'ai mis ce costume noir pour ne pas être taxé de mécréant, mais je ne connaissais même pas ton défunt, pourquoi je prendrais le deuil ? Parce qu'il était riche ? Que ce soit ou non des simagrées, Perpétua elle-même avait approuvé : chacun pense à sa façon et agit en accord. La sienne était de respect aux coutumes anciennes ; vêtue de noir parce qu'avec la mort du Major — Dieu le garde ! — elle avait perdu le goût de vivre. Mais elle ne critiquait pas Antonieta, elle respectait son point de vue ; elle n'ignorait pas qu'à São Paulo personne ne s'attache à ces habitudes du passé.

Pauvre Perpétua ! Que de couleuvres elle a avalées depuis hier ! Elle fait un visible effort pour se montrer courtoise, supporter l'envahissement de sa maison, la violation de tant de préjugés. Antonieta ne peut l'imaginer mariée ; dommage qu'elle ne l'ait pas vue avec son mari. Comment se comportait-elle ? Il faudra demander à dona Carmosina. S'embrassaient-ils en public ? Certainement pas. Et au lit, comment était-ce ? Leurs ébats nocturnes ne devaient pas dépasser, sans doute, le classique papa-maman. A moins que... Dans ce domaine tout est possible, Tieta peut en témoigner. Ce devait être grandiose, Perpétua perdant la tête dans ce lit, sur le matelas moelleux.

Tieta rit tout bas, imaginant Perpétua jambes écartées sous le Major, vision étrange. Elle oublie que, sans le rapide passage de Lucas par Agreste, elle aussi n'aurait connu de l'homme qu'un goût banal. C'était arrivé dans ce lit, le lit conjugal de dona Eufrosina et du Dr Fulgêncio, folle coïncidence. Ç'avait peu duré, quelques nuits seulement, toutes de délire. Par la fenêtre ouverte elle découvrait le ciel et des milliers d'étoiles. Dans sa fleur naissait l'étoile du matin.

Quand, pour la première fois, elle sauta la fenêtre, pénétra dans la chambre, monta dans le lit et releva sa jupe, elle était une chèvre en rut, affamée d'hommes, ignorant tout le reste. Lucas comprit et rit. Je vais t'apprendre à aimer, promit-il et il le lui apprit de *a* jusqu'à *z* ; en passant par l'igrec.

« Tu ne sais pas comment c'est, l'igrec ? C'est le meilleur de tout, je vais te montrer. »

Au cours de sa vie mouvementée, Tieta n'avait retrouvé personne qui connaisse la pratique sensationnelle de l'igrec ; elle l'avait apprise à beaucoup, atout irrésistible. Dans les rues de Bahia elle avait cherché Lucas, inutilement. Elle interrogea bien des gens : connaissez-vous le Dr Lucas ? Lucas qui ? Elle n'avait pas eu la curiosité de le lui demander, elle savait seulement qu'il était médecin et bon au lit. Personne ne put la renseigner.

Elle avait suivi un cours intensif dans ce lit de dona Eufrosina où, ensuite, Perpétua et le Major avaient couché et fait des enfants. Bête comme un manche de pioche, avait écrit Carmosina du beau-frère défunt, dans sa lettre à propos des cadeaux. Si le Major était en vie, tu pourrais lui apporter un bât, ça lui aurait bien été. D'intelligence courte mais bien doté par ailleurs, un gaillard : capable de s'envoyer Perpétua, un bas morceau ! Tant de filles alléchantes à Agreste, toutes anxieuses de se marier, avec lui ou n'importe qui pourvu qu'il porte un pantalon, et l'idiot choisit, préfère, mène à l'autel la dévote Perpétua, cet épouvantail, vierge racornie, tête consti-pée. Plus étrange encore, ils avaient été heureux et le deuil qu'elle observe, grand deuil ostensible, n'a rien d'hypocrite, il reflète ses vrais sentiments, une douleur profonde.

Dieu avait eu pitié des enfants, avait raconté Carmosina dans sa lettre-fleuve, de tant d'utilité : ils ressemblaient au père physiquement et de caractère, gais, cordiaux, sympathi-ques, de la mère ils avaient seulement l'intelligence. Perpétua peut avoir tous les défauts mais elle n'est pas sotte, elle sait raisonner et agir, un puits d'ambition.

Tieta pense aux enfants, elle les aime tous deux. Quand elle avait décidé ce voyage, elle pensait qu'elle allait s'attacher au petit d'Elisa, elle adorait les bébés. Mais il était mort, Carmosina lui avait expliqué dans sa lettre pourquoi sa sœur s'était tuée — c'est surtout ma faute, ou celle de la pauvreté plutôt ; sans l'aide mensuelle Elisa se trouverait privée de presque tout, elle a menti sur mon conseil. Tieta avait pardonné mais n'avait pas oublié. Restaient ceux de Perpétua : au lit, guettant le sommeil, la tante avec les neveux.

Le petit, un brigand, déluré, malin. Il ne les quitte pas des yeux, elle et Leonora, appréciant les cuisses nues, louchant dans le décolleté, vers la courbe des seins. Il n'a pas encore atteint l'âge mais pour ça, y a-t-il vraiment des limites rigides ?

En revanche, Ricardo est un exemple de réserve et de pudibonderie, il détourne constamment le regard, de peur de pécher, un enfant de chœur choqué. Enfant de chœur, non, séminariste, destiné au service de Dieu. De cette corpulence et en chemise de nuit ! Tieta se rappelle et se mord les lèvres.

Un jeune coq, il n'est pas tout à fait à point. Si c'était une femme, il serait déjà tourmenté ; les hommes tardent plus, surtout si on les affuble d'une soutane, si on les châtre avec la crainte de Dieu, si on les menace des flammes de l'enfer. Le petit va se déniaiser tôt, c'est un étalon ; le destin de Ricardo est de rester puceau, quelle pitié !

S'il était plus avancé, sa tante lui apprendrait ce qui est bon. Mais il est encore trop vert. Tieta n'a jamais aimé les hommes jeunes, elle les préfère toujours plus âgés qu'elle. Un bon bouc pour une chèvre, c'est celui qui a l'âge et l'expérience.

DU TRISTE RETOUR DU CHEVALIER ERRANT, DÉCONFIT, ET DES TÉLÉGRAMMES ENVOYÉS PAR TIETA PROVOQUANT COMMENTAIRES, HYPOTHÈSES ET PARIS — PRÉCÉDÉS, RETOUR ET TÉLÉGRAMMES, DU DIALOGUE ENTRE OSNAR ET LE DR CAIO VILASBOAS, LEQUEL, PAILLARD ET INUTILE, NE DEVRAIT PAS FIGURER DANS UNE ŒUVRE PRÉTENDUMENT SÉRIEUSE.

Tieta et Leonora attendent l'arrivée de la marineti à l'agence des Postes. Attendre la marineti, assister au débarquement des passagers, est une des plus excitantes distractions d'Agreste. Quand le retard est grand, l'attente devient parfois lassante mais, en revanche, on ne paie rien. Il y a toujours un groupe d'oisifs aux alentours de la porte du cinéma où Jairo arrête le glorieux véhicule. D'autres font le guet au bar, les privilégiés causent avec dona Carmosina.

Elisa est venue les retrouver à l'agence, très excitée. Elle veut savoir si dona Carmosina est au courant de ce qui s'est passé entre Osnar et le Dr Caio Vilasboas ; la veille, Astério l'avait réveillée pour lui raconter le scabreux incident. Cet Osnar est un mufle, il ne respecte personne : le Dr Caio Vilasboas est tout de même médecin, il a des terres et des troupeaux, il est compère de la Senhora Sant'Ana, marraine de sa fille Ana, un citoyen d'âge, pieux et respectable. Dona Carmosina est au courant, bien sûr. Aminthas, témoin de la rencontre, était chez dona Milu dès l'aube ; il avait rapporté mot pour mot le dialogue. Bon, de l'avis de dona Carmosina, ce Dr Caio est une sainte nitouche, pain béni au-dehors, au-dedans pain moisi. Osnar est un luron, de temps en temps il vous rafraîchit l'âme.

Tieta interrompt la discussion, curieuse de savoir de quoi il s'agit, qui suscite à la fois indignation et enthousiasme.

Dona Carmosina ne se fait pas prier, fignole les détails. C'était arrivé deux jours avant, le soir où Osnar et Aminthas étaient restés assez tard chez Perpétua, allant ensuite braconner dans les rues. A une heure avancée, quand ils revenaient du bord du fleuve, Osnar accompagné d'une poule de basse extraction, ils rencontrèrent le Dr Caio Vilasboas, un Caton, rentrant de visiter la vieille dona Raimunda, asthmatique incurable. C'eût été quelque pauvre de Dieu agonisant, le docteur n'aurait pas abandonné la chaleur de son lit, mais la vieille dona Raimunda avait des sous, destinés par testament à payer la note du médecin quand le Seigneur la rappellerait à lui.

En voyant Osnar se séparer de la loqueteuse créature, repoussante, le Dr Caio, psychologue amateur, indiscret de naissance, ne put se retenir :

« Excusez ma curiosité, cher Osnar, si je vous pose une question.

— Allez-y, mon docteur, je suis à vos ordres.

— Vous êtes un garçon cossu, déjà avancé en âge mais, étant célibataire, vous passez encore pour un jeune homme, vous êtes de bonne famille, avec des habitudes d'hygiène, vous avez de quoi payer des courtisanes de plus de classe. Pourquoi ne fréquentez-vous pas la maison que dirige une certaine Zuleika Cinderela où, me semble-t-il — j'y ai été dans l'exercice sacré de ma profession et non comme client — se pratique cet infâme commerce des femmes saines, de belle allure et de visage amène, pourquoi préférez-vous ces souillons, ces sorcières ?

— Je dois d'abord vous informer, mon docteur, que je suis un des clients préférés des petites de chez Zuleika, et de la patronne en personne, une belle croupe. Une sensible partie de ma rente se volatilise dans cet antre. Il est vrai pourtant que je ne méprise pas une marie-couche-toi-là de temps à autre, quand je pars en chasse. Quelques-unes, je l'avoue, passablement abîmées.

— Et pourquoi ? Il s'agit là d'un passionnant problème de psychologie, qui pourrait faire l'objet d'une étude destinée à la Société de psychiatrie.

— Je vais vous dire pourquoi, mon docteur, et notez la raison si vous voulez, je ne m'y oppose pas. Si je ramasse une traînée à l'occasion, c'est pour ne pas gâter l'instrument, le Chef-Monseigneur.

— Le Chef-Monseigneur ?

— C'est le surnom qu'il a reçu, d'une dévote encore passable avec qui j'ai eu quelques privautés, mon docteur. Imaginez que je serve au Chef-Monseigneur uniquement des mets fins, du premier choix, des beautés, des douceurs, il s'habituerait à n'avoir que du bon et du meilleur. Brusquement, un jour, par un hasard quelconque, de ceux qui se produisent quand on s'y attend le moins, je me vois réduit à un épouvantail des pires et le Chef-Monseigneur, gâté, le refuse, reste coi. Je ne le gâche pas, je prends les jolies et les laides, et il y a des laides qui valent plus qu'une armée de jolies, car c'est une chose, mon docteur, de regarder et admirer une femme, une autre le goût de la pacholette.

Le Dr Caio reste muet, bouche bée, Osnar conclut :

« Vos visites professionnelles à la pension de Zuleika, j'en ai entendu parler ; Silvia-la-Pie m'a raconté en grand secret qu'un suceur comme vous, elle n'en connaît pas. Mes sincères félicitations. »

On rit, cet Osnar n'est pas possible ! — cependant qu'au tournant klaxonne la marineti, ce jeudi par miracle presque à l'heure, un retard insignifiant de vingt minutes, Jairo reçoit les compliments des passagers. Tieta, Leonora et Elisa se préparent à aller au devant d'Ascânio, mais il saute avant tout le monde et s'éloigne d'un air abattu.

« Il va prendre une douche. Quant on a voyagé dans la

marineti de Jairo, on ne peut rien faire avant de s'être frotté à l'eau et au savon. Encore moins voir la créature de ses rêves..., expliqua dona Carmosina. Bientôt il sera là.

Elles restent à l'agence des Postes, attendant. Aminthas vient se joindre à leur groupe, on commente l'incident maintenant historique. Aminthas ajoute un détail final : le Dr Caio, blême au petit matin, tentant en vain de parler, les yeux lançant des flammes. Osnar et lui, Aminthas, filèrent en douce, craignant que le médecin ait une attaque d'apoplexie.

Le temps passe, Barbozinha apparaît, il a une rose à la main, une rose thé. En voyant Tieta il lui tend la fleur :

« Je l'ai cueillie pour toi dans le jardin de dona Milu, j'allais la porter chez Perpétua mais mes voix m'ont conduit ici. Dommage qu'il n'y en ait pas trois, pour toutes les dames présentes.

— Et Ascânio ? Il arrive oui ou non ? » demande Elisa, lasse d'attendre.

Leonora patiente en silence, les yeux fixés sur la rue. Pas l'ombre de secrétaire de la mairie, de chevalier errant, avec ou sans poussière. Il faut l'envoyer chercher. Sabino le galopin, réquisitionné, abandonne l'étal de sorbets, part en courant porter le message à Ascânio : on l'attend avec impatience à l'agence des Postes, qu'il vienne vite. Pour tuer le temps ils vont manger un sorbet de *cajá*, servi par l'Arabe en personne. Demain ce sera de *pitanga*, difficile de savoir quel est le meilleur.

Débouche enfin au coin de la rue le chevalier errant, le pas lent, le visage défait, chevalier de la Triste Figure. Avant même qu'il ait franchi le seuil de la porte, tous devinent la déroute du champion d'Agreste dans la bataille menée à Paulo Afonso. La dépouille du guerrier, l'échec de la mission, le visage en deuil, sinistre.

« Négatif, n'est-ce pas ? demande Aminthas. Je t'ai averti. Il n'y avait aucune chance. Heureusement, le moteur tient le coup : quand il claquera, nous reviendrons au quinquet.

— Ne vous tourmentez pas, dit Leonora. Vous avez fait votre possible, votre devoir.

— Ç'a été horrible, humiliant. Le directeur de la Compagnie, celui qui reste en permanence à Paulo Afonso, ne voulait pas me recevoir. J'ai dû prier et supplier pour être entendu. Je n'avais pas commencé à parler qu'il m'a interrompu. Il n'avait pas de temps à perdre, cette histoire d'Agreste était réglée, il n'y avait aucune possibilité d'installer le courant de l'usine dans le municipe. La mairie n'a pas reçu la circulaire de refus ? Alors ? Inutile de parler avec les techniciens, Agreste doit attendre son tour et ce ne sera pas de si tôt, d'ici quelques années. Maintenant c'est impossible, mon cher. Inutile de discuter, laissez-moi travailler, mon temps est précieux. »

Ascânio interrompt son récit, battu à plate couture. Où est l'enthousiasme, l'esprit de lutte ? Évaporés, emportés par le courant, mis en miettes par le directeur de la Compagnie.

« Enfin, il s'est moqué de moi : il n'y a qu'un moyen, a-t-il dit. Obtenez un ordre du président de la Compagnie Val du São Francisco, du président, pas d'un directeur comme moi, qui fasse installer l'électricité à Agreste, et le lendemain nous serons là. Au revoir. Il a ri et m'a tourné le dos. »

Un lourd silence tombe sur l'agence des Postes. La première à ouvrir la bouche, dona Carmosina :

« Fils-de-sa-mère ! C'est pour ça que je suis contre ces gens. »

Leonora s'approche d'Ascânio :

« Ne soyez pas si triste, tout au monde a une solution. » Les doux yeux pleins de tendresse.

Tieta se lève de la chaise où elle avait écouté en silence :

« Qui est le Président, Ascânio, et quelle est exactement cette compagnie ? Éclairez-moi. »

Encore troublé, déprimé, Ascânio explique ce qu'est la Compagnie Val du São Francisco, l'importance de l'Hydro-électrique de Paulo Afonso, il termine en citant le nom du député qui détient la présidence de la grande entreprise nationale, celui qui commande et décide, le seul à pouvoir modifier les plans établis. Mais comment l'atteindre ? Impossible. C'est Aminthas qui a raison : plus que l'importance économique il manque à Agreste le prestige d'un grand leader, de quelqu'un dont les vœux seraient des ordres.

Tieta répète le nom du député :

« J'en ai entendu parler mais je ne le connais pas personnellement. Pourtant, à São Paulo, il n'y a pas d'homme politique important avec qui je ne sois en relation, elle explique : Tous amis de Felipe, tous fréquentant ma maison. Carmô, Ascânio, aidez-moi à rédiger un télégramme. Ou deux, plutôt. »

Elle prononce des noms connus, grands manitous à São Paulo et dans le pays. Dona Carmosina écrit. Tieta leur demande d'intervenir en faveur d'Agreste auprès du président de la Compagnie Val du São Francisco, suivent les arguments circonstanciés d'Ascânio mais le principal est l'intérêt qu'y

140

porte Antonieta, le service qu'ils lui rendront et dont elle leur sera redevable.

« Un télégramme immense, observe dona Carmosina. Ça va faire une belle note.

— La mairie paie, s'empresse Ascânio.

— C'est moi qui paie, mon fils. L'expéditeur, Carmô, signe Tieta de l'Agreste. Les amis intimes m'appellent ainsi, c'est le nom que Felipe aimait me donner. »

Ils n'étaient pas encore retournés chez Perpétua que déjà la nouvelle des télégrammes révolutionnait la ville — dona Antonieta Esteves Cantarelli avait télégraphié à un sénateur pauliste, au Dr Ademar en personne, des amis de cœur du défunt Commandeur, demandant qu'on installe à Agreste la lumière de Paulo Afonso. Les commentaires civiques couvrent les échos du licencieux dialogue sur les habitudes sexuelles d'Osnar ; si les messages télégraphiques n'aboutissent pas à une illumination féerique, ils auront servi la morale publique. Les hypothèses se succèdent : la veuve a-t-elle réellement tant de prestige, connaît-elle, traite-t-elle, est-elle l'intime des sénateurs et des gouverneurs ou fait-elle seulement de l'esbroufe ? Quel sera le résultat, lumière ou ténèbres ? Les paris s'engagent. Fidélio penche pour le succès, Aminthas reste pessimiste, pourquoi ces lords de São Paulo bougeraient-ils pour Agreste, le cul du monde ? Je double la mise, Fidélio.

Pourquoi ? Tieta pourrait répondre qu'ils bougeront précisément parce qu'ils sont des lords et qu'elle est Tieta de l'Agreste.

DE LA PROMENADE AU MARCHÉ, AVEC L'ANNONCE DE LA PROCHAINE FIN DU MONDE, CHAPITRE DES PROPHÉTIES.

Le marché d'Agreste est une fête chaque semaine. Le premier samedi après l'arrivée des Paulistes il se transforma en un festival, en réjouissance publique, pour un peu il se terminait en émeute.

Après la messe pour l'âme du Commandeur, Tieta et

Leonora passent à la maison changer de robe : personne ne peut faire le marché avec ces vêtements noirs, lourds, qu'elles ne savent par quel miracle elles ont mis dans leur valise. La troupe se compose d'Elisa, Barbozinha, Ascânio Trindade, Osnar. Le vieux Zé Esteves, veste sur le bras, bâton et épouse, leur fait compagnie jusqu'à la place du Marché (place Colonel-Francisco-Trindade), d'où le marché s'étend dans les rues voisines. Là il les quitte, l'après-midi il viendra chercher Tieta pour jeter un coup d'œil à deux maisons à vendre, de toutes celles proposées, les seules convenables.

Perpétua remercie de l'invitation. Elle va tôt au marché, accompagnée de Peto qui porte les paniers. Jour de marché, jour des mendiants : Perpétua passe le reste de la matinée du samedi chez elle, distribuant des aumônes, marchandant à Dieu une place au paradis contre sa charité hebdomadaire. Dans chacune des maisons des rues principales, les familles gardent, toute la semaine, les restes de pain, les biscuits rassis, les déchets du repas de la veille, des fruits passés, quelque monnaie, pour la foule de mendiants qui envahissent la ville, venant d'on ne sait où. *Seu* Agostinha de la boulangerie fournit à prix réduit des sacs pleins de vieux pain, durs comme pierre, de biscuits ramollis, de gâteaux moisis, philanthropie à bon marché. Qui donne aux pauvres prête à Dieu. Au taux fort, bon emploi du capital.

Quelques miséreux sont fixés à Agreste, ils passent journellement le matin ou vers le soir, ils ont leur clientèle. L'aveugle Cristavão s'assied sur les marches de l'église à l'heure de la messe, par tous les temps, et il reste là, la main tendue, à réciter sa litanie. Le *beato* Posidônio seulement le samedi et au marché. Il vient de Rocinha, sur le menton la barbe rare de prophète caboclo, sans dents et l'imprécation à la bouche : il a une caisse de kérosène, vide, et une écuelle à fromage. Il prêche à proximité de l'endroit où se tiennent les vendeurs d'oiseaux, monté sur la caisse, l'écuelle à côté pour les aumônes — il n'accepte que l'argent. Il s'étend en une nébuleuse harangue sur les péchés des hommes, annonce des malheurs à la pelle, prophète d'un Dieu terrible, vengeur, cruel. Il cite les Évangiles, condamne protestants et maçons, proclama la sainteté du Padre Cicero Romão. Qu'il aperçoive une femme un peu peinte, il se dresse pour l'insulter, la promettant aux flammes éternelles.

La voix criarde, Perpétua se plaint des mendiants à Antonieta, elle parle d'eux comme d'ennemis : de plus en plus osés

142

et exigeants, l'exercice de la charité se transforme en sacrifice :

« Ils n'acceptent ni mangues ni cajous, ils disent que ça ne s'achète pas, qu'il y en a trop, une mangue n'est pas une aumône, tu vois ça ? Même les bananes, ils tordent le nez. Vous n'avez pas une pièce ? Ils veulent de l'argent. L'autre jour, l'un d'eux m'a appelée grippe-sou. »

Au marché, des monceaux de fruits se succèdent, beaucoup inconnus de Leonora, elle bat des mains, enchantée. Quelles petites goyaves ! Ce ne sont pas des goyaves, ce sont des *araças, araça-mirim, araça-cagão*. On en fait le confit que nous avons mangé chez Elisa. Les goyaves sont là : rouges et blanches. Comparées aux goyaves des Japonais de São Paulo, elles sont petites, mais sens leur odeur, fais la différence. Meilleures encore si elles sont piquées. Des cajous, il n'y a pas de fruit pareil pour la santé. A part le *jenipapo* qui guérit même les maladies de poitrine. Tu dois manger de la jenipapade pour te fortifier. Et le goût ? Pour moi, rien d'aussi délicieux. Nous allons en acheter tout de suite, plus ils sont ridés mieux c'est. Tieta choisit en connaisseur. *Mangabas, cajás, cajaranas, umbus, pitangas*. Les mendiants ont raison de refuser les mangues, il y en a de reste au marché, toutes les couleurs de l'aquarelle, variétés innombrables : roses, épées, charlottes, cœur-de-bœuf, cœur-meurtri, itiúba, tant. Les jaques, dures et molles, monumentales, des tranches exposées monte une odeur de miel. Quel est ce fruit qui ressemble à un ananas ? Fruit-du-vicomte. Et cet autre, plus grand ? Jaque-du-pauvre, le sorbet est sublime. Leonora veut voir de près, veut toucher. Elle se penche, montre la culotte minuscule sous la minijupe. Joie générale.

Quand il la vit en minijupe, Ascânio pensa à lui déconseiller cette tenue pour visiter le marché, mais il craignit de passer pour campagnard, rétrograde, il se tut. Maintenant il faut assumer, tâchant de ne pas voir et de ne pas entendre. Difficile, car l'animation augmente.

Jamais le marché d'Agreste n'a été à pareille fête. Barbozinha, occupé à expliquer à Tieta les problèmes de la désincarnation et de la réincarnation, de la vie astrale, sujets où il est professeur émérite, ne se rend pas compte du succès, mais Ascânio Trindade s'afflige de pareilles réactions, indécis sur la façon d'agir. Affligé seulement ? Ou souffre-t-il aussi de voir exposées au public ces formes qu'il désire exclusives, réservées à celui qui conduira à l'autel l'innocente Leonora

Cantarelli ? Innocente de tout mal, elle n'avait pas imaginé le scandale que provoquerait au marché sa minijupe, mode banale dans le sud du pays et à l'étranger. Dans les pages en couleur des magazines, Ascânio a admiré des minijupes bien plus osées, celle de Leonora lui couvre les fesses si elle reste à la verticale.

« Il vaudrait mieux qu'elle se penche moins », murmure Osnar à Ascânio.

Même Osnar, un cynique, n'ose pas conseiller la candide victime de l'ignorance locale, encore moins Ascânio. La promenade se poursuit à travers le marché, arrachant des exclamations à Leonora et à la bande de gamins qui suit la troupe. De temps en temps un sifflet, un quolibet, une phrase en argot :

« Vise, Manu, le brancard de la procession qui passe... »

Des sacs de blanche, odorante farine de manioc, grillée dans les moulins de la région ; le manioc fermenté, le tapioca, les *beijus*. Goûte, Leonora. Avec du café, c'est merveilleux, achetons-en. Ceux-ci sont au lait de coco, pas moyen de résister, je vais grossir comme une truie. Mais qu'est-ce que c'est, mon Dieu, cette marmaille qui les suit ? Antonieta contemple le rassemblement.

Non seulement des enfants, des hommes faits aussi, une bande de traîne-savates. C'est la minijupe de Leonora, modèle inédit à Agreste. Antonieta regarde Ascânio, Osnar, ils feignent de ne pas remarquer cette suite ricanante. Barbozinha se réincarne pour la sixième fois dans une lointaine galaxie. Les mains sur les hanches, à la manière des maraîchères, Tieta fixe le troupeau agité. Le regard de la richarde de São Paulo — ou le regard de la gardienne de chèvres ? — mi-sévère mi-goguenard, dissipe le cortège, ne restent que quelques gamins, admirateurs plus obstinés. Ascânio respire, Osnar approuve. Pour dire la vérité, ce qui dérange le plus Ascânio, c'est la présence d'Osnar, l'œil en vrille, l'expression de béatitude.

Deux chaises de barbier en plein air, occupées toutes deux, et le trouvère Claudionor des Vierges qui déclame les vers d'une brochure populaire :

> Trois fois je me suis marié
> Avec une Blanche, une Noire, une sang-mêlé
> Devant l' curé, le juge, dans les fourrés
> Encore une fois j' dois y passer
> Sur ordre du brigadier.

144

La voix du trouvère des Vierges se tait au passage de la troupe. La minijupe l'inspire, il improvise :

Ah! Si je pouvais épouser Aurore
Qui passe par là le cul dehors.

« C'est ce que tu manges à la maison, le matin », Tieta montre les racines d'igname, les patates-douces. Le vert fruit-pain. »

Elisa, inquiète en constatant que croît à nouveau le groupe de badauds, propose :

« Nous allons à la maison ? Je meurs de chaleur. »

C'est vrai, d'ailleurs. Elle ne s'est pas changée, elle porte la robe noire mise pour la messe, fermée autour du cou, le contraire de Leonora. Ce qui afflige le plus Elisa ? Les gamins, les sifflets, l'audace du trouvère, le ridicule, ou le succès de la Pauliste ?

« Ascânio m'a promis de me mener voir les oiseaux... », doux pépiement de Leonora.

La procession grossit tandis qu'ils se dirigent vers le marché aux oiseaux — les oiseaux-moqueurs, les oiseaux-peintres, les oiseaux noirs, les cardinaux, les gorge-bleue, les canaris-de-la-terre, des perroquets et des perruches et un oiseau-enclume qui semble marteler le fer quand il crie. Leonora resplendit de bonheur, la suite prend l'allure d'un meeting, avec des rires, lazzi, ritournelles.

« Il vaudrait mieux rentrer, insiste Elisa.

— Rien qu'une minute. Oh ! Regarde celui-ci, quel amour !

— C'est un oiseau-moqueur, il imite tous les oiseaux. Écoutez. » Ascânio siffle, le volatile répond.

Dans la foule en joie, d'autres sifflets, canailles. Fi-ti-ó-fó, répète l'oiseau. Riant, tirant sur sa cigarette de maïs, Osnar marche droit aux garnements, il en attrape un par l'oreille, les autres reculent en courant, ils éclatent en huées, le chahut s'étend à travers le marché.

Tout près, sur sa caisse de kérosène, l'écuelle à côté, le prophète Posidônio proclame l'imminente fin du monde qu'annonce l'apparition des objets lumineux au Mangue Seco, nacelles ardentes transportant des archanges envoyés par Dieu pour reconnaître et signaler les lieux où s'élèveront les brasiers de soufre surnaturel, fabriqué dans les chaudières de l'enfer pour consumer le monde livré à l'impureté, à la débauche, à la luxure.

Tournant le dos à l'ascétique prophète, Leonora se penche, offrant son doigt à un perroquet doux et bavard — il dit bonjour, demande la bénédiction, ferme un œil, comique. Le *beato* Posidônio, si érudit soit-il en matière d'iniquité humaine, de dépravation, d'impudeur, n'avait jamais vu de ses yeux brûlés par le soleil du sertão tel dérèglement, telle immoralité. L'excitant postérieur de Leonora, pratiquement nu, chef-d'œuvre de Satanas, applaudi par ce tas de condamnés, se place sous le nez mystique du prophète, provocation monstrueuse !

« Arrière ! Éloigne-toi de moi, retourne dans les profondeurs de l'enfer, femme immonde, pécheresse, fille perdue ! »

Indigné, Ascânio s'avance vers le *beato* Posidônio :

« Tais-toi, malheureux ! » Mais Tieta le retient, arrête son bras, elle s'amuse follement :

« Laissez le vieux, Ascânio. C'est la minijupe de Leonora.

— Hein ? Ma minijupe…, Leonora ne sait s'il faut rire ou pleurer. Je n'y aurais jamais pensé… — elle s'adresse à Ascânio : — Ça ne m'est pas venu à l'idée. Excusez-moi…

— C'est moi qui dois m'excuser, pour l'arriération du peuple. Un jour ça changera. » Au fond, il n'en est pas sûr lui-même. Changement aussi incertain que la fin du monde du sermon de Posidônio.

Ils laissent pour un autre jour une bonne partie du marché : les viandes séchées, les crabes, les pots et les cruches, les figurines de terre cuite, le jus de canne extrait dans de primitifs pressoirs en bois, si sale et exquis. Le *beato* continue à vociférer tandis qu'ils s'éloignent, Tieta continue à rire comme une folle, puis elle demande à Osnar de lui raconter la célèbre histoire de la Polonaise dont Carmosina lui a parlé. Quelques gamins les suivent encore dans la rue.

Le bruit de leur mésaventure les a précédés, il est arrivé au bar, au parvis de l'église, on se bouscule pour les voir passer. Leonora marche le plus vite possible, elle n'aurait jamais pensé déclencher la fin du monde.

« Elle est proche, oui, j'en ai eu la confirmation, je peux vous l'assurer », explique Barbozinha au fait des secrets des dieux et de la folie des hommes. « Ça va être une explosion atomique colossale. Toutes les bombes atomiques qui existent, les américaines, les russes, les françaises, les anglaises, les chinoises — les Chinois en fabriquent en sourdine, j'ai des informations récentes — vont exploser en même temps, à trois heures de l'après-midi d'un premier janvier. Je ne dis pas l'année pour n'alarmer personne. »

BREF ÉCLAIRCISSEMENT DE L'AUTEUR SUR LES PROPHÉTIES ET LE SOUFRE.

Certains virent dans la harangue du *beato* Posidônio sur la prochaine et inévitable fin du monde des allusions prophétiques à l'industrie du bioxyde de titane. Quand, par exemple, l'illuminé parla de soufre venant des enfers pour détruire la terre et l'humanité, ne cita-t-il pas clairement les objets non identifiés, vus au Mangue Seco, nacelles ardentes ?

Des rapports existent, il n'y a pas de doute. En un temps de si fort mysticisme, le mieux est de ne pas nier ni discuter. Les prophètes se multiplient, se manifestent à la radio et à la télévision. Au contraire du *beato* Posidônio, ils ne se contentent pas d'une maigre aumône. Le *beato* Posidônio est un prophète antique, un produit semi-féodal, perdu dans le sertão, il n'a pas encore découvert les merveilles de la société de consommation. Il ne se rend pas compte que les minijupes nous rafraîchissent la vue, condamnée à la cécité par la pollution. Quant au soufre, on en produit aux États-Unis, nation privilégiée, il n'est pas nécessaire de l'importer des enfers.

DES QUÉMANDEURS ET DES ABUS, DES AMBITIONS — CHAPITRE MESQUIN.

Joyeuse effervescence au marché et dans tout le bourg, née de la présence à Agreste de Tieta et de sa belle-fille, belle et virginale. Si douce, elle rappelle à Ricardo la fiancée préférée du Seigneur, la Petite sainte Thérèse de l'Enfant-Jésus, malgré la minijupe, le transparent caftan et les shorts osés. Même si elle suit les indécentes modes actuelles, il sent chez l'exquise Leonora l'odeur de la chasteté, la grâce de l'innocence.

Après la promenade au marché, Elisa avait menacé de porter la sienne, cadeau de Tieta, par solidarité avec Leonora — ou par esprit de compétition ? Astério s'y opposa, et Perpétua le soutint :

« On peut me traiter de vieux jeu, je suis contre, ici du moins. A São Paulo, peut-être. Ici les gens n'acceptent pas, trouvent ça immoral. Moi aussi pour être franche. » La voix grinçante, criarde, soufflant les flammes de l'enfer.

« Pour moi, dona Perpétua, soyez sans crainte. Je n'en porterai jamais plus. Je ne veux pas être responsable de la fin du monde », promet la fragile Leonora dans un sourire fugace.

« Je ne te critique pas, ma nièce, tu n'es pas fautive. » Elle ne veut pas offenser sa parente chérie, sa nièce d'adoption. Nièce, oui, car belle-fille de sa sœur, fille du beau-frère industriel et Commandeur du Pape, riche héritière. Dommage que ses enfants soient si jeunes ; c'est Ascânio qui guette le magot, elle ne l'aurait pas cru si finaud.

« Je sais que tu ne pensais pas à mal, petite sotte. A São Paulo, aux États-Unis, dans ces pays où il n'y a que des protestants, je ne dis pas. Mais ici on respecte encore la loi de Dieu. »

Conversation apparemment sans importance, mais, derrière la bonne humeur qui entoure Tieta, il y a des espérances, des plans, audacieux pour certains. Réuni autour de la fille prodigue, le clan des Esteves se dépense en flatteries aux Paulistes, cachant sous le couvert de la paix familiale une fermentation d'inavouables ambitions. Ils s'observent avec suspicion les uns les autres.

Au cours de la semaine, les visites s'étaient succédé, un pèlerinage. Les gens importants du lieu, commerçants, amis d'Ascânio, l'institutrice Carlota, *seu* Edmundo Ribeiro, receveur, Chico Sobrinho et son épouse Rita, accompagnés par hasard de Lindolfo Araujo, trésorier de la mairie et gommeux — un de ces jours il prendra son courage et ira tenter sa chance dans une émission d'amateurs, à la télévision de Salvador. Vinrent le Dr Caio Vilasboas, circonspect, langage apprêté, moitié médecin, moitié fazendeiro, s'il devait vivre de sa clientèle à Agreste, il finirait en demandant l'aumône, le samedi ; et le colonel Artur da Tapitanga qui resta l'après-midi entier à bavarder. Il connaissait Tieta depuis que, gamine, elle gardait les chèvres de son père, sur des terres voisines des siennes, siennes d'ailleurs aujourd'hui, achetées à Zé Esteves. Il fit compliment de la beauté de Leonora : elle ressemble à une statuette de biscuit que j'avais autrefois à la *casa grande,* elle s'est cassée. S'il était encore jeune, dans la force de ses soixante-dix ans, il lui proposerait le mariage, mais à quatre-vingt-huit ans, il ne veut pas courir de risque. Si honnête que soit la petite, il risquerait les cornes. Il riait dans un accès de toux, en soufflant la fumée de son cigare. L'unique à manquer, le maire de la ville, Mauritônio Dantas, absence expliquée par Ascânio Trindade à l'heure de l'arrivée : le digne homme vit cloîtré chez lui, la cervelle ramollie depuis la désertion de sa femme, dona Amélia surnommée Miel, activissime militante de la révolution sexuelle.

Les pauvres, innombrables, viennent à toute heure, ils ne dépassent pas la salle à manger ; le salon, Perpétua le réserve aux notables. Chaque pauvre, une histoire triste, une supplique, une prière. La réputation de richesse et de générosité de Tieta s'étend comme la mauvaise herbe, elle fait voile sur les eaux du fleuve, voyage sur le dos des mulets, gagne les frontières du Sergipe. Perpétua plisse le front, elle ne tolère pas d'abus ni de gaspillage.

« Je ne peux pas voir quelqu'un dans le besoin, passant la faim, déclare Tieta. Je sais ce qu'est le dénuement, ça me fait mal. »

Malgré sa flagornerie, Perpétua ne se contient pas :

« Je ne dis pas que je n'aide pas un malheureux par-ci, par-là. Margarida que son mari a abandonnée au lit, le ventre ouvert, passe encore, elle ne peut pas travailler. Mais David, un tricheur, un fainéant qui n'a jamais fait le moindre effort. Il ne sait que boire et ronfler au bord du fleuve. C'est péché que d'encourager la paresse. Le meilleur service à rendre à ces gens, c'est de prier pour eux, de demander à Dieu de leur montrer le droit chemin. Moi, je prie pour eux chaque soir. Hier encore tu as donné de l'argent à Didinha. Une perdue, avec cette kyrielle d'enfants, tous de père différent, et par-dessus le marché voleuse. Dona Aida a eu pitié, elle l'a prise comme bonne, elle l'a trouvée volant dans la dépense…

— Du haricot noir pour donner à ses enfants, Perpétua,

149

sois pitoyable Devait-elle laisser les pauvres petits mourir de faim ?

— Si elle ne les avait pas eus... Au moment de coucher avec le premier qui passe, elle ne pense pas à l'avenir, rien qu'au dévergondage : Dieu me pardonne, la voix sifflante, d'écœurement et réprobation.

— A ce moment-là, Perpétua, on ne pense à rien, non ? On n'a pas le temps..., plaisante Antonieta. Tu as été mariée, tu le sais, elle observe sa sœur, un léger sourire.

— C'est ton argent, tu en fais ce que tu veux, ça ne me regarde pas. Mais ça me fait pitié de le voir gaspillé, ça oui, je ne le nie pas.

— C'est bien ça, ma fille, des profiteurs. Ils connaissent ton bon cœur, ils abusent. Moi, je les flanquerais tous en prison, c'est ce qu'ils méritent. » Pour une fois, Zé Esteves d'accord avec Perpétua.

Chaque matin le Vieux passe donner sa bénédiction à la fille prodigue : Dieu te bénisse et te conserve, ma fille. Il grommelle un « Dieu te donne sa bénédiction » pour Perpétua, un autre pour Elisa, si la plus jeune des sœurs est présente. Il jette un regard circulaire dans la salle où ils se tiennent — dans le hamac de la véranda, Leonora écoute les trilles de l'oiseau-moqueur qu'Ascânio lui a offert. Le regard de Zé Esteves s'arrête sur Perpétua, sur Elisa, il poursuit : « Ils ne cherchent qu'à t'exploiter. Tous. Sans exception. Fais attention. Si tu restes la main ouverte, ils te voleront tout. » Il parle des quémandeurs ? Les yeux sur Perpétua, sur Elisa, il mâche sa chique de corde de tabac. « Tu as bien vu dona Zulmira, toute dévote, elle vit à l'église, se nourrit d'hostie. Au moment de dire combien elle veut pour la maison, comme c'est pour toi elle demande une folie. Modesto Pires l'a bien dit : un vol. Ces gens toujours fourrés à l'église... »

Perpétua fait celle qui n'entend pas, elle se retient en présence de Tieta. Le Vieux abat son jeu, s'il ne tenait qu'à lui, la fille riche n'aiderait même pas ses sœurs, ses neveux. Un Vieux mauvais comme le besoin. Il vit maintenant dans la perspective du déménagement dans une maison confortable, dans une rue décente, que Tieta va acheter pour ses vieux jours. Tant qu'elle ne revient pas, Zé Esteves et Tonha en jouiront seuls, c'est déjà arrangé. Ce n'est pas de sitôt qu'Antonieta, coquette, débordante de vie, abandonnera les fastes de São Paulo pour s'enterrer à Agreste. Elle est bien femme à se remarier, et alors elle ne viendra jamais.

Dans ce cas Zé Esteves restera le maître, à son aise, se prélassant, avec une servante pour soigner la maison, une bonne mensualité, sans manquer de rien, dans cette vie qu'il doit à Dieu. En faisant des économies, il peut même penser à acquérir un bout de terre et une paire de chèvres et recommencer l'élevage. En ce monde, il n'y a rien de mieux, de plus beau qu'un troupeau de chèvres sur les hauteurs.

DES TERRAINS ET MAISONS À VENDRE OU TIETA DANS LE MONDE DU MARCHÉ IMMOBILIER.

C'est le patron de la tannerie qui appela l'attention de Tieta sur la maison de dona Zulmira.

Au bras de sa femme, dona Aida, Modesto Pires avait rendu visite à sa tapageuse payse dès le lendemain de son arrivée, impatient de connaître l'expéditrice des chèques mensuels qu'il endossait. Il conservait un vague souvenir de la gamine qui gardait les chèvres, une coureuse, chassée par son père ; elle revenait maintenant veuve et riche. Il admira sa corpulence et sa prestance, le raffinement de la perruque acajou, la jupe fendue sur le côté, l'élégance due à sa position sociale et à l'habitude de São Paulo. Il la compara mentalement à Carol, deux sacrées femmes, différentes l'une de l'autre mais également bien en chair, généreuses, désirables, des femmes bonnes au lit.

Accompagnée de Leonora et de Ricardo — en soutane — quelques jours après Tieta rend la visite. Modesto et dona Aida se mettent en quatre pour la recevoir : liqueur de jenipapo, gâteau de maïs, confit de rondelles de bananes, biscuits à la gomme. Cachez ces tentations, dona Aida, je grossis à vue d'œil, je vais devenir comme une baleine. Mais non, vous êtes parfaite. Leonora se régale du confit de banane, Tieta promet :

« Plus tard, je te dirai comment on appelle ça ici... »

Rires dans la salle Modesto Pires se comporte en homme du monde, libéral :

« Si vous voulez le dire, ne vous gênez pas, dona Antonieta Aida et le petit curé se boucheront les oreilles.

— Je suis stupide. Excusez-moi, dona Aida. Ce que je voudrais vous demander, *seu* Modesto, c'est un conseil. »

Riche, important planteur de manioc à Rocinha, éleveur de chèvres et de brebis, maître de la tannerie, de terres à perte de vue, au bord du fleuve, aux abords du Mangue Seco, de diverses maisons de rapport dont celle où réside Elisa, personne de mieux placé que Modesto Pires pour la conseiller sur les terrains et les maisons.

« Pour le terrain au Mangue Seco, si vous désirez, je peux moi-même vous en offrir un. Une bonne partie de cette aire m'appartient. Nous avons là une maison pour l'été, pour recevoir nos petits-enfants, sauf qu'ils ne viennent pas. »

Dona Aida ne cache pas sa tristesse : seulement la fille aînée, mariée à Bahia à un ingénieur de la Petrobrás, apparaît aux vacances avec ses deux enfants. Le fils, médecin dans l'intérieur de l'État de São Paulo, codirecteur d'une maison de santé, marié à une Pauliste, promet, jamais ne se décide. Pas plus que la benjamine ; elle vit à Curitiba, le mari est du Paraná, entrepreneur, il construit des immeubles. Pour voir enfants et petits-enfants, dona Aida doit voyager, prendre l'avion à Salvador, elle meurt de peur. Antonieta sympathise avec elle :

« La vie dans le Sud est très absorbante, personne n'a le temps de rien. C'est pourquoi je veux acheter une maison ici et un terrain à la plage. »

Ils réglèrent aussitôt quelques détails pour le lot au Mangue Seco, voisin de celui du commandant qui l'avait acheté lui aussi à Modesto Pires. Mais qu'elle aille voir d'abord, naturellement.

« Je vais adorer, l'endroit est si beau, et il est à l'abri de la pluie de sable. De là jusqu'aux dunes, il n'y a qu'un saut, une bonne promenade à pied, excellent pour la forme.

— C'est beau, oui, confirme dona Aida. J'espère que vous viendrez souvent, augmenter notre petite colonie. Nous y serons dans quelques jours. Dès l'arrivée de Marta et Pedro — elle parle de sa fille et du gendre ingénieur.

— Nous irons avec le commandant, cette fin de semaine. Je compte les heures. Il y a plus de vingt-six ans que je n'ai pas vu la plage du Mangue Seco. »

Modesto Pires reprend

« Ouant à la maison en ville, je sais que dona Zulmira veut vendre la sienne, elle me l'a même proposée. Ça ne m'intéressait pas, acheter une maison de rapport à Agreste, c'est acheter des soucis. Les loyers sont bas, les maisons ont toujours besoin de réparations, le terme est en retard. J'en ai quelques-unes, je dois m'en préoccuper sans cesse. Mais cette maison de dona Zulmira vaut la peine. Une bonne construction, un terrain planté d'arbres. Elle veut s'en défaire pour donner l'argent à l'église. Elle craint que son neveu, si elle meurt, imite les parents du défunt Lito qui ont fait un procès, contestant le testament par lequel il laissait tout ce qu'il avait pour faire dire des messes. Je ne sais sur le conseil de qui, dona Zulmira a décidé de vendre la maison et de donner tout de suite l'argent à la Senhora Sant'Ana. La petite vieille n'occupe qu'une partie de sa résidence : une chambre, la cuisine et la salle de bains, le reste est fermé, se détériore.

— Où va-t-elle vivre ?

— Elle a une petite maison, vide. Elle ira là.

— Et combien demande-t-elle, le savez-vous ?

— Je vais vous le dire. » Modesto Pires va chercher un dossier, il en sort un papier. « Voilà la somme, écrite de sa main.

— Bon marché, non ?

— Pour vous, peut-être. Pour Agreste, raisonnable. Je ne dis pas que ce soit cher mais une maison ici n'a guère de valeur. Allez dans la rue et voyez combien sont à l'abandon, en ruine. Comme dit ma fille Teresa, celle qui vit à Curitiba, Agreste est un cimetière.

— Un cimetière ? Si Agreste, avec ce climat, cette profusion de fruits, de poissons, cette eau sainte, est un cimetière, que dire alors de São Paulo ?

— São Paulo, dona Antonieta, est une splendeur, avec ce complexe industriel, cette animation, ces bâtiments, une puissance. Quelle idée, de comparer Agreste à São Paulo !

— Je ne compare pas, *seu* Modesto. Pour qui veut gagner de l'argent, São Paulo est la ville idéale. Mais pour vivre, pour se reposer, goûter un peu de tranquillité quand on est las de travailler et de gagner de l'argent...

— Qui se lasse de gagner de l'argent ? Dites-le-moi, dona Antonieta ? Je ne connais pas d'exemple.

153

— Il y en a, si, *seu* Modesto. » Tieta pense à *Madame*[1] Georgette passant la main, s'embarquant pour la France, à l'apogée de la réussite.

« Eh bien moi, je n'y crois pas, pardonnez-moi. » Il change de sujet. « J'ai su que vous aviez télégraphié à São Paulo au sujet de l'affaire de l'Hydroélectrique.

— J'ai télégraphié à deux amis de mon défunt mari qui m'estiment. Peut-être obtiendra-t-on un résultat.

— Dieu le veuille. On dit ici que l'un des deux est le Dr Ademar, c'est vrai ?

— Oui, je suis très liée avec lui, je lui ai fourni des voix aux dernières élections. Felipe ne votait pas pour lui, des histoires de Paulistes guindés. Mais ils se connaissaient bien et avec moi il a été toujours très courtois.

— A mon sens, opina le patron de la tannerie, c'est un grand homme. Il vole mais il agit. Si tous étaient comme lui, nous rivaliserions avec les États-Unis. Vous ne pensez pas, dona Antonieta ?

— Dans ces arcanes de la politique, je suis très ignorante *seu* Modesto. Je peux seulement vous dire que c'est une grande chose d'avoir des amis. Heureusement, j'en ai.

— Si vous obtenez le courant de l'Hydroélectrique, le peuple va vous hisser sur le maître-autel de la cathédrale, à côté de la Senhora Sant'Ana. »

Idée extravagante, Antonieta rit aux éclats.

OÙ TIETA REFUSE L'OFFRE DE DONA ZULMIRA ET VOIT, EN RETOUR, UNE SIENNE OFFRE REPOUSSÉE PAR SON PÈRE, SON BEAU-FRÈRE ET PAR ELISA, CETTE PAUVRE ELISA.

Quelqu'un dont le nom importe peu avait conseillé à dona Zulmira de vendre sa maison et de placer cet argent frais sur l'autel démuni de la Senhora Sant'Ana, évitant ainsi toute contestation et s'assurant une place au ciel, à la droite de

---

1. En français dans le texte.

Dieu, parmi les justes entre les justes. La même voix divine, qui sait, lui conseilla de demander à la richarde de São Paulo le double du prix indiqué à Modesto Pires. La bourse immobilière fonctionne pour la première fois à Agreste.

Si Antonieta n'avait pas connu le prix initial, peut-être n'aurait-elle pas discuté car, même pour le double, l'habitation vaste et fraîche, au centre du terrain, avec des arbres et un jardin, ne lui paraissait pas cher Mais elle a horreur d'être exploitée, elle connaît la valeur de l'argent. Généreuse mais pas gaspilleuse. Perpétua se trompe à son sujet. Elle avait connu des jours noirs, elle garde vivant le goût de la misère. Ce qu'elle est parvenue à amasser à dure peine lui a coûté efforts, doigté, tact et malice, elle ne songe pas à le dissiper. Avec la mort de Felipe, la source s'est tarie. Elle refuse l'offre de dona Zulmira, propose la somme demandée à Modesto Pires. Elle n'a pas encore eu de réponse.

En lune de miel avec sa famille, elle se rend compte pourtant de l'intérêt souterrain de chacun, de l'avidité plus ou moins grande qui les anime, seuls les neveux y échappent, encore purs, hors du cercle mesquin où les autres se meuvent. Plus que les quémandeurs ses parents l'accablent.

Préoccupée du fait qu'Astério paie un loyer, elle avait envisagé que, une fois achetée la maison de dona Zulmira ou une autre identique, aussi confortable, les deux couples vivent ensemble : le Père et Tonha, Astério et Elisa. Elle consulta les uns et les autres, séparément.

« Non, ma fille, ne m'oblige pas à ça ! » le vieux frappe le sol de son bâton, lance un jet de salive noire, du tabac mâché. « Elisa ne pense qu'à des fanfreluches, la radio grande ouverte le jour entier. Astério, entre nous, ne vaut pas un pet. Je dois surveiller qu'il ne fasse pas main basse sur l'argent que tu m'envoies. Si tu y tiens et qu'il n'y ait pas moyen de faire autrement, j'habiterai avec eux. Mais si tu as pitié de ton père, épargne-moi ça. Ce peut être ma fin. »

Tieta finit par rire, quoi faire d'autre ? Le Vieux, fort, vigoureux, autoritaire, qui joue les humbles et les faibles pour ne pas vivre avec sa fille et son gendre :

« Et si c'était avec Perpétua, Père ? Vous accepteriez ?

— Dieu m'en garde, ma fille ! Plutôt mourir. Tout mais pas ça.

— Vous n'êtes pas commode.

— Avec toi, je pourrais habiter, ma fille. Tu es droite, tu me ressembles. Nos natures s'accordent. »

155

Pas moins catégorique, la réaction d'Astério et d'Elisa :

« Tant que je peux payer le loyer, je préfère que nous vivions seuls, Elisa et moi. Pas pour Mère Tonha, mais *seu* Zé Esteves est intraitable. Il ne me supporte pas, s'excuse Astério, gêné.

— Père ne prend des gants qu'avec toi, avec nous c'est à coups de pied. Tu y penses, lui et nous dans la même maison ? D'ailleurs, sais-tu une chose ? Je n'ai pas envie d'avoir une maison à moi à Agreste, je préfère pas. »

Tieta n'a pas demandé pourquoi. Elle a souri à sa sœur, cette pauvre Elisa.

« Si c'est ainsi, n'en parlons plus. »

AUTRE FRAGMENT DU RÉCIT DANS LEQUEL — DURANT LE LONG VOYAGE EN PULLMAN DE SÃO PAULO A BAHIA — TIETA ÉVOQUE ET RACONTE DES ÉPISODES DE SA VIE A LA BELLE LEONORA CANTARELLI.

« Quand j'ai compris les intentions de Jarbas : il voulait que je fasse la vie pour son compte, que je l'entretienne dans sa fainéantise, j'ai senti une rage monter en moi, me suffoquer. Le plus difficile fut d'arracher l'amour planté en moi, dans mon corps entier. J'étais amoureuse, j'étais prise. Pour la première fois ce n'était pas seulement le plaisir au lit, c'était une chose différente, si bonne. »

Jarbas la Cumparsita subsistait assez largement grâce à son physique de gigolo latino-américain pour film de Hollywood. Svelte, corps de torero, noirs cheveux lisses à force de brillantine, fine moustache, ongles soignés, long fume-cigarette, et les yeux, ah ! des yeux fatals. Ici et là, laborieuses, les travailleuses réunies en coopérative pour subvenir aux frais du gommeux. Des menaces quand il fallait, des coups si c'était nécessaire. La Cumparsita passait ramasser la paie. Mais, pour obtenir un bon résultat, il fallait avant la contrainte qu'il cajole et conquière, amenant la nouvelle recrue au délire : fais de moi ce que tu veux, mon amour. Jarbas avait une petite voix agréable, il chantait le tango et, parfois, se disait argentin.

Quand il parla d'amour à Tieta, se déclarant passionné, prêt à vivre avec elle pour toujours, faisant miroiter sa situation avantageuse, ce ne fut pas la perspective de larguer la vie, d'avoir un mari et un enfant qui la jeta dans ses bras.

« Une passion si grande, je ne pensais à rien de tout ça, il n'avait pas besoin de me promettre de me tirer de la zone. S'il m'emmenait vivre avec lui, dans une maison à nous, comme sa femme, c'était trop beau. Mais s'il voulait seulement venir tard dans la nuit, prendre ma main, me dire des mots doux, chanter à mon oreille, me faisant fondre toute, c'était plus qu'assez. Aveuglée d'amour. »

Quand elles étaient prises sans remède aux paroles mielleuses et à l'inégalable compétence dans les ébats d'alcôve, alors Jarbas dictait sa loi : pour lui, au minimum, soixante-dix pour cent de la recette quotidienne, et tout à l'avenant. Un maquereau de sa classe a de grands besoins. Du cœur au travail et pas de blagues, garce.

« J'étais éperdue, au comble de la passion, et je commençais même à bercer l'espoir de vivre avec lui, de lâcher le métier, d'être une fille propre, tu y penses ? Tout du baratin pour m'endormir. Ensuite, comme dans les tangos qu'il chantait, *la comparsa de miserias sin fin,* alors seulement j'ai compris. La rage m'a prise, contre lui et moi. Il n'avait pas fini de parler que je ramassais veste et pantalon, chemise et cravate, j'ai tout jeté dans le corridor : hors d'ici, salaud ! »

Révolte et fureur, Jarbas ne s'y attendait pas. Une fois ou l'autre, un geste de refus, des supplications. Courte résistance. Aussitôt le bagout, l'intimidation, la violence en dernier recours : consolation et argument décisif. Il essaya toute la gamme avec Tieta, il perdit son temps.

« D'abord il fut tout doux, ensuite ce furent les cris, la main levée sur moi. Sur moi, tu imagines ! Moi, habituée à trimer avec les chèvres et les boucs, Tieta de l'Agreste, endurcie dans la mer du Mangue Seco. Je me rendis compte que ses cheveux n'embaumaient pas, ils puaient la brillantine. Il partit brusquement. Mais, après son départ...

— Oui, Petite-Mère...

— J'ai pleuré comme une chèvre sevrée. Pas pour lui mais pour la déception, pour le rêve évanoui. Il n'y a rien de pire que de rêver, ma fille.

— Je rêve tant...

— Quand on rêve, on le paie cher. Ce qu'il faut c'est vouloir. Je suis repartie de zéro, je le dois à Jarbas la Cumparsita. Je me suis dit en moi-même : pute peut-être mais de haut vol. A partir de là je suis arrivée à ce que je suis.

— Jamais plus tu n'as été amoureuse, Petite-Mère ?

— Une passion pareille, à perdre la tête, jamais. Aimer, j'en ai aimé quelques-uns. Felipe, beaucoup. »

Même après le décès de Felipe, Tieta n'avait pas enlevé le pyjama et les pantoufles de la chambre à coucher, comme s'il allait revenir à tout instant. A n'importe quelle heure, comme toujours, pour le sourire et le baiser.

« Avec Felipe ç'a été différent, ça a duré presque vingt ans. Quand il m'a connue, j'étais encore jeune, étourdie.

— Il était fou de toi, Petite-Mère.

— Il trouvait en moi la gaieté, le repos, l'autre face de la vie. Je ne sais pas définir mes sentiments à moi. Amour, amitié, gratitude, un mélange des trois ? C'est pourquoi j'ai fait ce voyage, parce qu'il est mort et que je reste à nouveau seule comme au commencement. Pour prendre les deux bouts de l'écheveau et faire un nœud, rattacher le début et la fin.

— La fin, Petite-Mère ? Toi si jeune, si belle, avec tant de prétendants ?

— Je ne parle pas de ça, je n'ai pas encore éteint le feu, s'éteindra-t-il un jour ? Avec ma mort, je pense. Je veux simplement replonger dans ce que j'ai été, savoir comment je serais si j'étais restée à Agreste. Je veux me baigner dans la Bassine de Catarina, au fleuve, enfoncer les pieds dans le sable des dunes du Mangue Seco. C'est tout. Et emplir tes poumons d'air pur, guérir ton anémie.

— Petite-Mère, tu es si bonne !

— Bonne ? Je suis bonne et mauvaise, quand je suis en colère personne ne peut rien tirer de moi, je deviens terrible.

— J'ai été témoin, Petite-Mère. Mais la colère passe, la bonté reste.

— J'ai appris avec la souffrance. Les uns ferment leur cœur, d'autres l'ouvrent, le mien s'est grand ouvert. Parce que j'ai rencontré Felipe. Si je ne l'avais pas connu, peut-être la méchanceté aurait-elle grandi en moi, se nourrissant de l'amertume. A dire vrai, je ne sais pas. On dit que je suis autoritaire.

— Je pense que tu es née comme tu es, Petite-Mère. Tu es née pour être bergère, garder ton troupeau. »

DU BAIN AU FLEUVE AVEC LES NEVEUX, LE HARDI ET LE TIMIDE.

Ses neveux amusent Tieta. Peto, un déluré, farceur, malin, tournant autour d'elles, de la tante de São Paulo et de sa jolie belle-fille, quand il n'est pas au bar à s'instruire de ce qu'il ne doit pas. De ce qu'il ne doit pas ?

« Cet enfant est ma croix. Je le punis, je le frappe, rien à faire. Au lieu d'étudier, il passe sa vie au bar, à apprendre des saletés... c'est un désastre ! se plaint Perpétua, constatant l'absence de son plus jeune fils.

— Des saletés ? » Antonieta adore taquiner sa sœur, la scandaliser. « Sache que l'on enseigne ces choses à l'école, j'ai lu dans les journaux que ça va être obligatoire, dès l'école primaire.

— A l'école, quoi ?

— Des cours d'éducation sexuelle pour les garçons et pour les filles.

— *Cruz credo !* » elle se signe, prend son chapelet, le monde est perdu.

Peto surgit dans la véranda, heureux de la vie, l'air sournois, l'œil fripon, se régalant des seins entrevus, des jambes et des cuisses en montre ; il va avoir une indigestion, sourit Tieta. Il vient leur rappeler le bain au fleuve, prévu pour ce matin. Perpétua ordonne à Ricardo qu'il se prépare et accompagne sa tante. Ils iront à la Bassine de Catarina.

En chemin, chargé des instruments de pêche, Peto bavarde avec Leonora :

« Mère dit que tu es ma cousine. C'est vrai ?

— Bien sûr, Peto. Tu es content de cette vilaine cousine ? »

Au bar, Peto entend Osnar blaguer Seixas toujours occupé à mener des cousines au cinéma, se baigner, se promener avec lui. Il en a plusieurs : ma cousine Maria das Dores par-ci, ma cousine Lurdinha par-là, ma petite cousine Lalita est arrivée de la campagne. Osnar chantonne certaine ritournelle : « Cousine, cousine... », qui a une cousine s'envoie sa cousine. Au bar, appliqué, Peto fait son éducation.

« Content ? Drôlement ! Vilaine ? Ben mon vieux !... son regard transperce la sortie de bain · Tu es vachement jolie, *seu* Ascânio est verni.

— Qui ?

— Mords ici, il allonge le petit doigt. Dis que tu ne sais pas, coquin ! »

Il mélange des expressions locales à l'argot des programmes de variétés de la radio. Tieta et Ricardo sont restés en arrière.

« La tante est chouette. Je l'aime drôlement. »

La Bassine de Catarina est une petite anse dans la courbe du fleuve, où les rives s'écartent loin l'une de l'autre. Le cours d'eau serpente parmi les pierres, les galets et les rochers, limpide, un frais refuge. De là on aperçoit les canots amarrés, les barques, celle d'Elieser. Cachés entre les rochers, des coins discrets, accueillants aux amoureux, l'herbe tassée par les corps.

Autrefois il y avait une heure pour le bain des hommes, une heure pour le bain des femmes, ils venaient séparément à la Bassine de Catarina, deux fois par jour, le matin et le soir Avec l'apparition des maillots et l'évolution des mœurs — même à Agreste les mœurs évoluent — ont disparu horaires et ségrégation. Tôt le matin on est sûr de rencontrer *seu* Edmundo Ribeiro, Aminthas et Fidélio. Seixas, qui fait la noce avec Osnar jusqu'à l'aube, apparaît plus tard, convoyant des cousines. Les laveuses battent le linge sur les pierres. Laveuse était Catarina, dit la légende :

> *S'en vient Catarina*
> *Avec sa bassine*
> *Le patron la suit*
> *Le parler fleuri.*
> *L'eau est fraîche ma mie*
> *Chaude est la bassine*
> *De Catarina.*

Vers six heures paraît Carol, elle passe en silence, sans prendre garde à personne, tous la regardent. L'eau est fraîche, chaude est la bassine, dans celle de Carol ne plonge que Modesto Pires, un scandale !

Vêtues toutes deux, ou dévêtues, de sommaires bikinis, Antonieta et Leonora s'allongent sur les pierres. A plat ventre, elles dégrafent leur soutien-gorge pour mieux se bronzer le dos, des volumes interdits débordent. Ricardo

160

plonge nage au loin. Peto lance son hameçon tout près, il en profite, ses yeux vont et viennent. Le meilleur bain c'est le soir, au clair de lune. Quand la lune croîtra, ils viendront avec Ascânio, ils l'ont déjà combiné.

Tieta admire Ricardo, nageant à grandes brassées, plongeant, traversant le fleuve, un jeune athlète, le corps brun, musclé. Quelqu'un s'approche, s'installe près d'elles, sur les pierres : dona Edna, qui leur dit bonjour. Accompagnée de Terto, son mari malgré les apparences. Ricardo arrive vers l'anse, Tieta suit le regard de dona Edna, qui enveloppe le garçon, la chèvre doit aimer les gamins, la voilà qui se mord la lèvre inférieure. Elle ne voit pas qu'il n'est pas encore à point, trop vert ? Effrontée, dégoûtante. Ricardo s'approche, sort de l'eau, s'assied sur les pierres à côté de son frère, il sourit à sa tante et à Leonora.

Dona Edna, gracieuse :

« Bonjour, Ricardo.

— Bonjour, dona Edna, je ne vous avais pas vue.

— Tu nages bien.

— Moi ? Peto nage mieux. »

Dona Edna aussi a baissé les bretelles de son maillot et Ricardo détourne le regard tandis que Peto compare et juge. Il n'y a pas à hésiter, les tétons de la tante et de la cousine l'emportent de loin. Tieta suit la scène, s'appuie sur le coude, couchée sur le côté. Mariée et pute, dona Edna, et le mari, un doux cocu. Fâchée, Antonieta ? Est-elle devenue puritaine ou protège-t-elle l'intégrité de la famille et de l'église ? Le neveu n'est pas encore à point, il n'est pas fait.

Peto, enfant perdu, sans la moindre notion de respect, touche le bras de Ricardo, chuchote :

« Les cheveux de la tante sortent du bikini.

— Les cheveux ?

— Ceux du bas, regarde. Les favoris. »

Ricardo ne regarde pas ; sévère il fixe son frère, un regard de reproche et d'avertissement, il se jette à nouveau dans le fleuve. Peto ne s'en soucie pas : Cardo vit dans la lune, un ballot.

Tout en passant de la crème sur le dos de son épouse — un mari doit servir à quelque chose — Terto s'adresse à Tieta :

« C'est vrai, dona Antonieta, que vous avez...

— Télégraphié, oui. Et vous, vous avez parié ? Que la lumière va ou non venir ?

161

— Je n'ai pas parié, où trouver l'argent pour les mises Edna trouve... »

Antonieta ne s'intéresse pas à l'opinion de dona Edna. Coureuse! Elle rattache son soutien-gorge, pendant l'opération ses seins apparaissent, durs, opulents, pas ces chiffes molles que dona Edna tient à exhiber. Elle se met debout, d'un saut plonge dans les eaux de la Bassine de Catarina, par larges brassées nage vers le milieu du fleuve où est Ricardo. Peto a abandonné canne à pêche et hameçon, il invite Leonora :

« Tu viens? »

Dona Edna évalue le gamin, il ne lui dit rien encore

DU MASSAGE ET DE LA PRIÈRE.

Ricardo plonge, fuit dans les eaux du fleuve. Il plonge dans les pages du livre à l'heure de l'étude, après la promenade, la partie de ballon, la pêche, le bain, avant le déjeuner, chaque jour. De retour de la salle de bains, toute fraîche, la tante s'assied devant le miroir, desserre le peignoir, prend les tubes de crème, les pots, les flacons. Le parfum flotte, s'étend, atteint les narines du garçon.

Du neveu aîné, déférent et prude. Toujours aux ordres de sa tante et de sa cousine — n'oublie pas que Leonora est ta cousine, lui rappelle Perpétua — mais sans les rechercher sans lorgner contours et profondeurs, d'un œil vicieux, comme le plus jeune. Au contraire, il détourne le regard, le porte ailleurs lorsqu'un sein affleure ou qu'une ombre se dessine sous les robes et les shorts.

Il plonge dans les livres, fuit dans les théorèmes d'algèbre, abstraits. Il doit rester attentif, ne pas se laisser distraire car, sinon, ses yeux se dirigent aussitôt vers la chambre où la tante, porte ouverte sans précaution, se fait belle. Il commettrait un péché mortel, il en est certain, s'il contemplait sa tante. Mais, quand il lui arrive de voir sans le vouloir, par hasard? Il a beau faire, impossible de ne pas apercevoir des attributs tant exposés.

Pire que voir, il y a penser. Il n'avait pas regardé quand Peto avait attiré son attention sur les poils de la tante, il s'était jeté dans le fleuve. Mais même dans l'eau, nageant, il les avait imaginés. Les yeux fermés ou ouverts, qu'il le veuille ou pas, il pense, il imagine. On imagine sans le vouloir, vraiment sans le vouloir, c'est une façon pour Dieu d'éprouver la foi, le zèle des élus. Il faut se contrôler ; vaincre les mauvaises pensées.

Et les rêves ? Les rêves, on ne les contrôle pas. Cosme, un ascète, l'avait mis en garde contre eux, par les rêves le démon tente les hommes, même les anachorètes n'y échappent pas. Endormi, on peut pêcher et se damner. Cosme avait conseillé d'éparpiller des grains de maïs ou des haricots sous le drap, de mortifier la chair. Dans le hamac, impossible.

Dans le hamac, dans l'obscurité, il entend et distingue la tante faisant sa toilette du soir, retirant son maquillage. Fermer la porte ne résout rien, au contraire. La porte ouverte, ça se limite à de petits bruits de pots et de flacons, à des visions limitées, une carnation fugitive qui surgit de la robe. Mais, pour l'imagination, il n'y a pas de limites, quand il ferme la porte la robe s'ouvre en entier et si courte est la chemise de nuit ! Seule la prière détourne regard et pensée.

De toute façon, de nuit ou de jour, c'est un dur combat contre le démon, l'aide de Dieu permet seule la victoire. A sa table, avant le déjeuner, il tente de s'absorber dans l'étude des mathématiques ou de l'histoire, tandis que, dans la chambre en face, la tante se peint et se parfume. Les théorèmes d'algèbre, les navigateurs portugais. Impossible de se concentrer, le parfum a bercé son sommeil au séminaire, ici il l'étourdit.

« Cardo !

— Oui, Tante.

— Tu es occupé ?

— Je travaille, c'est l'heure de l'étude. Mais. si vous désirez quelque chose...

— Oui, viens. »

Ricardo pose le livre, entre dans la chambre.

« Mets de la crème sur mes épaules, fais un massage. Ouvre la main. » Elle presse le tube, lui met dans le creux de la main la crème odorante. « Allez, d'abord étale, ensuite masse avec les doigts et la paume. »

Elle baisse le peignoir, montre ses épaules nues ; elle retient l'étoffe sur ses seins, reste convenable, heureusement. Elle se

163

penche pour faciliter la tâche à son neveu. Ricardo étale la crème et commence, gêné, à lui frictionner les épaules

« Sur le dos, mon fils. »

Celui-ci est sans malice, si c'était le petit il chercherait à voir la courbe du buste sous les dentelles. Le garçon sent l'odeur douce de la crème, la tendresse de la peau. Il ne peut pas se boucher le nez ni retirer ses mains. Il sent, sans vouloir sentir. Le Démon le possède par les doigts, par les narines. Que faire, Seigneur ? Prier, car la prière est l'arme que Dieu a donnée aux hommes pour vaincre les tentations, dérouter l'ennemi. Notre Père qui êtes aux cieux...

« Continue, mon petit. »

Antonieta se penche encore plus, la main ne tient plus la robe. Ricardo dévie son regard car le sein, libre, apparaît entier, brun, volumineux. Où en est-il, dans sa prière ? Ne nous laissez pas succomber à la tentation...

« Ça suffit, mon enfant, merci beaucoup. »

Elle se retourne avec un sourire, surprend son neveu qui remue les lèvres.

« Que fais-tu ? Tu pries ? »

Elle éclate de rire, Ricardo reste muet, rouge, cabré.

« Tu as peur de moi ? Je ne suis pas le diable.

— Oh ! Tante !

— Masser la nuque de sa tante n'est pas un péché.

— Ce n'est pas ce que je pensais. J'ai l'habitude de prier quand je fais un travail manuel — il ment par-dessus le marché.

— Alors donne-moi un baiser et va étudier ! »

Un baiser du petit ne serait pas ce distant frôlement des lèvres sur sa joue. Peto est un luron. A douze ans, même Tieta n'avait pas pareille audace, tant d'impatience

DES JOURS JOYEUX PRESQUE ENTIÈREMENT LIBRES DE PRÉOCCUPATIONS.

Le programme des festivités continue et s'intensifie. Jours joyeux, insouciants, heureux ; journées de promenades, de bavardages et de hamac, dans le gazouillement des oiseaux la paix infinie.

Dans le hamac suspendu dans la véranda, écoutant le gazouillis de l'oiseau-moqueur, Leonora Cantarelli se demande comment la vie peut être aussi merveilleuse. Ascânio passe juste un instant, lui dire bonjour, en allant à la mairie. Dans la ville, raconte-t-il, les discussions s'échauffent : Tieta obtiendra-t-elle, à travers ses relations paulistes, les gros bonnets de la politique, l'installation des poteaux de l'Hydro-électrique ? Les uns disent que oui, d'autres que non, ces derniers, la majorité. Personne ne doute de la richesse, de l'importance sociale de la veuve du Commandeur Cantarelli, mais de là à remuer des autorités telles qu'un gouverneur et des sénateurs, il y a une distance. Quoi qu'il en soit, un bon sujet de conversation, de débat, pour tuer le temps long, les lentes heures qui se traînent — heureuses, du point de vue de Leonora.

Après avoir salué les dames et commenté la polémique, Ascânio se rend à son travail. Visage vibrant, blonde chevelure, rire de cristal, fin baccarat aux oreilles du garçon, Leonora fait un signe d'adieu de la porte de la maison. Adieu ? Au revoir, à tout à l'heure, car il passera de nouveau, un peu gêné, craignant de paraître importun. Mais, s'il tarde à venir, Leonora proteste, la douce voix se plaint :

« Vous n'êtes pas venu, pourquoi ?

— La peur d'être encombrant.

— Si vous répétez ça, je me fâche. »

Toujours avec une troupe joyeuse ils ont remonté et descendu le fleuve dans le bateau à moteur du commandant, lourd et sûr, dans la barque d'Elieser, dans le canot rapide de Pirica. Samedi, enfin, ils iront au Mangue Seco, Tieta et Leonora seront les hôtes de dona Laura et du commandant. Le secrétaire de la mairie, remis, du moins en apparence, de la déception de son voyage à Paulo Afonso, annonce à la belle Leonora Cantarelli :

« J'ai pris les mesures nécessaires et commandé pour vous un clair de lune éblouissant. Vous savez qu'une nuit de pleine lune au Mangue Seco est la chose la plus belle du monde ?

— Je compte sur un clair de lune fantastique.

— Laissez-moi faire, je suis un ami de saint Georges. »

Un clair de lune pour amoureux, aimerait-elle dire, mais elle se retient, tout est si neuf et si inespéré, un vieux rêve devenant brusquement réalité. Trop tard. Ascânio aussi aimerait dire : j'ai commandé un clair de lune d'amoureux, où trouver le courage ? Pauvre, simple fonctionnaire municipal, comment lever les yeux sur une héritière millionnaire ? Pas même en rêve. Néanmoins, pense Leonora, pense Ascânio, ce sont des jours comblés, bienheureux, bénis. Le mieux est de ne pas penser.

Au milieu de la semaine. ils ont dîné chez dona Milu. Dona Carmosina avait annoncé un stupéfiant menu, une abondance de plats tous de la plus haute qualité, pour régaler les plus fins palais sudistes. De la majorité de ces mets Leonora n'avait jamais entendu parler.

Dans la salle pleine de bibelots, souvenirs d'un temps de grandeur — grandeur des Sluizer dilapidée par le défunt Juvenal Consolação, ami du bon et du meilleur, n'étaient restés que les bibelots et le tenace amour de la vie de la mère et de la fille — Leonora s'enquiert auprès d'Ascânio :

« *Teiú* ? Qu'est-ce que c'est ? Un oiseau ?

— Un lézard.

— Et ça se mange ?

— Un délice. Meilleur que le chapon. Vous allez voir. »

Dona Milu arrive de la cuisine :

« La viande sèche est quasiment prête, le manioc au lait aussi. La fricassée de *maturi* dore au four ! »

Leonora se rappelle une autre conversation et lance :

« A propos de plats, Petite-Mère, comment s'appelle ce confit de bananes de dona Aida, tu devais me le dire... »

Rires amusés, Ascânio confus, Perpétua se renfrogne, c'est dona Milu qui explique, son âge lui donne des privilèges :

« Confit des putes, ma fille. On dit qu'il y en a dans toutes les maisons de filles. N'est-ce pas, Osnar ?

— Vous me demandez ça à moi, maréchale ? Moi qui n'aime pas les sucreries et qui ne fréquente pas ces lieux... demandez au lieutenant Seixas qui est client... », en plus de débauché, cynique.

Beaucoup d'invités au dîner : outre les hôtes d'honneur, Perpétua, Elisa et Astério, Barbozinha, Ascânio, la bande du billard. Le commandant et dona Laura sont au Mangue Seco.

Les plats se succèdent, la fricassée de maturi soulève des cris d'enthousiasme, Barbozinha la proclame digne d'un poème, au moins d'un toast, la bière coule à flots, et la conversation mêlée de plaisanteries, de rires et de quelques facéties de mauvais goût. Dues à Osnar et Aminthas, à propos de la romantique mélancolie qui consume Leonora et Ascânio : elle rêveuse, lui nerveux. Ils se sont retirés dans la véranda, ils veulent être seuls. Dona Carmosina, attendrie. elle adore favoriser les amourettes, pariant pour le succès, pour le mariage — fête rare à Agreste. Ce serait si beau si tout marchait bien, lui se remettant du coup donné par Astrud, la vipère traîtresse, elle de l'échec de ses fiançailles avec l'ignoble chasseur de dot. Un ciel bleu, sans nuages.

« Ne restez pas là à ricaner, idiots. Vous ne trouvez pas ça un joli tableau ? Elle est à croquer ! » Dona Carmosina montre le couple isolé, mastiquant teiú et maturi entre deux soupirs. « Ascânio a tiré le gros lot à la loterie de l'amour.

— Ça s'appelle vulgairement un beau coup, ironise Osnar. En revanche, nous perdons notre futur maire.

— Je ne vois pas pourquoi.

— Colonelle, pour l'amour de Dieu... Où sont les pépètes ? A São Paulo.

— Leonora a dit qu'elle aimait être ici.

— Elle dit ça maintenant, sous l'empire de la passion. Ensuite, ça passe. » Aminthas est sceptique comme il convient à un humoriste. « Une amourette sans avenir, Carmosina. Ça n'ira pas loin.

— Sans compter que la générale ne va pas laisser sa belle-fille vivre ici, même si elle le demande. Si Ascânio la veut, il devra aller à São Paulo, réplique Osnar. Et qui va être maire, dites-moi ? Si c'est vous, colonelle, vous avez ma voix. »

La générale se gave en écoutant d'une oreille distraite les discours de Barbozinha qui se déclare cuisinier accompli ; il n'est d'ailleurs pas de profession qu'il ignore, les ayant toutes exercées à la perfection dans diverses vies. Tieta approuve de la tête ou par monosyllabes, tout en constatant à regret qu'elle grossit, d'ici quelques jours elle n'entrera plus dans ses robes. Elle voudrait avoir la nature de Leonora que rien ne fait engraisser. Elle a passé tant de misère, elle sera maigre pour le restant de sa vie. Antonieta cherche des yeux sa belle-fille. Elle est là, dans la véranda, langoureuse à côté d'Ascâ-nio. Chevrette fragile et droite, personne ne mérite autant d'être heureux. Ascânio en sera-t-il capable ? Tieta ne croit pas. Même s'il voulait, à Agreste ce serait impossible.

Dona Milu et dona Carmosina s'approchent de Tieta et du poète :

« Je n'ai jamais vu quelqu'un d'aussi amoureux que cet Ascânio, dona Carmosina n'a pas d'autre thème. Tu crois que la petite l'est aussi ?

« — Je ne sais pas… elle a beaucoup souffert, je t'ai raconté. Elle a eu un fiancé qui ne visait que son argent, dona Milu. Ç'a été une très grande déception, elle en est encore marquée. »

Barbozinha a confiance en la force de l'amour :

« On ne meurt pas d'amour, on en vit.

— Tu n'as pas honte ! Après ça, va dire que tu es mort d'amour pour moi je ne sais combien de fois !

— Je passe ma vie à mourir pour toi, Tieta. Si tu lisais mes vers, tu saurais.

— *Seu* Barbozinha est encore meilleur menteur que poète. Il n'a pas son pareil à vingt lieues à la ronde, affirme dona Milu et elle change de sujet. Et la maison, Tieta ? Tu en as trouvé une autre, à ton goût ? »

Tous au courant de la hausse immobilière après l'arrivée des riches Paulistes.

« Une honte, comme si je n'étais pas née ici, de l'exploitation. Mais, si dona Zulmira réduit son prix, je finirai par l'acheter, c'est une maison comme je la veux. Des autres, que j'ai visitées, aucune ne m'a plu. »

Elles quittent tard le dîner, Ascânio les accompagne jusqu'à leur porte. Perpétua morte de sommeil, habituellement elle se couche à neuf heures, à six heures du matin de pied ferme à l'église pour la messe. Leonora dans les nuages, sourire béat, regard languide, une sotte chevrette. Tieta hausse les épaules : au fond ça n'a pas grande importance, on ne meurt pas d'amour, on en vit ; Barbozinha a raison, quelqu'un a dit que les poètes ont toujours raison. Après avoir passé ce qu'elle a passé, l'idylle avec Ascânio ne pourra pas la rendre plus malheureuse. Quelques larmes dans l'omnibus au retour, ensuite l'oubli.

Avant de les saluer, Ascânio prend un air solennel, il invite dona Antonieta à être la marraine de l'inauguration officielle de la chaussée, du jardin et des bancs de la place Modesto Pires, appelée auparavant place de la Tannerie ; la tannerie de peaux est à proximité, au bord du fleuve. Œuvre de la mairie, elle avait été appuyée par un citoyen important : Modesto Pires avait offert les trois bancs de fer. Reconnaissant, le conseil municipal avait décidé de débaptiser la place. La cérémonie aura lieu avant Noël, avec Pastorale et le Bumba-meu-boi de Valdemar Cotó.

« C'est dona Aida, la femme de *seu* Modesto, qui devrait être marraine. Elle ou bien…, elle rit étourdiment, légèrement grisée, elle a abusé des liqueurs... Carol, ou les deux à la fois pour ne pas faire de jalouse... »

Ascânio se trouble, dona Antonieta le met mal à son aise, il ne sait jamais si elle parle sérieusement ou si elle se moque :

« C'est qu'il y a deux plaques à inaugurer. Pour l'une, avec le nouveau nom de la place, c'est dona Aida qui va couper le ruban. Mais la plaque des travaux, sur le monument, je voudrais que ce soit vous. J'ai eu l'idée et mon parrain, le colonel Artur, qui est premier conseiller, l'a trouvée excellente. Il m'a demandé de vous inviter en son nom.

Des liqueurs exquises, tant de toasts à sa santé, Tieta flotte. Une nuit enchantée, chaude, joyeuse. Qui est-elle pour patronner l'inauguration d'une place publique ? Elle accepte, émue.

« On vous doit beaucoup, ne serait-ce qu'à cause des télégrammes. Même s'ils n'obtiennent pas de résultat, le geste est noble, l'intention méritoire...

— Aucun geste ne vaut quand il ne donne rien, mon fils. L'intention ? A quoi servent les intentions, si bonnes soient-elles ? Dans la vie, il n'y a que les résultats qui comptent, attention. Merci beaucoup et bonne nuit. »

Elle les laisse tous les deux à la porte, elle rit seule, sans raison.

DE L'ÉMOUVANTE VISION ET DU CAUCHEMAR.

Avant de gagner sa chambre, Tieta passe par la toilette. Elle est joyeuse et aérienne, un peu ivre, presque en état de grâce. Pour que la soirée soit complète... allons, laissons...

Le pas hésitant dans le corridor, à la main le chandelier allumé. Elle a mangé comme une bête, depuis quand n'avait-elle pas goûté de fricassée de maturi ? Que de mets, tous plus savoureux les uns que les autres : à s'en lécher les babines, à se pâmer. Que de petits verres de liqueurs de fruits — de *pitanga,* une merveille ; de groseille, divine ; de roses, parfumée ; l'indispensable liqueur de *jenipapo,* tant... toutes enivrantes. Pour compléter la soirée, il ne manque... Tais-toi, veuve joyeuse, plus que joyeuse, libertine.

A la hauteur du cabinet, à la lueur du chandelier, Tieta aperçoit le hamac où est couché Ricardo. Elle s'arrête à la porte, distingue dans l'ombre son neveu qui dort. Qu'est-ce? Elle fait un pas, entre. Elle soulève la lumière, regarde et voit. En désordre, la chemise remontée sur la poitrine et, plus bas, rien. Elle l'avait jugé vert, pas encore à point. Elle s'était trompée, c'est dona Edna qui a raison, sagace. A point, et comment! Démesuré, grâce à Dieu.

Pour être ainsi armé, à qui rêve le neveu? Aux saints, ce n'est pas possible. Ce trésor-là, à portée de la main, et elle interdite, quelle monstrueuse injustice! Interdite, elle ignore pourquoi, mais il doit y avoir une raison qui lui fait détourner les yeux, tourner le dos, marcher vers l'alcôve, le chandelier allumé, et elle. Quel gaspillage!

Gavée, elle dort d'un sommeil agité. D'abord elle rêve de Leonora et d'Ascânio, ils fuient dans les rues d'Agreste, poursuivis par la population, en tête des lyncheurs le prophète Posidônio et Zé Esteves, brandissant le gourdin. Le cauchemar se poursuit avec Lucas qui lui enseigne positions et raffinements tandis que Ricardo, avec soutane et ailes d'ange, survole le lit. Il relève la soutane, montre son outil. Lucas a disparu. Ange déchu, le neveu propose de lui masser la nuque avec l'impressionnant instrument. Mais quand Tieta va l'attraper, ses bras ne se soulèvent pas, ils sont paralysés. L'ange n'est plus Ricardo, c'est le bouc Inácio. Elle n'est qu'une chèvre en rut, sautant sur les pierres.

CHAPITRE CULINAIRE OÙ L'AUTEUR DONNE EN PRIME AU LECTEUR, POUR LE GAGNER, LA RECETTE DE LA FRICASSÉE DE MATURI, SECRET D'UN FAMEUX CORDON-BLEU.

Comme on sait, ou ne sait pas, *maturi* est le nom de la noix de cajou quand elle est verte. Nous, Bahianes gros et sensuels, élevés dans la jaune huile de palme, le blanc lait de coco et le piment ardent utilisons le *maturi* pour un plat rare, d'une particulière saveur. Plus d'un, d'ailleurs, car la noix de cajou verte peut se préparer en sauce ou en fricassée.

Nous ne traiterons ici que de la fricassée, gourmandise offerte par dona Milu à la Pauliste Leonora Cantarelli pour lui enseigner les saveurs de Bahia. C'est Nice qui l'a mijotée et assaisonnée, sur le feu de bois où, depuis cinquante ans, elle ne chôme pas. Mais la recette qui suit vient de dona Indayá, fameux cordon-bleu de la capitale bahiane, professeur d'art culinaire, grande théoricienne et praticienne éprouvée. Je la tiens d'elle et je l'offre aux lecteurs. Se léchant les doigts après s'être rassasiés de ce mets sublime, peut-être arriveront-ils plus facilement jusqu'aux pages finales, encore éloignées, de ce trop vaste feuilleton. Nous sommes à l'époque de la propagande, de l'art sublime de la publicité, elle nous impose ses règles et l'une d'elles, des plus efficaces, est d'offrir au client une prime pour le gagner.

Fúlvio d'Alambert, confrère et ami, a failli en avoir un infarctus :

« Une recette ? Pas plus ? Au moins, pour la forme, tu la camoufles derrière un dialogue, vif et piquant, entre la jeune fille et la cuisinière. Enfin, que prétends-tu faire ? Un livre de cuisine ou un roman ?

— Est-ce que je sais ! »

La littérature a des canons précis, si nous voulons la pratiquer, nous devons les respecter, m'apprend d'Alambert, j'en doute — si jamais ce fut, c'est terminé. L'autre jour, un jeune et génial metteur en scène, le chouchou, le chéri de la critique, m'expliqua que, dans une pièce, le texte est un élément secondaire, moins on l'entend, meilleures sont la compréhension et la qualité du spectacle. Aussi je me risque et transcris la recette telle qu'elle m'a été transmise :

Ingrédients :

deux tasses de maturis,
quatre mesures de crevettes séchées ;
quatre cuillères à soupe d'huile (soja ou arachide) ;
trois cuillères à soupe d'huile douce, dite huile d'olive, portugaise, italienne ou espagnole ;
trois tomates ;
un poivron ;
une grosse noix de coco ;

171

un gros oignon,
une cuillère de concentré de tomate ;
six œufs ;
coriandre et sel — à volonté.

Ébouillanter les maturis et assaisonner avec sel, ail et concentré de tomate. Faire tremper un moment les crevettes séchées, puis les trier et les passer à la moulinette avec la coriandre, les tomates et le poivron.

Mettre à feu doux dans une casserole l'huile et les oignons coupés en lamelles. Ajouter les maturis et les crevettes. Laisser réduire. Ajouter une demi-noix de coco finement râpée en une crème onctueuse, plus le lait de l'autre moitié. Laisser mijoter et ajouter l'huile d'olive et trois œufs battus — d'abord les blancs, ensuite les jaunes. Incorporer aux œufs un peu de farine de blé. Goûter pour juger si c'est à point.

Mettre enfin dans un moule huilé la fricassée de maturi, recouverte de trois œufs entiers battus et d'une pincée de farine. Faire dorer à four chaud. Laisser refroidir avant de démouler.

Voilà, en toutes lettres, la recette précieuse. Le difficile est de se procurer les *maturis,* on n'en trouve pas à vendre. Si le lecteur demande à Camafeu de Oshossi ou à Luiz Domingos, fils de feu Maria de São Pedro, tous deux établis au marché Modèle de Bahia, peut-être l'un d'eux pourra-t-il lui obtenir une ou deux poignées de noix verte et tendre.

Plus difficile encore sera d'obtenir le point juste de cuisson, le goût divin. Si correcte que soit la recette, si strictement observée soit-elle, tout dépend du talent et du métier de la cuisinière, du maître queux, du cordon-bleu — comme pour la littérature.

Le mieux, le plus sûr, est de commander le plat à Indayá, prêt à consommer — et de s'en régaler. J'ai promis aux lecteurs une prime, je leur en offre deux, gratis : la recette et le conseil.

OÙ LA DOUCE LEONORA CANTARELLI FAIT CONNAÎTRE UNE IMPORTANTE DÉCISION.

Le samedi matin, Tieta, Leonora et Peto s'embarquent dans le canot du commandant Dário qui est venu les chercher, laissant à la Toca da Sogra dona Laura encore endormie · à son réveil elle va s'activer pour accueillir ses hôtes. Il y aura au déjeuner une moqueca de poisson, tout frais pêché.

Les autres viendront dimanche, le samedi est un jour de grande activité à Agreste. Ricardo pris par la messe, Astério pris au magasin, Elisa à la cuisine, Ascânio à la mairie où il reçoit les gens de l'intérieur du municipe jusqu'à la fin de l'après-midi. Dona Carmosina doit attendre la marineti pour distribuer journaux et revues, donner et recevoir les lettres, en lire et en rédiger quelques-unes à la demande des paysans illettrés. Pour les gens des villages et de la campagne, le samedi est le jour des achats, des plaintes, des réclamations et des demandes à la municipalité, de la correspondance avec les parents émigrés dans le Sud.

Avec dona Carmosina ira dona Milu, apportant des victuailles à joindre à celles de dona Laura, pour un pique-nique à l'ombre des cocotiers. Ira également le barde Barbozinha s'il se sent mieux de son rhumatisme, châtiment de sa manie de rester éveillé jusqu'à des heures indues, scrutant l'horizon dans l'attente de soucoupes volantes, de vaisseaux spatiaux d'où descendront des êtres venus des plus lointaines galaxies, en visite au grand maître de toutes les sociétés secrètes, Gregório Eustáquio de Matos Barbosa, philosophe et voyant connu dans l'immensité du système céleste. Dernièrement il a reçu des ondes puissantes, annonces d'événements extraordinaires dans un proche avenir. De temps en temps, dans un disque lumineux ou en la peu recommandable compagnie d'Osnar, de Seixas, de Fidélio et d'Aminthas, le poète débarque dans la maison malfamée de Zuleika Cinderela, dans l'impasse de l'Amertume, où, au son de vieux disques grinçants, on peut danser avec des filles. En son temps de bohème littéraire à la capitale, en compagnie de Giovanni Guimarães, James Amado et Wilson Lins, au « château » de Vavá ou au 69 de la ruelle de la Montagne, le barde Barbozinha était un danseur apprécié. Aujourd'hui vieilli, à demi infirme, il fait encore bonne figure dans un fox-trot ou une valse. Dans un tango il arrache des applaudissements.

Tieta et Leonora assistent au lever du soleil sur le fleuve, la jeune fille est silencieuse, à peine sourit-elle : le commandant l'observe et sent l'émotion qui est la sienne. Tieta ne parle pas non plus, le visage fermé, presque douloureux. Seul Peto agite l'eau avec la main quand il n'aide pas le commandant dans les manœuvres.

A la Toca da Sogra, où dona Laura reçoit les visiteuses avec de l'eau de coco et de petits poissons frits dans l'huile de palme — il y a de la batida de pitanga et de maracuja pour les amateurs — le commandant déploie sur la table un plan sommaire des propriétés de Modesto Pires, qu'il a tracé lui-même :

« Ici est la Toca, notre terrain. Je vous conseille, Tieta, d'acheter celui-là, voisin du nôtre, dans cette partie des cocotiers. C'est l'endroit le plus joli et le mieux protégé du sable. Nous pouvons y aller, si vous voulez.

— Tout de suite, je suis venue pour ça. »

Elle n'est pas venue pour ça, elle est venue pour revoir les dunes et s'y retrouver. Mais elle tarde volontairement, elle retient son envie de courir vers les falaises de sable, de monter au sommet et de regarder l'immensité qui s'étend. Avec le commandant et dona Laura elle va reconnaître le terrain, quand elle rentrera à Agreste elle l'achètera.

« Vous pouvez faire affaire ici même. Modesto et dona Aida sont à la plage. D'ailleurs ils nous invitent à prendre l'apéritif chez eux, avant le déjeuner. Ils sont un peu plus loin, près du village des pêcheurs.

— Tout est si beau ici. Je n'ai jamais rien vu de pareil », dit Leonora de retour à la Toca da Sogra, tandis que dona Laura veut lui faire goûter la batida de pitanga. « Merci, dona Laura, plus tard je veux bien. Maintenant, si vous permettez, je vais aller à la plage », douce et discrète, si chère.

« Attention, le déjeuner ne tardera pas et, avant, nous devons aller chez Modesto. On prépare déjà la moqueca. Gripa est spécialiste. » Dans la petite cuisine, la grosse mulâtresse sourit en écaillant le poisson.

« Je reviens tout de suite, je vais juste jeter un coup d'œil.

— Je vais avec toi », la voix rauque de Tieta.

Peto part en avant, en courant, il commence à escalader les dunes, dès qu'il arrive au sommet il monte sur une palme sèche, descend à vive allure en la chevauchant. Il invite sa tante et Leonora. Le vent hurle, le sable vole en tourbillon.

Tieta sent sur son visage le souffle de l'air marin, l'odeur unique. Le sable fin, apporté de l'autre côté de la barre sous la force du vent, pénètre dans ses cheveux. Le soleil lui brûle la peau. Là elle avait été femme pour la première fois.

A Agreste, elle avait interrogé l'Arabe Chalita sur le colporteur. Tu ne sais pas ? Il est mort d'un coup de feu quand la police a voulu le prendre à Vila de Santa Luzia, il y a plus ou

174

moins dix ans. Un brave, il ne s'est pas rendu on n'a jamais retrouvé la marchandise, les preuves. » Chalita caresse sa moustache :

« Il aimait emmener des poules au Mangue Seco. Des gamines aussi. » Il pose sur Tieta son regard de sultan déchu. Entre eux, là, à la porte du cinéma, un instant ressuscité, le contrebandier.

Les dunes s'élèvent devant les deux femmes ; Peto se laisse glisser sur une palme de cocotier. Laquelle d'entre elles a gravi Tieta en ce lointain après-midi du colporteur ? Leonora l'interroge des yeux, elle hoche la tête :

« Comment savoir ? Je sens comme une chose en moi, Leonora. Parce que je suis à nouveau ici, avec ce vent dans la figure et cette mer en face de moi. Presque tout au monde est pourri, mais il reste le Mangue Seco, tu comprends ? Quand tu seras là en haut, tu vas voir. »

Elles approchent du sommet, Peto les rejoint, Leonora force le pas, ses pieds s'enfoncent dans le sable.

« Ah ! Mon Dieu ! Ce n'est pas possible ! » s'exclame la jeune Pauliste en découvrant, entier, le paysage illimité.

Elle cherche Tieta de ses yeux aveuglés par le soleil et la voit dressée au point le plus haut, à l'extrémité des dunes sur l'océan, enveloppée par le vent, envahie de sable, gardienne de chèvres devant son lit de noces.

Leonora s'approche d'elle, la voix étranglée :

« Petite-Mère, je ne veux pas partir d'ici, jamais plus. Je ne veux pas retourner à São Paulo. »

Peto les invite à enfourcher les palmes de cocotier et à glisser, venez voir comme c'est bon. Le vent emporte les folles paroles de Leonora, Tieta ne répond pas.

« Jamais plus ! » répète la jeune fille.

Mieux vaudrait se noyer là, dans les vagues démesurées, dans la mer furieuse.

OÙ TIETA ACHÈTE UN TERRAIN AU MANGUE SECO ET LEONORA, BIEN ÉLEVÉE, S'ÉVANOUIT.

Elles étaient retournées aux falaises le soir au clair de lune, elle et Tieta. Leonora paraissait flotter dans le paysage enchanté — soudain libérée du passé, renaissant dans la magie de la pleine lune qui s'épandait sur les dunes et sur l'océan, dans le roulis des flots. Elle aurait aimé rester au sommet, couchée sur le sable, pénétrée de paix. Mais quand le commandant vint rappeler le rendez-vous pris avec dona Aida et Modesto Pires, Leonora ne voulut pas être discourtoise, elle revint avec Tieta à la Toca da Sogra.

Pour son goût, elle serait restée au haut des falaises, sous le clair de lune commandé par Ascânio, éblouissant comme il l'avait promis, à écouter la mer nocturne se brisant contre les montagnes de sable. Même seule : elle aurait pensé à lui, soucieux de ses devoirs d'administrateur, si correct. Une personne décente, disait-on d'Ascânio. Décence, vertu rare, constate Leonora. Elle a dû traverser le Brésil, arriver au sertão pour la découvrir. Elle se rend compte qu'elle commet une injustice : Tieta est décente ; à sa manière, sans doute. Décence ne signifie pas innocence, chasteté. Une femme droite, disait-on d'elle au Refuge.

Si elle était dans les dunes, elle pourrait glisser, couchée sur une palme de cocotier, comme Peto, gamin turbulent. Elle n'avait pas été turbulente, elle n'avait pas été gamine ni petite fille. Elle n'avait pas eu d'enfance, non plus d'adolescence ; elle n'avait pas connu le goût du premier baiser reçu ou donné dans un élan de tendresse. Elle n'avait pas eu d'amoureux, n'avait pas entendu de paroles murmurées, chaudes. A treize ans on palpait déjà ses seins inexistants.

Elle tente de distinguer les sons de l'harmonica — il y a fête au village. Elles étaient passées par là, elles avaient vu les pêcheurs réunis devant une chaumière autour du musicien. C'était Claudionor des Vierges, avec son harmonica, les couplets, les strophes, les improvisations, de hameau en hameau, de baptême en baptême, de mariage en mariage, là où il y avait une fête. En les voyant il avait entonné :

Salut au senhor commandant
et son illustre compagnie.

A la Toca de Sogra, Antonieta, pressée comme toujours lorsqu'elle désire quelque chose, arrête les derniers détails pour l'achat du terrain. Leonora poursuit le son de l'harmonica, loin de la conversation.

« Payez comme bon vous semble, en autant de prestations que vous voudrez. J'ai beau être propriétaire, je ne veux pas mentir : un terrain au Mangue Seco ni ne s'achète ni ne se vend. Nul ne connaît le maître de beaucoup de ces terres. Il y a plus de quatre ans j'ai vendu un lot. A un gringo qui est passé par là ; vous vous rappelez, Commandant ?

— Je me rappelle très bien, c'était un Allemand, un peintre. Il a annoncé qu'il allait se défaire de sa maison de Bavière pour venir vivre au Mangue Seco.

— Il a payé trois prestations d'avance en disant qu'il lui fallait trois mois pour mettre ses affaires en ordre et revenir définitivement. On ne l'a plus revu et il n'a pas fini de payer.

— Je veux payer comptant, *seu* Modesta. Argent comptant, espèces sonnantes…, annonce Tieta en riant.

— On voit que vous n'êtes pas une femme d'affaires, dona Antonieta ; avec l'inflation, acheter à tempérament est toujours mieux.

— Je n'aime pas devoir, c'est pour ça, mais ne pensez pas que je sois stupide. Comme je paie comptant, je veux un abattement. »

Ce fut à Modesto Pires de rire :

« Abattement ? Allons, cinq pour cent, que vous en semble ? Non parce que c'est comptant mais pour le plaisir du voisinage. »

Chaises longues, tabourets, un banc rustique à la porte de la maison, sous les cocotiers. Ils bavardent là tandis que la lune se surpasse. Peto s'est endormi sur une natte.

Leonora écoute vaguement le dialogue, elle aussi, si elle pouvait, achèterait un terrain au Mangue Seco. Pas pour sa vieillesse mais pour y rester dès maintenant. Elle avait désiré la vie entière des sentiments et des vérités dont elle connaissait l'existence par ouï-dire, par les films au cinéma, les romans à la télévision. Rien de plus, des sentiments normaux, des vérités courantes. La grand-mère, quand elle parlait de la vie dans le village toscan avant le voyage, disait des choses simples : famille, tranquillité, paix, amour. L'amour, comment était-ce ? Dans les ruelles pourries, dans le sordide meublé, personne n'aurait su répondre.

Plus elle était bas, battue, vaincue, déchirée, brisée en dedans, plus Leonora se réfugiait dans le modeste rêve irréalisable : affection, tendresse, bon vouloir d'un homme. Une vie propre comme il en existait hors des limites où elle était née, avait grandi et s'était faite femme, au-delà du cercle

177

de douleur et de désespoir. Montant et descendant l'avenue par les aubes froides, portant son fardeau, le châtiment d'être née fille de parents si pauvres dans une terre si riche, les plaies ouvertes, elle rêvait pourtant. Si elle n'avait pas rêvé, il ne lui serait resté que la mort.

Inespérément, quand l'horizon la prenait à la gorge, en un râle final, elle connut la bonté et s'y reposa, elle apprit de nouvelles valeurs, se sentit une personne. Les fous rêves d'amour éternel s'endormirent car, n'étant plus vile sa nouvelle condition, seulement triste, elle était moins démunie. Non qu'elle soit satisfaite : toujours avec l'envie, l'idée de sortir de ce milieu pour une autre vie : maison et compagnon — elle ne pensait pas au mariage — une couple d'enfants. D'autres réclament argent et renom. Leonora était née comme sa grand-mère, pour être maîtresse de maison, mère de famille, elle n'en désire pas plus.

Là à Agreste, monde paisible et différent, où la vie paraît endormie et est vécue pleinement, Leonora se sent prise d'exaltation et de peur. A Agreste le rêve persiste par-delà l'imagination, il se concrétise en un secret attrait, se nourrit de regards et de sourires, de gentillesses, de sous-entendus, grandit dans le chant de l'oiseau moqueur, cadeau du prince charmant qu'elle ne souhaite pas prince, noble ou riche, simplement charmant, décent. Même le sachant inaccessible, Leonora aspire au moins à arriver au bord, à toucher du bout des doigts le simple, merveilleux monde.

Pour agir correctement, elle doit s'en ouvrir à Petite-Mère, l'écouter, suivre ses conseils. Elle redoute pourtant que Tieta, craignant les conséquences, décide de précipiter le retour à São Paulo. Leonora ne prétend qu'à quelques jours de tendresse, même irrémédiablement comptés, peu — la certitude de la mort n'empêche pas l'homme de profiter de la vie. Elle revendique le droit d'entendre et de prononcer des paroles tremblantes, d'ébaucher des gestes d'amour, le droit au premier baiser, comment sera-t-il ?

Pour garder ces souvenirs, avoir de quoi remplir de regrets sa solitude. Elle n'a jamais senti de regrets. De rien, de personne. Tout a été sale et mauvais sur son parcours. Il lui manque tant de ne pas avoir, un instant au moins, un visage, une caresse, un mot à se rappeler, à regretter. La solitude devient trop vide et dangereuse. Elle implore quelques jours à peine, par pitié, assez pour remplir son cœur de tendres moments, dont se souvenir. Alors elle dira : allons-nous-en, Petite-Mère, avant qu'il ne soit trop tard.

Claudionor poursuit, animant la danse, il peut passer des nuits et des nuits, inlassable à l'accordéon. Un bruit de moteur se mêle à la musique, il vient de la direction du fleuve, qui ce peut être ? Leonora regrettera cette minute brève, ce pressentiment et cette anxiété. Elle suit le bruit qui grandit et se modifie : l'embarcation affronte la mer à l'entrée de la barre. A nouveau l'accordéon résonne seul, joyeux. Bientôt, les pas sur le sable. Leonora se lève. Ascânio apparaît, débarque du clair de lune. Dans un élan, la jeune fille s'avance.

Dans la pénombre leurs mains se touchent, sourient leurs lèvres, brillent leurs yeux.

« Je suis venu dans la barque de Pirica. Il n'a fait que m'amener, il repart tout de suite. » A nouveau le bruit du moteur, la coque contre les vagues.

« Vous n'avez pas pu patienter jusqu'à demain, hein, Maître Ascânio ? Vous avez très bien fait : quand on est attendu, il ne faut pas tarder », lance le commandant.

Le garçon cherche une excuse :

« Je préfère faire le trajet de nuit que de me réveiller à l'aube. »

Il ne sait comment agir : doit-il s'asseoir et causer ou partir avec Leonora ? Dona Aida vient à son secours :

« Pourquoi n'emmenez-vous pas Leonora admirer le clair de lune sur les dunes ? C'est si..., elle allait dire romantique, elle se retient,... si beau... »

Suggestion acceptée, la jeune fille noue un foulard sur ses cheveux ·

« Vous permettez... »

L'animation réveille Peto : je vais avec vous. Mais le commandant, complice, refuse :

« C'est l'heure de dormir pour les enfants. »

Les silhouettes se perdent parmi les cocotiers. Dona Laura soupire :

« Rien ne vaut la jeunesse. J'aurais aimé que nous nous soyons connus avec Dário au Mangue Seco. Quand je suis venue, nous étions déjà mariés depuis dix ans.

— Ç'a été notre seconde lune de miel..., rappelle le commandant.

— Quelle jeune fille bien élevée... on voit tout de suite qu'elle est de bonne famille », s'exclame dona Aida.

Pensive, suivant des yeux les deux ombres, Tieta reprend le fil de la conversation :

Leonora ? Un amour d'enfant. Elle revient de loin, une déception si grande que ça lui a ébranlé la santé. Un escroc, auquel elle était fiancée, en voulait à son argent. Heureusement, je m'en suis rendu compte à temps. Mais la pauvre a terriblement souffert, une crise affreuse, elle ne dormait plus, ne mangeait plus, elle est devenue anémique. Aussi l'ai-je amenée avec moi pour la guérir à l'air d'Agreste.

« Ici elle va se refaire une santé en deux temps trois mouvements. Il n'y a rien comme le lait de chèvre pour ranimer les forces des gens, approuve Modesto Pires.

— Le plus curieux c'est que lui aussi a eu une douloureuse désillusion. Vous n'en avez pas entendu parler, dona Antonieta ? » demanda dona Aida.

Antonieta connaît l'histoire par le menu, mais elle ne veut pas priver dona Aida du plaisir de raconter.

« Non, senhora.

— Non ? s'étonne dona Aida au comble de la satisfaction Eh bien, voilà... »

DU PREMIER BAISER FACE À LA CÔTE D'AFRIQUE, CHAPITRE D'UN ROMANTISME FOU, COMME ON N'EN FAIT PLUS.

Ils s'asseyent au haut de la dune, devant eux l'océan.

« Merci, dit Leonora.

— De quoi ?

— Du clair de lune. N'est-ce pas vous qui l'avez commandé ?

— Ah ! il se détend un peu. Ça vous plaît ? Je vous avais bien dit que saint Georges était mon ami.

— Merci aussi d'être venu. »

Un frisson dans la poitrine d'Ascânio, qui le rend muet. Les bruits de la fête au village viennent mourir dans le choc des vagues contre les falaises. Tout sujet est bon pour rompre le silence :

« On fête l'anniversaire de Jonas, le chef de la colonie de pêcheurs. Il est manchot, le requin lui a mangé le bras gauche

— Il y a des requins ici ?

— En pleine mer, beaucoup. Parfois ils viennent jusqu'à la plage. Ils sont hardis et voraces. La moindre inattention, c'est la mort. »

Ce n'est pas le moment d'évoquer la mort, c'est pourquoi ils reviennent à la réserve première, à la retenue, à la timidité. Tous deux silencieux, réduits à de furtifs regards, si bons pourtant ! La lune fichée dans le ciel, faite sur commande, exclusivement pour eux. Un clair de lune d'amoureux, propice aux mots d'amour. C'est ce qu'Ascãnio prétend dire. Il prépare la phrase, elle meurt sur ses lèvres, finalement il explique :

« De l'autre côté c'est l'Afrique.

— L'Afrique ? »

Il tend le doigt, indique au loin :

« De l'autre côté de la mer.

— Ah ! oui. L'Afrique, je sais, elle ne veut pas laisser mourir la conversation. Vous avez eu beaucoup de travail aujourd'hui ? »

Ce n'est pas de géographie ni de problèmes d'administration qu'ils désirent s'occuper. Mais où trouver le courage pour les paroles ardentes, les déclarations encore d'usage chez les amoureux d'Agreste ?

Comme tous les samedis : des demandes pour qu'on répare des chemins, nettoie les fontaines, fasse quelques travaux, une passerelle, un petit pont. Leonora ne peut imaginer le manque de ressources d'Agreste. Ç'a été un municipe riche, en d'autres temps. Quand le grand-père d'Ascãnio était maire.

« J'ai entendu dire que vous seriez le nouveau maire.

— Sans doute. Vous savez pourquoi ? Parce que personne ne veut ce poste. Mais moi j'accepte. Je vais vous dire une chose, traitez-moi de visionnaire si vous voulez. J'ai confiance, je pense que tout va changer et qu'Agreste redeviendra ce qu'elle a été. Je ne supporte pas de voir ma terre dans cette torpeur.

— C'est bon d'avoir confiance, de rêver. Vous êtes fou de votre terre.

— Oui. Je veux qu'elle sorte du marasme où elle s'est enfoncée. J'y parviendrai. » Il prend son élan, il est remonté, décidé. « C'est drôle, la vie. Il n'y a pas un mois je n'avais plus foi en rien, ni espoir. J'écrivais des lettres aux journaux,

181

j'envoyais des réclamations au gouvernement, mais je ne croyais pas aux résultats. Maintenant tout me semble facile. Depuis que..

— Depuis que ?

— Que vous êtes arrivées. Tout a changé, tout est gai, même moi.

— A cause de Petite-Mère, partout où elle arrive elle chasse la tristesse. C'est la meilleure personne du monde.

— A cause d'elle aussi. Mais pour moi... »

Leonora attend, son cœur bat, désordonné. Le vent apporte des lambeaux de rires, des sons d'accordéon, le nom d'Arminda crié à la fête. La voix d'Ascânio entame un lamento : « J'étais un mort-vivant, je ne trouvais plaisir à rien. Je vais vous raconter, si vous permettez. Elle s'appelle Astrud. »

Pourquoi raconter ? Qui l'ignore à Agreste ? Dona Carmosina, romantique comme Leonora, avait récité les lettres pour elle et Tieta, avait chuchoté les tristes détails. Leonora s'était révoltée contre les procédés de la perfide. Tieta avait seulement ri, elle n'aimait pas le sentimentalisme, l'amour on en vit, on n'en meurt pas, n'est-ce pas, Barbozinha ? Ascânio n'a pas attendu son consentement. Leonora écoute et encore une fois s'émeut.

Les études à Bahia, les fiançailles, la maladie du père, la lettre annonçant la rupture et le prochain mariage. Pourquoi avait-elle continué à jurer son amour quand elle était déjà dans les bras de l'autre ? Lui donnant ce que jamais elle n'avait consenti à Ascânio et que lui-même n'avait pas sollicité car il la supposait innocente, angélique, sainte. Un idiot béat. Il avait dit à dona Carmosina, confidente, amie fidèle qui souffrait avec lui :

« Pas même si, un jour, débarquait de la marineti de Jairo la femme la plus belle, la plus douce et pure... »

C'est qu'il ne supposait pas possible un tel miracle. Il s'est produit, pourtant. La plus belle, la plus douce, la plus pure des femmes. Débarquée de la marineti de Jairo.

Leonora se dresse. Face à la mer, les yeux vers le large où le clair de lune se fond dans la nuit. Ascânio aussi se lève, il allait ajouter : la plus belle, douce et pure des femmes, et riche, pourquoi ? Pauvre secrétaire de la mairie de Sant'Ana de l'Agreste, chiche salaire, ah ! Pourquoi si riche ?

Il n'a pas eu le temps de parler de pauvreté et de richesse. Tremblante, les yeux humides, Leonora s'approche, frôle son visage de sa main, lui offre ses lèvres. Elle descend en courant, dans la bouche le goût du premier baiser. Elle fuit parmi la lune et les étoiles, heureuse et misérable.

Ascânio ne tente pas de la suivre, il reste là, quand il partira il va conquérir le monde. Ah ! un jour il arrivera devant elle et lui dira : pour le luxe je n'ai rien, mais je gagne de quoi vivre, je viens te chercher. La lune disparaît dans le lointain, sur le chemin de la mer vers les côtes d'Afrique.

COMMENT PERPÉTUA NÉGOCIE L'AIDE DE DIEU POUR LE TRIOMPHE DE SES PLANS DIABOLIQUES.

La plage du Mangue Seco s'anime le dimanche avec l'arrivée d'une quantité d'amis sous la direction de dona Carmosina, terrifiante et inconsciente dans son maillot lilas. Même Perpétua s'était décidée à accompagner le groupe, en robe noire, grand deuil. Dona Milu déborde de joie ; elle ne venait plus au Mangue Seco depuis plus de six mois. Ce n'est pas faute d'invitations, observe le commandant Dário. C'est vrai, invitations et temps ne manquent pas ; c'est plutôt l'entrain qui manque avec l'âge. On rit de ce mensonge : il n'existe personne d'aussi entrain ; les années passent, Mère de plus en plus alerte, confirme dona Carmosina.

Dans la barque Barbozinha avait ôté sa veste et sa cravate, s'était exposé au vent malgré son rhumatisme. Certaine nuit il était monté sur les dunes avec Tieta, déclamant des vers écrits pour elle, réunis depuis dans le recueil, *Poèmes d'Agreste* (Matos Barbosa, *Poème d'Agreste,* illustrations de Calasans Neto, Editions Macunaima, Bahia, 1953) ; formant la première partie du volume, intitulée « Strophes de la mer farouche », la mer farouche, le déferlement du Mangue Seco et le corps de la libre chevrière embrasé par la flamme du désir. Deux glorieuses nuits d'amour et de poésie, brèves, passagères. Ses devoirs de fonctionnaire municipal l'obligèrent à rentrer à la capitale. Elle avait promis de l'attendre, elle promettait toujours. Passés quelques mois, une lettre d'Agreste lui annonçait le départ de Tieta. Maintenant seulement, vingt-sept ans après, rhumatisant et diminué, il l avait revue, plus belle encore, opulente, libre chevrière, mer farouche. Veuve, lui vieux garçon. Il ne s'était pas marié, était-ce à cause de Tieta ? Il espère lui réciter dans les dunes, au clair de lune, le grand poème qu'en son honneur il vient d'écrire. Il la proclame étoile de l'aube, lui étant un astre terni d'un vacillant éclat. S'ils unissaient leurs destins, cependant, le poète renaîtrait, soleil surgissant de la mer du Mangue Seco. Il avait choisi le style emphatique, bon pour la déclamation.

Étaient venus Aminthas et Osnar, Fidélio et Seixas, escortant Astério. Les airs modernes envahissent le Mangue Seco, remplaçant l'harmonica de Claudionor des Vierges tandis que le trouvère cuve, dans un sommeil agité, sa cuite de la veille. Où est Ricardo ? Au premier moment, entourée, embrassée, Antonieta ne s'est pas rendu compte de l'absence du neveu. Mais, une fois calmée la confusion, elle demande :

« Et Cardo, où est-il ?

— Il n'a pas pu venir, explique Perpétua, gênée : le Padre Mariano a été marier et baptiser à Rocinha, il y va deux fois l'an, en juin et en décembre, il a emmené Ricardo qui te fait demander ta bénédiction, il t'adore. Mais, étant séminariste, il a dû accompagner le prêtre. »

Tieta ne répond ni ne commente mais Perpétua devine sa déception à sa moue et elle se réjouit : sa sœur riche s'attache aux enfants. Tant mieux.

« Tous à la mer ! » ordonne le commandant et il est obéi.

Caleçon, maillots, bikinis défilent devant la rare population du Mangue Seco. Au contraire des habitants d'Agreste, les pêcheurs ne se scandalisent pas de l'insolente exhibition de cuisses et de ventres, de croupes et de nombrils. Ici, les enfants de quatorze et quinze ans fendent nus les flots, de leur corps de bronze.

Seule à ne pas suivre l'ordre du commandant — même dona Milu relève sa jupe et va tremper ses pieds dans la mer —, Perpétua cherche sur la plage, sous les cocotiers, un coin protégé du soleil et du vent. Elle tire son chapelet de la poche de sa jupe, se met à l'égrener. Au temps du Major tous les ans elle venait à la plage, l'été. Revêtue d'un costume de bain décent, elle affrontait les dangers de la mer, le Major la prenait dans ses bras sous prétexte de lui enseigner à nager, mains indiscrètes, habiles. Délices passés, ils ne reviendront pas. Elle doit maintenant penser à ses fils, à leur avenir. Veuve, elle est mère et père. il lui faut lutter. Les doigts sur les grains du chapelet, les lèvres en prière, dans la tête les plans échafaudés, en voie d'exécution.

Dévote exemplaire, incapable de manquer à une obligation religieuse, messe, bénédiction, confession, la sainte communion, les processions, zélatrice-chef de la cathédrale, trésorière de la Congrégation, Perpétua espère compter sur la compréhension et l'aide du Seigneur pour atteindre les fins projetées. Son plan exige l'efficace protection de Dieu et l'innocente collaboration des enfants. Celle de Peto ne lui a pas manqué. Où qu'elle soit, Perpétua aperçoit son fils tournant autour de sa tante. Ainsi, avec persévérance et gentillesse, se gagne le cœur, l'amour d'une parente riche.

Elle avait tenté de discuter avec Ricardo, de l'amener, mais le garçon l'avait emporté, invoquant le service du Révérend ; Vava Muriçoca, le sacristain, s'était réveillé malade, il ne pouvait l'assister. Perpétua resta sans réplique, regardant son fils en soutane à dos de mulet. Encore plus qu'elle il méritait la protection divine, si pieux et craignant Dieu.

Elle voulait ses fils, les deux, à côté de leur tante le plus souvent possible. Elle avait conçu un plan compliqué afin que sa sœur fasse des enfants ses seuls héritiers, les adoptant si cette mesure légale se révélait nécessaire. Elle doit s'en assurer, elle se propose d'aller à Esplanada pour prendre conseil du Dr Rubim.

Le temps presse, l'aide de Dieu devient urgente pour toucher le cœur d'Antonieta, pour l'acheminer à une décision correcte ; indispensable la collaboration involontaire de Ricardo et de Peto. Il dépend de Dieu et d'eux que l'affection de leur parente se transforme en tendresse maternelle. Qu'ils plaisent à leur tante, ne la laissent pas seule, recommande-t-elle. Aidez-moi, Seigneur ! implore-t-elle. Le temps presse.

Antonieta n'avait pas précisé la durée de son séjour à Agreste mais, évidemment, il ne dépassera pas un mois et demi, deux mois ; elle doit retourner assumer le contrôle de ses affaires et déjà dix jours se sont écoulés. Peu à peu, à force d'astuce et de patience, Perpétua était parvenue à tirer de sa sœur diverses informations sur l'état de ses finances. Elle était au fait des quatre appartements et du rez-de-chaussée au centre de la ville, chacun loué pour une petite fortune mensuelle — les loyers bon marché, seulement à Agreste.

Elle n'a pas encore obtenu d'information précise sur la sorte de négoce que dirige personnellement Antonieta. Il ne s'agit pas d'une industrie, les industries sont gérées par les fils du

Commandeur, Antonieta n'en est qu'actionnaire. Il doit s'agir d'un commerce, d'une boutique de mode car elle avait des employées. Perpétua avait surpris une conversation entre Tieta et Leonora où elles faisaient allusion au travail des petites. Comme les immeubles, cette maison de commerce est la propriété exclusive de sa sœur, cadeau du Commandeur.

Perpétua va questionnant, recueille une information par-ci, une autre par-là. Antonieta et Leonora ne sont pas bavardes. Peut-être exprès, pour ne pas éveiller la cupidité de la famille. Une chose est certaine : l'importance de la fortune. Les négoces sont grands, multiples et rentables, l'argent est le lit du chat.

L'autre jour, de l'une des valises, celle qui est toujours fermée à clef, Antonieta a retiré une serviette ou mallette — une 007 selon Peto, d'une encyclopédique culture cinématographique — et elle l'a ouverte, en la gardant sur ses genoux, tournée vers elle. Néanmoins, en se levant comme si de rien n'était, Perpétua avait réussi à la voir, bourrée d'argent, de grosses coupures, une quantité, des liasses et des liasses.

« Ah ! Saint Dieu ! » s'était-elle exclamée.

Tieta explique qu'elle avait apporté de l'argent liquide non seulement pour ses frais, mais pour payer le terrain du Mangue Seco, donner des arrhes pour la maison ;

« Ici il n'y a pas de banque et je n'aime pas être en dette.

— Mais il y a là une fortune. Tu es folle, laisser cet argent dans une valise, dans l'armoire.

– Il n'y a que Leonora qui le sait, et maintenant toi. Il suffit de n'en pas parler.

— Moi parler ? Dieu m'en garde, elle met la main sur sa bouche. Je ne vais plus pouvoir dormir en paix. »

Antonieta rit :

« Quand j'aurai acheté le terrain et la maison, ça va beaucoup diminuer. »

Une fortune de Pauliste, une profusion d'argent, pas de ces petites fortunes d'Agreste comme Modesto Pires, le colonel Artur da Tapitanga, à base de manioc et de chèvres. L'important est d'éviter qu'un jour — tous, un jour, nous devons mourir, n'est-ce pas ? — une partie de l'argent et des biens d'Antonieta tombe aux mains des beaux-fils, des fils du défunt Commandeur, de cette silencieuse Leonora insipide et sans saveur, une tourte. Tieta est folle d'elle, elle passe son temps à la chouchouter, l'oblige à prendre du lait de chèvre tous les matins. Celle-là aussi doit être très riche, bien que Perpétua, dans l'inspection en règle qu'elle a passée dans sa chambre, quand elle a examiné une chose après l'autre, n'ait pas découvert de valise d'argent. Rien n'est sous clef, tout ouvert. Dans le sac, quelques milliers de cruzeiros, passablement pour Agreste mais aucunement comparable avec ces paquets dans la 007 d'Antonieta. Perpétua en frissonne rien que d'y penser.

Sa sœur aime ses neveux, elle les traite avec affection, est heureuse de les voir. Il devient nécessaire pourtant, il faut qu'elle les traite comme s'ils étaient ses fils, car ses fils ils doivent être. Les deux si possible, pour le moins un Reconnus légalement. Héritiers.

Au cas où Antonieta voudrait emmener l'un d'eux à São Paulo, Perpétua ne s'y opposera pas, parfait si elle choisit Peto. Un enfant perdu, lâché dans Agreste à sécher la classe, se faisant recaler tous les ans, vagabond au bar et au cinéma, bientôt dans des lieux pires. Mais si c'est Ricardo l'élu pour aller vivre à São Paulo, devenir le bras droit de sa tante, Perpétua sera d'accord. Peto prendra la place de l'aîné au séminaire, qu'il le veuille ou pas, car l'un des deux doit appartenir à Dieu, elle l'avait promis, vieille fille endurcie, ayant perdu les espérances terrestres, les dernières. Si Dieu lui donnait un époux et des fils, un serait prêtre, au service de notre Sainte Mère l'Église. Dieu s'est exécuté, il a accompli le miracle, elle s'exécutera aussi.

Sur la plage, les yeux mi-clos en raison du soleil et du vent, de la lumière violente, elle propose un autre marchandage au Seigneur. Si Antonieta adopte au moins l'un des enfants, Perpétua s'engage à laisser à l'église, en testament, une des trois maisons héritées du Major, la plus petite, celle où vivait Lula-le-Maçon, louée maintenant à Laerte-Coupe-Cuir, employé de Modesto Pires. Petite mais bien située, proche de la tannerie, sur la petite place où se trouve la chapelle de saint Jean-Baptiste. Apparemment le Seigneur refuse la proposition, intime de Dieu, Perpétua devine les réactions célestes. Repentante, elle retire son offre, le Seigneur a raison d'être fâché : une maison peu rentable contre la fortune d'Antonieta, proposition ridicule. Elle tente encore d'argumenter : la place a été pavée et possède un jardin, elle aura des bancs de fer, le loyer va être augmenté. Rien n'y fait ; si elle continue, le Seigneur peut même s'offenser. Elle demande des biens considérables, elle offre une bouchée de pain. Plus que d'argent et de propriétés, Dieu a besoin de dévotion et de foi. Bon : si Antonieta prend Ricardo ou Peto comme fils et héritier, n'importe lequel, Perpétua ira avec les deux à la capitale — à la ville de Bahia, oui, Senhor Dieu ! — et là, à pied, elle se dirigera vers la basilique, sur la sainte colline, où elle fera dire une messe, laissant au musée des Miracles une photographie de ses fils avec une dédicace au tout-puissant Seigneur de Bonfim. Si sa sœur adopte les deux, la messe sera chantée. Le Seigneur doit tenir compte de ce que les enfants ont déjà des droits assurés ; simplement ils ne sont pas les uniques héritiers

L'idéal serait qu'Antonieta, ayant adopté les deux, envoie Ricardo terminer ses études au séminaire de São Paulo, là où l'on forme des chanoines et des évêques. A la chaleur du soleil, au fil du vent, ruminant plans et promesses, Perpétua ferme complètement les yeux, elle s'endort et rêve. Elle se voit, suivant la procession de la Sehnora Sant'Ana, dans une ville immense, plus grande qu'Aracaju, ce doit être São Paulo précédant le brancard un évêque en rouge et violet, un cardinal, c'est son fils, Cupertino Batista Junior, Dom Peto. Un avertissement du ciel, un compromis signé, une promesse acceptée un miracle en vue.

DES JALOUSIES ET DES ESPOIRS D'ELISA AVEC UN CURIEUX DÉTAIL SUR UNE QUESTION D'APPELLATION.

Elisa ne sait pas nager Mer et fleuve lui étaient interdits dans son enfance et son adolescence. Zé Esteves, appauvri, était devenu intransigeant et violent — il suffit d'une pute dans la famille, avertissait-il, le bâton à la main. Contrecoup de ce qui était arrivé à Tieta, Elisa grandit surveillée de près, sous le moindre prétexte la trique chantait sur ses jambes et son dos. Bassine de Catarina, plage du Mangue Seco, pas question.

Si amourettes elle eut, ce fut de loin, amourettes de cabocla, l'œil timide, voyant le vieux expulser les galants qui tournaient dans la rue. Seulement quand apparaîtra un bon parti, prêt aux fiançailles et au mariage : sinon je te flanque au couvent, menaçait-il. Menace vaine, quel couvent ? Astério, fils unique, avait hérité du magasin où, dès son enfance, il travaillait au comptoir, un garçon honnête. Il parut un bon parti, Zé Esteves accepta. A seize ans, une beauté de fiancée, Elisa se maria, pensant qu'elle se libérait. Elle changea de servitude.

Elle reste près du bord, ne s'aventure pas à aller plus loin, tandis que Tieta et Leonora se risquent au milieu des vagues, suivies de la joyeuse troupe dans le sillage des Paulistes. Elisa est seule, abandonnée. Pas même son mari ne lui tient compagnie, il préfère les amis du billard. D'ailleurs, pour ce qu'il vaut et ce qu'il sert...

Elisa est jalouse. Non que sa sœur ou la jeune fille puissent s'intéresser à Astério, pensez donc! Leonora a une intrigue avec Ascânio, toujours ensemble, ils ne se quittent pas. Antonieta, veuve récente, n'est venue à Agreste prendre le mari de personne. Si elle voulait, elle le ferait sans difficulté. Malgré ses quarante-quatre ans avoués — proclamés! —, quand elle passe dans la rue, gaie et décontractée, les hommes courent la saluer, empressés. La peau lisse et douce, soignée, très soignée, le corps splendide. Elle a eu recours à la chirurgie esthétique, avait commenté Elisa pour dona Carmosina, toutes deux au fait des habitudes des atrices et des dames chics, des miracles réalisés par le Dr Pitanquy. Tieta a certainement rénové sa beauté dans la clinique célèbre, se défaisant des rides et des bourrelets, il suffit de voir ses seins jeunes, magnifiques, opulents mais fermes, plus fermes que les siens à elle, Elisa.

Autre est sa jalousie. De la richesse qu'elles affichent, des habitudes de la grande ville, de l'absence de préjugés, de contraintes, jalousie de ne pas vivre dans le même monde, pauvre fille du sertão condamnée à la désolation.

Jalousie aussi de Leonora, de l'amour que Tieta lui voue, l'appelant par son diminutif : Nora, lui disant ma fille, avec une sollicitude maternelle. Elle désire les mêmes attentions, un amour identique, se sentir choyée comme une fille, adoptée. A certains moments, Antonieta est chaleureuse avec elle, elle caresse ses cheveux noirs, l'embrasse, vante sa beauté : tu es trop jolie. Elle l'appelle ma fille et Lisa, tendrement, tout paraît marcher comme elle le souhaite. Mais à d'autres moments, sa sœur la fixe, pensive, comme si elle doutait de la force de son affection. Elisa ne parvient pas à comprendre la raison de cette méfiance, de la froideur de Tieta. Intrigues de Leonora? qui sait? Craignant la concurrence, ayant peur de perdre sa place privilégiée auprès de celle qu'elle appelle Petite-Mère.

Un jour, seule avec Tieta, Elisa aussi l'avait appelée Petite-Mère. Sa sœur lui adressa un regard étrange, lui dit sèchement :

« Je préfère que tu m'appelles Tieta. »

Voix et regard laissèrent Elisa tremblante :

« Pardonne-moi. Je voulais te faire plaisir, te remercier de ce que tu as fait pour moi. »

Regard et voix d'Antonieta s'adoucirent, elle tapota les noirs cheveux de sa sœur mais resta ferme sur cette question d'appellation :

« Je ne suis pas fâchée. Simplement je préfère que tu m'appelles Tieta. A Agreste, tout le monde m'appelle ainsi, j'aime ça. Petite-Mère, c'est le nom de São Paulo, c'est pour Nora et les autres petites.

— Les filles du défunt ?

— Les filles, les nièces, la famille est grande. »

A cette famille, oui, Elisa voudrait appartenir, souche de Commandeur, de riche industriel, gens importants, fin lignage. Elle veut s'élever au-dessus de la médiocrité d'Agreste, se sauver de la lassitude, de l'inutilité, de la frustration quotidienne. Elle veut les lumières, l'éclat, l'agitation, les possibilités, l'aventure de São Paulo. A Agreste, sans horizon, sans avenir, elle végète, elle meurt chaque jour.

Revêtue du maillot prêté par Leonora — le sien est vieux et démodé — qui moule son corps splendide, les cheveux sombres tombant sur la nuque, elle sort de l'eau, va s'asseoir sur la plage. Elle voit Perpétua endormie. Elisa sait que sa sœur aînée a un plan tracé, c'est l'opinion de dona Carmosina à qui rien n'échappe. Perpétua ambitionne de vendre — de vendre bien — ses deux enfants à Tieta, de les envoyer à São Paulo où ils seront adoptés comme fils et héritiers. Plan diabolique, dona Carmosina le démasque tout entier, de déduction en déduction.

Elisa n'en désire pas tant, elle ne veut pas être adoptée en bonne et due forme mais du fond du cœur, elle n'ambitionne pas d'être l'unique héritière. Elle se contente de beaucoup moins : il suffit que sa sœur prenne en pitié leur sort mesquin, à elle et à ce benêt d'Astério et qu'elle les emmène à São Paulo, qu'elle trouve à l'un un emploi dans les usines de la famille et qu'elle la garde elle, Elisa, à ses côtés, comme sa sœur préférée, presque une fille, autant aimée ou plus que

Leonora. Elle avait dit qu'elle ne souhaitait pas de maison à elle à Agreste. Si sa sœur veut lui donner quelque chose, que ce soit à São Paulo où la vie vaut d'être vécue, pleine de nouveautés et de tentations. Là elle trouvera qui admire sa beauté, pas seulement un vieil Arabe, un gamin minable, un fétide mendiant. Elle sera quelqu'un, saura où et à qui se montrer. A São Paulo tout peut arriver.

SHERLOCK À VOS POSTES !

J'interromps le récit pour dire clairement que toutes les données nécessaires à la solution de l'énigme qui entoure Tieta (et avec elle Leonora) sont étalées devant le lecteur. Il n'est pas nécessaire d'être Sherlock Holmes ou Hercule Poirot pour tout découvrir. Pourquoi alors dona Carmosina s'est-elle fait avoir ? Les yeux aveuglés par l'amitié, elle crut au conte.

A aucun moment d'ailleurs, je n'eus l'intention de tromper le public, de lui cacher les faits, de le baratiner. Mais il n'y avait pas plus de raison d'aller raconter la fin dès le commencement, en dévoilant le passé avant qu'il ne soit nécessaire. Dans les feuilletons, l'essentiel a toujours été un peu de suspense, pour attiser l'émotion des lecteurs.

Pistes et indices, plus que suffisants, sont à la portée de chacun dans les pages qui précèdent. La plupart des gens se sont rendu compte de la vérité depuis le début et, s'ils n'ont rien dit, ils ont bien fait pour ne pas alerter les lourdauds. Qu'on ne pense pas, surtout, que j'ai caché, gauchi ou inventé des détails dans l'intention de ne pas souiller l'image de Tieta. Si, par égard pour sa famille et pour les préjugés de Sant'Ana de l'Agreste, elle a tissé une toile d'énigmes, je n'en suis pas responsable. Je ne l'en juge pour autant ni meilleure ni pire, et je ne crois pas que le rôle que, plus tard, elle joua soit moins méritoire à cause de sa condition. Mérite ou démérite, tout dépend bien sûr, de la position de chacun face aux offres du Magnifique Docteur. Lesquelles ? Nous le verrons, au cours du récit.

Je me trouve à Agreste, attiré par le climat de sanatorium,

mais je ne suis pas d'ici, je suis de Niteroi, comme on dit. Je ne fais pas miennes les passions déchaînées qui ébranlèrent la cité, bouleversèrent les habitants. Je ne m'en mêle pas, je relate seulement.

OÙ EST LEVÉ LE VOILE QUI COUVRE LE PASSÉ DE LA BELLE LEONORA CANTARELLI ET OÙ L'ON APPREND TOUT OU PRESQUE TOUT.

Foyer, vie de famille, chaleur humaine, affection véritable, Leonora ne vint à les connaître que lorsque, à dix-neuf ans, elle arriva au rendez-vous le Refuge des Lords, et fut admise par *Madame* [1] Antoinette. Avant, elle avait appris en un cours intensif la faim, la méchanceté, la désolation.

Dans son enfance, rouée de coups. Sous le moindre prétexte ses parents la frappaient au visage, l'un comme l'autre, la maigre Vicenza et le courtaud Vitório Cantarelli, quand ils ne se battaient pas entre eux — Vitório n'avait pas toujours le dessus. Cinq enfants, quatre garçons et elle, la petite. Les garçons s'échappèrent un à un du taudis pour l'usine ou la mauvaise vie. Giuseppe mourut très jeune, sous les roues d'un camion, en rentrant chez lui, ivre. On mit le corps sur la table, les pieds dehors, pendants. Unique à avoir pitié de sa sœur, Giuseppe caressait le visage barbouillé, lui donnait de temps à autre un bonbon. Elle avait eu treize ans et voulait partir de là pour éviter l'usine, destin tout proche. On la trouvait jolie et on le disait. Non pour l'en féliciter, non comme une chance, un bon présage, mais comme une guigne, une menace :

« *Non sa quello che l'aspetta di éssere cosi bella.*

— Jolie et pauvre, ça va mal finir. »

On avait raison. Garçons et hommes la poursuivaient Avant qu'elle soit pubère, on avait tenté de la violer sur le terrain de football envahi par l'herbe. A quoi bon pleurer si, tôt ou tard, ça doit arriver ? Naïve, elle en parla chez elle, elle

1 En français dans le texte.

192

encaissa de Vicenza et de Vitório pour cesser d'être coureuse, pour ne pas vivre dans la rue à s'offrir.

Elle fréquenta l'école, apprit à lire et à compter à cause du goûter, dévoré — la nourriture, insuffisante à la maison. *Seu* Rafael, patron de la pizzaria Etna, ventre de neuf mois, lui donnait un morceau de pizza rassie, de viande passée et lui tâtait la poitrine pendant qu'elle avalait, en vitesse. Le système dura des mois et des mois, jamais ils n'échangèrent un seul mot, ils établirent et exécutèrent en silence les termes du contrat. Un jour, la voyant regarder les assiettes exposées en vitrine, *seu* Rafael s'était avancé, à la main un bout de jambon qu'il lui montrait comme s'il eût attiré un chien. Leonora était entrée, il avança les deux mains, l'une brandissant la viande séductrice, l'autre tendue vers le buste naissant, protubérances sans forme définie. La petite voulut prendre le morceau de jambon et sortir, *seu* Rafael l'en empêcha, il secoua sa grosse tête : tandis qu'elle mastique, il palpe, pétrit, pince les seins naissants, il lui met la main sur la croupe quand la goulue tourne le dos pour s'en aller. Ainsi, Leonora paya très tôt nourriture et beauté sans parvenir pourtant à rassasier sa faim.

Les seins grandirent, sa beauté aussi, visible même dans le pauvre uniforme d'écolière — Leonora avait un quelque chose dans le corps, une tentation. A quinze ans, le viol. C'était fatal, dirent les voisins : si jolie, abandonnée et faisant la jeune fille. Quatre dans une automobile, un bien plus vieux, à barbe, les trois autres tout jeunes, tenant un revolver. Le plus brutal ne paraissait même pas son âge à elle, il lui piqua les bras et les jambes avec un canif. Le barbu resta au volant, les trois adolescents descendirent, la poussèrent dans la voiture, les passants virent, comprirent, personne ne prit sa défense. Qui d'assez fou pour se risquer avec des marginaux armés, des drogués ? Ils l'emmenèrent, se servirent d'elle, la battirent, déchirèrent sa robe, l'unique à part l'uniforme. Elle alla à la police, entendit des grossièretés, un flic lui proposa un rendez-vous, les journaux rendirent compte du fait divers en deux lignes, une chose courante, sans grand intérêt. Si on l'avait tuée, l'affaire aurait pris une certaine importance. Viol collectif — une bêtise. Si parfois elle avait pensé au mariage, elle en abandonna l'idée. Elle voulait seulement s'en aller, n'importe où, avec qui voudrait l'emmener.

Elle se prit de passion pour Pipo, le premier auquel elle se donna de son plein gré. Elle le trouvait terrible avec ses cheveux longs tombant dans le cou, en désordre ; à dix-neuf ans, déjà cité dans la page sportive des journaux, un crack. Promu des juniors à l'équipe supérieure en l'absence de l'avant gauche habituel, il se surpassa. Enfin, l'avant offensif dont a tant besoin notre football. Ce fut le début du succès de Pipo, la fin du roman de Leonora.

« Laisse tomber, gamine. Tu ne te vois pas ? »

Une fois ou l'autre, si elle voulait, dans un temps mort entre l'entraînement et les boîtes, lors des visites à la famille dans un taudis pareil à celui où vivait Leonora. Une fois ou l'autre, elle ne voulut pas ; romantique, elle exigeait tendresse, douceur, amour, désirs absurdes dans ce confus labyrinthe.

Elle pleurait encore quand elle rencontra Natacha, une ancienne voisine, rendant aussi visite à ses parents. Leonora lui narra sa passion et son abandon, le viol elle savait déjà. Un poignard dans le cœur, enfoncé par le fameux Pipo, maintenant en automobile, entouré d'admirateurs. Selon la chronique sportive, le succès lui tourne la tête, s'il continue comme ça il n'ira pas loin. Natacha, bien mise et parfumée, lui parla de la profession de putain. Elle en conta les avantages, dit que ça donnait de quoi vivre. A condition d'éviter maquereaux et gigolos — pour Natacha, bien mieux que huit heures en usine ou domestique chez les riches. Pour Leonora l'heure décisive avait sonné — l'usine ou la zone.

Deux ans elle erra de-ci, de-là, de main en main, dans des hôtels borgnes, dans les chambres sans fenêtres, séparées des autres par une mince cloison, elle fut arrêtée, mesure corrective, elle eut une folle passion pour Cid-la-Fouine.

Quand elle le connut, Cid traversait une phase calme, les médecins le tenaient pour guéri sans doute pour se débarrasser de lui. Maigre, muet, brutal, presque toujours. Brusquement, tendre et fragile. Pour qui n'avait rien eu, c'était assez, Leonora s'attacha. Cid-la-Fouine haïssait le monde et l'humanité mais il faisait une exception pour sa compagne, un jour je vais t'épouser et nous aurons des enfants. Cette histoire de mariage et d'enfants était le prélude d'une crise — les attaques se rapprochaient, chaque fois plus courts les intervalles de lucidité. De la tendresse il passait à la haine, directement : hors d'ici, démon. Jours d'injures et de coups, menaces de mort, tentatives de suicide, se terminant à l'asile ou au commissariat. La crise passée, il s'en revenait humble, squelettique, affamé, larmoyant, inutile. Leonora, le cœur serré, éperdue de pitié, le recevait. Si la Fouine n'était pas parti avec une Bolivienne qui passait de la drogue, peut-être Leonora serait-elle encore avec lui, sans courage pour l'abandonner

A nouveau Natacha changea le cours de sa vie. Elles se croisèrent dans la rue par hasard, un après-midi. Leonora racolant le client, Natacha prospère, élégante, supérieure.

« Maintenant je fais la vie dans une maison de rendez-vous. La mieux de São Paulo, la plus chère, le Refuge des Lords, tu en as entendu parler ? »

Elle toisa Leonora dont la beauté n'avait pas seulement résisté mais augmenté, absurde beauté virginale, translucide, les immenses yeux d'eau claire, les cheveux dorés, le visage pur, toute pudeur et innocence.

« Qui sait si *Madame* Antoinette t'accepterait. Tu as le genre fille de famille. Si tu veux, je te présente. »

Madame Antoinette mit les mains sur ses hanches, étudia la nouvelle venue :

« Que désires-tu ? »

Natacha prit les devants :

« Leonora...

— Je le lui ai demandé à elle, pas à toi, chevrette.

— Je désire travailler ici si vous m'acceptez.

— Pourquoi ?

— Pour améliorer mon sort.

— Tu es mariée ? Tu l'as été ?

— Non. Mais j'ai vécu quelques mois en ménage.

— Pourquoi as-tu cessé ?

— Il m'a laissée.

— Pourquoi es-tu devenue fille ?

— Pour ne pas aller à l'usine. J'aurais mieux fait.

— Tu as un homme ? Un ami ? Maquereau, gigolo ?

— J'ai eu celui que j'ai dit. Il était malade.

— Malade ? De quoi ?

— Schizophrène. Quand il était bien, c'était un type correct.

— Des enfants ?

— Non, senhora. On ne m'en a jamais fait. Là, j'ai eu de la chance.

— De la chance ? Tu n'aimes pas les enfants ?

— Je ne les aime que trop. C'est pour ça que je dis que j'ai eu de la chance. Je n'ai pas de quoi élever un enfant. Pour qu'il meure de faim, je ne veux pas.

— Tu as eu des maladies ? Ne mens pas.

195

— Vous voulez dire des maladies qu'on attrape, vénériennes ?

— Exactement.

— Je fais très attention, j'ai toujours eu peur. Je suis saine.

— C'est bien. Je vais faire un essai avec toi. Tu peux commencer aujourd'hui. »

Quelques mois plus tard, Lourdes Velours, belle brune digne de la plus haute considération, une des trois femmes à demeure au rendez-vous, laissa la maison pour participer à un show de mulâtresses, spectacle à succès susceptible de se déplacer en Europe. *Madame* Antoinette, qui appréciait la discrétion et la gentillesse de Leonora, l'invita à occuper la place vacante. C'était arrivé deux ans auparavant.

DERNIER FRAGMENT DU RÉCIT DANS LEQUEL — DURANT LE LONG VOYAGE EN PULLMAN DE SÃO PAULO À BAHIA — TIETA ÉVOQUE ET RACONTE À LA BELLE LEONORA CANTARELLI DES ÉPISODES DE SA VIE.

« Quand j'ai connu Felipe, il n'était pas encore Commandeur et moi j'étais encore Tieta de l'Agreste, mon nom au sertão, à Bahia, à Rio de Janeiro et dans mes débuts à São Paulo. Felipe revenait d'Europe.

« Felipe Camargo do Amaral, à cinquante ans, se considérait comme un homme d'affaires arrivé, triomphait dans tous les secteurs où il s'engageait. Arrivé aussi comme pauliste, homme et citoyen. A la Révolution de 32, il n'accepta pas la charge bureaucratique au cabinet du gouverneur, procurée par la famille " traditionnelle ", il marcha au front de combat, engagé volontaire et, arrivé là, fut immédiatement promu lieutenant, aide de camp, un Camargo do Amaral ne peut être simple soldat. Il termina Major, à l'état-major révolutionnaire, rédigeant manifestes et proclamations. Il était né riche *fazendeiro* de café, avec de vastes récoltes et quatre cents ans de droit de cité ou plus, si l'on considère le sang indigène,

196

quelques gouttes, assez pour lui donner la qualité de natif d'authentique *bandeirante.*

« Pour son propre compte il devint industriel, un génie pour gagner de l'argent, président d'entreprises, consortiums, banques, bourré d'actions et de dividendes. Un rapide passage par la politique. Député, en 1933, quand il revint du commode exil à Lisbonne, il ne disputa pas la réélection. La patience lui manquait pour les débats vides, pour les séances pesantes et, quant à l'astuce, il préférait l'employer ailleurs qu'en des disputes électorales. Ainsi fit-il, grandissant en richesse et en sagesse.

« Felipe savait vivre et il m'a appris. J'étais une chevrette légère, avec lui je suis devenue *madame.* J'ai appris avec Felipe la valeur de l'argent mais j'ai appris aussi qu'on doit en être maître et pas esclave. »

La sagesse pour lui c'était vivre bien. Ne pas se laisser emprisonner par les négoces. Musique, tableaux, livres, bonne table, bonne cave, voyages, femmes. Il connut les cinq continents, l'Europe et les États-Unis de bout en bout il paya des montagnes de femmes — les femmes on les paie de toute façon, le mieux est de payer en argent, ça coûte moins cher et donne moins de soucis. Bon chef de famille, vivant en paix avec son épouse, choisie au sein de l'exportation du café, dans un clan de grand lignage et de plus grand pécule, fou de ses fils : l'un avec lui, son bras droit à la direction des entreprises, l'autre irrémédiablement attaché au laboratoire de recherche scientifique à l'université nord-américaine où il avait fait ses études et était resté, marié à une étrangère. Felipe n'avait pas à se plaindre de la vie.

« C'est lui qui a eu l'idée du Refuge, bien avant de me connaître. Le premier nom était français. »

L'idée à proprement parler n'avait pas été de lui. Avec un petit groupe select de messieurs du même gabarit financier et d'idéaux identiques, il avait financé le gracieux projet d'une diligente et charmante amie, *Madame* [1] Georgette. L'un des fils de Felipe avait étudié aux États-Unis, l'autre à Oxford, en Angleterre. Lui, pourtant, préférait *la douce France* [1], familier de Paris, gourmand de vins, fromages et femelles. Plus je connais de villes, plus j'aime Paris, disait-il. *Madame* Georgette avait transporté dans la capitale pauliste quelques

1. En français dans le texte.

197

spécialités françaises, condimentées, piquantes, auxquelles elle avait ajouté le meilleur produit national. Experte dans le choix des gentilles partenaires.

Le projet visait la fondation d'un rendez-vous très fermé que fréquenteraient seulement les rois du latifundio et de l'industrie — terres et usines, finance et banques — les gros bonnets de la politique, ministres, sénateurs ; les grands des lettres et des arts, exceptionnellement, pour donner du lustre à la maison. Expérimentée et capable, *Madame* Georgette se surpassa. Ainsi naquit le Nid d'Amour où ces messieurs fatigués, nerveux, se reposaient dans les jeunes bras, sur les genoux parfumés de dociles et érudites jeunes filles.

« Quand Felipe arrivait de voyage, il était las des Blanches, il avait un penchant pour la couleur brune, dorée comme la mienne — ma bisaïeule était une esclave noire. Chevrette sauvage, rôtie de naissance, je lui ai été servie au champagne. »

Madame Georgette connaissait le goût de Monseigneur le Prince Felipe — elle ne l'appelait que Prince — et elle avait gardé pour lui un morceau digne d'un si fin palais : Tieta de l'Agreste brune aux cheveux bouclés, endurcie au soleil du sertão, éduquée dans les bordels des villages pauvres, la fleur de la maison.

« Pourquoi s'est-il intéressé à moi, je ne sais pas. Ce qu'il y a de certain, c'est qu'il ne m'a plus quittée.

— Quel homme ne s'intéresserait pas, Petite-Mère ? En plus de jolie tu devais être ardente, une braise, j'imagine.

— J'étais jolie, oui, et vive. Je parlais comme un moulin, je riais de tout et, quand je tombais sur un partenaire convenable, je n'avais pas ma rivale au lit, je te le garantis. Je ne sais pas s'il m'a aimée pour ça ou parce que j'ai bercé son sommeil. »

Ce qui prit Felipe et le fit constant ? Le bavardage de la jeune fille qui racontait des choses du bourg et du sertão, de la vie paisible, des chèvres sautant sur les pierres, du bain au fleuve ? Ou la chaleur qui se dégageait d'elle, la vie intense et le goût de vivre ? Dans la chambre, avec Tieta, il se sentit jeune. Non plus le monsieur fatigué, réfugié au rendez-vous pour se reposer de ses occupations et de ses problèmes avec une prostituée de grande classe, dont il userait une fois, n'y revenant presque jamais. *Madame* Georgette avait un stock vaste et renouvelé, d'innombrables téléphones dans le carnet bleu, tous sélectionnés avec soin. Elle était restée stupéfaite quand le Prince Felipe demanda à nouveau la chevrette sertanège et, après je ne sais combien de fois, la réserva — elle ne fera plus la vie, elle reste à mon compte, à ma disposition.

Quand il était à São Paulo, Felipe restait assidu au corps d'une agreste saveur, à la grâce, aux caresses, presque toujours chastes, au *cafuné,* aux berceuses ingénues. Quand il était en voyage, il prenait les mesures nécessaires pour que rien ne lui manque, qu'elle ait l'argent suffisant pour ne pas l'oublier et pour le respecter.

« Tu ne lui mettais pas de cornes, Petite-Mère ?

— De cornes ? Celle qui pouvait lui en mettre, c'était sa femme, dona Olivia, mais je ne sais pas comment elle aurait pu faire. Moi, j'étais sa protégée. Jamais il ne m'a rien interdit, sauf que je fasse la vie. Je me suis donnée à qui j'ai voulu, tout comme je me donnais à Agreste, avant d'être *mulher-dama,* pour satisfaire le feu qui me brûle le train, jamais pour de l'argent. J'ai été discrète dans mes aventures, toujours je l'ai respecté et jamais nous n'en avons parlé.

— Et lui, il n'y en avait pas d'autres ?

— Jamais je n'ai voulu savoir, jamais je ne l'ai interrogé sur les femmes qu'il avait de par le monde. On me parla d'une qu'il avait ramenée de Suède. »

Longue sculpture de blé et de neige, très belle, avaient dit à Tieta les intrigantes. Elle avait serré les dents, n'avait pas ouvert la bouche. A peine recommença-t-il à la fréquenter et se vit-il pris aux charmes, riant, s'endormant dans le *cafuné,* que Felipe congédia la Scandinave. Congédia, non : la beauté fut cédée, contre des cigares cubains, à un ami importateur, maniaque de matériel étranger. Même de seconde main, en bon état — observa Felipe de bonne humeur, concluant que, en matière de filles, il avait des tendances à la monogamie.

« Je pense qu'il est resté avec moi la vie entière parce que jamais je ne me suis préoccupée de sa fortune, qu'il soit riche ou pas pour moi c'était pareil, ce qui me retenait c'était les attentions. Jamais je n'ai rien demandé à Felipe sauf, deux fois, de me prêter de l'argent. La première, le jour où nous nous sommes connus, si je n'avais pas la somme exacte, je perdais l'occasion d'acheter un manteau de peau, argentin, une merveille, comme neuf. Tout le reste qu'il m'a donné, c'est spontanément, de son propre gré. »

Les appartements, un à un, dans des immeubles dont il avait financé la construction. Un jour, il arriva avec le plan d'un édifice, il l'ouvrit au lit :

199

« Je construis cet immeuble, douze étages, à l'Alameida Santos.

— Pscch ! Quel colosse !

— J'ai réservé un appartement pour toi. Ils sont tous pareils : un living et deux chambres. Il y en a quatre par étage.

— Tu es fou ? Je paierai avec quoi ?

— Qui t'a parlé de payer ? C'est un cadeau, il y a trois ans que nous nous connaissons. »

Avec tant de choses à penser, Felipe se rappelait les dates, les anniversaires. Il s'était attaché à Tieta, elle s'était plus encore attachée à cet homme qui lui donnait tant et lui demandait si peu. Au pied du lit, les pantoufles, sous le traversin, le pyjama de Felipe. Les édifices grandirent, de plus en plus hauts, les appartements, de plus en plus grands. Dans le dernier immeuble, immense, une vraie ville, elle reçut une boutique au rez-de-chaussée, un emplacement rarissime. Si elle lui donna de la tendresse, il paya en argent — ou en biens, la même chose : le mieux est de payer en argent, ça revient moins cher et ne donne pas de soucis.

« Un jour, *Madame* Georgette m'appela pour me parler. Elle voulait céder l'affaire, elle allait rentrer en France, elle me donna la préférence. »

Madame Georgette envoyait en France économies et gains, elle avait acheté une maison dans la banlieue de Paris, toujours elle avait pensé au retour et à la retraite. Quand elle en parla à Tieta, elle avait déjà son billet de bateau, valable deux mois. Pour la seconde fois, celle-ci demanda à Felipe de lui prêter de l'argent.

« Tu ne m'as pas encore remboursé ce que tu as reçu le jour où je t'ai connue. — Il se mit à rire. — Laisse-moi faire, je m'arrange avec Georgette, le Nid est à toi.

— Il y a plus de treize ans que je le dirige. J'ai tout transformé, modernisé, j'ai réservé un appartement pour Felipe et moi, cette merveille. J'ai changé le nom et augmenté les prix.

— Pourquoi as-tu changé de nom, Petite-Mère ?

— Nid d'Amour, ça sentait trop la maison de putes. Refuge des Lords, c'est plus décent. Ce sont tous des lords, mes clients. Par ailleurs, j'ai dû changer mon nom. Conseil de Felipe.

— Un rendez-vous de haut vol et de prix exorbitants doit

être dirigé par une Française, *ma belle*[1]. *Madame* Antoinette ; ça va très bien à ton type, avait-il dit.

— Un nom français avec ma couleur, mon cœur ? Ce n'est pas possible.

— Française de la Martinique, comme Joséphine, celle de Napoléon. »

Les clients étaient devenus des amis, le prestige du rendez-vous grandit, fréquenter le Refuge des Lords fut un privilège plus disputé que d'être membre du Jockey Club, de la Société hippique, des clubs les plus fermés de São Paulo. Dans l'appartement particulier, confort exceptionnel, au pied du lit, les pantoufles de Felipe, sous le traversin, le pyjama. Il avait vieilli, était maintenant veuf, le pape lui avait décerné le titre de Commandeur, il voyageait peu, supervisait de loin ses multiples entreprises, de plus en plus présent au lit et au rire chaud de Tieta.

« Pour Felipe je n'ai pas changé de nom, j'ai été Tieta de l'Agreste jusqu'au bout. »

Pour les autres, *Madame* Antoinette, Française née aux Antilles du mariage entre un général de la République et d'une métisse. Élevée à Paris, prodiguant le *charme*[1], maîtresse dans l'office de choisir les femmes, les spécialités au goût cher des clients, les plus riches de São Paulo, *Dieu merci*[1] Pour les deux ou trois filles qui, comme Leonora, habitent en permanence au Refuge des Lords, elle est Petite-Mère, exigeante et généreuse, crainte et aimée.

DU MESSAGE URGENT

Au meilleur de la fête arrive le message urgent. Dévoré le déjeuner, resservi le dessert, dona Laura, Elisa et Leonora servent le café. Un festin grandiose, sur fond musical varié : la modernissime musique du tourne-disque rivalisant avec l'ac-

1 En français dans le texte.

cordéon de Claudionor des Vierges. Le trouvère possède un extraordinaire flair pour détecter les odeurs culinaires, parfum de batida, arôme de cachaça. Sans attendre d'être invité, il apparaît l'accordéon en main, le sourire large, pique-assiette sympathique et bienvenu : avec votre permission !

Tandis qu'Elisa, Aminthas, Fidélio, Seixas et Peto se grisent de rock and roll, les autres applaudissent Claudionor et Elieser. Le répertoire du trouvère puise dans la musique sertanège tandis que le patron de la barque, habituellement taciturne, animé par les petits verres, entonne un air de sa belle voix et, répondant aux désirs nostalgiques de Tieta et de dona Carmosina, chante des mélodies oubliées. Tieta, assise sur une natte, immense chapeau de paille qui protège son visage, demande :

« Joue celle que Chico Alves chantait, Claudionor.

— Laquelle ?

— Ça commence par . " Adieu, adieu, adieu, ces cinq lettres déchirantes... " »

Elieser chante, Claudionor l'accompagne à l'accordéon. Tieta se laisse emporter par la musique, elle est loin, ne participe pas à la conversation. Leonora s'inquiète. Elle connaît Petite-Mère : quand elle est ainsi, muette, c'est qu'un problème la préoccupe, un ennui quelconque. Qu'est-ce donc ? Elle n'ose l'interroger, ça n'en vaut pas la peine, le mieux est de la laisser en paix jusqu'à ce qu'elle retrouve son sourire. Quand j'ai le cafard, ne vous en mêlez pas, oubliez-moi, recommandait-elle au Refuge. En silence, elle s'assied à côté d'elle.

Tieta sent la présence de Leonora, elle se retourne, lui caresse la joue. La jeune fille lui prend la main et l'embrasse tendrement. Chevrette sans cervelle, pense Tieta, elle court le risque de se passionner, de perdre la tête. Rien qu'elle, la tête tournée ? Personne d'autre ?

Quelle espèce d'obligation sans appel avait exigé la présence de Ricardo à Rocinha, aux côtés du prêtre ? Obligation, rien du tout ! Son neveu la fuyait, ça oui ; il avait été avec le prêtre pour ne pas venir au Mangue Seco, ne pas souiller ses yeux chastes — chastes ? châtrés ! — au contact de la nudité de sa tante, superbe dans son étroit bikini, benêt ! Ces derniers jours, elle avait remarqué l'absence du garçon, au bain au fleuve, dans les promenades. Même l'heure de l'étude avait changé, sans doute pour ne pas avoir à lui faire de nouveaux massages. Et Tieta, vieille bête, qui rêve de son neveu, le voit la nuit avec des ailes d'ange et ce pied de table. Jamais elle ne s'était intéressée aux jeunes gens, encore moins aux gamins de dix-sept ans, elle préférait les hommes faits, toujours plus âgés qu'elle. Il avait fallu qu'elle revienne à Agreste pour désirer un adolescent, sentir un frisson dans le dos en pensant à lui, être de mauvaise humeur, désagréable, vide à cause de son absence. Triste, irritée, en plein cafard. Elle ne s'y attendait pas. Et, par-dessus le marché, son neveu et séminariste. En la voyant si loin, perdue dans ses pensées, Leonora se lève, va à la rencontre d'Ascânio. Tieta lui frôle à nouveau le visage, dans un élan.

« Tu sais *Ce n'était qu'un rêve*, Elieser ?

— Plus ou moins, dona Antonieta. Vas-y, Claudionor ! »

Tieta vogue dans la musique, tient Ricardo par la main. Osnar, imbibé de bière, s'est installé à l'ombre, tétant un cigare. Barbozinha ronfle sous un cocotier, oubliant les projets de déclamation au haut des falaises. La fatigue commence à se faire sentir tandis que l'après-midi avance, après le marathon d'huile de palme et de piment, coco et gingembre, batida, cachaça, bière. La matinée avait été fatigante : bain de mer dans les remous des vagues, escalade des dunes sous le soleil d'été. Néanmoins, Ascânio et Leonora projettent une fugue vers la plage. Quand la chaleur diminuera, avant le retour prévu au coucher du soleil.

Inattendu, le ronflement d'un moteur dans le lointain. Le commandant Dário, à qui tous les bruits de la mer et du fleuve sont familiers, décrète :

« C'est la barque de Pirica. »

Pirica vient chercher Ascânio, apportant un message du colonel Artur da Tapitanga et une nouvelle sensationnelle : les ingénieurs de l'Hydroélectrique de Paulo Afonso se trouvent à Agreste et veulent parler avec quelqu'un de la mairie. Ils avaient été chez le maire, ce fut la plus grande confusion. Le Dr Mauritônio déraille, il vit dans un monde de fantômes, il a agressé l'ingénieur en chef, le confondant avec l'agronome Aristeu Régis, responsable de la désertion d'Amélia Doux Miel. Insultés et chassés, ils avaient abouti à la fazenda du colonel Artur de Figueiredo, président du conseil municipal. L'octogénaire avait envoyé Pirica au Mangue Seco, avec ordre de ramener Ascânio.

Il y a une animation générale, on veut en savoir plus, on réclame des détails, mais Pirica n'ajoute qu'une information : le colonel était très content quand il l'a chargé du message :

« Dis à Ascânio que les hommes de la lumière sont là, qu'il vienne immédiatement, sans perdre une minute. »

Fidélio s'exclame

« Ils vont installer la lumière, j'ai gagné mon pari. Vive dona Antonieta ! »

Le premier vivat, aussitôt suivi d'autres, sous les cocotiers. Prologue aux célébrations de la ville, Agreste va vibrer à la nouvelle. Ascânio, pénétré, se dirige vers Tieta :

« Permettez-moi, dona Antonieta, de vous exprimer par avance la gratitude du peuple d'Agreste. »

Tieta tend la main à Ascânio pour qu'il l'aide à se lever :

« Pas encore, Ascânio. Il ne faut pas roter avant d'avoir mangé. Allez, tirez l'affaire au clair, pour l'instant on ne sait rien de sûr. J'ai appris à ne pas lancer de fusée avant l'heure pour ne pas me brûler la main. Si c'est vrai, c'est vous surtout qui méritez les félicitations, vous qui avez tant lutté. J'ai peu fait, je n'ai fait que demander.

— Les intentions, les gestes ne valent rien quand ils ne donnent pas de résultats, c'est vous-même qui l'avez dit, réplique Ascânio.

— Vous avez lutté, vous vous êtes battu, vous ne vous êtes pas borné aux intentions. Allez voir ce qu'il en est et, si c'est vrai, nous fêterons ça ensemble.

— Nous et le peuple entier, dona Antonieta. Ce sera la plus grande fête d'Agreste. »

L'enthousiasme s'empare de la joyeuse troupe. Qu'elle le veuille ou non, Tieta est embrassée, étreinte, félicitée. Barbozinha menace de faire un discours, il composera un poème à la lumière de Paulo Afonso, lumière née des yeux de Tieta ; Osnar propose qu'on la porte en triomphe — lâchez ma jambe, espèce de profiteur ! Aminthas promet à Fidélio de payer son pari dès que la nouvelle se confirmera. Affectueuse étreinte du commandant ; solennelles félicitations de Modesto Pires, très impressionné par le prestige de sa payse ; jamais il n'aurait cru que sa demande obtienne un résultat si positif : ils n'ouvriront même pas les télégrammes, ils vont les jeter au panier, avait-il assuré à dona Aida et à quelques amis. Perpétua se rengorge : les relations de sa sœur dans les hautes sphères de la politique et du gouvernement sont un orgueil pour la famille, sa position sociale élève tous les siens. Tieta maîtrise son fou rire, elle sourit cependant dans les bras de Perpétua. Elisa, émue, ne retient pas ses larmes, elle couvre sa sœur de baisers Dona Carmosina et dona Milu n'avaient jamais douté, elles comptaient les heures dans l'attente de la réponse. Maintenant, avec les ingénieurs à Agreste, que diront les incrédules ? Ils devront faire amende honorable. Tieta aimerait participer à la joie générale mais celui dont elle désire le baiser n'est pas présent, il n'est pas venu, il n'a pas voulu, préférant suivre le curé à dos de mulet, l'idiot ! Quelle espèce de jalousie absurde ! Son rival est Dieu. Eh bien, que Dieu prenne garde, dans ce cas précis, elle n'a pas coutume de perdre.

Sur la proposition de dona Carmosina, approuvée à l'unanimité, ils décident de rentrer sur-le-champ, accompagnant Ascânio, personne ne se sent capable de passer le reste de l'après-midi au Mangue Seco, à attendre le coucher du soleil, avec pareille nouvelle à Agreste. Tout le monde souhaite voir les ingénieurs.

Tout le monde sauf Tieta. Elle annonce sa décision d'accepter l'invitation de dona Laura et du commandant, de rester à la plage jusqu'à mercredi où, avec Modesto Pires, elle rentrera à Agreste pour les formalités du terrain.

Tandis que les autres se préparent, elle emmène Perpétua à la Toca da Sogra, lui remet un trousseau de clefs :

« Je voudrais que tu me rendes un service. Ouvre la valise bleue, voilà la clef, prends cette mallette où je garde l'argent, celle que tu as vue, ouvre avec cette autre petite clef, et retire — elle calcule la somme à haute voix — le nécessaire pour donner des arrhes à Modesto Pires et pour entamer la construction.

— Tu vas faire une maison ? Tout de suite ?

— Immédiatement. Je vais borner le terrain et commencer une petite maison, le commandant s'est proposé pour surveiller les travaux, à Saco il y a tout ce qu'il faut, matériel et main-d'œuvre, il suffit d'avoir l'argent pour payer. Le commandant dit que la construction peut aller vite. Je veux voir ma bicoque debout, au moins les murs, avant de retourner à São Paulo. En mon absence, vous en profiterez, toi et tes enfants, Elisa aussi. » Elle fixe sa sœur, sa voix s'attendrit : « J'ai envie de faire quelque chose pour mes neveux, Perpétua, puisque je n'ai pas d'enfants.

— Ah ! Sœurette, quelle joie tu me donnes en me disant ça. » Les yeux vairons brillent, la voix criarde tremble. A peine établi, l'accord avec le Seigneur entre déjà en action

« Par qui t'enverrai-je l'argent et les clefs ?

— Par le commandant il prend le canot, accompagne des gens. »

Le commandant n'eut pas besoin de se déplacer, tout le monde tenait dans le bateau d'Elieser et dans la barque de Pirica où vont prendre place, avec Ascânio, Leonora et Peto Tieta s'inquiète :

« Et moi qui ai besoin de cet argent demain à la première heure. Envoie-le-moi par le premier qui viendra ici.

— Compte sur moi, je m'arrangerai », assure Perpétua.

Tieta a confiance, déjà heureuse, souriant. Le cafard est passé, constate Leonora en l'embrassant. Au moment de l'embarquement, sur la plage, la caravane improvise une bruyante manifestation sous la houlette de dona Carmosina :

« Alors on ne crie rien ? »

Le chœur répond :

« Si ! »

Dona Carmosina se joint aux autres :

« Hip, hip, hip ! Hourra ! Antonieta ! Antonieta ! »

Modesto Pires répète :

« Si cette histoire de lumière est vraie, comme il semble, le peuple d'Agreste va vous hisser sur le maître-autel de la cathédrale, à côté de la Senhora Sant'Ana, dona Antonieta. Je vous l'ai dit et je le répète. »

Tieta éclate de rire : drôle de monde !

D'UNE QUESTION POSÉE DE MAUVAISE HUMEUR.

A la mairie, de fort mauvaise humeur, l'ingénieur en chef informe l'anxieux secrétaire de la modification survenue dans les plans d'extension des fils et poteaux de l'Hydroélectrique : Agreste avait été inespérément incluse dans la liste des municipes devant bénéficier de la lumière et de la force de l'usine. Ce n'était pas tout, bien que ce soit déjà d'une absurdité incroyable, il y avait plus. Les ordres, venus d'en haut, de la propre présidence de la Compagnie, urgents, étaient de donner à Agreste la priorité absolue, de commencer immédiatement les travaux et de les achever en un temps minimal. Une inconcevable décision qui les amenait là, dans ce bled à crever, un dimanche, jour de repos, couverts de poussière, hors d'eux. Perdant leur temps, par-dessus le marché, car depuis des heures, ils cherchent un responsable à qui parler.

Avant de l'informer des délais et des dates, il est une chose, une seule, que l'ingénieur en chef et ses subordonnés voudraient savoir : comment s'explique qu'un municipe si pauvre et attardé, dont le maire est fou, passible de la camisole de force, le premier adjoint un vieux croûton, ait réussi à faire modifier des plans approuvés, définitifs, déjà en voie d'exécution, en passant devant les communes riches, prospères, protégées par des politiciens de renom, bien placés ? Qui avait intercédé pour Agreste ? Intercédé, non, exigé ! De grâce, le nom de ce leader si puissant, de cette personnalité éminente, de ce grand manitou capable d'une telle prouesse ? Ce devait être réellement quelqu'un d'un grand pouvoir, de l'avis général.

Osnar, qui distribue les patentes, la disait générale. Mais Ascânio se tait, pour ne pas augmenter la mauvaise humeur des ingénieurs. Il sourit, modeste, venons-en à ce qui nous intéresse, aux dates et aux délais.

DE LA PEUR ET DE L'ENVIE CONFONDUES AU CLAIR DE LUNE.

Générale ? Seule, couchée au haut des dunes, gamine d'Agreste, gardienne de chèvres. Le grondement des flots, l'odeur de marée, musique et parfum des commencements du monde. Dans le ciel, la lune et les étoiles, éternelles.

Sur les falaises, écoutant les vagues, sur les collines de terre pauvre, au contact du troupeau indocile, elle s'était faite forte et décidée, elle avait appris à désirer avec intensité et à lutter pour obtenir. Mer brave, terre aride, faces d'un même monde agreste, dur, pauvre et terriblement beau. Elle se sentait plantée dans les pierres où les chèvres sautaient et dans le sable soulevé par le vent. Elle tenait de la terre et de la mer de l'eau douce et de l'eau salée, courant du fleuve, ressac de l'océan. Elle apprit à ne pas avoir peur, à ne pas fuir, à regarder en face et à prendre l'initiative. Tant d'étoiles, innombrables ; combien d'amours, le désir pris dans la gorge, au bout des doigts, au fond de l'estomac ? Amours d'un fugitif instant, amour de la vie entière, celui de Felipe. Personne ne compte les étoiles, pourquoi conter les anxiétés, la bouche sèche, l'urgente nécessité ? Le nombre n'importe pas mais le baiser, la mort et la vie ensemble, une seule chose. Au Mangue Seco, sur le sable, à Agreste, dans les recoins du fleuve, chèvre sauvage. Dans le lit conjugal, seulement Lucas, quand elle laissa l'aridité des collines et découvrit les détours du plaisir. Elle est là à nouveau, sur les falaises, comme la première fois. Tendue, prête, en attente.

Loin, sur le fleuve, la lumière ; ce pourrait n'être que le reflet d'une étoile. Tout bruit se perd dans le fracas des vagues contre les montagnes de sable. Mais la pleine lune illumine les dunes, douce clarté, tendre. La forme incertaine, au pied des falaises, pour laquelle se décider ? Tieta se lève, regarde, devine, reconnaît. Elle module l'appel des chèvres, douce invitation d'amour, cri léger, murmuré. Indiquant la route.

Face à face, la tante et le neveu. Cardo porte la culotte et la chemise de Palmeiras que Tieta lui a envoyées. Gêné, il sourit :

« Votre bénédiction, Tante. Mère m'a dit de venir vous apporter une commission, je l'ai laissée au commandant, là en bas.

— C'est tout ?

— Elle m'a dit de rester avec vous, vous aider.

— Mais tu ne voulais pas venir. »

Le garçon se trouble, il ébauche un geste, baisse les yeux. L'échappatoire, mi-bredouillée, mi-fière :

« C'est une fête, là-bas, à cause de la lumière. Le peuple entier est dans la rue, crie des vivats pour vous. On dit que...

— Tu as peur de rester, n'est-ce pas ? »

La réponse se lit dans la confusion du visage éclairé par le clair de lune, franc, sans malice. Tieta poursuit :

« Dis-moi. C'est avec moi que tu rêves ces choses ? Ne mens pas. »

L'adolescent baisse les yeux :

« Toutes les nuits. Pardonnez-moi, Tante, ce n'est pas que je veuille.

— Et tu as peur, tu me fuis ?

— C'est inutile. Et de me cacher et de prier. Même quand je prie, je pense et je vois.

— Tu me trouves belle ?

— Trop. Belle et bonne. C'est moi qui ne vaux rien, je suis mauvais de nature ou bien c'est le châtiment de Dieu ?

— Le châtiment ? Pourquoi ?

— Je ne sais pas, Tante.

— Si tu ne veux pas rester, tu peux t'en aller. A l'instant, tout de suite. »

Elle indique le bas des dunes, se couche à nouveau sur le sable, le corps exposé, la jupe ouverte, la blouse dénouée. La voix de Ricardo arrive de loin, du fond des temps :

« J'ai peur d'offenser Dieu et de vous offenser, Tante, mais j'ai envie de rester.

— Là, près de moi ?

— Si vous permettez. » Les yeux s'embrasent.

Dans le lointain, jaillit l'éclat des fusées montant vers le ciel, étoiles allumées par le peuple d'Agreste en l'honneur de la fille illustre, de la veuve riche et puissante, de la Pauliste qui mande au gouvernement.

Tieta sourit, tend la main :

« N'aie pas peur, non. Ni de moi ni de Dieu. Viens, couche-toi. »

Les corps flottent au clair de lune, dans la musique des vagues. Lune, étoiles, mer, les mêmes qu'autrefois, pareilles. Qu'importent âge, parenté, soutane de séminariste ? Une femme, un homme, éternels. Ici, dans les dunes, chevrette en rut, un jour distant elle a commencé. Tieta touche son commencement. Aujourd'hui, chèvre rassasiée, lasse du bouc Inácio, déflorant les chevreaux.

*Intermezzo à la manière de
Dante Alighieri, auteur
d'un autre feuilleton fameux
(en vers) ou
le dialogue dans les ténèbres*

Distante, déjà, la lune du côté de l'Afrique, saturée de cris d'amour quand, enfin, il y eut pause et soupir. Dénouées les cuisses, la vie et la mort se separèrent, chacune de son côté, cessant d'être une unique chose l'acte de mourir et de ressusciter. Avant ils formaient un corps unique, une seule fusée éclatant dans les cieux, se défaisant en lumière sur les vagues de la mer. Avant, la nuit de clair de lune était en même temps jour de soleil; soleil et lune, jour et nuit, arrivant ensemble sans distance ni intervalle.

Quand, enfin, il y eut pause et soupir, disparurent le soleil et la lune, les ténèbres couvrirent le monde, la nuit se dépouilla de sa chaleur et de son éclat, elle devint une froide ennemie, on entendit dans le ressac de l'océan contre les dunes, dans le vent fou qui soulevait le sable, l'acte d'accusation et la sentence. Au-delà de la vie, au-delà de la mort, il put mesurer l'étendue de son crime. Pour le châtiment il n'y avait pas de mesure, on ne mesure pas l'éternité. Dans un effort qui lui rompit la gorge et la poitrine, il retrouva l'usage de la parole :

« Ah, Tante ! Qu'a-t-on fait ? Qu'ai-je fait ? »

Un jour, en un serment solennel, il avait fait vœu de chasteté. il s'était consacré à Dieu. Il avait promis de renoncer aux plaisirs de la chair, chaste fils de Marie et de Jésus. Il avait trahi son serment.

« Je me suis perdu et je vous ai perdue. Pardon... »

Il entend des bruits de rire, en sourdine, sortant de l'eau parmi la tempête. Une main de sable et de vent lui frôle les lèvres, contenant ses sanglots : un homme ne pleure pas et à partir de là, de ce qui s'est passé, qu'était-il sinon un homme pareil aux autres, plantée dans le cœur la marque du péché. Pareil aux autres ? Pire, car les autres n'avaient pas pris d'engagement et le sang du Christ répandu sur la croix les avait tous rachetés, jusqu'à la fin des siècles. Mais il avait fait un vœu, il avait promis, avait juré, avait pris un engagement. Il avait trahi la confiance de Dieu. Dans la nuit noire il distingue les plaies s'ouvrant en pus sur son corps pervers, la lèpre. Des doigts font pression sur ses lèvres, arrêtant le cri et l'effroi.

« Tante, seulement devant les autres, nigaud. Sinon, je suis Tieta, ta Tieta. » Elle rit la malheureuse, inconsciente, condamnée par lui aux peines de l'enfer. Riant, joyeuse, elle ne se rend pas compte de l'horreur qu'ils ont commise.

Le démon l'avait possédé, le plus périlleux, le plus sagace et subtil, le pire de tous, le Démon de la chair. Non content de le mener à la perdition, il l'avait pris comme instrument pour tenter et corrompre la tante, pour pervertir une veuve honorable, fidèle à la mémoire de son mari, et la transformer en femelle en folie, en animal en rut, à gémir et glapir, à bêler comme les chèvres sur les collines d'Agreste. Ah, Tante, quel malheur ! La main parcourt les lèvres, les ongles griffent la peau, menaçant pause et distance.

Possédée par le Malin, elle aussi. Damnée par sa faute, exclusive, lui qui lui devait tant : gratitude, respect et pur amour de neveu. Ne lui avait-elle pas envoyé des cadeaux de São Paulo, apporté canne à pêche et moulinet, ne lui avait-elle pas donné de l'argent, une chemise neuve, des pyjamas que sa mère gardait pour le Séminaire, n'avait-elle pas offert une statue et un ostensoir à l'église, pieuse créature ? Gaie, informelle, impétueuse, oui, mais généreuse brebis du troupeau de Dieu, comme l'avait qualifiée le Padre au sermon, pendant la messe. Elle méritait le plus grand respect et beaucoup de gratitude pour payer la tendre affection, la bonté, les dons généreux. La mère lui avait recommandé qu'il s'occupe de la tante, qu'il reste à ses ordres, qu'il soit son ami. Est-ce qu'il avait obéi ? Avait-il cherché à la rapprocher encore plus de Dieu et de l'Église comme c'était son devoir de neveu et de séminariste ? Lui avait-il parlé des saints et des miracles, lui avait-il conté les prodiges de la Vierge et du Seigneur, avait-il décrit les merveilles du royaume des cieux ? Il n'en avait rien fait. Il s'était, au contraire, mis aux ordres de Satanas pour conquérir l'âme de la tante, un ingénieux instrument du Maudit. Avant, esclave de Dieu, saint ange, après esclave du Chien, obéissant comparse, complice actif, ange déchu.

214

« *Pardonnez-moi, Tante...* »

La main se tend, couvre la bouche entière, la paume écrasée sur les lèvres, les dents qui grincent.

« *Ne dis pas Tante, dis Tieta.* »

Après la mort prochaine, du lépreux — première manifestation de la colère divine —, le châtiment éternel, pour toujours, sans appel, sans repos, sans intervalle, sans droit à la contrition, il est trop tard pour le repentir. Repentir ? La main contourne la bouche, les ongles égratignent doucement.

En enfer, pour toute l'éternité, la chair pécheresse et pourrie brûlant et jamais ne cessant de brûler — sauvée ou condamnée, l'âme est immortelle. Il entend le rire suave, né de l'ignorance, rire de qui ne connaît pas la violence de la colère de Dieu. Derrière le doux bêlement satisfait, il entend le rire du Diable, sinistre, triomphant, insultant : deux âmes gagnées à la fois, d'un seul coup, deux de plus pour la pratique du péché et les flammes de l'enfer, une bonne récolte.

Tant de jours, tant de nuits de bataille ! Car il avait lutté et résisté ; avec de petites forces et des armes minimes, il n'avait pas la stature des saints véritablement dignes de servir Dieu, forteresses de la loi, des commandements. Néanmoins il avait résisté, lutté, dressé des défenses : à l'étude, courbé sur les livres ; dans les eaux du fleuve, plongeant quand Peto, instruit par le Chien, dirigeait son regard dans la Bassine de Catarina ; dans ses prières, avant de se coucher dans le hamac ; suppliant et jurant, à la messe — si la Vierge le sauvait, il s'engageait à dormir étendu sur des grains de maïs durant toute une année scolaire. Défenses conquises, détruites une à une par l'Esprit du Mal. Dans les problèmes d'algèbre, dans les pages imprimées, sautaient tout entiers les seins entrevus à demi dans le décolleté du peignoir ; les fils pileux, désignés par le frère dans l'entrebâillement du bikini, s'allongeaient dans le fleuve, enserrant poignets et chevilles, le ramenant aux pierres où elle se reposait, relaxée, innocente de tant de convoitise et d'audace. Même pendant le saint sacrifice de la messe, la fumée de l'encensoir dessinait la courbe et le balancement de la croupe, ronde, libre, brune, aperçue sous la courte chemise.

Il avait peiné des nuits inquiètes, devinant le fruit défendu quand il s'efforçait de ne voir dans ses rêves que de chastes images, des joies pures. Avant de se perdre totalement ici, au Mangue Seco, il avait été au bord du péché chaque nuit, tantôt endormi, tantôt éveillé, et si jamais il n'alla jusqu'au bout, c'était faute de savoir comment faire. A peine terminait-il ses prières et fermait-il les yeux, avec encore le nom de Dieu sur les lèvres, que déjà le Tentateur emplissait le hamac de seins et de cuisses, de croupes et de poils, la tante entière et nue.

Ni les supplications, ni les prières, ni les promesses, ni la fuite. Perturbé, il avait ouvert le livre saint à la page de la fuite en Égypte, conseil de Dieu. Il monta sur l'âne et suivit les pas du Padre Mariano, vers Rocinha, au lieu de prendre la barque vers le Mangue Seco où il pourrait la voir quasi nue sur la plage, la suivre dans la mer, la sauver de la mort certaine quand le déferlement de la barre l'aurait noyée. Héroïque, il lutterait contre les vagues, la prenant enfin dans ses bras, ramenant sur la plage le corps inerte, serré contre sa poitrine.

Monté sur l'âne, il avait fui la tentation. A quoi bon ? Durant toute la route vers Rocinha il l'eut dans ses bras, serrée contre sa poitrine au trot de l'animal. Quand il frôlait l'arçon de la selle, il serrait entre ses cuisses les hanches de la tante.

Débiles forces, volonté faible, armes fragiles pour affronter le pouvoir et les roueries du Malin. Pour le tenter au bord du fleuve, Belzébuth avait utilisé Peto ; pour l'envoyer au Mangue Seco, si incroyable que ça puisse paraître, il s'était servi de la mère, dévote et rigide. Il aurait dû s'y opposer, discuter, alléguant l'heure tardive, jouant le malade. Il ne le fit pas. La mère n'eut pas à répéter l'ordre : il était parti en courant à la recherche de Pirica et de sa barque. Il comprit que le Teigneux avait choisi le Mangue Seco comme lieu du crime et, nonobstant, il était parti de par sa libre volonté. Pendant la traversée, il faisait presser Pirica bien qu'il sache qu'une fois débarqué, il était perdu. Ainsi arriva-t-il : au Mangue Seco le Malin l'avait dérouté et possédé.

Les doigts vont vers le menton, laissant dans la bouche un goût de pulpe fraîche. Les mots, arrachés du ventre, fendent les poumons, étranglés :

« Je suis condamné, et je vous emmène avec moi dans le feu de l'enfer. Je suis trop mauvais, je me suis perdu et je vous ai entraînée, Tante. »

La main glisse, toute de feu, du menton au cou. A l'heure du péché, même les flammes sont délices, nul ne sent la douleur des brûlures. Mais autre est le feu de l'enfer, Tante, autre et éternel. « Emmène-moi, oui, chevreau. Tout jeune comme ceux que je portais dans mes bras. »

Veuve honnête, il lui avait fait renier la pudeur et la vertu de sa chaste condition, souiller la mémoire du mari, il l'avait rendue folle au point de dire des choses ainsi, sans queue ni tête,

216

de murmurer des phrases sans suite, riant de contentement inconsciente du mal pratiqué, indifférente au châtiment

Il avait été l'unique coupable mais la condamnation les atteignait tous deux, sur la tête de la tante tomberait également la colère de Dieu. Sur les deux âmes qui n'avaient pas su résister au corps vil, à la chair pourrie. Lui, l'unique coupable.

« Je voudrais mourir.

— Dans mes bras. »

Des épaules la main descend vers la poitrine. Ah, Tante, non. Ne voyez-vous pas que le Démon est lâché, il survole la mer et les dunes, immense chauve-souris qui bouche le clair de lune, impose la nuit noire et froide ? Le Tentateur est là, présent, comme toujours il l'a été, depuis le moment où la tante avait surgi à la portière de la marineti de Jairo. C'était lui, le Démon, qui avait parlé par la bouche d'Osnar, la comparant à un fruit mûr, juteux. A cette heure le combat avait commencé, déjà perdu. Perdu à chaque moment un peu plus, dans les pas résonnant le soir dans le corridor, dans les dentelles vaporeuses du négligé, dans le bikini minuscule, dans la minuscule chemise, dans les mains ointes de crème, dans les paroles tronquées du Notre-Père, dans les rêves pleins de désir quand il la tenait nue contre lui, dans le hamac, et qu'il ne savait que faire. Maintenant il sait et il paiera pour ça durant l'éternité. Ils paieront tous deux, le coupable et la victime. Qui sait ? Dieu est bon et juste, il aura pitié de la tante et il réduira sa peine à un temps de purgatoire. Si long qu'il fût, s'étendrait-il à des millions d'années, c'est un temps et pas l'éternité, il a une limite et une fin. Un jour la sentence se termine, le condamné est libéré, mais les peines de l'enfer, elles, ne finissent jamais. Au grand jamais, répète à chaque seconde l'horloge de l'enfer. C'est ce qu'avait dit Cosme en parlant du châtiment éternel.

« Dieu est bon et sage, il aura pitié, il sait que vous n'étiez pas coupable, Tante. »

Le rire grandit, inconscient et joyeux, la main descend sur la poitrine à l'agonie.

« Ne dis pas Tante, dis Tieta. »

La main sur la poitrine, suffoquant de honte, de remords, brisée de peur, comment fixer la face de Dieu à l'heure du Jugement dernier ? La main calme le cauchemar, apaise les angoisses, dénoue le nœud, rompt les ténèbres, mais elle n'éteint pas les flammes de la colère céleste car tout en elle, paume, poing et doigts, est braise ardente, chaleur divine. Divine ? Satan ainsi trompe et damne les hommes. Cette chaleur divine

217

se transformera en douleur insupportable dans les profondeurs des enfers, consumant lentement, et pour l'éternité, les pécheurs.

« Je suis seul coupable, Dieu doit vous pardonner, Tante.

— Tante, non. Tieta, ta Tieta. »

Comment n'avait-il pas senti la voix de Dieu dans la voix de la tante lui montrant la descente, le bon chemin, le sentier qui le mènerait au salut, au sacerdoce, au paradis ?

Paradis ? Lequel ? La main mène au paradis : tout à l'heure il avait vu la beauté, la douceur du ciel dans chaque parcelle du corps exposé au clair de lune. La main joue avec les poils naissant sur la poitrine jeune et musclée. Le Major s'enorgueillissait de son tronc velu, poitrine et dos, preuve de virilité. Un mâle, le père. Le fils, châtré par le vœu, par la promesse de la mère, empêché. Mais le Démon l'avait conduit à s'élever contre la loi, il avait réveillé la chair morte, le pervertissant. Il avait fait d'un chaste éphèbe, qui ignorait désirs et mauvaises pensées, un mâle impur sans contrôle sur son corps et son âme, un bouc.

Pire : il l'avait utilisé pour conquérir la tante, la perdre, la damner.

« Le purgatoire dure un temps et finit, Tante. La faute est mienne ; Dieu est juste, il ne vous enverra pas en enfer.

— Mon sot cabri, je suis une vieille chèvre. Appelle-moi chèvre, dis-moi ma chèvre. »

Jamais, même s'il voulait ; pas même à l'heure du péché, quand la tête ne pense pas et que la bouche gémit et crie. Une chèvre, avait dit Osnar, voix du Démon, quand il l'avait vue éblouissante à la porte de la marineti de Jairo, ajoutant un commentaire indécent sur la plénitude des mamelles, l'Immonde. Et lui ? Où avait-il plongé la tête, posé les lèvres, où, égaré, avait-il mordu ?

« Pardonnez-moi, Tante. Jurez que vous me pardonnez.

— Dis Tieta. »

Sur le ventre aux muscles tendus naviguent les doigts, à la découverte. Le petit doigt s'enfonce dans le nombril, chatouille, la braise croît en flamme, consumant le péché, couvrant le crime, allumant le clair de lune.

« Je voudrais vous dire, Tante...

— Tieta.

— Je voudrais vous dire que, même si je dois payer pendant l'éternité dans le feu de l'enfer, même ainsi...

— Dis, mon chevreau...

— ... même ainsi je ne me repens pas. Et si le châtiment devait être pire, même ainsi..

— Dis

—   même ainsi je voudrais... »

Où est la main ? La flamme brûle de la pointe des pieds à la pointe des cheveux, parcourt le corps, les tempes battent, la bouche s'ouvre, le Malin grandit.

« Tu voudrais quoi, chevreau ? Dis-moi...

— Être là avec vous, Tante.

— Tieta. »

La main cherche, trouve, palpe, empoigne. Démesuré Démon.

« Tieta, je ne me repens pas, ah non, Tieta !

— Dis chèvre, mon chevreau. »

Où sont les ténèbres et l'enfer, la crainte de Dieu ? Sous le clair de lune, le paradis s'ouvre au Malin, étroite porte de miel et rose noire. Ça vaut l'enfer et beaucoup plus. Viens, mon chevreau ! Ah, chèvre, ma chèvre, je suis un bouc entier, en feu je me consume.

Troisième épisode

Le progrès arrive au cafouchon de Judas ou la Jeanne d'Arc du sertão

Avec Martiens et Vénusiennes, vaisseau spatial et femelles sublimes ; où l'on traite de la production de bioxyde de titane et du sort des eaux et des poissons et expose les termes du débat qui divise Agreste et en finit avec le marasme et la paix, tandis qu'on assiste à la naissance de la convoitise, de la soif de pouvoir, de l'ambition et à l'épanouissement de l'amour ; avec, en plus, pastorale, Bumba-meu-boi et autres éléments folkloriques dont manquait ce pathétique feuilleton.

DE LA PREMIÈRE APPARITION DES SUPER-HÉROS INTERROMPANT UNE PECCAMINEUSE ET AGRÉABLE PRATIQUE À L'HEURE MOITE DE LA CHALEUR.

La première apparition d'êtres d'autres planètes, des super-héros, eut lieu au début de l'après-midi, à l'heure de la chaleur quand rien ne vient troubler la paix des habitants.

Dans le commerce, ouvert par la force de l'habitude, pour respecter l'horaire — de huit heures à midi, de quatorze à dix-huit heures —, seulement dans la boutique de Plínio Xavier on note un certain mouvement, d'ailleurs suspect. Deux ou trois fois par semaine, à cette heure vide de clientèle, l'épicier, citoyen respectable, marié et père de famille, caché derrière les tas de viande sèche, s'occupe à mettre les mains sous la jupe de Cinira, la vieille fille, lui touchant les parties du bout des doigts. Tournée vers les étagères, elle fait celle qui ne remarque rien mais ouvre les jambes pour faciliter. Plínio Xavier aussi agit en silence, la sueur goutte de son visage. Soudain Cinira pousse un profond soupir, tremble, porte la main là où, hors du pantalon, elle sait se trouver l'arme impatiente, la serre fort et va, penaude et furtive.

Ce jour-là, presque au moment du soupir et du frémissement, un abominable, un sinistre bruit retentit dans la rue, interrompant brusquement la délectable pratique. Quand elle se retrouva fuyant sur le trottoir, Cinira ne put contenir sa

terreur ni étouffer un cri : la machine inconnue et monstrueuse venait sur elle, rugissant, d'immenses roues creusaient
le sol. Elle lançait une noire fumée pestilentielle à travers des
tuyaux et des orifices et, subitement, émit des sons lancinants,
insolites. Fermant le dernier bouton de sa braguette, Plínio
Xavier arriva à la porte juste à temps pour distinguer
l'extravagant véhicule passant devant sa boutique, transportant dans son sein d'indescriptibles êtres, apparemment mâle
et femelle, bien qu'ils ne se distinguent guère l'un de l'autre
dans leurs attributs et leurs costumes spatiaux, identiques.

Des jours avant avaient circulé des rumeurs, apportées du
Mangue Seco : les pêcheurs affirmaient avoir vu un objet non
identifié, étincelant dans le soleil, venant de la mer et y
disparaissant après avoir survolé la plage et les cocotiers. Le
bourg n'en était pas pour autant préparé et l'émoi fut
immense.

DU VAISSEAU SUR LA PLACE DE LA CATHÉ-
DRALE OÙ S'ÉTABLISSENT LES PREMIERS
CONTACTS ENTRE LES SUPER-HÉROS ET LES
HUMAINS, AVEC DES ALLUSIONS À DES HÔTELS ET
À L'ASPHALTE, TANDIS QUE MISS VENUS ENJÔLE
LES HOMMES, Y COMPRIS *SEU* MANUEL PORTU-
GAIS.

Déserte et silencieuse, la place de la Cathédrale, quand le
vaisseau, dans un assourdissant lâcher de gaz, s'y arrêta et que
l'être probablement mâle — en raison des cheveux longs
sortant de son casque et des lunettes violettes, on discuta de
son sexe — sauta par-dessus la portière de l'extraordinaire
machine, jeta un regard circulaire, ne vit personne. Aux
mains, il avait de gros gants d'une matière exotique. Il portait
un vêtement voyant, une espèce de combinaison bleue avec
des fermetures Éclair et des poches sur les bras et les jambes,
des anneaux et des rivets de métal, scintillants. En y regardant
de plus près, on découvrait qu'il s'agissait d'un pantalon et
d'un blouson, les poches pleines d'objets étranges, d'armes

mortelles imprévisibles. Vêtue d'une façon absolument identique, sans autre différence que le volume du buste, l'être femelle souleva son casque et se révéla parfaite. Otant ses gants, de ses longs doigts elle ébouriffa sa chevelure rousse — pas plus longue que celle de son compagnon — où une mèche platinée dénotait son origine vénusienne ou carioque, passionnante de toute façon.

Caché dans le bar, Osnar observait, stupéfait ; seuls présents, lui et *seu* Manuel Portugais.

« Oh ! Lusitanien amiral ! Viens voir et dis-moi si c'est vrai ce que je vois ou si c'est un délire éthylique. Hier, j'ai trop bu chez Zuleika. »

Seu Manuel abandonna les verres qu'il rinçait — il ne faut pas abuser de la crasse, Vasco de Gama, lui disait Aminthas en montrant les traces sales sur les assiettes, les verres et les couverts —, il vint jusqu'à la porte, ouvrit la bouche, se gratta le menton :

« Qui sont ces saltimbanques ?

— Ascânio parle tant de touristes qu'ils apparaissent..., risqua Osnar. A moins que ce ne soit l'équipage de la soucoupe volante du Mangue Seco. »

Ayant constaté l'absence de Terriens, l'être probablement mâle retourna au vaisseau, la Vénusienne enfila ses gants ; les abominables bruits sinistres reprirent, la noire fumée s'échappa des tuyaux et des orifices, le véhicule décolla d'un saut et se perdit dans une ruelle. On entendit pendant un certain temps dans la ville le ronflement réveillant en sursaut ceux qui faisaient la sieste, tel Edmundo Ribeiro, le receveur, et l'Arabe Chalita ; attirant sur le pas de leur porte les habitants surpris, ahuris. Il y eut des commerçants qui fermèrent les portes de leur boutique, qui sait Lampião était revenu des enfers, motorisé. Lampião jamais n'atteignit Agreste mais, une fois, il était passé près, à trois lieues de marche, on en parle encore.

Quand, ayant parcouru les rues et les ruelles, les superhéros revinrent à la place de la Cathédrale et qu'à nouveau ils atterrirent, déjà Ascânio Trindade, qui les avait vus de la fenêtre de la mairie, descendait l'escalier en courant, venait à leur rencontre. Osnar avait parlé de touristes, plaisantant son ami, mais Ascânio, s'il l'avait entendu, aurait approuvé : des touristes, pourquoi pas ? Les premiers à répondre à l'appel par lui rédigé (avec l'aide précieuse de dona Carmosina) et envoyée au journal *A Tarde*, à la capitale, suggérant aux touristes « d'abandonner Salvador pour la plus accueillante ville de l'État, Sant'Ana de l'Agreste, et connaître la plus belle plage du monde, la plage des dunes du Mangue Seco ». La gazette avait publié la lettre dans le courrier des lecteurs, regrettant, dans une petite note de la rédaction, le désastreux état de la route qui empêchait d'accepter l'invitation. Personne de bon sens n'irait risquer son automobile dans les fondrières de la route, de plus en plus chaotique, uniquement pour connaître Agreste, « un coin réellement paradisiaque ». Si l'on sortait indemne des trous de la voie principale, il restait à affronter « les indescriptibles cinquante kilomètres de terre battue, à partir d'Esplanada ».

Ascânio arbore un sourire de triomphe sur son visage en général grave : il existait tout de même des êtres courageux, prêts à répondre à son appel.

Couverts de poussière, en sueur, les êtres étranges firent des gestes cordiaux et frénétiques. De son énorme patte de cuir la femelle le fit se presser.

« Bonjour... soyez les bienvenus à Agreste ! lança gaiement Ascânio.

— *Bonjour, frère*[1] ! » répondit le supra-terrestre, tirant son gant pour prendre un mouchoir lilas et s'éponger le front. « Quelle fournaise, *hein*[1] !

— Ça va bientôt se rafraîchir. A partir de quatre heures les après-midi sont frais, le soir il fait presque froid. Un climat sec, idéal, Ascânio Trindade commence son prêche.

— Je croirai tout ce que tu dis, trésor, si tu me trouves quelque chose à boire..., la voix de l'être femelle se fond en promesses.

— C'est facile, volontiers. Allons jusqu'au bar. »

De sa table, Osnar constate :

« Ils arrivent, amiral. Retiens-moi, je suis capable de perdre la tête pour cette apparition. J'ai toujours eu envie de m'envoyer une Martienne à défaut de Polonaise, car, comme les Polonaises, il n'en existe sur aucune planète. » La célèbre histoire de la Polonaise d'Osnar... »

Le groupe s'approche, bonjours de part et d'autre, ils prennent une table. Manuel attend empressé, tandis qu'Osnar ne décolle pas les yeux de l'être femelle qui, faute d'eau de

---

1 En français dans le texte.

coco — on ne devrait pas manquer de coco frais au bar, observe Ascânio —, accepte un *guaraná*.

« Pour moi whisky on the rocks..., demande l'être probablement mâle. Scotch, naturellement... Je veux dire écossais.

— Je n'ai que du national mais c'est du vrai, s'enorgueillit *seu* Manuel.

— Non, de grâce, non ! apportez-moi alors une eau minérale. Bien glacée.

— L'eau d'ici est meilleure que toutes les eaux minérales, elle a été examinée à Bahia et approuvée avec des félicitations, réplique Ascânio.

— Pourvu qu'elle soit glacée... »

Seu Manuel sert le *guaraná* avec une paille, un raffinement, et le verre d'eau avec de la glace. Le Martien approuve : vraiment bonne, cette eau, encore un peu, s'il vous plaît, et dites-moi combien je vous dois.

Sur un signe d'Ascânio, *seu* Manuel s'incline :

« Ce n'est rien... C'est un plaisir...

— Merci beaucoup... Pour cette fois j'accepte mais à l'avenir... C'est l'unique bar de l'endroit ?

— Bon, dans l'impasse de l'Amertume il y a une espèce de troquet, du nègre Caloca. Mais, à tous les comptoirs, on peut boire un coup de cachaça.

— Il faut améliorer votre choix, *my friend*... De bonnes marques de whisky, de bons vins... Et les hôtels, *frère* — *frère*[1], c'était Ascânio, il l'avait pris en sympathie —, il y en a un bon ? Avec salle de bains particulière ?

— D'hôtel à proprement parler, non. Mais il y a une très bonne pension, celle de dona Amorzinho, nourriture parfaite, chambres propres. Il n'y a pas de salles de bains particulières. Mais le robinet des toilettes vaut une douche.

— Il va falloir construire tout de suite un bon hôtel... », émit l'être mâle, et il le disait comme si, construire là, à Agreste, un hôtel de premier ordre, eût été la chose la plus simple du monde. C'est exactement à partir de cette affirmation — de cette décision du super-héros — qu'Ascânio commença à divaguer.

« Le pire c'est la route, constata l'être femelle, miaulant. Ce dernier morceau, alors... Je n'ai jamais vu tant de trous ni avalé tant de poussière..., elle ébouriffe ses cheveux poussié-

---

1. En français dans le texte

227

reux, fauves avec cette mèche platinée. Arrivée à Salvador je vais droit me faire laver les cheveux et coiffer par Severiano...

— Il suffit d'élargir et d'asphalter, darling. Combien de kilomètres, *frère*[1] ?

— D'ici à Bahia, la capitale ?

— Non, seulement le dernier tronçon.

— Quarante-huit kilomètres...

— Amour, ne mens pas ! supplie Miss Venus. Il y en a plus de cent... Je suis moulue, elle porta la main à sa croupe spatiale.

— Ah ! » gémit Osnar, mais si quelqu'un l'entendit il n'en montra rien.

« Ce doit être ça, darling, dans les cinquante kilomètres. Ça s'asphalte en un clin d'œil. »

Hôtel, route asphaltée, le rêve se poursuit, le cœur d'Ascânio se dilate.

« Dis-moi une chose, *frère* ; un canot pour descendre le fleuve jusqu'à la plage de... C'est quoi exactement, le nom ?

— Mangue Seco...

— *C'est ça*[1]... Il est facile d'en louer un ?

— Eh bien... Il y a le canot d'Elieser. Il ne le loue pas mais je vais lui parler, je lui demande de vous emmener. C'est un brave garçon.

— Tu peux dire que je paie bien... »

Ascânio part au trot à la recherche d'Elieser. Il devra le convaincre : en matière de bon garçon, Elieser est un exemple discutable, mais Ascânio a du prestige. Il ne dira rien des hôtels ni de l'asphalte, l'autre pourrait considérer ces plans comme une grave menace à ses légitimes intérêts. Ascânio a déjà compris qu'il ne s'agit pas de simples visiteurs fortuits, mais bien d'une entreprise étudiant la possibilité d'investir une grosse somme pour faire d'Agreste le centre touristique rêvé, projet tant de fois discuté à l'agence des Postes et Télégraphes. Il manque une infrastructure, disait dona Carmosina. Il manque quelqu'un qui ait de l'argent, le municipe n'a pas les moyens, complétait Ascânio. Apparemment, l'argent allait couler à flots.

Muets, sans sujet de conversation, Osnar et *seu* Manuel souriaient bêtement aux étrangers. Très vite Aminthas se joint à eux, il avait abandonné un concert des Rolling Stones. La

---

1. En français dans le texte

228

reine de la planète Vénus lance des regards enjôleurs aux trois humains, l'un après l'autre, elle sourit à chacun en particulier, révélant qu'elle aurait un plaisir immense à coucher avec lui. Osnar en perd la respiration, Ascânio revient à temps. Elieser est allé directement au petit embarcadère où le canot attend.

« *Thanks! Andiamo, bella,* nous n'avons pas beaucoup de temps. *Arivederci...* »

Combien de langues parle-t-on dans l'espace ? Osnar bégaie en portugais. Le Martien tend la main, Aminthas se demande toujours de quel côté il est.

« Il vaut mieux laisser le véhicule sur la place, aller à pied, le chemin est mauvais. Je vous accompagne... »

Tout le monde suit, même *seu* Manuel, le bar se vide.

« Que de gentillesses... », remercie miss Vénus dans un gémissement.

En chemin, Ascânio cherche une confirmation :

« Dites-moi... Vous avez l'intention de vous établir ici ?

— Qui sait ? Tout dépendra des études... C'est possible.

— Avec un hôtel ? On peut exploiter l'eau minérale, il n'y a pas meilleure. »

Un hôtel ? aussi. Ce sera indispensable. L'eau ? Peut-être. Mais ce ne seront que des investissements secondaires, diversification du capital. L'eau, ensuite on pourra y penser.

Ils arrivent à l'embarcadère. Des projets ambitieux, réfléchit Ascânio, une grande entreprise touristique, ça tombe sous le sens. Les êtres magnifiques s'embarquent dans le canot, Elieser au gouvernail.

« Encore une fois, *merci, frère*[1]. *Ciao !* il fait un signe d'adieu.

— Ascânio Trindade, secrétaire de la mairie, à votre service.

— Secrétaire de la mairie ? Et le maire, qui est-ce ?

— Le Dr Mauritônio Dantas. Il est malade, je le remplace. Pour quoi que ce soit, vous pouvez vous adresser à moi.

— O.K. Nous n'y manquerons pas, c'est certain. Nous aurons à parler sous peu, et beaucoup. »

Le canot part, la fille à la rousse crinière, à la mèche platinée, lance un baiser, se donne d'un regard ; Elieser ne se déride pas pour autant. Ascânio Trindade sourit, ça paraît un rêve enfin ils avaient débarqué.

---

1 En français dans le texte.

DES COMMENTAIRES ET DE LA PREMIÈRE DIS-CUSSION. ENCORE COURTOISE

L'affluence grossit sur la place, une petite foule se bouscule autour du véhicule.

« Regarde les pneus. Quels colosses !

— Quelle merveille !

— Tu as entendu le klaxon ? Il joue le début de *Cidade maravilhosa*.

— C'est quelque chose ! »

Au bar, l'animation est grande. Les commerçants ont abandonné boutiques et magasins. Plínio Xavier s'enorgueillit d'avoir été le premier à voir la machine et à apercevoir les pilotes.

« J'étais tranquillement à faire mes comptes... »

Le rire d'Osnar, il rit de quoi ? Les regards se tournent ; à la porte de l'église, Cinira bavarde avec les dévotes. Elle n'a pas encore pris place dans le bataillon mais ça ne tardera pas.

« ... quand j'ai entendu ce bruit horrible, j'ai tout lâché... »

Astério et Elisa se joignent au groupe. A l'heure du danger il a couru chez lui, préoccupé de son épouse : Elisa, dans cette lune de miel de l'arrivée de sa sœur, est nerveuse, inquiète, d'un pied sur l'autre. Ils étaient venus ensemble sur la place. regarder la machine, elle si bichonnée qu'elle écrasait quasiment la Reine de l'Espace à la mèche platinée. La mèche platinée obsède Osnar qui confie à Seixas et Fidélio :

« Je vous jure que si j'attrapais cette Martienne, je commencerais par la lécher depuis le bout du gros doigt de pied. Je mettrais bien trois heures avant d'arriver au nombril...

— Grand porc ! »

Seu Edmundo Ribeiro n'est pas précisément un puritain, mais certaines habitudes sexuelles lui paraissent indignes d'un homme mâle et honorable. Se taper une femme, parfait. Mais cette histoire de langue . Les baisers, sur la bouche, et sur une bouche propre

« Edmundinho, mon fils, vous n'allez pas me dire que vous n'avez jamais fait une minette de votre vie. .

— Respectez-moi, je suis un homme sérieux et rangé. »

A l'agence des Postes et Télégraphes, la discussion s'échauffe. Ascânio Trindade fait une minutieuse relation à dona Carmosina, en présence du commandant Dário de Queluz qui prévoit, d'une voix navrée :

« Vous, mon cher Ascânio, avec cette manie de tourisme à Agreste, vous allez le payer cher, vous et nous tous. Un jour un fou quelconque lit ces sottises que vous envoyez aux journaux, dona Carmosina et vous, il les prend au sérieux, met sur pied une affaire pour exploiter la plage du Mangue Seco, l'eau et le climat d'Agreste, et pour nous ça va mal finir. En deux temps trois mouvements, ce sera un enfer.

— Un enfer, pourquoi, commandant ? Je n'ai jamais entendu dire qu'une station thermale soit un enfer. Au contraire, c'est un lieu de détente, de repos, intervient dona Carmosina. Vous savez bien que personne plus que moi ne défend la nature, l'atmosphère, la beauté d'Agreste. Mais quel mal y a-t-il à une station thermale ?

— Une station thermale dans la ville, passe encore. Le pire c'est la plage qu'Ascânio veut bourrer de gens, de toute espèce de saletés... »

Ascânio bondit :

« Quelles saletés ? Des maisons de vacances pour les touristes, un hôtel, des restaurants. La plage d'Acapulco, celle de Saint-Tropez, celle d'Arembepe sont-elles par hasard une saleté, un enfer ? L'avenir d'Agreste, commandant, c'est le tourisme.

— C'est un enfer, oui, c'est une saleté. L'autre jour encore *A Tarde* a publié un reportage sur Arembepe : c'est devenu la capitale des hippies, la capitale sud-américaine de la drogue. Vous imaginez le Mangue Seco plein de chevelus et de drogués ? Laissez notre paradis en paix, Ascânio, au moins tant que je vis.

— C'est-à-dire que vous préférez, commandant, qu'Agreste continue à être un bon endroit pour attendre la mort ?

— Je préfère, oui, mon fils. La mort ici tarde et retarde, je ne souhaite que ça. L'air pur, sans contamination. La plage propre. »

Ascânio regarde dona Carmosina, son alliée, elle prend la parole :

« Qui parle de contaminer ? Les hippies, je ne dis pas, bien que leur philosophie soit aussi la mienne, paix et amour, la

231

plus belle chose qu'on ait inventée dans ce siècle ! Le diable c'est la drogue. Mais des touristes qui aient de l'argent, je ne vois pas le mal, commandant. De coquettes maisons de vacances, un commerce florissant, de bons films, et alors ? Personne ne peut être contre.

— Gratte-ciel, hôtels, la corrida immobilière, la fin des cocotiers, des arbres, du calme, de la paix ! Dieu nous en garde ! Heureusement, c'est votre imagination qui travaille... »

Peto arrive en courant, le canot est de retour. Ravi, Ascânio propose :

« Eh bien je crois, commandant, que sous peu nous aurons le tourisme implanté à Agreste ! Le fou est apparu. Venez avec moi, nous allons bavarder avec lui.

— Allons-y... », accepte le commandant.

Mais quand ils arrivent sur la place, le couple de super-héros, entouré de curieux, est sur le point de partir dans l'éblouissante machine. Ascânio tente encore de dialoguer avec eux mais ils sont pressés, ils vont arriver très tard à Bahia.

« Bientôt je reviendrai et alors nous bavarderons. Je voudrais noter votre nom. » Il sort un carnet d'une mystérieuse poche dans la jambe de son pantalon, le stylo suspendu au cou paraît un microphone de roman d'espionnage. L'appareil de photo, minuscule et puissantissime, fonctionne dans les mains fines, aux longs doigts dégantés, de Miss Vénus.

« Mon nom ? Ascânio Trindade. Voici le commandant Dário de Queluz.

— Commandant ?

— Oui, de la marine de guerre.

— Réformé, explique le commandant.

— Ah ! après une pause, il se présente : Dr Mirko Stefano. *A bientôt*[1]. *So long.*

— *Adieu*[1], amour ! » pleure Miss Vénus, un orgasme dans le regard.

La machine part, soulevant la poussière, le bruit assourdit les oreilles trop sensibles. Docteur ? On dirait un astronaute, un capitaine de vaisseau spatial, un de ces modernes hommes d'affaires qui transforment la Terre et la vie. Sur le véhicule, les informations exactes ont été données par Peto — il n'est

---

1. En français dans le texte.

pas encore parvenu à terminer l'école primaire, il n'est pas pressé, il sait déjà tout sur les voitures et les pistes. Il s'agit d'une Bugati, roues de magnésium, grande cylindrée, kits 600, double carburation, le klaxon, sensas. Tout sensas, d'ailleurs, moteur du tonnerre, l'enthousiasme de Peto est sans limites. Il court chez lui, il va raconter les nouvelles à tante Antonieta et à Leonora.

Sur les êtres supérieurs, ils ont su de la bouche d'Elieser, renfrogné :

« Le type était intéressé par les aires au bord du fleuve, dans les cocotiers, dans les terres abandonnées. Il m'a demandé à qui elles étaient, j'ai dit qu'on n'a jamais jamais su qu'elles aient de propriétaire. Ils ont fait des photographies à la pelle. Au Mangue Seco, ils se sont déshabillés et se sont baignés nus...

— Nus ?

— Les deux... Comme si je n'étais pas présent. La fille n'a pas froid aux yeux, elle a affronté les lames.

— Vous voyez, Ascânio ? Pour commencer, le nudisme. Grâce à Dieu, je n'étais pas là, je ne l'aurais pas permis. » Comme Edmundo Ribeiro, le commandant Dário n'est pas puritain, mais du nudisme au Mangue Seco, ah ! ça jamais ! Non, tant qu'il vivra.

Ascânio va répondre mais Elieser ne lui en laisse pas le temps :

« Le type m'a demandé combien il me devait, j'ai dit que ce n'était rien, comme tu voulais. Qui va payer mon travail et l'essence, Ascânio ? Toi ou la mairie ? »

Osnar, qui écoute en silence, commente, scandalisé :

« Tu vois une femme pareille à poil et encore tu réclames de l'argent, Elieser ? Moi, je paierais pour regarder... Tu es un dégénéré ! »

DE LA LUMIÈRE ET DES VERTUS DE TIETA, AVEC CITATIONS EN LATIN.

Planteurs de manioc, éleveurs de chèvres, les pêcheurs et les contrebandiers, dans la ville d'Agreste et les villages voisins, des rives du fleuve aux vagues écumantes de la barre, personne n'ignora le stupéfiant événement et, à Rocinha, le *beato* Posidônio annonça l'apocalypse et la fin du monde, thèmes de sa prédilection. Il s'appuyait sur les Écritures, sur l'Ancien Testament.

Voici que soudain, comme le constatèrent les habitués de l'Aréopage, commençaient à se passer des choses à Agreste, arrachant le bourg à sa torpeur habituelle, provoquant des commentaires agités, suscitant des discussions.

Les fils électriques, soutenus par des poteaux colossaux, traversaient le sertão en direction d'Agreste et, conformément aux ordres supérieurs, ils le faisaient avec une rapidité anormale pour des travaux publics. De temps en temps une jeep avec des ingénieurs et des techniciens débouchait dans les rues tranquilles, le bar de *seu* Manuel y gagnait en animation. L'ingénieur en chef assurait que, dans un mois et demi, deux mois au maximum, les fils arriveraient à la ville, un travail terminé, on pouvait arrêter la date de l'inauguration. S'agissant d'un municipe de tant de prestige fédéral, peut-être y participeraient des personnalités de la haute direction de la Compagnie Val du São Francisco, même le président-directeur général, qui sait, viendrait spécialement de Brasilia.

L'ingénieur en chef ne doutait plus de rien depuis qu'on l'avait informé que c'était une veuve en vacances sur sa terre natale qui, par l'intermédiaire d'amis du défunt, de son vivant millionnaire influent, avait obtenu les ordres préférentiels donnant la priorité absolue au municipe de Sant'Ana de l'Agreste. Difficile à croire mais c'était l'affirmation unanime et l'ingénieur avait fini par souhaiter connaître l'illustre dame capable de modifier des projets approuvés, déplaçant des poteaux, décidant des routes pour la lumière et la force.

Une personne simple et aimable, comme l'informa Aminthas. Bien que richissime veuve d'un Commandeur du pape et fréquentant la haute société du Sud, possédant les meilleures relations — dont la preuve concrète était la présence ici dudit ingénieur, au bar du Portugais, sirotant sa bière —, pour autant elle ne se gonflait pas. Avec deux télégrammes elle avait résolu l'affaire, avait donné un camouflet au directeur plein de soi qui avait traité le représentant de la ville, Ascânio Trindade, secrétaire de la mairie, comme s'il était un rien du tout et qu'Agreste ne fût qu'une terre oubliée de Dieu. Sans prendre en considération les titres d'Ascânio, le fait qu'il se

234

trouve à Paulo Afonso pour défendre les légitimes intérêts de sa ville, le directeur l'avait laissé moisir avant de le congédier avec un refus catégorique, sans vouloir entendre ses arguments. Pour lui, Agreste n'était qu'un aride pâturage de chèvres et il le lui avait dit. Dona Antonieta fut indignée en apprenant la chose, elle télégraphia. L'affaire était dans le sac.

Aminthas avait embelli l'histoire pour la raconter à l'ingénieur en chef, en lui pouffant au nez :

« Dona Antonieta Esteves Cantarelli, c'est son nom. Naturellement vous avez entendu parler du Commandeur Cantarelli, un grand industriel pauliste. Il a cassé sa pipe récemment. »

L'ingénieur, vaincu, cacha son mécontentement : le nom lui disait quelque chose, dans le genre des Matarazzo, des Crespi, des Filizola. Il leva son verre de bière, en un respectueux toast à la senhora Cantarelli. Aminthas l'imita et toutes les personnes présentes s'associèrent à cet hommage. Le peuple, reconnaissant, encore stupéfait de ce don inespéré, ne disait pas, en parlant du nouvel éclairage, la « lumière de Paulo Afonso », la « lumière de l'Hydroélectrique », comme il eût été normal et correct. Pour les gens d'Agreste c'était la « lumière de Tieta ».

Lorsque, le mercredi suivant les heureux événements du dimanche, Tieta était venue du Mangue Seco pour signer les papiers des terrains, elle avait eu la surprise de voir une banderole déployée place de la Cathédrale, entre deux vieux poteaux de l'ancien éclairage, aux abords de la maison de Perpétua : LE PEUPLE RECONNAISSANT SALUE DONA ANTONIETA ESTEVES CANTARELLI. Juste un hic : le mot Esteves avait été ajouté — exigence de Perpétua et de Zé Esteves — une fois la banderole terminée. On l'avait mis entre les deux autres noms, mais un peu au-dessus, un défaut léger, il ne déparait pas l'effet impressionnant des lettres rouges sur le fond blanc du calicot.

Idée d'Ascânio, elle avait obtenu l'accord général, dans la bouche du peuple Tieta était l'héroïne de la ville. On ne l'avait pas encore hissée sur le maître-autel de la cathédrale, à côté de la Senhora Sant'Ana comme l'avait prédit Modesto Pires, mais peu s'en fallait. Alors que, accompagnée de Leonora et de Perpétua, au début de l'après-midi, elle se rendait chez le notaire où elle avait rendez-vous avec le patron de la tannerie, sur son passage les gens sortaient des maisons pour la saluer, pour la remercier : certains lui baisèrent la main. En la sachant à Agreste. le colonel Artur da Tapitanga abandonna la *casa grande* de son domaine, faisant le kilomètre qui le séparait de la rue, il vint embrasser la citoyenne d'honneur :

« Ma fille, Dieu écrit droit sur des lignes tordues. Quand Zé Esteves t'a chassée d'ici, c'est que Dieu voulait te faire revenir comme une reine » Il posait sur elle ses yeux de vieux bouc lubrique, déjà sans forces dans les œufs mais encore l'appétit au cœur : « Quand viens-tu chez moi, voir mes chèvres ? »

Pue-le-Bouc aussi lui rendit hommage à sa manière, en la voyant à la porte du cinéma :

« Vive dona Tieta qui en connaît un bout et qui est un morceau à vous dévoyer ! »

Tieta, en passant, mit dans sa main noire de crasse le nécessaire pour une semaine de cachaça sans restrictions et, en s'éloignant, dans l'intention de lui réjouir les yeux, elle imprima à ses hanches un mouvement de proue de barque en proie à la tempête.

L'affaire conclue, l'acte de vente signé, le paiement en espèces sonnantes achevé, Tieta, avant de rentrer, passa par l'agence des Postes pour embrasser dona Carmosina et envoyer une lettre. L'accompagnaient aussi maintenant Ascânio et le barde Matos Barbosa, nostalgique et rhumatisant : ta présence, Tieta, est un soleil et une médecine, il me suffit de fixer ton visage pour me sentir guéri.

Dona Carmosina annonça :

« Ce soir, je viendrai chez toi bavarder. J'ai beaucoup de nouvelles... », ses yeux indiquaient Leonora et Ascânio, sujet de prédilection.

« Je n'y serai pas. Je repars aujourd'hui, bientôt, pour le Mangue Seco. Je suis passée pour te voir et prendre des nouvelles de dona Milu.

— Tu repars aujourd'hui ? Pourquoi cette presse ?

— Je bâtis ma chaumière, j'ai déjà commencé. Tu me connais : quand je veux une chose, je la veux tout de suite, je suis pressée. Je veux voir les murs debout avant de m'en aller.

— Tu ne peux pas t'en aller si vite. Ne dis pas ça.

— Pourquoi pas ?

— Avant l'inauguration de la lumière ? Le peuple ne le permettra pas. »

Tieta rit :

« Je me sens presque candidate à la députation... Tu me représenteras à la fête. » Elle réfléchit quelques secondes, le regard perdu. « Mais, qui sait, peut-être resterai-je, prolongerai-je mes vacances, pas tant pour la fête que pour voir ma maison debout, au Mangue Seco.

— Tu restes, oui, bien sûr. Vous restez toutes les deux... » fixant le visage mélancolique de Leonora, dona Carmosina ne résista pas : « Je connais quelqu'un qui restera peut-être pour toujours. » Les petits yeux pétillent de malice.

A la maison, seule avec Perpétua, Tieta lui avait donné des nouvelles de Ricardo : un brave enfant, son neveu chéri, il lui était d'une aide inestimable. Sous la direction du commandant, il prenait des initiatives, il avait traversé deux fois jusqu'à l'agglomération du Saco où il avait engagé le personnel nécessaire, maçons et charpentiers, maître d'œuvre, des gens habitués à travailler avec des troncs de cocotier sur le sable mouvant. Il avait arrangé tous les détails, la construction avait débuté la veille. Elle le retiendrait au Mangue Seco encore quelques jours, elle avait fait de lui son second.

« Le temps que tu voudras, sœurette, il est en vacances.

A propos de vacances, Ricardo faisait demander ses livres d'étude, même à la plage il ne négligeait pas ses devoirs scolaires. Il couchait dans la salle de la Toca da Sogra, dans un hamac. Un enfant en or, Tieta voulait l'aider, ainsi elle avait décidé d'ouvrir un compte d'épargne à son nom dans une banque de São Paulo. Dans la lettre qu'elle avait laissée à l'agence des Postes, elle donnait des ordres à son gérant pour qu'il ouvre le compte au nom de son neveu, avec un considérable dépôt initial — Perpétua frémit en entendant le chiffre — auquel elle ajouterait tous les mois une certaine somme, elle n'avait pas encore décidé combien. De la sorte, lorsque Ricardo serait ordonné prêtre, en additionnant capital, intérêts et indexation monétaire, il aurait un bon pécule. Perpétua leva au ciel des yeux reconnaissants, le Seigneur commençait à tenir sa partie dans leur pacte. Après avoir remercié Dieu, elle fixa Tieta et s'adressa à elle :

« Je ne sais que te dire, sœurette. Dieu te le rendra. » Elle prit, d'un geste inopiné, la main de sa sœur, la posa sur sa poitrine en la serrant contre son cœur. Elle portait un corsage de grosse étoffe, dure comme une armure. De son mouchoir noir elle essuya ses yeux larmoyants.

Avant de retourner au Mangue Seco en fin d'après-midi, fuyant les manifestations de ses concitoyens, Tieta, entourée de sa famille, reçut encore la visite du Padre Mariano. Au nom des fidèles, il la remercia du nouvel éclairage qui allait modifier la physionomie de la ville, transformer les mœurs, un

237

ımmense service rendu à la communauté. Pourtant, dona Antonieta avait créé de ce fait un sérieux problème à la paroisse, car l'installation électrique de la cathédrale se trouvait dans un état déplorable, elle ne saurait supporter la puissance du courant de Paulo Afonso. Un ingénieur de l'Hydroélectrique qu'il avait consulté avait jugé absolument nécessaire de refaire toute l'installation sous peine de courts-circuits, de grave danger d'incendie. Où trouver l'argent ? A qui recourir sinon à elle ? La cathédrale lui devait déjà beaucoup, il le savait, mais il connaissait aussi la générosité de dona Antonieta, une âme d'élite, d'ailleurs veuve d'un Commandeur du Pape, elle était haut placée dans la hiérarchie de l'Église. Avec un sourire ambigu, Tieta écouta en silence. Perpétua répéta les paroles du prêtre, pensant au compte d'épargne :

« Une âme d'élite, vous l'avez dit, Padre Mariano. »

Le Révérend ne parvenait pas à lire une réponse positive dans le sourire qui entrouvrait les lèvres charnues ; il pouvait seulement constater que Tieta avait rajeuni en ces quelques jours au Mangue Seco, l'air satisfait, belle comme jamais, le soleil avait mis des tons d'or sur le cuivre de sa peau.

« Ne vous tourmentez pas, Padre, vous pouvez faire changer les fils. »

Tranquillisé, le curé allait remercier quand elle reprit, la voix rieuse, d'un ton de badinage :

« C'est pour me faire pardonner de voler quelques jours son sacristain à la Senhora Sant'Ana, mon neveu Ricardo qui m'aide au Mangue Seco. »

Perpétua frémit, dans sa robe noire, de grand deuil, ne parvenant pas à cacher la satisfaction que reflétait son visage revêche, son regard de triomphe. En associant son neveu aux dons faits à l'église, Tieta faisait un grand pas sur le chemin de l'adoption — de l'héritage. Dieu était passé du côté des débiteurs en recevant, de la main de Ricardo, la donation des nouvelles installations électriques de la cathédrale.

Également radieux, le Padre Mariano ne ménagea pas ses éloges :

« Dieu n'oublie pas ceux qui aident notre Sainte Mère l'Église, il convertit chaque obole en indulgences plénières. Les bénédictions de la Vierge, dona Antonieta, vous protégeront, vous et les vôtres », il leva la main, bénissant les Esteves et les Cantarelli, sourit béatement. « De la part de la Senhora Sant'Ana, je peux avancer qu'elle vous cède volontiers son écuyer. En si sainte compagnie, il ne pourra qu'apprendre et pratiquer le bien. »

En prenant congé, le Révérend fit allusion à l'aspect de Tieta : épanouie, radieuse. Ces jours à la plage, dit-il, avaient été pour elle un véritable tonique, elle respirait la santé et la joie, la beauté du visage reflétait la pureté de l'âme, *tota pulchra, benedicta Domini*. Que Dieu la garde ainsi.

Zé Esteves fut le seul à se montrer mécontent :

« Cet urubu en soutane est un malin : avec ses paroles mielleuses et son latin il soutire des sous pour l'Église, les naïfs tombent comme des étourneaux. Pardonne-moi, ma fille, mais tu devrais faire plus attention à ton argent. N'oublie pas que tu vas acheter une maison, tu ne peux pas gaspiller. »

Ce n'est qu'une semaine plus tard que Tieta revint à Agreste, répondant précisément à un appel urgent de Zé Esteves, lui transmettant un message de dona Zulmira prête à baisser le prix de sa maison. Elle avait laissé Ricardo à la tête des travaux — les murs montaient —, seul à la Toca da Sogra car, depuis trois jours, le commandant et dona Laura avaient réintégré leur bungalow de la ville. Trois jours, ou plutôt trois nuits durant lesquelles la tante et le neveu avaient troqué le sable romantique des dunes pour le matelas de crin du lit conjugal dans la chambre du marin.

Poursuivant l'éducation de son neveu, lui enseignant le bien — le bien et le bon —, le matelas était tombé à point, quand ils atteignaient un stade supérieur dans l'étude d'une matière où Tieta était maîtresse, émérite professeur, *docteur honoris causa*, comme dirait en latin le Padre Mariano. Elle lui enseignait, en cours particuliers et intensifs, tout ce qu'elle savait, c'est-à-dire, l'alphabet entier, y compris l'indicible igrec.

Tieta revint à Agreste le matin du jour où, pour la première fois, débarquèrent les êtres fantastiques projetés de l'espace, mais elle ne les vit pas et n'en entendit parler qu'à la fin de l'après-midi par Ascânio surexcité, au comble de l'enthousiasme ·

« Des capitalistes du Sud, qui étudient les possibilités d'employer ici leur capital, dans le municipe, dans une entreprise de tourisme, une chose de grande envergure, ils veulent asphalter la route et construire des hôtels. Qu'en pensez-vous, dona Antonieta ? »

Une entreprise de tourisme ? A Agreste, tirant profit de l'eau, du climat, de la plage du Mangue Seco ? Qui sait, tout peut arriver, pourquoi pas ? Elle avait bien fait d'acheter le terrain sur la plage, elle devait accepter l'offre de dona Zulmira, abandonner son attitude intransigeante, les prix de la terre et des immeubles pouvaient subitement monter, à São Paulo Tieta avait assisté à des choses incroyables. Avec son flair unique, Felipe avait acquis des terrains et des terrains dans des zones dont personne ne voulait. Peu d'années après, il avait gagné des fortunes en les revendant. Tieta demanda à Perpétua du papier et une plume, elle écrivit un billet à dona Zulmira concluant l'affaire et l'envoya par Peto.

Elle décida de rester à Agreste le temps nécessaire pour signer l'acte, prendre possession de la maison. Même sentant l'ardent appel du corps qui réclamait d'urgence son retour, sachant que le garçon souffrirait le feu de l'enfer dans sa nuit d'insomnie, elle décida pourtant de s'occuper d'abord de ses affaires. Elle avait appris à ne pas perdre la tête ; à ne pas permettre qu'une passion, si forte et emportée soit-elle, lui porte préjudice.

Ascânio continuait à tracer les plans de l'avenir radieux d'Agreste. Le changement avait commencé avec l'arrivée des deux Paulistes, tout devenait maintenant plus facile grâce à la décision de la Compagnie Val du São Francisco d'amener à Agreste l'énergie de Paulo Afonso, la lumière de Tieta.

CHAPITRE OÙ TIETA CHERCHE À DÉFINIR L'AMOUR ET N'Y PARVIENT PAS.

Tieta laisse les amoureux à la porte de la rue, seuls, libres pour les adieux De l'ombre du corridor, elle glisse pourtant un œil pour voir ce qui se passe, où les mains vont s'arrêter, la force des baisers, les lèvres voraces, les langues qui s'enroulent

Mais elle ne vit qu'un furtif frôlement des lèvres d'Ascânio sur la joue de Leonora, ça n'avait rien d'un baiser, elle avait perdu son temps à espionner la plus totale paire d'idiots. De la porte, où elle reste jusqu'à l'avoir perdu de vue, Leonora fait

240

un long signe auquel Ascânio répond sans doute. De mauvais augure, la direction que prend l'idylle ne plaît pas à Tieta.

Leonora ne courrait pas grand risque s'ils aboutissaient, Ascânio et elle à la Bassine de Catarina, une nuit sans lune, parmi les rochers, pour le bon du bon. Ensuite, une fois la bringalette bien lavée, terminé. Quand arriverait l'heure du retour à São Paulo, elle verserait quelques larmes de tristesse et de regret dans l'autobus — *c'est fini la comédie*[1], comme disait *Madame* Georgette et *Madame* Antoinette le répète quand elle affronte les béguins et les toquades des petites.

Le danger réside précisément dans ces légers baisers craintifs, dans cette sotte amourette, provinciale, qui n'a plus cours. A Agreste, quand on se fréquente ainsi, selon les convenances, en maîtrisant ses impulsions, c'est qu'on a en vue fiançailles et mariage. Mariage, vie à Agreste : des illusions absurdes, des rêves délirants. Dans ce cas, il ne suffit pas de laver bien laver la bringalette. La séparation coûte une dure souffrance, ça ne se réduit pas à quelques larmes dans l'autobus du retour.

Ce jour-là, quand Tieta était arrivée du Mangue Seco débordante de vie, vibrante en parlant du terrain et de la maison sur la plage, plus mince, le corps à point, Leonora lui était tombée dans les bras, lui murmurant à l'oreille :

« Il faut que je te parle, Petite-Mère. »

Mais, de tout le jour, elles n'eurent pas l'occasion d'être seules. Perpétua toujours présente, adulant sa sœur, elle ne lui ménageait pas les compliments. De puits d'iniquité, Antonieta était passée à puits de Jacob, miséricorde des assoiffés, *turris eburnea*, elle recourait même aux quelques expressions latines qu'elle avait apprises en tant d'années de sacristie. Rien n'était trop pour les vertus de Tieta.

A l'heure du déjeuner, la table pleine : Zé Esteves et Tonha, Elisa et Astério, Peto qui demande sa bénédiction à sa tante et se régale les yeux de la carnation brune et chaude. En lui tenant compagnie à la plage, c'est Ricardo qui devait être bien placé pour lorgner tout son soûl la tante, dans son infime bikini ; mais son idiot de frère détournait le regard pour ne pas voir, un vrai ermite, un mystique. Il devait s'être bandé les yeux au Mangue Seco, le crétin ; Dieu donne des noix à ceux qui n'ont pas de dents, se plaignait Osnar. Bien dit, psch !

L'après-midi, ils étaient allés chez dona Zulmira pour

1 En français dans le texte

confirmer l'achat, et, de là, à l'étude du notaire pour remplir des papiers et prendre rendez-vous pour la signature — le plus tôt sera le mieux, avait insisté Tieta, pressée de retourner au Mangue Seco. Les murs de sa chaumière — ainsi désignait-elle la petite maison de la plage — commençaient à monter, elle veillait sur chaque brique, chaque pelletée de ciment, en compagnie de son neveu gagné par son enthousiasme. Le soir, le salon s'était rempli : dona Carmosina, dona Milu, Barbozinha, la bande du billard escortant Astério, Ascânio était apparu à la fin de l'après-midi, il était resté dîner, il ne lâchait pas Leonora.

Dona Carmosina avait également annoncé l'urgence d'une longue conversation privée avec Tieta. Elles avaient pris rendez-vous pour le lendemain. Demain sans faute ! — avait rappelé l'employée des Postes en s'en allant. Mille choses à commenter. Des yeux, elle montrait le couple d'amoureux sur le sofa, éloignés l'un de l'autre d'au moins une main, la jeune fille avec un sourire béat d'admiration, écoutant les discours d'Ascânio sur le radieux avenir d'Agreste.

Ascânio, le dernier à partir, quand déjà Perpétua s'était retirée : à six heures pile, agenouillée au premier rang, la dévote écoute la messe à la cathédrale, elle ne peut pas se coucher tard. Tieta quitte les jeunes gens à la porte, libres pour les adieux enflammés. Quel échec !

Leonora vient s'asseoir sur le lit de l'alcôve tandis que Tieta se démaquille. Elle ouvre son cœur : amoureuse, que faire ? Une passion éperdue, pas une banale aventure, un simple feu de paille, ce n'était pas son genre, Petite-Mère la connaissait, en trois ans au Refuge elle n'avait jamais eu une histoire. L'amour, pour la première fois.

« Dis-moi comment agir, Petite-Mère. Dire la vérité, je ne peux pas.

— Il n'en est pas question. Il faudrait que tu sois folle et que tu me haïsses.

— Je n'y ai jamais songé, comment pourrais-je parler ? Mais je suis perdue, je ne sais que faire. Aide-moi, Petite-Mère, je n'ai que toi au monde. »

Tieta abandonne les crèmes et le miroir, elle prend les mains de la jeune fille, caresse la blonde crinière, même ses sœurs elle ne les aimait pas autant que cette malheureuse ramassée sur le trottoir, la petite Nora marquée par le sort et encore capable de rêve et d'espoir.

— Je sais que tu ne parleras pas, je connais mes chevrettes, pauvre de moi si je ne les connaissais pas. Ce que tu dois faire ? Profiter des vacances, te distraire. Flirte avec le garçon, il est sympathique et beau, un vrai homme. Un peu naïf à mon goût, mais droit. Couche avec lui si tu en as envie. Tu dois en mourir d'envie, non ? »

Leonora hoche affirmativement la tête et cache son visage dans ses mains, Tieta vient s'asseoir à côté d'elle sur le lit, elle poursuit :

« Couche avec lui, promène-toi, flirte, profite de la vie mais ne t'attache pas. Fais attention d'éviter le scandale. La seule chose que je ne comprends pas c'est pourquoi tu n'as pas encore couché avec lui.

— Il pense que je suis vierge, Petite-Mère. Je n'ai jamais vu quelqu'un d'aussi crédule et respectueux. Je n'ai pas le courage de lui dire que je ne suis pas donzelle. J'ai peur qu'il soit déçu et ne veuille plus me voir.

— Il en est capable. Agreste n'est pas São Paulo, c'est le bout du monde, la vie s'est arrêtée au siècle dernier. Ici, ou bien on est pucelle ou bien une fille des rues. Tu vois ce qui s'est passé pour moi. Père m'a chassée, m'a envoyée faire la pute loin d'ici. Il y a longtemps, mais ça reste la même chose aujourd'hui. Qui sait, en s'y prenant bien...

— Comment, Petite-Mère ? Il pense que je suis donzelle et que je suis riche, fille et héritière du Commandeur Felipe. Il est inhibé, même pour me prendre la main, parce qu'il est pauvre comme Job et que moi je suis millionnaire. Tu sais qu'il ne s'est pas encore déclaré ? Il insinue des choses, soupire, a l'air de vouloir parler, se tait, tient ma main, on n'en sort pas. Au Mangue Seco, c'est moi qui l'ai embrassé. A part ça, il effleure mon visage quand il me quitte et c'est tout.

— J'ai vu, je regardais, c'est à ne pas y croire... Pauvre garçon, il doit gaspiller son salaire chez Zuleika pour se rattraper, ou s'user la main s'il n'a pas d'argent, elle sourit à Leonora : Suis mon conseil, laisse la barque voguer, donne le temps au temps, distrais-toi. Comme ça au moins, tu ne t'ennuies pas.

— M'ennuyer ? Petite-Mère, je vais te dire : ces jours ici ont été les seuls heureux de ma vie. J'aime. Pour la première fois, Petite-Mère. Avec Pipo et Cid, c'était autre chose, rien de comparable. Je t'ai raconté, tu te rappelles ? »

Aux yeux de l'adolescente étouffée dans le sordide meublé, Pipo, avec son nom répété à la radio, sa photographie dans les journaux, apparaissait comme la personnification des invincibles héros des bandes dessinées, des films d'aventure, des séries de la télévision. Être sa copine rendait jalouses toutes les autres gamines de la rue. Quand il l'envoya promener, elle avait surtout souffert dans son amour-propre. Une fois ou l'autre, si tu veux, avait dit Pipo plein de soi. Ça, jamais. Elle n'avait pas accepté l'humiliation. Elle se voulait l'unique, l'inspiratrice des buts marqués par le crack. Elle avait pleuré une semaine entière des plaisanteries du voisinage, mais lui-même ne lui avait pas manqué.

Quand, dans un bouge répugnant où elle chassait le miché qui lui assure son pain du lendemain, elle rencontra Cid-la-Fouine, dans la solitude, la drogue, l'abandon, un visage hâve tel le Christ, sensible et solidaire le cœur de Leonora avait vibré. Commença le cycle de l'interminable désespoir, les rares jours de tendresse et d'humilité alternaient avec ceux de folie et de violence effrénée. Moins que compagne et maîtresse, elle s'était sentie infirmière, Samaritaine, sœur de charité qui soignait quelqu'un d'encore plus malheureux qu'elle. Couple de parias perdu dans la métropole hostile, de pierre et de fumée, sans possibilité de bonheur et de joie. L'un et l'autre, Pipo et l'instable Cid, n'avaient rien à voir avec le rêve opiniâtre de foyer et de paix, de tendresse, d'amour.

« C'est l'amour, tu sais, Petite-Mère. Une chose différente. Tout ce que je voudrais c'est pouvoir rester ici, avec lui, ne jamais m'en aller. »

Tieta est émue, pauvre Leonora, chevrette malmenée. Elle lisse ses cheveux, lui tapote la joue :

« Ce n'est pas que je sois contre, ma fille, c'est que je ne vois pas comment. »

Au dîner chez dona Milu, observant Leonora et Ascânio, Tieta s'était déjà inquiétée. Si ce n'avait été qu'une simple aventure, des baisers, des étreintes, quelques expéditions au bord du fleuve, à l'abri des rochers, dans le sable chaud du Mangue Seco, de bons endroits pour décharger la nature, ça n'aurait pas la moindre importance, il suffirait de respecter la discrétion pour éviter la langue du peuple d'Agreste, longue et effilée. Si ça faisait jaser, patience. Nora partirait bientôt pour ne plus revenir, peu importait l'image que garderaient d'elle ces culs-terreux. Mais la fille veut la vie en commun, un foyer assis, des enfants. Écoutant un jour Tieta relater les problèmes de sa protégée, son insatisfaction, son désir de larguer le métier, d'échanger les largesses du Refuge des Lords pour les médiocres limites d'une maison et d'un mari — de l'amour, comme elle le répétait sans cesse — Felipe, expérimenté et blasé, l'avait qualifiée de petite-bourgeoise délirante, sans remède.

« C'est de cette petite bourgeoisie désespérée que surgissent les marginaux, les drogués, ceux qui tuent et qui se tuent, les suicidaires. Ils n'ont pas ma sympathie. »

Tieta avait écouté, hoché la tête, sottise que de discuter avec Felipe, un homme de savoir et d'entendement — ce n'est pas par hasard qu'il était monté si haut. Elle n'en sympathisait pas moins avec le rêve de Leonora, romantique et fleur bleue. Elle ne parvenait pas à comprendre entièrement l'anxiété qui consumait la fille, cet emportement, le refus de sa situation — d'ailleurs privilégiée. De tels problèmes ne s'étaient jamais posés à Tieta, du moins pas de la même façon. Mais, au contraire de Felipe, elle ressentait de la tendresse et de la sympathie pour l'insatisfaction de la jeune fille, elle lui prodiguait attention et affection. Parmi les collaboratrices de la maison — des chevrettes choisies méticuleusement pour réjouir les loisirs des boucs riches, puissants, exigeants, nombre d'entre eux pleins de manies et de vices — Leonora était sa préférée. Peut-être parce que Tieta avait de la tendresse de reste, du dévouement disponible, elle avait pour la malheureuse fille des attentions de mère. Du point de vue de Felipe, petite-bourgeoise désespérée, sans remède, de l'avis de Tieta, ingénue, rêveuse, sentimentale. Comme jamais elle n'était parvenue à être sentimentale ni ingénue, bien que rêveuse, pour cette raison même elle estimait l'attitude de la jeune fille, accrochée à l'illusion de pouvoir un jour changer sa vie, la bâtir selon ses modestes désirs.

Quand, tout récemment, de l'ombre du corridor, elle espionnait ces adieux frustrants, Tieta avait laissé échapper un soupir : Dieu du ciel, pourquoi tant de naïveté, tant d'anxiété inutile ? La vie peut-être simple et facile, agréable, excitante, lorsqu'on sait la mener avec audace et prudence : un ami, un protecteur comme compagnon permanent, pour garantir l'argent à gogo, pour assurer un solide pécule pour la vieillesse, et des béguins pour la bagatelle, autant que le corps en réclame, la bonne vie, joie et rire car la tristesse ne paie pas les dettes.

A la Bassine de Catarina ou sur les falaises du Mangue Seco, dans l'obscurité des grottes ou devant l'immensité de la mer, Nora pourrait étancher sa soif d'amour dans les bras d'Ascânio. Ainsi faisait Tieta dans les bras de Ricardo, sur le sable, dans le lit du commandant. A sa façon, elle aussi était amoureuse, et comment ! Seulement, au contraire de ce qui arrivait à Leonora, sa passion pour son neveu ne la perturbait pas, elle lui apportait simplement la joie. Une passion effrénée elle aussi : elle dévorait le séminariste, affamée, assoiffée — n'était-ce pas l'amour, par hasard ?

Mais, ensuite, quand aurait passé la fureur du désir, il suffirait de laver bien laver la bringalette pour oublier, jusqu'à ce qu'à nouveau s'enflamme la braise qui couvait. Passion, amour, quelle différence ? Avec Felipe, ç'avait été différent. Ç'avait duré tant et tant d'années, heureux toujours, lui supérieur et généreux, elle dévouée et savante, tendres amis, amants ardents, maître et servante. Servante ou reine ? Était-ce ça, l'amour tant vanté ? Probablement. Ça n'avait pourtant pas empêché les passions, elle ne sait combien. Un monde compliqué, difficile à comprendre, une confusion.

Elle cajole Leonora, la tête de la jeune fille repose sur ses genoux, la chevelure s'étale sur le drap. Tieta doit faire vite pour mettre sur de bonnes voies la vie de Leonora, pour que les vacances se terminent gaiement comme elles ont commencé, pour que cette sotte amourette se transforme en passion débridée, sorte de l'ornière où elle s'est enfoncée pour s'embraser sur les bords du fleuve, sur les falaises du Mangue Seco. Pour que l'amour, ainsi que le vent Barbozinha, soit raison de vie et non de mort.

La main maternelle sur ses cheveux, la voix berceuse calment la fièvre de Leonora.

« Tu peux dormir tranquille, chevrette, je vais m'occuper de ta vie. »

DE LA FAMILLE RÉUNIE POUR LA SOLENNITÉ DE LA SIGNATURE.

Pour assister à la solennelle cérémonie de la signature de l'acte de vente de la maison, laquelle, après ces formalités, allait passer des mains de dona Zulmira à celles de dona Esteves Cantarelli, la famille Esteves se trouve réunie à l'étude du Dr Franklin Lins, sauf le jeune Ricardo, séminariste en vacances au Mangue Seco, s'occupant des affaires de sa riche (et folle) tante.

Appuyé sur son bâton, mâchant de la corde de tabac, le vieux Zé Esteves déborde de contentement dans son trop vaste costume de cérémonie, fait sur mesure en des temps lointains d'abondance, taillé dans un bon casimir bleu de contrebande, teint en noir pour le mariage d'Elisa, sorti du coffre pour l'arrivée de Tieta. Il le porte pour la deuxième fois en quelques jours, il redevient quelqu'un. Sous peu il habitera une maison de qualité, dans une artère centrale, retiré par la fille prodigue de la bicoque du coin de la rue, demeure et adresse indignes.

S'il ne dépendait que de lui, il déménagerait aujourd'hui même, à peine dona Zulmira aurait-elle rassemblé ses hardes. Mais Antonieta avait décidé de faire quelques réparations à la maison, d'améliorer les sanitaires, peindre les murs, changer des tuiles, luxe de Pauliste ; il avait grommelé mais n'avait pas discuté : qui paie commande.

Sous la direction de sa fille, sa vie se régénère. A l'étude, écoutant le Dr Franklin lire les termes du contrat, vérifiant l'heure à sa montre en or, marque Oméga, signe de son importance restaurée, Zé Esteves entend un bêlement de chèvres gambadant sur les sommets des collines, il voit terre et troupeau. A côté de lui, humble ombre du mari, Tonha, silencieuse et résignée. Une pauvre bicoque mesquine, une habitation vaste et riche, rue longue ou impasse pourrie, tout lui va pourvu qu'elle soit avec son maître et seigneur. Il y a longtemps qu'elle a appris à obéir et à se résigner.

Perpétua, rigide dans son deuil rigoureux, porte une robe coûteuse, réservée aux fêtes de la Senhora Sant'Ana ; sur la tête, la mantille apportée par Leonora. Attentive, prête à empêcher que soit incluse dans l'acte une clause susceptible de nuire aux intérêts de ses fils, surtout de Ricardo, héritier présomptif. Avec le Vieux, on ne sait jamais, il passe son temps à flatter Tieta, faisant des insinuations fielleuses contre ses deux autres filles, quémandant. Encore la veille, il l'avait entraînée à part, lui chuchotant des secrets, tentant sans doute de la monter contre ses sœurs. Perpétua ne perd pas un mot des clauses et additifs.

De la main, elle fait tenir tranquille son fils Peto. Ébouriffé, maudissant ses chaussures — il porte des sandales découvertes quand il ne peut pas marcher pieds nus — l'enfant ne comprend pas pour quelle raison sa mère l'oblige à être là, immobile, avec des chaussettes et une chemise propres, à écouter le Dr Franklin lire, de la voix la plus nonchalante du monde, un paquet de pages qui n'en finit plus. Si la tante et la cousine Nora étaient au moins comme d'habitude, dans des robes collantes et ouvertes, ça lui ferait passer le temps. Mais l'une et l'autre sont très habillées, il ne les a jamais vues si convenables. La barbe !

Elisa et Astério écoutent, déférents ; elle, un regard d'adoration posé sur Tieta ; lui, tête basse, fixant le sol. Pas même Leonora, à demi cachée au fond de la salle, ne peut rivaliser avec le port majestueux d'Elisa ; la masse des cheveux noirs, le buste haut, les hanches altières, élégante comme si elle allait participer à un défilé de mode, l'air mi-modeste mi-souverain, impressionnante. Une maison à Agreste, en ait qui veut, elle non. De la générosité de la sœur riche, elle attend une faveur différente : qu'elle l'invite à l'accompagner à São Paulo, définitivement, à y aller avec son mari, car seule, Tieta ne l'emmènerait pas. Un emploi pour Astério dans l'une des entreprises de la famille Cantarelli ; pour Elisa une place dans le cœur et dans l'appartement de sa sœur, de préférence celle qu'occupait jusqu'à présent sa belle-fille Nora.

Tout ce que souhaite Elisa c'est tourner le dos à Agreste, secouer en chemin la poussière de ses chaussures, ne plus jamais revenir. Elle y parviendra : Tieta est venue pour les aider tous, débordante de bonté et de compréhension. De plus, Elisa avait recouru aux bons offices de dona Carmosina, amie éprouvée, qui la protégeait depuis son enfance, et intime de Tieta. Elle lui avait demandé d'intercéder auprès de sa sœur pour que ce projet se réalise. A São Paulo, la vie l'attend, la vraie, pleine d'événements et de sensations, pas cette apathie d'Agreste, cette lassitude de l'inutile. Le Dr Franklin distille les termes juridiques, Elisa entend l'excitante rumeur des rues encombrées d'automobiles luxueuses, dans un frémissement elle écoute les paroles flatteuses des hommes sur son passage quand, l'après-midi, elle apparaît rue Augusta, allant faire des courses avec Tieta.

Astério écoute, pensif, un peu mal à l'aise. Son beau-père va pouvoir vivre décemment, dans la confortable maison de sa fille ; c'est comme s'il avait une maison à lui. Fille magnanime, Tieta. Toute autre aurait gardé rancune contre le père qui l'avait jetée à la rue, contre la sœur qui l'avait dénoncée. Elle, pas. Elle était revenue les mains chargées de cadeaux pour chaque personne de la famille. Pendant des jours et des jours,

Astério s'était demandé pourquoi, dans la distribution des largesses, la belle-sœur ne s'était pas encore arrêtée sur la plus jeune sœur et son beau-frère. Ils étaient pourtant les plus démunis car, s'il n'avait pratiquement rien à lui, Zé Esteves recevait une forte mensualité et n'avait aucun frais, baraque et subsistance lui coûtant une bouchée de pain, tandis qu'Elisa et Astério étaient perpétuellement acculés, avec la boutique et l'aide qu'ils touchaient ils bouclaient tout juste. Perpétua n'avait nul besoin de secours, elle avait tout, l'habitation qu'elle occupait, des maisons de rapport, la pension du mari, de l'argent à la Caisse d'épargne, à Aracaju, et la protection de Dieu. La protection de Dieu, oui — qu'on rie si l'on veut — ne lui avait pas manqué. D'après ce qu'Elisa avait su, la richarde avait ouvert dans une banque de São Paulo un compte d'épargne pour ses deux neveux. Elisa et lui n'avaient pas d'enfant, de neveu pour briguer la protection de la tante millionnaire, Toninho était mort et, si dona Carmosina n'avait pas tant aimé Elisa, il ne sait comment se serait terminée cette histoire : le mensonge vil, la nouvelle escamotée, un vilain chantage.

Il y a quelque temps, au début des longues négociations autour de la maison de dona Zulmira, la belle-sœur avait proposé que, l'achat terminé, les deux couples y vivent ensemble, le Vieux et Mère Tonha, lui et Elisa : dans la résidence vaste et confortable il y avait place pour quatre, plus que largement. L'idée ne l'avait pas séduit et encore moins plu à Elisa ; Tieta avait écouté leurs arguments et s'était inclinée. Depuis, Astério attendait un mot de la charitable parente sur l'acquisition d'une maison pour sa jeune sœur, à laquelle elle témoignait tant d'affection. Espérance vaine, jamais il n'en avait plus été question. Ce n'est que la veille qu'Astério avait découvert la raison de ce silence. En rentrant du billard, le soir, commentant la signature de l'acte de vente, le lendemain, l'achat enfin décidé de la maison de dona Zulmira, Astério avait lancé, plein d'espoir : qui sait, maintenant va venir notre tour. En réponse, il avait entendu la stupéfiante révélation, il avait eu connaissance des inquiétants plans d'Elisa. Son épouse lui avait expliqué que la réserve d'Antonieta venait de son désintérêt à elle, Elisa, pour une maison à elle à Agreste. Entre les draps, la voix avait claqué, décidée, dure, presque agressive :

« J'ai dit à Tieta que je ne voulais pas avoir de maison ici, à Agreste. Si elle veut faire quelque chose pour nous, qu'elle nous emmène à São Paulo, qu'elle te trouve un bon emploi dans l'une des usines, qu'elle nous cède une chambre dans son appartement, c'est un appartement énorme, un duplex. Duplex, ça veut dire qu'il y a deux étages. »

Astério avait répondu par un gémissement : la douleur d'estomac revenait, subite et violente. Les paroles d'Elisa avaient retenti pour lui comme un glas de funérailles. Elles lui avaient arraché les entrailles. Un emploi à São Paulo, dans le bureau d'une industrie ? Monstrueuse perspective ! Abandonner la vie tranquille d'Agreste pour affronter la frénésie de la ville immense, s'asseoir devant un bureau et faire des comptes ou copier des bilans, de huit heures du matin à six heures du soir, sans la liberté d'aller et venir quand bon lui semble, sans amis, sans le bar de *seu* Manuel, sans la table du billard, pire malheur ne pouvait le menacer. A Agreste, la vie du couple s'écoulait dans la pauvreté, c'est vrai, la boutique rendait à peine pour l'essentiel, quand elle rendait, mais avec l'aide d'Antonieta ils s'en tiraient, ils avaient suffisamment pour la maison, la nourriture, et il restait encore un petit quelque chose pour le cinéma et les revues d'Elisa. D'ailleurs, à l'exception d'une demi-douzaine de privilégiés, tous dans la ville étaient aisés ou pauvres et la vie se déroulait sans encombres, gentiment. Il avait le gamin pour l'aider à la boutique, Elisa avait la gamine pour l'aider chez elle. Juste l'estomac qui le tourmentait chaque fois que l'activité commerciale faiblissait et qu'une échéance devenait imminente, mais le médecin, à Bahia, lui avait assuré que ce n'était pas le cancer, seulement la nervosité, il n'y avait pas de quoi s'inquiéter. A part ça, il vivait heureux, dans la bonne compagnie des camarades, les parties de billard, les paris, les tournois, les victoires, queuteur d'or, les conversations agréables, peu à faire et sa jolie femme, la plus jolie d'Agreste, qui l'attendait au lit, à sa disposition pour les nuits où il la possédait, toujours dans la même position classique, presque avec dévotion, comme doivent pratiquer de tels actes les époux qui se respectent.

Lorsqu'il était garçon, il avait été client assidu de la pension de Zuleika Cinderela, avait eu des passions, toujours pour des femmes à l'arrière-train arrogant, aux hanches bien tournées, attirantes. Au lit, il ne refusait pas des variantes, étant même, disait-on, par trop porté sur les croupes ; une fille qui couchait avec lui, si elle l'ignorait, apprenait vite sa préférence. Quand il apparaissait dans la salle de la pension, où l'on dansait, le bruit courait parmi les petites : garez vos croupions, voilà Astério ! A ce qu'on dit il ne se contentait pas des subilatirios des filles publiques, il avait détourné également diverses vieilles filles, méritant en des temps anciens le surnom de Consolation-du-panier-des-Catherinettes.

Marié, jamais ne lui était passé par la tête de posséder Elisa autrement qu'il ne convenait, en bonne et due forme, papa-maman comme disaient les putes à la pension, position à faire des enfants, c'est-à-dire celle d'un époux et d'une épouse. L'idée ne l'avait pas effleuré de se risquer vers ces fesses magnifiques, flancs de jument, sans pareilles dans les alentours. Non que l'envie lui manque : si ç'avait été une fille ou une femme quelconque, une paysanne ou une vieille fille, il n'aurait pas perdu un morceau si appétissant, ce somptueux fessier, raison fondamentale de la passion qui le tenait, qui l'avait conduit au mariage. Mais une épouse n'est pas faite pour la gaudriole, on doit respecter sa femme, la mettre sur un autel, parmi les saintes. Tout au plus, de cent en quatre, à l'heure du plaisir, le poussant à son comble, lui donnant une nouvelle saveur, Astério glisse la main sur les fesses de sa femme, en un furtif hommage.

Lectrice des magazines à potins où sont chantés les hauts faits des jeunes premiers de la radio, de la télévision, du cinéma, Elisa s'afflige de l'apparent désintérêt sexuel de son époux, de la fornication rangée, bureaucratique — bureaucrate du sexe, ainsi la fougueuse actrice avait-elle qualifié l'illustre comédien dont elle venait de se séparer, dans une sensationnelle déclaration au magazine *Amiga* —, de la manière unique, répétée, sans les variantes tant vantées. Astério lui-même, de temps en temps, relatant la dernière d'Osnar ou d'Aminthas, de Seixas ou de Fidélio, se réfère à d'autres curieuses formes et manières, sur lesquelles dona Carmosina sait tout — ah ! malheureusement juste en théorie, ma pauvre Elisa, que ne donnerais-je pour la pratique ! Que ne donnerait aussi Elisa, injuste là, peut-être, envers son mari. Il n'y avait pas désintérêt de sa part, mais la conviction que l'amour entre époux est un exercice pudique, exempt de transports, de mauvaises pensées et d'extravagances, respectueux. Retenu, Astério se contente d'être propriétaire de cette croupe, de la regarder presque en cachette tandis qu'Elisa change de robe, de la sentir à proximité dans le lit. Digne époux, réservé.

Agreste lui suffisait, la vie paisible, les plaisirs minimes, la

251

bonne compagnie. il ne voulait pas plus. São Paulo ? Emploi dans un bureau, bon salaire, horaire rigide ? Chambre chez sa belle-sœur ? Dieu l'en garde. Une nuit de discussion âpre et désagréable. Elisa avait perdu la tête et l'avait traité d'indifférent et de mollasson, d'égoïste qui ne pensait qu'à ses propres intérêts sans s'inquiéter des siens. Pour lui, une lavette, le marasme d'Agreste pouvait être l'idéal, mais elle, jeune et pleine de vie, avait des ambitions autres : la grande ville, pleine de possibilités, une vie digne d'être vécue. Où, d'ailleurs, Astério, s'il le voulait, pourrait s'élever, gagner de l'argent, devenir quelqu'un, s'affirmer. Mais il ne la comprenait pas, ne faisait pas cas d'elle, il la traitait comme si elle était un bout de bois, un animal inutile, un objet.

Se tenant le ventre pour réprimer ses douleurs, Astério avait fui dans la salle. Elisa finit par venir le chercher en entendant ses gémissements déchirants. Elle le trouva défait, pâle, couleur cire, dans une de ses violentes crises. Elle lui avait donné son médicament, lui avait demandé pardon, de l'exaltation elle passa aux larmes. Elle n'avait pas renoncé pourtant à son intention d'user de tous les moyens pour que sa sœur les emmène vivre à São Paulo. Vert, la bouche amère, il n'avait rien répondu mais, entre deux nausées, avait décidé de prendre des mesures urgentes pour empêcher la concrétisation de ce projet, sans qu'Elisa vienne à le savoir et puisse l'accuser de l'échec de ses plans monstrueux. Tout en écoutant le Dr Franklin il médite et décide.

Discrète, près d'une étagère où s'accumulent des papiers, se trouve la belle Leonora Cantarelli, belle-fille de l'heureuse acheteuse. Un sourire suave sur son visage délicat, peut-être est-elle, de toutes les personnes présentes, celle qui désire le plus avoir une maison à Agreste, même modeste, dans une rue de terre battue mais avec un petit jardin planté d'œillets et de résédas, un cocotier fourni dans la cour, une véranda où étendre un hamac dans la chaleur de l'après-midi. Un nid pour elle et son mari, mari avec ou sans acte signé, elle n'avait pas d'exigences pourvu que ce soit Ascânio Trindade. Petite-Mère avait promis de s'occuper de l'affaire, d'arranger sa vie, *Madame* Antoinette n'est pas femme à parler en vain. Leonora se sent réconfortée, elle attend ; elle écoute la lecture avec patience, vertu acquise en un dur apprentissage.

De l'autre côté de la barricade, écoutant l'interminable blablabla de l'acte, dona Zulmira, vieillissime, l'air d'un oiseau de proie, des lunettes démodées chevauchant son nez busqué, le chapelet enroulé sur son poignet maigre, au cou un médaillon avec le portrait de son défunt mari encore jeune et son fiancé. Elle sourit, satisfaite, la maison, convertie en argent, servira au salut de son âme et à la gloire de la Senhora Sant'Ana, il n'ira pas dans les mains sacrilèges de João Felício, son neveu maudit. Le rien du tout ne pourra pas faire, de ses dernières volontés, ce qu'ont fait de son testament les mauvais parents de *seu* Lito, contestant sa validité, tentant de voler notre Sainte Mère l'Église. L'argent obtenu par la vente de la maison servira à des messes, au maître-autel de la cathédrale, devant l'image de la sainte patronne et au bénéfice de l'âme de la donatrice, mais seulement après sa mort. Avant, déposé entre les mains de Modesto Pires, il rapportera des intérêts qui pourvoiront aux dépenses de dona Zulmira, paieront médecin et remèdes, comme il ressort du document annexe que le Dr Franklin achève de lire.

Embusqué sur le trottoir d'en face, le neveu João Felício épie. Petit commerçant grainetier, le visage ressemblant à celui de sa tante, nez busqué, menton dur, épervier prêt à attaquer sa proie. La proie vient de lui échapper, emportée à travers ciel par la sainte, idole et superstition des catholiques romains. Dans la maison confortable, qu'il avait espéré occuper bientôt avec sa femme et son jeune fils — la vieille ne peut pas durer longtemps —, ira vivre Zé Esteves, avec sa suffisance, son arrogance et sa femme, pauvre malheureux. Aussi, à qui la faute si lui, João Felício s'était marié contre la volonté de la tante avec une protestante, fille du pasteur de l'église baptiste d'Esplanada? Catholique à l'ancienne manière, ignorant les thèses œcuméniques, pour dona Zulmira protestant est synonyme d'hérétique, d'ennemi, une race perdue et condamnée, avec pieds de bouc. Les « croyants » sont des enfants du démon auxquels les bons catholiques doivent refuser pain et eau puisque, malheureusement, la Sainte Inquisition n'existe plus.

La lecture terminée, le Dr Franklin invite les parties intéressées à procéder à la signature. En tant que témoins, apposent leur griffe Astério et le curé qui, ensuite, se serrent la main, se congratulant mutuellement. Des poches profondes de sa jupe noire d'ottoman, Perpétua, dépositaire provisoire, tire des liasses et des liasses de billets qu'elle remet au Dr Franklin, tous les yeux suivent l'opération. Le tabellion compte, coupure par coupure, avant de les faire passer dans les mains de dona Zulmira.

Souriante, Tieta remâche une appréhension : terrain et maison, achetés et payés sous le nom d'Antonieta Esteves Cantarelli appartiennent-ils, sans contestation possible, à Antonieta Esteves ? L'avocat consulté à São Paulo avant le voyage, lui avait assuré que oui, du moment qu'il y avait des témoins, il ne s'agissait que d'une simple erreur, facile à corriger. Celui qui l'avait dit n'était pas un petit avocat quelconque, de porte de prison, mais l'avocat général de l'État, client constant du Refuge, conseiller juridique de *Madame* Antoinette.

DE LA FIN DE L'APRÈS-MIDI À L'ARÉOPAGE.

Après avoir quitté sa famille et engagé le maître d'œuvre Liberato, recommandé comme excellent par Modesto Pires, Tieta parvient à arriver seule à la porte de l'agence des Postes pour la conversation privée, promise la veille à dona Carmosina. Enfin les deux amies pourront passer en revue les derniers événements ; toutes deux intéressées à écouter et à conter, ruminant idées et plans, cachant, l'une et l'autre des intentions secondes. En voyant Tieta franchir le seuil, dona Carmosina lâche le journal et s'exclame :

« Enfin seules ! » elle rit, tendant les bras pour accueillir l'illustre visiteuse, une importante personnalité. « Salut, ô ma leader ! »

Par trop illustre et importante. Elles ne restent pas cinq minutes sans personne. Elles sont en train de s'asseoir, échangeant des paroles affectueuses, Tieta demandant comment va Maman Milu — elle dit volontiers que dona Milu est sa seconde mère —, quand apparaissent les premières connaissances et qu'à la porte de l'Aréopage se rassemblent les curieux. Tous veulent voir et saluer la payse, régente de la capitainerie de São Paulo, une grosse légume dans le pays. Ils restent là, lui souriant. Des quémandeurs qui ne l'ont pas trouvée chez elle, avec leur flair aiguisé par le besoin la découvrent à l'agence, chacun débite son histoire, toutes plus tristes les unes que les autres. Tristes et véridiques. Tieta prend rendez-vous avec deux d'entre eux pour le matin suivant, chez elle. Dona Carmosina hoche la tête, ça, ce n'est pas possible. En même temps elle est ravie de la gentillesse et de la patience de Tieta qui écoute et aide les pauvres, dialogue avec les oisifs qui veulent simplement parler avec elle, la féliciter pour la lumière. Riant, Antonieta explose :

« Cette histoire de lumière, j'en suis saturée...

— Ne dis pas ça, ma belle. Le peuple manifeste sa reconnaissance, ce sont de braves gens, ils ne sont pas encore corrompus par la civilisation. »

Du trottoir, la voix du commandant donne le coup de grâce aux espoirs de dona Carmosina. Ce n'est pas encore cette fois qu'elles bavarderont *à bâtons rompus*[1] — de temps en temps Tieta emploie une expression française ; dans le Sud elle a acquis, certainement sous l'influence de son mari, un niveau de culture inhabituel dans ce sertão perdu. Dona Carmosina se sent fière de son amie comme doivent se sentir fiers tous les citoyens d'Agreste.

Prenant une chaise où il s'assoit à califourchon, le commandant révèle son intention de rester là à bavarder. Il veut savoir quand Tieta pense retourner au Mangue Seco. Dona Laura et lui y repartiront le lendemain, aussitôt après le déjeuner, ne voudrait-elle pas profiter de la barque ? Elle en profitera, oui. La maison étant achetée, rien de spécial ne la retient à Agreste. Le Vieux se chargera de diriger le nettoyage et la peinture de la demeure, quelques réparations indispensables, avant tout la construction d'une salle de bains et de toilettes décentes. Celles qui existent sont inutilisables. Depuis longtemps dona Zulmira se lave dans une cuvette, fait ses besoins dans un pot de chambre. Le commandant écoute la liste des travaux, des petites réparations ; il avertit :

« Un mois de travail, pour le moins... Liberato prend son temps.

— Pas avec Père sur le dos..., assure Antonieta. Le Vieux est pressé de déménager, il va lui tenir la bride courte.

— Vous avez fait un forfait ou vous payez à la journée ?

— Commandant, pour l'amour de Dieu, n'oubliez pas que je suis d'ici. Un forfait, bien sûr.

— Dans ce cas, un mois. Liberato est compétent, s'il n'est pas pressé. Vous pouvez être tranquille

— Voyez comment sont les choses, commandant. Je consi-

1 En français dans le texte.

dère que j'ai fait une bonne affaire en acquérant la maison de dona Zulmira

— Chère pour les prix d'ici.

— Malgré tout. Elle a coûté ce qu'elle a coûté, c'est une maison parfaite. Mais je ne pense qu'à la cabane du Mangue Seco. Ma tête est là-bas, je l'adore. Je ne veux pas partir sans qu'elle soit debout.

— Les gens du Mangue Seco sont encore moins pressés que ceux d'ici. La plage, vous savez ce que c'est. Avec cette petite brise, on n'a vraiment pas envie de travailler...

— C'est pourquoi je veux rentrer vite, pour activer les choses. Cardo n'est pas le Vieux, il est incapable d'engueuler quelqu'un... Le pauvre doit penser que sa tante l'a abandonné, qu'elle est repartie pour São Paulo. Un enfant en or, mon neveu, commandant. »

Ses yeux brillent tandis qu'elle parle du neveu. Dona Carmosina et le marin approuvent. Dieu avait été d'une extrême générosité avec Perpétua : non seulement il l'avait délivrée du célibat, miracle considérable, il lui avait donné un bon mari et de bons fils. Pratiquant l'art subtil de parler de la vie d'autrui, dona Carmosina et le commandant se régalèrent durant quelques minutes, considérant la bonté de Dieu récompensant les vertus ecclésiastiques de Perpétua. Ecclésiastiques ? L'épithète est de Barbozinha et dona Carmosina le trouve poétique et parfait. Ainsi, dans les bavardages et les rires, passe le temps. Tieta dit en vain qu'elle était venue pour une nuit et qu'elle se trouve là depuis trois jours — et encore, ajoute-t-elle, elle n'a pas eu le temps de parler de questions urgentes avec Carmô !

Le commandant ne semble pas comprendre l'insinuation, il explique que Ricardo, étant là où il est, en vacances dans un véritable paradis terrestre, n'a que des raisons de se sentir heureux. Tout en écoutant le commandant, vibrant, discourir sur son thème préféré, la beauté du Mangue Seco, Tieta pense au petit Ricardo abandonné sur le matelas de crin, dans la sauvage immensité des dunes sur la mer. Au paradis, commandant, mais souffrant les peines de l'enfer ! Il doit être planté sur la plus haute falaise, cherchant à découvrir dans les lointains du fleuve l'approche d'une barque, à entendre le bruit d'un moteur. Elle non plus ne désire rien d'autre que de descendre le courant, franchir la barre, débarquer au Mangue Seco, courir dans les bras de son petit, sentir les poils hérissés sur les jambes et les bras musclés, sur la poitrine adolescente, la chaleur, le frémissement du corps, la timidité pas encore totalement vaincue, le mât de la barque hissé toutes voiles dehors. Ces dernières nuits, se retournant dans le lit de l'alcôve, elle ne trouvait pas le sommeil. Elle avait fini par se coucher dans le hamac, dans l'ancien cabinet du Dr Fulgêncio où Ricardo avait dormi. Cherchant des traces de la présence de son neveu, elle trouva des signes évidents de la bataille contre le Démon dans ce hamac où il l'avait désirée malgré lui, où il l'avait eue nue, dans un rêve voluptueux, et n'était pas parvenu à la posséder ne sachant comment faire, un cauchemar affreux. Là, le chaste séminariste avait commencé à perdre sa virginité. Tieta se roula dans le hamac toucha la tache blanche, gémit, chèvre en rut.

Un autre à apparaître pour palabrer, empêchant l'entretien intime et essentiel : Ascânio. Il est accompagné d'Aminthas et de Seixas. Le commandant profite de l'occasion pour critiquer les initiatives du patriotique secrétaire de la mairie, ses funestes projets touristiques, chimériques, heureusement.

« Chimériques, c'est à voir », proteste Ascânio. L'homme va revenir incessamment...

— Avec la pépée, j'espère..., coupe Aminthas.

— ... pour arrêter les plans, j'en suis sûr. »

Le commandant Dário lève les bras au ciel :

« Pour en finir avec notre tranquillité. Je vais creuser des tranchées au Mangue Seco, élever des barricades. Quand ces nudistes réapparaîtront je les reçois à coups de carabine, comme Floriano menaça de recevoir les Anglais.

— Des nudistes ? s'étonne Tieta.

— Exactement, vous n'avez pas su ?

— J'ai su qu'un couple était venu et était allé ensuite au Mangue Seco...

— ... et une fois là-bas, ils se sont déshabillés et, hop ! dans l'eau, nus comme Adam et Ève. Courant sur la plage... »

Un irrépressible fou rire secoue Tieta. Elle pense à Ricardo déjà si perturbé, aux prises avec des nudistes. Il est capable de les avoir pris pour des diables, venus des enfers pour de sacrilèges bacchanales au Mangue Seco, des messes noires. pour damner définitivement son âme.

« Est-ce que Ricardo les a vus ? » demande-t-elle, lorsqu'elle parvient à reprendre son sérieux.

A l'idée de Ricardo en compagnie du couple provocant, tout le monde rit, y compris Ascânio. Le commandant Dário conclut. triomphant :

« C'est bien ce que je dis . Perpétua et les curés, Dom José l évêque, vous, Tieta, tous veillant sur l'innocence du petit et les amis d'Ascânio qui ruinent ces efforts en un après-midi ! Ascânio importe la lubricité, il livre la Mangue Seco aux proxénètes, notre destinée est la prostitution... »

Ascânio ne s'émeut pas du tragique panorama tracé par le commandant.

« Quand les terrains prendront de la valeur, la Toca da Sogra vaudra une fortune, vous me remercierez, commandant, et vous aussi, dona Antonieta. Vous avez fait affaire au bon moment, le prix des terrains va monter.

— Ma paix est sans prix ! » conclut le commandant. Il se tourne vers Tieta : « Alors, demain, aussitôt après le déjeuner, vers une heure, d'accord ? Allons profiter de ces derniers jours avant qu'Ascânio ait transformé le Mangue Seco en Sodome et Gomorrhe.

— Vous partez demain, dona Antonieta ? demande le secrétaire de la mairie. N'oubliez pas que l'autre samedi c'est l'inauguration de la place et que vous présidez la fête.

— Je n'oublie pas, non. Vous pouvez compter sur moi. Je reviendrai à temps. »

Si elle ne revient pas, ils iront la chercher de force, annonce Aminthas. Lui, Seixas ici présent, Astério, Osnar et le moussaillon Peto montent une expédition punitive pour la rapter sur la plage, la ramener. Le Mangue Seco est une merveille, on ne peut nier l'évidence, une plage parfaite pour les promenades, pique-niques, week-ends, les bains de mer, la barre, les dunes, la vue, mais de là à y passer des semaines entières quand on vient à Agreste pour un temps limité, ça, ses concitoyens ne le permettront pas. Dona Carmosina approuve et applaudit à l'idée d'une expédition ; qui sait, dimanche prochain ? Qu'en dites-vous, Seixas ?

« Bien, très bien. J'emmènerai mes cousines. » Seixas intervient pour la première fois dans la discussion.

La conversation privée est remise au soir. Dona Carmosina soupire : cette fois sans faute, hein ! S'il y a un autre contretemps, elle va éclater, elle est bourrée d'histoires, graves et excitantes. Il ne lui vient pas à l'idée que la principale intéressée à la conversation est Tieta, seulement elle n'en montre rien.

DE LA CONVERSATION SUR LE CHEMIN DU FLEUVE.

Tieta parcourt le ciel des yeux. La pleine lune qui avait illuminé le sable du Mangue Seco avait commencé à décroître mais les étoiles brillent par milliers, innombrables, elle ne se lasse pas de les contempler, d'admirer ce firmament comme il n'en existe plus dans les villes du Sud. Dans la ville de São Paulo, où elle vit et elle peine, couvert par la fumée de la pollution, le firmament est noir.

« Je m'emplis les yeux du ciel d'Agreste, Carmô. Là-bas, il n'y a rien de tout ça. Là-bas, le ciel c'est fini. »

Pour bavarder seule à seule, l'unique moyen avait été de fuir la maison pleine tandis que Barbozinha, irréductible, traversait le Mato Grosso à la tête d'un régiment de la Colonne Prestes, après avoir été l'un des « Douze » du Fort, le seul à en réchapper miraculeusement : un de plus ou un de moins ne change guère les choses, ils continuèrent dix-huit, c'est là la grandeur des légendes. Aminthas avertit le barde héroïque :

« Attention, mon poète. Que tu sois le dix-neuvième ou le vingt-troisième, je n'y vois pas de mal, sauf que tu égratignes la vérité historique. Mais, en te mettant dans la Colonne Prestes, tu encours la prison. Pour beaucoup moins on a coffré des gens à Esplanada. »

Quand dona Carmosina arriva pour la conversation privée, elle trouva le salon plein d'amis, la véranda occupée par Leonora et Ascânio, il ne restait que la fuite. Profitant de la perche tendue par dona Carmosina : ici on ne va pas pouvoir bavarder, j'ai beaucoup de choses à te dire mais pas devant tous ces gens, comment va-t-on faire ? Tieta proposa la retraite. Elles s'étaient échappées par l'arrière de la maison, sans que personne s'en rende compte. Maintenant elles marchent sur le chemin du fleuve :

« Mais là-bas, Carmô, on gagne de l'argent. Celui qui veut travailler, qui est décidé, peut faire son bas de laine. Ici, c'est trop de pauvreté, j'avais oublié à quel point. »

Tieta prend le bras de dona Carmosina, les deux amies marchent en direction de l'embarcadère, on entend dans l'ombre le bruit encore lointain du cours d'eau. La brise du soir les enveloppe, venant de la mer, du côté du Mangue Seco où Ricardo attend, posté certainement au haut des dunes, cherchant à distinguer une trace de lumière au loin, crucifié entre la peur et le désir, le péché et le regret, déchiré.

« Ici, c'est trop de pauvreté, à commencer par les miens. Ils vivent si chichement...

— Perpétua pas tellement..., rectifie dona Carmosina. Chaque mois elle dépose de l'argent à la Caisse d'épargne, à Aracaju, elle n'est pas folle.

« Ne crois pas que je l'ignore, Carmô, je ne suis pas née d'hier, je connais les chèvres de mon troupeau et celle que je connais le mieux, c'est Perpétua. Je sais que Ricardo étudie pour rien, le curé a arrangé ça avec dom José, je sais que Peto est à l'école communale, il ne paie pas, j'en sais plus que vous ne l'imaginez, elle et toi. Mais je ne lui refuse pas pour autant mon aide. Finalement, ce qu'elle a est si peu, ce n'est quelque chose qu'en comparaison de la pauvreté des autres, mais pour l'avenir des petits ce n'est rien. Les petits sont des amours, Ricardo est studieux, pénétré, sérieux, il est si drôle avec sa soutane, on dirait un " ange noir ", elle fixe sa vieille amie : J'ai fait ouvrir un compte d'épargne à son nom, à São Paulo, comme tu le sais d'ailleurs...

— Moi ? Qu'est-ce que c'est que cette histoire ? Je ne sais rien, tu ne m'en as pas parlé, comment le saurais-je ? » Dona Carmosina réagit, nerveuse, presque offensée par l'insinuation.

Tieta emplit le chemin d'un rire gai, amusé, elle prend affectueusement le bras de sa compagne :

« Tu le sais parce que tu as lu la lettre que j'ai écrite au gérant. Ne me dis pas que tu ne l'as pas lue, Carmô, je ne te croirais pas. Si j'étais toi, j'aurais fait la même chose. »

D'abord confuse, muette, dona Carmosina est gagnée par le rire de son amie, elle proteste :

« D'ailleurs je n'ai jamais vu de lettres plus discrètes, plus réservées que les tiennes. Elles ne parlent de rien, pas plus celles que tu écrivais à ta famille que celles que tu envoies à São Paulo. Jamais je n'ai vu une telle avarice de mots : faites ça et ça, comment vont les choses, la clientèle, bien ? Et les petites, comment se comportent-elles ? Jusqu'à maintenant je n'ai pas découvert quel espèce de commerce tu as, à part les fabriques. Elles, tout le monde les connaît.

— Il n'y a pas de secret, Carmô, simplement je ne suis pas

260

bonne pour écrire, moins j'écris moins j'ai de problèmes. De plus, je n'aime pas que mes affaires courent de bouche en bouche, personne n'a besoin de connaître mes ressources ; je crois au mauvais œil. Mais à toi, je n'ai rien à cacher. Ce que j'ai à Sâo Paulo, c'est une boutique de luxe, qui vend très cher, pour des gens de la haute société, la clientèle est de premier ordre, elle marche bien. C'est pour ça, à cause des acheteurs si chics, que je ne veux pas des gens d'Agreste là-bas. Tu imagines, Carmô, la boutique pleine, la crème de Sâo Paulo, bourrée d'argent, et le peuple d'ici qui apparaît... C'est pourquoi je n'ai jamais donné d'adresse. Dans les fabriques, peu m'importe ce qu'on dit, qu'on invente ce qu'on veut, tu sais pourquoi ? Parce que dans les fabriques je n'ai rien, même pas d'actions. Quand Felipe est mort, j'ai gardé les appartements, les immeubles et la boutique qui, d'ailleurs, était déjà à moi, elle était à mon nom. »

Dans le chemin mal éclairé, elle cherche à voir sur la physionomie de son amie si l'explication l'avait ou non convaincue, Dona Carmosina avait bu ses paroles Lectrice assidue de romans policiers, admiratrice d'Agatha Christie, elle se sentait Miss Marple en personne perdue à Sant'Ana de l'Agreste. De déduction en déduction, faisant travailler ses cellules grises, partant de pistes minimes, elle était arrivée à la vérité : rien de ce que Tieta venait de lui raconter n'était une surprise pour la présidente de l'Aréopage :

« Exactement ce que j'imaginais, une boutique de grand luxe, des prix à vous écorcher et tout le gratin de Sâo Paulo qui y laisse son argent. Tu as très bien fait d'être discrète sur tes affaires et sur ta vie. Je crois que, si Elisa avait connu ton adresse à Sâo Paulo, elle aurait trouvé le moyen de s'y précipiter. Elle ne rêve que de ça, la pauvrette »

Tieta rit :

« Tu vois d'ici toute ma famille d'Agreste, à commencer par le vieux Zé Esteves, avec son bâton, crachant son tabac, à ma porte à Sâo Paulo, faisant irruption dans la boutique ? Ce serait même drôle, si ça ne ruinait pas à jamais mon commerce. » Elle ne fit pas allusion à Elisa, comme si elle n'avait pas entendu le nom de sa sœur, mais dona Carmosina insiste, revient à la charge :

« Tu penses emmener Elisa à Sâo Paulo, ainsi qu'Astério ? C'est tout ce qu'elle désire dans la vie, et il me semble que. »

Thème désagréable à Tieta. Elle interrompit son amie avant qu'elle ne se lance dans la défense d'Elisa et de sa cause

« L'emmener, pourquoi ? Ici, ils vivent correctement avec les revenus de la boutique et ce que je leur donne. Sans que je lui aie rien demandé, l'autre jour, elle m'a dit qu'elle ne voulait pas de maison à elle à Agreste. Elle ne fait que parler de São Paulo, quête une invitation, c'est son seul sujet. Je peux même accroître mon aide, mais les emmener à São Paulo, ça non.

— Puis-je te demander pourquoi ? J'aime Elisa et je voudrais la voir heureuse.

— Moi aussi je souhaite qu'elle soit heureuse c'est ma sœur, je l'aime et je sais qu'elle m'aime, elle n'est pas hypocrite comme Perpétua. Mais j'aime aussi Astério, Carmô. Ici il vit content, São Paulo serait pour lui un exil. J'adore voir des gens heureux, c'est si rare. Je sais ce que c'est qu'être malheureux, j'en ai passé de toutes les couleurs quand je suis partie. J'ai eu de la chance, j'ai rencontré un homme bon, mon mari. Une famille bénie, Carmô : Perpétua, avec cette tête, a trouvé un mari, un miracle considérable, le commandant le disait hier. Un miracle encore plus grand s'est produit pour moi : j'étais une vulgaire employée dans les bureaux de Felipe, j'ai fini l'alliance au doigt. » Elle montre l'alliance d'or, riche, ouvragée, une pièce de collection. « Elisa aussi a eu de la chance d'épouser Astério, c'est un bon garçon, il me plaît. A São Paulo il serait plus malheureux qu'Elisa ne l'est ici.

— Vraiment ?

— J'en suis sûre. Ici il a des amis, quels amis aurait-il à São Paulo ? Il n'est pas fait pour cette agitation, cette panique. Et elle, elle serait heureuse, ton amie Elisa ? Tu la connais mieux que moi, tu l'as vue naître, nous l'avons vue naître toutes les deux, tu te rappelles ? Tu crois qu'elle supporterait que son mari gagne un petit salaire — il ne sait pas faire grand-chose —, une vie modeste, avec cette allure de reine qu'elle a ? Avec cette beauté ? Tu sais où elle finirait ? Dans un rendez-vous, faisant la vie. C'est ça, le bonheur que tu veux pour elle ? »

Dona Carmosina frémit, les paroles de Tieta martèlent son crâne, résonnent dans sa tête. Elle renonce à se battre pour sa protégée Elle avait promis de le faire quand Elisa, pleurant presque, l'avait suppliée : parle à Tieta, Carmosina, dis-lui que je veux aller avec elle, demande un emploi pour Astério dans la fabrique, un coin pour nous dans le duplex

« Tu as raison, ça ne colle pas, ça finirait mal. Comment n'y avais-je pas pensé. mon Dieu ? Tu es encore meilleure sœur que tu ne parais.

— Je connais mes chèvres. Tu as bien fait de m'en parler, je voulais précisément te demander d'ôter cette idée de la tête d'Elisa, elle t'écoute. Ici, elle et Astério peuvent compter sur moi. Ailleurs, rien.

— Je lui parlerai, ce ne sera pas facile. Mais tu as entièrement raison, on ne peut pas risquer ça. Ah ! mon Dieu !

— La vie n'est pas simple. Elisa ne pense qu'à aller à São Paulo, et Leonora, maintenant, ne fait que répéter qu'elle veut vivre à Agreste, qu'elle ne veut plus sortir d'ici, jamais. »

Un sourire apparaît, éclairant le visage assombri de dona Carmosina, c'était là un sujet exaltant. Elles approchent du fleuve, le bruit de l'eau grandit sur les pierres, les étoiles roulent du ciel, se défont dans l'ombre.

« C'est vrai, elle m'a dit qu'elle avait décidé de ne pas s'en aller. Nous avons beaucoup bavardé, Nora et moi, ces jours-ci où tu étais au Mangue Seco. Elle est mordue, morte de passion. C'est joli, Tieta. Deux êtres déçus, deux êtres... » elle cherche un terme moderne, de ceux qu'elle a lus dans les magazines « ... esseulés qui se rencontrent, se donnent la main et se complètent. Elle est décidée à rester ici.

— Et tu crois qu'elle va s'habituer à ce trou ? Pour l'instant, elle est heureuse parce que dans cette idylle avec Ascânio elle oublie ce qu'elle a souffert, et elle a souffert comme une chevrette sevrée. Mais après ? Je suis née ici et ici je veux terminer mes jours, mais je ne reviendrai que lorsque je serai vieille, croulante. Jusque-là, seulement en passant. Pour qui arrive de la grande ville, s'habituer à Agreste n'est pas facile. Même ceux qui n'ont jamais mis les pieds hors d'ici se plaignent de la torpeur, regarde Elisa. Si j'avais imaginé ce qui allait arriver, je n'aurais pas amené Nora. Elle est naïve, sentimentale, elle perd la tête, ça va poser des problèmes.

— Je sais. » Dona Carmosina soupire, un soupir dramatique. « Elle est millionnaire, il est pauvre. Mais...

— Ce n'est pas ça, Carmô, tous les jours on voit des cas semblables. Tu crois que je m'inquiéterais s'il n'y avait que ce problème ? Je préparerais le trousseau.

— Quoi d'autre, alors ? »

Tieta s'arrête au bord du chemin pour donner plus de poids à la confidence, le climat mélodramatique continue, le suspense. Dona Carmosina attend, anxieuse :

« Quoi ?

— Tu sais qu'elle a été fiancée à un escroc qui en voulait à son argent. Il s'est fait passer pour ingénieur, la façade ne lui manquait pas, mais c'est tout. Elle, aveuglée de passion, voulant financer les projets du type, si elle ne lâcha pas l'argent c'est que je flairais quelque chose. C'est alors que la police intervint et on connut la fiche complète du forban. La pauvre tomba de haut, elle faillit mourir. Moi, les révélations de la police ne m'étonnèrent pas, je ne me trompe pas sur les gens, un coup d'œil et je sais ce que vaut un individu, la qualité du caractère et la taille de l'outil... »

Soulagée, dona Carmosina éclate de rire :

« Quelle folle tu fais, tu ne seras jamais sérieuse... La qualité du caractère et la taille de l'outil... elle est bien bonne ! » peu à peu elle se reprend, revient aux amours de Nora et d'Ascânio : « Tout ça je le savais, tu me l'avais raconté. C'est ce que je disais : deux cœurs blessés convalescents, deux être esseulés qui se complètent. Si la différence de fortune n'est pas un problème, alors...

— Il se trouve qu'elle a été fiancée à ce type au moins six mois, Carmô. Des fiançailles à São Paulo ce n'est pas comme à Agreste. Là-bas, amoureux et fiancés ont une grande liberté, ils sortent seuls, dans des fêtes, des boîtes, font des promenades qui durent des jours et des jours... des nuits et des nuits... Les jeunes filles ont la pilule dans leur sac, avec leur rouge à lèvres...

— Je comprends...

— Oui. Cette histoire de se marier vierge, c'est démodé, comme disent les jeunes chevelus. Ça n'existe plus qu'à Agreste. Qu'il soit pauvre n'a guère d'importance, Nora s'en moque. Et elle, et moi. Mais tu crois que notre ami Ascânio..., une pause. C'est pour ça que je suis inquiète, Carmô.

— Maintenant c'est à mon tour de l'être. Très inquiète. Pourquoi la vie est-elle si compliquée, Tieta ?

— Va savoir ! Et tout pourrait être si facile, n'est-ce pas ? Sacrée misère ! comme disent les miens, les Italiens de São Paulo. »

Elles reprennent leur marche, dona Carmosina digérant la pénible révélation, ah, mon Dieu, que faire ? Tieta ajouta, avant qu'elles n'atteignent la rive du fleuve :

« Maintenant que j'ai acheté la maison, que je l'ai fait arranger et peindre, j'installe les vieux, je laisse de l'argent à Ricardo pour qu'il finisse de construire la bicoque du Mangue Seco, je prends Leonora et je m'en vais.

— Tu ne peux pas partir avant l'inauguration de la lumière, en aucune façon.

— J'avais pensé rester mais je ne peux pas. Pas tant pour moi, bien que je ne doive pas trop m'attarder, j'ai tout laissé à São Paulo, dans d'autres mains...

— Aux mains de personnes de confiance...

— Malgré ça. C'est l'œil du maître qui engraisse le porc. Je resterais pour la fête, s'il n'y avait Nora. Je dois l'éloigner d'ici, quand il est encore temps. Elle ne supporterait pas un autre choc, elle pourrait en mourir...

— Ne te précipite pas. Attends quelques jours, quand tu reviendras du Mangue Seco nous en reparlerons.

— La vie pourrait être si facile, ce sont les gens qui compliquent tout. »

Elle atteignent la rive du fleuve, les barques sont tranquilles à l'embarcadère. Un peu plus loin, à la Bassine de Catarina, les casuarines-pleureuses étendent leurs branches au-dessus des roches, épaississent l'obscurité. La brise apporte une plainte légère, elle vient de là-bas. Les amies avancent de quelques pas, sur la pointe des pieds. Des silhouettes dans les coins sombres, des murmures, des soupirs, sous les arbres. La vie peut être si facile, répète Tieta. Les deux commères sourient, la belle et la laide, celle qui connaît le goût de la vie et l'esseulée. Tieta annonce :

« J'ai choisi le nom de ma cabane du Mangue Seco.

— C'est quoi ?

— Bercail du Bouc Inácio. C'était l'étalon du troupeau du Vieux, un bouc qui avait plutôt l'air d'un mulet tant il était grand. Son sac rasait le sol. Avec lui j'ai appris à vouloir et à réussir. »

Les soupirs d'amour se multiplient sur la berge. Pressées, les deux amies reprennent le chemin de la maison pleine où, dans le salon, évoquant une incarnation ancienne, à la tête du peuple de Paris le poète Barbozinha assiège et prend la Bastille, délivre des milliers de patriotes emprisonnés. Magnifique épisode, avec sabres et arquebuses, tribuns, la carmagnole, et aucun danger d'être arrêté.

OÙ LE LECTEUR RETROUVE LE SÉMINARISTE RICARDO, L'ANGE DÉCHU, AUQUEL ON NE FAI-

SAIT DEPUIS LONGTEMPS QUE DE VAGUES ALLU-
SIONS (PRESQUE TOUJOURS FLATTEUSES DANS LA
BOUCHE LASCIVE DE SA TANTE), ET COMMENT IL
SE JETTE À LA MER.

Du haut des falaises, Ricardo observe le fleuve dans son impatience de distinguer le bateau d'Elieser ou la barque de Pirica, peut-être le canot à moteur du commandant, d'apercevoir la silhouette de Tieta. Comment rester là sans elle, avec le péché pour unique compagnie ? Ainsi les vit-il débarquer d'un canot qu'ils manœuvraient eux-mêmes. Il n'y avait pas tous ceux qui avaient campé dans les parages du hameau du Saco, seulement deux couples et une toute petite fille, de deux ans à peine.

Curieux, Ricardo suit leurs mouvements. Le garçon très brun, aux cheveux fous, soulève l'ancre de fortune, une pierre énorme, attachée à une corde, la jette à la mer, immobilisant le canot. Il prend l'enfant dans ses bras. L'autre, grand et maigre, tient une guitare. L'une des deux filles a de longs cheveux blonds flottant sur les épaules, c'est probablement la mère de la petite car elle descend en même temps que le garçon qui la porte ; l'autre, avec des fleurs dans les cheveux, est menue et vive, elle passe en courant entre les maisons des pêcheurs, poursuivie par le garçon à la guitare. Le son du rire gravit les falaises et arrive à Ricardo. Tous cinq sont pieds nus et marchent sur la partie la plus belle de la plage, celle qui se trouve exactement sous la dune la plus élevée, d'où Ricardo regarde. La plus belle et la plus dangereuse, la violence des lames interdit de se baigner. Seuls ceux qui sont nés et ont grandi au Mangue Seco se risquent à nager dans cette portion de mer furieusement dressée contre les montagnes de sable.

Dans ses vacances annuelles au Mangue Seco, quand le Major était vivant, Ricardo avait suivi parfois les fils des pêcheurs, s'aventurant parmi les rouleaux, mais le père, l'ayant pris sur le fait, lui avait interdit cette folie sous peine d'une punition sévère. Plus d'un baigneur y avait laissé la vie par ignorance ou par forfanterie, renversé et entraîné par la violence des flots, écrasé contre la falaise. Une mer infestée de requins, des ombres couleur de plomb au milieu de l'eau écumeuse. Inattendus et superbes, ils se dressent au milieu des vagues, surveillent la plage, affamés, multipliant le danger.

Tout à l'heure Ricardo avait entrevu les masses d'une bande menaçante, sautant dans la tourmente Ils étaient allés vers le large, on ne distingue plus les taches de plomb et de mort.

D en haut, Ricardo voit les deux couples et la petite qui courent sur la plage, jouant. Ils s'asseyent ensuite sur le sable et bientôt résonne le son de la guitare apporté par le vent. Des fragments de mélodie ressemblent à une musique religieuse, ça rappelle les psaumes entendus au couvent des franciscains à São Cristovão. La veille, ayant été au hameau du Saco acheter des matériaux pour la construction, Ricardo avait entendu parler du campement des hippies. Un groupe de plus de vingt. garçons, filles et enfants, une nouveauté récente et provocante.

Les deux fils du patron de la poterie où il s'était procuré les briques — le maçon s'était trompé dans ses calculs, il en avait fait acheter bien moins qu'il n'en fallait —, des adolescents plus ou moins de son âge, lui avaient proposé d'aller regarder. il accepta.

Au séminaire et à Agreste il avait entendu beaucoup de choses sur les hippies, les opinions les plus contradictoires, la plupart de virulentes critiques. Ascétique et féroce, Cosme, commentant les nouvelles des journaux, avait condamné les mœurs indécentes, pernicieuses, de ces ennemis de la morale qui s'adonnent au libertinage et à la drogue, refusent la loi et les principes sacro-saints, des monstres de la pire espèce. Quelques jours après, par hasard, alors qu'il cherchait à comprendre l'Imitation de Jésus-Christ, se préparant dans le patio à la méditation spirituelle du lendemain matin, Ricardo avait surpris une singulière conversation : des voix s'élevaient tout près, quelques prêtres qui discutaient, dont le Recteur lui-même, le Père économe, le père Alfonso — le Révérend Alfonso de Narbona y Rodomon — et le frère Thimóteo, frère franciscain, venu de São Cristovão pour donner le cours hebdomadaire de théologie morale au Grand Séminaire, dont la sagesse et la sainteté étaient légendaires. Maigre comme un clou, les cheveux en bataille, la barbe rare, les yeux d'eau pure et la voix douce, il avait défendu les hippies contre les attaques de dom Alfonso de Narbona y Rodomon qui vociférait dans un dur mélange d'espagnol et de portugais. Garde du corps de Dieu et de la pureté de la foi, gorille des bonnes mœurs, vicaire de la cathédrale d'Aracaju et professeur de théodicée au Petit Séminaire, dom Alfonso était connu de ses fidèles sous le surnom de Flamme éternelle en raison de ses sermons chargés de menaces envers les pêcheurs.

Indifférent à la véhémente condamnation des hippies, énoncée en un rude « portugnol » par le gentilhomme de Castille, dom Thimóteo les appela non seulement fils de Dieu, comme nous tous, mais les promut ses fils bien-aimés car ils haïssent l'hypocrisie, refusent le mensonge, s'élèvent, pacifiques, contre la fausseté, contre le cynisme inhumain de la société actuelle, affrontent l'impiété et la corruption du monde, leurs armes sont les fleurs et les chansons, leur bannière celle du Christ : paix et amour. Condamnable, leur manière d'agir ? Que voulait dom Alfonso ? Qu'ils prennent les armes, des bombes, des mitrailleuses ? Ils vont de par le monde, donnant le bon exemple de la joie de vivre. Persécutés comme toujours l'ont été les réformateurs, les rebelles, les contestataires de l'ordre régnant et pourri. Les pères écoutèrent sans envie ou sans courage pour protester ; le renom de frère Thimóteo, sage et saint, le rendait charismatique, les révérends s'inclinaient sur son passage et l'évêque dom José l'appelait mon père. Opinions contradictoires, polémique effrénée, mais aux oreilles de Ricardo résonnait encore la voix sereine du franciscain qui répétait les mots paix et amour, devise du Christ, salutation des hippies.

Il resta avec ses deux compagnons, regardant de loin le campement où garçons et filles paraissaient indifférents au temps, assis en groupes à bavarder. Quelques-uns travaillaient le métal et le cuir, un tout maigre jouait de la guitare, un autre avait la tête posée sur les genoux d'une jeune fille, tous portaient des vêtements négligés, avec des accrocs et des reprises, des colliers au cou, multicolores, symboles mystiques. Quelques-uns pieds nus, surtout parmi les femmes, Ricardo vit de loin et peu. Lorsque l'un des adolescents proposa de s'approcher, il refusa, il devait retourner au Mangue Seco où les ouvriers attendaient les matériaux pour la maison de vacances de l'ingrate.

Maintenant, du haut de la falaise, il observe les deux couples et l'enfant. Il reconnaît le maigre qui joue de la guitare, il l'avait vu la veille. Ils se sont couchés tous quatre, sur le sable la petite ramasse des coquillages, vient les apporter à sa mère.

Les yeux de Ricardo se tournent vers les lointains du fleuve, dans les premières ombres du crépuscule. Que fait la tante, pourquoi ne revient-elle pas ? Pourquoi le laisse-t-elle là, seul, sans la présence, la voix, les arguments confus pourtant consolateurs, la main, les lèvres, le sein accueillant, le ventre en fièvre où tous les problèmes se résolvent, les doutes se défont, l'affliction et la tourmente se transforment en joie et en exaltation? Elle ne serait absente qu'une nuit, une seulement, avait-elle assuré. Il en avait déjà passé deux, sans sommeil et délaissé.

Peut-être parce que la musique avait cessé, Ricardo tourne son regard vide d'espoir et fixe la plage. Les couples se sont déshabillés, le jeune homme à la guitare et la fille rieuse échangent un long baiser, une étroite étreinte. Le garçon brun et la fille blonde, avec la petite, s'avancent vers la mer, qui sait, dans l'intention de se baigner. Les cheveux de la femme tombent sur ses épaules, touchent ses hanches. Ricardo se met debout, crie, avertit du danger. Pour affronter les vagues qui reviennent, furieuses, contre les dunes et se préparent à un nouvel assaut, il faut être né et avoir grandi au Mangue Seco, dans la sauvage violence de l'océan et du vent déchaînés. Le péril est mortel, sans parler de l'ombre fatidique des requins.

Le cri se perd dans le vent, n'atteint pas la plage, père, mère et fille entrent dans la mer, Ricardo dévale la falaise, il ne voit pas l'autre couple qui fait l'amour, il se jette à l'eau au moment précis où une lame gigantesque recouvre les baigneurs, renverse le garçon et la fille, arrache la petite à la main de sa mère et l'entraîne au loin. Quelques minutes de plus et le petit corps sera lancé par la mer contre la montagne de sable transformé en pierre.

Ricardo plonge, disparaît sous les flots, quand il surgit plus loin il tient l'enfant contre sa poitrine. Il n'a qu'un bras libre pour nager. Se rappelant l'expérience acquise dans son enfance, il s'immerge à nouveau pour profiter de la force de la vague qui revient. Pendant un instant infini, de la plage on ne voit que son bras dressé, maintenant la petite hors de l'eau. Et s'il ne parvient pas à revenir, s'il perd ses forces et baisse le bras? Ils ne respirent que lorsqu'il se redresse au milieu de l'écume, délivré des vagues.

La mère se jette sur sa fille, cherchant à sentir qu'elle respire, elle tremble de la tête aux pieds. Le père tente de dire quelque chose, n'y parvient pas, sa voix s'étrangle. L'autre couple ne fait plus l'amour, ils sont tous quatre debout unis dans l'angoisse et le soulagement; nus, les corps et les âmes.

Ricardo les distingue à peine. Il entend enfin les pleurs de l'enfant, il sourit et part en courant tandis que la nuit tombe

269

d'un seul coup, nuit de quartier décroissant, dunes fantasma-
goriques. Dans les ténèbres de la nuit accourent les démons.

DU VÉRITABLE ENFER.

Dans les ténèbres de la nuit accourent les démons. Durant
le jour. surveillant et aidant les ouvriers, travaillant comme s'il
était l'un d'eux, sciant les troncs de cocotier, retournant la
masse de terre, sable et ciment, transportant des briques dans
le canot du vieux Jonas, dans laquelle il traverse les lames de
la barre pour aller au hameau du Saco, Ricardo oublie la plaie
ouverte dans sa poitrine, le péché et la condamnation. Il arrive
à concevoir l'espoir du pardon comme si rien de grave n'était
arrivé.

Dans le canot, durant la brève traversée, en fixant la face
placide de Jonas, écoutant sa voix monocorde, d'un immuable
diapason, il lui arrive de sentir un soudain intérêt pour la vie.
Tirant sur sa pipe de terre, maîtrisant l'embarcation, maintenant la direction, Jonas déroule le chapelet des histoires
locales, histoires de requins, aventures de pêche et de
contrebande, embrouillées, amours agitées de Claudionor des
Vierges. Chaque fois que le trouvère apparaît dans le coin, on
peut parier sans crainte de perdre : ça va finir en bagarre et en
confusion, coureur comme lui il n'y en pas deux. Jonas aspire
la fumée de la pipe, il compare :

« Il aime les jupons pire qu'un padre-curé... »

Pire qu'un padre-curé ? et pourquoi ? Jonas rit, d'un bon
rire, se rappelant la condition de Ricardo, apprenti curé, il
fournit explication et conseil, il a vieilli en mer, il a perdu le
bras gauche en pêchant le poisson, en ramenant la contrebande, rien de la vie ne lui est étranger ni indifférent :

« Tu vas être curé, eh bien tu dois savoir qu'un curé qui n'a
pas senti l'odeur de la femme ne vaut rien. Comment il
comprendra le peuple s'il ne sait pas faire des enfants ? On en
a eu un ici, du nom d'Abdias, il ne s'entendait avec personne,
les femmes avaient peur de lui, l'église était vide. Du temps du
Padre Felisberto, qui a passé cinq ans au Saco à cause de son

rhumatisme un curé régulier, avec sa commère et sept fils. la dévotion était grande. même nous, du Mangue Seco, on venait à la messe, pour l'entendre parler. raconter comme le ciel est beau, avec de la musique et des fêtes tous les jours. Ce n'est pas comme l'autre qui ne connaissait que l'enfer, faute de femme il ne savait parler que du mal. Un curé qui ne sent pas le conin sent le cul, il ne vaut rien. »

Sans se préoccuper du scandale qui se reflète sur le visage de Ricardo, Jonas manœuvre le canot et conclut sa philosophie :

« Aucun homme ne peut vivre sans femme, c'est contre la loi de Dieu. Pourquoi Dieu a-t-il fait Adam et Ève, sinon pour ça ? Réponds-moi si tu peux. »

Le garçon ne répond pas mais, tout comme son acharnement à construire la maison, le rude point de vue de Jonas lui donne courage et espérance pour dénouer le nœud du désespoir.

Il le dénoue ou le coupe avec le fil aigu du désir quand elle, la tante, joyeuse et folle, rompt les leurres de la peur et de la contention dans lesquels il se noie. En présence de Tieta, il oublie la plaie ouverte dans sa poitrine, le péché, le vœu rompu, la condamnation, même la nuit où les démons sont lâchés. La présence, le rire, la voix douce, l'étreinte, la bouche, les mains, les cuisses, le ventre brûlant valent la lèpre, les stigmates et l'enfer.

En l'absence de la tante, pourtant, il reste lépreux, marqué du fer des maudits, dans la damnation, sans espoir de salut, car, elle n'étant pas là, les démons s'emparent de lui et le revêtent tout entier de péché, le montrent indigne et perdu.

Dans le hamac, Ricardo la cherche, pourquoi tarde-t-elle tant ? Il avait abandonné le matelas de crin du lit du commandant et de dona Laura, comment y coucher sans l'ingrate ? A Agreste. quand encore il luttait pour conserver sa chasteté, dans les nuits de tentation, dans le hamac suspendu dans le cabinet du Dr Fulgêncio, dans l'insomnie ou dans le rêve, il la voyait et la sentait nue, qui le troublait jusqu'à ce que, affligé, il défaille dans sa tentative de la posséder sans savoir comment. Durant toutes ces nuits, il l'avait eue à ses côtés en dépit des prières et des promesses, du ferme propos de repousser la vision satanique qui le possédait. Et maintenant qu'il connaît la route et le port; même en rêve elle n'apparaît pas et s'il tente de l'imaginer dans le hamac, allongée nue, il ne voit que Satanas et le brasier

271

Que fait la sans-cœur à Agreste, pour ne pas venir à son secours, le délivrer ? Il s'offense presque de la savoir à la ville, loin de lui. Là, tous les hommes ont les yeux sur elle ; si elle traverse la rue, les regards et les commentaires suivent la trace de ses hanches qu'elle balance. Entourée d'un halo de désir réprimé, danse de feu à laquelle tous participent ; d'Osnar avec sa bouche ordurière et sa langue déliée, à Barbozinha, dont les vers la décrivent nue et impudique dans l'écume des flots ; de l'Arabe Chalita, qui l'a connue petite, à Seixas, qui la préfère à ses cousines ; d'Aminthas, qui fait l'humoriste, à Pue-le-Bouc, canaille et grossier. Ricardo, accompagnant la tante, vêtu de sa soutane, avait entendu en passant la phrase infâme du mendiant : ah, si je pouvais mourir à l'ombre de ce beau pied de pacholette ! Au lieu de se fâcher, Tieta avait souri tandis que le séminariste tournait la tête pour cacher sa confusion. Emprisonnée dans ce cercle de désir, loin de ses bras, qui sait si, légère, elle ne sourit pas à un autre ? Lequel ? Ricardo ne s'arrête sur personne, tous lui paraissent indignes d'elle, ils ne méritent même pas de la regarder, encore moins de recueillir un sourire, un coup d'œil, un geste d'intérêt et d'intelligence.

Qui plus indigne, cependant, que lui-même, enfant, neveu et séminariste, avec ses vœux jurés et son ignorance complète ? Néanmoins elle avait remarqué sa présence, s'était sentie troublée de l'ardeur qui le dévorait, avait répondu à son désir. Il est vrai que, dans cette étrange affaire Satanas se trouvait mêlé, directement intéressé à la conquête de deux âmes pures : la sienne et celle de la tante. Les autres étaient tous des perdus, de l'ivrogne immonde à Peto, treize ans à peine et dépravé.

Avec lequel ? Soudain dans la nuit sinistre, les démons lâchés, Ricardo oublie le péché, la peur du châtiment, la crainte de Dieu, le sentiment de la faute, pour une seule pensée, unique et terrible, qui s'empare de lui et le mortifie, lui serre le cœur, étreint sa poitrine : imaginer qu'elle, Tieta, sa Tieta, sa femme, sa maîtresse, peut gémir dans d'autres bras, embrasser une autre bouche, glisser la main sur une autre poitrine, enrouler ses cuisses à d'autres cuisses Il la voit avec un autre, soupirer et rire ; est-ce Ascânio, oncle Astério le commandant, qui ?

Ricardo ne supporte pas cette pensée, il ferme les yeux pour ne pas voir. Il n'est pas de lèpre, de stigmates, de feu de l'enfer comparables à ce sentiment qui l'étrangle de rage lui

272

arrache les entrailles, met un goût de fiel dans sa bouche, une douleur aiguë dans ses bourses. Dans un lit ou un hamac, sur le sol ou le sable, défaillant avec un autre, naissant et mourant, ah, non ! Si un tel malheur se produisait, au crime contre la chasteté s'ajouterait celui de mort, assassinat et suicide. Dieu qui donne la vie peut seul donner la mort. Rıcardo le sait. Mais il se dresserait contre Dieu, préférant la voir défunte que défaillant dans d'autres bras et, sans elle, il ne veut pas la vie mais la mort.

La lune décroît dans la nuit de détresse, Ricardo descend aux enfers, se consume en jalousie, comment peut-on souffrir autant ? Il saute du hamac, court vers la mer, la chemise de nuit l'embarrasse, il l'arrache et la lance au loin, il se jette à l'eau, nage jusqu'à l'épuisement, jusqu'à l'anéantissement. Il s'endort sur la plage, tout nu

DE LA MÉDITATION SPIRITUELLE

Encore endormi, il perçut un bruit de rires joyeux, le son d'une guitare et la mélodie d'une chanson si belle et apaisante que, bercé, il retrouva enfin Tieta dans un vaste espace de campagne et de plage, de collines et de dunes ; nue, avec un bâton fleuri pris à l'autel de saint Joseph, elle conduit les chèvres capricieuses, les mène paître sur les flots. Ses pieds ailés ne touchent pas le sable, pas plus que ceux de Ricardo. Ils se donnent la main et se dirigent, purs de corps et d'âme, ınnocents, vers la main de Dieu ouverte pour les recevoir. Dieu contient le monde dans son sein, la campagne, la plage, la mer, les chèvres et les amants. Retentissent alors les trompettes du Jugement dernier, tendre berceuse, et le prophète Jonas, vieux pêcheur contrebandier, s'élève sur les eaux, monté sur un requin, et proclame la vérité incontestée du Seigneur : aucun homme, qu'il soit riche ou pauvre, jeune ou vieux, fort ou faible, ne peut vivre sans femme, ni une femme sans homme, c'est contre la loi de Dieu. Les murailles de la mer s'effondrent quand Jonas, tendant le moignon de son bras, enseigne que l'amour n'est pas un péché, même entre une tante et un neveu, une veuve et un séminariste. Une enfant vient et orne de fleurs les cheveux de Tieta et ceux de Ricardo et dit paix et amour, d'une voix d'oiseau.

Musique et chant se poursuivent par-delà le rêve et, au contact des doigts de l'enfant, Ricardo desserre les yeux. Il se rappelle le délire de cette nuit de jalousie, sa nage désespérée, la chute, épuisé et nu, sur le sable où il s'était endormi et où il se trouve encore. La petite lui donne la dernière fleur ; une amaryllis des champs ; il est entouré d'une ronde de garçons et de filles, de quelques enfants, tous également nus et souriant qui chantent pour bercer son sommeil, complainte qui calme son cœur, une chanson étrange, porteuse de paix et de joie, musique céleste. La guitare que le garçon maigre tient sur sa poitrine est une harpe des anges. Ricardo s'assied lentement, il sourit.

Il ne s'inquiète pas d'être totalement nu ; ni ne remarque, étonné ou curieux, avec malice ou convoitise, la nudité environnante, il regarde simplement et voit les filles belles, certaines presque des enfants, très jeunes, les garçons barbus ou imberbes. Cheveux longs, roulant parfois sur les épaules, les cheveux du Christ n'étaient-ils pas ainsi ? Chez d'autres, les chevelures crépues font de grandes fleurs déchiquetées ou de touffus nids d'oiseaux. La ronde continue, chant et danse, *ciranda, cirandinha vamos todos cirandar.* Ricardo se lève.

Il se trouve totalement délivré de la peur, de la servitude du péché. A la lueur de l'aube, la danse et le chant, le sourire, le visage serein des garçons et des filles lui rendent la joie et la paix perdues.

Libérés du temps, sans presse et sans horaire, ils chantent et dansent pour lui dans le bleu où naît le jour. L'une des filles, la mère de la petite sauvée des flots la veille, sort de la ronde, s'approche et l'embrasse sur la joue et sur les lèvres et Ricardo connut alors la fraternité, en apprit le sens et le goût. Ensuite ils coururent tous vers la mer et les enfants, le prenant par la main, l'entraînèrent.

Tout était mystère, rêve, étrangeté. Sur les eaux sereines le jour se lève tandis que garçons et filles fendent la mer tranquille et que les enfants ramassent des coquillages bleus, rouges, blancs, rosés. Quelques couples s'aiment au petit matin, mais Ricardo ne cherche pas à voir ni à savoir, allongé parmi eux sur la plage, en silence, entouré de coquillages que les enfants lui offrent.

Ensuite, prenant leurs vieux vêtements déteints, déchirés,

rares et précaires réunissant les enfants, garçons et filles se dirigent vers les canots Ils n'ont pas demandé son nom à Ricardo. ne lui ont rien dit mais lui ont donné une grande chose, auparavant inconnue de lui, une pureté nouvelle, pas celle du séminaire associée à la peur et au châtiment : maintenant le péché n'existe plus. Ni le démon, ni le mal, ni le désespoir, balayés de la surface de la terre. Pour toujours.

De la frange de la plage, du bord de la mer, ils crient un au revoir : paix et amour, et ils s'en vont. Paix et amour, frère. Ricardo reste immobile, pacifié et racheté.

DE LA CONFESSION INATTENDUE.

En se dirigeant vers la plage où l'attend Jonas avec le canot pour le ramener au Mangue Seco, transportant une scie neuve et des kilos de clous, Ricardo aperçoit, assis dans une chaise longue, à l'ombre d'un tamarinier au tronc séculaire, une silhouette bien connue. Malgré le pantalon de toile et la chemise sport, il reconnaît le frère Thimóteo et se rappelle que les franciscains de São Cristovão ont une maison de vacances au Saco.

Il s'approche et lui demande sa bénédiction. Le frère cherche à le reconnaître, où a-t-il vu ce visage adolescent ? Ricardo explique : au séminaire, mon Père. Il n'est pas son élève, il termine le Petit Séminaire, ses études secondaires, ensuite il commencera vraiment ; le voilà pourtant arrivé au moment décisif. Et il ne s'y est pas acheminé tranquillement, mais dans une lutte désespérée contre le démon.

« Mon Père, quand puis-je venir me confesser ?

— Quand tu voudras, mon fils, quand tu en sentiras le besoin.

— Maintenant, mon Père ?

— Si tu veux, mon fils. »

Ricardo reste immobile, il attend ; certainement frère Thimóteo va revêtir sa soutane et le conduire à la chapelle du village. Mais le frère désigne l'autre chaise longue :

« Pose tes paquets, assieds-toi là près de moi, nous allons

275

d'abord bavarder, ensuite je te confesserai. L'après-midi est beau, profitons-en. Dieu l'a fait aussi glorieux pour que les hommes soient heureux. La félicité des hommes est la plus grande préoccupation de Dieu. Tu es ici en vacances ?

— Oui, mon Père. C'est-à-dire, pas ici, au Mangue Seco.

— Le Mangue Seco est le plus merveilleux endroit du monde. Il n'est pas vrai que Dieu s'est reposé le septième jour, comme le disent les Écritures, le frère rit. Le septième jour, le Père Éternel était inspiré, il décida d'écrire un poème, il fit le Mangue Seco. D'ailleurs, aujourd'hui encore il continue à faire le Mangue Seco avec l'aide du vent, non ? Tu es avec ta famille ?

— Seulement avec ma tante, mais depuis trois jours je suis seul, elle est allée à Agreste, je suis de là. Ma tante habite São Paulo, elle est venue en voyage, elle était partie depuis très longtemps. Je ne l'avais jamais vue, avant. »

Comme le frère ne fait aucun commentaire, il poursuit :

— Ma tante fait construire une maison au Mangue Seco, elle a acheté un terrain, elle est riche. Je m'occupe des travaux. Je suis venu chercher des matériaux. Le maçon, le menuisier, tous les artisans sont d'ici.

— Les gens du Mangue Seco n'exercent pas ces métiers, quand on est né là, on ne sait que lutter avec la mer et ce n'est pas peu de chose. Une race forte, mon fils.

— Mon Père, un jour au séminaire, je vous ai entendu parler des hippies avec les révérends pères, vous en disiez du bien.

— Je ne me rappelle pas particulièrement ce jour, mais je ne dis que du bien des hippies, ce sont des oiseaux du jardin de Dieu, tous, les mystiques et les athées.

— Les mystiques et les athées, comment est-ce possible, mon Père ? Je ne comprends pas.

— Ce n'est pas l'étiquette qui fait la qualité de la boisson, mon fils. Ce qui compte pour Dieu, c'est l'homme et pas l'étiquette. Tu as envie de quitter le séminaire et de suivre les hippies ?

— Non, mon Père. Je ne sais pas si j'ai envie ou pas d'aller avec eux, je n'y ai jamais pensé. Mais, si j'en avais envie, je ne crois pas que je le ferais, ma mère serait capable d'en mourir. Pour elle, les hippies sont des démons, elle en a vu à Aracaju, elle a été horrifiée. Elle a peur que mon frère aille avec eux, s'il en rencontre. Mon petit frère, Peto. Il a à peine treize ans et il n'aime pas étudier.

— C'est à cause de ton frère que tu m'interroges sur les hippies ?

— Non, mon Père. C'est qu'hier j'avais le cœur lourd, j'étais certain d'avoir offensé Dieu, d'avoir mis fin à ma vocation, j'étais plein de colère et de jalousie, comme un damné ; je me suis enfin endormi sur la plage, après avoir beaucoup nagé. Quand je me suis réveillé, les hippies m'entouraient, ils chantaient pour moi. Ils ont calmé mon cœur, m'ont donné la paix que je cherchais.

— Paix et amour, ce sont les paroles de Dieu qu'ils reprennent. Des oiseaux du jardin céleste, ne te l'ai-je pas dit ? Tu te sens la vocation du sacerdoce ou on t'a envoyé au séminaire ? »

Ricardo médite, s'interroge avant de répondre :

« Ma mère avait fait un vœu, pour la santé de mon père, je crois. Mais quand elle me l'a dit, j'ai voulu de moi-même y aller, depuis toujours Mère m'a appris à craindre Dieu.

— A craindre ou à aimer ?

— On peut aimer Dieu sans avoir peur de lui ? Je ne sais pas séparer les deux choses, mon Père.

— Tu dois les séparer. Rien de ce qu'on fait par peur n'est vertu. Rien de ce qu'on fait par amour n'est péché. Dieu n'apprécie pas la peur ni les peureux. Tu désires vraiment être prêtre ?

— Je le désire, oui, mon Père, mais je ne peux plus.

— Pourquoi ne peux-tu plus si tu le désires ?

— Je ne le mérite pas. J'ai péché ; j'ai violé la loi de Dieu, j'ai rompu l'accord, j'ai brisé mon vœu.

— Dieu n'est pas un homme d'affaires, mon fils, il ne fait pas d'accord, et quand un de ses fils viole la loi, il y a un remède tout prêt, la confession. Tu as péché contre la chasteté, n'est-ce pas ?

— Oui, mon Père.

— Avec une femme ?

— Oui, mon Père. Avec...

— Je ne te demande pas avec qui, ça ne change pas la nature de la faute.

— Je pensais, mon Père.

— Dis-moi simplement une chose : malgré la peur du châtiment, tu as détesté ton péché ou tu as pensé qu'il en valait la peine, dusses-tu le payer de l'enfer ?

— Malgré la peur, je ne me suis pas repenti, mon Père. Je ne veux pas mentir. »

Le frère sourit avec douceur et dit :

« Maintenant agenouille-toi pour recevoir ta pénitence et l'absolution.

— Mais, mon Père, je ne me suis pas encore confessé !

— Et que viens-tu de faire ? Récite trois Notre Père et cinq Ave Maria et, si tu pèches à nouveau, ne fuis pas Dieu comme si c'était un bourreau. Confesse-toi, à un prêtre ou directement à Dieu. »

Ricardo s'agenouilla, reçut la bénédiction et l'absolution, mais il voulut encore savoir s'il devait rester au séminaire, entrer au Grand Séminaire pour se préparer à la sainte mission de porter aux hommes la parole de Dieu.

« Mon Père, après ce que j'ai fait, je peux encore aspirer au sacerdoce ? J'en suis encore digne ?

— Pourquoi pas ? Certains disent que les prêtres devraient se marier, certains disent que non, c'est une question difficile qui n'est pas de mise ici. Je ne saurais te dire qui est le meilleur prêtre : celui qui se mortifie le corps, le laisse s'aigrir dans le désir, celui qui se violente pour mieux servir Dieu ou celui qui souffre pour avoir péché, celui qui ne résiste pas à l'appel, s'abandonne et se lève pour tomber de nouveau. L'un se martyrise, ennemi de son propre corps, il est fort, il se sanctifie peut-être. L'autre pèche, il est faible, mais en péchant il s'humanise, il attendrit son cœur, ne vit pas en lutte avec son propre corps. Lequel peut le mieux servir Dieu et les hommes ? Je ne peux pas te dire, tu sais pourquoi ? »

Ricardo fixe le vieux religieux, fragile carcasse, yeux d'eau pure, lumineux, la main osseuse qui l'avait béni et absous :

« Pourquoi, mon Père ? »

La voix du frère Thimóteo est chaude et paternelle :

« Quand j'ai été ordonné j'étais un vieux. Vieux et veuf. J'ai été marié, je suis père de quatre enfants, j'ai le corps en paix. Cherche à servir Dieu en servant les hommes, n'aie pas peur, ni de Dieu ni de la vie ; en agissant ainsi tu seras un bon pasteur.

— Et le Démon, mon Père ?

— Le Démon existe et il se révèle dans la haine et dans l'oppression. Avant d'avoir peur du Péché, mon fils, aie peur de la vertu, quand elle est triste et veut limiter l'homme. La vertu est l'opposé de la tristesse, le péché est l'opposé de la joie. Dieu a fait l'homme libre, le Démon le veut vaincu par la peur. Le Démon c'est la guerre, Dieu, la paix et l'amour. Va en paix, mon fils, reviens autant que tu voudras et, surtout, n'aie pas peur. »

Ricardo baise la main de frère Thimóteo, réunit ses colis : « Merci, mon Père, je vais en paix. Maintenant, je sais. »

Du canoë il se retourne, pour voir à nouveau dans l'après-midi lumineux le frère si fragile et si fort. Encore en vie et déjà en odeur de sainteté.

OÙ L'AUTEUR, CE MALOTRU, SE MÊLE DE QUESTIONS QUI NE LE REGARDENT PAS ET AUXQUELLES IL NE COMPREND RIEN.

Encore en vie et déjà en odeur de sainteté — reprenant cette pensée du séminariste Ricardo, je réapparais pour quelques rapides et indispensables commentaires, dans l'espoir de donner cohérence et support idéologique aux faits et gestes des personnages. J'évite ainsi qu'on m'accuse de ne pas être engagé, de fuir les compromissions.

On ne peut me taxer d'indiscret, d'importun, d'assommant : depuis combien de pages avons-nous abordé le troisième épisode de cet interminable feuilleton sans que j'aie interrompu le récit ? Enfin, c'est mon droit, je suis l'auteur et je ne peux permettre que les personnages se donnent le luxe de conduire seuls les événements, au gré de sentiments et de points de vue pas toujours des plus en accord avec le message sous-jacent.

Cette fois, c'est le frère Thimóteo qui me fait prendre ma machine à écrire — ce frère franciscain est, apparemment, un de ces nombreux prêtres progressistes qui tentent de réformer l'Église à partir de théories dites œcuméniques. Ils réclament, ils exigent un christianisme militant, qui se situe du côté des exploités contre les exploiteurs, de la justice contre l'iniquité, de la liberté contre la tyrannie. Ils veulent blanchir l'Église de ce vieux grief : qu'elle sert les intérêts de la classe dominante, des aristocrates et des bourgeois, qu'elle est l'opium du peuple, quand ce n'est pas la Sainte Inquisition qui chasse les sorcières.

Contre des prélats aussi avancés, qui brisent les préjugés et reformulent les thèses, ramenant, qui sait, la foi chrétienne à ses origines, s'élève un cri violent et agressif, libelles provocateurs, accusations périlleuses, ils sont traités de subversifs et, parfois. victimes de procès et de peines de prison — des prêtres en prison comme subversifs, a-t-on vu chose pareille depuis Néron et Caligula ?

Je ne me mêle pas de discuter les dogmes, ce n'est pas mon affaire, bien qu'en principe la polémique engagée soit de l'intérêt général. En matière de religion, je reste neutre car je n'en ai aucune mais les respecte toutes. Cependant, revenant aux idées exprimées par le frère et aux anecdotes narrées par le batelier Jonas, je veux apporter mon témoignage sur le problème en cause : les relations entre chasteté et sainteté, si discutées, et je le fais sans préjugés d'aucun ordre, dans le simple souci, gratuit, de collaborer à l'éclaircissement du problème.

Pendant des siècles et des siècles, la chasteté a été un élément indispensable, ou presque, pour faire un saint ou une sainte. Plus la chair est flagellée, plus grandes sont les chances de béatification. C'est ce qui ressort, paraît-il, du droit canon.

Je n'approuve pas le prophète Jonas, douteux prophète de contrebande surgissant sur le dos de voraces requins au lieu de sortir du ventre de la baleine biblique, lorsqu'il affirme, dans une phrase triviale, criblée de gros mots, qu'un curé qui ne sent pas le vagin sent l'anus, tentant sans doute de suggérer une discutable assimilation entre le célibat ecclésiastique et la pédérastie. Voyons, ça n'arrive pas toujours, l'assimilation est impropre et excessive. Le rude marin a amplement raison, cependant, en assurant à Ricardo que le péché contre la chasteté n'empêche pas le prélat d'accéder à la béatitude éternelle et aux miracles.

Je ne propose pas d'analyser thèses morales, préceptes religieux, que suis-je ? Je veux simplement constater l'évidence ci-dessus énoncée, en citant des exemples et en présentant des preuves. Je pourrais commencer par le frère Thimóteo, en odeur de sainteté bien que vivant, car il a été marié et père de famille, il a goûté au fruit et ça n'empêche pas que clercs et laïcs le considèrent comme un élu de Dieu, qu'ils le vénèrent comme tel. Mariage et enfants précédèrent son ordination ? C'est vrai, je ne discute pas. Ne sert-il pas d'exemple, pourtant ? Je le retire, je n'en ai pas besoin, il y en a tant, je passe à un autre.

Je passe au Padre Inocêncio, disparu depuis plus d'une décennie à l'âge avancé de quatre-vingt-seize hivers, encore lucide, capable de reconnaître ses arrière-arrière-petits-enfants. Vicaire depuis plus de cinquante ans dans la ville de Laranjeiras, il enterra, avec larmes et dévotion, trois concubines qui lui avaient donné un total de dix-neuf enfants. Dieu en reprit cinq dans leur petite enfance, le Padre Inocêncio en éleva quatorze, huit garçons, tous droits, et six filles, toutes bien mariées — excepté Mariquinha, très portée sur les hommes si bien que Rubião perdit patience et demanda la séparation. Celle-ci tient de moi, dit le bon prêtre à cette occasion, l'innocentant, prenant sur lui les fautes de sa fille : pour qui avait déjà tant de péchés, un de plus ou un de moins n'augmenterait pas la peine. Dans la maison spacieuse grandirent petits-enfants et arrière-petits enfants, tous portant le nom respecté du Révérend ; Maltez, tous bénis par Dieu. Déjà plusieurs fois grand-père, il faisait encore des enfants et, quand on lui amena son premier arrière-arrière-petit-fils pour qu'il lui donne sa bénédiction et le baptise, il rendit grâce au Seigneur et loua son saint nom, ce qu'il ne fit pas en vain.

Un jour, un missionnaire, de ceux qui vont de ville en ville dans l'intérieur du Nord et du Nordeste, effrayant le peuple, et qui n'était autre que notre dom Alfonso de Narbona y Rodomon, dont la prononciation du Portugais était déjà répréhensible, quand il le vit, patriarche au sein du foyer, en compagnie de sa troisième et dernière concubine, la plus jolie des trois, de vingt et quelques années — morceau digne d'un roi, dans les vers du chanteur Claudionor des Vierges qui fit rimer son teint de jasmin avec lumière du matin — quand il le vit entouré d'enfants et de petits-enfants, il tendit un doigt accusateur et tonna :

« Vous n'avez pas honte, Padre, de mener une vie aussi licencieuse et, non content de pécher, d'étaler en public les preuves du péché, scandalisant les fidèles ?

— Dieu a dit : croissez et multipliez », répondit le Padre Inocêncio Maltez, la voix paisible et le sourire amène. « J'accomplis la loi de Dieu. Je n'ai vu nulle part que Dieu ait dit qu'un curé ne peut pas avoir de femme et faire des enfants. C'est bien après qu'on a inventé ce bobard, œuvre d'un châtré comme vous, mon Révérend. »

Quant au scandale des fidèles, au grand déplaisir du missionnaire, il constata lui-même qu'il n'existait pas. Au contraire, on constatait une certaine jubilation, je dirais même une certaine fierté de la vigueur du saint homme, qui se flattait à quatre-vingts ans d'accomplir encore les obligations inhérentes à son état de concubinage. Le Padre Inocêncio était ennemi du mensonge, les fidèles virent ; dans le puissant exploit qu'il révélait, quelque chose de miraculeux, un signe évident de la grâce divine.

D'ailleurs, à ce qu'il paraît, ses premiers miracles, le Padre Inocêncio les réalisa de son vivant, avant que Dieu ne l'appelle au paradis où l'attendaient ses trois femmes et neuf enfants, les cinq morts en bas âge, quatre adultes et quelques petits-enfants et arrière-petits-enfants, un petit clan. Ces premières preuves de sainteté ne furent pourtant pas grandioses : de petites guérisons, faites à partir d'une simple application d'eau bénite, des maladies de peu de gravité. Il fit pleuvoir par deux fois quand la sécheresse menaça le peuple du Sergipe.

Mais à peine décédé, et le jour même de ses funérailles suivies par toute la population de la ville et du voisinage, commença la moisson de prodiges, tous plus impressionnants. Dès que le corps du prêtre fut en terre, là, près de la concession perpétuelle où il repose à côté des restes mortels des trois disparues, une paralytique invoqua son nom, lâcha ses béquilles et se mit à marcher d'un pas ferme. La nouvelle se répandit.

Après ce début spectaculaire, le Chef-Monseigneur ne s'arrêta plus et aujourd'hui encore les miracles se succèdent, de plus en plus nombreux et extraordinaires. Laranjeiras, une ville d'une grande beauté, avait attendu pendant des années, en vain, comme Agreste, des touristes qui ne vinrent jamais admirer son vieux quartier, éblouissant avant sa complète destruction, œuvre du temps et du mépris. En revanche, avec les miracles du Padre Inocêncio, il y a un pèlerinage permanent de malades et d'affligés qui font brûler des cierges à l'église et au cimetière, près de la pierre où repose l'excellent et viril pasteur des âmes. Pour une femme stérile, il suffit de réciter un chapelet et de faire sa demande, c'est infaillible ; si l'on force la prière, il naît des jumeaux.

A la date anniversaire de sa mort, le pèlerinage grossit en une sainte procession et les prières se montent à des milliers, la ville y gagne en animation, en commerce et en joie. Pour accueillir les pèlerins, outre les descendants du révérend, sont là les heureux miraculés, en tête la déjà bienheureuse

Marcolina, celle qui lâcha ses béquilles le jour de l'enterrement du Padre Inocêncio, la première favorisée.

Je cite un exemple, je pourrais en citer plusieurs, je ne le fais pas pour ne pas retenir plus longtemps les lecteurs. Avant de prendre congé, je déplore seulement qu'il n'existe pas à Agreste de curé aussi parfait que le Révérend Inocêncio Maltez, le saint de Laranjeiras, pour promouvoir le tourisme religieux dans la ville. Le Padre Mariano ne prête pas le flanc aux racontars, incorruptible ou discret, je ne sais. Je ne prétends pas m'immiscer dans sa vie, je ne le suis pas quand il va à la capitale, pour résoudre les affaires du diocèse, à coup sûr ; pour répondre aux besoins de sa nature, selon cette mauvaise langue d'Osnar et d'autres débauchés. Du moins, il ne provoque pas de scandale, jamais à Agreste il n'a fait parler. Les bigotes, à commencer par Perpétua, ont l'œil sur lui, en permanence, elles ne relâchent pas leur vigilance.

Fuyant une telle vigilance, je disparais. Je me prépare à aller à Laranjeiras, bientôt. L'âge arrive, on sait ce que c'est. On dit qu'avec une obole pour les pauvres du Padre Inocêncio, on obtient des résultats surprenants, d'autant plus fermes et durables que l'obole est plus grande. Ainsi soit-il

DE LA SECONDE APPARITION DES SUPER-HÉROS, CETTE FOIS VENUS DE LA MER, CHAPITRE BOURRÉ DE PERSPECTIVES ET DE PROJETS, AUQUEL SONT MÊLÉS DIVERS CITOYENS : DU MAGNIFIQUE DOCTEUR A OSNAR, DE PETO A ASCÂNIO TRINDADE.

Lorsque les êtres lumineux annoncés par la prophétie du *Beato* Posidônio apparurent de nouveau à Agreste, venant de l'océan Atlantique dans un puissant canot à moteur, ultramoderne, plus nombreux et divers quant au sexe car arrivèrent mâles, femelles et androgynes, déjà étaient étouffés les échos du scandale provoqué par la minijupe de Leonora. La belle Pauliste, avec la modestie manifestée au cours du temps, avait fait taire les commentaires et était tombée dans les bonnes grâces des dévotes. Elisa avait renoncé à désobéir à son mari, remisant la jupette litigieuse pour la porter à São Paulo, bientôt, si Dieu le permettait. Elle ne s'était pas risquée à affronter les sarcasmes et la censure d'Agreste. Avec la seconde apparition des êtres extra-terrestres, pourtant, la minijupe devint un objet familier aux yeux de toute la population de la ville.

A toutes jambes Peto arrive du bord du fleuve, la nouvelle subjugue le bar : il débarque un bataillon d'étrangères. A peine finit-il de parler que la place s'emplit de Martiens. Ascânio Trindade dévale de la mairie. Toutes les femelles portent des minijupes à carreaux — clan écossais, reconnaît dona Carmosina —, une blouse jaune, en jersey, de hautes bottes de peau noire. Comme par un fait exprès, achevant de racheter Leonora, la ville est envahie d'un luxe de cuisses et de hanches exposées à la brise et aux regards avides de la foule qui accourt de partout.

En uniforme, elles doivent faire partie d'une troupe ou d'une secte religieuse. Vraiment regrettable l'absence du *beato* Posidônio, il perd un beau sujet d'indignation et de malédiction, ç'aurait été une pasquinade. Il est retourné à Rocinha où il médite et guérit.

Vétérante, puisqu'elle venait pour la seconde fois, longue et souple, commandant du bataillon ou prêtresse, assistante du gourou, la rousse fait un signe de la main et retire ses lunettes, offrant à l'admiration générale des yeux passés au rimmel. Minijupe de vamp qui révèle tout, constate Osnar, et il avance pour saluer la voyageuse de l'espace, une vieille connaissance :

« Ici à nouveau ? Un honneur pour le comté de Sant'Ana de l'Agreste.

— Viens, mon mignon, offre-moi un guarana, un Coca-Cola, viens. Je crève de soif. Comme tout le staff ici présent. »

Les autres membres du staff approchent, ravis, pétillants. On regarde peu les mâles, les yeux ne suffisent pas pour les femelles. Quelques êtres laissent dans une incertitude angoissante les citoyens dont l'esprit mal dégrossi ne s'y reconnaît plus ; ils ne savent que penser : mâle ou femelle, homme ou femme ? Et ce personnage étrange, est-ce un hermaphrodite ?

La fenêtre de la maison du maire s'ouvre, le visage piteux, la barbe de trois jours du dentiste Mauritônio apparaît. Au marché, la minijupe de Leonora avait provoqué sifflets, rires, lazzi et chansonnettes ; tant de minijupes réunies sur la place provoquent ahurissement et silence. Bourré. le trottoir devant le bar boutiques et magasins se vident

« Il y a maintenant de l'eau de coco au bar » annonce Ascânio, invitant l'Être d'Exception et ses compagnons *Seu* Manuel s'incline pour les recevoir :

« Quelle efficacité ! » Miss Espace prend la parole, consulte les autres · « Qui aime l'eau de coco ?

— Avec du whisky, ma fille », répond Aphrodite. longue chevelure tombant jusqu'à la raie des fesses, pantalon collé au corps, blouson hindou, une cascade de colliers.

« Pourquoi n'est-elle pas en minijupe ? » demande Osnar, frustré de ne pouvoir admirer des courbes si prometteuses.

« Pas elle, mon mignon. Il... C'est-à-dire... plus ou moins... C'est Rufo, notre décorateur. Il a un succès !...

— Pas tellement. Le mignon que voici n'apprécie pas Qu'est-ce que j'y peux ? »

Ils sont de passage, pour peu de temps, ils arrivent du Mangue Seco où d'autres sont restés, ingénieurs et techniciens, comme le révèle la nouvelle Barbarella. Eux sont agents publicitaires, assistants, secrétaires, relations publiques : une équipe super-compétente. Ils se désaltèrent au bar avant de reprendre le bateau et de remonter le fleuve vers le Sergipe.

« L'enfifré, c'est Rufo, et vous, Princesse, qui êtes-vous et d'où venez-vous ? Polonaise, par hasard ?

— Elisabeth Valadares, Bety pour les amis, Bebé pour les intimes. Carioque pur sang, *garota de Ipanema*[1]. Tu connais la rime ? »

Elle sourit de toutes ses dents, très blanches, soignées, une bouche pour réclame de pâte dentifrice :

« J'ai un message pour toi, amour. » Amour, c'est Ascânio Trindade au grand dépit d'Osnar. « Du Magnifique Docteur.

— De qui ? » Ascânio d'un pied sur l'autre « Répétez, s'il vous plaît.

— Du Dr Mirko Stefano, *darling,* tu sais ? On l'appelle Magnifique Docteur et il l'est vraiment. Tu t'en rendras compte toi-même, amour. C'est ce beau garçon qui est venu avec moi l'autre fois, tu te souviens ? Je suis sa secrétaire, secrétaire exécutive, tu vois ? Il te fait dire qu'il n'a pas pu venir aujourd'hui, il devait aller à São Paulo pour une entrevue importante, mais d'ici quelques jours il reviendra pour bavarder avec toi et tout arrêter.

1. Fille d'Ipanema : titre d'une mélodie célèbre du poète Vinicius de Moraes. (*N.d.T.*).

285

— Tout ?

— Tout, oui, *honey* Absolument tout

— Mais tout quoi ?

— Ah ! ça, je ne sais pas, le Magnifique le sait, ce sont ses affaires, je ne m'en mêle pas. Discrétion, c'est ma devise. Maintenant, adieu, *petit amour*[1]. Adieu, toi aussi, mon mignon. » Le Mignon, c'est Osnar, il se régale : si je coince cette gonzesse dans un coin sombre, ça va faire des étincelles, Bebé va savoir ce que vaut un Sertanège.

— On y va ? commande la mythique secrétaire.

— Il n'y a rien d'autre à voir ici ? demande le nerveux Rufo, secouant sa chevelure de Mona Lisa.

— Rien.

— Quelle plaie ! »

Décorateur blasé mais observateur, l'esthète Rufo passe devant Osnar sans même le remarquer. Il jauge pourtant le petit Peto et approuve en se mordant la lèvre, appâté. Osnar suit son regard et son geste : pédé sans vergogne, petite tapette, qui ne respecte même pas les enfants. Les enfants ? Le trompette a grandi, il s'est allongé, à force de manier l'instrument sans doute, Osnar va devoir tenir sa promesse et l'emmener à la pension de Zuleika.

« Quel âge as-tu, sergent Peto ?

— Je vais avoir treize ans le 8 du mois prochain.

— Le 8 janvier ! Parfait. »

Treize ans, l'âge voulu, Osnar va combiner la fête avec Zuleika et Aminthas, avec Seixas et Fidélio. En sourdine, en cachette d'Astério, sinon il en parle à dona Elisa et dona Perpétua finira par l'apprendre, le monde s'écroulera. Osnar sourit tout seul, ça va être une fameuse foire.

A la tombée de la nuit, arrivant du Mangue Seco dans son bateau à moteur, le commandant Dário dit qu'il a vu une goélette ancrée au large, deux canots avaient été mis à la mer, dont l'un avait remonté le fleuve jusqu'à Agreste ; l'autre avait débarqué des individus et des instruments sur la plage. Ils avaient posé des questions aux pêcheurs et s'étaient enfoncés ensuite sous les cocotiers. Tout ce va-et-vient paraît suspect au commandant.

Ascânio Trindade, totalement convaincu maintenant qu'il s'agit de l'implantation d'une entreprise touristique dans la région, promet au commandant des nouvelles concrètes dans

1 En français dans le texte.

les jours qui viennent. Le grand manitou a envoyé sa secrétaire exécutive avec un message, il viendra bientôt pour bavarder, certainement pour exposer ses projets et obtenir l'appui de la mairie. Appui qui ne leur fera pas défaut commandant. Le tourisme redressera Agreste, et Ascânio, timonier à la barre du municipe, pourra avoir un espoir de transformer le rêve en réalité. Après tant d'années, pour la première fois Ascânio Trindade se sent mordu par l'ambition, par le désir d'être quelqu'un. Quelqu'un qui ait la possibilité de lutter pour Leonora Cantarelli, belle et riche. Avant, complètement inaccessible, une chimère. Maintenant conquête prête à être réalisée, cible à atteindre, par un lutteur les pieds sur terre, idéal de celui qui a prouvé, dans une passe difficile, un courage et une compétence capables de surmonter les obstacles et d'aller de l'avant, aspiration d'un jeune homme téméraire et lucide triomphant des épreuves. La plus difficile, celle qui l'avait mis sens dessus dessous, elle, Ascânio en avait déjà triomphé, il lui reste seulement à améliorer sa vie, à être quelqu'un pour pouvoir prétendre à la main de Leonora, la demander en mariage. Elle riche, lui pauvre. Ça n'importe plus. Car, s'il n'a pas de fortune à lui offrir, en revanche, elle ne possède plus le bien le plus précieux qu'une fiancée doit apporter à son fiancé le soir de leurs noces, le sang de la virginité. Sur la face d'Astério se lit la victoire mais pas la paix, constate le commandant Dário.

DU SUICIDE DU MAIRE MAURITÔNIO DANTAS ET DES CONSEILS DU COLONEL ARTUR DA TAPI-TANGA.

Impossible de nier la relation immédiate entre la présence à Agreste des pionniers commandés par Elisabeth Valadares, la dernière vraie fille d'Ipanema, et le suicide du chirurgien-dentiste Mauritônio Dantas, maire d'Agreste, trouvé mort à une heure tardive de cette même nuit, la langue dehors, nu et laid. Il s'était servi de son pyjama pour se pendre dans les cabinets.

Lorsque le peloton avant-coureur eut gagné le bar et mis à mal le stock de Coca-Cola, guaraná et bière de l'honorable Portugais, on vit à sa fenêtre le malheureux maire, lorgnant l'étalage de cuisses martiennes et carioques, émettant des grognements, passablement agité. Mirinha, sœur et infirmière, ne réussit pas à le ramener à sa chambre où, jour et nuit, il se livrait, anxieux et efficace, à l'exercice de la masturbation. Cet après-midi-là, constatant qu'était enfin arrivée la moisson de femmes réclamées depuis longtemps au bon Dieu, il s'était activé à la fenêtre, devant cette mer de cuisses, preuve de la magnanimité divine.

De l'avis général le Dr Mauritônio Dantas avait commencé à devenir zinzin lorsque son épouse, Amélia, Miel dans l'intimité, prit son bagage et alla retrouver Aristeu Régis à Esplanada pour prendre ensuite une direction inconnue. Aristeu était venu à Agreste en tant qu'envoyé du secrétariat de l'Agriculture, pour étudier les problèmes relatifs à la culture du manioc. Amélia ne supportait plus de vivre ici, même en portant le titre de Première Dame du municipe, titre et merde étant synonymes, selon elle. Aristeu lui offrit son bras et son soutien, elle n'hésita pas. Quelques amies de Miel, confidentes de ses soucis, affirment que le délire du maire avait commencé bien avant et qu'il soumettait son épouse à des dérèglements et des excès insupportables, c'était la vraie raison de la fugue. Quoi qu'il en soit, le processus de sclérose s'accéléra manifestement après le départ de l'infidèle. Au dire d'Aminthas, notre cher gouverneur civil avait porté ses cornes avec une parfaite honorabilité et discrétion tant qu'Amélia avait dispensé le miel de ses grâces là, dans le municipe. Quand elle préféra le faire loin des yeux et des attentions de son conjoint, le digne chef de la municipalité ne résista pas à tant d'ingratitude : jamais il ne s'était opposé aux caprices de son épouse, pourquoi l'avait-elle abandonné ?

La première manifestation de démence se produisit quelques jours après la désertion de Miel : le maire décida, le samedi, de recevoir les solliciteurs venus des villages et des campagnes, dans un état de complète nudité et, à cette fin, il se dévêtit, retirant même ses chaussures. Il resta pourtant en chaussettes, afin de ne pas fouler pieds nus le froid dallage de la salle. A la moindre inattention de Mirinha, le dentiste apparaissait dans la rue ou sur la place, en caleçons ou sans, se masturbant en public à la grande joie des gamins. Cette pénible situation, qu on commentait en chuchotant. dura des mois.

Quand, de sa fenêtre, le Dr Mauritônio Dantas constata le mouvement de retraite des célestes minijupes, il ne le supporta pas. Répondant à ses ferventes et instantes sollicitations, Dieu les avait envoyées pour consoler son infortuné serviteur, comment osaient-elles partir ? Interrompant la solitaire et délectable pratique, il sortit en criant, tentant de s'emparer au moins d'une demi-douzaine d'entre elles, dont il avait besoin pour réchauffer son lit glacé avec l'absence de Miel, amortir les ressorts qui fusaient du vieux matelas où il se retournait sans sommeil. Ressorts et cornes, selon l'implacable Aminthas.

A demi-nu et trop lent, champion déchu, il arriva au bar quand le bataillon de rêve s'évanouissait déjà sur le chemin du fleuve. *Seu* Manuel Portugais, Astério et Seixas maîtrisèrent le maire, le plus délicatement possible, et le rendirent à sa sœur en larmes.

Au cimetière, Ascânio Trindade, héritier certain de son poste, fit l'éloge posthume du « regretté chef et ami ». Bien que né à la capitale, Mauritônio Dantas, en dix-huit années à Agreste, s'était fait aimer de tout le monde et avait rendu de réels services, praticien compétent et administrateur dévoué — sans compter le soutien que lui avait apporté la diligente dona Amélia, qui avait gagné tant d'électeurs à son mari avant de déserter la politique, comme le murmura Seixas à dona Carmosina, dans un funèbre aparté. Le Padre Mariano aspergea le cercueil d'eau bénite, en terminant avec la principale distraction des gamins d'Agreste.

Conformément à la loi, le président du conseil municipal, le colonel Artur de Figueiredo, occupa le poste. Mais le maître de Tapitanga, marchant d'un pas ferme vers ses quatre-vingt-dix ans, ne l'assuma que pour la forme. Personne de plus indiqué qu'Ascânio Trindade pour diriger la destinée, glorieuse et décadente, de Sant'Ana de l'Agreste.

« Ascânio, mon fils, je me fie à toi. Aux prochaines élections tu seras élu, c'est chose faite. En attendant, mène la barque, moi je suis déjà de l'autre côté, je ne suis plus bon qu'à soigner mes chèvres et à surveiller mes terres. »

Il pointe sa canne vers la fenêtre :

« Agreste a été une terre somptueuse et prodigue. Il y eut même des Françaises qui firent la vie dans ce pays. Plus d'une Tout s'est dégradé dans la fumée du train, même la contrebande et les étrangères. Il n'est resté que le miracle des eaux, le climat salubre, sans parler de la beauté. »

Il regarda Ascânio avec affection :

« Tu es mon filleul et tu aurais pu être mon fils si, au lieu de te coller avec une péronnelle à Bahia, tu t'étais marié avec Célia. »

Il parlait de sa plus jeune fille, née alors qu'il fêtait ses soixante-cinq ans, et six petits-enfants. De ses deux mariages il avait eu quinze enfants, de la main gauche on ne sait combien

« Tu n'as pas voulu et moi, je dois entretenir ce saltimbanque qui passe sa vie à jouer du tambour, ce fichu mari de Célia...

— Pas du tambour, colonel, de la batterie. Xisto Bom de Som passe pour l'un des meilleurs batteurs de Salvador..

— Drôle de profession pour un homme... »

Un moment il pensa à sa fille, il la chérissait et l'aurait voulue à la fazenda. Il finissait seul avec ses chèvres, ses onze enfants vivants étaient dispersés de par le monde.

« Tu vas être maire d'Agreste, ton grand-père était intendant, moi j'ai été intendant et maire. Je ne te recommande qu'une chose : garde la ville propre. Cette terre s'est toujours distinguée par la propreté et par le climat, depuis le temps jadis où abondaient argent et animation. Garde-la ainsi, puisqu'on ne peut pas ramener l'animation. »

Erreur du colonel da Tapitanga : l'animation allait revenir par surprise, menaçant santé, propreté et climat.

DE L'HYMEN SUR LA CROUPE DU CHEVAL.

Par une porte sortait des profondeurs des enfers le séminariste Ricardo, par une autre y pénétrait, traversant les flammes éternelles, égaré, Ascânio Trindade, secrétaire de la mairie du municipe de Sant'Ana de l'Agreste, amoureux voué à la déception. Délivré de la condamnation et de la peine, ressuscité dans le chant des hippies, dans l'auréole de sainteté du frère, dans la force des rames de Jonas, le séminariste céda sa place aux enfers au malheureux supplicié, victime prédestinée des défloreurs professionnels.

Pour qui l'entretien avait-il été le plus difficile ? Pour lui, sur la tête de qui le monde s'écroulait pour la seconde fois, ou pour dona Carmosina, observatrice appliquée et attentive des réactions humaines, mais pas froide, insensible analyste ? Elle avait souffert avec son ami, se déchirant en le déchirant, retenant ses larmes dans ses yeux humides en lui révélant la vérité sur les conséquences physiques des malheureuses fiançailles de Leonora. Elle avait voulu être subtile et délicate choisir ses mots, elle jeta brusquement :

« Soyez un homme ! »

C'est tout ce qu'elle avait trouvé à dire dans un élan maladroit. Explication difficile, même pour dona Carmosina au verbe facile et éloquent. Quand Ascânio la vit hésitant, pataugeant, bredouillant, tournant autour du sujet, il lui avait demandé d'une voix de condamné à mort :

« Parlez une bonne fois, quoi qu'il en soit. »

Il pensait avoir deviné de quoi il s'agissait depuis que, l'après-midi, dona Carmosina lui avait glissé à mi-voix, à l'Aréopage :

« Je dois vous parler de quelque chose. Passez chez moi ce soir. Ici, ce n'est pas possible. »

Certainement, devant les visites quotidiennes, les conversations dans la véranda de Perpétua, la présence insistante sous le moindre prétexte, les fleurs, l'oiseau moqueur, le couple de mariés à dos d'âne, évidente allusion en terre cuite, la mariée en blanc, le marié en bleu, dona Antonieta, ou la propre intéressée, avait demandé à dona Carmosina d'appeler son attention sur la désagréable inutilité d'une telle insistance. Il ne se rendait pas compte de l'abîme qui le séparait de la jeune Pauliste. Un minable d'Agreste, réduit à l'infime salaire d'un serviteur municipal sans rentes, n'a pas le droit d'aspirer à la main d'une héritière millionnaire, convoitée par les potentats et les lords du Sud. Le thème de l'entretien ne pouvait être autre.

Restait à savoir de qui venait l'initiative. De dona Antonieta ? De Leonora ? Identique dans ses terribles conséquences, le coup de poignard serait plus ou moins douloureux selon qui le donnerait. Ascânio espérait que le message viendrait de dona Antonieta, belle-mère préoccupée de l'avenir de sa belle-fille, adoptée et aimée comme une fille née de ses entrailles. Il ne discute pas les raisons de l'amour maternel : il la comprend et agira en homme d'honneur, s'éloignera ; avant tout le bonheur de Leonora.

Peut-être elle aussi souffrirait de la mesure drastique, et cette souffrance de sa bien-aimée l'aiderait à supporter l'épreuve, à consommer le sacrifice. Il pouvait arriver aussi — pourquoi pas ? — que Leonora se révolte contre cette belle-mère intéressée et décide de lutter à ses côtés pour que se poursuive leur idylle. Il devrait alors se montrer grand et magnanime en renonçant, en s'immolant, puisqu'il n'avait rien à offrir à qui avait tant à donner. Exaltantes pensées qui le consolent durant cet interminable après-midi d'attente.

Malgré le courageux appel à tout lâcher d'un coup, quoi que ce soit, dona Carmosina continuait à chercher des forces, à réunir son courage, un nœud dans la gorge. Ne supportant plus cette attente, Ascânio décida de jouer cartes sur tables, la voix lugubre :

« Dona Antonieta me fait dire de laisser Nora en paix, n'est-ce pas ? »

Que n'était-ce aussi simple ! En pareil cas, dona Carmosina prodiguerait conseils et encouragements à continuer la lutte, à ne pas abandonner le champ de bataille. La voyant toujours muette, Ascânio avança la pire des hypothèses :

« Alors, c'est Leonora elle-même... », voix de condamné à mort après le rejet du recours en grâce.

Dona Carmosina tente de parler, n'émet qu'un son guttural, Ascânio s'affole :

« Pour l'amour de Dieu, dites quelque chose, Carmosina. Elle est malade ? Le poumon ? J'y avais pensé, ce n'est pas grave. La tuberculose, de nos jours, ne fait peur à personne... »

Dona Carmosina prend son courage à deux mains :

« Nora a été fiancée, vous savez.

— A une canaille, je sais. Il voulait son argent mais dona Antonieta l'a démasqué à temps, vous m'en avez parlé. Mais moi je ne veux l'argent de personne, je regrette qu'elle soit riche. Beaucoup de gens se marient en séparation de biens.

— Il y a aussi des hommes qui épousent des veuves...

— Des veuves ? qu'est-ce que ça veut dire ? Je ne comprends pas. »

Ayant commencé, dona Carmosina poursuit :

« Des fiançailles à São Paulo, Ascânio, ce n'est pas comme ici, elle se répétait les paroles de Tieta. Là-bas les fiancés vont seuls à des fêtes, dans des boîtes, ils rentrent au matin, ils font même des voyages. Dans le Sud, une jeune fille, pour se marier, n'a pas besoin d'être vierge. Le préjugé de la virginité, car c'est un simple préjugé... C'est comme si elle était veuve...

— Leonora ? Son fiancé ? Elle n'est plus... »

Il lut la réponse dans les yeux étroits de dona Carmosina. Il cacha son visage dans ses mains, brusquement vidé et inerte. Un seul désir l'assaillit : tuer la canaille qui avait souillé la pureté de Nora et avait, de ce fait, détruit le plus beau des rêves. Dona Milu venait de la cuisine avec un plateau, du café fraîchement passé, des gâteaux de maïs et de tapioca. Ascânio se leva et partit, sans un mot.

La savoir déflorée fut une dure épreuve. Il traversa les cercles de l'enfer et ne put réprimer ses larmes bien qu'il se crût un mâle, ennemi des pleurs ; quand il avait reçu la lettre d'Astrud, il avait souffert comme un damné, mais n'avait pas pleuré. Dans la nuit sans sommeil, cette fois, après la nouvelle poignante, les yeux fixes et brûlants, il éclata en sanglots. Nuit de cauchemar, de larmes et de méditation, de lutte avec lui-même. Avant d'entendre la sentence de mort de la bouche de dona Carmosina, il avait laissé Leonora à la porte de Perpétua, lui faisant signe, intègre, pure, parfaite. Image à jamais perdue, même innocente victime, elle n'en est pas moins déflorée. Nuit où l'amour fut mesuré, pesé, jaugé, nuit de la première bataille contre les préjugés. Préjugé, simple préjugé, avait dit dona Carmosina et elle avait raison. Bien des fois, à la faculté, Ascânio avait participé à des discussions sur ce thème brûlant : virginité et mariage. Théoriquement, tout était simple et facile : pur préjugé féodal.

Citant l'exemple des États-Unis et des pays les plus évolués d'Europe : France, Angleterre, Suède, Danemark, Norvège, sans parler des pays socialistes où, selon les réactionnaires, régnait l'amour libre, les étudiants progressistes, dont Ascâ-nio, défendaient le droit de la femme à une vie sexuelle avant le mariage. Pourquoi serait-ce réservé aux hommes ? Préjugé patriarcal, machisme, oppression de la femme par l'homme, arriération, les arguments se succédaient, radicaux, mais, cependant, la majorité restait attachée à l'exigence séculaire : la femme doit arriver vierge dans le lit conjugal, laisser sur le drap immaculé les gouttes de sang, dot du mari. En vain, les plus emportés et caustiques voulaient savoir la différence entre la copulation et les privautés de toutes sortes, les plus osées, auxquelles se livraient amoureux et fiancés, les tripota-ges les plus hardis, doigts et langues, cuisses et croupes, etc

Pourquoi respecter l'hymen et souiller le reste ? Arguments tous irréfutables, mais qui ne convainquaient pas la plupart des étudiants. Emportées et inconséquentes, les discussions se terminaient par le récit d'anecdotes grivoises sans qu'on parvienne à un accord.

Se remémorant en cette nuit interminable d'amertume et d'interrogation le débat avec ses camarades, Ascânio se souvint de la surprenante déclaration de Maximo Lima, d'autant plus inattendue que son camarade était le leader incontesté de la gauche estudiantine, célèbre pour le radicalisme de ses positions idéologiques, ses discours enflammés contre l'économie et la morale bourgeoises. Amis fraternels depuis le lycée, Ascânio voyait en Maximo l'expression la plus haute et la plus sincère du révolutionnaire, libre d'illusions et de conventions, lucide et conscient. Lui, Ascânio, bien que solidaire des revendications du mouvement étudiant, ne s'était engagé dans aucune organisation ou groupe politique, pas plus qu'il n'appuyait toutes les positions de Maximo, se contentant de l'admirer et de le défendre quand la droite l'attaquait, l'accusait d'être ennemi de Dieu, de la Patrie et de la Famille.

Ils avaient quitté ensemble le bouillant débat sur le divorce, la virginité, les droits de la femme, Maximo avait encore dans le regard un peu de cette exaltation qu'il avait mise à défendre l'égalité des sexes.

D'un ton de plaisanterie, en riant, Ascânio lui avait demandé :

« Dis-moi la vérité, mon vieux. Si un jour tu apprenais qu'Aparecida — Aparecida était la fiancée de Maximo, camarade de Faculté et de militantisme — n'était pas vierge, qu'elle avait déjà eu une aventure, tu l'épouserais tout de même ?

— Si je l'épouserais, sachant qu'elle n'est plus vierge ? Naturellement. » Il avait répondu sans hésiter. Aussitôt, pourtant, il confessa honnêtement : « A dire vrai, je ne sais pas. Je n'y ai jamais réfléchi en ces termes. Une chose est certaine, Ascânio, le préjugé nous habite. Tu penses une chose, tu défends ton idée, elle est correcte, tu le sais, mais au moment de l'appliquer... Je l'épouserais mais, avant, je devrais détruire les préjugés...

— Et tu y parviendrais ?

— Je ne sais pas, je ne peux pas te dire. Je ne pourrais tirer la chose au clair que si ça arrivait et que je doive décider, affronter le problème. »

Ça lui arrivait à lui, Ascânio, tant d'années après, quand il n'avait plus Maximo à ses côtés pour le débat, la discussion, les conseils. Déjà Aparecida et Maximo ne sont plus les radicaux d'autrefois, bien qu'ils n'aient pas renié le temps de leur jeunesse ; lui avait rallié la justice du travail, avocat des syndicats et des ouvriers, elle avait remisé son diplôme pour se dédier à son mari et à ses enfants. Ascânio doit affronter et résoudre seul le problème.

Dans ce dilemme il se débattit la nuit entière, le cœur oppressé, les larmes s'imposant à son orgueil masculin, vacillant entre la force du préjugé et la force de l'amour. Une seule solution ne lui vint à aucun moment à l'esprit, précisément celle qu'escomptait Tieta : transformer la chaste idylle en agréable aventure passagère, troquer le rêve de mariage contre la possibilité de coucher avec Leonora tant qu'elle resterait à Agreste, profitant de la situation, mettant fin à l'histoire à la porte de la marineti, dans un rapide ou long baiser d'adieu.

Quand l'aube se leva sur le fleuve, l'amour avait gagné la première bataille : Ascânio n'était pas parvenu à arracher Leonora de son cœur, il persistait dans l'intention de l'avoir pour épouse, reine de son foyer. Cependant, la plaie était ouverte, saignant, et il redouta de la revoir immédiatement Peut-être ne parviendrait-il pas à cacher sa souffrance ; surtout, il ne voulait pas qu'elle le sache au fait de la vérité. Il n'était pas homme à dissimuler ses sentiments, il ne savait pas porter un masque, tout ce qu'il avait en lui se reflétait sur son visage. N'étant pas certain de pouvoir contrôler face et cœur, il décida d'aller inspecter à Rocinha quelques travaux de la mairie, de petits ponts et des passerelles. Il réveilla Sabino le galopin qui dormait dans la salle du cinéma, sur un lit de camp, lui laissa un message pour Leonora : un appel urgent l'obligeait à quitter la ville un jour ou deux ; partant au lever du soleil, il n'avait pas pu lui dire adieu. Dès qu'il rentrerait, il irait la voir.

Il irait la voir ou pas, tout dépendait de ses réflexions et de la décision qui s'ensuivrait. Il sella le cheval — don du colonel Artur da Tapitanga à la mairie — et se dirigea vers les maquis portant en croupe l'hymen rompu de Leonora Il l'accompagnait, au pas lent de l'animal, soulevant des questions, des doutes, des interrogations.

Une seule fois ou beaucoup ? Beaucoup, non, car le filou avait été démasqué et chassé ; peut-être quelques-unes, plus d'une donc Qu'importe combien de fois. Le terrible est qu'elle se soit donnée à un autre, ne se soit pas conservée intègre et pure.

Cependant ça s'était passé avant qu'elle connaisse Ascânio, ça n'avait rien à voir avec la trahison d'Astrud — qui lui écrivait des lettres d'amour alors qu'elle forniquait avec l'autre et qu'il l'engrossait. Leonora s'était abandonnée dans un moment d'égarement, où la passion parlait plus haut que la décence.

S'était-elle seulement laissé posséder par les belles paroles du misérable ou, au cours de leurs ébats, avait-elle connu la violence et la douceur du plaisir s'épanouissant en jouissance ?

A cheval parmi les plantations de manioc et de maïs vert, écoutant les plaintes et les réclamations des paysans, les questions se poursuivirent et furent examinées, l'hymen de Leonora sur la croupe du cheval, mille fois défloré dans le lent voyage, dans le long combat.

De l'hymen déchiré l'amour grandit, triomphant. Peu à peu Ascânio, sans l'aide des hippies, des curés progressistes et des prophètes bateleurs, calma son cœur, ravala ses larmes et enterra le préjugé. Il l'imaginait veuve, une jeune, belle et infortunée veuve. Imbattable, dona Carmosina, elle a toujours le dernier mot. Il décida de poursuivre son rêve, de demander un jour la main de Leonora. La savoir trompée et violée fait qu'il la sent encore plus proche et chérie, plus aimée.

De retour à Agreste, il alla aussitôt lui rendre visite dans la maison de Perpétua. Leonora le trouva abattu, fatigué du voyage sans doute, tant de lieues à cheval, sous le soleil ardent, veillant aux intérêts du municipe. Elle passa sa main sur sa face, doucement, une innocente caresse. Violée, oui, mais parfaite de candeur et de pureté, plus chaste qu'aucune vierge.

Ensuite, avec le message du magnat du tourisme et le suicide du maire, la certitude de l'élection prochaine, les nouvelles perspectives ouvertes au municipe et à lui-même, Ascânio sentit ses espoirs affermis. Le fait que Leonora ne soit plus vierge facilitait même la solution. Sur le marché du mariage, la valeur de la jeune fille... Mon Dieu, comment penser en termes de marché quand il s'agit d'amour, un amour assez fort pour tuer et enterrer le préjugé le plus ancien et le plus enraciné ?

Victorieux, oui, mais pas en paix, le commandant avait

raison. Pas encore, car la pellicule du nouvel hymen, dans la plaie ouverte dans la poitrine d'Ascânio, renaît peu à peu lentement.

OÙ L'AUTEUR CHERCHE ET NE TROUVE PAS DE TERME JUSTE POUR DÉSIGNER LE REFUGE DES LORDS.

Non, je ne devrais employer aucun des termes classiques : maison de passe, bordel, lupanar, sérail, couvent, pension de femmes, maison de putes, même pas rendez-vous, pour qualifier le Refuge des Lords, dans la capitale du glorieux État de São Paulo, refuge luxueux, discret, très fermé. *Maison de repos,* peut-être, si l'expression ne servait pas aussi à désigner une clinique pour des fous bourrés de fric et inhibés. Inhibés, les clients choisis du Refuge, mais rarement faibles d'esprit, presque toujours des cerveaux privilégiés, d'un très haut Q.I., sagaces financiers, voire prudents et éclairés Pères-de-la-Patrie. S'il était à Bahia, ce serait un « château », le mot sonne bien, il évoque noblesse et fastes. A São Paulo, le Refuge des Lords participe de la médecine et de la bourse des valeurs, il ne se borne pas à satisfaire les besoins sexuels des riches et des puissants — des plus riches et des plus puissants ; on y accepte et traite les délicats complexes, de comiques tares par une thérapie appropriée, du massage suédois ou nippon au divan, avec ses irrésistibles psychanalystes, parfaitement formés, dans des facultés nationales et parfois étrangères, dites B.B.C. — bouche, boîte, cul. Il sert aussi, en cas de besoin, de lieu de rencontre des plus discrets pour traiter des problèmes confidentiels, relatifs à l'économie, aux finances et à la politique. On y discute d'intérêts supérieurs, on fonde des banques, crée des industries, choisit les candidats au poste de gouverneur.

En abandonnant la simplicité d'Agreste, où la maison de Zuleika Cinderela n'est qu'un boxon, et c'est tout, pour me mêler aux grands du Sud, à l'intelligentsia des technocrates, hommes d'affaires, hommes d'État, officiers supérieurs, de ceux qui tiennent en main le destin de la patrie, je me sens intimidé, connaissances et inspiration me font défaut pour être à la hauteur. Comment désigner le petit empire dirigé, en français, avec compétence, dévouement et *toute la délicatesse* [1] par *Madame* Antoinette?

Qu'on me pardonne si je ne trouve pas le mot juste, je me sens embarrassé, je crains de commettre quelque impardonnable erreur, rude narrateur que je suis, habitué au sol aride et aux vies modestes, à l'économie et au dur travail. D'ailleurs, pourquoi qualifier cet agréable lieu de relaxation, où les grands de ce monde apaisent leurs nerfs et récupèrent des forces? Dans ce coin béni, assure-t-on, des personnages totalement impuissants se ragaillardissent et obtiennent satisfaction dans les mains sages et belles des petites, quand ce n'est pas dans les lèvres de carmin. Ah! qu'il en coûte d'être pauvre et anonyme! Je dis anonyme car je sais que les portes du Refuge des Lords s'ouvrent exceptionnellement à quelques écrivains de renom, de rares privilégiés. Un jour peut-être, avec un peu de chance, ce sera mon tour. Je pourrai alors trouver le terme exact. Pour l'instant, non.

DE LA PREMIÈRE CONVERSATION OÙ SE DÉCIDE LE SORT DES EAUX, DES TERRES, DES POISSONS ET DES HOMMES — AVEC L'AIMABLE ASSISTANCE DES COMPÉTENTES PETITES DE *MADAME* ANTOINETTE.

Le Jeune Parlementaire fait un geste, les petites se lèvent, nues et obéissantes, abandonnant les premiers attouchements, elles sourient et s'éloignent. Elles attendront dans le salon voisin, elles savent se conduire, l'une est blonde, l'autre rousse. Le Jeune Parlementaire, pas encore si riche qu'il le souhaiterait, avait suggéré au Magnifique Docteur la possibilité d'échanger leurs partenaires après la première étape. Avant de sortir, la blonde a regardé le niveau du whisky dans

1. En français dans le texte.

298

la bouteille, serait-ce suffisant ? Les deux messieurs sont également nus, comme il convient, mais le Magnifique Docteur garde sa serviette noire 007 à côté de lui.

Quadragénaire bien conservé, le Jeune Parlementaire n'a pourtant pas la classe du Magnifique Docteur, qui est un jeune premier de roman, s'il voulait il pourrait gagner sa vie en se montrant sur les écrans. Une certaine tendance à l'embonpoint, un début de ventre que le sauna ne parvient pas à stopper, dans les yeux la cupidité et le calcul, le Jeune Parlementaire a une réputation douteuse controversée dans les coulisses de la Chambre fédérale. Dans les coulisses, jamais en public : qui se risquerait à l'accuser ? Il passe pour bien vu en haut lieu et surtout dans les cercles privés qui disposent réellement du pouvoir. Son nom commence à apparaître dans la chronique comme candidat à des charges élevées ; le mandat parlementaire, ces derniers temps passablement désaccrédité, ne suffit plus à contenter son prestige en ascension. Il avait obtenu la promesse ferme d'être de la prochaine fournée qui entrerait à l'École supérieure de guerre.

Le Magnifique Docteur, habitué à traiter avec les grands. en aucun moment ne prononça son nom — c'était inutile et imprudent. Ils n'avaient pas non plus cité de somme durant la conversation, ni parlé de paiement. Juste, à un certain moment, un vaste sourire éclaira le visage retors du Jeune Parlementaire : ce n'est pas tous les jours, par le temps qui court, que se présente une transaction aussi rentable. En termes de légitime patriotisme, le Jeune Parlementaire déploie une activité souterraine de contacts et d'accords, avec une habileté reconnue. Pourboire serait un mot scandaleux et indigne pour désigner la gratitude tangible de ceux qui utilisent ses mérites et ses relations. Si un respectable paquet lui revient, il s'agit d'une ristourne due — enfin le mot juste ! — car un faux pas, une erreur de personne, peuvent coûter mandat et carrière : ceux de la ligne dure sont insensibles à la corruption et ils gardent l'œil ouvert, hyper-méfiants. Une tâche délicate, elle exige une haute récompense.

Il est réconfortant de les voir là, à la fin de l'après-midi, allongés nus et tranquilles sur les vastes divans de l'un des salons insonorisés, réservés par *Madame* Antoinette aux bruyantes partouzes, ayant renvoyé les petites, retardant l'heure du plaisir, sacrifiant ce moment de loisir à des intérêts supérieurs, conscients tous deux de leurs graves devoirs.

299

« Ici, nous sommes à l'abri de la curiosité et de l'indiscré
tion. » Client récent et fier de l'être, le Jeune Parlementaire
vante les vertus du Refuge.

Ces salons destinés avant tout à la fraternisation sexuelle, à
la mode depuis les bains romains, servent également aux
importantes discussions d'affaires entre magnats soucieux de
paix et de calme. Comme le dit le Jeune Parlementaire, au
Refuge des Lords ils sont à l'abri de la curiosité et de
l'indiscrétion.

Le Magnifique Docteur ouvre la serviette, en retire un étui
de cuir, offre des cigares. Il connaît les mœurs et les goûts de
ses partenaires, il a étudié, mi-amusé, mi-écœuré, la biographie du Jeune Parlementaire.

« Cubains... » précise-t-il en souriant, car ce qui est cubain
étant interdit dans tous les secteurs de la vie nationale, l'offre
n'en a que plus de valeur.

Le Jeune Parlementaire ne se contente pas d'un, il en saisit
trois :

« Avant, je ne fumais que des cubains. Maintenant ça
devient difficile, c'est la faute de ces canailles de communis-
tes », il hume l'odeur du cigare. « Sublime ! Nous devons
libérer Cuba des griffes de Fidel Castro, balayer du continent
cette menace constante de subversion. » Un peu emphatique,
il parle comme s'il était à la tribune de la Chambre.

« Tôt ou tard, les Américains en finiront avec lui. » Le
Magnifique Docteur tend le briquet d'or, allume le cigare de
son interlocuteur. « Mais, lorsque vous voudrez des cigares
cubains, ne vous gênez pas, j'en ai toujours un bon stock. »

Le Jeune Parlementaire ne peut cacher une lueur d'envie
dans ses yeux gourmands : ces types savent profiter de la vie,
ils ne manquent de rien, ils se permettent tout. Et celui-ci n'est
qu'un fondé de pouvoir, que doivent être les autres, les
patrons ! Il décide de se faire tirer l'oreille, de profiter de
l'occasion :

« Merci. Mais venons-en à ce qui nous occupe, nous ne
devons pas faire attendre les fillettes trop longtemps. Je dois
vous dire que les choses ne se présentent pas bien, il y a des
obstacles sérieux, je dirais même presque infranchissables.
Notre ami déclare qu'il ne veut pas être mêlé à ça.

— Mais, il y a quelques jours, les nouvelles étaient tout
autres.

— Les journaux n'avaient pas encore parlé de l'affaire.
Vous avez lu ce qu'ils ont écrit ?

— Oh, les journaux... toujours à sensation. Ils disent qu'il n'existe que cinq de ces entreprises au monde, qu'aucun pays ne les autorise. Pollution, mot sans réplique, terrifiant.

— Seulement cinq ? Exagération des journaux. » Il réplique triomphant : « Je peux vous en citer au moins six.

— La différence n'est pas grande. Je crains que... Les arguments doivent être de poids, sans quoi nous ne parviendrons pas à faire bouger notre ami et, si lui ne bouge pas, je ne vois pas comment obtenir l'autorisation. »

Le Magnifique Docteur n'est pas pasteur de chèvres mais lui aussi connaît son troupeau, il est payé pour ça et bien payé. Pour marchander en sachant, s'il le faut, augmenter la mise, et en sachant aussi jusqu'où aller :

« Je comprends. Cependant les arguments que nous proposons à votre compréhension et à celle de notre illustre ami ne manquent pas de poids.

— Insuffisants. Des arguments ridicules, m'a-t-il dit. Ridicules, c'est le mot qu'il a employé. Car, comme vous ne l'ignorez pas, la décision finale ne lui appartient pas, lui-même doit argumenter, et pour ça il lui faut des arguments convaincants. Il se ressert de whisky. Seulement cinq, cinq ou six dans le monde entier... C'est dans les journaux. Ça pourrit l'eau, tue les poissons, empoisonne l'air. Vous avez lu l'article de l'*Estado de São Paulo* ? En Italie, c'est la taule. » Il souffle en l'air la fumée bleue du cigare cubain, subversif mais inégalable.

Le Magnifique Docteur baisse la voix bien qu'ils soient seuls dans le salon réservé du Refuge des Lords où il n'y a aucun danger d'oreilles indiscrètes, pas plus que de microphones secrets comme dans les romans d'aventures sur le pétrole arabe et la contrebande d'armes, avec espions internationaux et espionnes fabuleusement sexy.

« Mes amis sont prêts à renforcer leurs arguments. » La voix étudiée devient presque inintelligible. « Combien ? »

Le Jeune Parlementaire réfléchit, fait des comptes imaginaires sur les doigts, fait le prix, demande haut. Le Magnifique Docteur hoche négativement la tête.

« La moitié.

— La moitié ? C'est très peu.

— Pas un centime de plus. » La voix encore plus affectée : « j'ai quelqu'un qui le fait pour moins.

— Allons... D'accord. Finalement les journaux mentent tant et, avec cette manie de la démocratie qu'a Julinho

301

Mesquita, l'*Estado* prend position contre tout ce qui nous intéresse. Ça va mal finir... »

De sa serviette, le Magnifique Docteur extrait un chéquier :

— Au porteur », recommande le Jeune Parlementaire, révélant son inexpérience. Le Magnifique Docteur dissimule un sourire railleur.

Le Jeune Parlementaire le prend, se lève, va à l'armoire, place le chèque dans la poche de sa veste. Ils se servent encore un verre, le lèvent en un toast muet. Ils décident d'une nouvelle rencontre, ici, impossible de trouver un endroit plus discret, agréable et propre aux affaires d'une éminente importance pour l'essor national. Le Jeune Parlementaire frappe dans ses mains, la porte s'ouvre, les petites reviennent. Finalement, la vie ne se borne pas à veiller aux intérêts de la patrie.

Le Magnifique Docteur n'accepte pas l'échange aimablement proposé. Pressé, il se borne à un coït rapide, il doit prendre l'avion, il a un rendez-vous à Rio. Le Jeune Parlementaire s'attarde, satisfait de la vie. Poissons, eaux, crabes, huîtres, algues marines... tout ça dans le Nordeste, vaguement. Le Nordeste existe-t-il vraiment ou s'agit-il d'une invention subversive des écrivains et des cinéastes ? La fille à côté de lui est blonde comme une Scandinave. Dans le Nordeste, une sous-race obscure. Le Jeune Parlementaire se sent racheté, en paix avec sa conscience.

A la sortie, la gérante vient le saluer : satisfait, député ? Le député, nouveau client, n'est pas encore un habitué, il remercie et demande des nouvelles de *Madame* Antoinette. La gérante explique :

« *Madame* est à Paris, elle rend visite à sa famille. Vous savez que *Madame* Antoinette est la fille d'un général français ? *La mère est de la Martinique. Très chic*[1] ! » Elle commence à exercer son français, pour un jour succéder à la patronne actuelle. Quand Tieta sera fatiguée et décidera de se transporter définitivement dans le sertão d'Agreste.

À PROPOS DE MICROPHONES ET D'ESPIONS.

1. En français dans le texte.

Juste un mot rapide, pour m'excuser. On vient de lire dans les pages qui précèdent : « ... aucun danger d'oreilles indiscrètes, pas plus que de microphones secrets comme dans les romans d'avantures sur le pétrole arabe et la contrebande d'armes, avec espions internationaux et espionnes fabuleusement sexys. » C'est vrai, rien de tout ça n'existe au Refuge des Lords, lieu de la rencontre secrète du Magnifique Docteur et du Jeune Parlementaire.

Lamentable déficience qui affaiblit la trame, diminue l'intensité de l'intrigue, limite grandement l'émotion et l'intérêt. Mais que faire ? Je dois me plier au contexte de ce modeste feuilleton dont l'action se déroule dans un pays sous-développé. Ce n'est pas ma faute si le lecteur ne trouve pas au long de ces pages de féroces cheikhs, romantiques Bédouins, froids espions de nationalités et idéologies diverses dont certains jouant double jeu, Anglais blonds et impassibles, puissants Américains qui culbutent six femelles d'un coup et se les paient toutes avec, en plus, une épouse qui élève ses enfants dans son home texan. Russes barbus qui croquent des enfants arrosés de vodka. Rien de tout ça, dommage ! Je dois me contenter des souriants fondés de pouvoir et de quelques citoyens corrompus.

Quant aux Arabes, personnages en si grande vogue dans les pages des best-sellers du moment, à part l'Arabe Chalita, lion vieilli du désert, il ne m'en reste pas d'autre puisque le colporteur est mort d'un coup de feu, dignement, comme il convient à un bon contrebandier. Je ne peux pas faire plus, je m'excuse.

DU RETOUR A AGRESTE, CHAPITRE FOURNI PAR EXCELLENCE, OÙ TIETA CITE EN EXEMPLE LE VIEUX ZÉ ESTEVES.

En rentrant à Agreste pour la fête inaugurale des aménagements de la place de la Tannerie, Tieta, accompagnée de son neveu Ricardo, s'enquit auprès de Leonora de l'état de ses amours. La jeune fille sourit, embarrassée, elle prit les mains de sa protectrice :

« Je ne sais pas ce qui s'est passé, Petite-Mère. Ascânio a été absent deux jours, pour inspecter des travaux de la mairie, il est revenu différent. Toujours enthousiaste de cette histoire de tourisme, toujours tendre, mais moins réservé. Il m'a dit qu'avec la mort du maire, il va être élu à sa place, que sa situation va changer. Il est excité, on ne dirait plus le même. Il m'embrasse, tu sais ? L'autre jour, dona Carmosina nous a surpris... Je suis si contente, Petite-Mère !

— Tant mieux. Apparemment, tu ne tarderas pas à étrenner le bord du fleuve. Ça va te plaire. Profites-en quand il est temps, un de ces quatre matins nous faisons nos malles et nous décampons.

— Ah, Petite-Mère, ce jour-là je vais mourir.

— Personne ne meurt d'amour, comment dit Barbozinha ? L'amour on en vit. »

Bonne, dévouée Carmô ! Avec tous ses diplômes de fine mouche, elle s'était laissé rouler par le conte de Tieta et, pour l'empêcher de hâter la date de son départ, elle avait révélé à Ascânio la situation de Leonora, déflorée par ce gredin de fiancé. Il était arrivé exactement ce qu'Antonieta souhaitait. Mis au courant, Ascânio avait changé immédiatement de conduite, devenant plus audacieux et bécoteur. Il ne tarderait pas à perdre le reste de sa retenue et s'enverrait son amoureuse, remisant ses plans de mariage pour ne s'intéresser qu'à l'avoir au lit. Au lit, tout s'arrange.

Tout. Il suffit de voir son neveu Ricardo, presque fou de remords et de peur, terrifié, voulant renoncer au séminaire, se sentant lépreux et condamné aux peines éternelles après avoir couché avec sa tante sur le sable du Mangue Seco. Maintenant, il ne voudrait faire que ça, s'il pouvait il passerait ses journées dans les galipettes, adolescent emporté, forces fulminantes, puissance sans limite, désir infini, illimité, très doux instrument. Un tourbillon, un tremblement de terre, une fête ! A tout moment, dans les dunes, dans la mer où ils se baignent, où que ce soit dès qu'il peut il la terrasse et la monte. Tieta est rompue, moulue, mordue, rendue, satisfaite, turbulente gamine en vacances, gambadante chevrette. Chevrette ? Une vieille chèvre qui, avant, n'avait jamais reçu de jeune bouc, bourses toutes neuves, un insatiable étalon.

Fougueux et exigeant, tendre et exultant, Ricardo aussi avait changé. Il avait perdu la peur, avait enterré le remords en gardant, pourtant, sa vocation sacerdotale. Il avait découvert la bonté de Dieu.

Le samedi, à la fin de l'après-midi, quand les ouvriers retournèrent au Saco, Ricardo les accompagna dans le canot de Jonas. Au retour, son visage juvénile était rayonnant et serein. Rencontrant Tieta sur la plage, offerte dans le maillot qui la déshabillait plus qu'autre chose, détournant les yeux il l'avait informée :

« Aujourd'hui, je vais coucher à Agreste. Jonas m'emmène dans le canot.

— Aujourd'hui, pourquoi ? D'ici quelques jours, nous rentrerons définitivement. Le principal est fait, le commandant s'occupe du reste ; il nous suffira de venir de temps en temps, passer un jour et une nuit. Aujourd'hui, pourquoi ? Tu es fatigué de moi ?

— Ne dis pas ça, même pour plaisanter. C'est qu'aujourd'hui je me suis confessé, demain je vais communier et, si je couche ici... Je reviendrai demain. S'il te plaît, laisse-moi aller. »

Prière, supplication, plainte, la voix tremblante de l'enfant partagé entre elle et Dieu, chevreau dans le pâturage de Tieta, lévite du sanctuaire. Il suffirait d'un mot, d'un geste, d'un regard pour le retenir, pour empêcher église et sacrement. Un enfant, un lévite, élu et pécheur, chaste et lascif, fort et fragile. Un enfant de Dieu. Pour elle, l'Enfant Dieu.

« Va et prie Dieu pour moi. Je vais me ronger de regret en ton absence. Je te veux ici demain. »

Elle allait ressentir manque et absence, se ronger en dedans quand elle s'embarquerait pour São Paulo dans marineti ; elle n'en serait pas quitte avec quelques larmes, et la bringalette lavée bien lavée. Ah, mon enfant, lévite de Dieu ! Elle lui avait enseigné l'amour, le goût de la femme, les délices, les saveurs raffinées, elle l'avait fait homme. Quand elle s'en irait, Ricardo chercherait dans d'autres bras, un autre sein, les sensations, l'exaltation et la joie apprises au Mangue Seco. Tieta sent une colère subite, elle décide en définitive de rester à Agreste au moins jusqu'à l'inauguration de la lumière Pour jouir encore quelques semaines de cet excès de plaisir, de cette mer déchaînée, de ce vent furieux. Ensuite, elle le laisserait à Dieu, délivré de la peur et des dangers de la chasteté qui conduit à la tristesse et au mal, mieux que personne Tieta le sait, victime de la conspiration des bigotes, des sorcières sentant le célibat invétéré. Amères et frustrées, les vieilles filles haïssent leur prochain. Ainsi était Perpétua avant de se marier, avant le Major.

Le dimanche matin, l'expédition punitive avait débarqué du bateau d'Elieser, emplissant de rires la plage du Mangue Seco. Tout le monde se retrouva devant les murs de la future bicoque de Tieta, les chevrons pour le toit commençaient à prendre place, sur un tronc de cocotier l'habile commandant Dário avait gravé : BERCAIL DU BOUC INÁCIO. On applaudit en chœur l'éloge du séminariste absent que fit le commandant : Tieta devait à Ricardo la rapidité de la construction.

Plus tard, allant vers les falaises, Tieta avait entendu le récit de dona Carmosina :

« J'ai parlé à Ascânio de ce que tu m'as raconté au sujet de Leonora... Cette histoire de fiançailles dans le Sud, les voyages, la pilule, tu sais... »

Tieta avait simulé surprise et inquiétude :

« Tu lui as dit que Leonora n'est plus vierge ? Mon Dieu, Carmô ! mais aussitôt elle s'était reprise : En y réfléchissant, je crois que c'est mieux qu'il sache la vérité. Je te remercie, Carmô. Ça n'a pas dû être agréable.

— Tu peux le dire... Mais je suis contente : je pensais qu'il allait rompre avec Leonora, renoncer, refuser de la voir, mais Ascânio a surmonté les préjugés, Tieta. C'est un type bien. Il ne veut pas qu'elle sache que j'ai parlé, c'est un gentleman. »

Tieta avait opiné d'un geste, riant intérieurement. Ce que veut le gentleman, elle ne le sait que trop : sans pucelage qui le retienne, Ascânio va tâcher de coucher avec Nora, il va se la taper, exactement comme Tieta l'avait prévu. Si avant, passionné, il avait rêvé de fiançailles et mariage, il a renoncé en apprenant la vérité, aucun homme d'Agreste n'épouse une fille déflorée. Mais il n'est pas assez fou pour la laisser échapper quand rien ne l'empêche de l'emmener dans les recoins du fleuve, sous les casuarines-pleureuses une nuit sans lune. Ainsi seraient résolus les problèmes de Leonora. Ensuite, laver la pacholette, verser quelques larmes au départ. Pourquoi diable Ricardo tarde-t-il tant à revenir, s'était-elle demandé en regardant le fleuve du haut des dunes sans découvrir la moindre trace du canot de Jonas. A l'église, à la messe de huit heures, peut-être l'enfant de chœur s'était-il rendu compte des regards lubriques. de la bouche ouverte, avide, de dona Edna, putissime et vulgaire. Audacieuse

« Tu es fâchée, Tieta ? J'ai mal fait d'en parler, dis-moi ?

— Tu as très bien fait, Carmô. Je pensais à cet animal de fiancé. Et Elisa, tu lui as aussi parlé ? »

Non, à Elisa dona Carmosina n'avait pas parlé pour tenter de lui ôter de la tête l'idée folle de partir avec Tieta, emmenant Astério dans ses bagages. Après le difficile dialogue avec Ascânio elle n'avait pas repris haleine, elle ne s'était pas senti le courage d'assener un nouveau coup. La déception d'Elisa allait être terrible, elle n'avait pas la force de caractère d'Ascânio, éprouvée lors de la maladie de son père et de la trahison d'Astrud. Tieta devait patienter un peu, dona Carmosina interviendrait quand s'en présenterait l'occasion, quand Elisa aborderait d'elle-même la question. Qu'elle laisse la pauvrette conserver encore quelques jours ses illusions paulistes.

Mais c'est Astério qui toucha le premier à ce sujet, et il le fit avec Tieta quand elle revint à Agreste. Il fit le guet au bar, l'air innocent, jusqu'à ce que Perpétua se dirige vers l'église en compagnie de son fils séminariste, à l'heure de la bénédiction. Il profita de ce répit :

« Je voulais te parler, belle-sœur. Une affaire qui m'intéresse, moi et Elisa. Mais, avant, promets-moi d'être discrète sur notre conversation.

— Tu peux y aller, beau-frère, les secrets ça me connaît, tu n'imagines pas combien j'en garde dans ma poitrine, c'est pour ça que j'ai ces mamelles, elle rit, encore satisfaite.

— C'est à propos d'une idée d'Elisa. Si elle ne t'en a pas encore parlé, elle va te demander de nous emmener à São Paulo. De me trouver un emploi et de nous céder une chambre dans ton appartement.

— Elle ne m'en a pas réellement parlé, mais elle a fait des allusions. Tu veux y aller ?

— Dieu m'en garde ! » Il fait marche arrière, Tieta va se vexer. « Je veux dire : j'aurais grand plaisir à être près de toi, tu es plus qu'une sœur, tu as été notre providence. Mais je ne veux pas vivre à São Paulo, je ne m'y ferais pas. Elisa a envie de s'en aller d'ici pour qu'on ait une meilleure vie, mais je sais que ça ne donnera rien de bon. C'est pire d'être pauvre là-bas qu'ici.

— Tu as raison, beau-frère. Tu peux être sans crainte, je ne vous emmènerai pas. Toi, tu ne supporterais pas, et la place d'une femme est à côté de son mari. Si Elisa m'en parle, je lui ôterai cette idée de la tête.

— Je ne sais comment te remercier, belle-sœur.

— Ne me remercie pas. Elisa est ma sœur, c'est mon devoir de veiller sur elle, de vous aider autant que je peux. Mais ici, là-bas, non. »

De toute sa vie, Tieta avait rarement vu quelqu'un d'aussi content qu'Astério à la fin de leur conversation. Elle fixa affectueusement son beau-frère :

« Écoute, Astério, tu ne devrais pas laisser Elisa faire ses quatre volontés. Si elle te parle de São Paulo, dis-lui que tu ne veux pas y aller, que vous ne partirez pas d'ici. Tiens la bride courte à ta femme.

— Si je dis ça, je vais la braquer contre moi. Elle va taper du pied, pleurer, en parler toute la journée, jusqu'à ce que je cède. Comment faire pour la convaincre ?

— Demande au vieux Zé Esteves, il t'expliquera. Demande-lui comment il a appris à la mère d'Elisa à obéir. Qui sait, il te prêtera son bâton. La recette est bonne, beau-frère. Bien appliquée, une fois suffit. Jamais plus Mère Tonha n'a élevé la voix contre le Vieux. Quant à cette histoire de São Paulo, laisse-moi faire. »

Le soir, Tieta eut Ricardo dans le hamac comme elle l'avait combiné. Là où, en rêve, le garçon l'avait désirée et n'avait pas su la posséder, elle le chevaucha et par lui fut montée, franchissant la nuit jusqu'à l'aube. Retenant sa respiration, étouffant des soupirs d'amour tandis qu'ensemble ils pratiquaient l'igrec. Ah ! l'igrec !

COMMENT, POUSSÉ PAR LES CIRCONSTANCES APRÈS UNE ENTREVUE SECRÈTE AVEC LE MAGNIFIQUE DOCTEUR, LE PUR ASCÂNIO TRINDADE S'INITIE AU MENSONGE ET, À L'AUBE DES TEMPS NOUVEAUX, S'ABANDONNE A LA SUPERBE, S'EXPOSANT D'UN SEUL COUP À DEUX PÉCHÉS CAPITAUX.

Au terme de la conférence avec le Dr Mirko Stefano. Ascânio Trindade se sent un autre homme. Une heure d'entretien avait suffi au charismatique public-relations pour gagner la confiance et l'estime du probe fonctionnaire municipal. Probe et rêveur. Le Magnifique avait sorti des plans et des croquis dus à de compétents et imaginatifs architectes, ingénieurs et urbanistes ; il avait cité des chiffres et des formules ésotériques, employé des termes magiques : organigramme, *know how*, rendement, marché du travail, marketing, statut — la mairie de Sant'Ana de l'Agreste aurait un statut de municipe industriel. Ascânio fut ébloui.

A la porte du vieux bâtiment colonial, siège de la municipalité, prenant congé du visiteur, Ascânio Trindade assume une nouvelle condition, celle d'imprésario. Le terme n'est pas exact il serait plus juste de dire d'homme d'État. D'administrateur d'une commune promise à un brillant avenir, de richesse et progrès — avenir ou présent ? Pour l'instant, simplement secrétaire de la mairie avec les pleins pouvoirs. Bientôt maire : les pleins pouvoirs confirmés par les suffrages du peuple, à l'unanimité ainsi que tout l'indique.

A certain moment de la conversation il crut deviner, dans les discrètes et sibyllines paroles de l'envoyé de la direction, une insinuation suspecte, une allusion à la rétribution des services rendus. Il n'avait pas bien compris mais, pour plus de sûreté, il précisa aussitôt que son appui au grand projet répondait exclusivement aux intérêts supérieurs du municipe et de la patrie. Vérité cristalline : aucun sentiment bas, aucune ambition méprisable dans sa manière d'agir. Seul l'amour de sa terre natale l'avait fait vibrer d'enthousiasme durant l'exposé du Dr Mirko Stefano — exposé technique, polyglotte et convaincant. Il fallait l'entendre.

Connaisseur de la nature humaine, habile négociateur, le Magnifique fit marche arrière. Il savait le faire, il y a le temps pour tout. S'il vous plaît, mon cher maire, *please,* ne l'entendez pas mal. Il s'agissait des formes de rétribution de la Société au municipe, directes et indirectes, étant tenue pour services rémunérables la collaboration de la mairie au succès du projet, si elle accordait l'autorisation nécessaire à l'installation, dans l'un de ses districts, celui du Mangue Seco, du complexe industriel, deux grandes usines jumelées.

Outre les avantages directs, levée d'impôts considérables, croissance du revenu brut *per capita,* emplois pour les naturels de l'endroit, la Société prendrait à sa charge des aménagements nécessaires et urgents : asphaltage de la route, par exemple.

Elle ferait pression sur le gouvernement de l'État, sur le ministère des Communications s'il le fallait, les directeurs ne manquent pas de prestige, je vous le dis entre nous, monsieur le Maire. Construction d'hôtels, installation d'une ligne d'omnibus, service de bateaux sur le fleuve. Sans parler de l'aire du Mangue Seco, où se dresseraient les usines donnant naissance à une moderne cité ouvrière, des dizaines de résidences destinées aux travailleurs, techniciens et employés. A tout cet univers de progrès, la Société coopérera, gracieusement. Avant de viser le lucre, les dignes directeurs souhaitent contribuer à la construction d'un Brésil puissant, à la hauteur de sa glorieuse mission dans le monde. Et vivat !

Pris aux belles paroles du Dr Stefano, Ascânio vit Agreste renaissant de la décadence, à l'avant-garde des municipes de l'intérieur bahianais. Dans le ciel, la fumée des cheminées, payant avec intérêts le retard qu'avait entraîné l'absence de la fumée du chemin de fer, apportait à la fois la richesse à Agreste et une ombre d'orgueil dans le cœur d'Ascânio : à la tête du progrès, le jeune maire, inlassable lutteur.

A la fin de l'entretien avec l'envoyé de la direction provisoire, quand, au nom de la mairie, il autorisa la Société à examiner les possibilités d'établir ses industries sur les terres du municipe, Ascânio sentit ressusciter cette vieille ambition de l'étudiant en droit, du fiancé d'Astrud, des plans de triomphe. L'intérêt personnel s'ajoutant à un haut sens civique.

Il entrevit la possibilité d'édifier, sur la base du nouveau progrès d'Agreste, une carrière d'administrateur et de politicien qui le porterait et l'élèverait jusqu'à Leonora. Carrière triomphante lui donnant les titres de créance exigés d'un candidat à la main de l'héritière pauliste, bien née et millionnaire.

Jusqu'alors il l'avait jugée inaccessible, vivant dans la peur de l'entendre annoncer la date de son départ, la fin de la timide idylle toute de silences et d'expectatives, de mots embarrassés et de gestes vagues. Maintenant il avait un horizon, un terrain de lutte, il ne se sentait plus un misérable fonctionnaire dans un bourg aux affres de l'agonie car, comme l'avait affirmé poétiquement le Magnifique Docteur, se levait sur Agreste l'aurore de grands événements, l'aube du progrès.

Dommage de ne pouvoir raconter ce miracle à Leonora. ni

310

à elle ni à personne. Le Dr Mirko Stefano avait exigé la plus grande discrétion, secret absolu jusqu'à nouvel ordre. Ce n'est qu'après les conclusions des études préliminaires, à peine entreprises, que la Société pourrait rendre publique l'heureuse nouvelle. Un mot dit avant l'heure peut tout compromettre.

Bien qu'à première vue la région de Sant'Ana de l'Agreste, les abords du Mangue Seco, paraissent le lieu idéal pour installer les usines, les rapports définitifs dépendaient encore d'un relevé complet des possibilités et des avantages, d'analyses diverses, allant de la profondeur de la mer à l'embouchure du Rio Real jusqu'à l'appui de l'administration. Les terres au bord du fleuve étaient-elles la propriété de la mairie ? A qui appartenaient-elles ? La discrétion s'imposait, y compris pour éviter une hausse exagérée des terrains qui rendrait anti-économique l'utilisation de cette aire. Pour l'instant, silence ; ensuite, les pétards.

Collaboration, tant qu'il faudrait. Silence, plus difficile. Le peuple d'ici est curieux, ce qu'il ne sait pas, il l'invente. Si Ascânio ne dit rien sur l'entrevue, les commérages vont grandir, ce sera pire. Ne peut-il faire allusion à un projet de tourisme ? Les bruits vont dans ce sens ; lui-même, Ascânio, l'avait imaginé.

L'idée parut extrêmement comique au Magnifique Docteur il ne put s'empêcher d'en rire. Les yeux posés sur les rues paisibles d'Agreste, à travers les fenêtres du premier étage de la mairie, il acquiesça, jovial :

« Tourisme... Bonne invention ! Bien trouvé, monsieur le Maire. *C'est drôle*[1]. »

Ascânio ne demanda pas la raison de ce rire ; de l'air railleur de l'illustre visiteur. Il l'aida à rouler plans et projets, à les glisser dans un long cylindre, de métal, à réunir les papiers, à fermer l'élégante serviette noire. A la porte, en sortant, le Dr Mirko Stefano confia serviette et cylindre au poids lourd posté en sentinelle. On remarquait la bosse faite par le revolver, à sa ceinture. Un second champion, d'identiques poids, taille et mauvaise mine, arriva en courant du bar, où il dégustait une bière en compagnie du chauffeur, la veste ouverte, l'arme en vue.

Le docteur était venu, cette fois, juste accompagné du chauffeur et de la paire de tueurs. A la grande désolation

---

1 En français dans le texte.

d'Osnar et de Fidélio, pas une seule Martienne ou fille d'Ipanema n'était descendue de la Landrover, seulement le Grand Chef Spatial, le conducteur et les deux gardes du corps. Ils ne manquaient, pourtant, de susciter étonnement et commentaires car, depuis des années, on ne connaissait à Agreste d'autre arme que les couteaux des paysans au marché du samedi, et les malédictions et anathèmes du prophète Posidônio ; les premières, de simples instruments de travail, les dernières armes contre le démon et l'impiété.

Non seulement armés, mais peu bavards. Celui qui vint se désaltérer au bar ne détacha pas les yeux de la porte de la mairie où il avait laissé son camarade. Osnar ne s'était pas risqué à demander des nouvelles de Bety, Bébé pour les intimes. Il réagit, indigné à la suggestion moqueuse de Fidélio :

« Pourquoi ne bavardes-tu pas avec lui ? Raconte-lui l'histoire de la Polonaise, gagne ses bonnes grâces, découvre ce qu'il est venu faire. Montre qui tu es.

— Va te faire fiche. »

Le couple patibulaire s'embarqua dans la Landrover, sur le siège arrière, gardant les documents. Le Magnifique Docteur serra la main d'Ascânio, lui fit un sourire de vieil ami :

« A bientôt, cher Maire. *Merry Christmas !* D'ailleurs, si vous permettez, j'enverrai quelques cadeaux pour le Noël des enfants pauvres. »

La Landrover partit, le petit groupe de badauds resta là à regarder Ascânio, lui aussi immobile, méditant sur tout ce qui avait été dit et promis à Agreste. Cadeaux de Noël pour les enfants pauvres, un bon début. Osnar s'approcha :

« Alors, capitaine, que voulait l'Astronaute ? »

Hostile aux duperies, considéré par tous comme un citoyen intègre, aux principes rigides, Ascânio se vit contraint de mentir, d'abandonner sa manière d'être. Que tout soit pour le bien d'Agreste ! Embarrassé et gêné, il répondit :

« Que voulez-vous que ce soit ? Le tourisme, bien sûr.. » Il avance un détail qui ne lui paraît pas une matière secrète : « Il s'intéresse à l'achat de terres au Mangue Seco. Le champ de cocotiers...

— Les terres des cocotiers ? Pute merde, capitaine Ascânio. Ça va faire une confusion de tous les diables. Jusqu'à ce jour, on n'a pas tiré au clair qui en sont les propriétaires... »

Décontenancé, Ascânio aperçoit Leonora à la porte de Perpétua, les yeux sur la mairie. Il devait aller la chercher, elle et Tieta, pour le bain à la Bassine de Catarina, il est l'heure. Il se précipite.

Osnar s'étonne des manières du secrétaire de la mairie : Ascânio cache son jeu. Entreprise de tourisme, beaucoup d'argent, nouveauté en pagaille. Et si ces types achetaient le terrain des cocotiers et la plage du Mangue Seco ? S'ils fondaient un club privé, réservé aux sociétaires ? Non, ils ne peuvent pas faire ça, c'est impossible, les plages sont la propriété du peuple, inaliénables, non ? Peut-être achèteront-ils des terrains, construiront-ils des hôtels, des boutiques, des magasins modernes... Qui sait, Bébé viendra passer quelque temps à la plage pour étudier de près l'intérêt touristique des dunes et diriger la publicité : profitez de notre offre et venez pratiquer l'acte de chair sur le sable blanc du Mangue Seco, payez ensuite en modiques mensualités. Sans être polonaise, Bety lui paraît capable d'audaces.

DE L'INAUGURATION DE LA PLACE AVEC DISCOURS ET DANSES, CHAPITRE EUPHORIQUE.

Excepté une partie des enfants encore à la matinée, au cinéma Tupy, pratiquement tout le reste de la population de la ville est réunie, à cinq heures de l'après-midi du dernier dimanche avant Noël, sur l'ancienne place de la Tannerie, désormais place Modesto-Pires. Le jardin, la promenade qui l'entoure, l'obélisque au centre, la chaussée de pierres, aménagements dus à l'action d'Ascânio Trindade, lui valent les louanges générales.

« Cet Ascânio, c'est quelqu'un.

— Tu imagines quand il sera vraiment maire !

— Agreste va devenir un jardin. »

Une estrade de bois, montée pour la cérémonie et pour la présentation de la Pastorale et du Bumba-meu-boi ; sur l'obélisque, la plaque de béton, couverte du drapeau brésilien. A l'angle, sur le mur de la maison de Laerte-Coupe-Cuir, propriété de Perpétua, une plaque de métal également couverte. Dommage que l'orphéon 2-Juillet ait été dissous il y

313

a plus de trente ans, à la mort de l'obstiné Maestro Jocafi qui le dirigea et régit durant plus d'un demi-siècle. Ascânio rêve de réorganiser l'orphéon dont le renom avait retenti dans tout le sertão de Bahia et du Sergipe. Le difficile est de trouver qui prenne la baguette, dans le municipe personne n'est capable.

Patronnant l'inauguration, entourée de sa famille et de ses amis les plus proches, majestueuse et souriante, véritable reine ou mieux, pour plagier le poète Barbozinha, madone venue de la Renaissance sur les collines d'Agreste, dona Antonieta Esteves Cantarelli, au bras du colonel Artur da Tapitanga, suivie d'Ascânio Trindade, Modesto Pires, dona Aida, leur fille Marta et leur gendre, ingénieur de la Petrobras, avance en direction du monument très simple. Silence et cous qui se tendent. Dona Antonieta fait un geste de la main, tire le ruban vert et jaune découvrant la plaque de béton où l'on lit la date de la fête et le nom du colonel Artur de Figueiredo, citoyen d'honneur, maire en exercice. Une cérémonie simple, saluée par des applaudissements, émouvante pourtant, car Perpétua tire son mouchoir noir de la poche de sa jupe noire et essuie une larme — une larme noire, de deuil, murmure à l'oreille de dona Carmosina l'impertinent Aminthas, en veine d'humour noir.

Les enfants du groupe scolaire attaquent l'hymne. Des vivats pour le colonel qui remercie d'un signe de la main. Tout heureux, bras dessus, bras dessous avec Tieta : la chevrette sauvage est devenue une chèvre de qualité, mamelles généreuses et en évidence. Ah ! de son temps !

Zé Esteves, au comble de la satisfaction à l'approche du déménagement dans la nouvelle résidence, élève bâton et voix :

« Et vive ma fille, la senhora dona Antonieta Esteves Cantarelli ! »

Enthousiasme général, nouvelle larme de Perpétua, Elisa affiche un sourire de vedette, étourdissante de beauté, Leonora, la plus animée, mène la claque. Pourquoi n'acclame-t-on pas Ascânio Trindade ?

Applaudissements pour dona Aida : à elle de dévoiler la plaque du mur de l'angle portant le nouveau nom du lieu : place Modesto-Pires (citoyen éminent).

« Vive Modesto Pires ! crie Laerte-Coupe-Cuir, de la porte de la maison, aux côtés de sa femme et de ses enfants, faisant de la lèche au patron.

Dona Preciosa et dona Auta Rosa, directrice et secrétaire

de l'école publique, tentent de contenir la troupe indisciplinée et incomplète, recrutée de force. Avec les vacances, il avait été difficile de réunir même cette poignée d'écoliers, plus difficile de les mettre en rang. Allons, l'hymne, petits rebelles ! Auta Rosa, l'institutrice, blonde, nerveuse et jolie, compte des admirateurs fanatiques parmi ses élèves. Dona Preciosa s'impose bon gré, mal gré, verrue sur le nez, voix d'adjudant :

« Un, deux, trois, allez ! »

L'hymne monte sur la place, chanté par les enfants et le bon peuple. Si personne ne lance un vivat à Ascânio, tant pis, j'y vais ! — menace mentalement Leonora, révoltée de tant d'ingratitude.

Arrive le tour du Padre Mariano, assisté de Ricardo en rouge et blanc, beau et pieux. Béni soit Dieu !, soupire dona Edna, à côté de Terto, son mari (il ne semble pas mais il l'est). Les yeux de Cinira collés sur l'enfant de chœur, un chatouillis quelque part. Tieta aussi a contemplé son neveu et a souri. Elle ne craint pas les rivales, son unique rival est Dieu et ils ont fait un accord, pour Dieu l'âme, le corps pour la pieuse tante.

Le Padre Mariano bénit le jardin, l'obélisque, la place, tous les assistants. Il réserve des bénédictions spéciales pour notre insigne chef, le colonel Artur de Figueiredo, pour notre honorable concitoyen Modesto Pires, pour la généreuse, l'exemplaire brebis de notre paroisse, dona Antonieta Esteves Cantarelli et pour son aimable belle-fille. Que ne leur manque jamais la grâce du Seigneur, amen. Ricardo, à la main le bénitier tend le goupillon au Révérend. Des gouttes sacrées sur les têtes les plus proches, Perpétua s'avance pour les recevoir.

L'ingénieur de la Petrobras, le Dr Pedro Palmeira, prend la parole pour remercier au nom de son beau-père. Il parle de la paix et de la beauté d'Agreste : que jamais elles ne soient troublées par les horreurs d'un monde de violence, de pollution et de guerre. Barbe noire, cheveux longs, à la mode, lui aussi suscite regards, appétits et frustrations. A ses côtés, montant la garde, son épouse, fille du lieu, au courant des mœurs.

Enfin Ascânio fait un discours, aux lieu et place du colonel Artur da Tapitanga dont la voix n'atteint plus les hauteurs indispensables aux tropes oratoires. Enflammé, cherchant l'inspiration dans les yeux de Leonora, il prédit des jours de gloire, grandioses et imminents à Sant'Ana de l'Agreste. Ses chers concitoyens peuvent se réjouir, proche est la fin du marasme et de la pauvreté, des difficultés, de la torpeur. Il est possible que se fixe à Agreste le siège d'un nouveau pôle industriel qui serait implanté dans l'État de Bahia, rivalisant avec le centre industriel d'Aratu, dans les environs de la capitale. Les temps d'abondance et d'animation reviendront, à nouveau nous aurons des motifs d'orgueil, notre coin bien-aimé resplendira, lumineuse étoile sur la carte du Brésil.

« Que diable trame le capitaine Ascânio ? demande Osnar. Il cache son jeu.

— Il le cache ? Voyons, Ascânio ne veut pas encore divulguer les plans de l'entreprise de tourisme, il paraît qu'ils sont formidables, réplique dona Carmosina.

— Il a parlé d'un pôle industriel.

— Outrance de langage. Vous n'allez pas nier qu'aujourd'hui le tourisme est une industrie de la plus grande importance, explique dona Carmosina. Ce qui se passe, c'est qu'Ascânio est amoureux.

— Empaumé... », approuve Aminthas.

D'un cri vibrant : Vive Sant'Ana de l'Agreste !, Ascânio clôt sa fougueuse et confuse harangue. Du fond de la place Modesto-Pires parvient la voix de cachaça de Pue-le-Bouc, en un tardif vivat :

« Vive Ascânio Trindade et vive son amoureuse ! A quand la noce, Ascânio ? »

Leonora rougit parmi les rires d'Elisa et de dona Carmosina. Délivrés des discours, garçons et filles par couples, mains enlacées, circulent sur la promenade, l'inaugurant de fait. Leonora fixe Ascânio, lui tend la main, encore un couple d'amoureux qui contourne la place. Dona Carmosina soupire, émue. De la maison de Laerte-Coupe-Cuir sortent des serveuses improvisées, employées de la tannerie, avec des plateaux de gâteaux, croquettes et petits verres de liqueur. Elles servent les invités d'honneur, don de Modesto Pires. Le colonel Artur da Tapitanga s'assied sur l'un des bancs verts, de fer, confie à Tieta, tout en lui caressant la main et examinant ses bagues — les brillants sont-ils vrais ou faux ? s'ils sont vrais ils valent une fortune :

« Mon filleul Ascânio va finir fou avec cette histoire de tourisme. Figure-toi qu'il est arrivé chez moi, à la fazenda, pour me dire qu'on va monter des usines ici, construire une ville au Mangue Seco. Il a le cerveau ramolli, je crois que c'est

316

ta belle-fille. » Il change de sujet. « Tu n'es pas encore venue voir ma fazenda, voir mes chèvres ; le troupeau fait plaisir à regarder. Viens et amène la petite. J'ai un bouc entier qui est un prodige, j'ai donné un argent fou pour lui ; on l'appelle Fier Brandon. »

Le soir, sur l'estrade, la Pastorale et le Bumba-meu-boi. Trois groupes jouent la Pastorale, deux sont de la ville, le troisième vient de Rocinha, le plus joli, le Soleil d'Orient. Une douzaine de bergères, parées de papier crépon, portant des lanternes rouges et bleues, chantent en dansant :

Nous sommes les bergères
Des étoiles des cieux
Nous venons d'Orient
Saluer l'Dieu enfant
En ce jour radieux

Tieta suit le chant, prise d'émotion. Petite fille pieds nus, fuyant la maison pour suivre la Pastorale dans les rues d'Agreste. Elle avait tant rêvé de saisir une lanterne, de garder les étoiles ! Chèvres et chevrettes seulement avaient été son lot, la vie entière. Elle avait bien fait de revenir pour voir et entendre.

Nous sommes les bergères
De la lune et du soleil
Nous sommes les bergères
Du firmament.

Pour assister au Bumba-meu-boi de Valdemar Cotó, avec le bœuf et la *caipora,* le bouvier sur son cheval, qui dansent sur l'estrade, poursuivent les enfants sur la place. Une seule jambe, un bras unique, tournoyant, blanc fantôme, agile et joyeux, la caipora vient demander sa bénédiction à dona Antonieta, c'est le galopin Sabino. Ensuite, le Bumba-meu-boi et les groupes de Pastorale descendent la rue principale, s'arrêtent de porte en porte, saluant les habitants, demandant la permission d'entrer. Ils dansent et chantent dans la salle en l'honneur des maîtres de la maison. Petits verres de liqueur, verres de bière, gorgés de cachaça sont servis au bouvier, au bœuf, à la caipora, aux bergères du firmament.

Un orchestre improvisé, payé par la mairie, composé de l'accordéon de Claudionor des Vierges, du *cavaquinho* de Natalino Preciosidade, de la viole de Lírio Santiago, prend place sur l'estrade, occupant les chaises prêtées par Laerte, il attaque des airs de danse, variés, pour tous les goûts, les couples apparaissent.

« Regardez qui danse ! » Astério montre Osnar serrant dans ses bras une gamine de la campagne, toute jeune, jupe aux genoux, grosses jambes.

« Individu sans vergogne », grogne dona Carmosina, furieuse de ne pas être la veinarde comprimée contre la poitrine du noceur, hélas !

Le bal s'anime, plusieurs couples évoluent sur l'estrade. Le cavaquinho gémit, Leonora regarde Ascânio, il sourit, elle murmure, voix rompant le cristal :

« Allons... »

Ils montent sur la scène, l'accordéon attaque une marche de carnaval, Leonora glisse, les yeux mi-clos. Ascânio dirige le corps léger de la jeune fille, pris au sien, les cheveux fous touchent son visage, il sent l'haleine chaude, nuit glorieuse. La danse gagne la place, s'étend. L'ingénieur de la Petrobras, le Dr Pedro et dona Marta son épouse, se mêlent aux danseurs. Dona Edna accepte l'invitation de Seixas avec l'assentiment de Terto — qu'il aille faire l'idiot et ne consente pas ! Dona Edna exige de son mari compréhension et courtoisie. Seixas l'enlace, elle avance la cuisse, plus audacieuse à chaque tour. Qui cherche encaisse, dit Osnar et Seixas s'exécute.

Grave et cérémonieux, le poète Barbozinha tend le bout des doigts à Tieta, sollicitant le plaisir d'une contredanse. Devant quoi Elisa parvient à décider Astério et dona Carmosina exige d'Aminthas qu'il se sacrifie :

« Faites-moi donc danser, mal élevé.

— Allons, Elizabeth Taylor, mais ayez pitié de mes pieds.

— Crétin ! »

Les groupes de Pastorale reviennent sur la place, se dispersent sur l'estrade. Fidélio danse avec le porte-étendard du Soleil d'Orient qui cherche le firmament. Le bouvier sur sa rosse, le bœuf, la caipora courent derrière une bande d'enfants conduits par Peto. Ricardo est resté à la maison, tenant compagnie à sa mère. Après le rosaire, dans le hamac, il attendra le retour de Tieta.

Épuisées les possibilités de cachaça, Pue-le-Bouc se retire de la place de plus en plus animée, la danse bat son plein !

« Allez donc ! Il y aura du mouvement, ce soir, au bord du

fleuve, il reprend l'équilibre pour conseiller · Vas-y, Ascânio sois un homme ! »

Il disparaît dans une ruelle mais on entend encore sa voix pourrie et moraliste :

« Attention, Terto, n'arrache pas les fils électriques avec tes cornes... »

Ce que dit Pue-le-Bouc, personne n'écoute, avertissement et suggestions se perdent dans la musique de l'accordéon, du cavaquinho et de la viole, dans la joie de la fête, dans la paix de la nuit d'Agreste.

DES FLAMMES MORALES AUX FLAMMES VÉRITABLES, CHAPITRE ÉMOUVANT OÙ TIETA ACQUIERT UNE AURÉOLE DE FEU.

Délivré des peines de l'enfer, le séminariste Ricardo se consume dans les flammes de la jalousie le soir de la fête. A neuf heures pile, la lumière du moteur s'est éteinte mettant fin aux danses sur l'estrade montée place de la Tannerie (pardon, place Modesto-Pires), mais dona Carmosina invente une promenade au fleuve, une sorte de pique-nique nocturne. Au bar de *seu* Manuel ils font provision de bière et de guaraná, de boulettes de morue, spécialité du Portugais.

Du hamac où il s'était réfugié pour attendre, le séminariste entend le groupe sur la chaussée, il reconnaît des voix, celle de Leonora, celle d'Aminthas, celle de Barbozinha qui fait des madrigaux, ce vieux ridicule ne sait pas se tenir ! le rire de Tieta. Il pensa qu'ils allaient se séparer à la porte mais les pas continuent sur la place et se perdent, personne n'entre. Ricardo saute du hamac, pénètre dans l'alcôve, ouvre la fenêtre sur la ruelle, aperçoit le groupe bruyant qui tourne l'angle, prend le chemin du fleuve. Il se sent trompé, trahi, misérable.

Tieta ne désire rien d'autre que de rentrer à la maison, elle est lasse de ce jour de fête commencé dès huit heures par la messe et un long sermon du Padre Mariano. Quand il distingue la magnanime brebis dans l'église, parmi les fidèles, le reconnaissant Révérend se surpasse, il allonge le prône, recourt au latin et aux citations de la Bible. Tieta a hâte de retrouver la tendresse et la violence de son petit, à peine entrevu l'après-midi à l'heure de la cérémonie, éblouissant dans son costume de clergeon quand il tendait au prêtre le goupillon. Indifférente aux exhibitions folkloriques, devant réciter le rosaire quotidien, égoïste, Perpétua avait retenu son fils chez elle pour lui tenir compagnie. Tournoyant dans les bras de Barbozinha, d'Osnar, de Fidélio — tous se disputaient l'honneur de danser avec elle —, la pensée de Tieta était avec Ricardo, agenouillé devant l'oratoire à égrener son chapelet avec Perpétua. Image insensée, elle s'était vue enlacée à son neveu vêtu de la soutane ; ils glissaient sur l'estrade, couple romantique et passionné. Tels qu'étaient Leonora et Ascânio : la jeune fille les yeux mi-clos, reposant sa tête sur l'épaule du garçon.

Tieta avait approuvé l'idée de dona Carmosina et avait suivi le groupe dans l'espoir d'entraîner rapidement la troupe dans une autre direction, laissant seul à seul Leonora et Ascânio, libres pour les baisers et les serments d'amour. A la Bassine de Catarina, sous l'épaisseur des casuarines-pleureuses, l'amourette pourrait se développer comme il convenait, au goût de Petite-Mère : béguin ardent et rien de plus.

Ils s'asseyent sur les pierres, Osnar s'empare d'un ouvre-bouteilles, dona Carmosina défait le paquet de boulettes de morue, ils mangent et bavardent. Main dans la main, Ascânio et Leonora restent étrangers au monde autour d'eux, ils sourient niaisement, Tieta s'impatiente, se lève :

« Je tombe de sommeil. Je propose... »

Elle n'eut pas le temps de proposer qu'ils laissent là le couple d'amoureux, les uns prenant la direction de leur maison pour dormir, les autres plongeant dans l'obscurité des ruelles pour la chasse nocturne. Barbozinha, à côté d'elle, montre la ville et demande :

« Qu'est-ce que c'est que cette lumière ? On dirait du feu. »

Ce n'est pas une apparence, c'est un grand feu. Des flammes s'élèvent, une lueur troue l'obscurité.

« Un incendie ! annonce Aminthas.

— Où est-ce ? »

Ascânio aussi se lève, il a la carte de la ville dans la tête :

« C'est au Creux-du-Vieux.

— Ah, mon Dieu ! » gémit dona Carmosina.

Au Creux-du-Vieux vivent les plus pauvres d'entre les

pauvres, ceux qui ne possèdent rien, les mendiants, les ivrognes sans travail, les vieillards qui se traînent pour quêter un morceau de pain dans les rues du centre.

« Allons-y. » Ascânio aide Leonora à se lever.

Tieta était déjà partie, sans attendre l'invitation. Toute jeune, étant une certaine nuit dans les recoins de la Bassine de Catarina avec un commis voyageur, elle avait entendu des cris et aperçu la clarté des flammes. Mais quand ils arrivèrent au lieu de l'incendie, il achevait de dévorer la maison de dona Paulina, emportant trois des cinq enfants de la veuve, les plus petits. Un incendie à Agreste est une rareté, mais quand cela se produit il y a toujours des morts, faute d'un quelconque recours pour éteindre le feu.

Le pique-nique est terminé, le groupe part sur les traces de Tieta mais elle les devance, le pas rapide s'est tout de suite transformé en course. Des gens s'attroupent aux coins des rues, attirés par la lueur dans le ciel.

Tieta est des premières à arriver au Creux-du-Vieux, les flammes enveloppent l'une des maisons, par chance isolée des autres. Quelques personnes, des habitants du quartier, entourent une grosse fille qui crie et s'arrache les cheveux :

« Elle va mourir, ah ! ma pauvre grand-mère ! »

Pue-le-Bouc, la voix pâteuse, les jambes molles, explique que Marina-Gros-Cul, laveuse de profession et, si elle trouve des clients, prostituée de bas étage, réveillée par l'incendie avait fui la maison, oubliant dans la chambre du fond la vieille Miquelina, sa grand-mère. Avec la violence du feu dans les vieilles planches, dans la paille de cocotier du toit, l'aïeule, pratiquement incapable de marcher, devait à ces heures avoir grillé.

Une vingtaine de voisins et de curieux assistent au spectacle de la fille suppliant à grands cris que, par charité, pour l'amour de Dieu on sauve sa grand-mère, son unique famille. Personne ne s'offre : si Maria elle-même, qui a des devoirs comme petite-fille, n'est pas assez folle pour affronter le feu, pour pénétrer dans cet enfer, ce ne sont pas des étrangers qui vont s'y risquer. Ils la consolent, rappelant la longue existence de la grand-mère Miquelina dont on ne sait même plus l'âge. Elle avait vécu assez longtemps pour le bon et pour le pire, laissons-la reposer. Ça ne vaut pas la peine de courir un danger mortel pour prolonger sa vie de quelques mois, de quelques semaines, de quelques jours.

Sans attendre la fin de l'explication de Pue-le-Bouc, indifférente aux arguments des voisins, Tieta s'élance en direction du brasier, elle n'entend pas les cris ni les conseils. Quand Osnar et Aminthas débouchent au coin de la rue, elle vient de disparaître dans les flammes. De toutes parts, pressés, affluent hommes, femmes, enfants, car la cloche de l'église tinte, sons funèbres de malheur et de mort.

Le brouhaha augmente quand Leonora apparaît soutenue par Ascânio, suivie de dona Carmosina qui rend l'âme.

« Dona Antonieta est là-dedans... »

En sachant que Tieta s'était jetée dans l'incendie, Leonora lâche la main de son amoureux, tente de la suivre, mais Aminthas la retient à temps. Ascânio, pâle, vient et la prend dans ses bras.

Le toit craque, une immense flamme s'élève, des milliers d'étincelles crépitantes voltigent. Ricardo, pieds nus et en soutane, traverse la foule à l'instant précis où Tieta surgit des flammes, tenant dans ses bras le corps menu de la vieille Miquelina, vivante, indemne et furieuse, maudissant sa petite-fille dénaturée qui l'avait abandonnée à l'heure du danger, je te renie, maudite ! Le brasier avait respecté le grabat où elle gisait, il attendit qu'on vienne la chercher pour, d'un coup, réduire la couche en cendres. Des flammèches montent de la robe de Tieta et ses cheveux bouclés font une auréole de feu, un halo, une gloire.

Telles furent la stupeur et l'émotion que les assistants restèrent muets, figés. Seul Pue-le-Bouc eut présence d'esprit et réflexes. Il apparut avec un bidon plein d'eau et le vida sur Tieta.

DES RIMES POPULAIRES ET DE LA POÉSIE ÉRUDITE.

En la voyant allongée sur le drap — vilaines brûlures, bras et jambes à vif, cheveux roussis — Ricardo ravala un sanglot mais ne put retenir une larme. Dans le sel de la larme il y avait la saveur de l'orgueil. Quand, obéissant aux ordres du

322

Dr Caio Vilasboas, tous se retirèrent pour que Tieta puisse reposer, le neveu resta de garde. Elle lui dit :

« Viens et donne-moi un baiser. »

Si l'affaire de la lumière de l'Hydroélectrique, dont les fils et les poteaux s'approchaient à vive allure de la ville, avait fait d'Antonieta Esteves Cantarelli une citoyenne d'honneur, une figure hors pair parmi les enfants d'Agreste, le sauvetage de Miquelina l'éleva à la catégorie de sainte. Hissée sur le maître-autel de la cathédrale, à côté de la Senhora Sant'Ana, comme l'avait prévu Modesto Pires, un des premiers à venir la voir le lendemain.

Les poètes touchent toujours juste, ils ont le don de la divination. Gregório Eustáquio de Matos Barbosa, poète loué dans les colonnes des journaux de Bahia, reconnu dans les cafés littéraires de la capitale, vieil amoureux de Tieta, composa une ode en son honneur, exaltant sa beauté et son courage, beauté bouleversante, courage indompté ; en vers d'une rigueur classique et rimes riches, il la compara à cette guerrière et sainte qui un jour prit les armes, sauva la France et affronta les flammes du bûcher, un sourire aux lèvres. Jeanna d'Arc du Sertão, ainsi écrivit-il, triomphant sans peur des ténèbres et du feu, défiant la mort, rachetant la vie.

Par coïncidence, s'inspirant de l'incendie pour composer des vers populaires, le trouvère Claudionor des Vierges l'avait également canonisée en rimes pauvres :

> *Elle entendit les cris d'effroi*
> *Elle prit la grand-mère dans ses bras*
> *Le feu était son vêtement :*
> *Par la bonté de son cœur pieux*
> *La beauté de ses traits gracieux*
> *Sainte Tieta du Sertão.*

Durant tout le jour, à la porte, un vrai pèlerinage, on voulait des nouvelles, déposer un message, des vœux, l'amitié. A la tête du lit, à côté de Leonora, le poète Barbozinha, l'ex-bon-vivant, fané et rhumatisant mais fidèle à la passion de sa jeunesse, déclamant l'ode à elle consacrée. Au pied du lit, près d'Elisa, le neveu Ricardo, robuste et tendre, brûlant de baiser chaque brûlure, de demander pardon des mauvaises pensées, de l'avoir dans ses bras. Peto lui avait apporté une fleur des champs.

Dans le lit conjugal du Dr Fulgêncio et de dona Eufrosina,

dans le souvenir impérissable de Lucas, écoutant la rumeur du peuple sur la place, qui prononce son nom, entre le poète usé et l'ardent séminariste, Tieta, sainte par la bonté de son cœur pieux et la beauté de ses traits gracieux, impavide Jeanne d'Arc du Sertão, navigue sur une mer d'amour.

Quatrième épisode

Des fêtes de Noël et du Nouvel An ou le matriarcat des Esteves

Avec Papa Noël descendant des cieux en hélicoptère, poèmes de louange et de malédiction, Te Deum et feu d'artifice, un cri d'alarme ébranlant la ville, instructive polémique dans la presse sur les dangers et les avantages de l'industrie de bioxyde de titane, quand dans le municipe s'inaugurent journaux muraux et la bourse des immeubles et qu'on découvre l'importance du nom d'Antunes — des rites de la mort et des afflictions de la vie.

COMMENT POUR LA PREMIÈRE FOIS PAPA NOËL DESCENDIT À AGRESTE.

Assis au bureau du maire, Ascânio Trindade étudie le programme des festivités pour l'inauguration de la lumière de l'Hydroélectrique afin de le présenter au conseil municipal, à sa prochaine session. Câbles et fils doivent arriver à Agreste dans un mois environ, ont calculé les ingénieurs. Ascânio entend donner le faste voulu à la cérémonie — les poteaux de Paulo Afonso représentent le premier pas, historique, du municipe vers le retour à la prospérité. Outre les ingénieurs comparaîtra, qui sait, quelque directeur de la Compagnie Val du São Francisco, un gros bonnet de la politique, du gouvernement fédéral ? Premier pas qui poserait aussi le jeune administrateur, le futur maire, serait le premier degré d'une carrière fulgurante. Une fête semblable à celles d'autrefois, quand se déplaçaient à Agreste des caravanes de richards et de politiciens, que venaient des autorités de la capitale : discours, banquets, bals, feux d'artifice, le peuple dansant dans la rue.

Où trouver l'argent pour de pareilles dépenses ? Vides, comme toujours, les coffres de la mairie, Ascânio doit aller une fois de plus, liste en main, solliciter des subsides. Fazendeiro, éleveur de chèvres, planteur de manioc et de maïs, président du conseil municipal, indiscutable maître de la terre depuis plus de cinquante ans, le colonel Artur de Figueiredo est en tête de toutes les listes, suivi de Modesto Pires, citoyen riche et notoire. Les seuls dons dignes d'estime ; les autres révèlent la pauvreté du commerce, la décadence de la commune.

Pourtant Ascânio veut et doit marquer par d'inoubliables commémorations la nuit où l'aveuglante lumière de l'Hydroé-

327

lectrique de Paulo Afonso remplacera la pâle électricité du vieux moteur inauguré par son grand-père, alors intendant. Peut-être pourra-t-il enfin, au milieu de la joie et de l'enthousiasme, se déclarer à la belle Leonora Cantarelli, demander officiellement sa main. Depuis son retour de Rocinha quand, sur le dos de son cheval, il avala la nouvelle transmise par dona Carmosina et digéra l'hymen de la Pauliste, Ascânio est dans une exaltation perpétuelle. Étouffé le préjugé, réduit à une écharde indolore, à une pensée coupable aussitôt repoussée chaque fois qu'elle récidive, la passion s'était faite tendresse irrépressible pour l'innocente victime du monstrueux séducteur. L'intimité des amoureux aussi s'était accrue — des baisers longs et répétés quand ils se retrouvaient et qu'ils se séparaient — avivant le désir, donnant à l'amour une nouvelle dimension.

Pour sa déclaration, Ascânio pense pouvoir compter sur la bonne volonté de la belle-mère, le cœur attendri par les hommages qui lui auront été rendus à la fête. Un des articles du projet élaboré prévoit de donner le nom de la fille prodigue à l'artère par laquelle entre et sort de la ville la marineti de Jairo, artère qu'emprunteront également les fils du progrès, pour le peuple la Lumière de Tieta. Appelé chemin de Boue depuis des temps immémoriaux, ce sera la rue Dona-Antonieta-Esteves-Cantarelli (citoyenne d'honneur). La plaque a déjà été commandée à Bahia, avant même que les conseillers municipaux aient été mis au courant : peut-il y avoir quelqu'un d'assez ingrat pour s'y opposer ? Cette fois, Ascânio n'a pas oublié le « Esteves » qu'exigent dona Perpétua et le Vieux, insolent et plein de soi. Mais l'argent pour le banquet, le bal, la musique, les banderoles dans les rues, les guirlandes, les feux ? Pour paver la chaussée ? Celui qui pourrait aider à financer la fête, la subventionner, c'est le Dr Mirko Stefano, homme d'affaires désireux de créer une grande industrie à proximité du Mangue Seco, représentant authentique du progrès. Après la conférence où il a exposé ses plans, il a promis de revenir bientôt. Ascânio met en lui tous ses espoirs : pour le Dr Mirko rien ne paraît difficile, on dirait un génie des contes des *Mille et Une Nuits,* sorti de la lampe d'Aladin. Ah ! s'il se manifestait soudain...

Et voici que, soudain, il se manifeste, génie souriant et tout puissant, descendant des cieux en compagnie de Papa Noël. L'imposant vaisseau survole la mairie, la cathédrale, le jardin : vision hallucinante, vacarme terrifiant, jusqu'alors inconnus des yeux et des oreilles rustres du peuple d'Agreste.

Soleil intense et brise amène, venant de l'Atlantique, une agréable journée, typique de l'été sertanège. La ville semble endormie quand, au milieu de la matinée, le bruit surgit et grandit, et que Peto traverse la rue, les yeux en l'air, reconnaissant l'hélicoptère et l'annonçant. Des commerçants apparaissent à la porte de leur magasin. Dans le bar désert, *seu* Manuel abandonne les verres qu'il lave sans enthousiasme, regarde et s'exclame : d'où tombe-t-il? Ascânio, interrompu par le bruit affolant, abandonne papier, plume et rêves, va à la fenêtre et assiste à l'atterrissage de l'appareil au centre de la place, entre la mairie et la cathédrale. Le Padre Mariano, suivi des dévotes qui se signent, se montre en haut des marches qui mènent au parvis.

De l'hélicoptère dont les moteurs continuent à ronfler, les hélices tournant lentement à l'ébahissement des premiers curieux, débarquent le Magnifique Docteur, sportivement vêtu d'un jean et d'une chemise imprimée venant d'Hawaii — fleurs exotiques et femmes sensuelles — et Papa Noël en personne, le plus beau qui ait jamais existé car, qui porte la barbe blanche et le manteau rouge ? C'est une vieille connaissance, cette chère Elisabeth Valadares, Bety pour les amis, Bebé pour les intimes.

En apercevant l'hélicoptère, Papa Noël et le Dr Mirko, qui indique à Leôncio bouche bée le chargement à l'intérieur de l'appareil, Ascânio ne peut retenir un cri d'enthousiasme, un sonore vivat ! Le Magnifique Docteur lève la tête, fait un signe de la main au secrétaire de la mairie.

« J'ai tenu à apporter personnellement les cadeaux de Noël pour les enfants pauvres », explique le roi mage, serrant chaleureusement les mains d'Ascânio qui a descendu l'escalier quatre à quatre pour recevoir les visiteurs.

Laissant à Papa Noël la responsabilité du transbordement des sacoches de couleur depuis le ventre de l'appareil jusqu'à la mairie, tâche que Leôncio, l'homme de main, exécute avec une surprenante rapidité, le Magnifique Docteur accompagne le jeune fonctionnaire pour lui dire deux mots. Simplement que les résultats des études réalisées au Mangue Seco par les experts sont, pour l'instant, extrêmement satisfaisants et positifs.

Bien que des régions plus riches, pourvues de meilleures voix de communication, mieux équipées, comme Valença, dans le Recôncavo, Ilheus et Itabuna, dans le sud de l'État et même Arembepe, près de la capitale, se trouvent en piste, offrant des facilités de tout ordre à l'installation, dans leur circonscription, de la grande industrie, les préférences des entrepreneurs se portent sur Agreste. Le Magnifique Docteur a pesé dans ce sens, captivé par la beauté et le climat, la gentillesse de la population.

Impressionné, presque ému, Ascânio boit ces paroles de bon augure et demande s'il est encore nécessaire de garder le secret. Après l'atterrissage de l'hélicoptère chargé de cadeaux, il va être difficile, pratiquement impossible de cacher la vérité.

En veine de français, le Magnifique accepte :

« *Alors, mon cher ami...* Vous pouvez laisser entrevoir la possibilité que s'installent dans le municipe, au voisinage de la plage du Mangue Seco, deux grandes usines jumelées de la Brastânio — Industrie Brésilienne de Titane S.A. Plus qu'une possibilité, de grandes chances. »

Il explique toutefois que la décision finale dépend des conclusions et des accords :

« Nous sommes dans une phase d'étude, sur plusieurs terrains comme je vous l'ai dit. Mais les chances d'Agreste sont considérables. *Personnellement, je suis pour*[1]... La décision, pourtant, ne dépend pas uniquement de *votre serviteur*[1]... »

Il lève les bras d'un geste oratoire qui renforce l'effet de ses paroles :

« La présence de la Brastânio à Agreste transformera le municipe en un puissant centre industriel, bouillonnant de vie, *magnifique*[1] ! »

Ascânio appuie la candidature d'Agreste en informant que d'ici quelques jours, un mois au maximum, l'électricité et la force de Paulo Afonso seront inaugurées, mises au service de la Brastânio. La mairie avait l'intention d'organiser une fête à tout casser pour célébrer les temps nouveaux, mais la pauvreté franciscaine qu'encore...

Le Magnifique Docteur ne le laissa pas terminer, il voulut des détails sur la fête et, concrètement, le montant des frais. Ce même matin, Ascânio avait fait et refait des calculs,

---

1. En français dans le texte.

timidement traduits en contes-de-reis. Pour lui une somme élevée, un enfantillage pour le Dr Mirko Stefano dont le budget pour les avances et les provisions initiales était pratiquement inépuisable. D'un geste, il résolut le problème majeur d'Ascânio : le pavage de la rue, une grosse dépense indispensable.

« Comptez sur moi, je fais paver la rue. La Brastânio sera honorée de collaborer à l'éclat des festivités. Passées les fêtes de Noël, je serai à nouveau ici. Pour un entretien décisif, pour accorder nos montres et donner le signal du départ. »

Ascânio ne sait pas s'il parle de l'installation de l'usine ou des préparatifs de la fête de la lumière de Tieta :

« De quel départ ?

— Du départ vers le progrès et la richesse d'Agreste ! » La voix chaude, assurée, inspire confiance. « Quant à l'inauguration de l'électricité, la Brastânio prend à sa charge la chaussée et participera aux autres frais, collaborera à la joie du peuple du municipe, et je ferai mon possible pour être présent. Servir est l'objectif suprême de la Brastânio ; servir la patrie. Brésil *uber alles* », il s'agit d'argent, le Magnifique abandonne le français diplomatique pour des langues plus concrètes : l'allemand et l'anglais. « *Auf wiedersehen. Merry Christmas, my dear.* »

La foule grossit place du Conseiller-Oliva. Se faisant l'ambassadeur des enfants de la ville, Peto s'approcha de l'appareil, engagea conversation avec le pilote, sourit à Bety-Papa Noël, vint l'aider à décharger les sacoches. En les tâtant, curieux, il sent des poupées, des automobiles de fer-blanc, de menus joujoux pour les petits enfants, il s'en désintéresse — bientôt il aura treize ans, il sera un jeune homme et Osnar le mènera à sa première chasse.

De la porte de la mairie, à côté d'Ascânio, le Magnifique Docteur contemple les vieilles maisons de la place, les gens pauvres réunis à l'ombre de l'hélicoptère, il prononce :

« Demain avec la Brastânio, se dresseront ici des gratte-ciel ! »

Ascânio se pâme, saintes paroles, que les anges disent amen, c'est tout ce qu'il désire. Il ne résiste pas, il transforme la poignée de main en cordiale et reconnaissante étreinte :

« Merci mille fois, docteur. Je vous attends.

— Aussitôt après les fêtes de fin d'année. »

Avant de réintégrer l'hélicoptère, Papa Noël serre contre sa poitrine le turbulent représentant des enfants pauvres, pas si enfant ni si pauvre, l'embrasse sur les deux joues. Lèvres douces et chaudes, haleine parfumée, un régal ! Peto rend les baisers, s'approche encore, sent le relief du buste, les seins sous la tunique de satin rouge.

Le ventre de l'appareil est plein de sacoches semblables à celles que l'on a remisées dans la salle du rez-de-chaussée de la mairie, là où se réunit le conseil municipal lorsque, rarement. le colonel Artur da Tapitanga le convoque, toujours à la demande d'Ascânio, un formaliste. Réunions inutiles, où les édiles approuvent à l'unanimité ce que le colonel a décidé, exactement comme le fait le Parlement national avec les projets de l'Exécutif.

Les hélices prennent de la vitesse, le vaisseau s'élève, se dirige vers la mer. Le Magnifique Docteur poursuit son voyage de Noël, portant à Valença, Ilheus et Itabuna, des sacoches et des promesses d'avenir grandiose. Il n'ira pas, pourtant, à Arembepe. Pour chaque lieu et chaque circonstance, une stratégie.

DU CONTENU DES SACOCHES, CHAPITRE OÙ LA BRASTÂNIO MET JÉSUS À SON SERVICE.

Une cinquantaine de sacoches en papier, aux couleurs et devise — Ordre et Progrès — du drapeau brésilien, comptées et entreposées dans la salle de réunion du conseil municipal ; séparées en deux groupes de vingt-cinq. Dans le premier, destiné aux petites filles, domine le jaune et chaque sacoche contient une petite poupée de plastique, un fourneau miniature en fer-blanc, deux baudruches, un sachet de bonbons. une langue-de-belle-mère, une crécelle. Dans les autres la couleur dominante est le vert ; la poupée et le fourneau ont été remplacés par une petite automobile (en plastique) et une petite trompette (en fer-blanc). Dans toutes, une même image avec le portrait du Christ d'un côté, et de l'autre une inscription en caractères dorés : « Laissez venir à moi les petits enfants. Offre de la Brastânio — Industrie Brésilienne de Titane S.A., une entreprise au service du Brésil. »

332

Ayant perdu ses dernières illusions. Peto abandonne la mairie :

« Quelle plaie ! Des merdes... »

En revanche, Leôncio vibre d'enthousiasme :

« Vive Dieu ! Sept cadeaux dans chaque sac, c'est quelque chose ! J'en voudrais bien pour mes trois petits-enfants, les deux fillettes et le gamin. Ne m'oubliez pas, docteur Ascânio. »

Ascânio accorde trois sacoches à l'ex-soldat et ex-cangaceiro, fidèle auxiliaire de la mairie, salaire minimum parfois payé en retard. En ce jour lumineux et joyeux, il ne peut rien refuser, lui-même est comblé, il a reçu d'un coup tant de grâces inespérées !

Le Noël des enfants pauvres. Le financement de la fête inaugurale de la lumière de l'Hydroélectrique : la bienheureuse Brastânio paie tout, pavage et banderoles, feux d'artifice et musique, et le Dr Mirko Stefano honorera la ville de sa présence. Plus excitantes encore sont pourtant les nouvelles sur l'installation à Agreste de la monumentale industrie : l'heureux résultat des études est à peu près assuré. Ni Itabuna, ni Ilheus, ni Valença, ni Arembepe...

Ascânio est perplexe : le Dr Mirko a-t-il cité Arembepe parmi les endroits possibles ? Il a l'impression d'avoir entendu le nom de la plage fameuse, attraction touristique internationale bien qu'elle n'arrive pas aux pieds du Mangue Seco. Mais il n'en est pas sûr, en répétant le nom des villes concurrentes, le magnat n'en avait cité que deux dans le sud de l'État, et une troisième dans le Recôncavo. Enfin, peu importe, puisque les préférences vont à Agreste.

Pour terminer sa visite en beauté, le Dr Mirko avait libéré Ascânio de l'obligation de se taire : il peut communiquer la bonne nouvelle au peuple. Il le fera durant la distribution des cadeaux de Noël.

Mentir n'est pas le fort d'Ascânio Trindade, il ne sait pas, il commet des indiscrétions, révèle des pistes. C'est ce qui était arrivé dans son discours de la place de la Tannerie (je rectifie à temps : place Modesto-Pires) quand, légèrement, il avait annoncé pour bientôt de grandes nouveautés, laissant entrevoir l'existence d'un projet bien plus considérable que celui d'une simple entreprise touristique, faisant allusion, c'est un comble ! à un pool industriel. La plupart des gens n'y virent pas malice mais quelques-uns dressèrent l'oreille. Osnar l'avait interpellé sur le chemin du fleuve :

« Qu'est-ce que c'est que cette histoire de pool industriel capitaine Ascânio ? Il y a anguille sous roche... »

Au bras de Leonora, il s'était tiré d'affaire par une plaisanterie :

« ... qui montre le bout de la queue... Devine qui pourra. »

Au colonel Artur de Figueiredo, pour des raisons évidentes — doyen, maire en exercice, en plus de parrain et protecteur — il avait exposé en détail sa conversation avec le « grand homme d'affaires », les plans et les projets. Il avait été tout exprès à la Fazenda Tapitanga. Mais le colonel est à moitié gâteux, il ne s'intéresse plus à rien hormis ses terres et ses chèvres. Il avait considéré le projet comme une pure folie, sinon pire, le plan ténébreux d'un aigrefin :

« Un grand homme d'affaires, mon fils ? Ce type n'est qu'un filou. Sauf qu'il ne sait pas qu'il est plus facile de tirer du lait du sac d'un bouc que de trouver de l'argent à Agreste. Il s'est fourré le doigt dans l'œil. Voleur et fou. »

Discuter avec le parrain ? Inutile, il ne le convaincrait pas. Mais maintenant les cadeaux étaient là, cinquante sacoches contenant des jouets pour les enfants pauvres, le colonel devrait se rendre à l'évidence. Un grand homme d'affaires, oui. Ni fou ni filou, représentant de capitaux énormes, parlant au nom de la Brastânio, une industrie qui produisait du bioxyde de titane, une industrie de base pour le développement national. Située à Agreste dont le maire est le dynamique et compétent Ascânio Trindade. S'il ne l'est pas encore, il le sera aux prochaines élections, on doit bientôt fixer la date.

Il est absolument nécessaire que soit revêtue d'une solennité particulière la remise des jouets, don de la Société. Ascânio décide de constituer une commission de dames et de demoiselles pour l'émouvante cérémonie, la veille de Noël, dans deux jours. Ce va être un succès, un Noël inoubliable, grâce à la Brastânio. Il sourit seul, imaginant Leonora, fée distribuant aux enfants jouets et joie.

Il convoquera Barbozinha pour remercier au nom des jeunes intéressés les généreux industriels. Dans des cas pareils, personne ne l'égale, il sait comment toucher le cœur des auditeurs, arracher larmes et applaudissements. Lui aussi, Ascânio, dira quelques mots, pour annoncer aux populations le commencement d'une nouvelle ère pour Sant'Ana de l'Agreste — l'ère de la Brastânio et, pourquoi pas, l'ère d'Ascânio Trindade. Oui, Leonora, d'Ascânio Trindade, plus un pauvre de Dieu, un vil fonctionnaire municipal à peine au-dessus de Leôncio, l'égal de Lindolfo. Un administrateur, un homme politique, un homme d'État. Méritant ta main d'épouse. Il foule aux pieds l'écharde : la virginité n'est qu'un sot préjugé. Une jeune veuve, pauliste, belle et riche.

Il laisse les sacoches à la garde de Leôncio, doublement féroce, garde du corps et fourrier. Il se dirige vers la maison de dona Perpétua, pour annoncer l'arrivée des cadeaux à Leonora et à dona Antonieta, cette dernière encore alitée tandis que cicatrisent ses brûlures sous la tendre vigilance du neveu séminariste, un enfant en or.

COMMENT LE POÈTE DE MATOS BARBOSA COMPOSE ET DÉCLAME UN POÈME QUI N'EST PAS ENTENDU, EN RAISON DU SUCCÈS EXCESSIF DE LA FÊTE OÙ ONT ÉTÉ DISTRIBUÉS LES CADEAUX DE LA BRASTÂNIO AUX ENFANTS PAUVRES, CHAPITRE AGITÉ ET CONFUS, AVEC DONA EDNA EN PLEINE ACTION.

Il faut avouer la vérité : la distribution des jouets dépassa toutes les prévisions ; plus qu'une aimable effervescence de jeunes filles et de dames, d'enfants heureux, ce fut un sauve-qui-peut, un pandémonium, dépassant toutes les limites de l'ordre et de la bonne éducation.

A Agreste, terre privée de ressources et de distractions, toute cérémonie, des messes aux enterrements, rassemble le peuple avide d'occupations. La nouvelle de l'arrivée des cadeaux dans la machine volante se répandit partout. Aussi, le matin de la veille de Noël, la trogne et la réputation farouche de Leôncio ne parviennent pas à contenir la masse infanto-juvénile commandée par des adultes, pour la majorité du sexe féminin, réunie devant la mairie dont la porte d'entrée reste fermée à clef.

Pas même Ascânio Trindade, qui connaît, par profession et par vocation, les problèmes et les réalités du municipe, n'aurait imaginé qu'il y eût tant d'enfants à Agreste. Apparemment, tous des plus pauvres car, même les enfants d'Agostinho Pain-Rassis, le patron de la boulangerie, un citoyen cossu, sont candidats aux présents de la Brastânio : un garçon et une fille, gros, bien nourris, endimanchés. Ils sont au premier rang de la file qu'a fait organiser Ascânio, une file interminable, qui se défait et se refait, il arrive des gens sans cesse. La marmaille court, crie, soulève la poussière, se roule par terre, une pagaille généralisée.

« Quelle foutue invention ! » constate Aminthas qui regarde de la porte du bar, la queue de billard à la main. « Tu ne vas pas donner un coup de main, Osnar ? Ascânio avait demandé...

— Je ne fais de folies que pour les femmes. Vas-y toi, si tu veux. » Osnar met de la craie sur le bout du bâton, s'étonnant de la présence inattendue de Peto, qui arrive et s'installe sur une chaise, prêt à suivre la partie : « Toi ici, sergent Peto ? je pensais que tu serais le numéro un de la file...

— Pour ces saletés ? Moi ? Je reste à mes affaires, psch ! » après ce long discours, il allongea ses pattes, appela *seu* Manuel, commanda un Coca-Cola sur le compte d'Osnar.

Dans la salle de la mairie, privée de l'irremplaçable dona Carmosina retenue au lit par une forte fièvre avec toux et migraine, la nombreuse et vaillante commission d'honneur s'installe sous la direction de dona Milu et entreprend de partager le contenu des sacoches pour satisfaire le plus grand nombre d'enfants possible.

Quelques jeunes gens aident, ils sont venus accompagner leur amoureuse ; parmi eux le fils de *seu* Edmundo Ribeiro, receveur, le jeune Leléu dont on a déjà entendu parler. Étudiant, en deuxième année d'Économie, maigre, dans le vent, chevelu, à la mode, jean déteint, chemise ouverte flottant sur le pantalon, manches retournées, pas rasé, il est la coqueluche des filles, il ne peut tenir tête. Seixas aussi est présent, convoyant un bataillon de cousines.

« Malgré tout, ça ne va pas suffire... », déclare Elisa, revenant de la fenêtre où elle est allée faire le point de la situation, calculant le nombre d'enfants.

Elisa et Leonora, ultra-élégantes, sont les deux étoiles de la commission, beautés qui se complètent et s'opposent, la blonde Pauliste, fille d'immigrants italiens, la brune sertanège, Brésilienne depuis de nombreuses générations et de nombreux sangs mélangés. Les yeux malins de Leléu se posent sur l'une et sur l'autre, les comparant. Toutes deux lui plaisent, mais elles ont un maître : l'une est l'épouse sérieuse d'un commerçant encore jeune, l'autre fréquente le secrétaire de la mairie, une déveine. En détournant son regard, il rencontre celui de dona Edna qui le fixe, dolent, empreint de sous-entendus et d'insistance. Leléu répond au sourire. Dona Edna s'approche, suivie de Terto, qui ne semble pas être son mari mais qui l'a épousée devant le juge et le curé.

Le Padre Mariano entre dans la salle, il vient bénir les présents. Vavá Muriçoca, le vieux sacristain ronchon, porte le réceptacle d'eau bénite et le goupillon tandis que Ricardo, en surplis blanc souligné de rouge, porte l'encensoir et l'encens. Dona Edna vacille. D'abord les dévotions, ensuite les diversions : elle se dirige vers le prêtre, lui baise la main, dévore Ricardo des yeux. Ah ! que cet amour ne détourne pas la tête comme avant ! Pour la première fois il affronte le cupide regard et sourit légèrement en disant bonjour, dona Edna. Un ange sans tache mais un homme fait. Bonjour, mon enfant de chœur. Ah, en avoir les prémices !

Ayant accompli ses dévotions, dona Edna va droit à Leléu qui cherche à gagner les bonnes grâces de Terto, le mari. Idiot, il n'est pas nécessaire d'attendrir ses cornes.

Devant la déclaration d'Elisa, aussitôt confirmée par Seixas, dona Milu ordonne après une brève conférence avec Ascânio, que tous les jouets soient retirés des sacoches, entassés derrière la table de la présidence du conseil municipal et que, sur les côtés, soient disposées les chaises à haut dossier des conseillers, formant ainsi une espèce de barricade qui défende les objets, les dames et les jeunes filles chargées de la distribution. Chaque enfant recevra un cadeau.

« Pas de favoritisme ! » recommande Ascânio Trindade, mi-sérieux, mi-plaisant.

Dona Milu ne rit pas, elle donne les ordres :

« Poupée, automobile, trompette, fourneau et crécelle, uniquement pour les nécessiteux. La file est pleine d'enfants de familles aisées, une honte. Pour eux, une baudruche ou un caramel, et encore ! Ils sont là parce que les parents n'ont aucune pudeur. »

Pour que ce soit bien clair, elle précise :

« Tu entends, Dulcinéia ? Tes enfants font la queue comme si la boulangerie ne rapportait pas. Ton frère aussi, Georgina, un gamin grand comme ça. C'est quelque chose ! »

A peine Leôncio déverrouille-t-il la porte que la file se défait, la marmaille avance en bloc, pères et mères se postent devant la table les mains tendues, empoignent les chaises.

A grand renfort de cris et de chiquenaudes, le Padre Mariano contient l'avalanche les quelques minutes nécessaires à la cérémonie de la bénédiction. En terminant, il tente encore de commettre un petit sermon mais il renonce devant les hurlements et le chahut qui, immédiatement, reprennent. Le Padre Mariano, Vavá Muriçoca et Ricardo sont emportés par la marée de candidats aux dons de la Brastânio. Dona Edna en profite et, au milieu de l'eau bénite et de l'encens, elle parvient en même temps à presser la main de Leléu en une douce promesse et à se frotter à la soutane de Ricardo, un exploit limité mais agréable et divertissant.

Toute espèce de contrôle devient impossible, inutile de tenter de distribuer poupées et fourneaux aux filles, automobiles et trompettes aux garçons, baudruches et bonbons aux enfants des gens fortunés. L'anarchie, une émeute : la commission écrasée contre le mur, les chaises renversées, des mains maternelles arrachant les jouets. La donzelle Cinira a un vertige et défaille, Elisa part à la recherche d'un verre d'eau. Manque d'hommes, diagnostique dona Milu renonçant à distribuer les cadeaux pour distribuer des gifles aux gamins les plus audacieux.

Le monceau de jouets disparaît rapidement. Les retardataires reçoivent seulement l'image en couleur avec le portrait de Jésus et le slogan de la Brastânio.

Dans la rue, des discussions éclatent entre les parents, deux femmes du Creux-du-Vieux se crêpent le chignon, des enfants se battent parmi les pleurs et les insultes. Vaincues, annihilées, les cheveux en bataille, les robes chiffonnées, dames et demoiselles de la commission d'honneur sont près de la crise de nerfs. Dona Dulcinéia a battu précipitamment en retraite après avoir remis à ses enfants trompette, poupée, fourneau et automobile, emportant elle-même une crécelle et une langue-de-belle-mère, des bonbons pour son mari ; elle n'a accepté que pour ça de faire partie de la commission, que dona Milu garde ses sermons pour d'autres. Georgina étouffe ses sanglots dans son mouchoir, son frère l'a menacée : je vais dire à Papa que tu n'as pas voulu me donner l'automobile et la trompette, vieille vache.

Au milieu du vacarme de cette fête houleuse, du bruit insupportable de vingt ignobles trompettes de fer-blanc, le poète Barbozinha, à la tribune du conseil, déclame le poème composé spécialement pour la circonstance, émouvant, biblique et encenseur. En vain Ascânio, Seixas, Leléu et d'autres

338

jeunes gens réclament-ils le silence. Leonora et Elisa aussi, deux beautés rares, élèvent la voix et supplient, s'il vous plaît, une minute d'attention. Du poème, on ne put entendre que peu ou rien, à la tristesse de l'insigne barde qui avait passé deux jours et deux nuits à choisir les rimes, compter les pieds et chercher des informations sur le bioxyde de titane.

« Dites-moi, maître Ascânio, que diable est-ce donc? »

Ce que c'était exactement, Ascânio aussi l'ignorait. Un important, très important produit dont la fabrication va représenter une grande économie de devises pour le pays, un pas fondamental vers le développement de la patrie. Mais en quoi cela consiste, je n'en ai pas la moindre idée, avait-il confessé un peu confus.

Ascânio décide de remettre pour une meilleure occasion le discours annonçant aux populations la nouvelle ère : les populations se retirent en désordre avec les présents, se désintéressant de la poésie et de l'art oratoire. Pauvres femmes avec des bambins à califourchon sur la hanche, hommes mal vêtus traînant des enfants par la main, gamins lâchés au coin des rues, rapidement la foule se disperse Larguées en chemin, jetées, les images de Jésus, la phrase du Nouveau Testament et le nom de la Brastânio. Elles n'ont pas de valeur d'échange.

Pue-le-Bouc ayant demandé un cadeau ou un coup de cachaça à Leôncio, ce dernier lui offrit une image, l'unique présent qui restait.

« Va l'offrir à ta mère! », protesta le mendiant, offensé

Leôncio, l'homme de main, considère la fête comme un succès sans précédent et la Brastânio, une digne organisation Seul à avoir reçu une sacoche entière — pas une, trois et à l'avance, sans coups de pieds ni coups de poings — il avait encore réussi à subtiliser une trompette qu'il finit par donner à Pue-le-Bouc pour se débarrasser de lui.

Une petite trompette de fer-blanc, vulgaire mais bruyante Pue-le-Bouc descend la rue en soufflant dedans, produisant un son désagréable, strident, affreux. Grâce à quoi il obtient le silence voulu pour demander aux populations où Terto ıra suspendre ses nouvelles cornes puisqu'il en est partout garni Il lui reste à se les mettre au cul, ce sont des cornes d'enfant, maniables. Ce que dit Pue-le-Bouc, un ivrogne pourri, ne se répète pas, et encore moins s'écrit.

OÙ ENFIN BARBOZINHA DÉCLAME COMME IL CONVIENT SON POÈME ET ASCÂNIO TRINDADE LANCE UNE PROCLAMATION AUX POPULATIONS DE SANT'ANA DE L'AGRESTE.

Les soldats en déroute du régiment de la charité, battant en retraite, traversèrent la place et se réfugièrent chez Perpétua où, allongée dans le hamac, dans la véranda, Tieta achève sa convalescence. Un petit cénacle animé, partagé entre l'indignation et le rire, encore sous la direction de dona Milu, démissionnaire :

« Ah, Tieta, ma fille, je n'ai plus les forces pour supporter une tâche pareille. La prochaine fois, Ascânio, ne comptez pas sur moi. »

On tire des chaises, on s'installe autour du hamac. Tieta réclame des détails, tout en baisant la main du Padre Mariano et se régalant à admirer Ricardo, toujours en surplis blanc, lévite du sanctuaire. Le Révérend est juste venu lui dire bonjour mais il accepte un verre de jus de *cajá* avant de retourner à l'église, entraînant avec lui le séminariste. Tieta retient un soupir, équitable avec Dieu, chacun ses heures.

Elisa va en boîtant à la cuisine préparer un café bien fort pour le malheureux Barbozinha. La petite Araci soutient de ses bras maigres un lourd plateau de jus de fruits : de mangue, de mangaba, de cajá, d'umbu. Les cousines de Seixas louchent vers la maison où elles pénètrent pour la première fois, elles veulent tout voir. Elle se poussent du coude, malicieuses, en regardant vers le hamac où les chairs fermes de Tieta s'abandonnent dans le négligé de nylon largement décolleté ; jaune avec des dentelles blanches, le fin du fin.

Perpétua escorte le prêtre jusqu'à la porte de la rue. De retour, elle loue le beau geste des industriels, ces cadeaux de Noël aux enfants de la ville. Elle avait voulu convaincre Peto d'entrer dans la file, mais le garnement a disparu. De la fenêtre, elle avait observé l'agitation, elle condamne la mauvaise éducation du peuple :

« Ces gens ne méritent la charité de personne. On envoie un avion de cadeaux et ça donne ça... C'est répugnant. »

Tieta prend la défense du peuple d'Agreste, une humanité éprouvée. condamnée à la misère, dont les enfants ne connaissent d'autres jouets que les poupées de chiffons et les camions faits d'une vieille planche et de capsules de bière en guise de roues.

« Ils sont trop patients. »

Les opinions se partagent, la discussion menace de s'enflammer, l'atmosphère belliqueuse de la mairie gagne la pacifique véranda de la demeure où les Paulistes sont hébergées. Seixas, qui pour une fois s'emporte, en faveur de Tieta, défend le droit des pauvres à la révolte. Elisa, montrant son pied enflé, écrasé sous le poids d'une imposante laveuse décidée à obtenir poupées et trompettes pour ses huit enfants, ne trouve pas d'excuses, ni à la mauvaise éducation du peuple ni à la défection de la bande du billard.

Elle ne parle pas d'Astério, en faction au magasin, ne pouvant abandonner son comptoir, la veille de Noël on vend toujours quelque chose. Mais Osnar, Aminthas, Fidélio, eux et d'autres, sont paisiblement restés au bistrot, queue de billard et craie à la main, au lieu de répondre à l'appel d'Ascânio, de les aider à contenir les fauves, car ce ne sont que des fauves...

Présidente de la commission d'honneur, dona Milu devrait être la plus indignée, la première à condamner la grossièreté générale. Bien au contraire, elle défend les cannibales :

« Des fauves, allons ! Des pauvres, seulement des pauvres qui se battent, se piétinent pour une poupée de plastique qui ne vaut pas deux sous, pour une trompette de laiton, qu'ils veulent donner à leurs pauvres petits. A propos, quelle idée désastreuse d'offrir des trompettes... Ils ne pouvaient pas trouver autre chose ?

Remarque avec laquelle tous tombent d'accord ; le vibrant concert de trompettes, si nombreuses et stridentes, avait été le pire de la fête. Dona Milu se tourne vers le poète qui n'a pas encore ouvert la bouche :

« Je dois partir, j'ai laissé Carmô au lit, avec de la fièvre ; quand elle est malade, il faut être aux petits soins pour elle, c'est une vraie guimauve. Mais avant, je veux entendre les vers de Barbozinha. Là-bas, il n'y avait pas moyen. A cause des trompettes. »

En général le poète ne se fait pas prier pour déclamer ses poèmes mais il fait la tête, sa vanité blessée par le manque

d égards de ses concitoyens Il s'excuse, mais   Tieta inter
vient :

« Bien sûr que tu vas dire ta poésie, ne garde pas rancune.
De toute façon tu devais la réciter pour moi qui n'ai pas pu y
aller, n'est-ce pas ? ses yeux espiègles posés sur Barbozinha.
Alors, mon vieux ? Nous attendons, vas-y... »

Barbozinha obéit. Amoureux trouvère, soumis aux ordres
de sa muse, il se lève, tire de la poche intérieure de sa veste
deux feuilles de papier, calligraphie appliquée, sonores
alexandrins. Il toussote, sollicite une gorgée de cachaça pour
s'éclaircir la voix. Araci court en chercher. Le poète avale la
cachaça, fait claquer sa langue, tend la main et attaque.

Héraut de la bonne nouvelle, il annonce la naissance du
Christ, pauvre et nu, dans la mangeoire à Bethléem. Que
viennent les enfants d'Agreste, tous, sans exception, participer à la joie universelle, car c'est à l'enfance qu'appartient
cette fête de Noël, ainsi en a décidé la bienheureuse Brastânio
dont les propriétaires, nobles et magnanimes constructeurs de
la patrie grandiose et juste, jettent des brassées de somptueux
présents sur les genoux de la pauvreté, muant les larmes des
enfants démunis en rires frais, en gazouillis d'oiseaux, en
roucoulements d'heureuses colombes.

Il avait cherché l'inspiration dans la Bible et dans la beauté
du sol, du fleuve, de la mer ; il avait trempé sa plume dans les
sentiments profonds de la solidarité humaine. Ainsi il illumina
d'obscurs foyers avec l'étoile du berger, il compara les
directeurs de la Brastânio à de nouveaux rois mages découvrant les rudes chemins d'Agreste, apportant, dans leurs
mains faites de bonté, l'or, la myrrhe et l'encens. Il fit rimer
bon peuple pitoyable avec grandeur nationale, fils innocents
de la cité avec divin enfant roi de Judée, titane avec Trindade.
Ascânio Trindade, capitaine de l'aurore, brisant la gangue de
la torpeur, ouvrant les portes du progrès.

Saisie, Leonora bat des mains, les autres l'imitent : applaudissements et exclamations enthousiastes. Un triomphe absolu
qui compense la déception passée.

« Viens ici que je t'embrasse ! » exige Tieta et elle dépose
un baiser sur le visage marqué, imprimant sur les rides le
dessin de ses lèvres lie-de-vin.

« Bravo, Barbozinha, ça m'a beaucoup plu. Très bien,
l'éloge d'Ascânio, considère dona Milu. Ne vous découragez
pas, Ascânio, si un jour Agreste redevient quelque chose, on
vous le devra. A vous et à toi, Tieta. Tu es arrivée et tout a

342

changé c'est comme une lueur qui nous a illuminés. Je ne parle pas de l'électricité de Paulo Afonso, je parle d'autre chose que je ne sais pas expliquer, je ne suis qu'une vieille bête. Une chose qu'on ne voit pas, qui ne se touche pas mais qui existe, une lumière qui est venue avec toi, ma fille. Dieu te bénisse. »

Elle s'approche du hamac et embrasse Tieta avec une tendresse maternelle :

« Je m'en vais, Carmô doit être sur des charbons ardents, elle va m'en dire de toutes les couleurs. Non sans raison. »

Ascânio la prie d'attendre une minute, rien qu'une minute, s'il vous plaît. Se levant aussi, il fait sa proclamation aux populations, il annonce la nouvelle ère, l'ère de la Brastânio. Il n'ajoute pas son nom à celui de la grande industrie de bioxyde de titane, c'est inutile. Il a reçu l'approbation et les applaudissements de dona Milu, après ceux de Matos Barbosa dans ces vers que Leonora apprend par cœur et répète tout bas, entrouvrant ses lèvres de carmin.

« TON PARADIS, POÈTE, EST MENACÉ! », CHAPITRE OÙ LA BOMBE EXPLOSE.

La chronique signée Giovanni Guimarães explosa à Agreste le lendemain de Noël. Une bombe à retardement, car le numéro de *A Tarde* dans lequel elle avait été publiée datait de trois jours, de l'avant-veille de Noël, alors que le poète Barbozinha n'avait pas encore commis son poème pour la fête des enfants pauvres.

La faute en incombe à la grippe qui, retenant dona Carmosina fiévreuse sous ses couvertures, non seulement priva de sa présence la commission d'honneur de ladite fête, mais empêcha l'exemplaire fonctionnaire de se rendre à l'agence des Postes le jour de la distribution de la correspondance. Dona Milu la remplaça, bien que fatiguée du marathon de la mairie, le matin, et pressée de retourner auprès de sa fille malade. Elle remit quelques lettres aux personnes qui se présentèrent après l'arrivée de la marineti, ce jour-là très en retard, laissa le reste. y compris les journaux, pour les distribuer après le jour férié.

A Tarde avait cinq abonnés à Agreste mais le paquet comportait six exemplaires, le sixième étant destiné à dona Carmosina Sluizer da Consolação, qui représentait le journal dans le municipe. Tous les six restèrent à l'agence, attachés par une ficelle, comme ils étaient arrivés. Dona Carmosina était si abattue par la grippe qu'elle ne s'intéressait même pas aux événements de la fête à la mairie, à plus forte raison à la lecture fatigante des journaux.

Le jour de Noël elle était mieux, sans fièvre mais encore faible, il lui fallait lit et repos, elle dormit presque toute la matinée. L'après-midi elle reçut la visite de Tieta et Leonora, accompagnées du commandant Dário et de Dona Laura, outre Ricardo qui portait au médius une bague en or, avec un jade d'un superbe vert sombre, ovale et lisse, une pièce de valeur.

Tieta sortait pour la première fois depuis la nuit de l'incendie. Quelques marques de brûlures, rouges, désagréables à voir, résistaient aux pommades et aux onguents. Tout autre qu'elle aurait attendu la cicatrisation complète avant de se montrer en public, mais Tieta ne supporte plus de rester enfermée, couchée dans le hamac, surtout un jour de fête.

La veille elle avait organisé un souper à la manière du Sud pour la famille et les amis, après la messe de minuit. Étaient venus Barbozinha, Ascânio Trindade, le Padre Mariano, Osnar, Aminthas et Fidélio. Seixas avait rendez-vous avec ses cousines. Le commandant et dona Laura non plus n'avaient pu en être. Tous les ans, depuis son retour à Agreste, le commandant prépare, la veille de Noël, une fête pour les pêcheurs du Mangue Seco : la population n'atteint pas quarante personnes, en comptant les hommes, les femmes et les enfants. Ils se réunissent tous pour une espèce de banquet en commun qui se prolonge par un bal animé. Modesto Pires participe aux frais mais ne partage pas le festin, il va à la messe de minuit au hameau du Saco. En revanche, sa fille Marta et son gendre Pedro fraternisent avec les pêcheurs. C'est pourquoi le commandant n'a pas accepté l'invitation, promettant pourtant de venir à Agreste avec son épouse le matin de Noël, à temps pour savourer, au déjeuner chez Perpétua, les restes de dinde, les reliefs du souper. Ce que Carmosina et dona Milu ne peuvent même pas faire : le plus que se permet

Carmosina est de quitter le lit, de s'étendre dans la chaise longue.

Prévoyante, Tieta avait apporté de São Paulo de petits cadeaux de Noël pour la famille mais, en plus, reconnaissante de la façon dont elles avaient été reçues, elle a donné de l'argent à Zé Esteves et à Tonha, à Astério et Elisa et des livrets d'épargne à Ricardo et Peto. Enfin, à Ricardo, pour l'aide inestimable qu'il lui prête dans la construction du bercail du Bouc Inácio, elle a offert cette bague, un bijou de la collection du défunt Commandeur Félipe. Les mains chargées, elles arrivent, Leonora et elle, chez dona Milu.

« Encore des cadeaux ? Après tout ce que tu nous as déjà apporté de São Paulo ? » Dona Milu hoche la tête en recevant l'éventail japonais. « Tu n'es pas raisonnable, Tieta.

— Me voilà déjà mieux... », déclare, joyeuse, dona Carmosina en admirant la broche fantaisie, superbe.

Elles ne s'attardent pas, Leonora a rendez-vous avec Ascânio, ils vont à la matinée, et dona Carmosina, le visage abattu, la voix rauque, n'est pas encore capable d'un long bavardage.

« Retourne au lit, ordonne Tieta. Et ne pense pas sortir demain. Si tu veux, je garde la poste. »

Le commandant proposa une commission d'au moins cinq personnes pour assumer la responsabilité de remplacer la bonne Carmosina :

« Une seule ne suffit pas...

— Ce n'est pas nécessaire ; demain il n'y aura pas grand-monde, il n'y a de courrier qu'après-demain. Mère fera un saut, c'est bien assez.

Le lendemain, après le déjeuner, Dona Milu alla délivrer le reste de la correspondance et les journaux, elle s'attarda un peu au cas où quelqu'un apporterait des lettres, bavardant avec Osnar et Aminthas pour tuer le temps jusque vers les quatre heures où elle ferma la porte et rentra chez elle avec l'exemplaire de *A Tarde*. Si par hasard quelqu'un avait à envoyer un télégramme, on savait où la trouver.

Bien plus fraîche mais toujours au lit, dona Carmosina se cale dans ses oreillers et entreprend la lecture de la gazette. Elle parcourt les titres de la première page, un reportage sur la cherté de la vie, les difficultés de la population pratiquement empêchée de célébrer Noël en raison des prix. Non seulement des châtaignes, des noisettes, des noix, des amandes, du fromage, de la morue ; aussi des haricots noirs, du riz, de la

345

viande sèche, tout hors de prix. Tournant le feuillet, la page noble de *A Tarde*, celle de l'éditorial, des articles de fond, l'objet de sa prédilection : la chronique quotidienne de Giovanni Guimarães. Aux yeux de dona Carmosina, il est imbattable pour brocarder ou pourfendre les tares de la société de consommation.

Elle lit machinalement le titre du jour, et que voit-elle ? LETTRE AU POÈTE DE MATOS BARBOSA, en grosses lettres noires qui dominent les deux colonnes en italique signées de Giovanni. Le visage de la malade s'illumine, elle s'écrie : olé ! Mais la joie de voir le nom de son ami au haut de la page se transforme en anxiété dès qu'elle lit la première ligne de la chronique : « Ton paradis, poète, est menacé ! »

DU CRI D'ALERTE, CHAPITRE OÙ L'ON RÉSUME LA FAMEUSE CHRONIQUE.

Dans un chapitre précédent, le nom de Giovanni Guimaraes a été évoqué comme celui de l'ami du poète Barbozinha, compagnon de bohème, de la vie légère dans les « châteaux » et les cafés pseudo-littéraires, sans qu'on ait pourtant parlé des qualités et de la trempe du journaliste, rédacteur de *A Tarde* depuis les temps lointains de ses débuts à la Faculté de médecine, signant depuis des années dans la populaire gazette de la capitale bahiane une quotidienne et presque toujours humoristique chronique, très lue et appréciée. Parfois le thème traité le poussait à changer de ton pour dénoncer âprement les injustices sociales, son sourire persifleur et bon enfant cédait alors la place à une virulente colère — quand il attaquait la violence, parlait de l'oppression et de la misère.

« Ton paradis, poète, est menacé ! » Par cette phrase d'avertissement, le journaliste commence sa dramatique missive adressée au « poète et citoyen du municipe de Sant'Ana de l'Agreste, Gregório Eustáquio de Matos Barbosa ». Dona Carmosina tente de deviner : qu'est-ce, mon Dieu ? Elle entend encore le rire chaleureux du chroniqueur, retentissant à l'agence des Postes lorsqu'il était venu à Agreste. Un homme très gai, faisant amitié avec tous, surtout avec Osnar

Dans les premières lignes, Giovanni Guimarães évoque précisément sa visite à Agreste, il y a quelques années, à l'invitation du poète qui, « en se retirant des fonctions publiques qu'il avait exercées avec un dévouement exemplaire à la mairie de Salvador, avait abandonné la vie agité de la capitale, ses habitudes noctambules de bohème, les cercles littéraires, pour retourner au climat salubre, à l'admirable climat de sa terre natale ». Il rappelle les jours, trop courts, qu'il avait passés dans la « bucolique petite ville, heureux royaume de paix, coin idyllique », les promenades au fleuve le bain à la Bassine de Catarina, les trajets jusqu'à la plage du Mangue Seco, « chef-d'œuvre de la nature, paysage des commencements du monde, unique, incomparable ». En compagnie de Barbozinha, parfait cicérone, Giovanni avait pu connaître et goûter les délices de ce « paradis terrestre, éden de beauté et d'harmonie, où l'homme — sur lequel pèse la langue de vipère des dévotes — est encore plus proche de l'homme ».

Durant son court séjour à Agreste, il avait scandalisé les dévotes en faisant, sur le parvis de l'église, le panégyrique du péché et de l'enfer, plein de femmes belles et généreuses, tandis que le ciel n'était que monotonie éternelle, pleine de saints barbus et d'hymnes ennuyeux. Mais les vieilles bigotes elles-mêmes ne résistaient pas à son rire communicatif, à la chaleur humaine qui se dégageait de cet original, elles riaient avec lui. L'unique ciel où il vaut la peine de vivre est Agreste le paradis sur terre, concluait-il. Là, en respirant cet air pur, il se sentait rajeunir, régénérés poumons et cœur. Un joyeux vivant, se soufflaient les commères.

Eh bien : « Ton paradis est menacé de mort, poète, la Camarde cherche à s'installer dans les eaux du Rio Real, dans les flots du Mangue Seco, guette les plaines et les dunes. Pour transformer le bleu ciel diaphane en noire tache polluée, pour empoisonner les eaux, tuer les poissons et les oiseaux, réduire les pêcheurs à la misère, remplacer la santé par des infirmités nouvelles aux imprévisibles conséquences. » Dona Carmosina suspend sa lecture pour respirer : ah, mon Dieu, pourquoi une si terrible prophétie ? Une fois, aux après-midi de l'Aréopage, Giovanni lui avait demandé combien de temps encore le peuple d'Agreste jouirait en paix du délice de ce climat parfait, de cette douce ambiance, loin des maux de la société

347

de consommation ? Tôt ou tard, avait-il lui-même répondu, les horreurs de la civilisation aborderaient à la Bassine de Catarina, dans les falaises de la plage, adieu félicité !

« Sais-tu, mon poète, que dans le monde entier n'existent que six fabriques de bioxyde de titane ? Que récemment un juge a condamné à la prison les directeurs de l'une d'elles, en Italie, pour le mal causé à la Méditerranée, pour la pollution des eaux et la destruction de la flore et de la faune marines ? Sais-tu qu'aucun pays civilisé n'accepte sur son territoire cette monstrueuse industrie ? Que la société dont la présence menace le Brésil n'a pas obtenu l'autorisation d'élever ses cheminées maudites en Hollande, au Mexique, en Égypte ? *Vade retro !* se sont écriés les gouvernants refusant les énormes capitaux, non seulement parce qu'étrangers mais surtout parce que assassins de l'atmosphère et des eaux. » Dona Carmosina pose le journal sur le drap, elle connaît un peu le sujet, elle avait lu des articles, elle avait même montré au commandant Dário celui de l'*Estado de São Paulo,* ensemble ils avaient applaudi la sentence du juge italien, un homme.

« Tes vers merveilleux, poète, sur la beauté du Mangue Seco, seront demain les seuls témoignages de la beauté des eaux limpides, du sable fin, de la richesse des bancs de poisson, de la bravoure des barques de pêche, lorsque la Gueuse, s'élevant des cheminées des usines, étendra ses serres de fumée sur les dunes. Toute la paix et toute la beauté que tu as chantées dans tant de poèmes d'amour va pourrir et finir dans les effluves de sulfate ferreux et d'acide sulfurique, dans les gaz de bioxyde de soufre, dans la pollution démesurée. » Mon Dieu ! murmure dona Carmosina, qui sent un poids sur la poitrine, à qui manque l'air.

« Bien qu'ils n'aient pas encore obtenu du Gouvernement fédéral l'autorisation nécessaire à l'installation dans le pays de ladite industrie, les directeurs de la récente Brastânio : Industrie Brésilienne de Titane S.A. — bien peu brésilienne, mon poète, malgré ses fondés de pouvoir — savent par avance qu'il ne leur sera pas permis d'élever leurs fabriques dans les États du Sud. Ils se tournent vers le malheureux État de Bahia où quatre zones font l'objet d'études. Techniciens et agents se répandent sur le littoral bahianais, entre Itabuna et Ilheus, dans le Recôncavo, du côté de Valença, et on dit même qu'aux abords de la capitale ils ont des vues sur Arembepe. Tout semble indiquer, pourtant, que les préférences des rois de la pollution vont à la région du littoral nord de l'État, l'embouchure du Rio Real, les plages de cocotiers du Mangue Seco. » Toute la chaleur de l'après-midi s'abat sur dona Carmosina, dehors le ciel s'obscurcit. Pauvre Barbozinha : son ami Giovanni Guimarães l'alerte publiquement tandis que lui loue en vers les maîtres de la Brastânio, les rois de la pollution. Suprême ironie du sort ! clame dona Carmosina en chassant les mouches.

« Tu as besoin de quelque chose, Carmô ? » la voix de dona Milu, de la porte de la rue.

« De rien, Mère. »

« La région côtière est riche, mon poète, elle pèse dans la balance de l'économie nationale, elle a la force d'empêcher que l'on menace sa mer, le rio Cachoeira, la culture du cacao, source importante de devises. On peut en dire autant du Recôncavo, moins riche mais défendu par les restes du prestige politique des barons de la canne à sucre, déchus mais barons. Quant à Arembepe, ce serait sans doute le lieu parfait du point de vue des hommes d'affaires, vu sa proximité de la capitale, ses voies de communication, à côté du centre industriel d'Aratu, mais aucun gouvernement, si discrétionnaire soit-il, ne se risquera à accorder une autorisation qui polluerait la ceinture de la ville, en finissant avec la pêche, rendant les plages impraticables, expulsant les touristes, empestant la propre capitale de l'État. Ah ! mon poète, il ne reste que le municipe d'Agreste, oublié de Dieu et des hommes, dédaigné du sort. L'habitat de la Maudite sera le Mangue Seco. Attention, poète ! Vont apparaître, s'ils ne sont déjà apparus, les émissaires de la pollution, promettant monts et merveilles, parlant de progrès et de richesse, mais c'est la mort qu'ils amènent dans leur serviette pleine de monnaies étrangères. »

Moite de sueur, dona Carmosina arrive à la fin de la chronique de Giovanni Guimarães. Elle entend au loin la voix de dona Milu qui bavarde à la porte avec une voisine. Elle lit les dernières lignes : « Élève la voix, poète, prends ta lyre et pousse un cri de protestation, défends la paix et la beauté de ton coin de rêve, éveille la colère du peuple et empêche que la pollution ne s'installe sur les collines et les plages, descende au fond des eaux, couvre de noir le ciel diaphane d'Agreste. » La chronique se termine sur le même grave, sinistre avertissement : « Ton paradis, est menacé de mort, poète ! »

Les mains tremblantes, le cœur battant, dona Carmosina se lève, oubliant la grippe, elle s'habille en vitesse et, sans donner d'explication à dona Milu, sauf : je reviens tout de suite, elle disparaît, le journal à la main, à la recherche de Barbozinha. A cette heure de l'après-midi, le poète est habituellement au bar, regardant le jeu de billard ou la partie de jacquet entre Chalita et Plínio Xavier. Mais, qui elle rencontre au début de la Grand-Rue, c'est le commandant Dário qui lui demande, en la voyant :

« Où courez-vous comme ça, ma bonne Carmosina ? » Il constate l'état de son amie, se rappelle qu'elle devrait être au lit, il s'inquiète : « Il est arrivé quelque chose ? »

Dona Carmosina lui tend le journal :

« Lisez. »

Sur-le-champ, au milieu de la rue, le commandant dévore la chronique. Il interrompt sa lecture, jure :

« Mille tonnerres ! »

DE LA NOUVELLE ET DISCRÈTE ENTREVUE DANS L'ÉLÉGANTE AMBIANCE DU REFUGE DES LORDS, DISCRÈTE MALGRÉ L'ÉPAISSEUR (DANS TOUS LES SENS DU MOT) DE SON EXCELLENCE.

« Mes très chers, ce que vous demandez est renversant. Ce que je devrais faire, c'est vous ficher en prison. »

Ainsi parla, comme entrée en matière, Son Excellence Il avait retiré sa veste ; la fille nue, assise sur ses genoux, jouait avec les bretelles noires qui retenaient le pantalon de l'éminent homme d'État, soutenant les bourrelets de son ventre Les yeux malins, le geste las, la voix traînante, la vulgarité et la toute-puissance.

Le Magnifique Docteur ne répond pas, il sourit, il attend que les petites aient fini de servir à boire et se retirent. L'une d'elles rappelle Bety, toute rousse, elle éveille son appétit Qui sait, à la fin de l'entrevue...

Le Vieux Parlementaire non plus, ne se sent pas à son aise en présence des filles. Il n'a rien contre elles ni contre le fait qu'elles soient nues, le Vieux Parlementaire fréquente la maison depuis des siècles, un habitué dès le temps de *Madame*

Georgette, quand l'actuel Refuge des Lords s'appelait encore Nid d'Amour. Il aime les filles et les voir nues, il n'y a pas de meilleur collyre pour ses yeux fatigués, affirme-t-il. Mais tout a son heure et son lieu, et si le lieu est adéquat pour le nu artistique, l'affaire ne l'est pas pour des oreilles étrangères, il ne faut pas mélanger les aulx et les haricots.

L'une des nudistes s'appuie sur l'élégant parapluie noir, propriété du Vieux Parlementaire. Élevé à Oxford, le Vieux Parlementaire a pris les habitudes et le physique d'un lord anglais : grand et maigre, bien rasé, blanche moustache altière, costume coupé à Londres, fleur à la boutonnière, l'allure flegmatique. Les manières peuple de Son Excellence certainement lui déplaisent. Son Excellence est le contraire d'un lord anglais et, si ce n'était la position qu'il occupe — pauvre São Paulo ! — donnée spontanément par Vargas au temps de l'autre dictature, assurée et conservée au prix d'expédients et d'alliances les plus variés et les plus discutables, jamais ne lui serait ouverte l'entrée d'un cercle aussi choisi et si fermé.

Son Excellence ayant parlé de prison, le Vieux Parlementaire se permet de tousser, pour l'avertir de l'incongruité de traiter une affaire d'importance, recouvrant de hauts intérêts et de patriotiques conséquences, en présence de fillettes d'une grâce indiscutable, mais décidément inadaptées aux circonstances et à ce débat socio-économique élevé. Il toussote prudemment, timidement : impulsif, Son Excellence, s'il est interrompu, réagit parfois avec une agressive brusquerie. Il a l'habitude de traiter ses adjoints directs, secrétaires, directeurs de cabinet, de voleurs — employant, d'ailleurs, le terme propre car ils le sont, et comment ! — et il ne respecte ni l'âge avancé ni le mandat parlementaire de ses coreligionnaires, surtout maintenant où le pouvoir législatif est si bas.

En entendant le faible toussotement, Son Excellence fait une grimace, à deux doigts d'ouvrir la bouche pour dire ce qu'il pense du Vieux Parlementaire et de sa manie de prudence et de discrétion, mais il se retient. De fait, le gracieux geste de la petite assise sur ses genoux, qui lui masse savamment la nuque, est incompatible avec une réunion de travail : un homme d'État, même dans un rendez-vous, ne peut s'abandonner au relax. Il fera en sorte que l'entretien soit concret et bref. D'une tape sur le moelleux arrière-train, il déloge la petite et la renvoie, en recommandant :

« Attendez dans la chambre. » Il sourit à l'autre, la

351

piquante rousse qui a éveillé l'intérêt du Magnifique Docteur, lequel suit la scène, résigné. Tout dans la vie n'est pas que .roses, n'est-ce pas ? Il y a beaucoup de rousses de par le monde. Que tout soit pour le bien de la Patrie !

Les petites sortent, un gracieux cortège, laissant les bouteilles et les verres pleins. Un whisky pareil, il n'y en a pas au Palais de l'Élysée, on n'en trouve qu'au Jockey Club et au Refuge des Lords. Son Excellence savoure en connaisseur :

« Ça, c'est du whisky. Là-bas, je fais acheter les meilleures marques, ces voleurs achètent un whisky falsifié, ils empochent la différence. Je devrais tous les ficher en prison. Vous aussi. Toute la direction. »

L'Audacieux Homme d'affaires, orgueilleuse et ardente jeunesse, sorti de la fameuse École d'administration et d'économie où aujourd'hui il fait des conférences, après un brillant cours de management aux États-Unis, technocrate compétentissime, l'un des cerveaux les plus doués de la jeune génération, fait mine d'ouvrir la bouche pour répliquer mais le Magnifique Docteur l'en empêche d'un geste quasi imperceptible. S'il proteste, il va tout perdre : le chargé d'affaires s'inquiète, il est aussi payé pour éviter les gaffes inopinées de messieurs les directeurs, techniciens formidables, politiciens désastreux. Ils ne sont pas de la partie, comme dit Son Excellence lorsqu'il parle des hommes d'affaires et — très en particulier — des militaires.

En voyant Son Excellence sourire, en baissant ses bretelles d'un geste bon enfant, l'Audacieux Homme d'affaires reconnaît l'expérience et l'habileté du Magnifique Docteur ; pour de telles missions, imbattable en savoir-faire et en doigté. Son Excellence entreprend d'encaisser :

« Le Sénateur peut dire le travail que nous avons eu. »

Tranquillisé par la retraite des petites mais toujours impassible comme il convient à un Britannique (« son air britannique, son élégance londonienne », avait défini un chroniqueur parlementaire à qui il avait rendu de petits services), le Vieux Parlementaire approuva d'un signe de tête et soutint Son Excellence :

« Un gros travail. »

Son Excellence parlait et se dévêtait en même temps, les petites attendaient dans la chambre :

« Le Sénateur peut dire aussi ce que nous avons dû dépenser...

Un simple geste, mais éloquent, du Vieux Parlementaire

352

pour témoigner de l'énormité de la somme engagée Son Excellence, en chemise et caleçon, la taille enfouie sous les plis de son ventre, lève son verre, les autres l'imitent :

« Aujourd'hui personne ne rend de services pour rien, tout est trop risqué. Dans la situation actuelle personne ne peut se considérer en sécurité. — Il compte sur ses doigts. Travail, argent et risque. Beaucoup de risque. Malgré ça, j'ai obtenu l'autorisation pour votre industrie. Mais, vous le savez : allez polluer loin d'ici, São Paulo est saturé de fumées. » Ses yeux cupides passent du Magnifique Docteur à l'Audacieux Homme d'affaires : « Un autre n'aurait pas réussi, il n'y a que moi. Vous savez ce que ça signifie ?

— Le pays saura remercier Votre Excellence », prononce. imprudent et naïf, l'Audacieux Homme d'affaires.

« Le pays, je m'en fous ! » impulsif, comme on sait, Son Excellence. Il fixe l'Audacieux Homme d'affaires : cet individu se moquerait-il de lui ? L'air bonhomme disparaît, c'est à nouveau le chef, le maître de la corde et du couteau, celui qui propose et dispose.

Immobile, britannique, le Vieux Parlementaire pose un regard confiant sur le Magnifique Docteur dont la voix suave, basse mais audible, remet la gratitude à sa juste place :

« Le pays et la Brastânio, Excellence. Le Noël des enfants pauvres de São Paulo s'est monté à combien ? Vous vous rappelez, Excellence ? »

L'Audacieux Homme d'affaires frémit en entendant la somme absurde. Il veut parler, obtenir une réduction, une fois de plus le geste quasi imperceptible du Magnifique Docteur le retient : avec Son Excellence, ce n'est pas la peine de marchander, c'est dangereux ; la concession de la licence n'a pas encore été publiée et certainement elle ne le sera que lorsque tout sera en ordre, le magot déposé à la banque, en Suisse, comme dans les feuilletons sur les ventes d'armes et les puits de pétrole. Le Magnifique Docteur poursuit une question dont il connaît la réponse :

« Comme toujours ?

— Exact. »

En se dirigeant vers la chambre où l'attendent les deux filles, résignées, Son Excellence s'adresse au Magnifique Docteur, désigne l'Audacieux Homme d'affaires :

« Muet, il est mieux que bavard. Quand il ouvre la bouche, il gâche tout. Mais vous, le jour où vous quitterez ces voleurs, venez me trouver, j'ai une place pour vous à mon cabinet. »

L'une des gamines revient précipitamment au salon chercher les effets de Son Excellence. A peine a-t-elle refermé la porte que le Vieux Parlementaire prend son parapluie et toussote. Le Magnifique Docteur comprend, il allonge la main vers sa serviette. Il ne demande pas le coût du Noël des enfants pauvres du Sénat, il a fait le prix avec le Jeune Parlementaire au début de cette longue et onéreuse opération, ici même, au Refuge des Lords.

Il ouvre sa serviette, remplit un chèque (au porteur, naturellement). A chaque situation, une tactique, à chaque partenaire un pourboire, plus ou moins gros, toujours substantiel. Le Magnifique Docteur raisonne en termes de pourboire, un pourboire c'est ce qu'on donne à un domestique, même s'il porte un smoking, un frac ou un habit. Une excitante partie d'échecs. Parfois, rarement, ça se termine par un scandale, un procès — échec et mat. Il hausse les épaules : au Brésil, autant qu'il se rappelle, jamais. De toute façon, il y a toujours un risque à courir lorsqu'on veut profiter de la vie au maximum. Et puis, c'est une stimulante diversion d'employer l'intelligence que Dieu vous a donnée à manœuvrer les pions : l'impudence de Son Excellence, l'hypocrisie du Vieux Parlementaire, la présomption de l'Audacieux Homme d'affaires. Tout serait parfait s'il n'avait perdu la rousse, un coup bas de Son Excellence.

Le Vieux Parlementaire empoche le chèque après en avoir constaté le montant : le prix convenu, pas un centime de plus, corrects mais avares ! Le visage impassible ne montre pas sa déception. En fin de compte, celui qui s'est mouillé, a couru des risques, c'est Son Excellence, c'est bien pourquoi il a reçu cet énorme paquet, en devises, à l'abri en Suisse. Un beau pays, la Suisse, loin toutefois de la perfection de l'Angleterre. Il va se lever — il y a une petite qui l'attend, une seule, la plus jeune de toutes —, quand le Magnifique Docteur soulève une autre question, ouvrant des perspectives inespérées :

« Son Excellence s'est retiré avant que nous ayons pu traiter du problème de l'emplacement..

— A São Paulo, vous le savez, c'est impossible. D'ailleurs, dans tout le Sud.

— Nous nous sommes décidés pour Bahia. Le problème est où, dans l'État de Bahia... » le Magnifique Docteur expose les données de ce qu'il appelle le « petit mais important détail ».

Le Vieux Parlementaire se permet de sourire britanniquement, sur son visage flegmatique une nuance de satisfaction

354

Ah ! les puissants hommes d'affaires devront payer cher, cette fois ils ne traitent pas avec le trop Jeune Parlementaire. Un prix élevé, sirs. En premier lieu, pour l'information confidentielle, encore détenue en haut lieu : il paraît que l'on demande la tête de Son Excellence. On parle de cassation, ni plus ni moins. Oui précisément pour corruption. Après quoi, il s'agit d'établir de nouveaux contacts pour résoudre le « petit mais important détail », un important et grand problème, ni un détail, ni petit. *God save the King !*

Tout traité avec discrétion et subtilité, entre gentlemen. Son Excellence est un grossier, un porc, un être abject, le contraire d'un lord.

D'ASCÂNIO TRINDADE ENTRE LA CROIX ET LE BÉNITIER.

Au comble de la discussion, manquant d'arguments, acculé, Ascânio Trindade perd la tête, il abandonne son amabilité habituelle et, envoyant au diable le respect dû à la situation sociale, la patente et l'âge de ses interlocuteurs, il crie à qui veut l'entendre, à l'Aréopage et dans la rue :

« Ce n'est pas parce que le commandant a une maison au Mangue Seco et qu'il veut jouir seul des délices de la plage qu'Agreste va fermer ses portes au progrès. Ce ne sera pas à cause d'une demi-douzaine de privilégiés que nous refuserons les industries qui désirent s'installer sur nos terres. Agreste sera sauvée, que cela plaise ou pas. »

Presque un discours, sans parler de l'exaltation. Créature à l'enthousiasme facile mais d'un caractère égal et d'un commerce agréable, patriote hanté de chimériques projets pour redresser le bourg décadent, abreuvant de lettres les colonnes touristiques des journaux de la capitale, Ascânio avait réuni jusqu'alors l'estime, l'appui et les applaudissements unanimes de ses concitoyens.

L'appui et les applaudissements des gens importants pour la cordialité et la déférence avec lesquelles il les accueille lorsqu'ils ont quelque chose à traiter à la mairie et pour l'effort déployé au profit d'Agreste. Secrétaire de la mairie depuis six ans, Ascânio avait réalisé des miracles, dont celui de mettre à jour le paiement des impôts municipaux, petits, rares et, par-dessus le marché, systématiquement escamotés. Affrontant la complicité des maires, le total inintérêt du trésorier Lindolfo Araujo, galante présence qui agrémentait l'image de la municipalité, fonctionnaire négligent et nul, la résistance de commerçants et de fazendeiros mal habitués, Ascânio était parvenu à mettre de l'ordre dans les maigres finances de la mairie, sans se fâcher avec personne — chose à peine croyable.

L'estime des pauvres, de la ville et de l'intérieur, pour l'attention qu'il dispense à chacun des nombreux et embrouillés problèmes soumis au chef de la commune, en réalité à son préposé, dans l'espoir d'une solution tantôt simple, tantôt difficile, sinon impossible. Revendications, réclamations, plaintes, dissensions, querelles de voisins, clôtures déplacées durant la nuit modifiant les limites des clos et des propriétés, animaux envahissant des terres attenantes, un monde de questions mesquines propres à la vie d'un municipe pauvrissime, la plupart d'intérêt personnel, sans rien à voir avec l'administration publique. Ascânio ne les en écoute pas moins et, fréquemment, il les résout. Il fait office de maire, conseiller et juge, résolvant les litiges, réconciliant les partis, éclaircissant les doutes, conduisant au mariage de rétifs séducteurs responsables du ventre enflé de campagnardes naïves ou pressées, il en arrive à prescrire des remèdes pour les coliques, la constipation et l'hydropisie. Il écoute avec attention d'interminables palabres des paysans à propos des manies d'un maudit mulet ou des mésaventures d'un septuagénaire abandonné par sa femme et ses fils, seul à piocher son aride et ingrat bout de terre. Étant, lorsqu'il le faut, vétérinaire et agronome.

Pour les questions insolubles, il trouve un mot d'encouragement, de consolation. Bien que sa charge de secrétaire de la mairie ne lui impose qu'un nombre limité d'obligations, le fait qu'Ascânio représente ou remplace en permanence le maire ne lui laisse pas de temps libre. Surtout le samedi, quand l'interminable pèlerinage assiège le bâtiment municipal, pendant et après le marché. Il reçoit tout le monde, sans exception.

Il agit ainsi sans aucun intérêt personnel, gratuitement, sans rien demander en échange. Il ne demande pas mais il reçoit. Il reçoit considération et victuailles. On l'appelle docteur, non parce qu'il a passé trois ans à la Faculté, mais parce qu'on le considère comme tel, savant, sans spécifier en quoi, docteur en n'importe quoi. Docteur, simplement. On lui apporte de petits présents, même lorsqu'on n'a pas besoin de le consulter.

Il faut le voir à la fin de l'après-midi du samedi, rentrant chez lui où, tirant sur sa pipe de terre, la vieille Rafa l'attend · il rapporte des provisions dont se nourrir une semaine. Dons des cultivateurs et les métayers, un marché copieux et varié : jambons et cuisseaux de cabri, gros chapons — je l'ai engraissé bien engraissé pour que vous vous fassiez faire un bouillon et gagniez de la santé, explique la vieille vendeuse de manioc et de tapioca —, jaques odorantes, régimes de bananes jaunissant, racines d'igname et patates douces — patates-douces-cacao, docteur, tendres à fondre dans la bouche, assure le caboclo souriant et édenté — la fine farine de manioc, gâteaux mouillés au lait de coco, *gombôs, maxixes,* chouchoux et *jilós,* tout choisi pour le garçon patient et bon Une profusion de vivres, servant à quatre maisons car Ascânio partage viande, farine, épis de maïs, fruits, racines et légumes avec le brave Leôncio et le rêveur Lindolfo — un jour il s'armera de courage et s'embarquera dans la marineti de Jairo pour affronter à Salvador les microphones d'une station de radio ou les caméras de télévision — lequel, à son tour, divise la part qui lui revient avec la famille de Chico Sobrinho, dans le foyer accueillant duquel il dîne le samedi et déjeune le dimanche.

Il faut tenir compte, pour expliquer l'emportement d'Ascânio, de ce que, à partir de l'après-midi précédent, quand la nouvelle de la chronique de Giovanni éclata dans la ville, sa vie n'a pas été facile. On lui en mit ras le bol, c'est l'expression juste.

Jamais la popularité de *A Tarde* n'avait atteint une telle cote dans la région. Tous voulaient avoir connaissance de la chronique, où trouver des exemplaires du journal ? Habituellement, l'unique exemplaire à la disposition du public est celui de *seu* Manuel, posé sur le comptoir du bar, feuilleté par les clients, lu par Aminthas et Fidélio. Cet après-midi-là, disputé presque dans les coups, il passa de main en main avant de disparaître mystérieusement. Sur le conseil d'Aminthas, *seu* Manuel, s'appuyant sur la loi de l'offre et de la demande, avait tenté de louer sa gazette provoquant une révolte générale. Le même Aminthas proposa, en revanche, l'immédiate socialisation de tout le stock de boissons du bar, châtiment de l'avarice du Galicien. L'atmosphère, mi-badine mi-inquiète, tenait de la panique et de la farce.

Combien de fois, en cette fin d'après-midi et ce début de soirée, Ascânio avait-il dû répéter la même explication : tout jugement lui semblait prématuré. Prématuré et injuste car ils ne connaissaient — quand ils les connaissaient — que les arguments du journaliste adversaire de la Brastânio, ils devaient donc, avant d'exprimer une opinion, de prendre parti, connaître aussi les raisons des directeurs et techniciens de la Société.

A la tombée de la nuit, quand il se dirigeait vers son rendez-vous sacré avec Leonora, à la porte de la maison de Perpétua — ils avaient l'habitude de faire le tour de la place, main dans la main —, lui tomba dessus le poète Matos Barbosa, exalté, brandissant un exemplaire de *A Tarde* cédé par l'Arabe Chalita, l'un des cinq heureux abonnés. Pendant des heures, l'après-midi, Ascânio l'avait fui, le sachant dans un fâcheux état d'âme.

D'abord, le poète s'était considéré comme déshonoré à jamais, couvert d'opprobre après le poème perpétré en faveur de la monstrueuse industrie que dénonçait à la nation son cher et grand ami Giovanni Guimarães, sublime chroniqueur, dans une lettre ouverte à lui adressée, à Matos Barbosa poète et philosophe, à travers les colonnes illustres de *A Tarde*. Un honneur immense seulement dépassé par le déshonneur encore plus grand résultant des alexandrins reniés. Par chance, les enfants rendus fous par les cadeaux — cadeaux misérables, soit dit en passant, en dessous de tout, des merdettes, décrétait le barde un peu tardivement — avaient empêché l'audition des vers honnis, entendus et applaudis pourtant par les amis réunis chez Perpétua.

Il avait couru auprès de Tieta en se voyant chargé de honte et elle, riant et plaisantant, avait ranimé son courage, l'avait ressuscité des cendres, le poussant à surmonter son abattement et à repartir du bon pied. Refait, il venait informer Ascânio — qu'il ne rendait pas responsable du terrible quiproquo, étant certainement aussi innocent que lui-même des criminelles intentions de la Brastânio — que, répondant au cri d'alarme de Giovanni Guimarães, il avait converti sa lyre en arme de combat et qu'il sonnait l'alerte, en une série de poèmes satiriques à la manière de Gregório de Matos, les *Poèmes de la Malédiction*, par lesquels il pense œuvrer de façon décisive contre la concrétisation des maléfiques plans de la maudite Brastânio, arrachant le masque, exposant l'hypocrisie et la vilenie de ses criminels directeurs. Par le prochain courrier, il enverra à Giovanni, pour qu'on les publie dans *A Tarde*, les premiers poèmes. Il avait déployé l'étendard de la guerre. Quant à l'exécrable composition antérieure elle n'existait plus : Barbozinha avait détruit les originaux et voulait demander à Leonora la faveur de brûler dans un feu purificateur la copie faite aussitôt après sa lecture.

Fatigué, en retard pour retrouver Leonora, Ascânio ne tenta pas de le détourner de sa dénonciation poétique, c'eût été perdre son temps et son latin. Il lui promit de faire détruire la copie mais ne le leurra pas : il réservait son opinion sur l'affaire, attendant de posséder de plus amples informations. Plus d'informations, pourquoi ? Inutiles, quelles qu'elles soient, considéra le poète, face aux arguments de son excellent ami, Giovanni Guimarâes, irréfutables.

Dans cet état d'esprit, après une mauvaise nuit, peuplée de cauchemars où il admira de magnifiques gratte-ciel dressés sur les dunes du Mangue Seco et découvrit des bacs de poissons morts, sans posséder encore d'arguments avec lesquels affronter et réfuter les affirmations du chroniqueur, Ascânio entendit la lecture intégrale du malheureux article, comme s'il ne l'avait pas lu et relu la veille. Encore plus sinistre de la voix enrouée de dona Carmosina, entrecoupé de toux et de corrosifs apartés entre elle et le commandant. En terminant, dona Carmosina lui offrit une copie dactylographiée, elle en avait fait trois : une pour elle, une autre pour le commandant, la troisième pour parer à toute éventualité.

D'abord, prudent, il avait dit qu'il allait tirer l'affaire au clair, il ne pouvait pour une simple chronique, même signée de Giovanni Guimarães, condamner un projet aussi vital pour la communauté : l'implantation sur les terres du municipe de fabriques d'une industrie dont l'importance était inégalable. Sous les lointains et abandonnés cocotiers, au Mangue Seco, sur des terres inhabitées, sans aucune espèce d'utilité.

Lointains et abandonnés ? Sans aucune utilité ? L'indignation du commandant redoubla : pour Ascânio les pêcheurs du Mangue Seco n'existaient pas, ni eux ni les citoyens d'Agreste qui possédaient des maisons de vacances à la plage ?

Ascânio s'impatienta : Il n'avait pas parlé de la plage du Mangue Seco mais du terrain des cocotiers. Le projet de la Brastânio — il avait vu des plans et des croquis — se situait bien plus bas et plus à l'intérieur, et non du côté de la plage. Même s'il pouvait y avoir quelque pollution — et il n'existe pas d'industrie sans pollution — elle n'atteindrait ni les pêcheurs ni les vacanciers.

Peu à peu des curieux s'étaient massés à la porte et sur le trottoir de l'agence, écoutant le passionnant débat. Stimulée par la présence du public, dona Carmosina répliqua par une argumentation serrée, surmontant les effets de sa grippe : il ne s'agit pas d'une industrie quelconque, d'un tolérable pourcentage de pollution. C'est la production de bioxyde de titane qui était en jeu, Ascânio sait, par hasard, ce que ça signifie ? Elle l'invita à lire l'article publié dans l'*Estado de São Paulo,* la sentence du juge Viglietta, le commandant avait gardé la coupure. Une fabrique située dans les cocotiers non seulement atteindrait la plage, rendant impraticables la pêche et les bains de mer, elle détruirait l'agglomération du Mangue Seco en empoisonnant les eaux et l'air, transformant, comme l'avait écrit le juge italien dans sa courageuse sentence, l'océan en poubelle.

Ascânio répliqua déjà échauffé, réduisant à de justes proportions les évidentes exagérations de dona Carmosina. Pour commencer, dit-il, il n'existe au Mangue Seco aucune agglomération de pêcheurs, à peine un lieu-dit et une demi-douzaine de maisons de fainéants au service de la contrebande, passibles de la loi si la loi était appliquée. Les vacanciers ne dépassaient pas quatre ou cinq couples, la majorité préférant aller au village du Saco où les bains de mer n'offraient pas de dangers et où il existait beaucoup plus de confort y compris boutique et église. Quant au volume de la pollution, il revient aux techniciens de trancher et pas à un simple journaliste sans qualité scientifique.

Dona Carmosina fut si outrée qu'elle se guérit de sa grippe : Giovanni Guimarães, qu'Ascânio l'apprenne, n'était pas un simple journaliste mais un grand journaliste, un homme probe et instruit, avec un nom à honorer. Ascânio était à la Faculté lors de son inoubliable visite, c'est pourquoi il ne le connaît pas. Dona Carmosina n'admet pas que l'on tente de diminuer l'image, de mettre en doute les capacités et l'honorabilité d'un sincère ami d'Agreste. Elle réaffirma avec véhémence leur intention, à elle et au commandant, de lutter par tous les moyens contre ce qu'ils appelaient la « fumée de la mort » qui, d'ailleurs, comme elle l'éclaire, docte et précise, est jaune et non noire, en ceci Giovanni s'était trompé.

Aussitôt elle se repentit de son dangereux exhibitionnisme, car Ascânio sauta sur l'erreur du journaliste, montrée par qui ? Par un adversaire ? Non. Par sa plus grande admiratrice et amie. Quelle meilleure preuve de l'incapacité scientifique de Giovanni, excellente personne, agissant de bonne foi, croit Ascânio, mais en matière scientifique un parfait ignorant ? Il ne suffit pas d'être l'auteur d'une chronique piquante...

L'histoire de la couleur de la fumée provoqua des rires, Ascânio avait marqué un point. Dona Carmosina devint une furie. En s'attachant à un détail sans importance, au milieu de la masse de données concrètes présentée par Giovanni dans sa chronique, Ascânio agit de façon malhonnête. Elle l'accusa, répétant, violente et offensante :

« Vous êtes malhonnête ! » elle détachait les syllabes : — mal-hon-nête !

Aux yeux du commandant, il y avait pire. Il visait quelque chose qui lui paraissait impardonnable dans l'attitude d'Ascânio : connaissant depuis longtemps les projets de la Brastânio en raison de sa situation de secrétaire de la mairie, il les avait cachés à la population, avait menti, parlant de plans touristiques, se faisant ainsi complice du crime projeté. Attitude qui lui paraissait réellement peu compatible avec l'exercice d'une charge de confiance. Une trahison à la communauté.

Ce fut trop. Se levant, Ascânio vida son sac plein à ras bord, il lança les fameuses phrases sur la demi-douzaine de privilégiés et les délices dont le commandant désirait jouir seul, en tentant égoïstement d'empêcher le progrès du municipe, l'installation de l'industrie rédemptrice. Il tend le bras et le doigt :

« Le progrès d'Agreste passe par-dessus qui que ce soit, qui que ce soit ! » affirmation solennelle et vengeresse.

Il traverse les curieux, se dirige vers la mairie. Aminthas, spectateur muet et apparemment respectueux, définit la phrase et la situation :

« Une déclaration de guerre ! il se tourne vers Osnar : La guerre de la fumée a commencé, maître Osnar. Dans quels rangs t'enrôles-tu ? Ceux de la fumée jaune ou ceux de la fumée noire ? »

Osnar ne rit pas, il hoche seulement la tête, cette histoire ne lui plaît pas.

OÙ LE COMMANDANT DÁRIO DE QUELUZ RECRUTE DES VOLONTAIRES.

Au gouvernail du canot à moteur, le commandant Dário attend que Tieta achève la lecture de la chronique de Giovanni Guimarães. Dona Laura et lui passeront au Mangue Seco le Nouvel An et la fête des Rois. Tieta et Ricardo profitent du voyage et de la compagnie : ils vont donner une dernière impulsion aux travaux du Bercail du Bouc Inácio, certainement en retard avec les fêtes de Noël, tout prétexte est bon, ici, pour ne pas travailler. Tieta désire inaugurer sa chaumière — ainsi qu'elle la désigne — avant son retour à São Paulo qui aura lieu aussitôt la lumière de l'Hydroélectrique installée ; elle n'avait pas pensé prolonger autant son séjour. Elle était venue pour un mois, elle avait fini par en passer deux ; pour qui a des affaires à surveiller, une absurdité. Pour le Bercail, elle a fait faire à Agreste un grand lit, matelas de laine moelleux : là elle fera ses adieux à Ricardo quand viendra l'heure du départ. Par l'intermédiaire d'Astério elle a commandé des chaises et des tables pliantes, des lits de camp ; elle a acheté des hamacs au marché. Pour les hôtes : le Vieux et mère Tonha, les sœurs, les neveux, les amis qui utiliseront le Bercail en son absence.

La première réaction de Tieta, après sa lecture, laissa le commandant alarmé :

« Il y a de l'argent à gagner, commandant, dans cette histoire.

— De l'argent à gagner ?

— Ne m'avez-vous pas dit vous-même que ces terres des cocotiers n'ont pas de maître, son abandonnées ?

— Ce n'est pas exactement ça. Elles ont un maître, mais qui, personne ne sait bien. Modesto Pires en a acheté une partie, ce qui appartenait aux gens du cru. C'est lui qui m'a dit ne pas en avoir acheté davantage à cause de la confusion de la situation. Les cocotiers ont je ne sais combien de propriétaires, ce qui revient au même que de n'en pas avoir.

— Alors : on achète ces terrains pour les vendre à la Société. On multiplie le prix par dix, par dix ou par vingt. Felipe était un crack pour ce genre d'opérations.

« — Dieu m en garde. Tieta Je ne veux pas gagner d'argent sur le malheur de ma terre.

— Commandant, si on ne peut pas l'empêcher, s'il n'y a rien à faire, au moins qu'on gagne de l'argent. Quand Ascânio a commencé avec cette histoire de tourisme, j'ai pensé acheter des terrains par ici.

— Premièrement, je n'ai pas de quoi acheter un chat mort ; deuxièmement, ce va être extrêmement difficile de découvrir les propriétaires ; troisièmement, — il fit une pause avant d'énoncer : — je ne vais pas me croiser les bras, Tieta, je vais partir en guerre. Je suis l'homme le plus paisible du monde, mais ces gens ne vont pas polluer Agreste sans que je proteste. Ça non. »

Le lourd canot, propulsé par le moteur d'une faible puissance, descend sans hâte le fleuve. La voix passionnée du commandant gagne l'attention de Ricardo. Au début, le séminariste avait suivi la conversation d'une oreille distraite, sa pensée voguant au fil de l'eau. Ces jours à Agreste, ces fêtes de Noël avaient laissé des souvenirs, des marques ténues mais persistantes. Enfouies dans sa tête, elles réapparaissent et il se plaît à les évoquer. Pour la première fois, il s'était rendu compte de l'intérêt avec lequel, dans la rue et à l'église, certaines femmes le fixaient. Les jeunes filles, penchées à leur fenêtre, le suivaient des yeux, lorsqu'il passait en soutane, allant servir la messe pour le Padre Mariano, ou quand il traversait la place, en short et chemisette, en direction du fleuve. Cinira se mordait les lèvres en le voyant, soupirait ; dona Edna, elle, n'en parlons pas ; elle le mangeait des yeux même devant son mari. A la fête des cadeaux de Noël, Ricardo avait senti le contact des hanches rondes de dona Edna, le cherchant dans la mêlée. Le souvenir le plus persistant et agréable, pourtant, c'est Carol, à demi cachée derrière la fenêtre, soulevant le rideau et lui souriant, les lèvres ouvertes, charnues, les yeux humides. En l'apercevant sur le trottoir, Carol s'était écartée de la fenêtre pour mieux pouvoir le regarder et lui sourire — choses défendues à son état de protégée du richard. Plus jeune et plus brune que la tante, elle avait le même buste plein, des hanches identiques, puissantes et souples, une pareille exubérance de la carnation, qui sait, la même gaieté ?

A Agreste, Ricardo ne s'était pas attardé à penser à ces manèges et à ces sourires, lèvres nerveuses, hanches en subtile navigation. Tout se fondait dans la fumée de l'encens. Tout revient dans le canot et, dans le miroir du fleuve il distingue des visages et des gestes, ça ne lui déplaît pas. Ce soir. Tieta l'aura dans ses bras sur les dunes, comme la première fois. En présence du commandant et de dona Laura, ils étaient une tante et un neveu convenables. Elle dormait dans le lit étroit, lui dans le hamac. Dans les sables, au haut des falaises, pourtant, la parenté disparaissait, le vent emportait les soupirs d'amour de l'autre côté de l'océan. Tout avait commencé il y a si peu de jours, ça semblait un temps immense car Ricardo, dans cet intervalle, s'était fait autre. Combien de jours ? Combien d'années ? Curieux que jamais il ne se soit senti aussi proche de Dieu, aussi convaincu de sa vocation sacerdotale. Pourquoi ? Quand il l'avait dit au frère Thimóteo, le franciscain n'avait pas vu de contradiction dans son cas, au contraire :

« Tu as mis à l'épreuve ta vocation. Maintenant, tu es en paix avec toi-même. »

Ricardo émerge de ces réflexions pour écouter la véhémente déclaration du commandant, la voix qui monte :

« Je vais me battre et quand je me bats c'est pour de bon.

— Vous pensez que ça en vaut la peine, commandant ? » scepticisme dans la question de Tieta.

« C'est aussi ce que je me demande, intervient dona Laura préoccupée. Même si ça ne sert à rien, je ne laisserai pas détruire le Mangue Seco sans protester. »

Le canot fend l'eau, longeant le fleuve qui s'élargit à proximité de son embouchure. Le paysage gagne en beauté, le courant devient plus rapide, l'embarcation plus légère. La voix du commandant baisse de ton mais conserve son accent passionné, cherche à convaincre :

« Écoutez, Tieta, réfléchissez à ce que je vais vous dire. Si j'ouvre la bouche à Agreste pour protester, je ne convaincrai personne, c'est la pure vérité. On m'écoutera parce qu'on me respecte, certains seront d'accord, personne ne fera rien. La même chose avec Barbozinha, ça ne changera rien qu'il écrive tant de poésie. Peut-être *A Tarde* publiera un poème, de quelle utilité ? Aucune. Il se peut même qu'on rie à ses dépens, l'accusant de retourner sa veste. Vous savez comment est la langue du peuple.

— Pauvre Barbozinha ! Il est si triste. Quand il a eu lu la chronique, il est devenu comme fou, il disait qu'il était déshonoré, il m'a donné un mal...

— Il a suivi Ascânio, voilà le résultat.

— Ascânio n est pas coupable. lui non plus ne savait rien de cette fameuse... Comment est-ce déjà ?

— Brastânio.

— On a parlé de progrès, on a envoyé des cadeaux, Ascânio s'est emballé, ça pouvait arriver à n'importe qui.

— Je ne le nie pas. Ascânio s'est mis dans la tête qu'il devait redresser le municipe, prendre la succession de son grand-père qui a été le meilleur intendant de Sant'Ana de l'Agreste au bon vieux temps. Il a mis la lumière dans la ville, pavé les rues, construit l'embarcadère, le bâtiment de la mairie. Il suffit qu'Ascânio entende parler de progrès pour qu'il divague, il est capable de nous faire perdre tout ce que nous avons : le climat, la beauté, la paix. Je vous dis une chose, Tieta : il n'aura pas mon vote comme maire.

— Ne dites pas ça, commandant. Ascânio, avec l'amour qu'il a pour Agreste, peut faire beaucoup de bonnes choses...

— ... et beaucoup de choses mauvaises. Avant, je ne doutais pas de l'honorabilité d'Ascânio. Mais il a très mal agi.

— Comment ça ?

— Il connaissait les plans de ces gens, il a vu les maquettes, les projets, il était au courant de tout et il s'est tu, il a dupé tout le monde avec cette histoire de tourisme...

— Le pauvre ne connaissait pas les dangers d'une telle industrie... Il semble que ça ne pardonne pas, non ? D'après le journal...

— Et comment ! Il ne peut y avoir pire. Admettons qu'il n'ait rien su du danger. Mais comment expliquer qu'il persiste à défendre la Brastânio après l'article de Giovanni Guimarães ? Aujourd'hui même, ce matin, à l'agence des Postes, il nous en a dit de toutes les couleurs, à dona Carmosina et à moi. Je connais le monde, Tieta, j'ai appris que la pire chose, pour un homme, c'est l'ambition du pouvoir. Il n'y a pas d'honneur qui résiste. »

Il montre les falaises du Mangue Seco qui apparaissent au milieu des brisants, dressées face à la mer ; dans le choc des vagues s'élève un rempart d'eau. La voix du commandant, ardente :

« Vous y pensez, tout ça couvert par la pollution ? Le progrès est une bonne chose mais il faut savoir quelle espèce de progrès. » Ses yeux se posent sur Tieta. « Revenons à ce que je vous disais : s'il n'y a que moi, Barbozinha, Carmosina, deux ou trois de plus, qui protestons, ça ne fera guère. Mais si vous, Tieta, vous joignez à nous, élevez la voix, prenez la tête, les choses changent...

— Moi ? Pourquoi ?

— Parce que, pour le peuple d'Agreste, vous êtes quelqu'un. Avec raison : la lumière de l'Hydroélectrique, la petite vieille sauvée de l'incendie, votre personnalité, votre bonté, votre franchise, votre amour de la vie. Pour les gens d'Agreste, après la Senhora Sant'Ana, il y a vous. Ce que vous dites est sacré. Vous ne vous en rendez pas compte ?

— Je sais qu'ils m'aiment, ils m'ont toujours aimée. C'est le Vieux qui m'a chassée d'Agreste, craignant la langue des dévotes, ce n'est pas le peuple. Ils m'aiment, mais de là... Pourquoi devrais-je m'en mêler, dites-moi, commandant ? J'adore ma terre, je pense venir finir mes jours ici, quand l'âge arrivera. Mais, de là à me mêler d'une affaire pareille...

— C'est votre devoir, permettez-moi de vous le rappeler. Vous dites que vous adorez Agreste et c'est vrai : vous avez acheté une maison à la ville, vous en construisez une autre au Mangue Seco, je regrette seulement que vous ne restiez pas définitivement, sans attendre la vieillesse. » Il sourit amicalement à Tieta. « Avez-vous pensé que, si vous vous croisez les bras maintenant, lorsque vous déciderez de revenir, rien de tout ça n'existera plus, tout sera détruit, le Mangue Seco sera devenu un égout de l'usine de titane ? Vous êtes-vous demandé pourquoi aucun pays du monde ne veut cette industrie sur ses terres ? »

Tieta ne répond pas, les yeux fixés sur le paysage qui s'étend devant elle, l'immensité de la mer du Mangue Seco. Sa terre. Son principe, là elle a commencé. Sur les collines d'Agreste, gardant les chèvres, dans les dunes du Mangue Seco, couverte pour la première fois. Sa terre ? Son commencement, oui. Sa terre, c'est São Paulo, la ville immense, affairiste, polluée, solitaire. Là sont plantés ses intérêts : le négoce lucratif, le rendez-vous le plus fermé et cher du Brésil, le Refuge des Lords, les appartements, la boutique au rez-de-chaussée, un beau gain chaque mois, de plus en plus, pourquoi devrait-elle s'occuper des ennuis d'Agreste ? Avant, elle a été Tieta, la gardienne de chèvres, lançant le cri du désir sur les falaises du Mangue Seco. Maintenant, elle est *Madame* Antoinette, patronne de filles, maquerelle au service des millionnaires. Elle n'a rien à faire ici, dans ces confins du monde. Si on pollue les eaux et les cieux d'Agreste, la beauté du Mangue Seco, *tant pis*[1]

Dans la voix du commandant, une supplique désespérée

« Seule vous, avec votre prestige, pouvez sauver Agreste. »

La face de Tieta se durcit, la face de *Madame* Antoinette. Elle n'a plus rien à faire à Agreste, il est temps de retourner à São Paulo. Elle a visité sa famille, profité de la paix de sa terre, gratifié les siens et la communauté, secouru les pauvres, suffit. Elle n'a plus rien à faire, se répète-t-elle pour elle-même.

Plus qu'à laisser les eaux couler. Un jour, elle reviendra et, si ça vaut la peine, retirée des affaires, vieille et respectable dame, elle passera là les dernières années de sa vie. Un bon endroit pour attendre la mort, disait le commis voyageur responsable de la rossée et de l'expulsion. Si ce n'avait été pour la voir et la tenir dans ses bras, dans les recoins du fleuve, il aurait fui le chemin qui conduit aux malheureuses limites d'Agreste. Il avait raison : ici ce n'est bon qu'à attendre la mort, climat de sanatorium, tranquillité et paix, paysage incomparable. Elle va répondre un non catégorique au commandant quand un doute la traverse : n'aurait-on plus droit à un endroit au monde, fût-il unique, bon pour attendre la mort ?

« Si vous dites non, Tieta, c'est terminé Agreste, c'est la fin du Mangue Seco. »

Avant qu'elle ouvre la bouche, la voix de Ricardo arrive du fond du canot, impérative :

« La tante va dire oui, commandant. Elle ne va pas laisser raser le Mangue Seco. Sinon, pourquoi aurait-elle fait le Bercail du Bouc Inácio ? »

Tieta se retourne, son petit a grandi, il est devenu soudain un homme fait. Dans un sursaut, elle l'écoute. accent décidé, inflexible :

« J'ai lu l'article du journal, commandant, *seu* Barbozinha me l'a montré. La tante ne va pas permettre qu'on en finisse avec les poissons et avec les pêcheurs. Ni elle ni moi. Si vous pensez que je suis utile à quelque chose, vous pouvez compter sur moi, commandant. »

---

1 En français dans le texte.

DE L'INAUGURATION DE LA BOURSE DES IMMEUBLES AU MANGUE SECO, QUAND LE JEUNE SÉMINARISTE RICARDO DÉNOUE LE NŒUD GORDIEN.

Au Mangue Seco, une journée splendide de soleil, l'immensité de la mer, les dunes de sable, les cocotiers sans fin apparemment la paix la plus complète. Apparemment. consta tèrent-ils peu après.

Accompagnés du commandant — Dona Laura était restée avec Gripa, à s'activer —, Ricardo et Tieta examinent les progrès de la construction de la petite maison de vacances. Le commandant sourit devant la stupéfaction de la tante et du neveu : ils n'espéraient pas trouver le toit prêt et terminé Les ouvriers n'avaient pas chômé la semaine de Noël, soit pour la réputation, soit pour l'argent de Tieta, pour les deux ensemble et surtout pour la présence du commandant qui avait remplacé Ricardo à la tête des travaux et avait voulu leur faire une surprise. Tandis que Tieta couverte d'onguents et Ricardo aux petits soins restaient à Agreste, il avait offert aux travailleurs la bière commémorative du faîtage et promis au nom de la propriétaire une bonne gratification si, avant le Nouvel An, le toit était posé. Maintenant il ne manque qu'à cimenter le sol, peindre les murs, mettre les portes et les fenêtres et clore le terrain où, à un angle, le providentiel et habile commandant Dário avait fiché dans le sable le tronc sur lequel il avait gravé le singulier nom de la maison de Tieta. De là on voit la Toca da Sogra et Chez Nous, la vaste et confortable demeure de Modesto Pires. Éloignée de la plage, sur les bords du fleuve. on aperçoit la maison du Dr Caio Vilasboas, entourée de vérandas, sans nom pour la désigner.

Ils décident avec les maîtres maçon et charpentier de la marche des travaux finaux lorsque apparaît l'ingénieur Pedro Palmeira. Juste vêtu d'un slip de bain, brûlé de soleil, un enfant à cheval sur ses épaules. Garçon jovial, d'une conversation animée et le rire facile, bon compagnon de vacances — il dispute des parties de foot sur la plage avec les gamins et les jeunes pêcheurs, fait volontiers une canasta, après la sieste. avec son épouse, le commandant et dona Laura —, cet après-midi il semble préoccupé. Sa première question, avant même de dire bonjour, révèle pourquoi :

« Vous avez lu la chronique de Giovanni Guimarães ? Qu'en dites-vous ? » Il pose l'enfant à terre.

« Nous sommes menacés du pire, répond le commandant Dário.

— N'est-ce pas ? J'en ai discuté aujourd'hui avec *seu* Modesto. Il pense autrement, il y voit de l'argent à gagner. »

Dissimulant un sourire, Tieta regarde le commandant — ça lui rappelle le début de leur conversation dans le canot. Le garçon, grattant le sable du bout d'une palme de cocotier, poursuit :

« Ç'a été désagréable. J'évite de parler de certains sujets avec *seu* Modesto, nos points de vue coïncident rarement. Mais aujourd'hui je n'ai pu l'éviter, ç'a été moche. » Il court retirer son fils qui plonge dans un reste de mortier. « Marta a fini par pleurer, quand il s'emporte *seu* Modesto ne choisit pas ses mots. Pour lui, l'argent passe avant tout. Avant les valeurs fondamentales qui sont menacées par la pollution de la Brastânio, il n'y attache pas d'importance. »

Tieta se sent rougir. N'avait-elle pas pensé, elle aussi, avant tout à l'argent à gagner ? N'avait-elle pas proposé au commandant d'acquérir les terres au bord du fleuve où la fabrique veut s'installer pour les revendre avec bénéfice ? Il avait fallu que le commandant parle de paix, de beauté, du climat de sanatorium, du bonheur du peuple pour qu'elle réfléchisse et pense à ces autres valeurs, plus grandes — fondamentales, au dire de l'ingénieur barbu et préoccupé —, le droit à la santé, à la beauté, à la paix, à un endroit bon pour attendre la mort. Après seulement que Ricardo, son enfant en or, en or et en diamants, eut proclamé, en leur nom à tous deux, une militante solidarité avec la cause d'Agreste, elle s'était décidée.

« *Seu* Modesto a interrompu ses vacances, il a été à Agreste, fouiner aux archives, dans les vieux livres, pour tirer au clair à qui appartiennent les terres des cocotiers.

— Ce ne sera pas facile à découvrir. Une fois déjà, il a cherché à savoir, lorsqu'il a acheté la partie qui était aux pêcheurs et pensait faire un lotissement. Il n'a rien trouvé.

— Parce qu'il a renoncé, commandant. Comme le lotissement ne marchait pas, il a renoncé. Mais cette fois, il dit qu'il ne reviendra pas sans avoir découvert qui sont réellement les propriétaires, informe le gendre. D'après ce qu'il a su par l'un

369

des techniciens de la Brastânio qui sont passés par ici, avant mon arrivée, le lieu idéal pour l'usine, les usines plutôt car il y en a deux, jumelées, se situe un peu plus bas que ses terrains, sur les bords du fleuve. Le gars voulait savoir à qui ça appartenait pour en informer les directeurs. *Seu* Modesto est resté bouche cousue, bien sûr.

— S'ils se sont informés à la ville, ils doivent être persuadés que les cocotiers appartiennent aux pêcheurs ou qu'ils n'ont pas de maître, c'est ce que tout le monde pense à Agreste.

— *Seu* Modesto m'a dit qu'il a acheté toute l'aire appartenant aux pêcheurs.

— C'est vrai.

— Maintenant il veut le reste, pour revendre à la Brastânio. A cette heure, il doit être aux archives, empoisonnant le Dr Franklin. »

Absorbés dans leur conversation, ils n'ont pas vu s'approcher l'austère Dr Caio Vilasboas. En vacances, le médecin abandonne son formalisme habituel, il ôte son col dur, passe la journée en pyjama et, s'il est obligé de sortir de chez lui, il ajoute le cache-poussière bleu qu'il porte lorsqu'il prend la marineti de Jairo. En passant près d'eux, il salue mais évite de s'arrêter, il est pressé, il marche en direction de la plage. Ils le suivent des yeux, curieux.

« Y aurait-il quelqu'un de malade ? » se préoccupe le commandant en voyant le médecin obliquer vers les maisons des pêcheurs.

« Le Dr Caio ne va jamais de ce côté. »

L'ingénieur pressent :

« Ne serait-il pas aussi candidat à l'achat des cocotiers ?

— C'est ça, pas autre chose, vous avez mis dans le mille. La corrida commence. Vous savez, Docteur Pedro, dans le canot, en venant, je disais à Tieta que l'on doit réagir, protester, empêcher cette monstruosité.

— D'accord, mais de quelle façon ? Comme dit Giovanni Guimarães, les gens du cacao ont la force politique, ceux du Recôncavo aussi. Mais ici, tout le monde va penser qu'on peut gagner de l'argent avec l'installation de la fabrique.

— Si Tieta prend la tête, le peuple sera de notre côté. »

L'ingénieur approuve, sourit à Tieta :

« C'est vrai. *Seu* Modesto dit que le peuple a mis dona Antonieta sur l'autel, à côté de la Senhora Sant'Ana. Et il y a de quoi. »

Le bruit d'un moteur, descendant le fleuve.

370

« C'est la barque de Pirica », reconnaît le commandant.

La barque affronte les rouleaux, elle amène un passager. Œil de marin, le commandant Dário l'identifie :

« Edmundo Ribeiro, par ici ? Vous n'allez pas me dire... »

Le receveur, accompagné de son fils Leléu, débarque sur la plage, devant les cabanes vers lesquelles il se dirige, les pieds s'enfonçant dans le sable. L'ingénieur achève la phrase du commandant :

« ... qu'il est venu chercher les propriétaires des cocotiers ? Si, senhor, certainement.

— Encore un. Ça va être une folie. Nous devons faire quelque chose, tout de suite.

— Que peut-on faire ? demande le barbu. Si c'était à Salvador, on mobiliserait les étudiants, on s'adresserait aux journaux, on menacerait d'une manifestation. Mais ici... »

Le commandant se gratte la tête, pensif. Protester, oui, c'était indispensable. Mais comment ? Que diable pouvaient-ils faire même avec Tieta à leur tête, obtenant l'appui du peuple ?

« Faire quoi ? » Tieta aussi veut savoir.

Vêtu d'un maillot de bain, déchaussé, torse nu, couleur de bronze, paraissant plus un jeune pêcheur qu'un lévite du sanctuaire, Ricardo se fait à nouveau entendre, voix sans appel :

« Le jour où ces individus réapparaissent à Agreste ou au Mangue Seco, on les fait courir.

— Hein ? » s'exclame le commandant avant de laisser éclater son enthousiasme.

« Cardo ! » exulte Tieta tournée vers son neveu, son petit, bouc entier et mâle, un vrai bouc.

« Tope là ! » L'ingénieur tend la main au séminariste.

Entre la demi-douzaine de cahutes, les silhouettes du Dr Caio Vilasboas et du receveur Edmundo Ribeiro se croisent, inaugurant la cote des immeubles sur la plage du Mangue Seco.

OÙ L'AUTEUR, UN SACRIPANT, SOUS PRÉTEXTE DE FOURNIR UNE INFORMATION SUPERFLUE, SE DÉFEND DE SÉVÈRES CRITIQUES.

Non, ne pensez pas que je veuille me mêler à la querelle à peine entamée, qui suis-je ? J'ai défini ma position de complète neutralité, narrateur objectif et froid, j'expose des faits concrets. Je ne viens pas non plus commenter la visible modification opérée dans la manière d'être du jeune Ricardo. Simplement, une fois de plus je constate l'influence d'une parfumée et savoureuse — comment dirai-je ? —, d'un parfumé et savoureux rayon de miel, enivrante rose noire. Elle transforme la glace en feu, l'agneau en lion, le séminariste dévot en étudiant subversif et bagarreur.

L'autre jour, scandalisé, mon ami et camarade de joutes littéraires, Fúlvio d'Alambert (José Simplício da Silva, employé de banque dans la médiocrité de la vie civile et bourgeoise ; si par hasard j'ai déjà fourni cette information, je la répète, plutôt être accusé de redondance que d'omission), m'a révélé que, dans certains séminaires actuellement, les étudiants lisent et analysent Freud et Marx et ne le font pas pour les désavouer, réfutant leurs hérétiques théories, les dénonçant à la police politique à défaut de Sainte Inquisition ; l'une vaut l'autre. Bien au contraire, ils commentent leurs écrits dans des éloges et des applaudissements. Nonobstant la présence de frère Thimóteo dans le corps enseignant, je pense que les élèves du séminaire d'Aracaju ne connaissaient pas Marx et Freud vers l'année 1965 — une date si proche, encore hier, paraissant pourtant un lointain passé devant les transformations du monde ; elles se produisent avec une telle rapidité que le temps est balayé, le présent se réduit à un bref, un fugace instant. La rencontre avec les hippies, les conversations répétées avec le frère Thimóteo, l'une et l'autre chose concoururent à l'évolution inattendue du jeune homme mais, en définitive, ce qui le fit autre, le mit sens dessus dessous, ce fut l'odorante rose noire, le succulent rayon de miel où, assoiffé et affamé, il plongea et renaquit.

J'emploie à dessein ces images, rose noire, rayon de miel, des métaphores destinées à éviter les mots précis et justes, soit parce que pédants, incomplets et laids ceux qui n'offensent pas la pudeur : vagin et vulve, par exemple, de terribles gros mots ; soit parce que critiquables et condamnables ceux qui expriment avec vigueur, exactitude et poésie, la douceur, la grâce, la chaleur, l'éternité, la perfection : bringalette, pacholette, minette. Dans les pages qui précèdent — pauvre de moi ! — utilisées et répétées.

Mon confrère et critique Fúlvio d'Alambert, à qui je remets les pages écrites pour des corrections grammaticales, des conseils de style et d'accents, m'a reproché âprement l'usage et l'abus de tels termes, leur emploi dans un ouvrage littéraire dont ils souillent la langue, avilissent la phrase. Pourquoi tant répéter de mots obscènes, pourquoi revenir constamment à ce maudit sujet qu'il traite pudiquement d'appareil génital de la femme ?

Moi, je demande : pourquoi ne pas parler d'une chose si importante dans la vie d'un homme ? Pourquoi lui donner des noms sévères et agressifs, qui polluent sa beauté et sa grâce ? Pourquoi lui refuser les douces appellations nées de la langue savoureuse du peuple ? A la table du bar, lorsque Aminthas, Fidélio, Seixas, le poète Barbozinha, le diligent Ascânio commencent à discuter de haute philosophie, à rivaliser de connaissances en des marathons intellectuels, Osnar, en bâillant, proteste :

« Comment perdez-vous votre temps à discuter de ces sottises, alors qu'on pourrait parler de pacholette, une chose adorable ? »

Osnar, affirme dona Carmosina, et là je suis d'accord avec cette grosse savante, parfois nous lave l'âme.

Je profite d'ailleurs de cette allusion à la bande du billard pour répondre à une autre remarque du cher et méticuleux Fúlvio d'Alambert. Il appelle mon attention sur le fait que je n'informe pas le lecteur de la profession de trois des quatre compères continuellement présents dans les pages de ce mélodramatique feuilleton. D'Osnar, on connaît la condition de citoyen nanti, vivant de ses rentes ; et les autres ? On a parlé de la tendance à l'humour d'Aminthas, de son fanatisme pour les sons modernes et de sa parenté avec dona Carmosina, rien qui définisse une profession ou une source de revenus. Sur Seixas, juste des allusions à ses cousines, un bataillon ; de Fidélio, on ne dit rien, un individu furtif. J'admets la critique, je confesse mon erreur. Fúlvio d'Alambert a raison de signaler cette grave lacune, l'absence d'une information aussi importante, je dirai même fondamentale : les ressources de certains personnages. L'économie conditionne le monde et dirige les actions humaines, enseigne Marx aux séminaristes. Ou c'est le sexe, comme ils l'apprennent dans Freud ? Une terrible confusion. J'en profite pour fournir l'information, racheter ma négligence. Ils sont tous trois, Aminthas, Seixas et Fidélio fonctionnaires publics. Le premier, fédéral, les deux autres, de l'État. Informé de la condition de serviteurs de la Nation et de l'État des trois garçons, le lecteur ne les pensera plus sans travail, oisifs, bons vivants. Oisifs, bons vivants, d'accord ; sans travail, non.

J'en arrive enfin à la vraie raison de mon intervention. Je veux simplement donner les noms des cinq abonnés de *A Tarde*. Ce sont : Modesto Pires, l'Arabe Chalita, Edmundo Ribeiro, le Dr Caio Vilasboas et *seu* Manuel Portugais. Le sixième exemplaire, comme on sait, arrive gratuitement pour dona Carmosina, cadeau de l'administration. Après la publication de la *Lettre au Poète de Matos Barbosa,* l'explosive chronique de Giovanni Guimarães, le nombre des abonnements est passé à neuf, dona Carmosina — elle sort toujours gagnante — a empoché une substantielle commission. Substantielle pour Agreste, naturellement. Tout au monde est relatif, comme dirait Einstein, inconnu des séminaristes d'Agreste.

DE LA BELLE LEONORA CANTARELLI, ALLONGÉE DANS LE HAMAC, PARMI LES CHÈVRES ET LES BALEINES, SOUS UN SOLEIL BLEU.

La belle Leonora Cantarelli, allongée dans le hamac dans la véranda de Perpétua, reçoit un rapide baiser d'adieu de Peto dont les obligations de supporter, plus la peur d'être puni pour d'imprudentes paroles, l'appellent au bar où, à partir de cinq heures, commence un tournoi de billard disputé par les meilleures queueurs de la ville. Peto n'oublie pas d'embrasser sa cousine quand il part ou arrive. Leonora s'amuse des manières du gamin, de sa vivacité et de ses yeux malins. A part ça, tendre et empressé, toujours aux ordres des parentes paulistes, prêt à tous les services. Pour sa tante Antonieta il a une véritable idolâtrie, ce qui ne l'empêche pas de loucher dans les décolletés, de se réjouir la vue à la moindre occasion. Après le départ de Barbozinha pour l'agence des Postes,

Peto était resté tenant compagnie à Leonora. lui narrant les péripéties de la pêche. Il avait descendu le fleuve ce matin, avec Elieser, dans la barque. Le poisson mordait que c'était un plaisir, des *carapebas* énormes ; le moulinet et la canne à pêche que tante Antonieta avait apportés à Cardo s'étaient révélés impec. Il avait ramené un panier plein de carapebas et de loups de cette taille — il la montrait d'un geste —, il les avait donnés à tante Elisa, on mangerait au dîner le poisson pêché par lui, Peto, roi de l'appât et de l'hameçon. Tante Elisa sait s'y prendre en cuisine, à s'en lécher les doigts. Jolie aussi, la plus jolie d'Agreste, il n'y a que Leonora qui puisse s'aligner.

« Entre la tante et la cousine, le concours est dur. Si je devais choisir, je garderais les deux. »

Les antennes toujours branchées, Perpétua entend au passage, elle gronde :

« Quel manque de respect, petit ! Est-ce que ça se dit ? Tu veux rester en pénitence ? »

Peto prend la fuite avant que sa mère ne décide de le mettre en retenue ou l'oblige à l'accompagner à l'église pour les assommantes dévotions du soir ; au bar les champions doivent déjà se réunir. Il cligne de l'œil à Leonora, lui vole un baiser et, quand Perpétua le cherche — où est ce démon ? — elle n'en trouve plus trace. Elle se plaint de son plus jeune fils tout en expliquant à Araci comment frotter les couverts pour qu'ils brillent ; elle profite de la présence de la gamine pour un nettoyage général, la maison est briquée.

« Cet enfant me tue. Ricardo ne me donne pas de mal, mais Peto, je ne sais pas de qui il tient. On dirait un fils de Tieta... », elle met sa main devant la bouche, se repentant. que la péronnelle n'aille pas le raconter à sa belle-mère...

« C'est un enfant charmant, proteste Leonora.

— Tu es trop bonne, tu fermes les yeux sur ses bêtises. » Elle disparaît dans la pièce de l'oratoire.

Seule, Leonora reprend les livres du poète Matos Barbosa, prêtés par l'auteur : deux de vers, un de pensées philosophiques. Qu'elle en prenne soin car il ne possède que ses seuls volumes et les éditions sont depuis longtemps épuisées. L'un des exemplaires vaut aujourd'hui une véritable fortune, et encore ceux qui l'ont ne veulent pas s'en défaire. Tirage limité, hors commerce, illustré de gravures de Calasans Neto. en couleur et en noir et blanc, financé par des amis du poète, il avait été vendu en souscription quand l'embolie le menaça de mort ou, pire, de mutisme, cécité, paralysie, chaise roulante. Avec le produit de la vente, il avait pu payer une chambre particulière à l'hôpital et la note de la pharmacie. Médecins ? Il avait eu les meilleurs pour rien ; qui, à Salvador, ne connaissait pas et n'aimait le poète Matos Barbosa et sa douce folie ?

En lui remettant les vieux tomes, feuilletant avec Leonora la belle édition des *Poèmes d'Agreste,* revoyant les illustrations, Barbozinha avait philosophé sur la vie, les caprices du destin. C'était le dernier livre qu'il avait réussi à publier. Remis mais marqué par l'attaque, la voix prise, le pas pesant, retraité de la fonction publique, il était parti pour ce volontaire exil dans sa placide terre natale, loin des portes des librairies, des cafés animés et des cénacles, des colonnes des journaux, du succès et du renom. Tandis que, à partir de ces premières chèvres et baleines, taillées dans le bois il y a onze ans pour illustrer des poèmes sur les collines d'Agreste et les falaises du Mangue Seco, baleines inattendues venues de la mer, s'aventurant dans le Rio Real, chèvres avec des grâces et des allures de femmes, se dressant sur les rochers, le jeune graveur Calasans Neto — le caboclo Calá, un gaillard, ainsi l'appelle et le définit Barbozinha — était parti pour une triomphante et rapide carrière, aujourd'hui un nom national, avec des expositions même à l'extérieur, à La Nouvelle-Orléans et à Londres, oui senhora, ma gentille amie. Ainsi est la vie, les uns montent, les autres descendent la rampe, constate-t-il sans amertume : ayant vécu de nombreuses existences, s'étant incarné tant et tant de fois, ces hauts et ces bas ne le démoralisent pas. Encore moins maintenant que le fraternel Giovanni Guimarães, glorieux et populaire chroniqueur de *A Tarde,* le retire de l'ostracisme pour lui tendre l'étendard de la lutte contre la pollution.

Il avait composé en deux nuits d'inspiration et de rage, cinq *Poèmes de la Malédiction* pour marquer du fer rouge de la poésie la face pourrie des trafiquants de mort. Il était venu avec l'idée de les lire à Tieta, muse éternelle et singulière des livres publiés, bras et cœur le soutenant lorsque la foudre l'atteignit et que le poète se trouva enterré sous l'humiliation des vers commis en l'honneur de la Brastânio, cette abjection produite par lui qui s'était laissé lamentablement tromper en compagnie d'Ascânio, tous deux innocentes victimes de la perfidie. Il en profita pour remercier l'enchanteresse sylphide d'avoir détruit, dans les flammes purificatrices, la copie du

376

corps du délit, étouffant ainsi pour toujours le souvenir de l'infamie, les originaux, il les avait également transformés en cendres.

Ne trouvant pas Tieta, l'ingrate ne l'avait pas informé de son départ pour le Mangue Seco, il déclama pour Leonora deux des cinq poèmes rédempteurs ; les trois autres, il les considérait impubliables dans des journaux ou des revues, impropres à être récités, interdits aux oreilles innocentes. Pour Tieta, veuve, intime et vieille amie, muse permanente, il se serait risqué à les dire. Pour Leonora, non, car reprenant la veine de Gregório de Matos, lui, Matos Barbosa, a tapé de bon cœur, dans une langue vigoureuse et rude, sur les criminels directeurs de la Brastânio. Dans certains vers, comme de noirs et bruts diamants, scintillent des mots crus — l'image est du propre Barbozinha.

L'arrivée de Peto et son bruyant enthousiasme de pêcheur heureux précipita le départ du barde pour l'agence des Postes, où il devait déposer les poèmes et une longue lettre à Giovanni Guimarães. Avant, pourtant, il déclamerait poèmes et lettre pour l'amie Carmosina. Cette dernière, bien que donzelle, peut tout entendre, elle ne se scandalise pas.

Ils s'en furent, d'abord le poète, pipe éteinte, pas lent, cœur ardent ; ensuite le gamin, sans vergogne et affectueux, avec la spontanéité de la première adolescence. Leonora contemple les gravures, chèvres et baleines, pierres et monts, la jeune fille avec le bâton et un étrange soleil bleu qui naît sur les eaux du fleuve, extravagance ou insolence de l'artiste. Ce soleil bleu ne la surprit pas pourtant, il lui était familier. Depuis son arrivée à Agreste, Leonora se sentait entourée d'une atmosphère diaphane, de tons célestes, un monde magique, irréel, où n'entre pas le mal, ni le mal ni le malheur. Ses lèvres murmurent les deux strophes du poème répudié de Barbozinha, celles où le poète parlait d'Ascânio Trindade, capitaine de l'aurore.

Capitaine aux abois, depuis deux jours et deux nuits sans repos, la face inquiète, les yeux injectés, les marques de l'insomnie, quasi muet. Marchant avec Leonora autour de la place, il avait pris la main de la jeune fille et l'avait serrée entre les siennes, cherchant appui et sécurité. La chronique du journal l'avait rendu malade. Peu à peu, peut-être parce qu'elle n'avait pas posé de questions, il en avait parlé. L'offensive de Giovanni Guimarães doit reposer sur quelque base concrète — dit-il —, recouvrir une parcelle de vérité mais

Ascânio, lui, a la quasi-certitude qu'il y a une immense exagération dans la diatribe emportée du journaliste, résultant qui sait de quelles obscures raisons. L'industrie de titane doit entraîner quelque pollution, toutes les usines polluent, les unes plus, d'autres moins. Mais il ne croit pas à cette terrifiante histoire de danger mortel pour la flore et la faune, pour le fleuve et la mer. De toute façon, avant de prendre position, on doit attendre que la dénonciation du journaliste se confirme ou se réduise, remise à sa juste place par les spécialistes compétents. Leonora attira à elle sa main et la baisa : Ascânio a raison, il faut attendre, tout ça n'est peut-être qu'une tempête dans un verre d'eau.

Le soir suivant, la veille, avait été encore plus difficile Habituellement, Ascânio trouve au cours de la journée au moins deux ou trois raisons pour apparaître chez Perpétua, demandant la permission d'entrer un instant ou appelant Leonora à la fenêtre, elle dans le salon, lui sur le trottoir deux doigts de conversation, un sourire, un baiser. Mais, ce jour-là, il n'était pas apparu. Leonora avait entendu parler, par dona Carmosina, de la violente discussion du matin, à l'agence des Postes. Ensuite, le commandant passa avec doña Laura pour chercher Petite-Mère et Ricardo mais il ne fit pas allusion à l'incident. D'Ascânio, pas trace.

Après le dîner, à l'heure sacrée, il arriva, grave et triste. Leonora l'attendait à la porte, Ascânio ne voulut pas entrer, pas même pour dire bonsoir à Perpétua. Ils traversèrent le jardin de la place où garçons et filles se retrouvent, tournant par couples. Il y eut un temps de silence, lourd, ensuite il demanda :

« Vous savez ?

— La discussion ? Oui.

— Horrible. J'ai perdu la tête, j'ai manqué au commandant, une personne beaucoup plus âgée que moi, un homme respectable. Mais il m'a accusé de malhonnêteté.

— Le commandant ? Je pensais que c'était dona Carmosina.

— Elle m'a insulté dans le feu de la discussion, ça n'a pas d'importance. Mais le commandant a dit que j'ai menti, que j'étais au courant des plans de l'usine et n'ai rien dit, que j'ai trompé tout le monde. Pour lui, je me suis montré indigne de la confiance qu'on mettait en moi. Je ne sais pas si c'est vrai, mais le reste l'est : j'ai menti, j'ai caché ce que je savais, j'ai cherché à leurrer les autres. Mais je jure que je l'ai fait pour le bien d'Agreste. Le Dr Mirko, vous savez qui c'est, m'avait demandé le secret car rien n'était encore décidé et si la chose devenait publique, ça pouvait tout perdre. Pour moi, l'intérêt d'Agreste passe par-dessus quoi que ce soit. »

Comme elle l'avait fait la veille, Leonora porta la main d'Ascânio à ses lèvres et la baisa. Le garçon sourit, un sourire si triste qu'elle put mesurer combien il était troublé et meurtri. Alors, là, en pleine place, sous un arbre, sans se préoccuper de la présence des couples d'amoureux, elle s'arrêta et, prenant son visage, l'embrassa sur la bouche. Pour que lui et tous sachent sa solidarité inconditionnelle.

Dans le hamac, admirant les gravures, les chèvres altières, les pacifiques baleines, le grand soleil bleu, rêve et réalité, Leonora compte les minutes. Le matin, Ascânio avait envoyé Leôncio avec un message : il a devant lui une journée très occupée avec les problèmes du pavage de la rue à l'entrée de la ville — Leonora est au courant du complot, de l'hommage projeté à la Jeanne d'Arc du Sertão —, mais s'il trouve le temps il passera la voir, à un moment quelconque. Sur les lèvres de Leonora flottent les vers de Barbozinha pour le capitaine de l'aurore.

La cloche de la cathédrale sonne, annonçant cinq heures. Le capitaine de l'aurore est entouré de menaces et de dangers. Seulement lui, ou elle et lui, l'idylle d'Ascânio et de Leonora, le soleil bleu d'Agreste ? Où sont la fierté, l'enthousiasme, la certitude de triompher du capitaine Ascânio Trindade, commandant le progrès, renversant les murailles du retard, ranimant l'espoir dans le bourg mort et dans la poitrine de Leonora ? Abattu, inquiet, triste, presque dérouté. Vaincu ou victorieux, peu importe, mon amour.

Le voilà qui fait irruption sans même demander la permission, de nouveau fier, enthousiaste, triomphant, dans les mains un paquet de journaux, la nouvelle du prochain asphaltage sur le chemin de Boue et la plaque avec le nom de la rue Dona Antonieta-Esteves-Cantarelli (citoyenne d'honneur).

DU PAVAGE DE LA RUE, DE LA PLAQUE ET DE LA MANCHETTE DU JOURNAL, QUAND ASCÂNIO

379

TRINDADE RÉASSUME SA FONCTION DE LEADER, CHAPITRE TOUT EN FLASHBACK.

Ascânio Trindade se trouve à l'entrée de la ville, entre la place du Marché et le tournant de la route, discutant avec le maître d'œuvre, Esperidião Amourdedieu, du pavage de la rue par où fils et poteaux de l'Hydroélectrique pénétreront dans Agreste, lorsque la marineti, très en retard, klaxonne — horrible son ! — et surgit bientôt dans un nuage de poussière, apparition à la fois familière et surprenante, fulgurante. En apercevant le secrétaire de la mairie, Jairo freine, on entend des grincements et des explosions, la marineti tremble, saute, danse, menace de déraper, de se disloquer, de se mettre en morceaux, elle s'arrête. Le vieux cœur indomptable du moteur continue de battre à tout rompre — Jairo n'est pas assez bête pour l'arrêter ; qui prouve qu'il repartirait ? Aujourd'hui il lui en a fait voir de belles.

Jusqu'à cet instant où Jairo utilisa les freins, prouvant ainsi leur existence et aussi la qualité des pièces d'autrefois — celles d'aujourd'hui ne valent rien —, la journée avait été extrêmement désagréable pour Ascânio. Dès la première lecture de la chronique de Giovanni Guimarães, sa vie avait été un cauchemar. Depuis la conversation avec le Dr Mirko Stefano, le Magnifique Docteur — ainsi l'avait désigné la secrétaire exécutive, celle qui était apparue ensuite déguisée en Papa Noël — jusqu'à l'explosion de la chronique, Ascânio avait échafaudé de merveilleux, d'immenses châteaux en Espagne, prévoyant un sensationnel avenir pour Agreste et pour lui-même. Les cheminées des usines construites au Mangue Seco favorisent le progrès : route asphaltée, large, à deux voies qui sait, presque une autoroute, cité modèle dans les cocotiers pour les ouvriers et les employés, hôtel moderne à Agreste, de plusieurs étages, commune prospère et riche. La Brastânio, pionnière, ouvre le chemin à d'autres industries, toutes désireuses de bénéficier des conditions hors de pair du municipe. A la tête de tout ça, commandant, administrateur compétent, efficace, inlassable, plein d'idées et capable de les exécuter, un homme d'État, Ascânio Trindade, maire de Sant'Ana de l'Agreste, tantôt mari, tantôt fiancé de la belle et virginale, virginale, non, de la belle et candide héritière pauliste, Leonora Cantarelli. Parfois il prolonge le temps des fiançailles, période de douceurs où le désir conquiert des droits et des territoires, peu à peu, parfois il l'épouse tout de suite, impatient de la voir dans son foyer et de l'imaginer enceinte. l'air angélique mûrissant avec la grosseur de son ventre.

Châteaux de cartes, l'explosion les fit se volatiliser, eux et l'assurance du garçon. Il se vit soudain en proie à une tempête pareille à celles qui s'abattent parfois sur le Mangue Seco, déracinant les cocotiers, soufflant les cabanes des pêcheurs, bouleversant la mer, soulevant d'incroyables tourbillons de sable, changeant la place et la hauteur des dunes. Lorsqu'elle se termine et que la paix revient, le paysage s'est modifié il rappelle le précédent mais c'est un autre, différent.

Ascânio se refuse à accepter les affirmations de Giovanni Guimarães sur les maléfices de l'industrie de bioxyde de titane, se raccrochant à la condition du journaliste, profane en la matière, incompétent sur des questions scientifiques. Mais si c'est vrai ce qu'il assure et dénonce, appuyé, qui sait, par des physiciens et des chimistes ? La chronique dénote une extrême assurance, comme si l'auteur avait l'absolue certitude de tout ce qu'il affirme. Tout, non, car la propre dona Carmosina, adepte passionnée de l'article, y avait découvert une erreur élémentaire, relative à la couleur de la fumée. S'il s'est trompé sur ce détail, Giovanni peut s'être trompé sur tout le reste. Mais si, par ailleurs, il avait raison ? Que soit si périlleuse cette industrie, mortelle pour les poissons, la ruine de la pêche et des pêcheurs ? Il est vrai qu'actuellement on a la manie de voir la pollution partout, d'accuser les cheminées des usines des malheurs du monde.

Quelle position doit-il prendre, en définitive ? Si l'exagération de Giovanni Guimarães est prouvée, le problème sera facile à résoudre. Mais si, au contraire, les spécialistes le soutiennent ? Rompra-t-il avec le Magnifique Docteur ou risquera-t-il le danger de pollution, préférant pour l'avenir d'Agreste la transformation économique de la zone, la richesse résultant de l'industrialisation, à la maigre pêche de la minuscule colonie du Mangue Seco, la pureté des eaux, la beauté du fleuve ? Comment agir, quelle position, quel parti adopter ? Renoncer à tout, projets administratifs et rêves de mariage pour protéger le climat sain, la limpide beauté, la paix soporifique ? A quoi servent le ciel pur, l'eau claire, la beauté, la paix ? Un bon endroit pour attendre la mort ; avec le temps la phrase du commis voyageur est devenue un lieu commun, une vérité patente Plutôt affronter le danger, sacrifier les quelques pêcheurs — et en finir ainsi avec la contrebande qui, depuis presque un siècle, résiste aux éventuelles incursions de la police — salir les eaux, en échange de la richesse, de l'animation, de la dynamique du progrès. Les pêcheurs du Mangue Seco sont peu et contrebandiers ; de l'autre côté de la barre, ceux du Saco sont nombreux, sérieux et travailleurs, l'empoisonnement des eaux atteindra toute l'embouchure du fleuve, la mer. Mon Dieu, c'est à rendre fous un bon chrétien ou un marxiste, le contradictoire univers des raisons en cause. Ascânio, harassé, rendu, les nerfs en boule, tente de liquider le dernier argument qui le trouble en se rappelant que, plage et village du Saco étant situés sur les terres du Sergipe, le destin des pêcheurs qui y vivent n'est pas son problème à lui, qui administre un municipe bahianais. Il n'est pas convaincu.

La preuve, la décision qu'il a prise ce matin, à la mairie, au sujet de l'indispensable pavage du chemin de Boue, à l'entrée de la ville, avant l'inauguration de la lumière de l'Hydroélectrique. Il est urgent de commencer les travaux, dans un mois les poteaux arriveront aux rues d'Agreste et brillera la lumière de Tieta. Pour plus de sûreté, faisant contre mauvaise fortune bon cœur, Ascânio décide de laisser de côté les mirobolantes promesses du Dr Mirko Stefano et de revenir au plan antérieur, un modeste revêtement de pierres — les pierres abondent dans le fleuve et sur les collines, c'est la seule chose réellement bon marché à Agreste à part les mangues et le *cajous* — financé par les nantis du lieu ; il fera circuler la liste, quémandeur public une fois de plus.

Décidé mais meurtri, anormalement aigre et irascible, il poursuit une longue et difficile conversation avec maître Esperidião sur les délais et le prix de l'entreprise. Ascânio désire que ce soit rapide et bon marché, Esperidião considère comme inacceptables les maigres propositions du secrétaire de la mairie, surtout si l'on tient compte du temps limité : il devra engager une quantité d'ouvriers, les faire travailler de nuit et, malgré ça, ce ne sera pas facile de terminer à la date voulue. Ils finissent par aller sur place, examiner les choses de près.

Ils arrivent enfin à un compromis lorsque Jairo freine la marineti et que la poussière suffoque Esperidião Amourdedieu, maigre et nerveux. Reprenant sa respiration, le maître d'œuvre proteste :

« On parle de pollution comme si cette foutue marineti ne nous bouffait pas les poumons depuis plus de vingt ans. »

Jairo descend, portant deux paquets, paisible, indifférent aux trois heures de retard, aux haltes, à la volubilité du moteur, ce jour-là d'une humeur instable :

« Deux commissions pour vous, Ascânio. Ça, c'est Canuto qui l'envoie. » Un gros colis, encore dans son emballage d'origine, adressé à Canuto Tavares par une firme de la capitale.

Ascânio palpe le paquet :

« Je sais de quoi il s'agit, il se tourna vers Esperidião : C'est la plaque de la rue. Elle est arrivée plus tôt que je ne m'y attendais.

— Celui-ci, c'est Miroel, des messageries, qui me l'a donné, en disant que c'était urgent. Ça paraît important, c'est venu dans l'omnibus qui fait la ligne directe Salvador-Aracaju. Il s'est arrêté à Esplanada, rien que pour laisser ce machin. La commission est faite. Rapidité et efficacité. » Il rit.

Il le lui remet, rit et attend. Crevant de curiosité, il veut voir ouvrir les paquets. Le premier, comme Ascânio l'avait prévu, contient la plaque pour la nouvelle rue, avec le nom de Dona Antonieta en lettres blanches sur fond bleu. Jairo et Esperidião s'approchent pour l'admirer. Ascânio l'avait commandée à Bahia, dans une firme spécialisée, par l'intermédiaire de Canuto Tavares. Le soi-disant fonctionnaire de l'agence des Postes et des Télégraphes est une sorte de correspondant d'Agreste à Esplanada, fréquemment Ascânio a recours à ses services.

Passagère pressée et décidée, dona Preciosa, directrice du groupe scolaire, se lève et appuie sur l'extraordinaire corne de la marineti, affolant les oiseaux — Jairo ne s'en fait pas, indifférent au retard énorme, il s'arrête encore pour bavarder alors qu'ils sont à deux doigts d'arriver. L'envoi, adressé à Ascânio Trindade, Dynamique Maire de Sant'Ana de l'Agreste, URGENT, tout en majuscules et en rouge, contient des journaux et une lettre. Tandis que la pollution sonore du klaxon fait fuir les lézards, Ascânio ouvre l'un des deux journaux et son visage se détend, irritabilité, fatigue, amertume disparaissent quand il lit, en lettres énormes, la manchette sur la première page : LA BRASTÂNIO DÉMASQUE UN IMPOSTEUR et qu'il constate, d'un coup d'œil, que l'imposteur n'est autre que le chroniqueur de *A Tarde*, Giovanni Guimarães.

De la porte de la marineti sort la voix de dona Preciosa,

menaçante, habituée à tancer les enfants, à les faire taire et obéir, sa verrue tremble d'indignation :

« Ça va durer longtemps, Jairo ?

— On y va, dona Preciosa. » Qui répond, c'est Ascânio, montant dans la marineti, suivi de Jairo et d'Espiridião. Il tient les journaux comme si c'était de l'or, des pierres précieuses, le remède contre la mort.

DES RAISONS POUR.

Irréfutables arguments, ceux de Giovanni Guimarães, de l'avis du poète Barbozinha bavardant avec Leonora. Il n'y a plus à discuter, avaient dit dona Carmosina et le commandant : le chroniqueur de *A Tarde* avait mis noir sur blanc les points sur les « i ». Les propriétaires et directeurs d'autres journaux ne pensaient pas de même, la preuve était devant Ascânio Trindade, sur la table du maire. Des exemplaires de deux quotidiens de la capitale dans lesquels, sur plusieurs colonnes, les opinions nulles exprimées dans la *Lettre au poète Matos Barbosa* sont soumises à une complète révision, à une âpre critique et à une désagréable confrontation avec les déclarations de savants de poids et d'administrateurs conscients de leurs devoirs.

Un de ces journaux porte la manchette agressive qu'a vue Ascânio avant de s'embarquer dans la marineti où, très excité, il la relit, constatant sa violence à l'égard de Giovanni ; imposteur, ni plus ni moins. La gazette ne s'embarrasse pas du renom du journaliste, de la sympathie et de la considération qui l'entourent.

Un long éditorial, en caractère gras, qui chante les louanges de la Brastânio — à côté, le poème renié de Barbozinha fait pâle figure. Au moment où le gouvernement de l'État achève les travaux du centre industriel d'Aratu, insufflant un renouveau de vie à Bahia, l'implantation, sur cette bonne terre, d'une industrie de l'importance de la Brastânio, fondamentale pour le développement du pays, est la plus heureuse nouvelle de l'année qui se termine, un incomparable cadeau de Noël à

la population de l'État — affirme l'article de fond On peut
dire que l'État de Bahia a tiré le gros lot en ayant été choisi
par l'illustre directeur de la Société qui se propose d'investir
dans la région un volume de capitaux impensable ici, jusqu'alors, s'agissant d'une entreprise privée. Certains parlent,
naturellement, de pollution, les esprits chagrins, qui s'opposent au progrès, ont toujours existé, partout et en toutes
circonstances. Ce sont des voix isolées et de provenances
douteuses, servant d'obscurs intérêts. Si, par simple curiosité,
nous nous penchions sur la biographie politique de ces oiseaux
de mauvaise augure, nous détecterions aussitôt des relents
idéologiques, le label de Moscou. Sur ce ton, tout l'éditorial.
Il ne cite pas le nom de Giovanni Guimarães mais il saute aux
yeux.

On le cite, pourtant, dans l'interview accordée au même
journal par l'un des « dynamiques directeurs de la Brastânio
— Industrie Brésilienne de Titane S.A., un jeune et brillant
homme d'affaires, Rosalvo Lucena, économiste de réputation
nationale, diplômé de la Fondation Getúlio Vargas où il était
devenu aussitôt professeur, Managerial Sciences Doctor de
l'Université de Boston ». Le titulaire de tant de mérites
commençait par ridiculiser Giovanni, « aimable chroniqueur
sans aucune connaissance scientifique, il devrait se limiter aux
futiles événements quotidiens, au commentaire des histoires
de la police ou des matches de football, ses thèmes de
prédilection comme on sait, sans se mêler de donner ses
impressions sur ce qu'il ignore, se transformant ainsi de
chroniqueur en imposteur, tentant de monter l'opinion publique contre une entreprise d'une haute teneur patriotique qui
signifiera pour le Brésil économie de devises, élargissement du
marché du travail, richesse. Sur l'imaginaire et inexistant
danger mortel que représenteraient les usines de la Brastânio,
mieux vaut entendre l'opinion d'un technicien d'une compétence indiscutable, le Dr Karl Bayer, un nom familier à tous
ceux qui s'intéressent aux problèmes du milieu ambiant. Sur
une photo qui occupe trois colonnes Ascânio voit, au centre
de la page, le « dynamique Dr Rosalvo Lucena, l'illustre
savant Karl Bayer et le sympathique Dr Mirko Stefano à côté
de notre directeur lors de leur visite à la rédaction de ce
journal ».

L'illustre spécialiste, dans un texte extrêmement scientifique et inintelligible, d'autant plus fort et convaincant, répondant à trois questions — rédigées par lui car ces reporters sont

385

des analphabètes en matière d'écologie — trancha la question
A grand renfort d'halogène, chlorète, catalyseur, pentoxyde
de vanadium, benthos et plancton, effluents, il prouva par
a plus *b* que n'était que balivernes toute cette histoire de
danger de pollution, de mort des poissons et contamination
des eaux, « de la méprisable démagogie ». Comment douter
encore devant tant de science ?

Dans l'autre journal, non moins enthousiaste sur l'installation de la Brastânio, « industrie de salut public, primordiale,
facteur de redressement de l'économie bahianaise », l'ingénieur Aristoteles Marinho, du secrétariat à l'Industrie et au
Commerce, y allait de son couplet en faveur de la Société
Aucun danger, assure en des termes plus clairs l'ingénieur,
compétence modeste en comparaison du germanique Bayer.
Important, pourtant, car il reflète la pensée de l'administration de l'État qui ayant, selon lui, étudié scrupuleusement la
question, avait conclu à la « parfaite innocuité et à l'extrême
importance de l'industrie qu'allait implanter la Brastânio ». Il
termine en affirmant que les Bahianais peuvent dormir
tranquilles, le gouvernement veille et ne permettra pas qu'on
menace les terres, les eaux et l'air dans les frontières de l'État
de Bahia. Quand il parle de gouvernement, il s'agit de celui de
l'État et du fédéral, « indissociables dans la défense des
ressources naturelles et de la santé du peuple ».

Les journaux — quelques exemplaires de chacun — étaient
accompagnés d'une brève lettre du Dr Mirko Stefano à son
cher ami le Dr Ascânio Trindade, dans laquelle il l'informait
que la Brastânio avait contracté les services d'une entreprise
de travaux publics afin d'étudier l'élargissement et le revêtement des cinquante kilomètres de route qui relie Agreste à
Esplanada. La même entreprise asphaltera, pour le compte de
la Brastânio, la rue d'accès à la ville, comme convenu. Dans
quelques jours machines et techniciens arriveront. Il ne parle
ni des journaux ni de Giovanni Guimarães.

RÉFLEXIONS DE L'AUTEUR À PROPOS DE NOMS
ET DE SPÉCIALISTES.

Las de tant d'efforts pour conserver ma fameuse et prudente objectivité dans le récit des faits, évitant de me mêler à la polémique en rapportant les opinions divergentes, chroniques, éditoriaux et interviews, je me permets une courte réflexion sur les noms de famille et les manières d'agir de spécialistes hors pair, fameux, dont les conclusions font la loi Ceci, dans le souci d'éviter au lecteur erreur et confusion.

En des temps difficiles où le livre se transforme en article de luxe au lieu d'être, ainsi qu'il le devrait, un article de première nécessité comme le pain et l'eau (d'ailleurs eux aussi absurdement chers, rien qui ne le soit sauf les soucis et la tristesse), je ne peux permettre que le lecteur, ayant engagé son bel argent dans l'achat d'un exemplaire de ce palpitant et volumineux feuilleton, soit amené à des conclusions erronées. Ce qui pourrait se produire si je n'éclaircissais pas immédiatement un détail relatif au savant Karl Bayer, dont l'interview donnée au journal de Salvador est transcrite, pour l'essentiel, dans le chapitre précédent. Résumée, car longue et pleine de science physique, chimique et filandreuse, sa transcription intégrale ne m'a pas paru recommandable. A dire vrai, la science du Dr Bayer, si volumineuse et massive, est lourde et indigeste. Mais laissons là ce détail et parlons du nom de famille du savant, sujet premier de ces réflexions. Bayer : un nom connu que porte le Herr Professor Karl.

Connu, très connu, ce qui prête d'autant plus facilement à confusion. Je m'empresse donc de dire — jusqu'où puis-je l'assurer ? — que le professeur n'est pas un membre de la famille, de nationalité allemande, propriétaire de grandes industries chimiques éparpillées aux quatre coins du monde Nationalité signifiant dans ce cas capital, capital social et de roulement ; au temps des multinationales, encore plus que le lieu de naissance et le sang, l'argent décide de la nationalité.

En tombant sur le Herr Professor Karl Bayer faisant la loi dans le chapitre précédent, j'ai crié alléluia, rêvé d'immortalité académique et de prix littéraire (en espèces, si possible) · dans notre feuilleton la présence, quel honneur !, d'un des grands de ce monde parmi la pauvre humanité d'Agreste, un Bayer ! Dans les premières pages de ce fidèle récit des aventures de Tieta, j'ai exprimé l'espoir de voir surgir, au cours de la narration, pour la gloire de qui la rédige (mal et gauchement) la figure d'un magnat, d'un des vrais maîtres de la Brastânio. Un grand patron, pas un lèche-bottes quelconque, Magnifique Docteur, Managerial Sciences Doctor, Jeune ou Vieux Parlementaire, Son Excellence, tous salariés, occupant de hauts postes, fort bien payés, dans certains cas payés en devises, mais aucun d'eux un véritable patron. En lisant le nom de Bayer coiffant l'interview, mon cœur a battu, j'ai imaginé être devant l'un des légendaires rois de l'industrie mondiale. Fatale erreur : il s'agit seulement d'un homme de paille de plus, spécialiste réputé et allemand, mais Bayer bâtard, par une simple coïncidence.

Je cherche à éclaircir ce détail car, je l'ai lu ailleurs, les Bayer sont d'authentiques associés de l'industrie de bioxyde de titane dans plus d'un pays. La transcription de l'interview du faux Bayer pourrait vouloir malignement suggérer par conséquent, qu'il existe dans la Brastânio des capitaux germaniques majoritaires et colonisateurs. Voyons, le caractère national et patriotique de l'entreprise a été cent fois assuré, je ne prétends pas discuter une telle affirmation. Ni la rectifier ni la ratifier. Je reste en marge, j'éclaircis seulement, comme il convient à un auteur impartial, que le Bayer de l'interview, un Karl quelconque, est un spécialiste de renom et rien de plus : il n'a pas d'actions dans la compagnie. Si les autres Bayer, maîtres de la moitié du monde, ont de l'argent et commandent dans la Société, je ne le sais ni veux le savoir. Mette la main au pot qui veut, pas moi, un vieux singe.

Avant de revenir au feuilleton proprement dit, j'aimerais ajouter un mot sur l'utilisation de ces talentueux spécialistes payés au poids de l'or. Mot d'une faible portée car je suis inculte en matière scientifique — plus inculte encore que Giovanni Guimarães dont les bonnes intentions se cassent le nez — mais pourtant capable, qui sait, de révéler de curieux détails sur l'application des incommensurables connaissances de ces messieurs dont l'opinion, je l'ai dit et le prouverai, fait la loi et oriente les gouvernants.

Le Herr Professor Karl Bayer a été catégorique : aucun danger de pollution. Il liquide ainsi les derniers scrupules de certains hommes du gouvernement. L'assurance exprimée par le compétent spécialiste ne veut pas dire pourtant inflexibilité ; tout au monde dépend de l'heure et du lieu et de la somme en jeu. Demain Herr Bayer peut changer d'opinion, affirmer exactement le contraire et là réside la grandeur (et la fortune) des spécialistes hors pair.

Je suis amené à cette conclusion en lisant dans le journal la nouvelle de l'arrivée au Brésil d'un autre spécialiste illustre et infaillible. Il vient pour le compte d'une multinationale avec siège aux États-Unis, négocier un contrat de risque pour la prospection de nouveaux champs pétrolifères assurant, plein d'enthousiasme, que notre sous-sol possède d'incommensurables réserves du précieux or noir. Il s'agit du même spécialiste compétent autrefois engagé par les gouvernants nationaux pour tirer au clair une bonne fois l'existence ou non de pétrole au Brésil. Il fut encore plus catégorique, explicite et péremptoire dans sa réponse négative que, dans la polémique sur la Brastânio, le décisif Bayer. Après des mois d'études, d'investigations, de banquets, il assura sur son honneur l'absence totale, absolue de pétrole dans le sous-sol brésilien : pas une goutte dans la terre ni la mer. Toute affirmation contraire n'étant qu'agitation subversive, au service de Moscou, elle méritait une sévère répression. Il emboursa un royal cachet et, si je ne me trompe, reçut par-dessus le marché une grande décoration pour les services rendus au Brésil. Son opinion fit la loi et divers individus furent mis en prison, dont un certain Monteiro Lobato, écrivain de profession, Brésilien entêté et irresponsable, qui voyait du pétrole où il n'y en avait pas — inexistence prouvée par le rapport de Mister... Comment s'appelait-il déjà ?

Le lecteur peut trouver son nom dans les journaux où il brille à nouveau maintenant, affirmant exactement le contraire sur la présence du pétrole dans le sous-sol brésilien, la terre et la mer, payé cette fois par ses compatriotes. Dans ce cas, naissance et argent coïncident pour lui donner la nationalité nord-américaine, une des meilleures au cours du jour.

Qui sait, avec le temps, notre Herr Professor Bayer changera aussi d'opinion. Quant aux autres Bayer, les magnats, pour eux peu importe si l'industrie de bioxyde de titane pollue ou pas. Si elle pollue, elle le fera loin d'eux, sur les terres ignorées de Bahia. La fumée mortelle, jaune ou noire, ne les atteint pas, ils recueillent seulement les bénéfices du capital investi et des pourboires versés aux grands savants et aux excellences.

DE LA MORT ET DU BÂTON.

Le vieux Zé Esteves est mort de joie, conclut Tieta en apprenant ses derniers instants. Il était tombé mort en riant quand, ayant conclu l'achat de la terre et du troupeau, il revint au bercail avec Jarde Antunes et son fils Josafá. Il n'avait rien fait pour mériter une mort si douce, selon son gendre chez qui se déroule la veillée. Astério murmure timidement à l'oreille de son ami Osnar :

« Mauvais comme la peste. Il a dilapidé tout ce qu'il avait, mais même la pauvreté ne lui a pas fait baisser la crête, il engueulait tout le monde. D'un coup, cette pluie de bienfaits, Tieta lui passait toutes ses volontés et, par-dessus le marché, les chèvres, voilà ce que ça a donné. »

Ils parlent sur le trottoir, la salle est pleine. Par la fenêtre ils aperçoivent Tonha, sur une chaise à côté du cercueil. Assise là, obéissante, silencieuse, aux ordres du mari comme la vie durant. Astério Simas conclut, en regardant sa belle-mère :

« Un bourreau. Devant lui personne n'élevait la voix. Pas même Perpétua. Il rectifie : Sauf Antonieta. Depuis son enfance, dit-on. »

De l'autre côté du cercueil, Perpétua porte son mouchoir à ses yeux secs, sa poitrine se soulève en d'inexistants sanglots tandis que, dans la cuisine, assistée de dona Carmosina, Elisa prépare café et sandwiches pour aider à passer la nuit.

C'était arrivé sur le chemin de Rocinha, sur les terres de Jarde Antunes, sur les pentes d'un morne, buttes à l'herbe rare, figuiers de barbarie, roches, paysage âpre et agreste familier aux yeux et aux pieds de Zé Esteves qui était né là. Le troupeau bien soigné, faisant plaisir à voir. Actif, Jarde s'occupe personnellement des bêtes et du manioc depuis le lever du soleil. Son bout de terre jouxte la propriété d'Osnar où manioc, maïs, haricot noir, chèvres, brebis et travailleurs agricoles sont administrés par le compère Lauro Branco qui, certainement, le vole dans les comptes mais le décharge de out travail et de tout souci, une chose paie l'autre et, aux yeux d'Osnar, ce n'est pas payé cher.

Josafá, caboclo fort, regard malin, entend son père parler des chèvres et du bouc, il sait combien lui coûte la décision enfin prise, il se demande pourquoi des hommes comme Jarde et Zé Esteves sont de cette façon attachés à une terre inculte et ingrate, des sommets chauves et arides, à des bêtes vagabondes. Encore adolescent, à l'exemple des autres garçons d'Agreste, Josafá avait abandonné ses parents et la maison de terre battue pour se diriger vers le Sud. Il avait commencé par balayer la boutique de *seu* Adriano, à Itabuna ; en dix ans, il était devenu son associé et réalisait le rêve de sa vie : il acquit une plantation de cacao, petite encore, produisant autour de cinq cents *arrobes,* un bon début pourtant. Ça oui, ça valait la peine, une culture de riche. Cultiver le cacao c'était comme planter de l'or en poudre pour le cueillir en barres, deux fois l'an. Manioc et chèvres, un labeur de pauvres.

Toutes les années, à l'occasion des fêtes de Noël et du Nouvel An, Josafá, bon fils, rendait visite à ses parents. Depuis deux ans sa mère était morte et depuis il tente de convaincre Jarde de vendre propriété et troupeau, et d'aller avec lui à Itabuna ; s'il ne pouvait vivre loin de la campagne, qu'il vienne l'aider à la plantation de cacao, sur les bonnes terres d'Itabuna. Le père résistait, ne voulant pas changer de sol même pour un autre plus fertile, cacao au lieu de manioc, bœufs et vaches au lieu de chèvres. Mais cette fois, en arrivant, Josafá entend parler des transformations et des nouveautés d'Agreste. Il s'arma alors de tels arguments que Jarde n'eut rien à répondre, car Josafá laissa comprendre que, héritant de sa mère, il était propriétaire de la moitié des biens. Il le fit à contrecœur mais il ne pouvait perdre cette occasion de gagner une somme réellement importante pour l'investir dans de nouvelles plantations de cacao. Le vieux s'inclina, par la force des choses.

En apprenant la décision de vendre, annoncée par Josafá au bar des Açores et transmise à son beau-père par Astério, Zé Esteves se mit immédiatement en marche, parcourant les trois kilomètres et demi qui séparaient les terres de Jarde des rues de la ville. Le prix ne lui parut pas haut, mais le paiment ne pouvait être étalé. De retour à Agreste, Zé Esteves compta et recompta l'argent caché, bas de laine accumulé en près de douze ans, depuis le premier chèque envoyé par la fille riche de São Paulo. Il a plus de la moitié de la somme mais il manque encore pas mal d'argent.

Sans plus tarder, il retourna trouver Jarde et Josafá. Il proposa de verser la majeure partie de la somme et de compléter le reste mois par mois ; Josafá refusa : il veut tout l'argent en une fois, il n'est pas disposé à faire crédit d'un sou. Pourquoi ne demande-t-il pas à sa fille ? Pour elle, ce n'est rien, une bagatelle — assura-t-il, tandis que le vieux Jarde, muet, se retirait, les laissant discuter à leur aise. Il alla voir ses chèvres sous le soleil, pour son goût il mourrait ici, sur les collines chauves, près des bêtes capricieuses.

Demander à sa fille, facile à dire, difficile à faire. Zé Esteves se gratte la tête. En si peu de temps à Agreste, Tieta avait acheté la demeure de dona Zulmira, une des meilleures résidences de la ville où Tonha et lui vont vivre comme des lords, elle avait fait faire des travaux — superflus selon Zé Esteves, deux cabinets de toilette, plus grands l'un que l'autre, on n'a jamais vu ça ici —, avait acquis un terrain au Mangue Seco où elle faisait bâtir une maison de vacances, des frais énormes, une fichue somme et tout payé comptant. Tieta ne regarde pas à la dépense pour avoir du confort, elle fonce, exigeant du meilleur : meubles, ustensiles, baignoire, commandés à Bahia. Une baignoire, rendez-vous compte ! Pour quoi, diable ? Ces gens du Sud ne savent plus qu'inventer.

Quand Tieta veut une chose, elle ne discute pas, elle paie. Mais, que sache Zé Esteves, elle ne veut pas de pentes de morne plantées de manioc, de collines de figuiers de Barbarie et de pierres où sautent les chèvres. Josafá lui a donné la priorité jusqu'au lendemain. Ne voyant pas d'autre solution, Zé Esteves déjeune en vitesse, loue la barque de Pirica, descend le fleuve jusqu'au Mangue Seco.

« Vous ici, mon Père, que vous arrive-t-il ? » Tieta l'emmène voir la petite maison presque prête où Ricardo, brosse à la main aidant à chauler, lui demande sa bénédiction. Le vieux regarde son petit-fils : le gamin s'est déniaisé, on ne dirait plus le rat de sacristie du début des vacances.

Tieta poursuit, tandis qu'ils visitent :

« Quelque chose de neuf pour les réparations de la maison ? Pressez *seu* Liberato, suivez l'exemple de Cardo qui a mis les gens d'ici au travail tambour battant. Avant de m'en aller, je veux coucher dans notre maison d'Agreste.

— Et tu penses t'en aller quand ?

— Dès qu'on branche la nouvelle lumière. J'attends la fête. Je suis venue pour un mois, je vais en passer presque deux. Vous imaginez ?

— Tu dois rester pour la fête car c'est toi, ma fille, qui as donné cette lumière à Agreste. Qui d'autre remercier ? »

Tieta sent, derrière les éloges, l'agitation et la gêne du père.

« Pourquoi êtes-vous venu, Père ? Dites-moi.

— Je veux traiter une affaire avec toi

— Eh bien parlez, je vous écoute.

— Pas ici », dit-il à voix basse, montrant des yeux Ricardo, les ouvriers, la Toca da Sogra où le commandant Dário, qui l'a accueilli à son arrivée, est allongé dans le hamac, lisant.

« Alors venez avec moi, nous allons voir si vous avez encore des jambes pour gravir une falaise. »

Le minuscule maillot laisse voir une tache sombre, récente, à l'intérieur de la cuisse de Tieta qui explique : elle s'est cognée à un madrier, là, au milieu des travaux. Ricardo et elle, pour donner l'exemple, travaillent avec les ouvriers. Ricardo sourit sous cape. Une chance que le maillot couvre les fesses, le ventre, l'entrejambe. Il entend la voix de la tante, entre deux gémissements :

« Fou, tu vas finir par m'obliger à porter un pantalon long sur la plage. »

Tieta aussi dissimule un sourire en invoquant le madrier qui lui a glissé des mains. Adorable madrier, sans parler des lèvres et des dents voraces ; la jeunesse, le sable et les vagues. Ah ! l'amour à la plage, dans l'écume de la mer, la caresse des flots. Ange rebelle, aurai-je la force de m'arracher à tes bras et partir ?

Sous la canicule du début de l'après-midi, père et fille montent les dunes, en silence, elle, pensant aux sublimes estocades de Ricardo, lui, cherchant le mot juste pour présenter la question. Il se décide :

« J'ai une demande à te faire, ma fille.

— Demandez, mon Père, si je peux, j'y répondrai, vous le savez.

— C'est la chose que je désire le plus au monde, mais tu as été si bonne avec moi, tu m'as donné tant de satisfaction que j'ai peur d'abuser.

— Voyons, Père, ne faites pas tant de cérémonies. Quand vous vouliez quelque chose, vous ne demandiez pas si vous pouviez la prendre. Allons, demandez. »

Devant eux s'ouvre pas à pas le paysage violent, fascinant et infini. Dans cette mer-océan père et fille ont trempé leur âme, endurci leur peau au contact du vent de sable, coupant fil de poignard. Le gourdin, inutile dans le sol mouvant, gêne plus qu'il n'aide dans la montée. Le Vieux fait effort, il n'a plus l'agilité et la résistance d'avant quand, derrière les filles, il escaladait les falaises en courant et sautait sur les pierres des sommets pour avoir et monter des chèvres en rut, ne se contentant pas de la femme jeune et jolie ramenée des plantations. Il avance pourtant sans se plaindre du torride soleil d'été, pensant à la demande et à la réponse.

Là en haut, après avoir contemplé un instant le panorama insolite, ils s'asseyent sur une palme de cocotier. Tieta s'arrange pour dissimuler une autre marque encore plus grande. Le vent, heureusement, a balayé la trace des corps sur le sable et, sur la plage, la mer a lavé le souvenir nocturne de leurs ébats. Imaginez, Père, votre fille et votre petit-fils forniquant. Tout comme je vous ai vu enfirant les chèvres.

— Tu sais, ma fille, que j'ai passé ma vie à élever des chèvres. Toi partie, les choses se sont gâtées, je crois que c'était le châtiment de Dieu », il se gratte la tête, le sable s'incruste dans ses cheveux blancs et crépus, dures gousses de coton « la punition de t'avoir mise dehors. Ce ne peut être que ça.

— N'en parlez plus, Père. Personne ne s'en souvient, oubliez aussi.

— Le châtiment, oui. J'ai fini par tout perdre et, si tu n'étais pas venue à mon secours, j'aurais fini par mendier car, pour ce qui est de Perpétua, j'aurais pu mourir de faim, et Elisa n'a pas où tomber morte. Tu m'as donné de tout mais, avant que Dieu m'appelle, je voudrais avoir encore une joie, outre celle de te voir, que je ne méritais pas.

— Père, arrêtez ces galanteries, elles ne vous ressemblent pas et vous n'avez pas besoin de me flatter ainsi. Dites tout de suite quelle est cette joie que vous désirez tant. Si je peux, je la satisferai.

— Pour pouvoir, tu peux, mais vas-tu vouloir ? Comme je t'ai dit, je donnerais ma vie pour cinquante centimètres de terre et une paire de chèvres. Une paire, trois ou quatre, une demi-douzaine tout au plus, de quoi occuper mes jours.

— Si je comprends bien, vous voulez avoir à nouveau quelques arpents de terre et des têtes de chèvres, c'est ça ?

— Et un bouc, un beau bouc bien entier, qui ressemble à Inácio, tu te rappelles ? On n'a plus revu de bouc pareil à Agreste.

— Si je me rappelle ? J'ai donné son nom à ma bicoque : Bercail du Bouc Inácio. Il n'obéissait à personne. même pas à vous, mais il venait manger dans ma main. Alors, le père veut avoir une terre et un troupeau, de nouveau. On peut y penser. Ou vous avez déjà quelque chose en vue et vous venez l'affaire faite ?

— On ne peut rien te cacher, ma fille, tu es née intelligente, tu tiens de moi. Elisa est sotte, elle tient de Tonha Perpétua est tortueuse et intrigante... »

Le Vieux rit, un rire catarrheux, gros et creux, satisfait et complice. Le sable vole sur eux, pénètre dans les cheveux bouclés de Tieta, dans la toison crépue de Zé Esteves.

« J'ai gardé tous les mois une partie de l'argent que tu m'envoyais, une fois payé l'essentiel j'ai amassé le reste dans l'idée d'acheter un jour un bout de terre et une paire de chèvres. Ce que j'ai amassé fait plus de la moitié de ce que Josafá demande pour l'élevage de Jarde. Mais il veut tout comptant, il ne fait pas crédit d'un centime. » Il ajoute pour l'encourager : « En voyant l'argent sonnant, il est capable de faire un rabais.

— Combien manque-t-il, Père ? »

Tieta pense à la mallette, bourrée de billets quand elle a débarqué, maintenant presque vide. Elle avait fait de grandes dépenses à Agreste, elle avait acquis une maison, fait construire une autre, acheté des meubles, commandé à Bahia baignoires, waters et miroirs, elle avait aidé un monde fou. Un coin de terre, des chèvres et un bouc entier pour réjouir les ultimes années du vieux Zé Esteves, de l'argent jeté par la fenêtre. N'a-t-elle pas assuré ses vieux jours, ne va-t-elle pas le tirer du trou où il vit pour l'installer dans une maison confortable, luxueuse pour Agreste ? Ça ne lui suffit pas ? Il abuse. Tieta n'aime pas les abus ni le gaspillage.

L'anxiété se lit sur le visage suppliant du Vieux, immobile là, dans l'attente de la réponse, au haut des dunes du Mangue Seco, dans les mains le bâton du temps où il possédait un grand troupeau et imposait sa volonté à ses filles, abaissant sur leurs jambes et leur dos la lanière de cuir cru et cette même houlette de berger. En sentant son tourment, Tieta se rappelle Felipe lui expliquant combien est plus profonde et pure la joie de donner que celle de recevoir lorsque, pour satisfaire ses fantaisies et sa vanité, il lui achetait de chères et absurdes inutilités. Felipe lui avait appris le goût singulier de rendre heureux les autres. Si c'était nécessaire, elle tirerait un chèque à Modesto Pires, le patron de la tannerie lui avait offert ses services au cas où elle aurait besoin d'argent liquide.

« Eh bien allez et terminez le marché, Père. »

Zé Esteves resta sans voix et un instant sa face se contracta en un rictus douloureux, tant de joie ressemblant à une douleur aiguë. Il empoigne le bâton, se lève dans un effort et descend des dunes au côté de sa fille, elle souriant contente de le voir muet de joie. Ils vont ensemble jusqu'à la plage où attend la barque de Pirica. Avant de s'embarquer le Vieux tente de baiser les mains de sa fille mais Tieta l'en empêche. Le bruit du moteur qui démarrait fut couvert par un autre bruit plus fort : un hélicoptère venant de la mer survole les cocotiers, si bas qu'on peut voir trois personnes dans la cabine, deux avec des jumelles, examinant les alentours.

En arrivant à Agreste, Zé Esteves ne s'arrêta même pas chez lui, pas plus que dans la nouvelle maison pour contrôler la bonne marche des travaux ou au bar pour parler de l'hélicoptère. Du débarcadère il prit directement la route de Rocinha, se dirigeant pour la troisième fois de la journée vers les terres de Jarde. Il s'appuyait sur sa houlette, l'escalade des dunes lui avait laissé les jambes molles et le souffle court.

Avant d'attaquer le sujet, il raconta à Jarde et à Josafá l'apparition de la machine volante, des hommes aux jumelles scrutant les terrains du Mangue Seco. Josafá écouta avec attention mais sans commenter, Jarde dit :

« C'est les gens de cette fabrique qui va tuer les poissons. Vous n'avez pas su ? »

Mais Zé Esteves ne répondit même pas, occupé à discuter le prix avec Josafá ; il obtint un petit rabais. S'étant mis d'accord sur les derniers détails — cet après-midi même il enverrait à nouveau Pirica au Mangue Seco avec un message pour Tieta à cause de l'argent à compléter —, sans pouvoir cacher sa satisfaction, il alla avec Jarde et Josafá voir les chèvres dans l'enclos. Tout en discutant, ils avaient avalé quelques coups de cachaça pour couper la fatigue de Zé Esteves et dérider le visage triste de Jarde.

Dans le bercail, il revint admirer le père du troupeau, un bouc jeune et beau, port avantageux et voix forte, du nom de *seu* Mé. Josafá tira l'animal par les cornes pour que Zé Esteves l'observe mieux. En appréciant ses bourses, des burnes respectables, le nouveau maître partit d'un éclat de rire, l'homme le plus heureux du monde. Si heureux que le souffle lui manqua ; sa joie ne tenant pas dans sa poitrine, le cœur lui manqua sous ce poids immense.

Riant il était, riant il s'affaissa, la main tendue vers le bouc, désignant ses bourses ; c'est ce qu'avait raconté Jarde à Astério Simas en lui remettant le corps de son beau-père.

La veillée battait son plein, bourrée la petite salle de la maison d'Astério, des gens bavardant sur le trottoir, lorsque accompagnée de Ricardo, du commandant Dário et de dona

Laura, Tieta arriva du Mangue Seco où on avait été la prévenir.

« Ça lui a pris au milieu d'un éclat de rire, il n'a rien senti. »

Astério répète à sa belle-sœur les détails donnés par Jarde et Josafá.

« Il est mort de joie... », dit Tieta.

A cette heure elle ne connaissait pas encore la participation — indirecte — de la Brastânio dans la mort du vieux Zé Esteves. Précédée de son beau-frère, elle va vers le cercueil, prend Tonha dans ses bras. Les sœurs accourent, quelqu'un réveille Peto. Leonora aussi s'approche du groupe familial et embrasse Petite-Mère.

Pour ses parents d'Agreste, la mort de Zé Esteves est une libération. Tieta, elle, avait retrouvé le père depuis seulement un mois. Pendant vingt-six ans elle ne l'avait pas vu, n'avait souffert de sa part aucune offense depuis la rossée et l'expulsion lointaines et, dans ces jours à Agreste, elle s'était amusée de ses saillies, se réjouissant quand elle le voyait arriver mâchant du tabac, ronchon et querelleur, mais encore capable d'ambition, de projets et de joie, sachant rire, insolent commandant le bâton au poing. Elle se reconnaissait dans le Vieux, tant se ressemblaient père et fille.

Astério arbore une tête de circonstance, Elisa pleure à gros sanglots, Perpétua s'essuie les yeux de son mouchoir noir, crie au ciel sa douleur de fille inconsolable. Tieta ne pleure pas ni n'élève la voix. Elle passe doucement la main sur le visage du père, racornie face de pierre, sombre. Des trois sœurs, elle seule avait perdu un bien précieux, un être cher, elle seule est orpheline. Elle et Tonha, la malheureuse Tonha.

Il était mort en riant au bouc, heureux de ses nouvelles chèvres, de son bout de terre reconquis. Tieta s'empare du bâton abandonné dans un coin, elle va vers le trottoir où les conversations courent, animées comme il convient à une bonne veillée.

OÙ L'ON ENTERRE LE VIEUX ZÉ ESTEVES, DÉLIVRANT DE SA RUSTRE ET INSOLENTE PRÉSENCE LES PAGES DE CET ÉMOUVANT FEUILLETON.

L'enterrement de Zé Esteves servit à prouver le prestige de Tieta. Le Vieux aurait cassé sa pipe avant qu'elle revienne de la ville, pauliste, veuve et riche, sans doute l'aurait escorté, outre la famille, à peine une douzaine de personnes.

A cause de Tieta, ce fut un événement. Avant qu'on enlève le cercueil, le Padre Mariano célébra une messe corps présent dans la maison d'Elisa, priant Dieu de recevoir cette âme dans son sein, de lui accorder son infinie miséricorde. Il en fallait de la miséricorde pour l'âme de Zé Esteves, pense le prêtre tout en prononçant des paroles fortement senties. Il a cherché quelles qualités du défunt louer et, faute de mieux, a loué les filles, les vertus propres à chacune, citant la dévotion de Perpétua, un des piliers de la paroisse, modèle de mère catholique, la modestie d'Elisa et son dévouement à son mari, épouse exemplaire et, enfin, les sublimes attributs d'Antonieta, dont « le conjoint avait porté, pour ses mérites exceptionnels, un titre du Vatican, accordé par le Père de la Chrétienté, Sa Sainteté le Pape ». Par sa fructueuse visite, elle avait procuré à Agreste un bienfait d'une incalculable valeur, la lumière de Paulo Afonse, et avait fait don à la cathédrale de la nouvelle installation électrique. Elle avait donné, de plus, une héroïque preuve de dévouement et d'amour du prochain, se jetant dans les flammes au péril de sa vie pour sauver d'une mort horrible une pauvre aïeule. Pour un peu les assistants applaudissaient l'éloquence du Révérend exaltant les vertus des sœurs Esteves, les senhoras Batista, Simas et Cantarelli — de cette dernière, les vertus et les hauts faits.

La population apparut en masse. Aux prises du cercueil, avec Astério, les notables de la ville : le poète Barbozinha, Modesto Pires, le commandant, le Dr Vilasboas, Osnar, Ascânio Trindade. Ascânio avait présenté ses condoléances au nom de son parrain, le colonel Artur de Figueiredo, maire en exercice, qui était resté à Tapitanga. Il n'assistait pas à l'enterrement des vieux. Mort et funérailles des moins de soixante ans ne l'ébranlent pas. Mais le décès d'un vieillard le perturbe. Il se fait excuser auprès des sœurs et d'Astério, il viendra plus tard, pour les condoléances.

De la poche d'Ascânio sortent les pages des journaux envoyés par le Dr Mirko Stefano. Il entend les fourrer sous le nez du commandant, lui faire ravaler l'insulte, l'accusation de malhonnêteté. Fourrer sous le nez, ravaler, une façon de parler. De telles expressions n'impliquent pas de violence physique, mais une réparation morale. Tenant la poignée du cercueil. aidant à déposer dans la fosse le corps de Zé Esteves, Ascânio Trindade gonfle la poitrine. redresse son fier panache de capitaine des mousquetaires d'Agreste, d'Artagnan de l'Aurore.

DE LA HÂTE ET DU GOÛT DU LUCRE, CHAPITRE OÙ LES TERRES DES COCOTIERS PRENNENT DE LA VALEUR.

A peine de retour à la maison, avant même de se changer — Tieta est pressée d'ôter sa robe noire et chaude — Perpétua. interrompant les lamentations, affirme :

« Maintenant, nous devons traiter de l'héritage.

— L'héritage ? s'étonne Tieta. Le Vieux n'a rien laissé.

— Il n'a rien laissé ? C'est ce que tu crois. Chaque mois il enfouissait l'argent que tu envoyais, moins une miette de rien pour le marché et le loyer. Le reste disparaissait. Jamais il n'a gardé un sou pour nous offrir un présent, à moi ou à Elisa, à ses petits-enfants. Il ne faisait de visite qu'à l'heure du déjeuner ou du dîner, tu n'as pas remarqué ? Il doit y avoir beaucoup d'argent caché. »

Les économies de plus de dix ans, douze, un magot respectable. Pour faire quoi, avec tant d'argent ? Perpétua s'excite en en parlant, la voix désagréable, sifflante, rendue plus âpre par le thème de la conversation :

« Plusieurs fois je lui ai demandé ce qu'il pensait faire avec cet argent. il me répondait de me mêler de mes affaires. Je lui ai conseillé de le placer à la Caisse d'épargne ou de le confier à *seu* Modesto, moyennant intérêts. Il n'a pas voulu, il n'avait confiance en personne, encore moins dans les banques. Je pense qu'il le gardait sans nécessité — elle baisse la voix — par pure méchanceté, Dieu me pardonne.

— Aie pitié, Perpétua. Il n'y a pas une heure que nous avons enterré le Vieux ; avant de penser à ses défauts, nous devons nous rappeler qu'il était notre père. »

Perpétua fait marche arrière, elle ne veut pas déplaire à Tieta :

« Tu as raison. Le Padre Mariano aussi dit qu'il me manque le don de miséricorde. Mon devoir est de pleurer, je sais. Mais, que veux-tu ? Quand je pense à ce qu'on a encaissé de sa main… Tu es bien placée pour le savoir.

— Je sais, oui. Mais malgré tout, je ressens sa mort, c'était mon père, il avait des défauts et des qualités, de vraies qualités. Il était franc et, quand il voulait une chose, il savait se battre pour l'obtenir.

— Des qualités ? Je t'en conjure ! Mais il est mort, c'est terminé. Pour revenir à ce qui nous intéresse, il faut découvrir où il cachait l'argent. Peut-être mère Tonha sait. Une fois trouvé, on soustrait une partie pour les dépenses de la veillée et de l'enterrement, tu n'étais pas là, j'ai dû tout payer ; une autre pour faire dire les messes du septième jour et du bout du mois. Le reste, on le partage entre mère Tonha et nous trois. La moitié pour elle, la moitié pour nous. Si quelqu'un veut d'autres messes, qu'il les paie de sa poche. »

Dans la crainte de scandaliser la sœur riche, la tante généreuse, elle annonce une superbe preuve d'amour filial :

« Moi-même, j'en ferai célébrer trois de plus : une en mon nom, une au nom de chacun des enfants. Et tous les ans, tant que Dieu me prêtera vie, je ferai célébrer une messe anniversaire. Elle ne résiste pas et ajoute : je crois que c'est mieux que d'inventer des qualités que Père n'avait pas. »

Tieta se sent lasse, à bout. Inutile de discuter, du temps perdu : aucun argument ne fera changer Perpétua d'avis. Elle se retire :

« Je vais quitter ma robe, prendre une douche et dormir, je n'en peux plus. »

Porteur du message d'Astério, Pirica était venue la trouver le soir, sur les falaises, dans une fête folle avec Ricardo. Une chance que le commandant ait crié pour la découvrir. Pirica commente la mort du Vieux, après avoir annoncé la nouvelle :

« Je venais juste de l'amener et de le remmener dans la barque. Il était si content qu'il m'a même glissé une pièce. »

Elle avait passé le reste de la nuit à veiller, recevant les condoléances, répétant les mêmes paroles, écoutant des histoires sur Zé Esteves, quelques-unes drôles, d'autres rudes, du temps de la prospérité. Ensuite, la matinée de l'enterrement, engoncée dans cette robe épaisse, faite pour le climat de São Paulo, la marche jusqu'au cimetière, la recommandation du corps, le défilé du peuple pour serrer la main, le retour mélancolique. Tieta veut dormir, ne plus penser à rien, pas même à Ricardo, soudain elle se sent étrangère à Agreste. Une des amarres qui la retenait à sa terre natale s'était rompue et, pour la première fois depuis son arrivée, elle eut réellement envie de rentrer à São Paulo.

Elle retirait sa robe pour se mettre sous la douche, tomber sur son lit et dormir jusqu'à n'importe quelle heure lorsque, de la salle à manger, Perpétua lui annonce la visite de Jarde et de Josafá : ils voulaient la voir d'urgence, un motif sérieux. Tieta enfile une robe de chambre et vient les recevoir, les conduisant dans la véranda. Perpétua reste tout près, guettant.

Ils s'asseyent. Jarde tourne son chapeau dans ses mains, baisse les yeux, ébloui par le spectacle du buste de la Pauliste mal couvert par les dentelles du déshabillé. Josafá prend la parole :

« Excusez, dona Antonieta, qu'on vienne vous déranger dans un moment pareil, mais l'affaire est urgente, on ne pouvait pas faire autrement, le père et moi.

— C'est au sujet de l'achat de la propriété ?

— Et du troupeau, oui senhora. *Seu* Zé Esteves a dit qu'il avait parlé avec vous et que vous alliez payer le restant.

— Mais maintenant il est mort.

— C'est bien pour ça qu'on est ici. C'est que lui, quand il est revenu du Mangue Seco, après avoir demandé un rabais que nous avons fait parce qu'on était pressés, a donné tout de suite une partie du paiement, en garantie, plus de la moitié. » Il enfile la main dans la poche de son pantalon, tire un paquet de billets, attachés avec une ficelle rose passé, le dépose sur une chaise à côté de Tieta. « Voici l'argent que *seu* Zé Esteves nous a laissé, en confiance. Il n'a pas voulu de papier… »

Le fou ! pense Perpétua en entendant cette absurdité. Elle s'était approchée dès qu'elle avait saisi le motif de la conversation : le Vieux achetant des terres et des chèvres sans rien lui dire, en sourdine, il avait économisé pour ça durant toutes ces années.

Jarde est distrait, ses yeux glissent vers le décolleté de la robe, Tieta s'ajuste : elle doit faire attention à cause des marques sombres sur les seins, les cuisses, le ventre ; sur tout le corps, la trace et le goût des lèvres de Ricardo. Là, à cette heure, si peu de temps après l'enterrement, surprenant Jarde louchant sur son décolleté, parlant affaires, elle sent un frisson de plaisir la parcourir. A la fatigue se mêlent le désir, une douce lassitude. Josafá poursuit :

« On est venus vous apporter l'argent. Dommage que *seu* Zé Esteves soit mort, il voulait à toute force le clos et les chèvres, il était fou de *seu* Mé. »

Devant le regard de Tieta, qui ne comprend pas, il explique :

« *Seu* Mé est le père du troupeau, un fameux bouc. »

Il se lève, caboclo grand et décidé ; Jarde l'imite, encore bouche bée. Josafá se plaint, avant de tendre la main et de partir :

« Pour nous aussi, la mort de *seu* Zé Esteves a été un coup, la vente était faite, maintenant elle se défait. Nous allons l'offrir à *seu* Osnar dont la propriété est voisine de la nôtre, sauf que la sienne est énorme, ne la bat que celle du colonel Artur. Si *seu* Osnar n'est pas intéressé, nous devrons nous remuer pour trouver un acheteur, et quand on est pressé, vous savez ce que c'est...

— Pourquoi tant vous hâter, *seu* Josafá ? C'est cette hâte, cette course, qui a ébranlé le cœur du Vieux.

— Il nous faut cet argent, à mon père et à moi, pour consulter un avocat à Itabuna, le Dr Marcolino Pitombo ; il n'a pas son pareil en matière de litiges de terres.

— Vous avez un différend par là-bas ?

— Là-bas, non. Ici. Je veux amener le Dr Marcolino à Agreste, c'est pour ça qu'il me faut l'argent et que je veux vendre les plantations et le troupeau. J'ai quelque chose à Itabuna mais il me faut plus d'argent disponible pour consulter le docteur et l'amener ici.

— Ici ? Et pourquoi, si ce n'est pas indiscret ?

— Vous connaissez les cocotiers du Mangue Seco, vous avez acheté un terrain dans la partie de *seu* Modesto Pires, *seu* Zé Esteves me l'a dit. Vous savez qui est le maître du reste, des terres qui vont de Quebra Pedra jusqu'aux limites de *seu* Modesto ? Ces terres que maintenant cette fameuse compagnie veut acheter pour y mettre la fabrique ? Eh bien, elles sont à nous, à mon père et à votre serviteur.

— Les terres des cocotiers ? On m'a dit que personne ne sait exactement à qui elles appartiennent, l'autre jour encore le commandant m'en parlait.

— Si quelqu'un d'autre a des droits, je n'en sais rien. Peut-être que oui. Si c'est vrai, qu'il se montre, qu'il prenne un avocat comme je vais faire et présente des preuves, parce que

402

moi, je vais présenter les miennes. Un vieil héritage, dona Antonieta, d'après les livres des archives. Sauf que mon père et mon grand-père ne s'en sont jamais inquiétés. Qui donnait de l'importance au coin des cocotiers, plus mangue que terres ? Moi-même je n'y ai pensé que maintenant, en arrivant ici. Mon père m'a parlé de cette histoire de fabrique, je me suis dit ces terrains sont à nous. Pas plus tard qu'hier, *seu* Zé Esteves racontait qu'il y avait un hélicoptère qui les survolait, que vous-même l'aviez vu.

— C'est vrai. Vous devez effectivement faire vite, car il y a beaucoup de gens influents qui s'y intéressent.

— Ça ne pouvait pas manquer d'arriver, avec les Allemands qui veulent acheter.

— Les Allemands ?

— C'est ce que j'ai entendu dire à Itabuna, ils ont exploré par-là aussi, cherchant un lieu pour la fabrique sur le rio Cachoeira, mais ça a fait un foin du diable, et ce n'est pas terminé, car on dit que ladite fabrique en finit avec tout ce qui est poisson et coquillages et met du poison dans l'air. J'ai même signé un papier pour protester. Mais ici, je suis pour. C'est un bon endroit pour ça, il n'y a pas de culture qui paie de sa peine et les chèvres, c'est des bêtes qui ne meurent pas.

— Les chèvres, il se peut qu'elles résistent. Mais les poissons seront empoisonnés et mourront, c'en sera fait de la pêche.

— Allons, dona Antonieta, au Mangue Seco ce qu'il y a c'est une demi-douzaine de paresseux vivant de la contrebande. Avec l'installation de la fabrique, ils vont être ouvriers, apprendre à travailler, ils vont devenir des gens.

— Mais au Saco, la pêche est l'unique moyen de subsistance du peuple. Et là, la colonie de pêcheurs est grande. »

Josafá rit, retors, de la bouche et de ses yeux malins, il répète à haute voix l'argument qu'Ascânio Trindade avait pensé sans oser le dire :

« Le peuple du village du Saco ? Mais là c'est le Sergipe, qu'ils s'arrangent. Moi, je veux vendre mes terrains aux Allemands. Nous avons un papier. »

Ils conversent debout, Jarde n'y résiste pas, il lorgne a travers les dentelles du négligé, une belle peau, des mamelles bien rondes, de chèvre faite. Josafá met la main dans la poche intérieure de sa veste, tire son portefeuille, et de là une feuille de papier jaune, il la tend à Tieta. Une très vieille lettre, l encre passée, où il est question des terres au bord du fleuve en allant vers la mer, appartenant à la famille Antunes.

« Antunes à Agreste, que je sache, seulement mon père et moi, il n'en existe pas d'autre. Je suis allé m'informer chez le notaire, le nom de Manuel Bezerra Antunes, mon trisaïeul, est là dans les livres. Avec cette histoire de fabrique, il y en a je ne sais combien qui se disent propriétaires. C'est pour ça que je veux prendre un avocat, faire valoir mes droits. Et je dois amener le Dr Marcolino, pour une affaire de terres il n'y en a pas deux comme lui. Il a commencé sa carrière comme avocat du colonel Basílio, vous imaginez ?

— Le colonel Basílio ? J'ignore qui c'est.

— Un magnat du sud de l'État, défricheur de terres, un homme vaillant et droit. Il a eu une dispute de terres que même au revolver il n'a pas résolue. Eh bien, le Dr Marcolino, encore tout jeune, a dénoué l'embrouille, il a gagné en justice, sur toute la ligne. Vous vous rendez compte, maintenant qu'il est vieux, qu'il s'est occupé la vie entière de ces questions... C'est pour l'amener ici que je dois vendre les collines et les chèvres. Ensuite, je négocie les terres des cocotiers avec les Allemands, j'achète une plantation de cacao.

— Je comprends. »

Avant de serrer la main que lui tend Josafá, de toucher le bout des doigts de Jarde, Tieta reste une seconde pensive, elle demande :

« Ces terres sont voisines de celles d'Osnar, c'est bien ce que vous avez dit ?

— Exactement. Les deux propriétés sont collées l'une à l'autre.

— Écoutez, *seu* Josafá. Si vous ne trouvez pas d'acheteur avant demain matin, revenez ici parler avec moi.

— Si vous pensez acheter je ne cherche plus personne.

— *Seu* Josafá, je suis venue hier du Mangue Seco quand j'ai appris la mort de mon père, je n'ai pas dormi une minute de toute la nuit, je suis arrivée du cimetière tout à l'heure. Je n'aime pas prendre de décision sans réfléchir. Vous n'êtes pas lié : si vous trouvez un acheteur, vous pouvez vendre. Sinon, venez me voir demain, tôt, et je vous dirai ce que j'ai décidé.

— Comme il s'agit de vous, dona Antonieta, je vais attendre, je ne parlerai à personne avant d'avoir votre réponse. Pour moi, à Agreste, au-dessus de vous il n'y a que Sant'Ana. A Itabuna on m'a parlé de la lumière de l'Hydro-

404

électrique, je n'y ai quasi pas cru, c'est un vrai miracle Ici on m'a raconté l'incendie, Dieu soit béni ! »

La poignée de main, forte et chaleureuse, du caboclo franc et énergique. Le bout des doigts de Jarde, baissant les yeux. Si riche, si héroïque, presque sainte et quel morceau de femme !

Perpétua les accompagne jusqu'à la porte. Elle revient, la voix encore plus âcre :

« Alors c'était pour ça que le Vieux cachait son argent, pour acheter des terres et des chèvres. A son âge, de la folie ! »

Elle prend la liasse de billets, la soupèse : « Il vivait passant la misère, mangeait chez les autres, avec tout cet argent entassé. Et tu allais payer le reste, lui donner ces terres, pourquoi ?

— Parce que, quand il voulait une chose, il la voulait coûte que coûte. Comme moi, Perpétua. Comme toi, nous sommes pareilles. Je regrette le Vieux.

— C'est pourquoi tu vas acheter le troupeau et la terre de Jarde ? Ou tu vas t'associer avec Josafá et lui dans les terrains des cocotiers ? C'est ça, non ? »

Tieta laisse la question sans réponse, elle se dirige vers sa chambre. Perpétua l'observe de dos, marchant, le pas ferme, les hanches en mouvement, indifférente à l'opinion des autres, elle rappelle le père dans la force de l'âge. Chevrette folle, bouc violent, les deux de la même race caprine et démoniaque, se complaisant dans les pâturages de l'iniquité. Pareils tous trois, avait affirmé Tieta. Perpétua hoche la tête. Pour l'ambition peut-être, durs et obstinés comme les pierres des collines d'Agreste. Pour le reste, une immense distance la sépare d'eux, la distingue. Elle est une dame, une veuve prude, servante de Dieu. Dans sa poitrine dévote n'entrent que des regrets du Major, un inoubliable puits de vertu, superbe lorsqu'il revêtait l'uniforme de gala ou le pyjama à rayures jaunes.

Pensant encore au Major, elle frémit soudain : et la montre Oméga, en or, apportée de São Paulo par Tieta, offerte au père ? En or, montre et bracelet, de valeur. Elle avait vu Asterio la retirer du poignet du Vieux. Elle avait oublié d'en parler. Il faut la vendre pour partager l'argent. A moins que Tieta ne veuille la garder, un souvenir du père. Dans ce cas, elle doit payer la part de la veuve et des orphelins.

A nouveau le souvenir du Major : beau, fringant militaire, à son poignet vigoureux une montre pareille aurait bien été, se mariant avec l'uniforme de gala ou avec le pyjama à rayures jaunes. Dans le pyjama, un homme et quel homme ! Il n'y en aura plus jamais d'autre.

DES RITES DE LA MORT ET DES AFFLICTIONS DE LA VIE.

A la fin de l'après-midi de ce 31 décembre, reposée, Tieta se vêtit discrètement et, après s'être entretenue chez elle avec Osnar et à la tannerie avec Modesto Pires, elle prit dona Carmosina à l'agence des Postes et Télégraphes et avec elle se dirigea vers la maison d'Elisa. Du comptoir du magasin où il reste dans l'espoir d'un client retardataire pour le dernier achat de l'année, Astério les voit passer, devine leur destination : elles vont tenir compagnie à Elisa, consoler mère Tonha. Il lance un regard en direction du bar des Açores, aujoud'hui il n'a pas droit à sa diversion coutumière ; encore heureux que les parties décisives du championnat de billard qui désignera la Queue d'Or 1965 aient été ajournées en raison de la mort du vieux Zé Esteves, beau-père de l'un des quatre semi-finalistes : Astério Simas, José da Mata Seixas, Ascânio Trindade et Fidélio Doréa A. de Arrobas Filho. Et juste le dernier jour de l'année : ils avaient prévu une bière d'honneur pour fêter le champion. Il y a trois ans qu'Astério détient la palme, enlevée à Ascânio Trindade dont les obligations à la mairie le tiennent éloigné de la table de billard, il n'apparaît que de loin en loin. Dernièrement, se sauve une âme du purgatoire lorsqu'il empoigne canne et craie : à sa charge se sont ajoutées ses amours qui ne lui laissent plus de temps pour le sport. Astério soupire : ajourné le concours, suspendue la fête, ce démon de Vieux jusqu'après sa mort, le poursuit et l'embête.

Elisa se jette dans les bras de sa sœur, dans un regain d'affliction. La mort doit être honorée, le chagrin des parents du défunt proclamé dans des soupirs et des sanglots, des larmes et des lamentations, des signes de douleur visibles et vérifiables. Ainsi se témoigne la considération accordée au défunt, dans des preuves publiques d'affection et de regret.

Par-delà le chagrin et la douleur se situent les rites de la mort obligatoires, des vêtements noirs à la clameur des pleureuses

Auprès du mari, Tonha a vécu, silencieuse et obéissante, presque trente ans. Bousculée, malmenée, se faisant injurier, mais ayant la chaleur de son compagnon pour la soutenir, rude main protectrice et, de temps en temps, un baiser, une caresse, le feu du vieux bouc persistant dans le vice jusqu'à la veille de sa mort. Zé Esteves se flattait de ses hauts faits au lit et, si quelqu'un mettait en doute pareille vigueur à son âge, il faisait appel au témoignage de Tonha :

« Je mens, femme ? Dis-lui. »

Il clignait de l'œil, riait de son gros rire de corde de tabac, crachant un noir crachat. Tonha baissait les yeux, un sourire fugace, mi-honteux mi-affirmatif.

L'arrivée de Tieta et de dona Carmosina met en marche tout l'appareil de l'affliction, plonge la salle dans les ténèbres. En les voyant, Tonha se lève, éclate en sanglots. Elisa l'accompagne, passe des bras de sa sœur à ceux de son amie et protectrice. Tonha répète, en une monotone litanie :

« Que vais-je devenir, maintenant ? »

Tieta sert sa marâtre contre sa poitrine, en silence, avant de la réinstaller sur sa chaise et de s'asseoir à côté d'elle, près de la table :

« Soyez tranquille, mère Tonha, vous ne manquerez de rien. Vous allez habiter avec Elisa et Astério et chaque mois je vous enverrai de l'argent pour vos dépenses. »

Tonha tente de lui baiser la main, tout comme Zé Esteves à l'heure de s'embarquer dans la barque de Pirica, en route vers la mort. Si Tieta était née de son ventre, elle ne serait pas une meilleure fille, plus dévouée. Tonha l'avait eue peu de temps avec elle, deux ans au plus ; elles étaient alors du même âge, deux adolescentes.

« Quand le Vieux m'a mise à la porte, rappelle Tieta, au moment où je faisais mon balluchon, vous m'avez donné de l'argent, vous pensez que j'ai oublié ? Sans vous et maman Milu, je partais d'ici pour affronter le monde sans un centime. »

Elles avaient toutes deux le même âge, ce matin du départ de Tieta dans la cabine du camion. Tieta lui disait vous et Mère, exigence du Vieux, grondeur. Maintenant elle le fait de son propre mouvement, elles n'ont plus le même âge ; jeune, belle et éclatante, la veuve joyeuse du commandeur pauliste ; vieille et desséchée, maigre et triste, la veuve de l'éleveur de chèvres ruiné, tassée dans sa triste robe noire et bon marché, de calicot.

— Maintenant, faites attention, nous devons parler de quelque chose. »

Elle pose sur la table la liasse de billets reçue de Josafá diminuée de la part de Perpétua et du montant des dépenses faites et des messes à dire. A la vue de l'argent, Elisa sèche ses larmes, Tonha regarde, curieuse :

« Ce sont les économies du Vieux », dit Tieta.

Tonha reconnaît le ruban rose qui attache encore le paquet :

« Je n'y pensais même plus. Tu l'as trouvé dans le matelas, n'est-ce pas ? Il avait fait un trou dans la toile, tous les mois il en ajoutait, attaché avec ce ruban, empaqueté dans un bout de journal. Il m'a fait jurer, sur l'âme de ma mère, de ne jamais rien dire à personne. Chaque jour il le sortait pour voir ; il se réveillait la nuit, se mettait à compter.

— C'est Père qui l'a retiré avant de mourir, je vous expliquerai bientôt pour quoi. Avant, je veux vous donner votre part.

— Ma part ?

— La moitié de l'argent qu'il a laissé est à vous, son épouse. L'autre moitié est à ses filles, Perpétua, Elisa et moi. J'ai remboursé à Perpétua les dépenses des funérailles : cercueil, tombe, curé, les frais de la veillée, le *guaraná* et les sandwiches. Je lui ai aussi donné sa part ; ce qui est là, c'est ce qui reste. » Avec la précision de quelqu'un habitué à faire des comptes, à manier crédit et débit, elle informe du total du bas de laine, des soustractions faites et de ce qui revient à Tonha et à chaque sœur. Elle compte les coupures sales et grasses, souvent manipulées, en remet une part à la veuve. « Cet argent est à vous, Mère Tonha, ne le donnez à personne, gardez-le pour une nécessité urgente. Lorsqu'on aura vendu la montre, ça fera un peu plus. »

Elle fait deux tas du reste, un pour elle, l'autre pour Elisa. Elle les laisse sur la table, ignorant la main tendue de sa sœur :

« Un moment, Elisa, écoute d'abord ce que je vais dire. Le père est mort alors qu'il venait de faire affaire avec Jarde pour acheter sa terre et son troupeau, une propriété qui n'est pas grande mais, d'après ce que je sais, qui est bien entretenue et donne une bonne rente. Elle est limitrophe de la fazenda d'Osnar. Le Vieux m'a demandé de compléter la somme, il voulait un coin de terre et des chèvres. Je crois que ce n'était pas tant pour le lucre. c'était plus pour la satisfaction Il aimait les bêtes et il aimait avoir de l'importance

— S'il aimait... », renchérit dona Carmosina, silencieuse jusqu'alors. Pour elle, l'existence de l'argent caché par Zé Esteves n'était pas une surprise.

— Tu savais ça, Elisa ? Cet achat ?

— Astério m'en a parlé, *seu* Jarde le lui a dit. »

Tieta tend la main, caresse les cheveux de sa sœur, que ne donnerait-elle pour posséder cette noire crinière ?

« Alors, écoute : le prix que Jarde et Josafá demandent de la propriété est intéressant, ils ont besoin d'argent comptant Même *seu* Modesto Pires trouve ça bon marché et Osnar m'a conseillé de faire affaire sans discuter. » Elle prend un air ferme, habituée à manier de l'argent et à traiter des affaires. « Voici mon plan : nous réunissons les deux parts, la tienne et la mienne, j'ajoute ce qui manque et nous achetons pour toi et Astério, à votre nom. Pour que vous ne soyez plus si juste, comptant sou par sou. Avec la boutique et l'élevage, ce sera plus que suffisant. La propriété donne un bon revenu et, de plus, elle est voisine de celle d'Osnar, c'est idéal pour Astério. J'aide les enfants de Perpétua, je veux vous aider aussi. Vu la mort du Vieux, quand la maison sera prête vous irez y habiter avec Tonha. C'est tout ce que je voulais dire. » Dans sa voix cette satisfaction qui vient de la joie de donner, d'améliorer la vie de sa sœur et de son beau-frère.

« Heureux qui a une sœur comme toi, Tieta. Tu es fantastique. Un cœur d'or pareil, il n'y en a pas », s'émeut dona Carmosina ; son amie grandit chaque jour dans son estime.

Elisa, elle, garde le silence, les yeux fixés au sol. Certainement trop émue pour savoir comment exprimer sa gratitude Dans un effort, elle se met à parler, sans relever la tête, nerveuse, bégayante :

« Carmosina a raison, tu es trop bonne, Tieta. Avant de te connaître, je t'imaginais comme une fée et tu l'es vraiment. » Elle lève les yeux et les pose sur dona Carmosina, lui demandant de la soutenir : « Je te remercie beaucoup de ce que tu fais pour nous. » Une pause pour reprendre souffle et courage. « Mais je n'accepte pas. Ce que je veux te demander c'est autre chose, j'avais prié Carmosina de t'en parler... »

Une ombre sur le visage de Tieta, elle sait d'avance ce que désire Elisa :

« Tu n'as pas besoin d'intermédiaire pour parler avec moi. Dis ce que tu veux. » Elle se fait distante et froide.

Elisa lève des yeux craintifs sur sa sœur puissante et riche. Elle se décide, sa voix vibre dans la salle :

« Je ne veux qu'une chose : aller avec toi à São Paulo. Je veux que tu m'emmènes, trouves un emploi pour Astério, me... »

Elle n'a pas le temps de finir sa phrase, Tieta l'interrompt brutale :

« Tu veux aller à São Paulo. Y faire quoi, dis-moi ? Mettre des cornes à ton mari ? Être pute ? »

Un sanglot secoue la poitrine d'Elisa, les larmes jaillissent de ses yeux. Elle tremble comme si elle avait reçu une gifle, elle se couvre le visage de ses mains. Ces sanglots, ces larmes n'ont rien de commun avec les pleurs de tout à l'heure, dans l'obligation du deuil, dans le rituel de la mort. C'est un chagrin sincère, véritable, provoqué par ce coup rude et inattendu, une douleur réelle, un rêve brisé. Elle laisse tomber sa tête sur ses bras, sur la table, elle gémit tout bas comme un enfant, ses cheveux se répandent.

Tieta se lève, s'approche de sa plus jeune sœur, de vingt-cinq ans plus jeune. Elle l'attire à elle, la prend dans ses bras et la console. Elle l'embrasse, essuie ses larmes, caresse ses cheveux, l'appelle Lisa, ma fille, la voix douce et tendre, maternelle :

« Ne pleure pas, Lisa, ma fille. Si je refuse, c'est pour ton bien. Là-bas, ça ne vous conviendrait pas. Ce serait mauvais pour toi, pire pour Astério. Un jour, je te le promets, quand je ferai un voyage, je vous ferai venir pour vous promener avec moi. Tu sais que lorsque je promets, je tiens. Mais maintenant, ce que tu vas faire, c'est aider ton mari au magasin, il aura besoin de temps pour l'élevage, elle hausse à nouveau la voix. Et jamais plus ne me parle d'aller à São Paulo. Jamais plus. »

Dona Carmosina ne peut contenir son émotion, elle essuie ses yeux humides de son mouchoir brodé. Tonha assiste, effarouchée, sans parvenir à comprendre cette confusion. Laissant Elisa, Tieta va l'embrasser en répétant la recommandation au sujet de l'argent :

« Gardez soigneusement votre argent. Ne le prêtez ni ne le donnez à personne. Ni à Elisa, ni à Astério, ni à Perpétua, même s'ils vous le demandent. Ils n'en ont pas besoin, elle fait signe à dona Carmosina : nous allons, Carmô ? »

Encore suffoquée par sa déception, Elisa se blottit à nouveau dans les bras de Tieta, dans le désir, qui sait, de risquer une dernière supplique malgré l'interdiction formelle. Elle n'en a pas le temps. Des pas résonnent dans le corridor, Astério entre dans la salle, est surpris du désespoir de son épouse, de ses pleurs convulsifs qui augmentent à son apparition. Quelle est la cause de ces larmes brûlantes, de cet effondrement ? Pour la mort du Vieux, ce n'est pas possible.

« Il est arrivé quelque chose ? » déjà son estomac se réveille.

Dona Carmosina explique :

« Elisa pleure parce qu'elle est trop contente. Tieta va vous acheter une fazenda. »

DE L'IMAGE DE TIETA REFLÉTÉE DANS LE MIROIR LA NUIT DU NOUVEL AN.

L'enterrement du vieux Zé Esteves, la conversation avec Perpétua sur l'héritage, plus le mesquin détail de la montre, la scène poignante avec Elisa se reflètent sur le visage de Tieta assise devant son miroir, se démaquillant, seule dans le silence de la maison et de la rue. Ils étaient tous partis pour le Te Deum à la cathédrale. Le monde d'Agreste, apparemment simple et pacifique, se révèle plus difficile et convulsif que l'univers malfamé de la prostitution où elle se meut parmi les putains, marlous, maquereaux, gigolos, patronnes de rendez-vous, depuis le départ dans la cabine du camion il y a vingt-six ans. Plus facile de se défendre et commander au Refuge des Lords. Là, les sentiments, comme les corps, sont à nu. Ici, à chaque pas, elle bute contre la simulation, la tromperie et la fausseté, personne ne dit tout ce qu'il pense ni ne montre en entier ses desseins ; tous cachent quelque chose par intérêt, peur ou pauvreté. Un monde de feinte et d'hypocrisie, en lutte opiniâtre pour de courtes ambitions, de maigres intérêts.

Neuf heures sonnent au clocher de l'église, heure de se retirer pour la majorité de la population, la lumière du moteur s'est éteinte, reprenant pourtant à onze heures, illuminant la

411

ville pour le passage de l'an, les célébrations de l'église et de la mairie. le Te Deum et les feux d'artifice. Lorsque les filles de Modesto Pires étaient encore célibataires, qu'elles venaient en vacances du collège des sœurs à Bahia, il y avait bal chez le patron de la tannerie. Aujourd'hui, uniquement à la pension de femmes de Zuleika Cinderela la fête se prolonge jusqu'à l'aube, débutant après le Te Deum et le feu car ces demoiselles, étant filles de Dieu et citoyennes de la commune, paraissent à l'église et sur la place, pour rendre grâce au Seigneur et applaudir avec enthousiasme Leôncio, l'homme de main, secondé de Sabino le galopin dans l'éclat du spectacle pyrotechnique avec serpentins, bombes et fusées et, pour clore cette modeste merveille, une unique mais sensationnelle pluie argentée.

Après le dîner, ils s'étaient réunis dans la véranda avec les amis en visite : le colonel Artur da Tapitanga, dona Milu, dona Carmosina, le poète Barbozinha, outre Elisa et Astério, le remuant Peto, avec chaussettes et chaussures, vêtements propres, et Ascânio Trindade dont la présence est si constante qu'il n'est plus une visite. A la lumière des lampes ils avaient parlé du Vieux ; le colonel et dona Milu rappelèrent des anecdotes anciennes, dona Carmosina broda d'intelligents commentaires. Le sujet principal épuisé, ils parlèrent de la pluie et du beau temps, c'est-à-dire : ils commentèrent l'état de Satima Farath, la fille de *seu* Abdula et de dona Soraia, Levantins aux tenaces mœurs féodales, gardant leur fille unique et attrayante bouclée à triple tour et la découvrant soudain grosse de presque quatre mois, produit des ultimes pluies de septembre, et ils parlèrent de son prochain mariage avec Licurgo de Deus, modeste employé à tout faire de la boutique, sans autre dot que sa sombre beauté d'homme, son rire clair, la douceur de ses manières — ce mariage inattendu était un joyeux événement du beau temps de l'été. Exerçant l'art subtil de commenter la vie de leur prochain, ils fouillèrent la boutique pour découvrir où s'était passé l'essentiel, sur ou sous la banque, parmi les boutons, les aiguilles, les dés et les rubans, avaient fouillé les finances de Farath et s'étaient réjouis gentiment de la chance du jeune Licurgo, mangeant son rata dans une assiette d'or, image de dona Carmosina mettant fin à la discussion sur le lieu du crime. Par deux fois le thème de la pollution et de la Brastânio vint aux lèvres de l'employée des Postes et du secrétaire de la mairie mais, la polémique menaçant, il n'eut pas de suite, la conversation ne pouvant virer au débat dans le cadre à la fois d'une visite de condoléances et d'une nuit de fête. Quand la lumière revint, tous partirent à l'église. Fatiguée, Tieta préféra rester, désirant être seule, elle n'aurait jamais pensé que la mort de son père puisse l'affecter autant.

Seule la nuit du Nouvel An, dans une maison vide ! Elle ne l'aurait pas cru si on le lui avait dit. Tant que dona Olivia vécut, avant de se réunir avec elle et ses fils pour le réveillon, Felipe ne manquait jamais de venir voir Tieta, lui apportant un présent, presque toujours un bijou de prix. Morte l'épouse, il enterrait l'année avec sa protégée dans une boîte de luxe où, aux souhaits de bonne année, succédait un joyeux carnaval. Dans l'animation du champagne et des toasts, la tendresse renouvelée.

Il y a juste un an, la nuit avait commencé de la même manière, dans une boîte élégante. Ils avaient parlé finances et rappelé les premiers jours de cette irrémédiable (adjectif de Felipe) liaison. Comme souvenir, il lui avait offert l'acte d'une vaste boutique au rez-de-chaussée de l'édifice Monteiro Lobato — hommage de l'homme d'affaires à l'écrivain pauliste qu'il avait connu — un monumental immeuble au centre de la ville, dans une rue très fréquentée. Comment obtenir le meilleur rendement ? En louant le local ou en y installant une boutique chic, de luxe ? En ouvrant une boutique, naturellement, si elle pouvait être à la tête de l'affaire. Mais où trouver le temps, alors que le Refuge l'occupait tout entier ? Mieux valait louer, avait conseillé Felipe, et en tirer, sans travail ni soucis, une respectable mensualité.

Attendrie, Tieta se rappela le jour où elle l'avait connu, arrivant d'Europe. La veille, *Madame* Georgette lui avait dit : *Demain tu connaîtras le vrai patron du Nid, Monseigneur le Prince Felipe*[1]. Felipe aussi se rappelait. *Madame* Georgette lui avait expliqué : *Une petite mulâtresse comme vous les aimez ; ancienne bergère de chèvres, fraîche, tendre mais aussi sauvage comme un chevreau*[1]. Il l'avait taquinée, tout en dansant, menaçant de se remarier ou de s'installer avec une petite toute jeune, un vieux gâteux a besoin de fruits verts. Vieux gâteux ? Si droit encore, encore bon au lit, l'aplomb de toujours, une résistance de taureau. En l'embrassant, à

1. En français dans le texte.

413

minuit, il parla de l'irrémédiable, définitive et merveilleuse aventure qu'était leur liaison :

« Et si je te disais que tu as été l'unique femme que j'ai aimée dans ma vie ? »

A partir de cette phrase avait changé de sens cette conventionnelle nuit de Nouvel An, pour devenir une inoubliable nuit d'amour. A peine finis les cris, les congratulations et les vœux, il l'avait prise par la main, l'emmenant. Bien que dona Olivia fût morte et enterrée depuis six ans, pour la première fois Felipe invita Tieta à visiter son hôtel particulier de l'avenue Pauliste. Il la conduisit de salon en salon, sous l'éclat des lustres de cristal taillé, marchant sur des tapis persans, s'emplissant les yeux des pièces d'or et d'argent, des objets d'art placés sur des meubles noirs, des œuvres des maîtres modernes, Picasso, Chagall, Modigliani, dont elle avait appris les noms en les entendant dans la bouche des richards, au Refuge, toujours suivis d'un chiffre astronomique qui réduisait la beauté à un investissement. Une richesse particulière, lourde, noble, presque solennelle, inconnue de Tieta. Habituée au luxe, à la fréquentation des grands de la finance et de la politique, elle se sentit pourtant éblouie. En découvrant la somptuosité de l'autre face de la vie de Felipe elle ne comprend pas pourquoi il s'était attaché à une simple gardienne de chèvres.

La domesticité ayant congé pour la nuit de fête, la résidence était vide comme l'est aujourd'hui la maison de Perpétua, où un jour Tieta avait couché avec Lucas et maintenant couche avec Ricardo. Felipe lui montra la cave, les casiers pleins, les étiquettes de renom, choisit le champagne — du champagne, non... *le meilleur champagne du monde, ma belle*[1] — mettant la bouteille à rafraîchir dans un seau en argent. Il chercha les coupes les plus fines et les plus rares, de Bohême. Ainsi munis, ils pénétrèrent dans l'alcôve ; couchés dans le lit conjugal ils burent et s'aimèrent. Vieux cep, bon vin, Felipe compense par une science érudite la violence réduite. D'abord intimidée, Tieta se reprend lentement, avec une étrange émotion : pour la première et unique fois de sa vie elle se sent son épouse.

Alors seulement, couchée à côté de Felipe dans le lit colonial de l'alcôve de la résidence de la famille Camargo de Amaral, elle se rendit compte du sens exact du sentiment qui

1. En français dans le texte.

414

l'unit au millionnaire Commandeur du pape Tout à l'heure encore elle avait trouvé absurde cette liaison dans laquelle intérêt. amitié, compréhension. désir et plaisir se mêlaient Sur les draps de lin de dona Olivia, elle avait compris enfin le sens du mot amour, si usé et répété. si gaspillé au gré des passions et des passades. Amour, oui, singulier et exclusif.

Beaucoup de passions, tant, si diverses. Passagères ou obstinées, toutes impérieuses, possessives. Celles de la fillette avide d'hommes. s'ouvrant dans les recoins du fleuve, au haut des falaises du Mangue Seco, celles de la fille publique en transit du sertão à São Paulo. Durant le long temps de Felipe, fille à ses ordres. à sa charge, sa propriété privée, le pyjama sous le traversin, les pantoufles au pied du lit, plusieurs fois elle s'était éprise, la tête tournée, folle. Jamais, pourtant, elle n'avait cessé d'être la tendre amante, compagne et amie du puissant quinquagénaire — quand il la connut, Felipe venait d'avoir quarante-neuf ans, il en paraissait quarante — qui vieillissait dans ses bras.

Felipe s'était-il douté des aventures de sa protégée, de ses amourettes éperdues ? Tieta n'avait jamais reçu d'homme au Nid d'Amour, et *Madame* Georgette n'aurait pas permis pareille légèreté, pas plus qu'au Refuge des Lords, du jour où il avait annoncé sa décision d'en garder l'exclusivité. Elle se retrouvait avec ses accidentels amants dans des appartements, garçonnières ou rendez-vous, bien plus modestes. Malgré les précautions qu'elle prenait, Felipe, expérimenté et fin, devait se rendre compte du feu qui la consumait, se révélant dans l'éclat des yeux, la nervosité des gestes, dans sa fougue au lit car, plus elle était folle de l'autre, plus elle se donnait à lui avec ardeur et maîtrise comme pour compenser.

Jamais Felipe n'avait montré la moindre suspicion. Les derniers mois, pourtant, quand les signes de la vieillesse avait commencé à marquer sa face bien soignée, par-delà le flegme et la supériorité Tieta avait perçu ou cru percevoir une pointe de tristesse dans le regard du Commandeur, en la sentant vibrante et impétueuse. Pour ne pas le meurtrir elle prit soin de se surveiller, de contrôler ses élans et son appétit. Pour ne pas le meurtrir ou parce que, si prise à son protecteur, elle se sentait moins entraînée ?

Avec la mort de Felipe, elle se trouva si seule et perdue qu'elle rompit le serment fait au moment de son départ d'Agreste — jamais plus je ne remettrai les pieds ici — vint chercher assurance et forces, vint retrouver le goût de vivre au

415

milieu de sa famille, sur le sol où elle était née et avait grandi, sur les collines menant les chèvres, apprenant que la vie est une dure épreuve, sur les falaises de sable se faisant femme sous le poids du colporteur qui sentait l'ail et l'oignon. Elle cherchait un air pur, un ciel limpide, une nuit aux étoiles innombrables, un bain de clair de lune. Fuyant la pollution de São Paulo, le déprimant commerce du Refuge, l'absence de Felipe, l'inutile pyjama, les pantoufles abandonnées.

En cette autre nuit de Nouvel An, si différente de la dernière, seule dans la maison de sa sœur aînée, devant son miroir, Tieta s'interroge : valait-il la peine de venir ?

Oui, ç'avait valu la peine, malgré la feinte et l'hypocrisie, l'ambition et les discordes de la famille Esteves, cachées sous un semblant de modestie et de paix. S'il n'y avait eu que la rencontre de Ricardo, ç'aurait déjà payé le sacrifice du voyage. Pur, innocent, franc, sans malice, sans méchanceté, intègre. Rien chez lui n'était trouble, ni les paroles, ni les pensées, ni les gestes. Son enfant, son enfant en or. Jamais avant, elle ne s'était passionnée pour un adolescent, presque un enfant. Elle avait toujours préféré les hommes plus âgés, maintenant elle meurt et renaît de l'amour d'un adolescent.

Il est à l'église, son enfant partagé, moitié à elle, moitié à Dieu. Habillé en enfant de chœur, la soutane noire, le surplis blanc, l'étole rouge, environné d'encens, ange rebelle ! Cette sorcière d'Edna, montée sur les cornes du mari, avait coulé un œil plein de convoitise, s'était mordu les lèvres pour le beau chérubin. Elle va mourir de faim, la peste, car il ne devinera même pas le désir qui l'assaille puisqu'il n'a de regard, de rire à la bouche ou de pensée dans la tête que pour la tante savante qui a cueilli la fleur de son pucelage et lui enseigne le bon de la vie.

Il reviendra après le Te Deum et les feux, accompagnant Perpétua et Leonora. En pensant à sa pseudo-belle-fille, Tieta hoche la tête, mécontente.

Elle l'avait amenée avec elle pour lui procurer une trêve dans sa vie sans joie, purifier ses poumons à l'air salubre d'Agreste, ouvrir en rire sa bouche amère. Avait-elle bien fait ? Tout indique que oui puisqu'elle est heureuse, elle paraît une autre. Mais, après ? Il faut faire en sorte que Leonora et Ascânio se décident à aller sur les bords de la Bassine de Catarina, inaugurer les grottes sous les casuarines-pleureuses. La date du départ approche, Leonora a besoin et mérite de coucher avec un homme par amour, jusqu'à ce jour elle ne l'a ait que par métier ou par erreur. Tieta devra veiller à ce problème, le résoudre. La semaine prochaine. le Bercail du Bouc Iñacio sera prêt à être habité, occasion propice pour mener le couple au Mangue Seco où, dans l'éblouissement de la nuit marine et magique naufragent scrupules et timidité, Ricardo peut en témoigner.

Avant, pourtant, il faut convaincre Ascânio d'abandonner cette malheureuse idée d'ouvrir les portes d'Agreste à cette fabrique de bioxyde de titane, capable d'empoisonner l'air pur, de boucher la limpidité du ciel, capable de dégrader le fleuve et la mer, en terminant avec les poissons et les pêcheurs. Contrebandiers ? Ils l'ont toujours été mais il n'y a pas de marins plus vaillants et audacieux que ceux du Mangue Seco, affrontant les requins et les vagues de la mer en furie. Subitement une immense pitié, une incommensurable tendresse l'envahit, elle oublie les offenses, la fourberie, les mensonges familiaux. Des gens pauvres, pauvres et adorables gens d'Agreste ! Tous l'aiment bien, sans exception, les bons et les mauvais. Ils avaient fait d'elle une héroïne et une sainte alors qu'elle n'est qu'une vile pute, pire encore, une patronne de rendez-vous, exploitatrice des putes.

Devant le miroir, Tieta se prépare pour la nuit. Elle se parfume, se fait belle pour Ricardo. La veille elle ne l'a pas eu ; entre le cabinet et la chambre, dans le corridor, le souvenir du père et grand-père, à peine mort et enterré. Mais aujourd'hui elle attend son enfant. Deuil de minette est court, lui a-t-elle murmuré au passage.

En rentrant à São Paulo il n'y aura plus Felipe. La conversation incomparable, le rire léger, la prudence et l'audace, le savoir sans mesures. Elle fuit cette absence définitive pour la fugace absence de Ricardo. Sous peu le garçon viendra la retrouver dans le lit du Dr Fulgêncio et de dona Eufrosina, de Perpétua et du Major Cupertino. Là, les deux couples s'étaient donnés et s'étaient possédés, aussi elle et Lucas, quand le jeune médecin lui révéla les raffinements du plaisir, les folles et absurdes règles de l'igrec. Rien ne se compare pourtant aux nuits de Tieta et de Cardo, le feu du neveu adolescent, l'ardent brasier de la tante en pleine maturité.

Il viendra après le Te Deum et le feu d'artifice ; il doit attendre dans le hamac que Perpétua et Leonora se couchent et s'endorment pour traverser alors, d'un pas, le corridor, et venir se nicher dans son sein. Tieta va à la fenêtre ouverte sur

417

la ruelle, de là on ne voit pas la cathédrale mais on distingue la lointaine rumeur des prières. Le peuple d'Agreste remerciant Dieu. Elle aussi devrait le faire mais elle n'a jamais été portée sur les dévotions et les messes, elle sait peu de chose de la religion. Intéressé et adulateur, le Padre Mariano déclare que Tieta, veuve d'un Commandeur du pape, fait partie intégrante de l'Église de Rome. A cause de Felipe, Révérend ? Il n'était pas son mari, juste son protecteur, illicite relation. Peut-être à cause de Ricardo, lévite du sanctuaire, enfant de Dieu, son enfant. Une relation peccamineuse aussi, Padre, en Tieta tout est trafiqué, tout est farce.

Elle revient au miroir, examine son visage en général joyeux, en cet instant mélancolique. Comment accuser les autres d'hypocrisie et de feintes ? Elle, la veuve Antonieta Esteves Cantarelli, n'est qu'une invention, une mystification montée pièce par pièce. A Agreste il y a eu Tieta, gardienne de chèvres, chèvre elle-même, en rut. A São Paulo, il existe, fameuse et riche proxénète, *Madame* Antoinette, Française de la Martinique. Antonieta Esteves Cantarelli n'existe pas.

Est-ce qu'elle n'existe pas, ne sert à rien ? Ricardo lui avait fait mépriser un bon investissement dans les terrains des cocotiers pour prendre la défense du climat, du ciel, des eaux d'Agreste, donnant réalité et vie à Antonieta Esteves Cantarelli en lui confiant une cause et une bannière. Son enfant. Elle sourit à son image dans le miroir, ni triste ni lasse.

Elle ôte sa chemise, s'étend nue sur le lit pour l'attendre, vêtue seulement des marques violettes des lèvres et des dents et de vagues vestiges de brûlures. Elle dormira lorsqu'il rentrera, se réveillera dans ses bras, ensemble ils inaugureront la nouvelle année. Avec retard et sans champagne, détail sans importance comparé à la tendresse et au désir démesurés. Ils allumeront les feux de l'aube pour saluer l'année nouvelle et, dans les franges du matin, en hommage, pratiqueront le double igrec. Le double, pas le simple. Pour l'exécuter comme il se doit, dans l'exactitude de ses règles absurdes, folles et pourtant rigides et inaltérables, il faut une matrone d'expérience, de grande compétence, et un adolescent avide de jouissance. Ou vice versa, un vétéran de mille batailles et une recrue à peine pubère. Dans les deux cas, délirant de passion.

OÙ, À CE POINT DU RÉCIT, SE PRÉSENTE UN PERSONNAGE NOUVEAU, ENCORE UNE PUTE, ENTRE PARENTHÈSES, DANS UN LIVRE OÙ IL EN EXISTE DÉJÀ TANT.

A l'heure même où Tieta s'allonge nue sur le lit pour l'attendre en dormant, Ricardo, dans la fumée de l'encens, voit pour la première fois Maria Imaculada et a un choc. Très jeune, encore fillette, elle ne doit pas dépasser quinze ans. Vêtue d'organdi bleu ciel, blanche fleur aux cheveux crépus, jasmin sauvage, le corps plein, les yeux deux braises, la bouche souriant. Lui souriant.

Durant la cérémonie du Te Deum, bien au goût du séminariste à cause de la pompe et de l'allégresse des ornements et des cantiques, Ricardo s'était senti entouré de l'admiration et de la convoitise d'au moins trois femmes, toutes lui semblant valoir la peine. Proches de l'autel, l'une au premier rang de droite, l'autre au premier rang de gauche, Cinira et dona Edna.

Au premier rang de droite, assise sur le banc, la presque vieille fille Cinira roule les yeux, ouvre une bouche suppliante et menace de s'évanouir devant la vision divine lorsqu'il s'approche, portant l'encensoir. Au premier rang de gauche, agenouillée sur le prie-Dieu, aux pieds de Terto qui ne le paraît pas mais est son mari en bonne et due forme, dona Edna, maigre et nerveuse mais pas la méprisable sorcière des injures de Tieta, les yeux en vrille, se mord les lèvres, risque un signe. Ah! si elle pouvait l'attraper dans un coin de la sacristie et le couvrir de baisers! Ricardo passe devant l'autel, s'arrête à droite et à gauche, devant la demi-vierge et l'adultère, les visant l'une et l'autre, et leur envoie l'arôme de l'encens, presque un message.

Il aimerait pouvoir traverser la nef et arriver aux derniers bancs, sur l'un desquels, contrite et discrète, Carol, les yeux fixés sur l'autel, suit chaque pas, chaque geste du fier enfant de chœur. Modesto Pires étant retourné au Mangue Seco, dans le sein de sa famille, elle doit être doublement prudente, surveillée qu'elle est par la population entière de la ville, dans l'excitante expectative d'un faux pas de la maîtresse du richard. Ne pouvant aller jusqu'à Carol, Ricardo élève bien haut l'encensoir et l'agite en l'air, la regardant en souriant, lui offrant l'odorant nuage de fumée blanche. Devine-t-elle le sens de son geste ? Probablement, car elle baisse les yeux et met la main sur son cœur, retenant ses battements.

Ricardo parcourt des yeux la nef de la cathédrale absolument pleine. Une quantité de femmes assises ou à genoux. Au fond. debout, les hommes en costume des dimanches. à l'exception de quelques maris plus jaloux ou dévots, placés près de leur épouse ; Terto, par exemple, prouvant ainsi aux incrédules qu'il est l'heureux conjoint de la gourmande dona Edna. En face de l'autel, Perpétua et Peto à genoux côte à côte sur de superbes prie-Dieu ornés d'une plaque de métal au nom des propriétaires : Dona Perpétua Esteves Batista et Major Cupertino Batista, afin que ne s'y posent pas des genoux étrangers et indignes. Même l'honneur de remplacer son père n'émeut pas Peto. Il voudrait être parmi les hommes, au fond ou, mieux encore, sur le parvis bruissant de commentaires — Aminthas distillant son venin, Osnar trompettant ses exploits.

Ricardo dissimule un sourire en voyant son frère se tortiller. impatient, l'air maussade, s'ennuyant à mourir. Il examine les bancs où les femmes prient. Debout contre le mur, presque au fond, il reconnaît Zuleika Cinderela, il l'avait vue quelque fois dans la rue faisant des achats. Une demi-douzaine de filles autour d'elle, aucune n'avait osé s'asseoir, groupe isolé, à part. C'est alors que Ricardo posa les yeux sur Maria Imaculada et la reconnut car elle n'était autre que la tante Antonieta fillette, comme si par un miracle de la Senhora Sant'Ana elle eût retrouvé son adolescence, quand, comme elle-même l'avait raconté, elle allait rejoindre des amoureux au bord du fleuve, à l'ombre des casuarines-pleureuses, chevrette ardente. La face ouverte et franche, l'éclat des yeux, le corps svelte mais pas maigre, les boucles des cheveux, noirs serpents, la bouche avide.

Regardant vers lui et souriant, Ricardo élève encore une fois l'encensoir, suivant le geste du Padre Mariano qui bénit, il fait un pas en avant, voulant aller à la rencontre de la surprenante apparition.

La cérémonie terminée, tout le monde prend le chemin de l'embarcadère où Leôncio et Sabino se trouvent déjà avec les fusées qu'ils allument. Ricardo reste à la sacristie pour retirer le surplis et l'étole, aidant Vavá Muriçoca et le Padre Mariano à nettoyer et ranger les objets du culte. Le prêtre s'étonne ·

420

Dona Antonieta n'est pas venue au Te Deum, pourquoi? Elle ne se sentait pas bien, elle est encore sous le coup de la mort de son père, explique Ricardo.

« Une personne distinguée et généreuse, un pilier de l'Église, décrète le Révérend. Porte-lui la bénédiction du Seigneur de ma part. »

En donnant sa main à baiser au séminariste, il se rappelle :

« Tu ne viens plus te confesser, pour quelle raison ?

— J'étais au Mangue Seco, je me suis confessé au village du Saco, à un professeur du séminaire qui y passe ses vacances.

— Qui?

— Le frère Thimóteo.

— Tu es en de bonnes mains, dans les mains d'un saint. »

Au coin de la place, dissimulée dans l'ombre du manguier, Maria Imaculada attend. Ricardo n'est pas surpris; en franchissant la porte de la sacristie, il l'avait cherchée des yeux. Lorsqu'ils se trouvent face à face, ils se regardent en souriant, elle demande :

« Déjà libre, mon cœur?

— Je dois retrouver ma mère et ma cousine à l'embarcadère.

— J'y vais aussi. »

La place était vide, juste derrière l'église la silhouette du prêtre regagnant le presbytère. Vavá Muriçoca était parti précipitamment, avant Ricardo, pour ne pas perdre une seule fusée. Ils font quelques pas en direction du fleuve. A peine quittent-ils la rue et sont-ils dans l'obscurité qu'elle lui tend les bras. Ricardo l'enlace, ils se prennent dans un baiser et restent ainsi. Le goût de la tante mais un autre parfum, agreste odeur sauvage. Ricardo touche son sein et le moule dans sa main : un jour il sera pareil à celui de Tieta quand il sera entièrement formé, avec le temps ; maintenant c'est un fruit vert, mamelle de chevrette. Les bouches se séparent dans un soupir pour à nouveau se fondre, elle s'alanguit dans les bras de Ricardo.

Ils font encore quelques pas, les premiers feux montent vers le ciel, éclatent en étoiles, la mère l'attend avec Leonora.

« Je dois aller.

— Encore un tout petit peu, mon cœur. »

Les lèvres de la petite s'ouvrent en offrande :

« Embrasse-moi, mon cœur. »

Bouches de faim et de soif et la caresse de la langue. La main de Ricardo descend du bouton du sein aux hanches neuves, hautes proues de barque en début de navigation, en

421

arrivant au port elles atteindront l'ampleur de la croupe de Tieta. Les fusées se succèdent. bombes et serpentins éclatent.

« Je dois aller. Comment fait-on pour se revoir ?

— Demain je t'attends, mon cœur, quand les lumières s'éteignent.

— Où ? »

Elle rit, espiègle :

« Tu es apprenti curé, tu ne peux pas venir chez dona Zuleika. Je t'attendrai au même endroit qu'aujourd'hui »

Le baiser d'adieu, prolongé de regrets, sous le feu d'artifice. Les dents de la petite marquent la lèvre du séminariste, aïe !

« Ça t'a fait mal, mon cœur ? Pardonne-moi, Ricardo.

— Tu sais mon nom ?

— Oui, mais tu ne sais pas le mien, elle rit à nouveau, triomphante.

— Comment t'appelles-tu ?

— Maria Imaculada, mon cœur.

— Heureuse année, Imaculada. »

Il part en courant et la laisse là, en cette heureuse nouvelle année. Il se retourne au tournant du chemin juste à temps pour la voir couverte et illuminée par la pluie argentée. A demain. mon cœur.

DE L'IMPORTANCE DU NOM D'ANTUNES ET DE LA PROMOTION D'ASTÉRIO AU RANG DE MAJOR.

« Je deviens la meilleure cliente de votre étude, docteur Franklin », avait plaisanté Tieta en saluant le tabellion, l'après-midi du deux janvier. Elle arrive accompagnée d'Astério pour retrouver Jarde et Josafá.

« Voudriez-vous aussi savoir si vous êtes héritière des terres des cocotiers ? Presque la moitié de la ville a déjà défilé dans cette salle ces jours derniers, me demandant d'examiner les vieux registres, j'ai dû les enfermer dans un coffre de peur qu'on rature les pages ou qu'on les déchire. Je n'ai jamais vu une chose pareille de toute ma longue vie de tabellion.

— Vous n'êtes pas loin de la vérité, maître. Je ne viens pas voir si mon nom est dans les livres, mais j'achète une propriété aux Antunes, le vieux Jarde et son fils Josafá, pour ma sœur et mon beau-frère, et eux vendent à cause de ce problème des cocotiers. »

Au courant de l'affaire, le Dr Franklin répondit d'un signe de tête entendu tout en souriant à Astério : veinard, qui reçoit de la belle-sœur millionnaire des terres et des chèvres en cadeau, béni soit-il ! Le monde est ainsi, les uns naissent coiffés, trouvent leur assiette pleine, la becquée dans la bouche. Pour les autres, c'est ce qu'on voit et sait.

« Oui, le nom d'Antunes est dans les livres, je l'ai dit à Josafá, mais je l'ai averti aussi qu'il n'est pas le seul, il y en a beaucoup...

— Antunes ici, à Agreste, *seu* docteur Franklin, je n'ai jamais entendu dire qu'il y en ait d'autres, à part moi, mon père et ma défunte mère, que Dieu la garde. »

Interrompant le tabellion, résonne à la porte la voix puissante de Josafá. Il passe le seuil, Jarde lui emboîte le pas :

« Nous avons un papier, nous vous l'avons montré et c'est vous-même qui avez parlé du nom dans les livres. J'ai télégraphié à mon avocat à Itabuna, hier matin, dès que dona Antonieta m'a donné sa parole. J'ai été déranger dona Carmosina chez elle, le Jour de l'An. Avec moi c'est comme ça, vite fait, à la cadence de là-bas, des terres du cacao. Ce n'est pas cette lenteur d'ici. Là-bas, si le gars traîne à se décider, quand il se réveille il n'a plus de plantation. Dieu veuille que la fabrique vienne vite, pour changer ces habitudes d'ici, pour remuer le peuple.

— Vous avez eu de la chance que dona Antonieta tienne la parole donnée par José Esteves. Sans quoi, vous auriez dû beaucoup peiner pour trouver un acheteur et, dans le meilleur des cas, l'affaire se serait éternisée dans l'indolence habituelle. »

Le tabellion retire ses lunettes, les essuie avec son mouchoir, sans hâte, il a tout le temps du monde devant lui, il poursuit ·

« Je vais vous dire une chose, mon ami. Il se peut que, avec la venue de cette industrie si discutée, mon étude, qui est l'une des moins rentables de l'État, accroisse son activité et que je gagne un peu plus d'argent, ce dont j'ai bien besoin. Pourtant, je préfère que cette dite Brastânio ne s'installe pas ici. J'ai lu l'article de *A Tarde,* la lettre à notre poète, j'ai frémi. J'avais déjà entendu parler de la pollution provoquée par les usines de titane, le commandant m'a raconté ce qui est arrivé en Italie, en Italie ou en France, je ne sais plus. Je préfère notre rythme, lent et sûr, l'eau pure, le bon poisson, les mœurs d'ici. » Remettant ses lunettes, il fait un geste de la main pour prévenir toute réplique, il en avait terminé avec ce sujet : « Revenons à nos moutons : Bonaparte, écris... Acte de vente de la propriété dite...

— Belle Vue... », murmure Jarde, sombre. A l'étude, il n'a même pas la vision des mamelles de dona Antonieta pour le consoler, opulentes dans les dentelles à claire-voie du kimono.

Josafá tire de sa poche un petit agenda bleu, dicte mesures, limites, dates, chiffres, remet l'acte notarié de l'inventaire des biens de dona Gercina de Mata Antunes, qui se réduisent d'ailleurs à un bien unique, Belle Vue, plantation de manioc et de maïs, élevage de chèvres. Bonaparte, fils du Dr Franklin, et grosse tête, une barrique de graisse et courtaud, greffier assermenté, écrit, reçoit les documents. Le Dr Franklin décide de la date de la signature et du paiement, dans trois jours ; heureusement ou malheureusement, cher Josafá, Bonaparte ne rédige pas un acte de vente à la cadence de là-bas. Tieta donne un acompte, Josafá a apporté un reçu : la fille sait ce qu'elle fait, ce n'est pas comme le vieil idiot lâchant son argent dans des mains étrangères et refusant une preuve. Tieta serre le papier, s'adresse au tabellion .

« Ma présence ne sera plus nécessaire car l'acte est au nom d'Astério et d'Elisa, c'est eux qui doivent signer. Je pars demain pour le Mangue Seco, je passe une dernière main de chaux à la bicoque que j'ai construite.

— J'en ai entendu parler. Bonaparte qui fréquente beaucoup le Mangue Seco, m'a dit les miracles que vous avez réalisés ici, en si peu de jours, et ils sont nombreux, le plus grand étant la rapidité avec laquelle vous avez élevé cette maison de vacances. Vous avez mis ces gens de la plage, paresseux comme personne, à la cadence de notre Josafá, celle d'Itabuna.

— D'Itabuna, docteur ? La cadence de dona Antonieta est celle de São Paulo, avec elle c'est en *jet,* le gros rire de Josafá.

— Je le dois à mon neveu Ricardo, il a pris la tête, il a galvanisé les ouvriers, un enfant qui vaut son pesant d'or. A lui et au commandant Dário, un grand ami. »

Heureusement que Bonaparte ne vaut pas son pesant d'or, ce serait une somme considérable ; il n'en est pas moins un bon garçon, seulement il ne peut ni ne veut courir. Et pourquoi courir ? se demande le tabellion.

A grands pas, riant, Osnar envahit l'étude à la tête de la bande du billard, Aminthas, Seixas et Fidélio, et par-dessus le marché, *seu* Manuel :

« Où est le *fazendeiro* ? Capitaine Astério, maintenant que tu es propriétaire de terres et éleveur de chèvres je te nomme Major. »

Ils entourent leur camarade et ami, le champion, la Queue d'Or — gardera-t-il ce titre au prochain tournoi ? Jarde et Josafá saluent. Josafá serre la main de Tieta :

« Sachez, dona Antonieta, que j'ai eu bien du plaisir à vous connaître personnellement. S'il y a une personne droite à Agreste, c'est vous. Avec vous, le pain c'est le pain, le fromage le fromage.

— C'est vrai, appuie le Dr Franklin. Dona Antonieta est un exemple de bonté et de correction. Mais avant de partir, Josafá, écoutez la question que je vais poser à notre ami Fidélio. » Il ôte ses lunettes, se tourne vers les jeunes gens qui entourent Astério :

« Fidélio, comment vous appelez-vous ?

— Fidélio de Arroubas Filho.

— Le nom entier, s'il vous plaît.

— Fidélio Dórea A. de Arroubas Filho.

— Et ce A., qu'est-ce que c'est ?

— Fidélio Dórea Antunes de Arroubas Filho.

— Merci. » Brandissant ses lunettes, le tabellion s'adresse à Josafá qui reste immobile à la porte : « Vous voyez, Josafá ? Un autre Antunes. Il y en a encore d'autres : dona Carlota Alves... Vous savez qui c'est ? La directrice de l'école. Elle ne signe pas ainsi, mais elle aussi est une Antunes. Du côté de sa mère. »

Josafá ne se trouble pas, il lâche un éclat de rire de qui n'a peur de rien :

« Des Antunes qui ne portent pas leur nom... Ce n'est pas comme mon père et moi, Jarde et Josafá Antunes, et fiers de l'être ! »

Pour ne pas divulguer en public son plus grand triomphe, il réprime son envie de répéter haut et fort le nom et les qualités de l'avocat à qui il a télégraphié et dont il attend le concours, le Dr Marcolino Pitombo, grand spécialiste en litiges de terres dans la région cacaoière, fameux à Itabuna et à Ilhéus depuis des temps immémoriaux, quand Uruçuca s'appelait Agua

Preta et Itajuípe était le célèbre bourg de Pirangı où l'on tuait les gens pour un rien. Le Dr Marcolino gagne par la loi et, s'il le faut. par la ruse.

Malin Bahianais, Josafá est certain d'obtenir son acquiescement car, le sachant du Sergipe, eu égard à l'âge avancé et au lieu de naissance de l'homme de loi, il avait fait mettre à sa disposition un billet d'avion d'Ilhéus à Aracaju et retour. Agreste est plus proche de la capitale du Sergipe que de Salvador, moins de kilomètres à affronter en voiture. Josafá ira recevoir l'avocat à Aracaju, ainsi, en plus des honoraires, le Dr Marcolino y gagnera une preuve de considération et, de surcroît, une visite gratuite à sa famille et à sa terre natale.

Il pense à tout, le diligent Josafá. Jarde pense seulement aux chèvres, à *seu* Mé et aux mamelles entrevues de dona Antonieta, précieux biens perdus pour toujours

OÙ, AVEC L'ARRIVÉE DU PROGRÈS. S'INSTALLE À AGRESTE UN JOURNAL MURAL ; AVEC UNE BRÈVE REMARQUE SUR LA COMPOSITION ET LE COMPORTEMENT DES SUPPORTERS AU CHAMPIONNAT DE BILLARD.

Ascânio Trindade n'avait pas réussi à fourrer les doctes arguments du Herr Professor Karl Bayer sous le nez du commandant, lui faisant ravaler son insulte et offrir réparation. Escortant dona Laura, le bouillant marin était allé directement du cimetière au canot après l'enterrement de Zé Esteves. Il entame l'année avec les pêcheurs du Mangue Seco, faisant honneur à la savoureuse *moqueça* de poisson blanc et de raie par laquelle les habitants le remercient du repas de Noël. Délicats, rigoureux rites d'amitié, ils exigent une stricte observance.

Tout en attendant l'occasion de montrer interviews et éditoriaux au commandant, Ascânio pense à la meilleure manière de prouver l'effronterie du chroniqueur de *A Tarde* à la population ébranlée par la lecture de la *Lettre au poète Matos Barbosa,* suivie des incontrôlables ragots activés par la diabolique dona Carmosina et par le poète Barbozinha élevé au pinacle de la gloire. Même la mort de Zé Esteves, et la pompe de l'enterrement de première classe, n'avait pas atténué l'émotion provoquée par le dramatique cri d'alerte lancé par Giovanni Guimarães.

Ceux qui connaissaient personnellement le journaliste, pour l'avoir fréquenté durant sa visite à Agreste, prenaient immédiatement parti en sa faveur, partaient en mission de catéchèse, gagnant les autres, levant l'opinion publique contre la Brastânio. Ascânio se casse la tête : comment mettre à la portée de la population les articles et les déclarations, les pages éclairantes des journaux, équilibrant les faits, démontrant l'exagération de la chronique, l'inexistence d'un trop grand danger, rien que la pollution normale, réduisant à ses vraies dimensions le problème de l'installation de l'usine de titane — enfin, quelle espèce de merde était ce fameux bioxyde de titane ? Il avait cherché à s'informer dans l'interview du professeur Bayer, il n'y était pas parvenu. Tout ce qu'il sait se rapporte à l'importance du produit, indispensable au développement de la patrie, et c'est assez. Il faut porter la vérité à tous, les convaincre des avantages de la Brastânio, de ce qu'elle signifie de richesse et de progrès pour le Brésil et pour Agreste. Comment le faire ?

Aller montrer les journaux, une personne après l'autre, impraticable. Les laisser au bar des Açores, à la disposition des clients, inutile, car seulement une partie des habitants, intellectuellement appréciable, numériquement méprisable, les lira, sans compter le danger que les gazettes disparaissent ou soient déchirées, détruites. Convoquer le peuple pour qu'il prenne connaissance du contenu des pages, en une espèce de lecture collective sur la place publique ? Idée tentante mais compliquée, difficile et périlleuse. S'agissant de la Brastânio, les pauvres — et les autres aussi, comme ç'avait été prouvé — pourraient penser à une nouvelle distribution de cadeaux et être déçus de n'en pas recevoir, le coup partirait par la culasse.

Finalement, se rappelant les temps de la Faculté, il se décide pour le journal mural, exposé à la mairie. Pour la première fois en plusieurs années de sinécure (mal payée), le trésorier Lindolfo se révèle d'une réelle utilité. Habile propriétaire d'une batterie de crayons de couleur, il colla les coupures et, en lettres voyantes, reproduisit les principales assertions des interviews et des éditoriaux, le tout surmonté d'un distique allant d'une extrémité à l'autre du panneau :

LA BRASTÂNIO EST LE PROGRÈS
ET LA RICHESSE D'AGRESTE !

Dominant l'œuvre d'art, il dessina une énorme usine au centre d'un panorama où d'heureux citoyens brandissent des banderoles et où s'annoncent de prodigieux bienfaits : gratte-ciel, cité ouvrière, hôtel magnifique, cinéma digne de la capitale, omnibus luxueux et ultra-moderne. Primitif ou primaire, selon le goût et la culture du client, la fresque de Lindolfo occupe le bas du panneau ; entre distique et dessin, les coupures éclairantes.

Ils suspendent le journal mural dans la salle du rez-de-chaussée où se réunit le conseil municipal lorsqu'il passe par la tête du colonel Artur da Tapitanga de le convoquer. Il devient d'ailleurs urgent de le faire car, certainement, il va falloir que les conseillers approuvent la demande d'installation de la Brastânio dans le municipe, demande qu'elle ne peut manquer de présenter. Ascânio est certain du résultat des études effectuées par les techniciens. Car, si la Société ne devait pas s'établir au Mangue Seco, pourquoi les directeurs s'emploieraient-ils à élargir et à refaire la route qui relie Agreste à Esplanada ?

Même l'insolente déclaration de dona Carmosina, après la lecture des journaux — faute du commandant, Ascânio avait fourré interviews et articles sous le nez de l'employée des Postes — n'altéra pas les convictions, l'enthousiasme et la bonne humeur du secrétaire de la mairie, en état d'euphorie permanente depuis l'arrivée de la lettre du Magnifique Docteur et des documents qui l'accompagnaient. A court d'arguments, dona Carmosina s'était contentée d'affirmer, catégorique et méprisante :

« Tout ça n'est que de la publicité rédactionnelle. Ça tombe sous le sens. Il faut être très naïf ou très pourri pour ne pas le voir. »

Si euphorique, le progressiste Ascânio, qu'il avait couvert Leonora de baisers en lui montrant les journaux et la plaque de la rue Antonieta-Esteves-Cantarelli, dans un fougueux emportement. Il avait couvert Leonora de baisers, c'est une façon de parler ; il déposa quatre ou cinq baisers sur ses joues en guise de fougueux emportement, ce qui n'était pas si mal chez quelqu'un qui passait sa vie à se surveiller pour ne pas paraître un cynique profiteur, de la même race indigne que celui qui l'avait trompée et séduite. En le voyant si heureux, ressuscité, Leonora a envie de se mettre à chanter Alléluia dans la rue, pour saluer le retour du soleil des amoureux

Euphorie et véhémence se reflétèrent dans la brillante participation d'Ascânio au championnat de billard. Malgré son peu d'entraînement — dernièrement il avait abandonné totalement le tapis vert — il faisait bonne figure, s'était classé parmi les quatre semi-finalistes. Dans les quarts de finale, il était parvenu à battre Osnar dans une sensationnelle partie, tandis que Fidélio, joueur calme et adroit, triomphait de l'impulsif Leléu. Ne restèrent en lice qu'Astério, Seixas, Fidélio et Ascânio, qui invite Leonora à assister aux prochaines parties :

« Venez me soutenir, tout le monde a des supporters, sauf moi. » Effectivement, pour la phase décisive du tournoi s'annonce au bar des Açores la présence d'un nombreux et inhabituel public féminin. Ce n'est que dans des occasions exceptionnelles que les femmes fréquentent le bar de *seu* Manuel, en général abandonné à la clientèle masculine. La présence de jeunes filles et de dames les oblige à surveiller leur langage et leurs gestes, transformant l'armosphère habituellement très libre. Pour le championnat annuel de billard, pourtant, est devenu traditionnel le gracieux défilé des épouses, fiancées, parentes et admiratrices des concurrents.

Elisa, par exemple, ne le manque pas. Très élégante, elle feint l'indifférence comme si elle n'était là que pour acccomplir son devoir d'épouse en encourageant Astério. En réalité, elle profite de l'occasion pour sentir l'odeur peccamineuse du bar où, sur le mur principal, entre les bouteilles, ont été épinglées les photos d'un calendrier, des femmes nues, blondes, nordiques, brunes, orientales, mulâtresses, une par mois, cadeau d'Aminthas à l'ami Manuel, Portugais veuf, lubrique et esthète, comme on peut lire sur la dédicace. Selon Osnar, le sergent Peto s'est envoyé les douze, une à une, la main dans la poche. Lui et *seu* Manuel.

Apparaissent les cousines d'Osnar, troupeau joyeux et coquet. Dona Edna ne perd pas une seule partie, même maintenant où ses champions sont hors jeu : le jeune Leléu, qu'on pourrait prendre pour son mari, et Terto qui, comme on sait, l'est officiellement mais ne le montre pas. Les deux étant exclus, dona Edna hésite dans le choix d'un nouvel élu parmi les quatre semi-finalistes. Peut-être se décidera-t-elle pour Astério, pour agacer Elisa qui fait la snob et la reine des élégances — élégance de seconde main, des robes usagées, de rebut.

Hésitent également quelques autres spectatrices. La majorité, pourtant, forme l'imbattable clan de Fidélio, très animé, composé de donzelles de différents âges, des jeunes élèves du collège de dona Carlota (Antunes) Alves à la presque vieille fille Cinira. Taciturne, bourru, en apparence un moine et plein d'admiratrices : un type surprenant ce Fidélio A., c'est-à-dire Antunes.

Ascânio étend l'invitation à Tieta. Elle refuse : réglé l'achat de la propriété de Jarde et de Josafá, il lui reste peu à faire à Agreste. Le lendemain, sans faute, elle ira au Mangue Seco. Pas le matin, car elle avait promis à dona Milu de déjeuner avec elle. Tout de suite après, elle affrontera le soleil du début de l'après-midi dans la barque d'Elieser, emmenant Ricardo avec elle pour les derniers détails de la construction du Bercail : la peinture et le sol.

« Un tournoi de billard ? Non mon fils, je préfère le bain de mer à la plage et le bain de lune sur les falaises du Mangue Seco. » Elle s'étire, jouissant d'avance de telles délices. « Et puis, je veux profiter de ma bicoque avant de m'en aller.

— Vous en aller ? Pas avant l'inauguration de la fête, ne l'oubliez pas. » Ascânio est si euphorique qu'il se trahit :
« Je vous prépare une surprise.

— Pour moi ? Dites-moi vite ce que c'est.

— Excusez-moi, dona Antonieta, mais je ne peux pas. Je pense que vous aimerez. »

Elle aimerait, ça oui, qu'il perde sa réserve et se jette sur Leonora, la mette dans son lit. Il faut le pousser, précipiter les événements.

« Encore quelques jours et la bicoque sera prête, je vais faire venir Nora pour qu'elle reste là-bas avec moi.

— Au Mangue Seco ? » Ascânio pâlit, sa voix tremble, subitement vide d'euphorie et d'enthousiasme.

Exactement comme l'avait prévu Tieta. Au Mangue Seco, à la fin de la semaine, elle tirera de la tête chaude du garçon la funeste idée de permettre que s'installe dans les cocotiers l'industrie refusée dans toutes les parties du monde, repoussée avec horreur, menace mortelle pour le climat et les eaux d'Agreste. En revanche, elle le mettra dans la couche de Leonora, la couche la plus somptueuse du monde, les dunes du Mangue Seco, délivrées de la pollution.

« Venez vous aussi, le Bercail est petit mais, en s'arrangeant, les chèvres et les boucs peuvent tenir. »

COMMENT DIEU RÉPOND À UNE DEMANDE SACRILÈGE.

Heureusement Dieu vint à son aide, le Dieu des amoureux, actuellement le préféré de Ricardo, ainsi que tout l'indique. Et il le fit d'une façon apparemment brutale, au point qu'on aurait pu considérer, dans un jugement hâtif, cruelle et injuste l'action de la divine Providence. Pour aussitôt constater la précise sagesse de la mesure prise. C'est le cas où jamais de répéter le dicton populaire cité quelque part à propos de l'expulsion de Tieta : Dieu écrit droit sur des lignes tordues.

Le laborieux apprenti curé — et homme — réfléchissait au guêpier dans lequel il s'était fourré, cherchant la manière de s'en tirer, de sortir élégamment de ce difficile carrefour, suivant des chemins qui le conduisent d'abord dans les bras juvéniles de Maria Imaculada, ensuite dans ceux, « balzaciens », de Tieta. Il ne voyait pas comment, une impasse.

La nuit passée, en revenant des feux, accompagnant sa mère et Leonora, quand le silence régna dans la maison, il avait franchi le corridor et avait touché le corps nu de la tante. Aux premiers baisers, Tieta se réveilla et le prit dans ses bras, enserrant sa taille :

« Chevreau !

— Ma chèvre ! »

Il dit chèvre en pensant à la chevrette qui demandait . Embrasse-moi encore, mon cœur. La voix défaillante en l'appelant mon cœur et lui fondant en l'entendant le dire. S'il avait pu, il aurait raconté à Tieta : aujourd'hui je t'ai rencontrée, tante, au temps d'autrefois, gamine, aux aguets sous le manguier, dans l'obscurité. Pardonne-moi, mais je dois savoir comment était ton goût de chevrière, sans parfum français, sans crèmes ni onguents, sans perruques, négligés, colliers d'or, bagues de brillants, quand tu sentais le jasmin sauvage et était vêtue d'organdi bleu ciel.

Cette nuit-là, célébrant avec retard le Nouvel An, Ricardo connut le singulier plaisir de posséder une femme en pensant à une autre. Mieux encore que le double igrec, exécuté par Tieta avec sa collaboration quand la première clarté du matin pénétra par la fenêtre ouverte. Ils étaient trois dans le lit de dona Eufrosina et du Dr Fulgêncio : lui, Tieta et Maria Imaculada.

Comment faire pour aller retrouver la petite quand, à neuf heures, la lumière s'éteindrait? Même dans les soirées de visites tardives, il n'avait pas de prétexte pour sortir dans la rue, la mère ne faisait pas de concessions en matière d'horaires. Il pensa à mille excuses, inventa des dizaines de raisons, toutes inconsistantes. Le temps passant et lui sans savoir comment agir. Décidé à inventer n'importe quel mensonge, coûte que coûte. D'ailleurs, il avait déjà menti à la tante, à l'aube, car elle avait remarqué la trace de morsure et l'avait interrogé. Il s'était mordu lui-même en la couvrant de baisers à l'heure extrême du double igrec.

Par comble de hasard, à part l'inévitable Ascânio, tournant sur la place avec Leonora, et le poète Barbozinha, dans la véranda mentant à Tieta et à Perpétua, aucune autre visite n'était apparue. Aux coups de neuf heures, Ascânio ramènera Leonora, ils descendront la rue ensemble, lui et Barbozinha. Perpétua se retirera pour ses oraisons du soir, ayant fait à la porte un dernier signe d'adieu, Leonora embrassera Tieta en lui souhaitant une bonne nuit. Alors la tante, après sa longue toilette — elle attend que sa sœur et sa belle-fille soient endormies — se couchera pour passer une bonne nuit en sa compagnie à lui, Ricardo.

Il épie l'horloge, il manque un peu plus d'une demi-heure et il n'a rien inventé qui puisse lui permettre l'escapade. Une angoisse atroce le possède, bientôt Maria Imaculada sera derrière le tronc du manguier, à l'attendre. Lâchant la grammaire de langue portugaise dans laquelle il s'était enfoui pour mieux réfléchir, Ricardo élève sa pensée vers Dieu en une supplique désespérée et impie : Aidez-moi, Seigneur Dieu, dans cette terrible transe !

Infaillible, car aussitôt résonnent des pas sur le trottoir, on entend la voix du Padre Mariano qui l'appelle :

« Ricardo ! Oh Ricardo ! Tu es déjà couché ? »

Perpétua accourt pour recevoir le Révérend, voulant savoir le motif de cette visite et de cet appel. Un motif triste, chère fille : porter l'extrême-onction à la vieille Belarmina, veuve de *seu* Cazuza Bezerra, une paroissienne très proche de l'église, marchant à pas fermes vers ses quatre-vingt-dix ans. Prise d'un banal refroidissement il y a quelques jours, son état avait empiré inopinément, elle avait eu un vertige. Le Dr Caio étant absent, en vacances, on avait appelé *seu* Aloisio Melhor, remplaçant éventuel du médecin vu sa condition de patron de la pharmacie Sant'Ana, lien commercial et unique qui le rattachait à la science médicale. En la voyant affalée sur son lit et n'ayant pas réussi à trouver son pouls, l'apothicaire avait envoyé un message urgent au curé : l'aïeule agonisait sans sacrements. Vavá Muriçoca, artificier amateur, s'était brûlé la main la veille en lançant une fusée ; le Révérend venait chercher Ricardo pour faire œuvre de charité, aider la petite vieille à mourir en paix avec Dieu. Merci, Seigneur ! remercie mentalement le bénéficiaire, enfilant en vitesse sa soutane sur son short. En fin de compte, dona Belarmina avait déjà vécu presque un siècle.

Elle vivrait quelques années encore, sans doute, car à la vue du prêtre et du séminariste portant les Saintes Huiles pour l'extrême-onction, elle eut un tel choc qu'aussi sec elle guérit de la grippe et de l'évanouissement. Elle se lève prestement et, pour prouver sa santé, en chemise de coton avec des fleurettes bleues brodées autour du cou, elle exécute un pas de danse et montre sa langue au pharmacien, la diable de vieille. Ramollie, oui, agonisante, mon œil !

Les lumières s'éteignaient quand le pharmacien, le prêtre et Ricardo abandonnèrent la maison de dona Belarmina qui les reconduisit jusqu'à la porte :

« *Seu* Aloisio, quand vous voudrez enterrer quelqu'un, allez enterrer votre mère ! »

Accompagnant le Révérend à l'Église pour y laisser les Saintes Huiles et l'eau bénite, Ricardo aperçut Maria Imaculada derrière le manguier et fut vu d'elle. Il escorta encore le prêtre jusqu'au presbytère, l'écoutant fermer le verrou. Dans la Grand-Rue, Ascânio et le poète s'éloignent. Il vint alors :

« Tu es si beau en soutane, mon cœur. »

Ricardo est léger et heureux, Dieu lui avait donné un bon prétexte sans faire de mal à personne, juste la promenade nocturne du Padre Mariano, obligation de son office de pasteur.

Maria Imaculada ne porte pas d'organdi bleu ciel, elle est en jupe noire et blouse imprimée mais elle a dans les cheveux, comme hier, du jasmin sauvage et dans la bouche le même rire frais et clair. Ils allèrent, s'embrassant, par le chemin ; en arrivant au bord du fleuve, le voyant indécis, elle le prend par la main et le conduit au recoin le plus caché sous les casuarines-pleureuses de la Bassine de Catarina. Elle se coucha, ouvrit sa blouse, releva sa jupe, rien dessous, juste le corps frissonnant au souffle de la brise.

« Viens vite, mon cœur, j'ai froid. »

Ricardo saisit sa soutane, déboutonne son short, Maria Imaculada rit :

« Tu vas me sanctifier, mon cœur. »

Ensemble ils reviennent vers la place, Ricardo riant aux anges, il touche son visage, embrasse ses yeux, glisse la main dans ses cheveux crépus, garde dans la poche de sa soutane le jasmin sauvage. Ils se séparent à côté du manguier.

« Demain, je reviendrai t'attendre, mon cœur. A la même heure.

— Demain je vais au Mangue Seco.

— Tu resteras longtemps, mon cœur ? — la voix anxieuse.

— Samedi je serai ici, tu peux m'attendre.

— N'oublie pas de venir sinon je vais mourir de tristesse.

— Je viendrai sans faute. A samedi, Imaculada. »

Au meilleur du baiser surgit une ombre sur la place. Ricardo se dégage, Maria Imaculada se fond dans l'obscurité. Ivre mort, Pue-le-Bouc s'approche, il vient du bord du fleuve, il parle en hoquetant mais à voix basse, évitant les cris coutumiers. Non par respect pour le sommeil des autres mais parce que, lui aussi, a ses protégés :

« Gare l'outil, p'tit curé, et vive Dieu qui est notre Père. »

OÙ L'AUTEUR, INFORMÉ DES SUSCEPTIBILITÉS RÉGIONALES, CITE DES NOMS FAMEUX DU MONDE DES LETTRES ET DES ARTS, CHERCHANT CERTAINEMENT À SE MÊLER À EUX, AVEC UNE ACCIDENTELLE ALLUSION AUX ÉLECTIONS À LA MAIRIE D'AGRESTE.

Dans un moment critique, quand il manquait encore de réponses sûres aux questions posées par l'éventuelle installation de la Brastânio dans les cocotiers du Mangue Seco, en pensant à la population du Saco, village de pêcheurs menacés dans leur activité, Ascânio Trindade avait refusé de s'intéresser au problème, prétextant la position géographique du bourg, sur la rive gauche de l'embouchure du rio Real, dans l'État de Sergipe. A voix haute, Josafá développa le même raisonnement régionaliste pour Tieta : ceux du Sergipe, qu'ils s'arrangent.

Ils s'arrangèrent, car *A Tarde,* dans un encadré en première page, appelle l'attention des lecteurs sur le brûlant sujet traité à l'intérieur du journal, le danger de la pollution : une note sur les élections annoncées pour la mairie de Sant'Ana de l'Agreste, un télégramme du senhor Raimundo Souza, maire du municipe d'Estância, dans l'État de Sergipe, et une interview de « Carybé, artiste d'un renom international qui a porté si haut le nom du Brésil à l'étranger ».

Sur les élections, un bref paragraphe dans la colonne des nouvelles politiques : des rumeurs circulent selon lesquelles la priorité accordée aux travaux du Collège électoral pour fixer à une date prochaine le choix du nouveau maire d'Agreste est due aux manœuvres de la Brastânio, intéressée à placer à la tête de la commune, où elle prétend installer l'indésirable usine de bioxyde de titane, un homme de son entière confiance.

Le télégramme du maire d'Estância dénote l'indignation · « L'ignoble projet de la Brastânio recouvre une inqualifiable menace pour le littoral sud du Sergipe, pour les braves et honorables pêcheurs et pour toute la population laborieuse du Saco, pour la riche faune de la région, de la mer et des fleuves, le Piauí et le Piauitinga, qui se rejoignent pour former le rio Real, juste au-dessus d'Estância, municipe dont l'écologie et l'économie seront violemment affectées ainsi que celles des municipes voisins, tant ceux du Sergipe que ceux de Bahia, deux États frères dont les voix et les forces doivent s'unir pour défendre l'intégrité du milieu ambiant. »

Si le maire d'Estância n'était pas connu pour sa bonne éducation, on pourrait penser que, en qualifiant d'honorables les pêcheurs du Saco, il entend tacitement opposer leur honnête activité à la contrebande illégale pratiquée par la douteuse colonie du Mangue Seco. De la même manière, en mettant l'accent sur la menace que font peser les projets de la Brastânio sur la saine écologie des deux États, en appelant aux relations fraternelles qui doivent unir les membres de notre vacillante fédération, surtout lorsqu'ils sont voisins, on a l'impression que l'auteur du télégramme répond d'un ton acerbe à la pensée d'Ascânio Trindade et à la phrase malheureuse de Josafá Antunes. L'efficace et populaire maire d'Estância ne connaissait pourtant ni l'une ni l'autre. Nous devons donc attribuer ces sous-entendus, s'ils existèrent vraiment, à de vieilles rancœurs sergipanes contre une certaine tendance colonialiste des Bahianais.

En reproduisant, à partir des colonnes de *A Tarde,* l'énergique protestation du digne maire d'Estância, je ne peux perdre l'occasion de rendre un public hommage à ses mérites. On m'a dit qu'il était propriétaire d'une traditionnelle industrie de cigares, innocente de toute espèce de pollution, une fabrique artisanale où les feuilles de tabac sont roulées sur les cuisses des excellentes ouvrières, y gagnant un parfum et une saveur spéciale. Qui sait, en le traitant bien comme ici je le fais, recevrai-je quelques boîtes de l'estimable produit. En un temps de maigres droits d'auteur, un précieux cadeau.

Quant à l'interview de celui que la rédaction du journal, dans un flot d'éloges, traite de grand peintre de renom international, rendant, me semble-t-il, justice à son œuvre vaste et belle, c'est, comme il ressort du texte, la seconde qu'il accorde à propos de la Brastânio et il le fait en qualité d' « illustre Bahianais et propriétaire d'une merveilleuse et rustique résidence d'été à Arembepe ». Il commence par rappeler sa première interview où, précédant Giovanni Guimarães, indigné, il avait condamné, la Brastânio, « monstrueuse menace à la plage d'Arembepe, à toute la bande côtière de la capitale, à la population laborieuse, aux poissons et aux coquillages, à la mer de Yemanjá ». La référence fétichiste révèle le lien étroit de l'artiste avec les *candomblés,* dans l'un desquels on lui a accordé un poste, *babalorishá* ou *iaô.* Dans la seconde interview il se félicite et félicite le peuple de la ville de Bahia de ce que, devant l'onde de protestations venant de tout le pays, y compris d'admirateurs de la beauté d'Arembepe de la classe de Rubem Braga et Fernando Sabino, la Brastânio semble avoir renoncé à son projet initial de « creuser à Arembepe son égout de merdes mortelles » Une victoire considérable, mais la lutte contre la Société doit se poursuivre pour empêcher que « l'industrie assassine s'installe sur les terres de Bahia ou en toute autre partie du territoire brésilien ».

Une interview envoyée. d'un succès garanti, vu le prestige et la popularité du senhor Carybé. D'ailleurs, si. jusqu'à ce moment. seuls Giovanni Guimarães, le maire d'Estância. et le poète Matos Barbosa en deux poèmes publiés dans le supplément littéraire du même journal, avaient élevé la voix en défense d'Agreste, du rio Real, de la côte du Mangue Seco. des municipes voisins, les protestations contre l'installation de l'usine à Arembepe se succédaient, de plus en plus nombreuses.

Plage de pêcheurs connue pour l'abondance et la qualité de sa faune marine, pour l'extrême beauté de son paysage, pour sa tranquille et pittoresque agglomération, célébrée dans des reportages et des articles dans le Sud du pays, ayant servi plus d'une fois de décor à des films, proclamée à un certain moment et pour un court temps capitale des hippies d'Amérique latine, comme le rappela une fois le commandant Dário. Arembepe eut d'innombrables champions pour défendre sa beauté et sa paix, tous importants, à commencer par le distingué peintre que l'on vient de citer.

Par coïncidence, il s'agit du même douteux personnage qui traversa déjà les pages de ce feuilleton dans la maligne intention, couronnée de succès, d'acquérir à vil prix, auprès du naïf Padre Mariano, la statue en bois de la Senhora Sant'Ana, œuvre d'un sculpteur du XVIIe siècle, d'une inestimable valeur.

La somme proposée avait paru énorme, alors, au bon Révérend, qui donna pour rien la sainte vermoulue au luron. Pauvre curé sertanège ! Il fut pris de remords, des années plus tard, quand dona Carmosina lui montra, dans une revue de Rio, des photographies sous plusieurs angles de l'image restaurée ; « pièce essentielle de la remarquable collection de Me Mirabeau ». Alors seulement il se rendit compte de la duperie et depuis ce jour il existe un secret enterré entre lui et l'employée des Postes et Télégraphes. Bien que peu attachée à l'Église, se proclamant à la fois agnostique, incroyante et athée, dona Carmosina promit de faire disparaître l'exemplaire de la revue et d'oublier l'incident, par pitié pour l'ignorance artistique d'un humble prêtre perdu aux confins de Judas.

J'en profite pour raconter que dona Carmosina répondit au journal mural d'Ascânio, suspendu au mur de la salle du conseil municipal de la mairie, par un autre, plus grand et encore plus parlant, avec des phrases tirées de tous les documents déjà cités et de la chronique de Giovanni Guimarães, le tout en lettres capitales. Complété d'une macabre illustration : la fumée jaune sortant des cheminées de la Brastânio, affreuse tache de bioxyde de soufre dégradant pour toujours le bleu du ciel, les effluents gazeux ; un fleuve aux poissons morts, dans l'égout pourri où coulent les détritus assassins du sulfate de fer et de l'acide sulfurique, les effluents liquides — dona Carmosina sait tout sur le bioxyde de titane et sa production. Les cocotiers du Mangue Seco, réduits à une misérable ruine où une population de mendiants agonise, asphyxiée.

Œuvre d'un artiste également primitif ou primaire, elle n'a rien à envier à celle du trésorier Lindolfo ; au contraire, elle la surpasse car, pour la réaliser, l'artiste s'est servi d'une peinture à l'aquarelle et non d'une simple batterie de crayons de couleur. Travail de Seixas, amateur qui, aux heures creuses laissées par le billard et les cousines — et par son bureau, ne l'oublions pas, où il fait chaque jour acte de présence —, peint en secret pour éviter les moqueries de la bande. Secret, bien sûr, que partage dona Carmosina.

Placé entre les deux portes d'entrée de l'Aréopage, le journal mural de dona Carmosina, avec au centre la chronique de Giovanni Guimarães, les deux *Poèmes de la Malédiction* du poète Barbozinha, gloire locale, et le portrait du peintre Carybé, gloire nationale, est bien plus lu et commenté que celui d'Ascânio Trindade dans la salle du conseil municipal — la fréquence du public dans l'une et l'autre salle ne peut se comparer. A la mairie n'apparaissent que ceux qui ont une affaire à traiter, une demande à déposer : on y va exclusivement par nécessité ou par obligation. A l'agence des Postes, on y va par nécessité et par plaisir, pour bavarder, écouter les notables dans un érudit papotage, s'informer de ce qui se passe de par le monde, les rares joies, les malheurs, tant, les périls innombrables.

Cinquième épisode

Du soleil bleu et de la lune noire ou la rivale de Dieu

Avec machines gigantesques, asphalte coulant dans la rue, le Mangue, la plage et les crabes, offrant une grandiose vision du futur ; où l'on assiste à la formation d'un dirigeant au service du progrès et où l'on porte un toast à l'amitié ; où explose au Mangue Seco un violent mouvement de masses, où Agreste importe des avocats et des méthodes juridiques et des personnages secondaires deviennent importants ; avec les épousailles d'un puceau, des rêves secrets, des révélations familiales, imprudences, audaces, grincements de dents et un mot prononcé en allemand — où l'on voit Tieta suffoquée d'amour, absence et mort.

DU RAPIDE ASPHALTAGE DU CHEMIN PAR OÙ PÉNÉTRERONT À AGRESTE LES POTEAUX DE L'HYDROÉLECTRIQUE, OU PLUTÔT, DE LA RUE PAR OÙ PÉNÉTRERA LA LUMIÈRE DE TIETA OU DU CHANGEMENT DE RYTHME DE LA VILLE.

Tout ce qui jusqu'alors avait été lettre imprimée en colonnes de journaux, cancans aux carrefours, confuses apparitions d'êtres difficilement identifiables, même pour Barbozinha, familier du surnaturel, se concrétisa en une réalité tangible et immédiate avec la présence matinale dans les rues d'Agreste de pesantes et puissantes machines de la Compagnie bahiane de génie et d'études — C.B.G.E. Elles traversèrent avec une grave lenteur la Grand-Rue. Bruit caverneux, formes excentriques et grandioses, le progrès en marche.

Soufflant comme un bœuf, les yeux hors de la tête, Sabino le galopin les avait précédées, venant à toutes jambes des champs de Tapitanga où il donnait satisfaction à son corps, profitant de la vicieuse docilité de la chèvre Negra Flor, fleur du troupeau du colonel Artur de Figueiredo. Dans cet accessible et gentil animal, le garçon résume toutes les femmes d'Agreste qui peuplent ses nuits adolescentes : Elisa, épouse du patron, Carol, concubine du richard, Edna qui, sans le paraître est mariée à Terto, deux des cousines de Seixas : celle qui louche un peu et celle aux gros nichons, les autres, minables, la petite Araci dont il frôle la croupe au passage. Un frais bouquet, enrichi depuis l'arrivée des Paulistes, exotiques et sensationnelles. Sabino s'efforce de respecter dona Antonieta, mais que faire si, en s'agenouillant pour lui demander sa bénédiction, il voit toutes les images du film dans la transparence des tissus, les décolletés négligés des kimonos ? A bout de souffle, le gamin atteint la boutique d'Astério, où Osnar parle agriculture et science vétérinaire avec le nouveau voisin de ses terres. Les mots jaillissent de la bouche de Sabino

« Y'arrive des tanks de guerre avec canon et tout. »

Apparaît d'abord une jeep grande et rapide, elle passe en trombe devant la boutique. Surgissent ensuite les lourdes machines et un camion transportant des hommes en combinaison et casque, les mains munies de gros gants de travail. Ça n'a rien à voir avec les véhicules de l'Hydroélectrique qui, de temps en temps, amènent à la ville ingénieurs et techniciens. vérifiant des calculs pour l'itinéraire des poteaux.

Une puissante machine avec lame à l'avant, une de ces pelles mécaniques qui arasent le sol et aplanissent la route, un rouleau compresseur et une goudronneuse. Excité, Osnar se lève de la chaise qu'il avait enfourchée, fait signe à Astério, file à grandes enjambées vers le bâtiment de la mairie. Un léger espoir le guide : qui sait si ne sera pas dans la jeep la regrettée Elisabeth Valadares, Bety pour les copains, Bébé pour les intimes ? La veille de Noël, Osnar l'avait manquée pour une question de secondes. En arrivant sur la place, il put juste l'apercevoir dans l'hélicoptère d'où, habillée en Papa Noël, elle faisait signe aux foules de la main. Lui aussi lui avait fait signe et la rousse miss, semblant le reconnaître, lui lança un baiser.

Bien que toute cette histoire de Brastânio lui déplaise à l'extrême, car elle vient perturber les habitudes de la ville, si chères à qui n'a jamais voulu en sortir, désireux de vivre tranquille, Osnar excepte Bety de la marée de la pollution. Compétente et appétissante, elle lui semble être, surtout, une victime du système. Espérant son retour, il avait pris une résolution énergique et il se dispose à l'accomplir sur-le-champ, si, par hasard, la secrétaire exécutive fait partie du groupe dans la jeep : lui raconter l'histoire de la Polonaise.

La fameuse histoire de la Polonaise, comme l'expérience le prouve est la clef maîtresse, elle ouvre le cadenas de toutes les pacholettes, ça ne rate jamais. Dans cette certitude, Osnar marche vers la place : il se peut qu'un jour cette fabrique de merde s'installe vraiment dans les cocotiers du Mangue Seco et, qu'avant que tout soit pourri, Bébé proclamée reine d'Agreste, le cœur et le reste attendris par les émouvants détails de l'histoire sans pareille, veuille expérimenter la rigidité et la saine saveur de l'outil non pollué d'un Sertanège

Il s'approche à temps pour voir un individu vêtu de toile kaki, tenant une serviette, sauter de la jeep et se diriger vers la porte d'entrée de la mairie, laissant deux autres types dans le véhicule. Derrière, les grandes machines halètent, d'un souffle de pierre, terrible. De Bety, pas trace. Ni d elle ni du cordial faiseur, beau parleur et polyglotte aux ordres de qui obéit la pétillante rousse. Déçu, Osnar fait retraite vers le bar. se livrant, avec *seu* Manuel, à d'aigres commentaires autour de la Brastânio :

« Avant, au moins, ils envoyaient de belles femelles. Maintenant, que des mâles.

— Et ces mastodontes, *seu* Manuel montre les machines, ils servent à quoi ?

— A nous faire chier, amiral, tu vas voir. »

A la mairie, l'individu descendu de la jeep remet à Ascânio une lettre du Dr Mirko Stefano dans laquelle le Magnifique, extrêmement aimable, après avoir salué son « sympathique ami Ascânio Trindade », lui présente le Dr Remo Quarantini, ingénieur en chef de la Compagnie bahiane de génie et d'études — C.B.G.E. qui, à la tête d'un groupe de techniciens, va à Agreste faire un relevé des données concernant la route, en vue des travaux indispensables : rectification du tracé, élargissement, revêtement. Profitant de l'occasion, il amène avec lui des machines et des ouvriers pour l'asphaltage de la rue, tenant ainsi la promesse de la Brastânio à la commune. Il termine en invitant son cher ami à se présenter de toute urgence dans la capitale bahiane pour une importante conférence avec des membres de la direction de la Société. Il a de bonnes nouvelles à lui donner, il veut le faire personnellement. Avant de signer la lettre, avec son cordial souvenir, il précise que les frais de voyage seront au compte de la Brastânio qui ne veut pas grever le budget de la mairie. « A bientôt, cher ami, je compte sur votre présence. Profitez de la voiture et de la compagnie, et venez avec le Dr Remo qui, de plus, est un fabuleux conteur d'anecdotes. »

A le regarder, personne ne dirait qu'il s'agit d'un fabuleux conteur d'anecdotes : chauve, barbe blonde, longue et emmêlée, tête typique de celui qui a mangé de la merde et n'a pas aimé, silencieux. Ascânio ne manque pas pour autant de lui souhaiter chaleureusement la bienvenue au nom des autorités et du peuple du municipe, de se mettre à ses ordres le prévenant, en même temps, de son intention de l'accompagner dans son voyage de retour, prêt à se régaler de son hilarant répertoire. Tandis qu'à l'intérieur de la mairie se déroulent ces politesses, sur la place, curieux et oisifs examinent les Caterpilars, bouche bée. Peto, que les voitures et les machines intéressent presque autant que les mystères du sexe, en décrit l'utilité et cite leur nom. Niveleuse, goudronneuse et rouleau compresseur sont destinés à ouvrir des rues et à les paver. Pas de ces pierres inégales dont le grand-père d'Ascânio, en des temps prospères, avait chaussé la place de la Cathédrale, la Grand-Rue, la place du Marché (depuis lors place Colonel-Francisco-Trindade) mais d'un noir asphalte. revêtement connu seulement de ceux qui ont voyagé au moins jusqu'à Esplanada, dont Peto : trois fois il avait accompagné Perpétua à la ville voisine et une à Aracaju, presque un globe-trotter Il commence à arriver des nouveautés en masse. il n'y a pas de doute. Il ne s'agit plus de paroles en l'air.

L'ingénieur pose des questions au sujet de la route. Qu'on excuse sa franchise : ce chemin de mules ne mérite pas d'être traité de route carrossable. Piste incertaine, étroit sentier plein de bosses, bourbiers, nids de poule, cassis, fondrières, bref, une saloperie. Il sera nécessaire de la refaire entièrement de modifier son tracé, une considérable main-d'œuvre. Ascânio fournit quelques données mais seulement Jairo. propriétaire de la marineti, familier du voyage, peut lui donner des informations précises lorsqu'il arrivera d'Esplanada

Un sourire railleur se dessine sur le visage sinistre du Dr Quarantini : à la sortie d'Esplanada ils avaient laissé derrière eux l'extraordinaire véhicule, si archaïque qu'il avait été dépassé par les machines. Effectivement, celui qui la mène doit connaître ce tas de trous pouce par pouce. Ascânio lui recommande la prudence avec Jairo : le patron de la marineti est de mauvaise humeur depuis qu'il a vu, sur le journal mural de la mairie, les magnifiques omnibus prévus pour transporter les passagers sur la nouvelle route, celle que l'ingénieur va tracer et construire.

A ce propos, il sollicite de l'ingénieur une minute de son précieux temps pour admirer le journal mural, avant d'aller voir le tronçon à asphalter par lequel, d'ailleurs, il vient de passer car il se trouve à l'entrée de la ville. Devant le dessin, le barbu accorde un autre sourire, dubitatif. Ascânio ne sait s'il est dû à la discutable vocation artistique de Lindofo ou à l'enthousiasme. montré dans le journal mural, pour la Brastânio et ses effluences progressistes. Le visiteur ne commente ni les dessins ni les affirmations en lettres de couleur.

« Allons-y Plus tôt on commencera, mieux ça vaudra. »

Il est pressé. A part le Dr Mirko Stefano, calme et posé, toutes les autres personnes liées au progrès n'admettent pas de perdre leur temps, elles sont toujours en train de courir, impatientes. Suivant le chauve vers la jeep, Ascânio découvre que lui-même doit changer de rythme. Loin de la capitale, il s'était habitué ces dernières années à la lente cadence des heures d'Agreste.

Jeep, camion et machines descendent la rue, suivis de la foule croissante des badauds. A l'entrée de la ville ils s'arrêtent, déversant techniciens, contremaîtres et ouvriers. Ascânio, les deux ingénieurs et l'envoyé de la Compagnie parcourent le tronçon de chemin à paver, la future rue Antonieta Esteves Cantarelli.

« Ce bout-là, c'est tout ? Le Dr Quarantini s'adresse aux contremaîtres : Il n'y a pas besoin de monter les tentes, cette bricole, on se la fait aujourd'hui. Je pensais qu'il s'agissait d'une chose plus sérieuse. Il dit à Ascânio : Très bien, mon cher, nous allons nous mettre à l'œuvre. Vous pourriez peut-être fournir le casse-croûte pour les ouvriers et quelques bouteilles de bière ? Et à déjeuner pour nous. Il y a un restaurant valable ? Apparemment… Un geste résigné : N'importe quoi fera l'affaire.

— Soyez tranquille, je m'en occupe. A quelle heure pensez-vous repartir ?

— A la fin de l'après-midi. Nous allons faire notre possible pour terminer avant le coucher du soleil. Ça convient ou pas, Sante ? »

Sante, vigoureux mulâtre qui mâche un bout de cigare, confirme :

« Largement. Il ordonne aux hommes : En avant. »

Des chevalets peints en jaune délimitent la zone où le trafic est interdit, on éloigne les curieux, les grandes machines entrent en action. Agglutiné derrière les chevalets, sous le soleil intense, le peuple suit attentivement le déroulement des opérations. La niveleuse soulève, éparpille la terre et l'aplanit, sa pelle énorme suscite l'admiration. Encore plus le rouleau compresseur, allant et venant dans les cent mètres de chemin, écrasant la terre meuble, la transformant en un solide lit pour la rue. La rue Antonieta-Esteves-Cantarelli, courte mais asphaltée, premier bienfait du progrès apporté par la Brastânio. Et il s'en trouve encore pour dire du mal de la grande industrie, pense Ascânio, révolté de l'injustice du monde. Il parcourt du regard les curieux, constate l'admiration générale. Caloca, patron du bar Elite, débit où il vend de la cachaça dans l'impasse de l'Amertume, résume l'opinion générale :

« Bonté ! Du travail putainement vite fait ! »

Triomphant, le cœur battant, le secrétaire de la mairie d'Agreste se retire pour prendre d'autres mesures. Il passe à la pension de dona Amorzinho, commande des repas pour toute l'équipe. Lui et trois autres personnes viendront déjeuner dans la salle de la pension, les ouvriers mangeront sur le lieu de leur travail — faites un bon haricot noir et du chevreau rôti. C'est la mairie qui paie, n'allez pas leur présenter la note. Il se dirige ensuite vers la maison de Perpétua pour raconter les nouvelles à Leonora, lui apprendre son voyage inattendu à la capitale. Comprendra-t-elle l'importance de ce voyage qui peut transformer leur amourette sans perspective, un rêve absurde, en une exaltante réalité, en fiançailles et mariage ? Il reviendra rapportant la requête de la Brastânio adressée à la mairie, sollicitant l'autorisation de s'installer à Agreste. Seulement ça ? L'horizon s'ouvre largement devant lui.

En compagnie d'Ascânio, à midi, les deux ingénieurs et le contrôleur des travaux mangent le meilleur déjeuner de leur vie : crevettes frites, bouillies, brouillées avec des œufs, *moqueca* de poisson, poule à la sauce brune, chevreau rôti, viande séchée avec de la bouillie de manioc. Des desserts aux saveurs rares : à la jaque, carambole, groseille, *araçá-mirim*. Des fruits de cajou et de jenipapo. Des jus de mangaba et de cajá. Le morose ingénieur en chef a tant mangé, avec un tel appétit, qu'un air de santé colore ses joues pâles. Laissant l'asphaltage à son camarade, il s'allonge dans un hamac pour ne se réveiller qu'à la fin de l'après-midi, à temps pour assister à la conclusion des travaux.

Lorsque, après le casse-croûte, le marineti de Jairo klaxonna au tournant, les ouvriers encore dans la joie du haricot noir et de la bière — le haricot noir de dona Amorzinho, pas n'importe lequel — achevaient de passer la première couche de goudron épais et luisant sur le terrain aplani. Ils retirèrent les chevalets pour livrer passage à la poussive voiture, la saluant de sifflets et de quolibets : vieux clou, ferraille pourrie, relique de guerre ; une immense huée la suit.

Vers six heures, valise à la main, Ascânio apparaît au bras de Leonora. L'asphaltage tire à sa fin. Le bitume brille, humide et noir. Sortant de la goudronneuse, un tuyau répand une ultime couche de fin asphalte. La rue Antonieta-Esteves-Cantarelli est prête à être inaugurée.

Caloca s'approche d'Ascânio, demande, soulevant les rires :

« *Seu* Ascânio, on pourrait en profiter pour refaire ma ruelle, il y en a pour une minute. »

Encore somnolent, l'ingénieur Remo Quarantini ordonne le départ, quel déjeuner ! Ascânio se sépare de Leonora, l'embrassant sur la joue devant la foule. Il la laisse avec dona Carmosina, au premier rang des curieux. Il n'y résiste pas et provoque son adversaire et amie :

« Vous avez vu, bavarde ? »

Il n'attend pas la réponse. Dans la jeep, l'ingénieur le fait presser, appuie sur le klaxon. Désormais, il devient nécessaire de courir, les temps de la nonchalance sont terminés. De la nonchalance ou du loisir ?

OÙ IL EST QUESTION DES MACHINES SUR LA ROUTE OU LA JUBILATION DE JAIRO.

C'est ainsi : il y a le jour du chasseur, il y a le jour du gibier, ou encore, rira bien qui rira le dernier. Coupé le courant aux neufs coups au clocher de la cathédrale, sonnés par Vavá la main encore bandée, des appels insistants retentissent à la porte du triste Jairo.

Se présente un aide-mécanicien, membre de l'équipe des ouvriers, les siffleurs de tout à l'heure. Il demande qu'on lui prête des outils et, si possible, que vienne Jairo et qu'il les aide. Deux des machines se trouvent en panne sur la route, seul le rouleau compresseur avait poursuivi sa marche vers Esplanada. Quand à la jeep et au camion avec les ouvriers, en sortant d'Agreste ils avaient filé et, à ces heures, ils devaient déjà être près de Bahia. Le garçon est venu à pied, il est mort de soif, il accepte un verre d'eau. Il s'excuse du dérangement.

« Ça s'est passé où ?

— Tout près d'ici, les deux. A sept ou huit kilomètres. Dans ce dos d'âne, vous savez, où il y avait une passerelle à demi éventrée. Elle a fini de craquer sous le poids de la goudronneuse qui s'est enfoncée. L'autre n'est même pas arrivée là. Elle a stoppé avant. »

Il appartient aux gagnants d'être généreux. Magnanime, Jairo se met à sa disposition :

« Allons voir ça. Ce ne doit rien être. On va faire quelque chose. »

Il se dirige vers le garage. Il caresse la marineti, lui murmure deux mots doux et des encouragements :

« On va secourir les riches, ma Soucoupe Volante, ils t'ont appelée ferraille, vieux clou, maintenant c'est notre tour. Montre qui tu es, oublie tes manies. Ne va pas faire mauvaise figure, ne me laisse pas tomber, ma belle.

La belle maniaque se montre à la hauteur. Elle fait preuve d'une appréciable vélocité, le moteur n'a pas un seul raté. Un bon engin, constate l'aide-mécanicien en la voyant avancer, indifférente aux fondrières, crevasses, cassis, abîmes. Impavide et sereine, au son de la musique car, si incroyable que cela paraisse, même la radio russe fonctionne.

Jairo prête l'aide sollicitée, la compétence ne lui manque pas. Les machines remises en état, minuit passé, sans attendre de remerciements il s'essuie les mains au chiffon, monte sur le marchepied, branche le moteur, la marineti part en lâchant sa décharge d'adieu. Beauté de décharge !

Merci, Etoile du Sertão ; en avant, ma colombe.

DES PRÉOCCUPATIONS DU NOUVEAU RICHE.

L'animation grandit, la cadence se transforme. Dans le cas concret d'Astério, passé de modeste commerçant à nouveau riche, de capitaine à major, la responsabilité en revient à sa riche belle-sœur et, si intervention de la Brastânio il y eut, elle fut indirecte et accidentelle. De toute façon, pour lui aussi le rythme de la vie s'est accéléré.

Avant, il passait matinées et après-midi à la boutique, servant une clientèle réduite, vendant quelques mètres d'étoffe, une chemise d'homme, une jupe de femme, une douzaine de boutons, des aiguilles et des bobines de fil, des bricoles, des bagatelles. Il lui restait du temps pour blaguer avec les amis, surtout avec l'indéfectible Osnar, écoutant les potins, commentant les événements, savourant des histoires de la « trépidante vie nocturne d'Agreste » (comme dit le sarcastique Aminthas), se renseignant sur les qualités des dernières filles recrutées par Zuleika Cinderela. Quelques jours auparavant, on lui avait parlé d'une nouvelle, toute jeune, quinze ans à peine, dotée d'un arrière-train qui, en continuant de se développer, serait bientôt le plus beau d'Agreste ; elle venait du village de Saco et s'appelait Maria Imaculada.

Au début de l'après-midi, heure morte, il laissait au galopin Sabino la garde du comptoir et allait s'entraîner longuement au billard du bar. Maintenant il doit se multiplier, se partager entre la boutique, les terres et les travaux de la maison de Tieta.

Un tour matinal à Belle Vue, pour inspecter troupeau et plantation placés sous la surveillance immédiate de Menininho, fils de Laura Branco, une trouvaille d'Osnar :

« Volé, Major, tu le seras de toute façon, qui que tu prennes, le mieux est donc que ce soit par le compère Lauro dont on sait qu'il vole sans excès et, à part ça, qui est un homme sérieux et travailleur. Menininho est capable de bêcher, il sait soigner les chèvres et il a le compère sur son dos pour lui secouer les puces. Pourvu que tu surveilles, comme je le fais, les choses marcheront. »

Il court de la boutique aux travaux en voie d'achèvement, dans la maison achetée à dona Zulmira. Le vieux Zé Esteves restait planté là le jour entier, talonnant maître Liberato, houspillant les ouvriers, remuant Dieu et le monde. Astério doit empêcher que, faute du Vieux, les travaux traînent précisément quand ils sont à leur fin. Les sanitaires prêts, les meilleurs d'Agreste, avec douches et baignoires, latrines de luxe, formidables, la peinture commencée, il s'en faut de peu que la maison soit habitable. D'ailleurs, le plan d'Astério est de déménager le plus tôt possible, même si le chantier n'est pas tout à fait terminé. Deux avantages : il cessera de payer un loyer et, eux étant là, tout ira plus vite. Il a déjà donné l'ordre à Elisa de préparer ses paquets.

La mort du vieux Zé Esteves leur avait ouvert la voie de la prospérité. Manioc et chèvres, terres. Qui possède des terres est maître d'un coin du monde, répétait le beau-père, déplorant le patrimoine perdu. Une bonne maison, sinon à lui, du moins gratuite, une des meilleures résidences de la ville. Digne cadre pour la beauté et l'élégance d'Elisa.

Elisa le préoccupe. Elle erre tête basse, pleurnichant d'un coin à un autre. On ne dirait pas qu'elle a reçu tant de bienfaits, preuves d'amour fraternel rarement vues à Agreste. Jamais vues. Tieta a la main percée, plus que généreuse, gaspilleuse. Elisa se comporte comme si elle avait été offensée ou rudoyée. Astério ne l'a plus vue sourire depuis ce fameux après-midi, le lendemain de la mort du Vieux, où Tieta annonça l'achat de Belle Vue au nom du couple. A plusieurs reprises Astério lui a demandé ce qu'elle a, quelle est la raison de sa tristesse, Elisa répond qu'elle n'a rien, aucune tristesse, qu'il ne se préoccupe pas pour elle. Elle n'avait même pas ri lorsqu'il lui apprit qu'Osnar était décidé à proposer à la secrétaire exécutive de l'homme de la Brastânio — celle à la mèche platinée, tu te rappelles ? — la même chose qu'à la Polonaise, tu te rends compte ?

Incroyable : Elisa était accablée par la mort du Vieux. Tant qu'il avait vécu, à aucun moment Astério n'avait senti la moindre manifestation d'amour profond entre la fille et le père. Confusément, Astério se rend compte qu'elle s'était surtout mariée pour se délivrer de la tyrannie paternelle, de la prison familiale, du bâton et de la lanière constamment en action. Même après avoir marié ses filles, le Vieux restait autoritaire, avec elles et les gendres. Jamais Astério ne l'avait entendu prononcer une parole affectueuse, ébaucher un geste de tendresse, pas même pour réconforter Elisa lors de la disparition de Toninho. A la veillée funèbre du Major, Perpétua pour une fois noyée de larmes, inconsolable, Zé Esteves avait grogné :

« Tu peux pleurer, tu n'en trouveras pas d'autre. Un idiot de cette espèce on n'en voit qu'un par siècle, et encore ! »

Il passait son temps à accuser Astério depuis l'affaire du chèque utilisé pour payer la traite. Les années étaient passées et le monstre continuait à lancer à la tête d'Elisa, sinon de son gendre, cette escroquerie, le menaçant de prison s'il recommençait.

Mon Dieu, comme il est difficile de comprendre les gens ! Il pensait qu'Elisa allait respirer, enfin délivrée de la peur, peur du père et de la misère. Heureuse du présent de sa sœur, solution des problèmes d'argent qui les tourmentent, en plus de la nouvelle résidence qui leur donne un statut de riches,

450

une place en vue dans la société d'Agreste. Au contraire, Elisa semble inconsolable comme si, en perdant le père, elle avait perdu tout espoir de bonheur.

Astério n'est pas précisément un psychologue malgré les capacités intellectuelles qu'il manifeste dans les carambolages au billard, calculs exacts, millimétrés, parfaits ; certains de ses coups sont des œuvres d'art. Mais les complications dans le comportement des gens, cafard, crises de larmes, dépression, le troublent et le déroutent. Peut-être dona Carmosina, si intelligente et cultivée, peut comprendre et expliquer. Tieta aussi, rien ne lui échappe.

Quand ils avaient parlé, Tieta et lui, du désir d'Elisa de déménager à São Paulo, la belle-sœur lui avait conseillé de tenir la bride courte à son épouse, de suivre l'exemple du vieux Esteves et elle avait même parlé de la trique.

Si bonne, cœur d'or, en certains instants pourtant, Tieta ressemble au Vieux. Elever la voix contre Elisa ? Lui tenir la bride courte ? Mais pourquoi, alors qu'elle est si droite et dévouée, bonne maîtresse de maison, sans parler de sa beauté et de son élégance ?

En évoquant ces vertus de son épouse, Astério est ému. Quel mal y a-t-il dans les pleurs et la tristesse d'une fille qui regrette son père ? Ça passera avec le temps. Tôt ou tard elle redeviendra la même Elisa, affichant l'air distant et un peu snob, un tantinet mélancolique qui lui va si bien. La femme la plus belle et la plus élégante de la ville ; jadis pauvre, aujourd'hui propriétaire de terres. Qui a des terres est maître d'un coin du monde, phrase du vieux démon. Propriétaire d'une maîtresse croupe. On avait parlé à Astério d'une certaine Maria Imaculada dont l'arrière-train, bien soigné, un jour... Sottise. Comme celui d'Elisa, aucun, quelque effort que fasse la nature.

OÙ L'ON PORTE UN ULTIME TOAST À L'AMITIÉ ET À LA GRATITUDE.

La voix goguenarde, Aminthas demande, en voyant passer, pressé, suant, serviette noire sous le bras, l'importante personne du Dr Baltazar Moreira, bachelier en droit avec étude à Feira de Sant'Ana :

« Est-ce qu'on aurait choisi Agreste comme siège d'un congrès de juristes ? Où qu'on arrive, on se heurte à un avocat. »

Osnar pose la queue du billard, constate la différence de points qui le sépare de Fidélio, il ne voit plus de possibilités de se rattraper. Il assume le rôle d'augure en général réservé au poète Barbozinha :

« Quand les urubus apparaissent, ça signale une charogne. Tout ça va sentir mauvais. »

Ajournées les parties décisives du championnat, en raison du voyage d'Ascânio à la capitale, les candidats à la Queue d'Or se contentent de défis amicaux, pariant des bouteilles de bière. Debout pour mieux observer le jeu de Fidélio, son prochain adversaire dans les semi-finales, Seixas intervient :

« Je pense bien que ça va puer. Nous allons sentir l'odeur du pétrole, du soufre, des gaz des industries chimiques. Puanteur du progrès, Osnar. N'est-ce pas, Fidélio ? »

Surpris par la question inattendue, Fidélio réagit :

« Qu'est-ce que j'ai à voir avec ça ?

— Tu n'es pas un des Antunes, un des héritiers des cocotiers ? Tout le monde a entendu le Dr Franklin le dire, à l'étude. Ou tu prétends nous cacher ta richesse ? Te voilà millionnaire, associé de la Brastânio, prêt à polluer le Mangue Seco. Je parie qu'un de ces avocats est venu à ta demande, pas vrai ? Lequel ? Vas-y, raconte à tes amis. »

Fidélio relève son bâton, parle sérieusement, sans trouver drôle la provocation de son partenaire :

« Je n'ai pas besoin d'avocat. » Il revient à son coup et à son habituelle réserve.

« Si tu veux, je peux m'occuper de ton affaire. » Seixas persiste dans sa plaisanterie, sans remarquer le nez de son camarade : « Pour commencer, je te conseille de te mettre en ménage avec dona Carlota qui est une autre candidate aux cocotiers, mariage en communauté de biens. Antunes avec Antunes. Par-dessus le marché, tu gagnes un pucelage qui est une relique, pour antiquaire, digne d'un musée. »

Fidélio liquide la partie, un dernier carambolage, il tente de liquider aussi les persiflages que, manifestement, lui n'apprécie pas.

« Je n'ai besoin ni d'avocat ni de conseiller. Mêle-toi de ta

452

vie.. Ton intention, je la connais m'irriter, me rendre nerveux pour que je perde quand je jouerai avec toi. C'est une filouterie. »

Seixas se rebiffe :

« Je plaisantais, sans aucune arrière-pensée. Pour gagner contre toi, je n'ai pas besoin de ça, j'ai gagné souvent Je n'admets pas que tu me traites de malhonnête. »

Osnar, ayant posé sa queue de billard, coupe la discussion :

« Ça ne va pas ? Finissons-en. Laissez la charogne pourrir loin d'ici. J'ai dit que ça va puer et j'ajouterai : ça va puer et chauffer. Mais que ceux qui veulent discuter de ces saloperies aillent discuter ailleurs. Depuis combien d'années sommes-nous amis ? Il change de sujet : Si vous me promettez de ne pas en parler à Astério, je vous raconte une surprise que je mijote. »

Seixas grommelle encore, Fidélio reste silencieux, Osnar continue :

« Vous savez que le sergent Peto va avoir treize ans ces jours-ci ? Je prépare avec Zuleika une grande fête pour samedi prochain, pour fêter ça.

— Avec Zuleika ? Pourquoi elle ? » s'étonne Seixas, un reste de grogne dans la voix. « L'anniversaire d'un gamin se fête chez ses parents avec guaraná, Coca-Cola, gâteaux. Mais si dona Perpétua fait une fête, je dois emmener ma cousine, la plus jeune. Elle a onze ans, elle adore ça. »

Osnar sourit à Seixas, reconnaissant. La conversation prend une direction à son goût. Il est fatigué d'entendre des commérages sur la Brastânio et la pollution, actuellement on ne parle de rien d'autre à Agreste. Même la rapide avance des poteaux de l'Hydroélectrique, sujet qui soulevait l'enthousiasme il y a une semaine, ne parvient pas à détourner l'attention du problème qui divise la ville depuis que les machines de la C.B.G.E., sur l'ordre de la Brastânio, ont asphalté l'ancien chemin de Boue, future rue Antonieta Esteves Cantarelli. Secret mal gardé, l'hommage prévu court de bouche en bouche, plusieurs personnes ont vu la plaque dans la main d'Ascânio. Seule Tieta, en vacances au Mangue Seco, ignore la prochaine consécration officielle de son nom, de tous les projets de la municipalité, le seul à réunir les suffrages unanimes. Pour le reste, la discorde règne, la ville est divisée.

Dans les rues avant si paisibles, s'entament des polémiques, s'échangent des défis. On argumente pour ou contre l'installation de la fabrique. Doit-on ou non la permettre, la saluer avec enthousiasme ou la repousser avec indignation, signifie-t-elle vie ou mort ? Une partie de la population reste indécise, sans savoir en quels journaux muraux croire. A celui de la mairie, où l'on affirme la complète innocuité de l'industrie de bioxyde de titane et promet de mirobolantes merveilles au municipe et au peuple ? Ou à celui de l'agence des Postes qui présente la Brastânio comme un extrême péril et proclame le danger que courent le ciel, la terre, la mer et l'atmosphère de toute la région, mille disgrâces dues à l'industrie de bioxyde de titane ? Bioxyde de titane, nom suggestif, passionnant, menaçant, mystérieux.

Il existe des éclectiques qui mêlent les allégations des deux panneaux, c'est-à-dire : ils croient qu'il y a beaucoup de vrai dans les affirmations sur le terrible pourcentage de pollution causée par la fameuse industrie, mais ils pensent qu'on ne doit pas empêcher pour autant son installation, dans les cocotiers du Mangue Seco ou en quelque autre point de Sant'Ana de l'Agreste. D'après eux, il n'y a pas de progrès sans pollution et ils citent l'exemple des Etats-Unis, du Japon, de l'Allemagne, de São Paulo, quatre colosses.

Débat hautement intellectuel qui gagne la rue, dépassant les frontières de l'Aréopage, du bar des Açores, de la pension de Zuleika, de la cathédrale, centres culturels de Sant'Ana de l'Agreste, le dernier étant spécialisé dans les questions de liturgie où les dévotes sont très fortes, en remontant parfois au Padre Mariano lui-même. On en discute dans les boutiques, les magasins, au marché, dans les maisons et aux carrefours. Jusque dans l'impasse de l'Amertume, au bistrot de Caloca. Avec ardeur, parfois passionnément. Ici et là, se sont produites les premières avanies sérieuses. Bacurau et Carioca (ainsi nommé parce qu'il avait passé quelques années à Rio et se disait lettré), tous deux employés à la tannerie, en vinrent aux voies de fait quand Bacurau traita Carioca d'empesté et, qu'en retour, celui-ci l'accusa d'être médiéval, injure grave car inconnue de Bacurau, homme de peu de lumières. Bioxyde de titane est devenu une expression populaire, signe à la fois de bien et de mal. Comme il arrive toujours lorsqu'il s'agit de symboles mystiques, sur ce révéré et redouté totem personne ne savait rien, pas même son aspect ; gazeux, liquide ou solide ? Certainement, étant une divinité, il participait des trois états. Gazeux, il empeste l'air ; liquide, il empoisonne les eaux ; solide, sa présence s'impose, concrète, sur la population, la dominant. Osnar a raison : le bioxyde de titane pue et chauffe dans la ville. Qu'il ne le fasse pas dans leur petit cercle quotidien au bar, à la table autour d'une bière ou sur le vert tapis des billards. Il sourit à Seixas, reconnaissant. Pour Osnar l'amitié est un bien précieux, il devient nécessaire de la préserver de la pollution. Tendant sa main longue et maigre, il touche le genou de son partenaire d'un geste affectueux :

« Je t'ai dit que le sergent va avoir treize ans, Seixas. Tu ignores qu'à treize ans un citoyen brésilien acquiert la majorité sexuelle ? Aurais-tu été un retardataire ? Car, avec les normaux, il existe les retardataires et les précoces. Exemple de précocité, le gaillard ici présent : avant d'avoir douze ans, j'ai eu ma première escarmouche, commençant la triomphante carrière de champion dont vous êtes témoins. »

Dans un rire général l'atmosphère se détend, la cordialité domine à nouveau la conversation. Fidélio retrouve sa voix paisible :

« La première, c'était avec qui ? Avec elle ? »

Seixas, oubliant complètement l'altercation, intervient :

« Et avec qui d'autre, Fidélio ? Tu te rappelles nous deux ? C'était le même jour, toi d'abord, animal ; tu m'as devancé, en sourdine. »

Fidélio redresse la vérité historique :

« Dis comment les choses se sont passées. Tu m'as demandé d'y aller d'abord, tu tremblais. »

Ils sourient en se rappelant. Seixas s'attendrit :

« C'est vrai, j'étais vert de peur. Quand tu es sorti et que tu m'as dit que c'était chouette, je n'arrivais pas à me dominer. Mais dans la chambre, elle m'a tout de suite mis à l'aise et tout s'est passé dans la perfection. »

Aminthas rêve :

« Combien a-t-elle pu en initier ? Personne comme elle pour déniaiser un gamin. Dans la façon, la délicatesse des manières. Je connais des types qui ont commencé avec n'importe qui, ils en ont retiré une déplorable impression, déçus ils ont mis des mois à se remettre et à commencer à profiter. Il y en a qui ne se remettent jamais. Avec elle, c'est de première.

— Je propose un verre en son honneur, dit Seixas à nouveau joyeux.

— Quatre blanches, amiral, pour sceller un pacte entre nous et porter un toast à celle qui nous a donné le jour pour la deuxième fois, commande Osnar : le pacte de l'amitié, le toast de la gratitude. » Il revient à l'initiation de Peto : « Nous devons faire une fête terrible, comme le mérite le sergent. Il y a longtemps qu'on ne s'est pas amusés sérieusement et nous en avons bien besoin. A Agreste maintenant, on ne parle que de choses tristes et laides : pollution et argent. »

Seu Manuel sert la cachaça, il veut savoir quelle est cette mère qui a engendré tant de fils et pourquoi pour la seconde fois.

« C'est le jour de gloire qu'elle nous a donné, amiral. » Pour le brave Portugais, de mystérieuses paroles qui bientôt s'éclairent car Osnar lève son verre, hume la limpide cachaça, ajoute : « A la santé de Zuleika Cinderela et à sa porte étroite par où nous entrons enfants et sortons hommes. Et à notre amitié qu'aucun titane ne doit pourrir. »

Osnar aussi a ses éclairs, capable en une seule fois, par hasard ou nécessité, de retirer au prédestiné Barbozinha le privilège de la voyance et de la poésie.

CHAPITRE OÙ AGRESTE IMPORTE DES MÉTHO-DES JURIDIQUES DES RÉGIONS PROGRESSISTES ET OÙ L'ON THÉORISE SUR L'ARGENT ET LE POUVOIR.

Des trois hommes de loi, le premier à arriver et l'unique à rester quelque temps dans la ville, hôte de la pension de dona Amorzinho, faisant connaissance avec les habitants — les autres allaient et venaient entre Agreste et Esplanada —, fut le Dr Marcolino Pitombo, petit vieux sympathique, bien de sa personne et bien mis, costume de lin blanc, chapeau panama authentique, cigare Suerdieck, canne à pommeau d'or, venant de la légendaire, riche et progressiste région cacaoière.

Josafá Antunes l'avait reçu à l'aéroport d'Aracaju et avait loué une voiture pour le transporter de la capitale du Sergipe au sertão d'Agreste, attention condamnée à un partiel échec, car l'automobile, moderne et de belle apparence — de tous les taxis arrêtés devant l'hôtel, Josafá avait choisi le plus conforta-

ble et le plus voyant — resta à mi-chemin d'Agreste, le moteur
fondu. Donnant lieu plus tard à un exécrable jeu de mots
d'Aminthas : fondu et foutu aurait été l'émérite jurisconsulte
sans le passage providentiel de la marineti de Jairo —
surnommée dernièrement Samaritaine des routes par son
propriétaire — dans laquelle l'avocat et son client terminèrent
le voyage à allure lente mais sûre.

Josafá craignit que le vieillard ne soit furieux et abandonne
sa cause. Mais le Dr Marcolino, manifestant son sens de
l'humour, s'intéressa vivement au véhicule de Jairo, demandant sur lui diverses informations, attentif au son de la radio
russe, louant la personnalité de l'appareil. Quand, enfin, ils
atteignirent l'entrée de la ville, ce récent et court mais
magnifique tronçon d'asphalte, il applaudit et commenta :

« Bravo, mes amis ! Les moteurs d'aujourd'hui ne valent
rien. » Il serra la main de Jairo : « Ni le moteur des machines,
ni le caractère des hommes. »

Logé à la pension de dona Amorzinho, dans la meilleure
chambre, avec droit au vase de nuit de porcelaine de la
propriétaire, un rare privilège, bientôt il devint populaire en
raison de son âge, de ses manières polies, de son allure. On
admirait sa provenance, sa réputation, sa cordialité et sa
canne, dont le pommeau d'or était orné d'une tête de serpent,
symbole certain de la venimeuse argutie de l'éminent juriste,
habile truqueur comme on sait. En le voyant passer dans la
Grand-Rue (rue Colonel-Artur-de-Figueiredo, les gens ne se
déshabituent jamais des vieux noms), allant vers l'étude, les
citoyens d'Agreste sentent une pointe d'orgueil : il n'y a pas
de doute, la ville se civilise et prospère, évidence constatée et
prouvée par la présence de l'éclairé bachelier.

A l'étude, assisté du tabellion lui-même, il étudia les
registres, analysa les vieux documents, usant même d'une
loupe pour rechercher d'inexistantes ratures. Il tint à aller en
personne voir les terres disputées, en profitant pour connaître
la plage du Mangue Seco dont, enfant, à Aracaju, il avait
entendu vanter la beauté. Il resta bouche bée :

« C'est encore plus fascinant qu'on ne me l'avait dit. Aucun
peintre ne serait capable de créer un paysage si beau, sauf
Dieu. »

Ayant terminé les études préliminaires, il eut une conférence privée avec Josafá dans la chambre de la pension :

« Qui sont les autres prétendants, les autres Antunes ?

— Jusqu'à maintenant j'en connais deux. L'une professeur, directrice de l'école Ruy Barbosa.

— Mariée ? Veuve ?

— Vieille fille. Elle doit avoir dans les cinquante ans ou plus. L'autre est un jeune homme, employé de la Perception de l'État.

— Un jeune homme ? Et les parents ?

— Morts, les deux. Le père à Rio, la mère ici, quand il était petit. Il a été élevé par une tante, une sœur du père. Il est Antunes par sa mère.

— C'est vrai, le tabellion m'en a parlé. Vous pensez faire une tentative de conciliation auprès d'eux ?

— S'il n'y a pas d'autre moyen. Mais c'est vous qui décidez, c'est pour me conseiller que je vous ai demandé de venir

— Je sais, mais j'ai besoin de connaître vos dispositions, votre pensée, pour pouvoir agir dans le même sens.

— Docteur, je me suis défait d'une plantation et de quelques chèvres, les seuls biens que mon père et moi nous avions ici, pour faire un procès pour ces terres et ensuite les vendre à la fabrique et investir l'argent dans la culture du cacao. Si je peux tout gagner, c'est mieux. On doit tâter le terrain, voilà ce que je pense. Conciliation, accord, s'il n'y a pas d'autre moyen.

— D'autres moyens, il y en a toujours. Si c'était chez nous, on pourrait facilement arranger les choses ; ici c'est plus difficile. Il n'y a qu'une étude et le tabellion, vous me l'avez dit, en plaisantant mais pour m'en informer, avec lui les truquages n'ont pas cours. Il semble aussi que ne s'emploie plus ici l'argument décisif, de tous le plus sûr, il fait mine de tirer : qui coupe le mal par la racine. »

Josafá rit de bon cœur :

« Là-bas non plus ça ne se fait plus, docteur, c'est d'un autre temps. Ici, ça ne s'est jamais fait.

— Quel dommage ! Comme ultime recours, c'est à conseiller. » Un éclair de malice dans les yeux bleus, las, innocents . « Un notaire perdu dans cette brousse, que diable peut-il savoir des truquages ? Lui-même répond : Rien, trois fois rien. Est-il incorruptible ?

— Le Dr Franklin ? Je pense que oui, docteur. Pour lui, je suis prêt à mettre ma main au feu.

— Et le fils ? Le baril de bière ? Je me demande, si par hasard il le fallait... C'est toujours bon à savoir.

— Du fils, je ne sais rien. Il était enfant quand je suis parti

458

— Nous tirerons ça au clair, l'occasion se présentera. Maintenant, je vais vous donner mon opinion et expliquer mon plan. Mais avant, répondez à une autre question : y a-t-il un arpenteur par ici ?

— A Agreste je n'en connais aucun. Il doit y en avoir à Esplanada.

— C'est ce que je pensais ; alors, écoutez. Nous allons, d'ici demain, réunir tous les documents qui prouvent vos droits. J'ai demandé au tabellion une copie de l'acte ancien et l'authentification des documents de votre père et les vôtres. Je vais aller à l'étude et promettre au joufflu un petit extra. Ainsi la copie ira plus vite et nous saurons si notre homme est, ou non, sensible aux gratifications. A son âge, et gros comme il est, un petit supplément est toujours bienvenu pour dépenser avec les filles. Les documents en notre possession, nous allons à Esplanada, vous ramenez l'arpenteur pour mesurer le terrain des cocotiers. Je reste là-bas, jaugeant l'atmosphère, étudiant les réactions du juge, de l'avoué, vous savez ce que c'est, je me fais une opinion, je vois comment les choses se présentent. Quand vous revenez avec les mesures, je dépose une demande d'accession à la totalité de l'aire.

— A la totalité ? Mazette ! Ainsi, quand ces Antunes à la manque se réveilleront, nous serons déjà les maîtres. Vous vous rendez compte, docteur, qu'ils n'ont même pas pris d'avocat ? Ni le petit vieux ni le jeunot qui ne pense qu'au championnat de billard. »

Le Dr Marcolino contemple de ses yeux bleus et sensés l'ardent demandeur, il réfrène son enthousiasme :

« S'ils n'en ont pas encore pris, ils vont le faire, n'ayez pas d'illusions. Mettez-vous dans la tête qu'ils ont autant de droits que vous s'ils sont réellement descendants de Manuel Bezerra Antunes. Je vais demander l'accession à la propriété de la totalité de l'aire mais je ne crois pas que nous l'obtenions s'ils font opposition, ce qui va se passer. Même si j'obtiens une première décision favorable, comme je l'espère, nous devons être prêts à partager la terre inscrite au nom de votre trisaïeul L'important est de savoir exactement quelle partie nous devons garder.

— Je ne comprends pas.

— Vous allez comprendre, mais répondez d'abord à ceci . quelqu'un sait-il ici dans quelle partie des cocotiers l'usine doit s'installer ?

— Vraisemblablement, Ascânio le sait. Ascânio Trindade,

459

le secrétaire de la mairie, celui qui est amoureux de la Pauliste millionnaire, je vous ai parlé de lui, vous vous rappelez ? Il va être élu maire mais c'est comme s'il l'était déjà, c'est le filleul du colonel Artur et son protégé.

— Je me rappelle. D'après ce que vous m'avez dit, il est ici l'homme de la Brastânio, c'est lui qui se bat pour l'installation de l'usine dans le municipe, n'est-ce pas ?

— Ascânio veut voir Agreste prospérer. Il a lutté pour ça comme un héros. »

Les yeux du vieux brillent de malice :

« Un héros ? Eh bien ce héros est notre homme, cher Josafá. Il faut qu'il nous fasse savoir, à nous et à personne d'autre, où la fabrique va se situer, le point précis. Cette donnée est d'une importance fondamentale. Probablement... Probablement, non, certainement nous devrons lâcher un gros paquet pour avoir l'exclusivité de l'information. Peut-être même donner une commission sur l'affaire à cet Ascânio.

— Vous voulez dire qu'on doit l'acheter ? Le payer pour qu'il ne dise rien aux autres ?

— Je crois que j'ai parlé portugais, mon fils.

— Que non, docteur. Ascânio n'est pas homme à ça. L'information, je pense qu'on peut l'obtenir sans sortir un sou, il suffit de lui demander. Mais qu'il la garde pour nous, contre de l'argent, pas question. Si on lui propose, il s'offensera, ce sera pire. »

Les yeux tranquilles et las de l'avocat considèrent le plaignant avec une quasi-pitié :

« Vous n'avez pas l'air d'un homme qui vit dans le Sud, mon cher Josafá.

— Ascânio est un homme de bien, docteur.

— Qu'en savez-vous ? Sur quoi vous fondez-vous ? Vous êtes parti d'Agreste depuis bien des années, comment pouvez-vous garantir l'honnêteté de gens que vous connaissez à peine ? Pour vous, tout le monde à Agreste est incorruptible. Le tabellion, ce garçon... Qu'en savez-vous ?

— Ben, je viens ici tous les ans voir le Vieux, j'entends ce qu'on dit. Je n'ai jamais entendu la moindre allusion contre l'honneur d'Ascânio.

— Examinons les faits, c'est eux qui comptent. Nous sommes en présence d'un individu qui fait le jeu de la Brastânio, un vilain jeu, mon bon ami. Et qui, de plus, va réussir un beau coup en épousant une riche Pauliste. En fait d'honnêteté, excusez-moi, il y a mieux.

460

— Mais... il veut le progrès...

— Admettons qu'il en soit ainsi, c'est possible. Mais, mon fils, au moment où il s'est fourré là-dedans, même sans le vouloir, il a envoyé l'honnêteté aux bois. Même s'il était de fer, étant de chair et de sang, il pourrit. Combien pensez-vous que la Brastânio lui donne ? Si c'était peu de chose, il pourrait refuser. Mais il s'agit d'une somme énorme, mon cher, énorme. Présentez-moi cet Ascânio, je sonde le bonhomme et j'agirai en conséquence.

— Ascânio est à Bahia. Il est allé s'occuper de cette histoire de fabrique, les hommes ont envoyé une jeep le chercher.

— Quels hommes ?

— Un chef de la Brastânio. On m'a dit qu'il est aussi allé voir si le Tribunal décide bientôt les élections. C'est ce que j'ai entendu dire dans la rue.

— Voilà, nous y sommes, tout est clair comme de l'eau de roche et vous voulez me faire passer l'homme pour le roi des honnêtes gens ! L'individu voyage sur l'ordre de la Brastânio qui à coup sûr met le paquet pour le faire maire et vous dites qu'il n'est pas vendu ? Voyons, Josafá... »

Ébranlé par l'argumentation de l'avocat, Josafá réfléchit et admet :

« En y pensant bien, peut-être vous avez raison : sous ses airs honnêtes, le gars se sucre. Je me rappelle avoir lu dans un journal que les patrons de la Brastânio faisaient presser les élections. Peut-être bien que...

— Hormis saint François d'Assise, mon fils, je ne connais personne capable de résister au pouvoir de l'argent. Encore moins au pouvoir pur et simple. Le désir de dominer vous retourne n'importe qui. J'en ai vu de belles. Des saints et des athées pour un peu de pouvoir, sont capables de vendre mère et fils, Dieu et le peuple. Leur père, n'en parlons pas.

— Ça alors !... Il avait l'air si droit...

— Peut-être l'était-il. Mais revenons à notre plan d'action. Je pars de l'hypothèse que, le terrain étant immense, la Brastânio ne va en acheter qu'une partie, celle où elle installera son industrie. Correct ? Et cette partie, mon cher, est la seule à avoir de la valeur, une grande valeur marchande. Pour elle la Brastânio paiera ce qu'on demandera. Mais le reste, si beau et vaste soit-il, ne vaudra pas dix sous. Des terres situées dans le voisinage d'une industrie de bioxyde de titane n'ont aucune valeur. Ni pour l'installation d'autres industries, ni comme lieu de villégiature. Personne n'en voudra Ce qui importe c'est le morceau où la fabrique va être construite.

— Ça veut dire, docteur, que cette fameuse usine est vraiment un malheur comme on raconte ?

— Tout ce qu'on en dit n'est rien à côté de la vérité. J'ai étudié la question, la Brastânio pensait s'établir dans notre région.

— J'en ai entendu parler, j'ai signé un papier contre.

— Une lettre au président de la République. Rédigée par moi. Et je peux dire sans vanité : un document irréfutable. » Une ombre assombrit son visage heureux : « J'ai pitié de ces gens d'ici, un endroit si agréable. Ils vont détruire le Mangue Seco, ils vont effacer l'œuvre de Dieu. » Il fait de la main un geste d'impuissance : « Enfin, mieux vaut ici que là-bas. »

Vérité évidente, cette fois Josafá hoche la tête en signe d'assentiment. L'avocat conclut :

« Nous sommes d'accord, n'est-ce pas ? Récapitulons, il compte sur ses doigts : « Premièrement, les documents et l'arpentage du terrain ; deuxièmement, demander l'accession à la propriété et, en attendant la décision d'un juge, bavarder avec notre ami de la mairie, le débrouillard. Lui, je m'en charge. Ainsi, lorsque les autres héritiers se réveilleront et feront intervenir leur avocat, nous serons dans les meilleures conditions pour négocier, entendre leurs propositions et imposer nos conditions. »

Josafá se frotte les mains : il avait mis dans le mille en s'adressant au Dr Marcolino Pitombo. Provisions élevées, voyage en avion, taxi de luxe — une saleté de voiture, rien qu'une façade. Mais l'avocat importé vaut toutes les dépenses, même l'argent du taxi, un excellent investissement. Pour regretter le capital ainsi placé, les champs de manioc, les chèvres sur les chauves collines, il faut être vieux et borné comme Jarde, sans intérêt pour la vie, sans idéal, déjà de l'autre côté. Enfermé dans une chambre de la pension, loin de ses chèvres, le père décline à vue d'œil — il est comme empoisonné par les effluents de l'industrie de bioxyde de titane. Josafá avait entendu dire que, s'ils les respiraient, les gens devenaient tout jaunes et tristes, de plus en plus tristes et plus jaunes, au bout de peu de temps c'était des défunts maigres et laids. Une vraie peine, mais que faire ?

COMMENT UN PERSONNAGE JUSQU'ALORS
SECONDAIRE DÉBARQUE DE LA MARINETI DE
JAIRO, SE DÉCLARANT ANTUNES ET HÉRITIER;
OÙ L'ON FAIT ÉGALEMENT ALLUSION AUX ASPI-
RATIONS SECRÈTES DE FIDÉLIO ET À UN PLAN
D'AMINTHAS.

L'optimiste Josafá se trompait en affirmant que les autres
partis n'avaient pas encore pris d'avocat. L'après-midi même
de cette conversation, au début de la soirée pour être plus
exact (à cause d'une panne de carburateur), débarquèrent de
la marineti deux autres juristes qui occupèrent chacun une
chambre, les deux dernières, à la pension de dona
Amorzinho, la transformant en une véritable réserve de
culture juridique et justifiant la plaisanterie d'Aminthas sur le
Congrès de maîtres du droit.

La présence simultanée dans les rues d'Agreste de trois
adeptes des sciences juridiques, oiseaux rares sur les terres du
municipe depuis tant et tant d'années — le seul bachelier en
droit à vivre dans la ville était le Dr Franklin — mit en
évidence l'abondance de problèmes que soulevait, sur une
terre pauvre et attardée, la simple possibilité d'industries,
polluantes ou pas. Il n'y a pas d'industrie qui ne soit polluante,
ignorant! Vous voyez? Déjà commence la discussion.

Donnant raison à ceux qui défendent le progrès à tout prix,
immédiatement les terres se valorisèrent incroyablement.
Sinon celles de tout le municipe, du moins celles des bords du
fleuve, proches des cocotiers du Mangue Seco. Spéculation
née d'une vague de rumeurs, divulguant les projets de
plusieurs usines qui viendraient transformer en réalité tangible
ce pôle industriel annoncé par Ascânio Trindade dans un
discours historique, lors de l'inauguration des embellissements
de la place de la Tannerie (place Modesto-Pires, la population
ne s'habitue pas aux nouveaux noms.)

La propriété controversée des terres des cocotiers, qui avait
amené à la ville l'illustre Dr Marcolino Pitombo avec sa canne
à pommeau d'or, son astuce et son sympathique caractère,
amena aussi le suffisant Dr Baltazar Moreira et le séduisant

Dr Gustavo Galvão pour lequel soupirèrent les jeunes filles du lieu

Le Dr Baltazar Moreira bouffi et respectable. voix grave, air arrogant, vint de Feira de Sant'Ana à l'appel de dona Carlota Antunes Alves — ainsi qu'elle signait maintenant Qui dit dona Carlota veut dire Modesto Pires, à qui elle s'était associée n'ayant pas d'argent pour un procès. L'école Ruy Barbosa, où apprennent à lire les enfants des gens aisés, lui donne juste de quoi vivre et la prudente institutrice n'est pas disposée à négocier sa propre maison pour payer un avocat. Quelques amis lui ont donné l'exemple de Jarde et de Josafá, qui se sont défaits des terres et du troupeau ; mais elle est restée ferme. Elle avait cédé pourtant aux instances de Modesto Pires et avait passé un accord avec le maître de la tannerie. En cas de succès, l'usurier aurait la part du lion ; en échange il paierait les frais. De toute façon, une bonne affaire pour dona Carlota ; ces terres à demi noyées ne lui avaient jamais rapporté un centime ; et elle ignorait même avoir des droits sur elles. C'est le Dr Franklin — reconnaissant à l'institutrice patiente, capable d'intéresser Bonaparte à l'alphabet et à la table de multiplication et de le doter de cette écriture extraordinaire — qui l'avait informée, lui montrant l'acte vétuste. Sans lui, dona Carlota l'ignorerait toujours.

Quant au Dr Gustavo Galvão, venant d'Esplanada, jeune et fringant, chemise sport, longs favoris, diplômé depuis peu de temps, il débarqua en compagnie de Canuto Tavares et à son service car, à la surprise générale, le compétent mécanicien et défaillant télégraphiste descend aussi de Manuel Bezerra Antunes. Même le Dr Franklin qui avait fouillé la famille de ce fameux ancêtre n'y avait pas découvert Canuto Tavares. Descendant pourtant, et comment, en ligne directe et doublement, car il était issu de l'union de Pedro Miranda (Antunes) Soares et de Deodora Antunes do Prado, tous deux cousins, lui décédé, elle encore en vie, résidant avec son fils. Il y avait un frère, gérant d'un magasin de chaussures à la capitale.

Et le fuyant Fidélio, Antunes lui aussi, avec des droits indiscutables selon le Dr Franklin, où était son avocat ? Dans l'incident avec Seixas, il avait dit vrai en affirmant ne pas avoir d'avocat. Quant à un conseiller, il n'en avait pas besoin car il en possédait déjà un, et excellent. Peut-être à cause de leurs goûts musicaux identiques et de l'admiration que Fidélio vouait à l'intelligence sarcastique d'Aminthas, ce dernier était son préféré dans le cercle des cinq amis intimes, quotidiennement ensemble depuis bien des années au bar pour une partie, un verre de bière ou de cachaça. pour le rire insouciant : à la pension de Zuleika pour les soirées avec le gramophone, la danse et les femmes. Ce dernier lieu de ralliement, Astério l'avait déserté depuis son mariage ; de loin en loin, le dimanche après-midi. quand l'envie le talonne, il arrive là en cachette, cherchant une croupe praticable, trahissant son épouse La trahissant, vraiment ? Même contre sa volonté et ses principes, c'est à celle d'Élisa qu'il pense lorqu'au bordel il s'enchante de l'arrière-train d'une fille.

Les Mousquetaires d'Agreste, les avait surnommés dona Carmosina, lectrice d'Alexandre Dumas dans sa lointaine jeunesse ; son cousin Aminthas était Aramis. cynique et sceptique Mais Fidélio sait que, derrière l'humour sarcasti que, se cache un ami loyal et de bon conseil. Aussi. c est à lui qu'il s'adressa lorsque le « problème Antunes » le tracassa, lui faisant perdre le sommeil et un rendez-vous avec Ritinha Avec Ritinha le plaisir est double, car elle est rondelette et piquante et, en la séduisant, Fidélio trompe deux crétins à la fois : Chico Sobrinho et Lindolfo, l'un qui fait le fier l'autre le gommeux.

Les complications commencèrent précisément lorsque Seixas, employé de la Perception, vint le trouver de la part de son chef, Edmundo Ribeiro, avec une proposition. Le sachant pauvre, chichement payé — s'il n'avait pas été logé et nourri par sa tante, son salaire ne lui aurait pas permis les paris au billard ni les bombances à la pension de Zuleika —, incapable donc d'affronter un procès en justice, le receveur offrait d'acquérir ses droits, sa part d'héritage. Si l'intérêt de la Brastânio pour l'aire des cocotiers se confirmait, bien sûr Voulant être agréable à ce chef bienveillant et bon garçon, qui lui permettait des horaires souples, Seixas avait conseillé à son ami d'accepter le marché, il avait insisté, ne comprenant pas le pourquoi de sa réponse négative. En apprenant, ensuite, l'existence de nouveaux intéressés, Modesto Pires et le Dr Caio Vilasboas, le premier proposant une association, le second l'achat immédiat, à bas prix mais comptant, l'un compensant l'autre, Seixas attribua l'apparent désintérêt de Fidélio — je ne veux pas entendre parler de cette histoire d'héritage — à un jeu habile pour faire monter les enchères. Seixas se vexa : il comprenait que son ami défende ses intérêts, profite de la loi de l'offre et de la demande ; mais pourquoi agir sous cape, ne pas lui dire la vérité ? S'il s'était montré plus franc, Seixas ne se serait pas trouvé devant *seu* Edmundo Ribeiro avec un « non » sec, ils auraient pu poursuivre les négociations sur de nouvelles bases. Comme on voit, la provocation faite au bar n'était pas le fruit du hasard. Même entre les mousquetaires d'Agreste se glissaient les gaz de la Brastânio, affectant des relations d'amitié qui remontaient à l'enfance et s'étaient consolidées avec le temps.

Réservé de nature, Fidélio n'avait pas l'habitude de parler à quiconque de ses affaires, et il s'en était toujours trouvé bien. Sans faire de bruit, il gagnait ses partenaires au billard, il avait une chance de remporter le prochain tournoi, soufflant à Astério le titre envié de Queue d'Or. Sans se vanter d'être un don Juan, il faisait des conquêtes de choix ; lorsque les autres découvraient la belle, l'affaire était déjà dans le sac. Mais, cette fois, il dut recourir à Aminthas, il exposa son drame à son ami. Il alla le trouver chez lui, écouta en silence une partie d'un disque de rock, ne le laissa pas mettre l'autre face :

« J'ai un conseil à te demander.

— Vas-y.

— L'autre jour, au bar, tu pariais que cette fameuse fabrique ne s'installerait jamais ici. Tu en es sûr ou c'est encore une de tes blagues ? Dis-moi la vérité.

— Pourquoi veux-tu le savoir ?

— J'ai une part des cocotiers, je ne te l'apprends pas ; c'est du moins ce qu'assure le Dr Franklin et il s'y entend. Les autres vont sans doute porter l'affaire en justice : Josafá, dona Carlota, même Canuto Tavares. Chacun veut tirer la couverture à soi. Moi je reste en dehors, mais tous les jours je reçois des propositions pour que je vende ma part. *Seu* Modesto ne veut pas acheter, il veut s'associer avec moi, il est déjà de moitié avec dona Carlota. Veulent acheter *seu* Edmundo Ribeiro et le Dr Caio, lui paie comptant.

— Hum ! Hum ! Tu veux savoir quelle est la meilleure affaire ? Explique-moi en détail pour que je...

— Ce que je veux savoir, c'est si cette merde de fabrique viendra au Mangue Seco ou pas. Tu as dit que non.

— Maintenant je comprends. Si la fabrique vient, tu peux gagner gros en vendant directement à la Brastânio, d'accord ? » D'un geste, il empêche Fidélio de l'interrompre : « Sinon, tu vends tout de suite à cet imbécile de Dr Caio, tu empoches le fric et tu lui laisses le marais. Même pas, tu lui laisses un droit hypothétique à une part du marais. D'accord ? » Aminthas se sait intelligent et il aime le montrer.

« Non. C'est tout le contraire.

— Tout le contraire ? Je ne comprends plus.

— Si j'étais certain, mais vraiment certain, que cette fabrique ne vienne jamais, je pourrais vendre au Dr Caio, et cet argent tomberait à pic, tu le sais. Mais si je n'en suis pas sûr, je ne vends pas.

— Pourquoi ? Pour vendre mieux, comme je disais ?

— Non, je ne vends d'aucune façon. Je ne veux pas que cette fabrique s'installe ici et esquinte tout. » Il souffle, il n'a pas l'habitude de tant parler : « Tu sais que je ne suis pas né ici, je suis né à Rio, mais je suis venu tout petit avec ma mère, après son veuvage ; le vieux est mort là-bas, le pauvre. Il ne pensait qu'à réunir assez d'argent pour rentrer au pays, il n'a pas eu le temps. » Il marque une pause, pensant à ce père, silencieux comme lui, exilé à Rio : « Je ne veux plus sortir d'ici, sauf en voyage. J'ai envie d'aller à Rio, à São Paulo, de connaître le Sud si j'en ai un jour l'occasion. L'argent du Dr Caio me le permettrait. Mais je préfère perdre cette fortune pour que ces enfants de putain ne viennent pas détruire la plage du Mangue Seco. Lorsque je me trouve là-bas, je ne suis plus un pauvre scribouillard, je me sens un homme, le maître du monde. »

Aminthas met un disque sur le pick-up, il écoute une chanson brésilienne, connue : *Pescador quando sai nunca sabe se volta*[1] ; il baisse le son, la mélodie se poursuit, en sourdine. Serait-il ému ?

« Je pense, oui, que cette fabrique ne s'installera jamais ici. Pour que ça arrive, il faudrait qu'il n'y ait pas d'autre endroit au Brésil qui offre de meilleures conditions. Agreste n'a rien, ils seront obligés de tout faire. C'est pourquoi je crois qu'ils ne viendront pas. Mais en même temps, je dois convenir que, pour ces mêmes raisons, Agreste est peut-être le seul endroit au Brésil où l'on permette qu'ils s'installent. Car, Fidélio, cette industrie de titane tue tout. Osnar a raison, elle pue. Elle pue et pourrit.

— Tu veux dire...

— Que si tu penses comme moi et Osnar, alors ne vends pas, au lieu d'aller te promener à Rio, va chez Zuleika où il y a aussi de quoi voir. Il y a une nouvelle, une gamine, une certaine Maria Imaculada...

1. « Le pêcheur quand il part ne sait s'il reviendra » (du chanteur bahianais Dorival Caymmi). (*N.d.T.*).

467

— Je la connais, c'est un trésor »

Aminthas augmente un peu le son du pick-up, mer et poissons, jangadas affrontant la tempête.

« Dis-moi, Fidélio, tu as bien réfléchi, tu es décidé ?

— Oui.

— Alors, mon vieux, nous allons enfifrer tous ces avocats et faire sauter cette merde de fabrique. Écoute. »

Il expose son idée, elle lui était venue en entendant la phrase de Fidélio sur le Mangue Seco, la mélodie sur la mer, source de vie, où les hommes dominent les éléments. Fidélio écoute en silence, quand son ami termine, il dit seulement :

« Tu es formidable. Sauf que le commandant est au Mangue Seco...

— Je l'ai vu aujourd'hui, à l'Aréopage, bavardant avec Carmosina.

— Alors je vais lui parler tout de suite. »

Il part, heureux, mais dans sa satisfaction demeure une pointe de tristesse, le sentiment qu'il va renoncer à l'unique chance de pouvoir réaliser un projet conçu et bercé en secret, jamais révélé à personne — même dona Carmosina l'ignore. Un projet ambitieux et, par là même, coûteux, inaccessible à qui reçoit de l'État de maigres émoluments, un peu plus que le salaire minimum.

Il s'agit d'un voyage au Sud, pendant les vacances, pour connaître les grandes capitales, Salvador, Rio de Janeiro, São Paulo. Voyage de tourisme mais avec des objectifs précis ; le premier et principal, l'acquisition d'une batterie des plus complètes et d'un manuel pour apprendre à s'en servir. Qui sait, un jour il parviendra à jouer aussi bien que Xisto Bom de Som, le gendre du colonel Artur da Tapitanga. Lorsque le percussionniste, Célia et les deux rejetons à sa remorque, apparaît chez son beau-père (en quête de numéraire), Fidélio ne quitte pas la fazenda. Une fois où le musicien était resté plus longtemps — une histoire de drogue avait dissous le groupe Itapoa's Kings, envoyant en prison le cornet et la guitare électrique —, Xisto, après lui avoir donné quelques explications, avait permis à Fidélio d'essayer sa superbe batterie. « Tu es doué, mon vieux », avait-il dit en l'encourageant. Avec l'argent du Dr Caio, il pourrait acheter une batterie, la ramener à Agreste et se réaliser, donner un sens à sa vie, être enfin quelqu'un.

Durant le voyage, il pourrait assister à un show de Vinicius, à un autre de Caetano et de Gil, ses idoles. Et, pour couronner la fête, tirer au clair certains détails sur la célèbre histoire de la Polonaise d'Osnar. Comme on le sait même à Agreste, Rio et São Paulo regorgent de Polonaises, fines fleurs des pensions. Les poches bien garnies, Fidélio pourra se régaler de l'une d'elles et, vraisemblablement, de plus d'une, damant le pion à Osnar, riant de lui sous cape lorsque l'ami commencera à raconter sa bonne fortune :

« Qui n'a pas eu une Polonaise, ne connaît rien des femmes... »

Immuable début de récit, suscitant l'intérêt général. S'il faisait le voyage, au retour, ce serait différent : Osnar racontant, Fidélio riant en dedans.

OÙ L'ON PRONONCE LE MOT YA.

« La dernière information que nous avons reçue est assez pessimiste. »

La voix d'Angelo Bardi ne révèle pas d'inquiétude ou de crainte. Habitué au commandement, mais affable et cordial, il garde un léger accent italo-pauliste de fils d'immigrants né au Brás. Tempes grisonnantes, bien pris, ni gros ni maigre, la cinquantaine, l'air souverain, Angelo Bardi inspire confiance. Attentif à ses paroles, Rosalvo Lucena, Managerial Sciences Doctor, que les journaux qualifient d'audacieux homme d'affaires, paraît un étudiant frais émoulu de l'Université. Angelo Bardi paraît exactement ce qu'il est, un magnat.

Ils sont assis à l'un des bouts de la grande table de réunion, dans la salle insonorisée, climatisée, au siège de l'Industrie Brésilienne de Titane S.A. Avec eux, le Dr Mirko Stefano et, à l'autre bout, présidant, le monsieur âgé aux cheveux coupés en brosse et au regard glauque.

Le Dr Mirko commence à ouvrir la bouche mais sans succès car, en s'excusant, Bety pénètre dans la salle, suivie du groom qui porte un plateau de café, sucre et ersatz. Elle sert elle-même, avec grâce et désinvolture, un sourire de qui est pleinement heureux de se trouver devant ces messieurs. Celui aux cheveux coupés en brosse attarde ses yeux glauques sur le buste altier de la secrétaire-exécutive, sur la longue ligne des jambes.

Précédée du groom, Bety se retire en silence, sentant sur ses hanches le poids en or des yeux glauques, elle ferme la porte. Alors le Magnifique Docteur traduit la phrase. Il arrive qu'un directeur de relations publiques se voie contraint d'exercer les fonctions de traducteur. Quand la réunion est d'une telle gravité qu'elle n'admet pas la présence d'étrangers. Seulement eux quatre.

« Nous ne devons pas nous laisser trop impressionner, poursuit Angelo Bardi. Sans doute, les résistances à vaincre sont grandes, les hommes hésitent. Je crois pourtant que si nous persistons, nous obtiendrons le lieu souhaité, idéal. Peut-être... »

Celui aux yeux glauques coupe la phrase d'un geste, regarde le Dr Mirko. Le Magnifique traduit, mot à mot. C'est l'ordre qu'il a reçu : mot à mot. Un autre geste intime au magnat l'ordre de continuer. Directeur de relations publiques, audacieux homme d'affaires, magnat, grand patron, toute la gamme.

« Peut-être tous ces atermoiements ne sont-ils qu'une tentative pour nous soutirer plus d'argent, bien qu'il existe réellement, je pense, des gens qui s'y opposent. Surtout à l'échelle de la province. »

Il attend la traduction avant de poursuivre : même par la voix caressante de Mirko, la langue lui paraît rude, rugueuse pour des oreilles latines, habituées à la sonore plasticité de l'italien.

« Il faut un dernier effort, important. C'est-à-dire : plus d'argent. Je crois qu'enfin nous atteindrons notre objectif. »

Tout en écoutant la traduction, celui des yeux glauques fixe les trois directeurs devant lui, un à un, une subite lueur d'acier dans les pupilles. Il prononce quelques mots, le Magnifique traduit :

« Il est indispensable que ce soit là où nous avons décidé. »

Peut-on traduire coups, bagarre, bataille ? La lumière s'éteint dans les yeux glauques. Angelo Bardi reprend :

« D'accord, je le pense aussi. Nous devons, pourtant, être prêts à toute éventualité. Nous avons conclu que la zone cacaoière nous intéresse au premier chef. Quant à la région de l'embouchure du rio Real, malgré les inconvénients constatés, son manque de toute infrastructure... »

Celui aux cheveux coupés en brosse fait un nouveau geste.

Bardı et Mirko obéissent, l'un se tait. l'autre intervient capable et précis, Rosalvo Lucena écoute avec un tel air d'intelligence qu'il semble comprendre même la traduction allemande. Le magnat de São Paulo reprend la parole :

« Je disais que la région de l'embouchure du Rio Real malgré son manque d'infrastructures ne peut être écartée. On nous a donné le feu vert : nous pouvons y installer l'usine, il n'y a pas d'objections majeures. »

Homme si doué — parti de rien, pire : parti du Brás, il était arrivé au sommet —, Angelo Bardi ne l'est pas pour l'étude des langues. A part l'italien familier, appris chez lui, il parle français, qui ne le parle pas ? Son accent, terrible. Il a acquis des rudiments d'anglais, à dure peine ; comment traiter avec les Américains sans connaître leur langue ? Les *gringos* n'en parlent aucune autre, ils n'en ont pas besoin ; que les copains s'escriment sur la grammaire. Angelo Bardi s'était escrimé sur la grammaire et sur une rachitique miss Judy, nymphomane, le professeur. L'allemand, qu'on l'excuse, il ne parviendra jamais à l'apprendre. Il sourit en pensant que, bientôt, il aura à traiter avec les Japonais.

« A mon avis, nous devons investir un peu plus dans cette perspective. Pour deux raisons. Premièrement, parce que nous aurons peut-être, en dernier recours, à nous installer à l'embouchure du rio Real. Si nous ne parvenons pas à gagner l'autre bataille ; deuxièmement, parce qu'il s'agit d'une manœuvre de diversion d'une grande utilité. Tant qu'on parle d'Agreste, et d'Agreste peu de gens parlent, on oublie, on laisse en paix... »

Il n'achève pas sa phrase, pourquoi ? Mirko la complétera en la traduisant. Un mot si beau, digne d'un vers, Arembepe. Mais dans la langue du Von, à la tête de la table, il sonne, inflexible.

Dans les deux langues, le Magnifique Docteur demande aux trois directeurs :

« Ça veut dire que je peux mettre en marche ma proposition ? »

Angelo Bardi répond pour lui et pour Rosalvo Lucena qui sourit, muet, approbateur et compétent.

« De notre part, d'accord. Mais la décision finale lui revient. Le garçon est déjà en ville, non ?

— Depuis hier, au même hôtel que Lui et nous. » On devine la majuscule lorsque le Dr Mirko prononce, respectueux, le mot lui. Sa voix reprend un ton normal « Un bon hôtel est d'un grand secours. »

Après avoir entendu, mot à mot, la question du Magnifique Docteur et l'opinion des deux directeurs brésiliens, Lui, celui aux cheveux coupés en brosse, aux yeux glauques, autorise :
« Ya ! »

OÙ L'AUTEUR, NON CONTENT DE SON CRÉTINISME HABITUEL, FAIT MONTRE D'UNE SOTTE VANITÉ.

Je ne résiste pas à l'émotion et j'interromps mon récit pour demander : vous avez entendu ce que j'ai entendu dans cette noble langue ? Rude pour les tympans délicats d'Angelo Bardi habitué à la *dolce vita,* elle sonne harmonieusement à mes oreilles d'auteur confidentiel aux prises avec une modeste humanité dans un coin perdu, d'incultes Sertanèges, de douteux pêcheurs. Elle sonne et résonne comme d'héroïques trompettes wagnériennes, appelant à la conquête du monde. J'ai du mal à penser qu'un des grands de l'Europe, un patron de multinationale, héros de notre temps, soit descendu des hauteurs d'où habituellement il décide et commande, pour les humbles pages de ce feuilleton. Il parle peu, c'est vrai, mais je l'ai écouté avec attention. Le peu qu'il a dit est définitif, il a liquidé les hésitations, éclairci les doutes.

Qu'on me pardonne, j'ai besoin de m'épancher, de dire ma joie, ma fierté : je suis comblé. Avec un personnage pareil, je ne manquerai pas d'éditeur. Surtout si le grand homme revient, dans un autre chapitre, avec ses superbes cheveux coupés en brosse et la magnifique lumière de ses yeux glauques. Si ça se produit, l'éditeur sera même capable de me donner des droits d'auteur ; non que je les exige, je me contente de voir le volume dans la vitrine des librairies. Le cœur vibrant, clairons et trompettes, je salue mon héros et j'attends anxieusement son retour.

C'est avec ce seul objectif que j'ai interrompu la narration : pour vous faire part de mon émotion, que vous puissiez la partager Mais puisque je l'ai interrompue, j'en profite pour répondre à de nouvelles restrictions, risquées contre ce fier feuilleton par mon collègue et ami, Fúlvio d'Alambert.

Cette fois, il proteste contre l'absence de Tieta dont la silhouette a disparu. J'oublie que son nom figure dans le titre occupant le haut de la page ; je fais fi d'une règle élémentaire de l'art romanesque en l'abandonnant. Personnage principal, elle ne peut être reléguée au second plan, m'enseigne Fúlvio d'Alambert.

L'absence de Tieta, ce n'est pas ma faute, mais la sienne. Tandis que la discussion sur la Brastânio prend feu à Agreste, la ville infestée d'avocats, dona Carmosina recueillant des signatures pour une pathétique pétition aux autorités, protestant avec vigueur et panique contre l'installation d'une fabrique de bioxyde de titane dans le municipe ; quand le commandant Dário, rompant avec des habitudes estivales invétérées, abandonne sa villégiature au Mangue Seco pour collaborer avec l'employée des Postes et convaincre les indécis, Tieta reste à la plage sans soucis, livrée au dévergondage. Un mot fort, je sais, mais quel autre employer pour qualifier les relations illicites de la tante quadragénaire (quarante-quatre ans, peu s'en manque pour la cinquantaine) avec son neveu mineur ?

Osnar affirme que le citoyen brésilien atteint la majorité sexuelle à treize ans, mais les discutables valeurs morales du viveur ne doivent pas l'emporter sur la morale courante, chrétienne et occidentale — on dit, d'ailleurs, que les orientaux, si par orientaux nous entendons les socialistes, sont extrêmement puritains, ils n'admettent pas de libertinage ni à la plage ni dans la littérature. Comme je n'ai rien à raconter sur Tieta, à part sa débauche, lubrique et tendre, vorace et lyrique, elle est restée un peu à part mais, néanmoins, son nom continue à être prononcé car, comme l'a constaté le commandant, partout on demande quelle est la position de dona Antonieta Esteves Cantarelli dans le débat autour de l'installation de l'industrie de titane. Une fois de plus, le commandant constate l'importance des paroles et des gestes de Tieta pour l'indécise majorité. A son retour au Mangue Seco, le brave marin entend parler sérieusement à Tieta : venez prendre votre poste de combat, ma bonne amie, mener la campagne, empêcher le crime.

Explications et nouvelles en sont là, faites-en votre profit. Ah ! je n'ai pas parlé d'une dernière (dernière mais pas

473

ultime) remarque de Fúlvio d'Alambert, critique minutieux à qui rien n'échappe. Il ne laisse passer aucune négligence.

Il proteste à propos de la description, quelques pages plus haut, de l'arrivée à Agreste du Dr Marcolino Pitombo. Rapportant ses compliments sur la marineti de Jairo j'ai écrit que, à l'égard de la radio russe, l'avocat avait loué la fermeté de caractère de l'appareil. Sans éclaircir — voilà l'erreur — la raison de cet enthousiasme. De l'avis de Fúlvio d'Alambert, j'ai laissé le lecteur sur sa faim.

Qu'à cela ne tienne, voici l'explication. Ayant appris que la radio était de fabrication soviétique, *made in* U.R.S.S., une curieuse coïncidence attira l'attention du vieux juriste. En retransmettant la musique des pays du tiers monde, latino-américaine, brésilienne, sambas, tangos, boléros, rumbas, *batuques,* guarânias, l'appareil le faisait avec une relative limpidité et bonne sonorité. Mais, lorsqu'il s'agissait de mélodies françaises, allemandes, italiennes, anglaises, de nations développées, le son empirait beaucoup. Pour devenir inintelligible, se transformer en une cacophonie assourdissante, avec d'intolérables parasites, lorsque les stations de radio s'obstinaient à diffuser de modernes rocks nord-américains ou tout autre son provenant des États-Unis.

Exilée dans le sertão de Bahia, traversant de poussiéreux chemins pleins de creux et de bosses, au service de l'ultime marineti de l'univers, elle restait fidèle à ses rigides principes anti-impérialistes. Faisant même montre, si nous considérons l'actuelle incertitude politique du monde, d'un acerbe sectarisme.

Mais quelle perfection de son, quelle pureté, quelle transparence, lorsqu'une station d'Ilhéus diffusa, dans son émission « Chansons inoubliables », le chant intitulé « Yeux noirs ». La populaire mélodie russe — si vous l'ignoriez, je vous l'apprends — toucha les entrailles de l'appareil, lui rappelant sa nationalité, la romantique nostalgie des steppes. Plus limpide qu'un son stéréophonique, celui de la radio russe, résonnant haut et pur dans l'agreste sertão de Bahia — indomptable caractère !

ÉPISODE INITIAL DU SÉJOUR D'ASCÂNIO TRINDADE À LA CAPITALE OU DE LA FORMATION D'UN

DIRIGEANT AU SERVICE DU PROGRÈS : PISCINE, CENTRE INDUSTRIEL ET PATRICIA, DITE PAT.

Ce n'est qu'au terme de son séjour dans la capitale, le troisième jour, lors de l'ultime conversation avec le Magnifique Docteur, quand une certaine chaleur humaine s'instaura parmi les effluves du cognac, qu'Ascânio Trindade cessa de se sentir mal à l'aise, possédé d'une vague impression de dépendance. Sensation en réalité indéfinissable et sans raison apparente, due peut-être à une ambiance qui lui était complètement étrangère. Subitement hôte d'un hôtel de luxe, côtoyant des personnes d'un monde inconnu, déconcertant et envoûtant avec lequel il n'avait jamais eu le moindre contact.

Le premier jour, il en était venu à penser que le Dr Mirko Stefano l'avait fait venir avec une telle urgence uniquement pour lui offrir des drinks et des filles au bord de la piscine. Il avait débarqué de la jeep à la nuit, plus fatigué peut-être des anecdotes de l'ingénieur Quarantini que des secousses du voyage. Exécutant sans doute des ordres antérieurs, le chauffeur le conduisit à un grand hôtel où on lui remit un message du Magnifique Docteur : occupez les appartements réservés à votre nom, nous nous verrons demain.

Ils se rencontrèrent effectivement, à midi passé, quand Ascânio se préparait à aller déjeuner après être resté toute la matinée à attendre, d'abord dans la chambre dans l'expectative du téléphone ; ensuite, faisant les cent pas dans le hall et ses alentours : admirant les boutiques, la galerie d'art et d'antiquités, les tapisseries de Genaro, le panneau en céramique de Carybé, les sculptures de Mário Cravo en fibre de verre, les touristes en bermudas et chemises à fleurs ; risquant un coup d'œil au bar et à la piscine où de belles femmes, dans de provocants deux-pièces, prenaient un bain de soleil, étalant leur corps.

Il avait vu le Magnifique Docteur débarquer de l'une des deux imposantes voitures noires vers lesquelles s'étaient précipités grooms et portiers, se disputant bagages et pourboires. Des automobiles étaient descendus trois autres passagers, ils disparurent comme par enchantement, avec serviettes et valises, dans un des ascenseurs. Le Dr Mirko resta dans le hall, et il se dirigeait vers la réception lorsqu'il aperçut

Ascânio. Les bras ouverts, il alla vers lui, très chaleureux, en lui demandant de l'excuser de l'avoir abandonné :

« Une journée terrible. L'aéroport de São Paulo fermé, l'avion n'a pu partir qu'après neuf heures. C'est-à-dire à l'heure où j'aurais dû me poser ici. Venez avec moi. »

Tout en marchant, le Magnifique serrait des mains, saluait de loin, disait un mot à l'un ou l'autre. Quand ils arrivèrent au bord de la piscine, trois individus les accompagnaient. L'un d'eux, borgne, demanda, dans un murmure de conspirateur ·

« Qui est arrivé ?

— Le Dr Bardi.

— Seul ? Et les autres, qui est-ce ? J'ai vu un groupe à la réception.

Mensonge, car les voyageurs ne s'étaient pas arrêtés à la réception, ils étaient entrés directement dans l'ascenseur, Ascânio les avait suivis des yeux depuis leur descente de l'automobile. Le Magnifique Docteur sourit à l'intrigant, il lui tapota la joue d'un geste quasi féminin :

« Petit indiscret... »

Toutes les filles — du moins un certain nombre — dans l'eau ou exposées au soleil, étaient la propriété du Magnifique Docteur (ou de la Brastânio, personne ne peut être assez riche pour posséder une collection si variée de vedettes ; une grande entreprise, peut-être). Elles se précipitèrent vers la table qu'il occupa. Les trois accompagnateurs contemplèrent Ascânio avec curiosité, attendant, qui sait, une présentation, mais comme le Dr Mirko oublia ou fit semblant, ils se livrèrent bientôt à des occupations autrement agréables : le whisky et les filles. Ils buvaient vaillamment, flirtaient lourdement, d'une manière grossière et discourtoise, de l'avis d'Ascânio. Journalistes, les trois, il le sut ensuite par le Magnifique. Mais les filles semblaient priser leurs gros mots et leurs propositions réalistes.

La rencontre dura peu, le Docteur se leva, très occupé, laissant aux trois goulus la nouvelle bouteille de whisky presque pleine et les femmes.

« Demain ou plus tard j'aurai des nouvelles pour vous. Avant, pas un mot. Personne n'est arrivé, la paix règne à la City et à Wall Street.

— Et si A Tarde vend la mèche ? protesta le borgne.

— Excellent, ainsi vous aurez une nouvelle à démentir. »

Il prit Ascânio par le bras, l'entraînant avec lui jusqu'aux ascenseurs. Obéissant à un geste de lui, une des filles les suivit.

« Aujourd'hui je serai en réunion tout l'après-midi. A vous je peux le dire : une réunion décisive de la direction. Ce n'est qu'à la fin de l'après-midi, avant le dîner, que je pourrai vous voir et vous parler. Mais je vais vous laisser en bonnes mains. Patricia sera à vos ordres, elle vous servira de secrétaire et de chauffeur. Promenez-vous, distrayez-vous. Avant le dîner, nous parlerons. » De la porte de l'ascenseur, il s'adressa à la jeune fille : « Occupe-toi de lui, Pat, gentiment. Un jour tu seras fière de l'avoir accompagné, d'avoir été son cicerone. »

Patricia sourit et prit possession d'Ascânio :

« Nous déjeunerons ici, à l'hôtel, ou vous voulez aller à un restaurant ? Je vais enfiler un caftan, je reviens dans une seconde. »

Patricia aussi était blonde mais elle ne ressemblait pas à Leonora. Le vers sur les blés mûrs ne s'applique pas à ses cheveux, Barbozinha ne la comparerait pas à une sylphide. Jolie, oui, mais pas cette beauté unique, incomparable, cette distinction qui dénote la classe et une bonne famille, la fille d'un père millionnaire et Commandeur du pape, née dans un berceau d'or, élevée dans les meilleurs collèges, fleur de la haute société pauliste. Élégance et finesse révélées non seulement dans le bon goût de sa mise mais dans chaque geste, dans la délicatesse, la retenue, la grâce infinie. Dans l'attrait de Patricia il y a un je ne sais quoi de vulgaire et dans son inégalable gentillesse transparaît le service rendu, une nuance professionnelle.

Après le déjeuner, dans le luxueux restaurant de l'hôtel, Patricia le laissa pour qu'il se repose, elle-même ayant un rendez-vous. Mais elle reviendrait à trois heures pour le mener se promener ou faire des achats, comme il préférerait.

Dans la Volkswagen conduite par Patricia, Ascânio parcourut la ville où il ne mettait pas les pieds depuis plus de sept ans, maintenant coupée par de nouvelles avenues, s'étendant sur le bord de mer, grouillante d'animation, la population doublée. Elle avait énormément changé en ces quelques années, s'était transformée. Où était la vieille ville somnolente de son temps d'étudiant, vivant des gloires du passé, de sa tradition de ville historique, cellule mère, berceau de la nationalité et autres rhétoriques, capitale d'un État à l'économie attardée, agro-pastorale ? Pour définir la stagnation, la décadence de Bahia, Maximo Lima vociférait à la Faculté :

477

« Nous n'avons même pas une fabrique de bière et bientôt nous n'aurons plus de ruines antiques à montrer. »

Il devait voir Maximo avant de repartir, commenter avec lui la transformation qui allait atteindre maintenant le lointain municipe de Sant'Ana de l'Agreste. Il était venu pour ça, pour la grande décision.

De son propre mouvement ou obéissant à des ordres, après avoir parcouru les nouvelles avenues, Patricia prit la route et le conduisit au Centre industriel d'Aratu, entreprise si célébrée dans tout le pays, donnée en exemple pour son infrastructure étudiée par des spécialistes, planifiée sous la direction de Sergio Bernardes, un nom fameux. Un immense chantier dans lequel quelques industries à peine installées commençaient à produire, tandis que beaucoup d'autres, en voie d'installation, élevaient des usines.

La veille, Ascânio était passé par là en jeep mais, dans l'obscurité et le silence de la nuit, les grandes cheminées et les structures des édifices n'étaient que des masses imprécises. Maintenant, il les voyait, les cheminées lançant la fumée, les structures grandissant à un rythme accéléré dans un bruit de bataille. Sur de nombreux kilomètres, d'énormes plaques avec le nom des sociétés annonçaient les produits qui étaient ou allaient bientôt être manufacturés dans le pool industriel d'Aratu. Des machines cyclopéennes et des centaines d'hommes retournent des tonnes de terre dans les excavations, élèvent des murs de brique et de béton, soudent et fondent des métaux brillants.

La Volkswagen s'arrêta au bord de la route. Ascânio, bouche bée, sentit la pression de la cuisse de Patricia contre la sienne, il détourna le regard des cheminées. La fille souriait :

« Plus loin, en direction de Camaçari, il y aura la pétrochimique. Un colosse, n'est-ce pas ? » Une affirmation, pas une question.

Ascânio se tourna vers elle, les yeux brillant d'enthousiasme, Patricia lui offrit sa bouche. En l'embrassant c'était comme s'il embrassait la nouvelle Bahia.

Ils revinrent par le bord de mer. Devant la beauté de la mer et des plages, sur des terrains antérieurement nus, se succédaient hôtels, restaurants, bars, boîtes, clubs, résidences fastueuses et ultra-modernes, un panorama nouveau et somptueux. Ils s'arrêtèrent dans un bar. Gaie et assoiffée, Patricia réclama de la bière — de fabrication bahianaise et formule danoise la meilleure du monde, informa la cicerone — elle acheta des cigarettes américaines. Quand Ascânio voulut tirer son portefeuille pour payer, elle tendait déjà un billet à la caisse, sans attacher d'importance aux protestations du garçon offensé dans son amour-propre masculin :

« Ne sois pas machiste, minet, c'est passé de mode et c'est la Brastânio qui paie. »

Ils marchèrent jusqu'à la plage, s'assirent sur le sable, échangèrent des baisers.

« Tu es un amour, minet. »

Avant le dîner eut lieu le contact prévu avec le Dr Mirko Stefano. Rapide et téléphonique, mais extrêmement cordial. Le Magnifique restait hyperoccupé, *pardon, mon cher ami*[1], il ne pourrait rencontrer Ascânio que le lendemain, en attendant Pat s'occuperait de lui. Il voulut savoir comment s'était passé l'après-midi, Ascânio lui raconta sa visite au Centre industriel, son choc :

« Grandiose ! Je savais que c'était une réalisation importante mais ça dépasse de beaucoup mon attente. C'est exaltant !

— N'est-ce pas ? Tout ça hier n'était qu'une terre en friche. Pire que les plages d'Agreste. Vous imaginez comment sera le Mangue Seco bientôt. Bon, distrayez-vous, car demain nous aurons beaucoup à faire. Soyez en bas à dix heures précises, je veux vous présenter à quelques amis. »

Patricia avait laissé Ascânio à la porte de l'hôtel, elle avait été chez elle changer de tenue, ils allaient dîner dehors. Elle arriva si chic qu'il se sentit un peu gêné dans son vieux costume bleu mal coupé, œuvre de *seu* Miguel Rosinha qui taille les vestes et les pantalons du colonel Artur de Tapitanga depuis plus de quarante ans. Avant de sortir, Patricia l'avait averti qu'il ne s'avise plus de payer aucune note, les frais étaient au compte de la Brastânio. Ils commencèrent par un restaurant de la côte, ensuite elle lui proposa une boîte où ils dansèrent joue contre joue jusqu'après minuit. Les notes l'affolèrent. S'il avait dû payer, il n'aurait pas eu l'argent, il aurait eu honte.

Ayant garé la voiture le long du trottoir de l'hôtel, Patricia monta dans l'ascenseur avec Ascânio, dans la chambre elle lui demanda de tirer la fermeture Éclair dans le dos de sa robe, une longue robe mauve avec applications de dentelle blanche.

1 En français dans le texte.

Elle en sortit toute nue car le cache-sexe ne cachait rien. Elle avait un grain de beauté au haut de la cuisse.

Après la douche, Pat l'attendit au lit. Pour le compte de la Brastânio, pensa l'apprenti dirigeant.

DE LA CAMPAGNE DE SIGNATURES ET DU PRÉJUDICE QUI RÉSULTE DE L'ABSENCE DE TIETA.

La pétition rédigée par dona Carmosina avec l'assistance critique mais utile d'Aminthas recueille un certain nombre de signatures, bien inférieur pourtant à ce qui était prévu et souhaité par les promoteurs de cette initiative. Le commandant Dário vint spécialement du Mangue Seco pour aider, il alla de rue en rue, liste à la main, faisant jouer son prestige et la sympathie qui l'entoure. Sa présence entraîne l'adhésion de personnes jusque-là indifférentes : elles avaient entendu parler de l'affaire sans lui attacher grande importance. Elles écoutent l'explication de leur illustre concitoyen, porteur d'épaulettes, elles acceptent le stylo :

« Si vous le demandez, commandant, je ne me dérobe pas. »

Beaucoup, pourtant, se dérobent, disparaissent à son approche. Au courant du contenu polémique de ces feuilles de papier, ils évitent le commandant ou, nettement, refusent de signer, car ils sont convaincus des avantages de l'installation d'une grande fabrique au voisinage de la ville. Les arguments sur les terribles maléfices de la pollution ne les ébranlent ni ne les émeuvent. Ils espèrent, ils ne savent pas encore de quelle manière, obtenir un profit, un gain quelconque de la venue de la Brastânio ; le mot progrès signifie certainement amélioration de la vie.

La grande majorité, cependant, est composée d'indécis qui se défendent. Les dures phrases de la pétition où dominent des mots effrayants — pourriture, crime et mort — sont lues, relues, analysées. Les questions se succèdent :

« C'est vraiment comme ça ? Dans les journaux à la mairie, on lit des choses très différentes. »

Le commandant argumente, bien élevé et patient. A l'agence des Postes, dona Carmosina explose facilement lorsqu'elle rencontre une résistance, des regards de doute, des interrogations :

« Vous voulez vivre dans la pourriture, dans une porcherie ? Eh bien, faites-le !

— Ce n'est pas ça, dona Carmosina, ne vous emportez pas. C'est que les uns disent une chose, les autres une autre. Vous êtes instruite, vous savez ce que vous dites. Le commandant qui a couru le monde dit la même chose. Ascânio, lui, dont personne ne peut nier qu'il est dévoué à Agreste, et qui n'a pas de raison de vouloir quelque chose de mauvais ici, dit le contraire. *Seu* Modesto Pires aussi. Dona Carlota, la maîtresse des enfants, elle, n'en parlons pas. Elle devient féroce comme vous. »

Tant le commandant que dona Carmosina entendent, de la bouche des indécis, la même déclaration :

« Est-ce que je sais... Si au moins je savais ce que dona Antonieta pense de tout ça... Elle, c'est une personne compétente, le côté où elle est, ce doit être le bon côté. »

En vain dona Carmosina se porte garante de la position de Tieta, le commandant Dário affirme connaître la pensée de la veuve pauliste, venant d'arriver du Mangue Seco où elle est son hôte. Ils veulent l'entendre dire par elle :

« Elle n'a encore rien dit. Je vais attendre ce qu'elle va dire. »

A l'agence des Postes, les deux leaders principaux de la campagne font une évaluation de leur travail, ils comptent les signatures recueillies, le nombre leur paraît une preuve insuffisante de l'affirmation que contient la pétition : tout le peuple d'Agreste s'élève contre la menace de la néfaste industrie de bioxyde de titane. Ils sentent un début de découragement.

L'idée de la pétition est de dona Carmosina, partisane de l'action. Le blablabla quotidien ou les journaux ruraux ne mènent à rien. Aminthas, malgré son scepticisme habituel, a approuvé et collaboré à la rédaction. Le commandant a été plein d'enthousiasme, il a fait des calculs, tiré des conclusions. S'ils recueillaient au moins mille signatures des neuf mille habitants du municipe, en tenant compte des enfants et de l'immense majorité des analphabètes, on pourrait dire que la quasi-totalité des personnes capables de réfléchir au problème ont pris position contre la Brastânio. Mais ils avaient réuni à peine plus d'une centaine de noms, après un travail harassant Des noms importants, peu. Les commerçants, dans la perspective de bonnes affaires avec l'installation de la fabrique, se réservent Le Padre Mariano s'est déclaré neutre, ses fonctions ecclésiastiques ne lui permettant pas de prendre parti dans une aussi délicate affaire. Mais lui-même a demandé :

« Je ne vois pas la signature de dona Antonieta Cantarelli. Sa signature doit ouvrir la liste, commandant, si vous voulez que le peuple signe. »

Barbozinha compose poème sur poème, il a déjà la matière d'un livre qu'il veut publier à la capitale, les *Poèmes de la Malédiction,* il écrit des lettres à Giovanni Guimarães, mais comme collecteur de signatures c'est un désastre. En revanche, dona Milu est d'une rare efficacité, jusqu'à maintenant elle bat le record. Allié imprévu, Osnar, en faction du bistrot, fait un effort. Tout ça fait juste cent seize noms, trente-sept obtenus par dona Milu. Pour les mille prévus, un échec. Le commandant hoche la tête, préoccupé :

« Ma bonne Carmosina, je ne sais pas, non... Ou Tieta se décide à prendre la tête ou nous n'irons pas beaucoup plus loin. Je repars demain pour le Mangue Seco, je vais tenter de la convaincre de venir nous aider. Ce ne sera pas facile : le Bercail est prêt, elle veut profiter un peu de la maison qui lui a donné tant de travail et lui a coûté pas mal d'argent. Elle m'a même chargé d'amener sa belle-fille avec moi. Je pars demain, tôt, avec Laura et Leonora, je vais supplier Tieta de venir, fût-ce pour quelques jours, et dites à tout le monde, répandez dans la ville entière qu'elle est contre la fabrique, que si la Brastânio s'installe au Mangue Seco elle ne remettra jamais les pieds ici. »

Dona Carmosina approuve, le succès de la campagne dépend de Tieta :

« Dimanche, j'irai vous prêter main-forte. Je pense qu'à nous deux nous y parviendrons.

— C'est lamentable. Avec tant d'avocats ici, l'étude pleine de gens, tout le monde pense qu'il va être bourré d'argent avec la Brastânio. Même à Rocinha le prix de la terre a monté, vous imaginez.

— J'ai médité sur cette histoire d'avocats et d'héritiers et je suis arrivée à la conclusion que ça a un bon côté : tant qu'ils se battent, la fabrique ne peut pas s'installer. Jusqu'à ce que l'affaire se résolve.

— Ne vous faites pas d'illusions, ma bonne Carmosina. Ces

avocats vont passer un accord. bientôt, bientôt, vous allez voir. Les héritiers s'unissent et chargent Modesto Pires, qui est le plus roué de tous, de négocier la vente du terrain des cocotiers à la Brastânio. Et nous ne pourrons rien faire..

— Dans ce cas, pas même Tieta. »

Pointe, à la porte de l'agence, le visage timide de Fidélio. A lui, on n'avait pas demandé de signer la pétition, car on le sait l'un des héritiers des terres où la Société Brésilienne de Titane S.A. songe à installer son industrie, l'un de ceux qui ont une réelle possibilité de gagner de l'argent.

« Bonjour, dona Carmosina. Bonjour, commandant. Je voudrais échanger quelques mots avec vous.

— Si c'est privé, je me retire, déclare dona Carmosina, morte de curiosité.

— C'est privé, oui, mais pas pour vous. » Il aurait dû demander à Aminthas de l'accompagner. Renfermé de nature, comment va-t-il s'arranger pour exposer une affaire si délicate ? Il ne faudrait pas que le commandant s'offense : « C'est pour cette histoire de terrain des cocotiers à laquelle je suis mêlé, je suis un des héritiers, je pense que vous le savez. »

Dona Carmosina se penche au guichet pour mieux entendre.

DEUXIÈME ÉPISODE DU SÉJOUR D'ASCÂNIO À LA CAPITALE OU DE LA FORMATION D'UN DIRI-GEANT AU SERVICE DU PROGRÈS ; AMBITION, IDÉALISME, WHISKY ET NILSA, CELLE AUX GROS SEINS.

Prêt depuis neuf heures et demie, attendant, Ascânio s'approche quand le groupe sort de l'ascenseur. Pressé, l'un des messieurs passe devant lui, disparaît dans l'une des deux automobiles noires. Ascânio ne put jamais savoir de qui il s'agissait, d'un directeur ou pas de la Brastânio, il remarqua seulement au passage les cheveux coupés en brosse, comme ça se faisait autrefois. Le Dr Mirko Stefano le présente aux deux autres, là, debout. La cérémonie dure juste un instant car ils partent pour l'aéroport immédiatement.

« Le Dr Angelo Bardi, notre président-directeur général »

Le magnat — manifestement c'était un magnat — tend la main, ébauche un sourire :

« C'est notre homme ? Très bien. » Le sourire s'élargit, approbateur, il recommande au Magnifique : « Faites en sorte qu'il ne manque de rien, résolvez les problèmes pendants, voyez cette histoire d'élection, j'ai parlé hier par téléphone avec São Paulo. A cette heure, le président du tribunal électoral doit avoir reçu un télégramme. » Il serre à nouveau la main d'Ascânio : « Très heureux. Au revoir. »

L'autre, encore jeune — le Dr Rosalvo Lucena, également directeur, un cerveau, selon le Dr Mirko — le verra plus longtemps au retour de l'aéroport où ils vont tous, y compris le Magnifique Docteur. Ascânio les accompagne jusqu'à la porte, il assiste au départ des deux puissantes automobiles noires.

Il se trouve à nouveau dans le somptueux hall, sans savoir que faire. Des touristes sortent pour visiter les églises, le Pelourinho, dépenser de l'argent au marché Modèle, des bandes bruyantes, de vieilles originales, des aïeules arthritiques, des balzaciennes rebelles, des jeunes filles lumineuses. Ascânio s'enfonce dans un des immenses fauteuils de cuir, se plonge dans la lecture d'un prospectus de l'hôtel, imprimé en cinq langues, il apprend que le design de ce fauteuil et de tous les meubles a été conçu, sur commande, avec droit d'exclusivité, par Lew Smarchewski — il ne sait pas qui c'est, mais le nom de l'artiste et le mot *design* l'impressionnent. Il lance un coup d'œil autour de lui, enfonce le prospectus dans sa poche, il pense le sortir à l'Aréopage. Dernièrement, il n'a pas apparu à l'agence des Postes. Pour quoi faire ? Entendre les injures de dona Carmosina ? Il va tendre la main vers un journal lorsque Patricia survient — elle l'avait laissé vers huit heures, après le café et la douche — elle est suspendue au bras d'un des trois individus qui, la veille, sirotaient au bord de la piscine avec le Magnifique. Cette fois, il y eut des présentations :

« Le Dr Ascânio Trindade, un ami du Dr Mirko. Ismael Julião, le journaliste spécialiste du sensationnel, rien ne lui échappe », déclame-t-elle, et elle conclut, sérieuse : « Mon fiancé. »

Ascânio serrait la main du garçon, il sursaute. Fiancé ?

Encore une plaisanterie de Pat certainement, mais très romantique, elle pose la tête sur l'épaule du chroniqueur qui n'est pas rasé, glisse les doigts dans sa chevelure emmêlée et, comme si elle devinait le doute d'Ascânio, informe :

« Nous allons nous marier dans un peu plus d'un mois.

— Deux, trésor. Après le carnaval, corrige Ismael · Lune de miel et carnaval en même temps, ça ne colle pas.

— Le carnaval, chacun de son côté, approuve Pat : Lui est des Internationaux, moi je suis du Bloc du Jacu. »

Ascânio ne comprend pas ce qu'il y a de drôle et elle ne l'explique pas, en revanche elle propose :

« Va mettre ton maillot et viens faire un relax avec nous dans la piscine. Le Dr Mirko ne va pas apparaître avant midi, et encore, s'il vient directement de l'aéroport. Avec lui on ne sait jamais.

— *Je suis l'imprévisible*[1] *!* » Le journaliste imite la voix affectée du directeur de relations publiques.

« C'est que je n'ai pas apporté de caleçon. » Ascânio tente d'esquiver l'invitation

« Et alors ? Ici on en loue, viens avec moi, je vais te montrer. » Elle fait un clin d'œil à son fiancé : « Je te retrouve au plongeoir, chéri.

— C'est vraiment votre fiancé ? » Ascânio s'imagine toujours victime d'une blague.

« J'ai l'air de mentir ? J'ai déjà la robe de mariée, cadeau du Magnifique. Il l'a apportée de Rio, de Lais Couture, dingue ! La guirlande est sublime, il faut voir.

— Voile et guirlande ! » ce cri du cœur part malgré lui.

Pat rit :

« Voile, guirlande et fleurs d'oranger, au son de *La Marche nuptiale,* j'adore ! Tu es un attardé, minet, tu es vieux jeu. Vieux jeu mais un chou, un vrai chou. Ismael aussi est un chou, tu ne trouves pas. Un beau mulâtre sans défaut, hein ? » Elle se mord la lèvre en évoquant les qualités physiques du garçon. « Et il est évolué, il n'est pas guindé comme toi. Nous sommes en 1966, minet. Ou la nouvelle n'a pas atteint ta province ? Tu dois mettre à jour ton calendrier. »

A la piscine, bon nageur, sautant du tremplin, plongeant, Ascânio se détend en compagnie de Patricia et d'Ismael, les fiancés de l'année pour Dorian Gray Junior, le pétulant chroniqueur mondain. Un bon relax, la jeune fille avait

1. En français dans le texte.

485

raison. il en avait besoin, inquiet et tendu depuis l arrivée en jeep à la porte de l'hôtel. Peu à peu, il commence à se sentir mieux. Ici. c'est comme si tout le monde se connaissait de longue date. Il se mêle à un groupe qui joue avec un énorme ballon de plastique, bavarde avec un couple de jeunes carioques enchantés de Bahia, échange des impressions avec des étrangers ; il lui arrive de ne pas comprendre certaines locutions, une phrase entière, mais personne ne le remarque, on le traite d'égal à égal, il fait partie de ce monde en vacances, un garçon riche et sympathique.

Ismael sort de l'eau, va s'étendre sur une chaise longue. Patricia nage autour d'Ascânio, le provoque, cherche à le faire couler, l'attrape par les épaules et par les jambes, monte sur sa nuque, roule avec lui, plonge sous son ventre. Une agréable matinée.

« Le Dr Mirko est arrivé. Avec le Dr Lucena », avertit Pat.

Ismael Julião se lève, va les saluer, se sert de whisky, une double dose, revient à la piscine, le verre à la main. Patricia s'approche, tendre fiancée. Ascânio était allé se changer, il réapparaît avec veste et cravate. A un signe du Magnifique. il prend place à la table.

Rosalvo Lucena, dont tout à l'heure, dans l'eau, Pat lui avait soufflé les titres universitaires et autres, car c'était son devoir de l'informer, fait la conquête d'Ascânio Trindade. Devant le technocrate, dont la physionomie respire l'assurance et l'autorité, presque aussi jeune que lui et pourtant homme d'affaires entreprenant et décidé, Ascânio se sent un rien-du-tout. Le relax acquis dans la piscine disparaît, il est à nouveau tendu et inquiet. Lui, oui, c'était un leader, digne de la main de Leonora Cantarelli, il a pour ça titres et fonctions. Titres en latin et en anglais, à trente ans directeur de l'Industrie Brésilienne de Titane S.A., un crack ! Malgré la différence de statut qui les sépare, Rosalvo Lucena le traite avec cordialité et considération :

« Mirko m'a beaucoup parlé de vous, il m'a dit votre lutte en faveur du progrès du municipe d'Agreste. J'espère que nous pourrons contribuer efficacement à ce que vos idées se transforment en réalité. Je suis chargé des problèmes techniques relatifs à l'installation de nos deux usines jumelées, très bientôt j'irai connaître votre ville et la plage tant vantée, près de laquelle, semble-t-il, se dressera notre ensemble industriel. En ce moment doit y arriver une équipe à nous, chargée d'une

486

mission précise. Nous passons de la phase des études à celle de l'implantation du projet.

— Elle arrive ? Aujourd'hui ?

— Ils sont partis ce matin, dans deux grandes vedettes. S'ils ne sont pas arrivés, ils doivent être sur le point d'arriver. Ils emportent tout le matériel nécessaire pour camper quelques jours sur la plage, autant qu'il faudra. Ils vont résoudre les problèmes relatifs à l'emplacement de l'usine et aussi des résidences du personnel technique et administratif et de la cité ouvrière. Un investissement immense, mon cher. Il faut choisir l'endroit idéal. Ça semble être là où il y a une espèce de lac et un cours d'eau, plus ou moins au centre du terrain des cocotiers, il sourit, content de lui : Je n'y suis jamais allé mais c'est comme si j'y étais né, je connais tout sur Agreste et le Mangue Seco, y compris la contrebande. Un des plus anciens entrepôts de contrebande du Nordeste. Nous voulons travailler en étroite collaboration avec vous et les autres autorités du municipe.

— Pour ma part, vous aurez tout l'appui nécessaire L'installation de la Brastânio au Mangue Seco sera la rédemption d'Agreste. »

La phrase suscite les applaudissements du Magnifique Docteur :

« *Wonderful ! Fine ! Une trouvaille*[1] ! On dirait une phrase de moi. Ne l'oubliez pas, mon cher, vous aurez à la répéter bientôt.

— Oui, nous espérons être utiles à votre région. Nous pensons donner la plus grande couverture, dans tous les sens du mot, aux initiatives que vous prendrez pour relever l'économie et la culture d'Agreste. Malheureusement de grandes inégalités régionales subsistent au Brésil, des îlots de pauvreté et de retard demeurent. Nous devons modifier ce panorama, liquider ces différences, entraves au développement du pays. » Il frappe sur la cuisse d'Ascânio d'un geste amical : « Des hommes comme vous sont précieux pour la communauté. Notre devoir d'idéalistes est de leur donner tout l'appui nécessaire. Car vous aussi êtes un idéaliste et notre idéal est commun, c'est le progrès ! »

Il émet ces brillantes considérations, presque un discours, avec naturel, sur le ton de la conversation mais d'une conversation convaincante, en même temps qu'il accueille

1. En français dans le texte.

deux filles en bikini, une blonde et une brune, sur les larges bras de son fauteuil — *design* également du nommé Lew. La voix modulée et sûre, la prononciation claire, sans hésitation, ne change pas pour protester auprès du garçon contre la qualité du whisky servi dans un flacon sophistiqué, en verre teinté et à volutes. A peine y a-t-il goûté que Rosalvo Lucena laisse échapper son indignation : du whisky falsifié, quelle horreur ! Il attire l'attention du Magnifique : c'est toujours ainsi avec ces bouteilles de cristal, une pure escroquerie. Parmi ses diverses compétences, le jeune technocrate inclut une profonde connaissance de ce sublime alcool écossais, le seul vrai nectar, à son avis. Ce que le Dr Mirko discute : il aime le whisky mais il préfère un vin français de qualité, rien qui vaille un bon champagne. Qu'en pense l'ami Ascânio ? Il n'a pas d'opinion arrêtée, il sait peu du whisky, encore moins du champagne. Rosalvo Lucena rend au garçon son verre plein et la bouteille verte :

« Jetez cette saleté, mon ami, apportez un autre verre. Quant à la bouteille, dites au barman de la garder pour le premier ivrogne incapable de distinguer un vrai whisky d'une contrefaçon. Je veux du scotch, pas ce vomitif. Apportez-moi une bouteille de Chivas, fermée. Et dites que je vais me plaindre au maître d'hôtel. »

La tranquillité et la désinvolture avec lesquelles Rosalvo parle du développement du pays et renvoie le whisky trafiqué remplissent Ascânio d'admiration, à son comble lorsqu'il l'entend ajouter :

« Regarde, Mirko, avec quel plaisir **ton** ami Ismael savoure cette bibine. Il a de l'estomac pour tout. Répugnant ! »

Estomac et front, pense Ascânio, cocu avant de se marier, informé sans doute des distractions de sa fiancée ; consentant, qui sait ? Plus que répugnant, abject !

Le barman arrive désolé, à la main la bouteille demandée, à la bouche d'humbles excuses : s'il avait su que c'était pour la table du docteur... Affable et généreux, Rosalvo Lucena le laisse partir en paix, il ne dira rien au maître d'hôtel.

Ascânio s'enhardit et félicite l'homme d'affaires de la magnifique interview par laquelle il avait éreinté le chroniqueur de *A Tarde*, Giovanni Guimarães : elle avait permis d'éclairer la population d'Agreste que la *Lettre au poète Matos Barbosa* avait ébranlée. C'est que ce Giovanni était venu dans leur ville il y a quelques années, il avait fait des amitiés, il jouissait d'un certain prestige. Rosalvo répond tout en exami nant la bouteille de Chivas avant de l'ouvrir lui-même, de se servir et de servir le Magnifique, Ascânio et l'une des filles, l'autre préfère du Campari :

« Giovanni ? Un bon garçon, intelligent, drôle, il sait écrire. Mais ce ne sera jamais qu'un journaliste de province, avec son petit emploi de fonctionnaire et son salaire de reporter. Il n'a pas l'étoffe pour davantage. Il lui manque l'ambition et l'idéalisme. » Il goûte le whisky, boit encore une gorgée : « Ça oui, c'est du whisky. » Ses yeux se posent sur Ascânio, il lui touche à nouveau la cuisse pour appeler son attention sur l'importance de ce qu'il va dire : « Sans idéalisme et sans ambition, mon cher, personne ne peut aller de l'avant. Un idéal élevé : être quelqu'un dans la vie, un constructeur de progrès. Servi par l'ambition. L'ambition est le ressort du monde. »

Cela dit, il déguste avec une satisfaction d'expert une large gorgée de whisky. Derrière le bar, agitant le shaker, le barman sourit, il pense à la valeur des apparences. Pour les vaniteux, le flacon de cristal contourné, vert sombre, signe de considération. Pour les orgueilleux, la bouteille originaire du Royaume-Uni, fermée, cachetée, signe de respect. Dans l'une et dans l'autre, le même whisky falsifié de la réserve de l'hôtel, une simple différence de prix. Aussi, quel goût et quel raffinement peut avoir un buveur de whisky ? Aucun, de l'avis du barman.

Durant la brève heure où ils restèrent à boire et à échanger des idées au bord de la piscine, dont l'eau bleutée laissait transparaître les corps de femmes, douce vision, Ascânio fut présenté à une quantité de personnes, toutes d'une évidente importance, qui s'arrêtaient pour saluer Rosalvo Lucena et échanger un mot avec le Magnifique Docteur, parfois lui chuchoter quelque chose à l'oreille. Sans parler des filles, certaines, à coup sûr, au service de la Brastânio, car Mirko les chargeait de tâches diverses : téléphones, réserve de table Chez Bernard pour un dîner de six couverts ce même soir, achat de disques de Caymmi à l'une des boutiques En présentant Ascânio, le Magnifique ne mentionnait pas ses fonctions à la mairie d'Agreste, ni ne disait qu'il en venait Il insistait pourtant sur sa condition de « dynamique dirigeant, de grand avenir, destiné à jouer un rôle important dans la vie de l'État, voire du pays. *Un vrai conducteur d'hommes*[1] ».

---

1. En français dans le texte.

Paroles agréables à entendre, elles le bercent, lui ouvrent des perspectives, lui donnent force et courage. Idéalisme et ambition, avait dit le jeune et triomphant homme d'affaires. L'idéalisme, Ascânio en a toujours eu, l'ambition naît et croît au bord de la piscine.

Une matinée de soleil, une ambiance cordiale, la grâce des femmes, l'intelligence des compagnons de table, la boisson chère, ça, oui, c'est du whisky. Il ne se sent plus un si misérable rien-du-tout à côté de Rosalvo Lucena. Qui, entre parenthèses disparaît, il a un déjeuner prévu avec un haut personnage de l'administration de l'État :

« Bientôt nous nous verrons à Agreste.

— J'y serai à vos ordres. »

Il entend le conseil murmuré par Mirko Stefano quand Lucena se lève :

« L'homme est difficile, allez-y doucement. Beaucoup de choses dépendent de lui. Dites-lui que la décoration est en route. »

Le Magnifique s'attarde en savourant le whisky, le cercle grandit autour de lui. Bien qu'il ait devant lui une *journée terriblement chargée*[1], il ne se presse pas, il prise et déguste tout ça : la claire journée de soleil, le mouvement des gens oisifs au bar et à la piscine, la vision des corps à demi nus, les filles s'offrant, les bavardages et l'adulation des avides folliculaires. Il se lève finalement, signe la note, prend rendez-vous avec Ascânio pour quatre heures. Pat l'accompagnera au siège de la Société :

« Nous aurons beaucoup à nous dire. Bye bye. »

Enfin, pense Ascânio, la conversation attendue, motif de sa venue. Pat s'approche, remorquant une autre fille, une brune maigre, au buste saillant :

« Cette mignonne, c'est Nilsa, minet. Elle vient d'être nommée ta secrétaire. Je ne peux pas t'accompagner aujourd'hui, c'est le congé d'Ismael à la rédaction, il doit juste remettre son papier, c'est son jour. » Elle regarde avec tendresse dans la direction de son fiancé qui, s'étant versé le fond de la bouteille, était retourné à la piscine : « Tu comprends ? Nilsa prendra ma place. Tu vas l'aimer et elle aussi, minet. »

Nilsa rit beaucoup, parle peu, use de tous les prétextes pour montrer ses seins. Elle propose un déjeuner froid, c'est plus

---

1. En français dans le texte.

490

rapide et ne pèse pas sur l'estomac. Il n'y eut pas de sieste, elle l'accompagna directement dans sa chambre. En ôtant son caleçon, contemplant les seins de Nilsa, gros, ronds, fermes et le petit ventre à l'épaisse touffe noire, Ascânio considère que le retard de la conversation qui l'avait amené à la capitale avait ses compensations. S'il n'y avait les nostalgies de Leonora, il accepterait de rester encore quelques jours.

DES ÉVÉNEMENTS CONTROVERSÉS DU MANGUE SECO, CHAPITRE OÙ L'ON A CONNAISSANCE DU VIGOUREUX MOUVEMENT DES MASSES LABO-RIEUSES *(SIC)* ET POPULAIRES, QUI DONNE À CE FEUILLETON L'INDISPENSABLE NOTE DE REVEN-DICATION MILITANTE.

On les fera courir, s'ils apparaissent, avait menacé le jeune séminariste Ricardo parlant avec Tieta, le commandant et l'ingénieur Pedro Palmeira des gens de la Brastânio. La phrase lui avait valu une vigoureuse poignée de main de l'ingénieur. Ricardo tint parole. On le vit en soutane, à la tête des masses. Lui et Tieta qui s'amusa de bon cœur. C'était comme si elle était revenue à sa prime jeunesse, quand elle s'échappait des collines, laissant les chèvres livrées au bouc Inâcio, et venait avec quelque partenaire gravir les dunes et se mêler à la vie des pêcheurs.

Ricardo tint en partie seulement sa promesse, car les premiers envoyés de la Brastânio dans la région survolèrent la plage et les cocotiers en hélicoptère, le jour fatidique de la mort de Zé Esteves, armés de jumelles, d'appareils de photos et de caméras. Il avait beau être un ange du Seigneur, de l'avis pratiquement unanime des femmes d'Agreste et avant tout de Tieta qui, mieux que personne, connaît les qualités célestes de son neveu, il lui manquait des ailes, malgré son désir de voler. Qui sait, un jour le Seigneur lui accordera cette prérogative réservée aux anges et aux archanges, en récompense de sa vocation et de sa sincérité.

Cette poignée de main avait marqué le début d'une amitié

grandissante entre l'ingénieur et le séminariste; leur différence d'âge — douze ans — n'empêcha pas que leurs relations deviennent fraternelles. Renforcées par les palabres en compagnie des jeunes du hameau; par la traversée de la barre pour la pêche au large : Ricardo avait réussi à récupérer le moulinet dont Peto s'était emparé; par de longues conversations, parfois avec le frère Thimóteo, au village du Saco. Ancien leader étudiant, Pedro avait fait ses preuves à Rio avant d'acquérir son diplôme, d'entrer à la Petrobrás et d'être envoyé à Bahia où il avait eu le bonheur de connaître Marta et de l'avoir pour épouse et, du même coup, avait eu le malheur de connaître Modesto Pires et de l'avoir pour beau-père. Tu sais ce que ça représente, Cardo? Mon beau-père est le retard, la réaction personnifiés. Il y en a qui n'ont que le cul en tête, passe-moi l'expression, *seu* Modesto, lui, a dans la tête un billet de mille cruzeiros. Pedro s'était délecté en racontant à Ricardo les héroïques bagarres de l'agitation estudiantine auxquelles il n'avait cessé de s'intéresser même si, diplômé, marié, père de famille, il n'y participait plus. Il les suit de loin, donne de l'argent, signe des protestations. Il révèle à Ricardo que même des séminaristes assistent aux manifestations, se mêlent aux heurts avec la police.

Ils entreprirent une vaste campagne d'information auprès des masses prolétariennes — terminologie de l'ingénieur, vieux et dogmatique rédacteur de manifestes —, soit une douzaine et demie de familles de pêcheurs, de rudes hommes de mer tannés par le vent et des gamins bons nageurs, pêcheurs et footballeurs. L'un d'eux, Budião, avant-centre avec l'étoffe d'un crack, ayant disputé une partie à Estância dans l'équipe du Saco, fut remarqué par un responsable du Sergipe Football Club qui lui proposa de le muter à Aracaju. Mais, qui naît au Mangue Seco n'émigre pas, il ne sait pas vivre loin des vagues démesurées et du vent débridé.

L'endoctrinement de l'ingénieur, exposant des problèmes graves, impérialisme, colonialisme interne, pollution, menace mortelle à la faune marine, pourrissement des eaux condamnant la pêche à la disparition, dénonçant l'existence de capitaux étrangers majoritaires dans l'industrie de bioxyde de titane, entravant en fait au lieu de stimuler le développement du pays, canalisant vers l'étranger des gains énormes, appauvrissant le peuple — rien de tout ça, c'est triste à dire mais c'est vrai, ne fit grande impression sur les masses réduites à qui il s'adressait, pathétique, véhément et honnête. Ricardo vibrait. des vacances sensationnelles devant lui des murailles s'écroulent. des chemins s'ouvrent, Dieu l'éclaire.

Dieu l'éclaire si bien que c'est un argument de Ricardo, sur le terrain nécessaire à la construction de la fabrique et des maisons des ouvriers. mettant fin au Mangue et aux crabes, qui seule parvint à ébranler l'indifférence générale. L'annonce de la probable extinction des crabes, base de l'alimentation des habitants — les femmes allaient les pêcher sous les cocotiers tandis que les hommes réparaient les voiles des barques et fumaient leur pipe de terre —, suscita intérêt et débats. De courte durée, pourtant, car le vieux Jonas, dont tous respectent la parole, observa :

« Comment ils vont en finir avec le Mangue et les crabes ? Il y a pas d'argent au monde assez gros pour la dépense. »

Hochant la tête en signe d'assentiment, ils écoutèrent les explications du commandant qui répéta la gravité de la menace avec des mots clefs : pour gagner de l'argent sans peine, des gars sans entrailles voulaient installer dans les cocotiers une fabrique de poison, un poison pire que la strychnine, il tue tout, à commencer par les crabes.

« Les crabes, ça ne meurt pas comme ça, non, commandant. Jamais je n'ai entendu dire que le poison tue les crabes. Allons donc ! »

Ce qui les décida à appuyer Ricardo et l'ingénieur dans leur projet de faire courir les gens de la Brastânio quand ils se montreraient à nouveau, ce fut la conversation de Jonas, Isaías et Daniel, les trois chefs incontestés de la petite communauté, avec Jeremias, dans la goélette, au-delà de la barre, un matin de tempête. Le Compère — Jeremias était compère de tous les chefs de famille, dans chaque maison il avait un filleul — les informa gravement que cette séculaire activité dont avaient vécu leurs ancêtres et dont ils vivaient eux, les compères et les filleuls, leurs femmes, les frères et sœurs, les tantes et les oncles, plus un tas de gens éparpillés le long du fleuve et dans les villes proches, y compris Elieser, était menacée de s'éteindre, ou plutôt que les goélettes et les navires devraient chercher un autre port où décharger la marchandise. Si la fabrique s'installe au Mangue Seco — et il semble qu'elle finira par le faire car ailleurs le peuple se soulève et ne le permet pas, alors qu'ici personne ne fait rien —, ça signifie la fin de la contrebande, car les conditions indispensables de sécurité disparaîtront. Le Mangue Seco perdra cette situation idéale d'isolement, de plage inconnue, propre au débarquement et à l'écoulement de la marchandise La fabrique installée, le trafic deviendra impraticable.

Cette menace, oui, les décida. Par acquit de conscience, ils demandent au Compère si c'est vrai que cette fichue industrie produit un poison capable de tuer les crabes. Jeremias a une profonde cicatrice sur le visage et il parle sans ôter la pipe de sa bouche. D'homme meilleur il n'y en a pas, d'égal, que le commandant, mais les liens qui lient les deux hommes aux gens du Mangue Seco sont différents. Le commandant est un bon ami ; le Compère est l'un d'eux, ensemble ils risquent leur vie et leur liberté.

« Si elle tue les crabes ? Il n'en restera pas un de consolation. Le titane pestifie tout, il tue même les tortues qui sont des bêtes dures à mourir. »

Jonas, le plus vieux des trois, assure :

« Ne vous souciez pas, Compère, on ne va pas les laisser s'installer. On a déjà fait courir la police, ils vont voir, ces mange-merde ! »

Isaías, celui du milieu, approuve :

« L'ingénieur et le petit curé ont dit qu'on devait leur donner une leçon. On va le faire. Soyez tranquille, ne changez rien, un endroit comme ça, vous n'en trouverez pas, Compère. »

Daniel, le plus jeune, rappelle :

« N'oubliez pas le baptême du petit, Compère, c'est pour ce mois. Jamais je n'aurais pensé qu'ils tuent les crabes. Le commandant est un homme sérieux, mais je ne me doutais pas. Faut pas avoir peur, Compère. Cet endroit, après Dieu, il n'a qu'un maître, c'est nous. Ce sable et toute cette eau, ça nous appartient et à personne d'autre. Le reste, ils peuvent user et abuser, au Mangue Seco ne met les pieds que celui qui ne nous cherche pas. »

Le dernier mot revient à Jonas. Il dresse son moignon :

« Allez avec Dieu, Compère, et revenez, nous comptons sur vous.

— Alors, au mois qui vient, mes compères, je m'en vais rassuré. Souvenirs aux commères et la bénédiction aux filleuls. »

Nuit mauvaise, le vent déchaîné, la mer rageuse, eux aussi : tuer les crabes, ça s'est-il vu ? La goélette disparaît dans l'obscurité, les barques pénètrent au milieu des vagues et des requins. Par là eux seuls passent, avant sont passés leurs pères et leurs grands-pères pour la même tâche interdite. Sur la plage, silencieux, les hommes ont débarqué la marchandise, ils l'ont gardée bien gardée, dans l'attente d'Elieser et des autres camarades.

L'équipe technique de la Brastânio arriva au Mangue Seco après une longue traversée, désagréable, sur une mer agitée et périlleuse. A l'embouchure du rio Real, le ressac fait de hautes vagues, le vent soulève des tourbillons de sable. transforme la géographie de la plage. Un temps affreux, les pêcheurs du Saco ne sont pas sortis pour la pêche, ce jour-là. A l'entrée de la barre, il y eut un commencement de panique, surtout parmi les femmes.

Ils étaient venus dans deux puissantes vedettes, ultra-modernes, ils apportaient de tout, depuis cinq grandes tentes de camping jusqu'à une profusion de conserves, des vivres en abondance, eau minérale et sodas, colliers du marché modèle pour offrir aux indigènes. Malgré la fatigue et la nervosité, les fâcheuses conditions atmosphériques, quand ils découvrirent le paysage du Mangue Seco, les hautes falaises affrontant la fureur de l'océan, l'immensité de la plage s'étendant d'un bout à l'autre de la péninsule, les cocotiers se prolongeant sur les bords du fleuve, à perte de vue, ils se sentirent petits et pensèrent qu'ils étaient payés de leur peine. Le ciel couvert était menaçant.

Les moteurs arrêtés, les vedettes restent à une certaine distance de la plage. L'un des passagers saute dans l'eau qui atteint sa ceinture, marche, gagne le sable, se dirige vers les cabanes faites de troncs et de palmes de cocotiers, à demi enfouies, s'adresse à Isaías occupé à recoudre une voile déchirée dans la tempête, l'autre nuit :

« Ho! Vous là-bas! Vous et les autres! » Les autres sont très occupés à ne rien faire, ils parlent assis en rond, hachent du tabac, fument : « Venez tous aider à débarquer les choses. Vite. »

Isaías regarde, ne répond pas. Le vieux Jonas se lève, demande :

« Vous êtes de la fabrique, jeune ? »

Courbé sous le vent mais fier de sa condition, le gaillard rétorque :

« Nous sommes de la Brastânio, oui. Pourquoi restez-vous plantés là ? Allons, dépêchez-vous. »

Jonas examine les deux vedettes ancrées près de la plage, un jouet en mauvaise mer, il calcule le nombre des passagers, combien peuvent être les femmes ? Les femmes, c'est un danger Le vieux pêcheur se gratte la barbe Il se rappelle d'autres fois, quand la police s'y risquait encore. En général après un changement de gouverneur, les politiciens activistes, brandissant la loi : nous allons en finir avec la contrebande ! Il y a beau temps qu'ils ont renoncé. Aussi, où trouver des soldats ou des inspecteurs disposés à venir au Mangue Seco ?

Une méthode usée en dernier recours, on ne l'avait pas appliquée depuis longtemps, il n'y a pas eu besoin. Les plus jeunes la connaissent seulement par ouï-dire, ils vont s'amuser. C'est le colporteur qui aimait ça, il avait participé à plus d'une expédition.

« Isaías, prépare les barques. Daniel, réunis le peuple. Budião, cours avertir dona Tieta, dis-lui qu'ils sont arrivés. Dis-le aussi à Cardo et à l'ingénieur. Ne traîne pas, l'homme est pressé. » Il se tourne vers l'émissaire des voyageurs : « Allez-y, on y va. »

Tout en observant l'homme de la Brastânio luttant contre le vent, il se félicite de l'absence du commandant, occupé à Agreste. Un grand ami, le commandant Dário. Il ferme les yeux sur les nocturnes et clandestines visites, feint d'ignorer la présence des goélettes, des cargos et des vedettes, le transbordement de la marchandise. Pourtant, malgré sa mauvaise humeur contre cette fabrique de poison et son amitié pour le peuple du Mangue Seco, peut-être se serait-il opposé à l'opération.

Ils ne s'y adonnent plus depuis l'histoire avec le sergent ; jamais plus la police n'était revenue, heureusement. Cette fois, c'est indispensable mais, lorsqu'ils se sont décidés, Jonas a recommandé à tous les plus grandes précautions. Tieta, l'étudiant curé et l'ingénieur resteront sur la plage, ce n'est pas pour eux.

Pas même pour Tieta, si décidée. Quand Jonas était le plus jeune des trois chefs, il y a des années et des années, gamine audacieuse, gardienne de chèvres sur les collines d'Agreste, Tieta avait coutume d'apparaître sur la plage, grimpant les falaises, toujours accompagnée, elle aimait ça ; aussi, bellette comme elle était, ça devait arriver. A São Paulo, elle a redoublé de beauté, elle s'est faite, est devenue un fameux brin de femme. Autrefois, fillette, elle allait toujours avec des hommes plus vieux qu'elle, maintenant elle prépare le neveu pour faire de lui un bon Chef-Monseigneur, remplissant ainsi son devoir de tante.

Une fois où elle était venue se divertir à la plage, Tieta

débarqua au milieu d'une vilaine bagarre : deux soldats, des inspecteurs et le commissaire d'Esplanada qui voulaient saisir la marchandise et coffrer le vieux receleur venu d'Estância. Le compagnon de Tieta, une lavette, en voyant ça verdit, perdit son ardeur, sauta dans le canot, fila seul, lâchant sa conquête, une tristesse ! Tieta ne sourcilla pas, elle regarda et rit, elle dressa sa houlette de bergère et se joignit aux pêcheurs, les aidant à faire courir la police. Elle abaissa le bâton sur le commissaire sans considération ni du revolver ni du sifflet avec quoi il transmettait les ordres, une nouveauté. Tieta n'était pas née au Mangue Seco mais elle aurait mérité d'y être née. Qui sait, Jonas sera obligé de l'emmener pour qu'elle s'occupe des femmes.

A part le gars qui avait été réclamer des porteurs, les autres employés de la Brastânio n'eurent pas le temps de débarquer. Ils formaient un groupe relativement nombreux, une vingtaine de personnes, dont quatre femmes : une cartographe, deux secrétaires et l'épouse du chef de l'équipe, robuste et romantique dame, très jalouse, qui s'était jointe à la caravane pour ne pas laisser son mari à la merci des secrétaires, des allumeuses, et pour prendre un bain de mer au Mangue Seco. Un désir général. Spécialistes bien rémunérés, techniciens compétents, ils venaient tous dans le doux espoir d'unir l'utile à l'agréable, entre les séances de travail, les loisirs à la plage dont le renom est grand à la Société. Après l'effroi du passage de la barre, ils se trouvent animés et joyeux.

« Quand il fera beau, ce va être une splendeur ! » s'exclame Katia, l'épouse.

Jamais on ne vit de gens si stupéfaits. D'abord ils ne se rendent pas un compte exact du sens de ce qui arrive. La première vision fut surréaliste : au loin, parmi les cocotiers, surgit, courant, une femme vêtue d'un pantalon et d'un ciré noir, de marin, à la main un long bâton. Ils n'entendent pas ce qu'elle crie, à cause du vent, mais ils devinent dans le bâton dressé un geste de menace. Suivent un curé et un type à barbe. La surprise se transforma aussitôt en peur, en effroi sans pareil.

Sur la plage, inspectant les vedettes, comptant les quatre femmes, Jonas décide d'emmener Tieta :

« Venez avec nous, dona Tieta. N'ayez pas peur.

— Vous ne me connaissez pas, Jonas.

— Pardon, je ne pensais pas à mal. »

497

Ricardo va suivre la tante, l'ingénieur aussi. Jonas les arrête :

« Vous deux, non, il explique à l'ingénieur : S'il le sait, *seu* Modesto va en être vert, Dr Pedro. Il vaut mieux que vous attendiez là, on s'occupe de tout. Il dit à Ricardo ; « Ce que nous allons faire n'est pas du goût de Dieu ; mon petit curé. » Il ne propose pas, il ordonne ; on ne dirait plus le même Jonas bonhomme, plaisantant avec le séminariste dans la traversée vers le village.

Pedro obéit, s'éloigne. Par amour pour Marta et ses enfants, il veut vivre en paix avec le beau-père. Mais Ricardo réplique, la voix aussi ferme que celle de Jonas :

« Qui vous a dit que ce n'est pas du goût de Dieu ? Dieu lance la foudre lorsqu'il le faut. J'y vais. »

Jonas se gratte la barbe :

« Venez donc, mais après ne vous plaignez pas. Qui sait, comme ça tu vas devenir un bon Chef-Monseigneur. »

Ils montent dans les barques, certains portent des rouleaux de corde. Ils s'approchent des vedettes, sautent à l'eau, maîtrisent passagers et équipage — deux marins dans chaque vedette — avec une rapidité incroyable pour qui les a vus tout à l'heure sur la plage, dans l'indolence, et ignore les traversées nocturnes. Ils profitent de la surprise, il n'y a pas de lutte, si grandes sont la célérité et la peur. Jonas prend le commandement de l'une des vedettes, Isaías celui de l'autre.

« Toutes les femmes ici, ordonne Jonas : Dona Tieta, ayez l'œil sur elles, Ricardo, viens avec moi. »

Les cordes servent à lier les poignets des hommes, attachés les uns aux autres en deux files, une dans chaque vedette. Sidérés, les employés de la Brastânio protestent, exigent des explications. Questions inutiles, inutiles les arguments et les menaces. Personne ne paraît entendre. Seul un jeune technicien en électronique, l'œil sur l'une des secrétaires, tente de passer aux actes, de montrer sa bravoure pour impressionner la fille : il fonce sur Isaías. Il est arrêté par Budião et par l'avant gauche Samu (mauvais dribbleur mais shooter imparable), et attaché avec les autres. Ils sont conduits sur la passerelle où ils restent sous la garde des plus jeunes. Ils doivent comprendre et voir de près. Jonas donne le signal du départ, les vedettes se mettent lentement en marche, les barques suivent.

Ils ne prennent pas le chemin habituel de la barre où les rouleaux, même lorsqu'ils sont très forts, les jours de mauvais temps comme celui-ci, n'offrent d'autre danger que la peur. Ils piquent vers les hautes vagues, sur la route de la contrebande. Ils font ce trajet les nuits de trafic et l'ont fait aussi avec les policiers les poings liés. Un sergent avait perdu la tête, avait échappé aux mains qui tentaient de le retenir et s'était jeté à l'eau les requins l'avaient déchiqueté en une minute ; le sang tint peu, balayé par les vagues. C'est pourquoi Jonas avait fait attacher les hommes les uns aux autres en deux groupes, et mis les quatre femmes sous bonne garde, Tieta et son bâton :

« Ne bougez pas, chevrettes, sinon le bois va chanter. »

Dans les vedettes on entend des cris, des pleurs, des appels au secours, pitié pour l'amour de Dieu. Indifférents, les pêcheurs pénètrent au milieu des vagues gigantesques, passent dans l'espace minime où elles se dressent, immenses, et se fracassent, furieuses, contre les dunes. Trempés, ils arrivent avec les embarcations là où eux seuls, ceux nés et élevés ici, parviennent. Eux et les requins.

Ils relèvent les rames, font taire les moteurs, s'arrêtent aux portes de la mort. Vedettes et barques tournoient, montent et descendent, menacent de verser, de chavirer, de couler, à dure peine les pêcheurs maintiennent le gouvernail et l'équilibre précaire. Les rouleaux tentent de précipiter les barques contre les montagnes de sable. Ils sont devant la mort. De la mort multiple, car les masses de plomb s'approchent, ombres sous l'eau déchaînée. Soudain l'un d'eux saute, démesuré, s'élève dans l'air, à deux mètres de la vedette commandée par Isaías. Un seul cri et les pleurs des femmes. Trois autres sautent, ensemble, et encore deux et un autre, combien sont-ils ? Les bouches monstrueuses s'ouvrent de faim, montrant les dents pointues, avides, sinistres. Jonas est manchot, il n'a pas besoin de dire comment il a perdu son bras. On entend et on sent le choc des requins contre la coque des vedettes. Combien de temps restèrent-ils là, devant la mort, face à face ? Peut-être seulement quelques minutes, ce fut une éternité, espace et temps de terreur abyssale et infinie.

Katia crie à son mari : je veux mourir avec toi et elle défaille dans les bras de Tieta. Plusieurs vomirent et au moins deux se souillèrent. Même les plus vaillants comprirent.

Barques et vedettes à nouveau en marche, franchissent les vagues, gagnent le large, les requins les suivent durant quelque temps, espérant encore ; ensuite ils s'en vont. La pluie tombe, nettoie le ciel. Avant d'abandonner la direction de la vedette et de monter dans la barque, Jonas élève sa voix douce et catégorique de prophète pauvre :

« Ne revenez jamais plus et avisez les autres. »

La pluie a nettoyé complètement le ciel, calmé les flots, la nuit descend légère et tiède, une nuit pour une conversation amicale, de bons souvenirs et des festoiements. Réunis autour des cabanes, assis sur le sable, ils avalent quelques coups de cachaça. Ils ne parlent pas de ce qui s'est passé, comme s'il n'y avait rien eu. Seul l'ingénieur rit aux anges ; content, fortifiée sa confiance dans les masses ; un moment il avait douté.

Daniel apporte l'accordéon, Budião est bon au foot et bon à la danse ; il s'exhibe avec Zilda, sa promise, dans les pas du *xaxado*. L'ingénieur tournoie avec Marta. Dommage qu'un séminariste ne puisse pas danser, une bêtise, non ? Ricardo fixe le ciel, purifié des nuages, criblé d'étoiles : devant lui s'ouvrent les chemins du monde, il connaît le bien et le mal, a traversé la malédiction et appris à désirer. A côté de Tieta, attentif à la conversation avec Jonas, il sent l'appel qui émane d'elle et l'entoure, exigeant. Peut-être parce qu'il lui reste peu de temps à Agreste, car elle partira après l'inauguration de la nouvelle lumière, la tante le veut près d'elle, en permanence, nuit et jour.

Jonas et Tieta rappellent le temps passé. Des histoires de conflits avec la police, détails, noms, la bravoure du colporteur, vous vous souvenez de lui, dona Tieta ? C'était un mâle. Dans l'ombre des falaises, Tieta distingue la silhouette du colporteur, aspire dans l'air marin son odeur forte d'ail et d'oignon. Il était mort d'une balle, à Vila de Santa Luzia, faisant face aux soldats.

TROISIÈME ÉPISODE DU SÉJOUR D'ASCÂNIO TRINDADE A LA CAPITALE OU DE LA FORMATION D'UN DIRIGEANT AU SERVICE DU PROGRÈS : ÉLECTIONS, TRIBUNAL, ENNEMIS DU BRÉSIL, AGENTS ÉTRANGERS, ARTS ET BETY, BEBÉ POUR LES INTIMES.

Au siège de la Brastânio, spectaculaire, un étage entier dans l'un des modernes édifices de la ville basse, température printanière, vitres fumées, une déesse en perruque au standard téléphonique, Ascânio Trindade retrouve une vieille connaissance : Elisabeth Valadares, Bety pour les amis. Quant à la déesse grecque, ayant annoncé son arrivée, elle lui indiqua une chaise qu'il n'eut pas le temps d'occuper car, aussitôt, Bety surgit de l'une des portes. Faisant preuve de mémoire et d'efficacité, elle le reçoit avec effusion :

« Hello, amour ! Je suis heureuse de vous voir ici, dans notre modeste lieu de travail. Venez avec moi, le Docteur vous attend. Et le mignon, comment va-t-il ?

— Le mignon ?

— L'échalas, celui qui est si drôle. Charmeur comme personne.

— Ah ! Osnar. Il va crever de jalousie quand il saura que je vous ai vue.

— Dites-lui que je lui envoie un baiser et qu'il me manque. »

Elle fait un signe à Nilsa, lui ordonnant d'attendre là.

Sur une table de verre, dans le bureau du Dr Mirko Stefano, s'étend un grand dessin en couleur, Ascânio reconnaît le paysage du Mangue Seco, les dunes, l'embouchure du Rio Real et les Cocotiers. Une partie du terrain des cocotiers avait disparu, remplacé par un imposant ensemble industriel, de hautes constructions, de la cheminée s'élève une petite fumée blanche. Entre l'usine et les dunes, deux douzaines de vastes résidences, avec véranda et jardin, pour les administrateurs ingénieurs et techniciens. De l'autre côté, dans la direction d'Agreste, une petite cité, des centaines de maisons très gaies, deux par deux, toutes pareilles, logis des ouvriers. Un embarcadère ultra-moderne, presque un port, avec de grandes vedettes à moteur. Ascânio est ébloui de cette vision de l'avenir. La voix affectée du Magnifique le ramène au présent :

« Vous voyez cette maison à l'écart des autres, le plus près de la plage ? C'est la mienne. J'irai m'y reposer quand j'aurai le temps de le faire ! J'adore le Mangue Seco, c'est le plus bel endroit du monde. Il le restera et sera en plus un puits de richesse. »

Il s'assied à son bureau, indique une chaise à Ascânio, en face de lui. Il se frotte les mains, satisfait :

« Je vous ai demandé de venir à Salvador pour vous

501

transmettre moi-même la grande nouvelle, mon cher Ascânio. Permettez-moi de vous appelez Ascânio, abandonnons les cérémonies.

— Comment donc, Dr Mirko.

— Ni docteur ni monsieur. Votre ami Mirko Stefano. Mais revenons à l'heureuse nouvelle : la Brastânio a décidé en définitive d'installer à Sant'Ana de l'Agreste son industrie de bioxyde de titane qui, comme vous le savez, est l'une des plus importantes de toutes celles qui ont été conçues et créées dans le pays, ces dernières années ; du point de vue du développement national et de l'économie de devises. Une industrie bienheureuse. Bienheureuse ! »

La voix maniérée se fait catégorique, l'affirmation est une réponse, elle annihile doutes, attaques, condamnations.

« La décision a été prise à la réunion de la direction qui ne s'est terminée qu'hier, à la fin de l'après-midi. Mais comme je le savais par avance, je me suis empressé de vous demander de venir pour que nous parlions, réglions nos montres, *c'est bien nécessaire*[1]. J'espère que votre attente n'a pas été trop pénible.

— Au contraire, très agréable. Je tiens à vous remercier.

— *Ce n'est rien, mon cher*[1]. Nous rendrons publique notre décision dans quelques jours. Nous terminons les dernières tractations avec les pouvoirs locaux, dont s'occupe le Dr Lucena, et nous présentons officiellement notre projet auprès de la mairie d'Agreste afin d'obtenir l'autorisation nécessaire. Je dois ajouter que je me suis battu pour votre terre, j'ai beaucoup aimé Agreste, surtout la plage. D'autres localités, dotées d'une meilleure infrastructure ont tenté d'avoir la préférence, en offrant des avantages divers, y compris l'exemption d'impôts. Ce n'est pas ce qui nous intéresse. Étant une société pionnière, la Brastânio a préféré une zone plus isolée, sacrifiée jusqu'à ce jour, où nous serons l'instrument du progrès. Comme vous l'avez fort bien dit : la Brastânio sera la rédemption d'Agreste. Ça nous coûte plus cher, mais nous atteignons notre plus grand objectif : servir. »

Il appuie sur une sonnette, se lève, va à Ascânio, lui tend la main :

« En votre qualité de maire, ou de représentant du maire du

---

1. En français dans le texte.

municipe de Sant'Ana de l'Agreste, recevez mes chaleureuses félicitations. »

Ascânio se met debout, la poignée de main lui paraît insuffisante, il fait mine de taper dans le dos de l'autre, Bety surgit, suivie du groom : plateau de plastique, rouge, coupes de cristal, sombre bouteille de champagne. Voyant seulement deux coupes, le Magnifique en réclame une troisième, le groom court la chercher. Tout en ouvrant la bouteille avec un soin extrême, presque avec dévotion, le Dr Mirko précise :

« Dom Pérignon. Vous connaissez, certainement... »

Ascânio eut envie de dire oui, mais il avoue :

« Non. Je n'en ai jamais bu ? Une fois j'en ai goûté un appelé... Veuve...

— Veuve Clicquot. »

Le bouchon saute avec le joyeux bruit habituel, le Magnifique sert, tend une coupe à Bety :

« Elle et moi avons été les premiers à fouler le sol d'Agreste. Les éclaireurs.

— Certains pensaient que vous étiez martiens », raconte Ascânio.

Ils rient en se rappelant la stupéfaction du peuple d'Agreste. Bety a une bonne mémoire :

« Le mignon m'a demandé si j'étais martienne ou polonaise. C'était d'un drôle !

— De braves gens », conclut le Dr Mirko Stefano, levant sa coupe : « Je bois à la prospérité d'Agreste et de l'homme valeureux qui préside à sa destinée, mon ami Ascânio Trindade. Tchin-tchin. »

Ils choquent leurs coupes, sons de cristal. Ainsi est le rire de Leonora. Elle serait fière de le voir là, en cet instant, et modulerait le vers du poème renié de Barbozinha : Ascânio Trindade, capitaine de l'aurore. Bety s'approche et l'embrasse sur les deux joues : félicitations, amour. Ensuite, elle se retire.

Le Dr Mirko les ressert, il s'assied au bord de la table, fait signe à Ascânio de reprendre sa chaise. Il expose idées et plans :

« Nous voudrions que, lorsque nous présenterons notre proposition, vous soyez déjà élu, si possible. Nous nous occupons de presser la date de l'élection, le Dr Bardi s'y est intéressé personnellement, le tribunal électoral l'a mise à son ordre du jour. Hier, le Dr Bardi a parlé avec des amis de São Paulo, par téléphone, pour s'assurer que la résolution serait prise sans faute à la session d'aujourd'hui — le tribunal se réunit une fois par semaine. Tout était bien, tout O.K. Ne voilà-t-il pas que le président a imaginé d'avoir un infarctus ce matin et de succomber ? Résultat : il n'y a pas session aujourd'hui, il faut attendre la semaine prochaine. Mais repartez sans crainte : d'ici huit jours nous aurons la date. »

Il sert à nouveau avec délicatesse ; le champagne mérite respect et estime.

« Comme Rosalvo vous l'a dit, une équipe de techniciens est partie pour le Mangue Seco. En même temps, nous préparons tous les papiers nécessaires pour requérir auprès du gouvernement de l'État et, ensuite, de la mairie d'Agreste, l'autorisation d'entreprendre les travaux. Nous pensons recruter des ouvriers dans toute la région, y compris au Sergipe. Bientôt nous recevrons les études pour la rectification et le revêtement de la route qui relie Agreste à Esplanada. Tout est en marche, *mon vieux* [1]. »

Il regarde à travers sa coupe, pensif :

« Il y en a qui se dressent et protestent contre l'installation d'une industrie de bioxyde et titane dans le pays, l'accusant de polluer. Les motifs sont variés, presque toujours inavouables, mais les agents de l'étranger qui dirigent cette campagne antinationale réussissent à tromper et à entraîner bien des gens honnêtes qui s'alarment et se déclarent contre nous. Je ne vous dirai pas que l'industrie de bioxyde de titane ne pollue pas. Elle pollue, oui, tout autant qu'une autre, peut-être un peu plus. Pourtant, personne ne s'oppose à une fabrique de tissus ou d'électroménagers. Mais, contre les industries essentielles, ceux qui ont avantage à ce que nous restions sous-développés, dépendants, inventent n'importe quoi. Ils disent par exemple que nous allons détruire la faune du fleuve et de la mer. Rien de ça n'est vrai. Nous aurons des conduits sous-marins qui iront rejeter les déchets polluants à plusieurs kilomètres, là où ils n'offrent aucun danger. J'ai fait préparer un dossier où tous ces problèmes de la prétendue terrible pollution du bioxyde de titane sont complètement éclaircis. Ainsi vous serez préparé pour démasquer les imposteurs et éclairer ceux qui se laisssent abuser, tous ceux qui tentent d'empêcher le progrès en agitant le spectre de la pollution. São Paulo ne serait aujourd'hui qu'une simple capitale de province si ces gens avaient pu imposer leur opinion. Vous

1. En français dans le texte.

avez vu le Centre industriel d'Aratu. Quelle bataille, mon ami, contre les imbéciles ! Derrière les imbéciles. tirant les ficelles, les ennemis du Brésil. » Il ne dit pas lesquels n'ayant pas pris la température politique d'Ascânio. S'il était de droite, il aurait pensé à l'Union soviétique, s'il était de gauche, aux États-Unis.

Le téléphone sonne, c'est Bety à l'autre bout. Le Magnifique Docteur répond :

« Je dois aller à l'enterrement du juge. Je n'ai pas le choix, vous voyez à quoi vous m'obligez ? Il rit, cordial : Demain, nous terminerons notre conversation. A l'hôtel, dans ma suite, où personne ne viendra nous déranger. »

Ascânio ouvre la bouche pour parler, il hésite, le Dr Mirko l'encourage :

« Quelque chose ? Vous pouvez y aller, ne vous gênez pas. » Au fond de lui-même, un espoir, va-t-il parler d'argent ?

Ascânio montre le dessin sur la table, merveilleuse vision du futur :

« Si je pouvais l'emporter à Agreste, ce serait si beau ! Dans le journal mural que j'ai placardé à la mairie, il y a un dessin de Lindolfo, mais ça c'est un tableau, une œuvre d'art, un monument ! »

Bety est convoquée par téléphone : venez et amenez Rufo. Ainsi Ascânio ne retrouva pas seulement la rousse créature, il revit aussi le jouvenceau aux cheveux tombant sur les épaules, à la Jésus-Christ, l'auteur du dessin. Il le félicita chaleureusement, vous êtes un grand artiste, et le remercia au nom d'Agreste. Le lendemain, promet le Magnifique Docteur, il recevra à l'hôtel, avec la documentation, le chef-d'œuvre dûment emballé, dans un rouleau adéquat.

Pour le dîner, Nilsa a choisi un restaurant situé au Solar de l'Union, un endroit splendide, à côté du musée d'Art moderne où l'on vernissait une exposition de photos, gravures, toiles, objets ; la cour remplie d'automobiles.

Quand ils ont fini de dîner, Nilsa le mène visiter l'exposition, Ascânio a un choc, qu'est-ce que c'est ? Il attendait des paysages, des nus artistiques, des natures mortes, de belles peintures, il ouvre des yeux ronds devant des photos absurdes, immorales, des gravures représentant des objets déformés et des choses bizarres, inutiles, on dirait un bric-à-brac ; même une pissotière a été signée par l'artiste. Un artiste ? Oui, confirme Nilsa, et renommé, vous avez certainement entendu parler de Juarez Paraiso.

Nilsa le lui montre, entouré de gens qui le fêtent, un grand mulâtre, barbu, devant l'affiche de l'exposition : la photo d'une immense croupe nue de femme, quelle idée !

« Regardez celui-là, près du banquier Celestino. C'est Carybé, il passe sa vie à donner des interviews aux journaux, contre la Brastânio, il dit des horreurs. C'est un vieux maniaque. Il ne peint que des Noires. »

Elle l'accompagne jusqu'à l'hôtel, à la porte déserte elle se pend au cou d'Ascânio, le quitte sur un gros baiser :

« Je ne reste pas parce que je ne peux pas rentrer tard à la maison, et il est déjà dix heures passées. Mes parents sont très sévères, je suis vissée. »

Vissée. Autre est la valeur des mots, se rend compte Ascânio. Sévérité, art, fiançailles. Autres valeurs, autre monde à la porte duquel il se trouve, prêt à la passer du pied droit. Pourquoi cette sensation de gêne, ce sentiment confus, qui persiste ? Comme s'il n'entrait pas par ses propres pieds, comme s'il était guidé ? Dans la chambre vide, il déplore l'absence de Nilsa, dans ses grands seins il trouverait la sécurité. Le téléphone sonne :

« Allô !

— Amour ?

— Ici, Ascânio Trindade.

— Pourquoi n'êtes-vous pas venu me parler à l'exposition, amour ? »

Il reconnaît la voix défaillante de Bety, Bebé pour les intimes :

« Je ne vous ai pas vue, excusez-moi. Je peux vous être utile ?

— Oui, amour. Je suis à la réception et je vais monter Laissez la porte ouverte. »

DE L'HÉRITIER IMPRÉVU ET DE LA NOUVELLE COMMANDE DE POÈME AU BARDE BARBOZINHA.

A peu près à l heure où les pêcheurs du Mangue Seco avec l appui de Tieta et de Ricardo et le soutien idéologique de l ingénieur Pedro Palmeira, expulsaient les techniciens de la Brastânio, se réunissaient à l'étude du Dr Franklin les diverses personnes intéressées par les terrains des cocotiers. Rencontre organisée par le tabellion, répondant à la demande du Dr Baltazar Moreira, remise plusieurs fois en raison de l'absence du Dr Marcolino Pitombo qui fouine à Esplanada, enfin elle avait lieu.

Dans le bureau du notaire s'étaient réunis, après le déjeuner, les trois avocats et leurs clients : le Dr Marcolino Pitombo entouré de Jarde et de Josafá ; le vieux assis, abattu, le jeune debout, exultant ; le Dr Baltazar Moreira, offrant la meilleure chaise à dona Carlota Antunes Alves, chuchotant avec Modesto Pires ; le Dr Gustavo Galvão, pour une fois avec veste et cravate, recommandant le calme à Canuto Tavares. Comme l'absence de Fidélio se prolonge, lui aussi était convoqué en sa qualité d'Antunes et d'héritier présomptif, on décide de commencer la réunion sans lui : étrange demandeur encore sans avocat pour le représenter. Le Dr Marcolino entame les débats en commentant précisément ce procédé :

« Ce garçon joue une carte qui ne manque pas d'être intelligente. Il attend que nous arrivions à une solution pour intervenir. Vous pouvez écrire ce que je dis. »

Plume à la main, le robuste Bonaparte se prépare à enregistrer l'intervention sur une feuille de papier fort, mais l'avocat l'en empêche :

« Inutile de mettre ça dans l'acte, mon fils.

Bonaparte obéit. Malgré ses contradictions, le petit vieux est sympathique et lâche quelques nickels. Les autres, des radins.

« Je me demande si, dans ces circonstances, il vaut la peine de traiter quelque chose hors sa présence », poursuit le Dr Marcolino, souhaitant repousser la réunion à plus tard, après le retour du secrétaire de la mairie, quand il aura pu avoir une conversation avec lui et obtenir une information précise sur le lieu exact choisi par la Brastânio.

« Je ne vois pas pourquoi nous devrions dépendre de lui. Je propose que nous discutions des problèmes pendants, sans attendre ce garçon qui me paraît bien léger », déclare le Dr Baltazar Moreira le prenant de haut ; il sourit tantôt à dona Carlota tantôt à Modesto Pires.

— Ce garçon est un serviteur de la justice, officier de l'État civil. Comme il a peu à faire, il passe ses journées au bar quand il ne reste pas chez lui à écouter ce bruit que les jeunes d'aujourd'hui appellent musique. Je ne pense pas qu'il apparaisse. Je l'ai fait sonder il y a quelques jours à propos des terrains, il n'a même pas répondu. Je ne dis pas que ce soit un mauvais garçon, mais il est de ceux qui ne se soucient de rien, informe le patron de la tannerie.

— Alors, commençons », dit le Dr Franklin pour gagner du temps. « Vous, Dr Baltazar qui avez demandé la réunion, dites-nous la raison qui vous a fait prendre cette initiative. »

Le Dr Baltazar Moreira toussote :

« Très bien. Après m'être penché sur cette complexe affaire, j'en suis venu à la conclusion qu'un accord s'impose entre les parties intéressées, c'est-à-dire entre les héritiers présomptifs, les divers descendants de Manuel Bezerra Antunes, pour que nous puissions aller ensemble en justice, sans problèmes, sans disputes entre nous.

— L'idée me paraît valable », approuve le Dr Galvão, au courant et d'accord depuis la veille, lorsqu'il avait eu un entretien privé avec le Dr Baltazar. Il répète les arguments avancés alors par son confrère : Finalement, pourquoi les héritiers, après s'être totalement désintéressés des terrains durant toutes ces années, veulent-ils maintenant défendre leurs intérêts, entrer en possession de l'héritage ? Parce qu'il y a un acheteur de poids pour ces terres, la Brastânio, c'est de notoriété publique.

Le Dr Baltazar Moreira en profite pour récupérer la parole, enfin l'idée était sienne et ce gamin, à peine sorti de la Faculté, brille à ses dépens. Il devait approuver, un point c'est tout :

« Le Dr Gustavo a raison. Devant cet acheteur, nous devons nous présenter unis, parfaitement d'accord. Si nous commençons à nous battre entre nous, nous aurons un procès pendant des années et la Brastânio, qui ne peut pas attendre, ira chercher ailleurs.

— C'est bien pour ça, interrompt le Dr Marcolino Pitombo, qu'il ne sert à rien de discuter en l'absence de l'un des héritiers. Comment savoir son opinion ? Comment connaître sa pensée ? »

A la porte de l'étude, écoutant immobile sans qu'ils s'en rendent compte, le commandant Dário de Queluz élève la voix :

« Vous allez le savoir, et tout de suite, mes bons messieurs

Bonjour, Dr Franklin, permettez-moi de prendre part au débat. »

Ils se retournent tous, le commandant n'étant ni bachelier en droit ni Antunes, que fait-il là et pourquoi veut-il participer à la discussion ? Le Dr Marcolino Pitombo connaît la position du commandant à l'égard de la Brastânio : adversaire militant de l'installation de l'industrie de bioxyde de titane dans le municipe, il sillonne les rues, brandissant la protestation des maires d'Ilheus et d'Itabuna publiée dans les journaux du Sud. Heureusement, il ne sait pas qui l'a rédigée — et l'avocat arbore un sourire, cordial, surpris et perspicace :

« Le plaisir sera pour nous, Commandant, mais auparavant permettez qu'à mon tour je vous demande en qualité de quoi vous voulez prendre part aux débats ? »

Sur la face du Dr Franklin s'ébauche aussi un sourire, il avait rédigé lui-même le papier de l'option de vente, ne voulant pas laisser entre les mains de Bonaparte une affaire si urgente, ni entre ses mains ni à sa connaissance, car Bonaparte est très aimable avec le Dr Pitombo et il est rentré tard à la maison, mauvais signe. Le commandant Dário de Queluz sourit également :

« En qualité d'héritier. Fidélio Dórea Antunes de Arroubas Filho m'a accordé une option de vente sur sa part du terrain des cocotiers, elle est enregistrée à l'étude... », il se tourne vers le Dr Franklin.

« C'est exact. Ce matin, confirme le tabellion.

— Et je peux vous communiquer dès maintenant que, pour ma part, je ne pense pas vendre mes droits, ni passer un accord, ni faire de société, rien, trois fois rien. Maintenant que vous le savez, excusez-moi, je dois retourner au Mangue Seco. Au plaisir, mes bons messieurs. »

En allant chercher dona Laura et Leonora, il s'arrête au bar où la bande réunie écoute, dans les rires et les bravos, les détails de l'incident.

« Ils doivent se casser la tête pour découvrir un moyen de déshériter Fidélio. Mais Franklin m'a dit, nous a dit, aujourd'hui, ce matin, que, de tous les héritiers, Fidélio est le mieux placé, lui et Canuto Tavares. N'est-ce pas, cher Fidélio ? »

Même Seixas s'amuse, malgré la déception que la nouvelle causera au receveur. Barbozinha, qui arrive avec des nouvelles, s'amuse aussi :

« Les journaux disent que la date des élections à la mairie d'Agreste va être décidée aujourd'hui. »

Le commandant le savait déjà. Dona Carmosina lui avait montré le nouvel article de *A Tarde* réaffirmant l'intérêt de la Brastânio et sa pression sur le tribunal. Il les quitte, au début de la semaine il reviendra, si tout marche comme il l'espère.

Le poète s'assied, demande une gorgée de cachaça avec du citron, sa gorge ne va pas bien, il doit la soigner. Il interroge :

« Et les élections, qu'en dites-vous ?

— Tu es mon candidat..., répond Osnar.

— Pour être maire ? Dieu m'en garde...

— Non. Pour être le parrain de Peto à la cérémonie du dépucelage. C'est samedi. Nous voulions te demander d'écrire un poème pour la fête. »

Barbozinha tord le nez : ses amis recommencent à le taquiner à cause des vers à la Brastânio. Pas du tout, poète ! Nous voulons seulement que Peto ait tout au mieux car il le mérite bien : Zuleika Cinderela, un souper sensationnel, musique et fleurs et des vers qui immortalisent l'événement. Le visage de Barbozinha s'éclaire : c'est un thème neuf, un peu scabreux mais qui, traité avec délicatesse, peut donner un sonnet dans les vers duquel la verdeur se mêle à la candeur, il va se mettre à l'œuvre. Il encaisse les droits d'auteur :

« Un autre verre, Manu, pour le compte du sonnet. »

ÉPISODE FINAL DU SÉJOUR D'ASCÂNIO TRIN-DADE À LA CAPITALE, OU DE LA FORMATION D'UN DIRIGEANT AU SERVICE DU PROGRÈS : LA BAGUE DE FIANÇAILLES.

Réservée pour lui en permanence, même lorsqu'il s'attarde dans le Sud, la suite du Dr Mirko Stefano n'est pas un froid appartement, une impersonnelle chambre d'hôtel faite pour un bref séjour. On sent partout, dans chaque détail, la présence de l'homme cordial, civilisé — du *bon vivant* [1] comme il se qualifie lui-même.

Ponctuel, à neuf heures, Ascânio pousse la porte entrou-

1. En français dans le texte.

verte, il entend une fin de phrase de la voix maniérée du Magnifique :

« ... votre faute, je vous avais averti que l'homme était difficile. »

La physionomie préoccupée, le directeur des relations publiques de la Brastânio, vêtu seulement d'une robe de chambre de soie noire rappelant un kimono de champion de judo, s'entretient avec le Dr Rosalvo Lucena devant le plateau avec les restes de café, papaye, jus de pamplemousse. Les visages graves se détendent, se font souriants :

« Excusez-moi d'être entré sans frapper, la porte était ouverte. »

Il y a un bref moment d'hésitation durant lequel Ascânio observe et compare les deux manitous de la Brastânio. Le Dr Rosalvo Lucena, prêt pour une matinée affairée au bureau, est vêtu avec une sportive élégance, comme l'exige sa position : pantalon gris, blazer bleu, chemise et cravate bien assorties, gaies. Il n'a pas encore atteint la sobriété de tenue du Dr Bardi, un magnat. Décontracté dans le peignoir japonais, les pieds nus, le Dr Mirko Stefano ne paraît pas un homme d'affaires mais une vedette de télévision un peu mûre, de celles dont les jeunes filles tombent amoureuses. Deux hommes de poids, selon Ascânio ; il sympathise avec Mirko, il désire ressembler à Rosalvo.

« Vous avez très bien fait d'entrer, j'ai laissé exprès la porte ouverte. » Mirko montre un fauteuil. Il doit rappeler au garçon de bien fermer la porte chaque fois qu'il entre ou sort, dans ces nouveaux hôtels le service laisse beaucoup à désirer.

Avant de se retirer, Rosalvo Lucena répète pour Ascânio, qui boit ses paroles, les arguments usés la veille, sans résultat, au déjeuner avec la prestigieuse personnalité de l'administration régionale. Toute la zone bénéficiera de l'établissement de la fabrique : asphalte, doubles pistes, marché du travail, spécialisation de la main-d'œuvre, formation de nouveaux techniciens, école pour les enfants des ouvriers, assistance médicale, cité ouvrière, commerce, emplois bien rémunérés pour les spécialistes.

Tout ça survenant dans une aire morte, utilisée seulement pour les loisirs de quelques privilégiés, la transformant en centre vital pour l'économie de la région. Il supprime, bien sûr, toute allusion à la brûlante question de la proximité de la capitale, facteur de l'inébranlable intransigeance de son illustre invité, au déjeuner : là, jamais ! Il parle, en revanche,

511

du manque d'infrastructure de la zone du Mangue Seco et des dépenses en conséquence, immenses. La Brastânio les assumera le cœur léger, par devoir patriotique.

Devoir patriotique, tu parles ! — pense Rosalvo tout en récitant son texte fignolé pour Ascânio, baba d'admiration. Si le Vieux Parlementaire n'a pas de succès dans ses démarches, ce qui pourrait bien arriver malgré l'optimisme du Dr Bardi, ils seront obligés d'affronter les problèmes posés par l'installation à Agreste : en matière de perspectives, va te faire foutre ! Il sourit à Ascânio :

« J'ai parlé de vous, hier, à une haute personnalité de l'administration, un homme politique puissant. Je lui ai dit votre valeur. »

Il les quitte, il sait qu'Ascânio part cet après-midi :

« Je pense que nous ne nous reverrons qu'à Agreste. Bon voyage et gagnez ces élections. La date est arrêtée, Mirko ? » Au tour du Magnifique.

« Il faut attendre une semaine. Le président a succombé hier à un infarctus foudroyant. J'ai été à l'enterrement. »

Le sourire courtois de Rosalvo Lucena se mue en un rire railleur :

« Chacun porte sa croix, mon vieux. »

De la porte, il fait un signe vengeur, il la tape avec force pour bien la fermer et rappeler à Mirko que la laisser ouverte est une imprudence. Chacun a ses légèretés et ses faiblesses.

« Que désirez-vous boire ? demande le Magnifique après avoir encaissé le claquement de la porte.

« Je viens de prendre mon café, je ne veux rien, vous n'avez pas besoin de vous déranger.

— Je viens aussi de prendre du café. Après le café, pour bien commencer la journée, *nous allons boire une goutte de Napoléon, une fine, mon cher* [1], vous m'en direz des nouvelles.

Sur une table, un choix de bouteilles. Il en prend une. Napoléon, une fine ? se demande Ascânio, que diable est-ce donc ? Il a beaucoup à apprendre. Les grands verres, ventrus, le renseignent : ça, il connaît ce sont des verres à cognac. Mais il n'aurait jamais pensé que le liquide doré, au fond du verre, doive être chauffé avec les mains. Avec une seule, d'ailleurs, car avec l'autre le Magnifique couvre le dessus du verre pour éviter que l'arôme de l'alcool ne s'évente. Gauche, Ascânio copie ses gestes : le docteur découvre le verre, l'approche de

---

1. En français dans le texte.

ses narines, hume, *quel délice*[1] ! En l'imitant, Ascânio chancelle : les émanations de l'alcool pénètrent dans son nez. Il complète sa gaffe quand, avalant d'un trait le contenu du verre, il s'étrangle, tousse ; c'est fort en diable ! Fort mais délicieux, de tout ce qu'il a bu ces jours-ci, y compris le champagne, il préfère le cognac. Le docteur le ressert, ne commente ni ne rit, il n'a rien vu rien entendu. Ascânio maintemant savoure à petites gorgées comme le fait le maître du bien-vivre.

« Voyez-vous, Ascânio, les obligations de ma charge m'amènent à traiter avec une infinité de gens, des contacts parfois difficiles. Je m'entends bien avec tout le monde, c'est mon tempérament et c'est mon métier. Mais, au milieu de cette mafia, de temps à autre je tombe sur quelqu'un qui attire mon attention par son talent, par sa force intérieure, par ses qualités. Je connais les hommes, je ne me trompe pas, je sais reconnaître ceux qui valent la peine, il ne me faut pas longtemps. Depuis la première fois où nous avons parlé, à la mairie d'Agreste, j'ai été frappé par votre personnalité : voilà un homme véritable, *un vrai homme*[1], me suis-je dit en moi-même. A cette époque-là, nous n'étions pas encore décidés pour Agreste, au contraire, nos vues se tournaient vers le sud de l'État, une aire entre Ilhéus et Itabuna, sur le rio Cachoeira : route, port, facilités, les autorités locales offrant monts et merveilles. J'ai pris une décision : si nous ne nous installons pas à Agreste, je vais inviter ce garçon à venir travailler avec nous, à la Brastânio. Il a les qualités pour ça. »

Il aspire le cognac, double plaisir, palais et odorat. Modeste, Ascânio remercie :

« Vous êtes trop bon.

— J'ai pensé : s'il reste ici, dans cette terre décadente, sa flamme s'éteindra, il s'étiolera. Je ne peux permettre que ça arrive, je vais l'inviter à venir collaborer avec nous, où que nous soyons. Mais, nous étant heureusement décidés pour le Mangue Seco, je crois que la mairie d'un municipe industriel, puissant, riche, peut être le premier pas vers une brillante carrière. »

Dans les effluves du cognac Ascânio se laisse bercer par ces paroles inspirées, il commence sa marche. Le Magnifique Docteur prend la bouteille, l'heure n'est pas des plus appro-

1. En français dans le texte.

513

priées mais les circonstances l'exigent. Il poursuit, ouvrant le chemin, éveillant l'ambition. Carrière politique ou autre car, si après s'être dévoué à la mairie d'Agreste, Ascânio préfère troquer l'administration publique pour l'entreprise privée, l'invitation qui n'a pas eu le temps d'être faite reste valable : il y aura toujours un poste de commandement pour lui à la Brastânio. Il existe beaucoup d'hommes intelligents et travailleurs, les hommes capables de commander sont rares.

Pensant l'heure arrivée, il offre :

« C'est pourquoi je tiens à vous dire que je suis, que nous sommes à votre disposition. Si vous avez besoin de quelque chose, dites-le, ne soyez pas timide, nous sommes des amis.

— La confiance que vous mettez en moi me suffit, j'espère m'en montrer digne.

— Et pour les élections ? Pour la campagne électorale ? La Brastânio aimerait participer aux frais de la campagne électorale.

— Je vous remercie mais c'est inutile. » Enfin il trouve quelque chose dont se glorifier : « Il n'y aura pas de campagne électorale. Je serai le candidat unique, c'est une chose décidée. Mon parrain, le colonel Artur de Figueiredo l'a annoncé et le peuple est d'accord. Je peux le dire sans me vanter : je serai élu à l'unanimité. Je n'ai pas besoin d'aide, merci beaucoup. Et c'est mieux comme ça, personne ne pourra dire que je soutiens la Brastânio par intérêt personnel. Ensuite, si tout va bien, si mon rêve se réalise, peut-être aurai-je besoin de votre aide. Pour l'instant, non. »

Cette conversation, la dernière, la plus longue et intime, dépasse les limites de l'industrie et du municipe pour entrer dans la vie privée d'Ascânio.

« Vous parlez de rêve. J'adore rêver, quel est votre rêve ? »

Peu habitué à boire, un peu euphorique à cause du cognac et de l'estime témoignée par le Magnifique Docteur, Ascânio fait des confidences, cite le nom de Leonora, vante sa beauté, déplore sa fortune, obstacle jusqu'ici infranchissable. Maintenant, qui sait, maire du municipe industriel et prospère, la voie ouverte devant lui, il trouvera le courage de parler.

Le docteur Mirko Stefano, dit Mirkus le Magnifique, paraît ému, il sert encore une goutte de fine Napoléon pour un toast :

« Ascânio, très cher, par-dessus tout vous êtes un homme de bien. Vous allez me faire une promesse : de retour à Agreste, votre premier geste sera de demander la main de cette jeune fille Demander la main, ça ne se fait plus de nos jours Simplement dites-lui que vous allez vous marier Pourquoi pas le jour de la prise des pouvoirs. » Il lève le verre ventru où le cognac brille, or et braise. « Je bois au bonheur des fiancés. »

Ils boivent encore au bonheur des fiancés quand le téléphone sonne. Le docteur répond :

« Ça marche, bien sûr. Dans cinq minutes je vous l'envoie. »

Il repose l'appareil, explique à Ascânio :

« C'est un journaliste de nos amis, celui qui a fait l'interview du Dr Lucena qui vous a tant plu. Il aimerait vous entendre au sujet d'Agreste et des perspectives que l'installation possible de la Brastânio ouvre pour la région. Si vous n'y voyez pas d'inconvénient, de notre part nous n'avons rien à objecter. Ainsi, vous commencez à vous mettre en valeur.

— D'inconvénient, aucun. Avec plaisir.

— Je vous fais conduire à la rédaction du journal. Au retour vous me trouverez à la piscine, nous déjeunerons ensemble. »

Ascânio est la porte de la suite, il sort quand le Magnifique lui rappelle :

— N'oubliez pas de répéter votre phrase d'hier, un chef-d'œuvre ! " La Brastânio est la rédemption d'Agreste ! " J'en suis jaloux, *mon vieux*[1]. »

A la rédaction, le journaliste, l'individu borgne qui, le premier jour, voulait obtenir à tout prix des informations, s'exclame en entendant la fameuse phrase :

« C'est Mirko qui vous l'a soufflée, n'est-ce pas ? »

Ascânio ne se vexe pas, il est plutôt fier :

« La phrase est de moi, mais il a dit qu'il aimerait l'avoir prononcée.

— Avec Mirko il n'y a rien à faire, c'est la crapulerie en personne. L'autre jour, il m'a roulé, il m'a caché la venue de l'Allemand, mais *A Tarde* était sur la piste, ils ont levé le lièvre. » Il hausse les épaules : « D'ailleurs, ça n'aurait rien changé, qu'il me le dise. Un mot de lui au patron et rien ne sortait. C'est ça, les puissants. »

C'était du latin pour Ascânio, il n'y entendit rien. Un photographe les mitrailla pendant qu'ils parlaient. Ascânio

1 En français dans le texte

répondit à deux ou trois questions, le reporter se déclara satisfait :

« C'est suffisant, le reste je m'en charge. Je vais profiter de la voiture, donner un coup d'œil aux gonzesses à la piscine, prendre un scotch avec ce brigand de Mirko. »

Dans la voiture il s'informe :

« Dites-moi une chose : sur votre plage, les femmes valent la peine ? On trouve beaucoup de Paulistes par là ? » l'œil unique brille de convoitise : « Les touristes de São Paulo, mon vieux, débarquent de l'avion en tortillant du troufignon. »

Ascânio a envie de lui mettre sa main sur la figure :

« Partout, que je sache, il y a des coureuses et des femmes correctes. Les Paulistes que je connais sont honnêtes et décentes. »

La voix sèche, presque en colère, alerte le journaliste :

« Voyons, mon vieux, je n'ai pas voulu offenser votre parenté. Je parlais des cocottes que l'on trouve ici. Ne le prenez pas mal. »

Dans l'une des grandes voitures noires, après le déjeuner, le Magnifique Docteur et Bety l'accompagnent jusqu'à la gare Routière. Ascânio couchera à Esplanada, chez Canuto Tavares, et, si la marineti de Jairo se comporte bien, le lendemain, avant une heure, il verra Leonora et lui dira : je t'aime et je veux me marier avec toi. Bety lui prend le bras pour le mener à l'autobus, elle se serre tendrement contre lui. Elle semble avoir apprécié la nuit passée avec lui bien qu'elle ait pris quasi toutes les initiatives. Au contraire de ce que pense Osnar, il n'y a pas besoin de coucher avec une Polonaise pour savoir ce que c'est qu'une femme.

Avant les adieux, le Dr Mirko Stefano, directeur des relations publiques de l'Industrie Brésilienne de Titane S.A., sort de sa poche une petite pochette de velours noir où est imprimé en lettres dorées le nom de la Casa Moreira, joaillerie et antiquités de prix :

« La Brastânio vous demande la permission d'offrir la bague de fiançailles que demain vous mettrez au doigt de votre promise que j'aurai, j'espère, le plaisir de connaître dans quelques jours, lorsque je retournerai à Agreste. »

Dans l'autobus, Ascânio n'y résiste pas, il dénoue le cordon, ouvre la pochette, en retire un petit écrin qui contient une bague ancienne, en or avec une rosette de diamants ; à l'intérieur étaient gravées les lettres L et A, un travail raffiné, une pièce de goût et de valeur, digne de Leonora. La bague de fiançailles.

COMMENT LES DIRECTEURS DE LA BRASTÂNIO SE RAPPELLENT UN PROVERBE.

Dans les bureaux de la Brastânio, le chef de l'équipe envoyée au Mangue Seco présente son rapport au Dr Rosalvo Lucena et menace de se démettre. Connu comme Arpigio l'Imperturbable, pour le calme avec lequel il affrontait toujours les problèmes professionnels les plus ardus et les violentes scènes de son épouse, réputé pour l'égalité de son caractère, ce n'est plus le même homme, il a perdu sa fameuse maîtrise, ses mains et sa voix tremblent en décrivant les faits :

« A la tête de la horde d'assassins venait une folle furieuse, brandissant un bâton. C'est elle qui a surveillé les femmes dans la vedette. Je jure, docteur Lucena, que j'ai cru qu'ils allaient nous tuer, je me préparais à mourir.

— Et comment était cette mégère ?

— Pas laide, mais elle courait en criant : Dehors ! Dehors les empoisonneurs ! Elle, le curé et le barbu. Le curé est un jeune garçon, je ne pense pas qu'il ait encore dit la messe. Le barbu m'a rappelé un ingénieur que je connais, mais comme il est resté sur la plage je ne l'ai pas bien vu, une simple ressemblance certainement. Les autres, des traîne-guenilles, un tas de bandits.

— Combien ? Beaucoup ?

— Combien ? Je ne sais pas. Une trentaine ou plus, en comptant les enfants. On aurait dit des gens de l'âge de pierre. Nous avons dû rester debout, sur la passerelle, ç'a été horrible. Rien que d'y penser, j'en suis malade. »

L'une des secrétaires, au bord de la piscine, prenant huit jours de congé spécial pour se refaire du choc, confie au Magnifique Docteur :

« Il y en avait un qui n'était pas si mal... Celui qui a terrassé Mario José et l'a mis knock-out, elle parle de Budião. Mais ça ne servait à rien de lui sourire, il voulait vraiment nous tuer. »

517

Elle tremble en se souvenant « La femme montrait les requins avec son bâton. J'ai fermé les yeux pour ne pas voir. »

Malgré son traumatisme — il ne serait jamais plus le même — le chef de l'équipe reconnaît ·

« Ils ne voulaient pas nous tuer, j'ai fini par m'en rendre compte. Seulement nous faire peur. Mais il est clair que, la prochaine fois, ils ne se contenteront pas de menaces. A mon avis, Dr Lucena, on ne peut pas construire quoi que ce soit là-bas. A moins qu'avant on envoie la police... La police, non... L'armée pour en finir avec ces bandits, avec tous, sans exception. Ils ont menacé de nous jeter aux requins. Katia s'est évanouie, elle garde encore le lit, elle dit qu'elle n'ira jamais plus aux bains de mer. »

L'autre secrétaire, la pauvrette, jolie et sensible, un paquet de nerfs, au lit un tourbillon. est restée, elle, trois nuits sans dormir : dès qu'elle fermait les yeux elle voyait les requins sautant autour de la vedette. D'émotion, elle est devenue disciple de Hare Krishna.

Le chef de l'équipe conclut :

« Si je dois retourner au Mangue Seco, docteur Lucena, je préfère donner ma démission tout de suite. »

Le Dr Rosalvo Lucena et le Dr Mirko Stefano écoutèrent avec sérénité l'effroyable récit, les plaintes et les protestations, ce n'est pas par hasard qu'ils occupent des postes de direction dans une société telle que la Brastânio. Ces réactions hostiles ne les surprennent pas, ce sont les premières mais pas les dernières, certainement. Ils demandent aux victimes d'en parler le moins possible, ils imposent silence, enjoignent la discrétion. Néanmoins la nouvelle transpira, fut divulguée par la presse.

Dans *A Tarde*, présentée sous un angle sympathique : vigoureuse réaction de colère populaire contre la menace de pollution de la plage du Mangue Seco qui, pour la beauté de son paysage et la douceur de son climat, est un patrimoine qu'il faut défendre à tout prix. Note rédigée par Giovanni Guimarães qui envoya également un télégramme de félicitations au poète Matos Barbosa. Dans un autre journal, les faits étaient présentés comme une preuve de l'extension et du danger du réseau subversif installé dans le pays, à la solde de l'étranger.

Elle devint manchette et éditorial dans un hebdomadaire à scandale, dirigé par un roublard connu, le combatif Leonel Vieira. Il parla de l'importance de l'installation de l'industrie de bioxyde de titane mais souligna ses inconvénients, sa haute teneur en pollution, promettant de revenir là-dessus dans le prochain numéro avec de nouvelles informations, en direct d'Agreste où il envoyait un reporter.

Il ne fut pas nécessaire d'envoyer de reporter aux confins du sertão car le Magnifique Docteur fournit au cher et sympathique Leonel Vieira les informations voulues sur l'industrie de bioxyde de titane : chèque, whisky et demoiselles. Il calma même ses susceptibilités idéologiques car, comme on l'a dit plus haut, l'impavide Vieira risque à profits et pertes, dans certains cercles, un gauchisme assez radical. Il revint sur la question comme il l'avait promis, donnant un magnifique exemple d'honorabilité journalistique à ses (rares) lecteurs. En possession de nouvelles informations, il eut le courage civique de confesser publiquement l'erreur qu'il avait commise et de renier ses calomnies contre la Brastânio, dont l'installation dans l'État allait contribuer au progrès, à l'indépendance économique du Brésil et à la formation du prolétariat bahianais.

Les Drs Mirko Stefano et Rosalvo Lucena, le Magnifique Docteur et le Managerial doctor, font le point de la situation. De São Paulo, en d'incessants appels téléphoniques, le président-directeur général, Angelo Bardi, les informe des entraves mises par Brasília. Les résistances viennent surtout des autorités bahianaises, prêtes à céder volontiers lorsqu'on parle d'Agreste et du Mangue Seco, lointains sans résonance ni champions, intransigeantes quant à Arembepe, proche, visible, évident, conflictuel. En défense d'Agreste, outre Giovanni Guimarães, ne s'élèvent qu'un poète sans grand renom et une demi-douzaine de pêcheurs. Mais, dans les tranchées d'Arembepe, prennent position des artistes et des écrivains d'une portée nationale, touristes et hippies ; et, pesant dans la balance bien plus que tout ce folklore, le poids des sociétés propriétaires de vastes et prometteurs lotissements dans l'aire en question : avec la Brastânio propageant ses gaz empoisonnés, les prix des terrains descendront à zéro.

Malgré sa confiance en l'efficacité des nouveaux subsides mis à la disposition du Vieux Parlementaire, le président-directeur général applaudit, par téléphone, aux précautions prises lors de la dernière réunion, suggestion de Mirko : le Mangue Seco détourne l'attention des journalistes et du public et peut, par ailleurs, être en dernier recours la seule option qui leur reste. Aussi recommande-t-il d'envoyer à Agreste un

519

avocat capable, pour étudier la situation des terres où, s'il n'y a pas moyen de faire autrement, s'élèveront les usines Apparemment, on ne sait pas à qui appartiennent les terrains des cocotiers, il est temps d'éclaircir les détails de cette affaire. Une mesure de précaution.

Le Dr Mirko Stefano, familier de la vie bahianaise, rappelle au Dr Lucena le nom d'un professeur de la Faculté de droit, non tant pour ses titres que pour la sagacité dont il a fai⁺ preuve dans des cas particulièrement embrouillés et délicats Le Dr Hélio Colombo, titulaire d'une chaire, à la tête d'un important bureau d'avocat, acceptera-t-il de se déplacer à Agreste. un voyage long et fatigant ? Rosalvo en doute, il enverra à sa place un collaborateur quelconque. Mirko le rassure : pour de l'argent, le Dr Colombo irait au diable. pourquoi pas à Agreste ? Il mettra une voiture à sa disposition et, pour donner au voyage un certain agrément, une secrétaire pour l'accompagner et prendre des notes, c'est-à-dire, prendre son pied. Lorsqu'ils parlent ainsi librement, les deux directeurs de la Brastânio se permettent une certaine liberté de langage. Le Magnifique Docteur en oublie même ses citations en diverses langues pour citer, à propos des événements du Mangue Seco et de leur répercussion dans la presse, un proverbe national (ou portugais ?) à son sens parfaitement adapté : quand le bâton chante sur l'échine du voisin, on a la paix. Tant qu'on s'occupe du Mangue Seco, on oublie l'existence d'Arembepe.

Ils sont d'accord sur une chose, eux, les directeurs et le terrifié chef d'équipe — au cas où ils se verraient obligés d'implanter l'industrie au Mangue Seco, avant tout il sera nécessaire de nettoyer l'aire de l'infâme populace qui l'occupe, d'en terminer une bonne fois avec ce terrier de contrebandiers, ce repaire de bandits. Une opération au peigne fin dont ne réchappera pas un seul marginal ou subversif, à commencer par ce petit curé : l'Église se transforme en une pépinière de terroristes, *seu* Mirko ! Rosalvo Lucena arrête le compte :

« Sans oublier les enfants. Aprígio m'a raconté que les enfants étaient les pires, ils excitaient les requins. De plus ils étaient nus, de grands gaillards avec tout en montre. Lombrosiens, m'a dit Aprígio. »

Le Magnifique Docteur sourit de son bon sourire, aimable et décontracté :

« Ne vous préoccupez pas, mon cher Rosalvo. Si nous nous

installons au Mangue Seco, requins et enfants dureront peu.
ils disparaîtront dans les effluents... »

COMMENT ASCÂNIO TRINDADE, A L'IMAGE DES VERS DU POÈTE BARBOZINHA, S'EMBARQUE DANS LE SILLAGE FAUVE D'UNE COMÈTE, CHAPITRE D'UN ROMANTISME PLUS QU'ATROCE — SILENCIEUX ET BLÊME.

La lune fait voile de l'autre côté du monde ou repose au fond de la mer : dans la noirceur de la nuit les falaises sont de blanches robes de mariée criblées d'étoiles que reflète le ciel du Mangue Seco : ainsi avait écrit Barbozinha dans l'un des *Poèmes d'Agreste,* rappelant sa rencontre avec Tieta. Claire tunique de sable, ta robe de noces, guirlande d'étoiles, ô rose effeuillée, fiancée défaite, lune noire voilée — des vers anciens, bons à être récités dans les fêtes d'autrefois. Leonora les avait lus en ces nuits d'angoisse quand Ascânio était comme fou et que le rêve menaçait ruine, de s'écrouler. Pour illustrer le poème de Matos Barbosa ; Calasans Neto avait fiché une lune noire dans l'abîme de la mer, avait tracé dans les dunes un chemin d'étoiles pour la bien-aimée. Un soleil bleu une lune noire, jours et nuits de Leonora.

Sur le fleuve, le bruit du moteur à la poupe de la barque de Pirica :

« C'est lui, Petite-Mère, mon cœur me le dit. » Leonora se lève. se précipite vers la porte du Bercail du Bouc Inácio.

Elle était arrivée la veille, avec le commandant et dona Laura, répondant à l'appel de Petite-Mère : viens m'aider à tout installer. Bien qu'allergique à l'odeur de peinture fraîche, Tieta avait déménagé avec les portes vertes à peine peintes, tant elle était pressée. Elle montre fièrement chaque pièce : minuscule, ma bicoque, mais un bijou, n'est-ce pas ? Living, deux chambres, sanitaires ; pratique, il y a tout, même un réfrigérateur au kérosène. Tieta n'a pas regardé à la dépense, elle a fait venir du bon et du meilleur, dimanche, quelques personnes amies viendront pour déjeuner et se baigner. Les rites de la mort, si sévères à Agreste, interdisent une pendaison de crémaillère : à peine quelques jours se sont écoulés depuis l'enterrement de Zé Esteves, que Dieu le garde. Dieu ou le Diable ?

Tieta va jusqu'à la porte, prend Nora par la taille :

« Profite de l'occasion, chevrette. Je vais faire la causette avec le commandant et dona Laura. Si tu es vraiment amoureuse, prends ton bouc par les cornes. Fais-le culbuter ; le jour approche où l'on va partir. Prends garde de ne pas gravir la même falaise que Pedro et Marta, c'est l'heure où ils sont là-haut, s'en donnant à cœur joie. Ils ne manquent pas un soir. »

Elle abandonne Leonora là, immobile, disparaît dans l'obscurité en direction de la Toca da Sogra où brille la lumière à l'acétylène des lampes marines du commandant. Elle s'appuie sur le bâton, elle ne le lâche plus depuis la mort du Vieux. Ricardo était parti pour Agreste, la laissant démunie. Les nuits du samedi au dimanche appartiennent à Dieu. Après la confession avec frère Thimóteo, l'après-midi, au village du Saco, abstinence totale, même pas un baiser pour se consoler. Ce samedi, il était parti avant l'heure habituelle, s'embarquant à l'aube dans le canot de Jonas. Il doit arriver à Agreste à temps pour la messe de l'anniversaire de Peto, il porte les cadeaux de Tieta et Leonora, et s'est aussi engagé à aider le Padre Mariano, pour quelle espèce de cérémonie, elle ne sait pas exactement, elle n'entend rien aux choses de la religion.

L'association entre Tieta et notre Sainte Mère l'Église, pour gérer l'emploi du temps de Cardo, bien commun, commence à lui peser. Au summum de la passion, délirante et possessive, elle l'exige à chaque instant, sachant combien est bref le délai qui lui reste auprès de son petit. Un caprice pareil, coup de foudre aussi fort, jamais elle n'en avait ressenti de sa vie, une toquade de vieille chèvre pour un chevreau sentant encore le lait. Ah ! si la Senhora Sant'Ana acceptait de le lui céder à temps complet durant ces quelques jours, moins d'un mois, en échange d'une offrande quelconque à la cathédrale ! Dans la famille Esteves, comme on voit, marchander avec le Ciel devient une habitude. Sans avoir les mérites de Perpétua, Tieta serait prête à payer cher ces dernières nuits du samedi au dimanche, ces brèves heures où Ricardo remplit ses devoirs de lévite du Temple.

Les pas de Tieta s'éloignent, ceux d'Ascânio s'approchent.

522

Excitée et tremblante, Leonora attend — silencieuse et livide, tu m'attendais, avait écrit le barde Barbozinha dans les vers pour Tieta, ah! les poètes connaissent le sensible et l'occulte! Si Ascânio l'accepte comme servante ou maîtresse, elle ne partira jamais d'Agreste; Petite-Mère s'en retournera sans compagnie. Bien que pute elle sait soigner une maison, elle est fanatique de la propreté, elle cuisine honnêtement, depuis son jeune âge elle lave elle-même son linge, elle lavait et repassait celui de Cid-la-Fouine, reprisait chemises et pantalons. Rafa a besoin de repos, Ascânio dit lui-même que la vieille nourrice est gâteuse, elle oublie les choses, somnole le jour entier. La silhouette surgit parmi les cocotiers, à la main un rouleau énorme :

« Nora !

— Ascânio, mon amour ! »

L'étroite étreinte, le baiser ardent, non plus un frôlement de lèvres timides, l'étui roule à terre. Les étoiles roulent dans le ciel, illuminant le chemin des falaises. Leonora offre son bras à Ascânio, montre des yeux la masse blanc de céruse des dunes :

« Nous allons ?

— Le temps de poser ça. Ensuite je te montrerai. » Il prend le rouleau à terre, le remet à Leonora qui le porte dans la salle. Ils s'embrassent à nouveau, avant de sortir marchant parmi les étoiles.

Dans la marineti, quelques heures avant, Ascânio avait annoncé, triomphant :

« Ça ne va pas tarder, ce sentier infâme sera l'un des meilleurs de Bahia et du Brésil. Deux larges pistes d'asphalte, à sens unique, pratiquement une autoroute. »

Impressionnés, les passagers demandent des détails, il les fournit, précis. La C.B.G.E. — Compagnie bahiane de génie et d'études, celle qui a asphalté le chemin de Boue, vous savez, non ? — achève les études à soumettre à la Brastânio, Ascânio rentre de la capitale apportant le progrès dans sa serviette de cuir noir, neuve et chère, et dans le long rouleau de métal. La serviette, cadeau du Dr Rosalvo Lucena, déposée avec un mot aimable à la réception de l'hôtel, renferme les papiers envoyés par le Magnifique Docteur, une documentation exhaustive. Dans le rouleau le dessin du décorateur Rufo, ce monument ! La voix d'Ascânio a acquis vigueur et clarté, syllabes bien prononcées, mots choisis et corrects. Tous sentent la modification survenue : le besogneux jeune secrétaire de la mairie, aux petites entreprises et rêves impossibles, s'est transformé, c'est un réalisateur objectif et dynamique A la capitale, au contact d'hommes de grande envergure et de grand cœur, il avait mûri

Qui sait, parce que ne lui plaît pas la nouvelle du prochain asphaltage de la route, la marineti de Jairo, appelée par quelques mauvaises langues Mule Gadouilleuse, est tombée en panne, une panne soignée. Quand, enfin, ils arrivèrent à Agreste, le crépuscule tombait, heure romantique. A la porte de la maison de Perpétua, le séminariste Ricardo, en soutane, montre au poignet, au doigt la bague de jade, souriant, l'informa que la cousine Leonora était au Mangue Seco. Sans même dire au revoir, Ascânio partit chercher un moyen de transport.

Ils marchent en silence vers les falaises, main dans la main, se souriant. Scrutant la face perdue dans l'ombre, Ascânio tente de la comparer à Pat, Nilsa, Bety. Impossible ! Non seulement parce que Leonora est infiniment plus belle, surtout pour l'immense distance morale qui la sépare de ces piranhas. Des piranhas, ainsi s'était exprimé le journaliste Ismael Julião à propos des femmes réunies autour de la piscine ; on ne dirait pas qu'il est fiancé à l'une d'elles. Un type répugnant, le Dr Lucena a raison.

La face de Leonora reflète la pureté, la droiture, des sentiments nobles. On voit tout de suite la famille à principes, l'excellente éducation. Les autres, que peuvent-elles être sinon... des piranhas ; pour ne pas employer le terme vil et exact. En aucun moment, en ces jours et ces nuits si mouvementés, Ascânio ne considéra qu'il trahissait Leonora en allant au lit avec Pat, Nilsa et Bety. A Agreste, au moins deux fois par semaine, il apparaît à la pension de Zuleika Cinderela pour se décharger le corps dans une poule quelconque. Il ne trahit pas son aimée, celle qu'il s'est choisie pour épouse, en couchant avec une fille publique. Fille publique, piranha ou pute, synonymes. Amour et lit sont deux choses différentes, qui n'ont rien à voir entre elles, de même que Leonora n'a rien de commun avec ces entraîneuses de Bahia, les trois connues de lui et les autres, parmi lesquelles Astrud. Astrud, oui, l'égale de Pat, Nilsa et Bety ; pire encore, hypocrite. Maintenant, aucune Astrud ne pourra le tromper Ascânio est un autre, il a appris à discerner.

Toujours main dans la main et souriant, ils entreprennent la montée de la falaise la plus haute, leurs pieds s'enfoncent dans le sable. Leonora trébuche sur une palme de cocotier, vacille, tombe, tente de se redresser, Ascânio la prend dans ses bras, léger corps ailé, sylphide — les poètes touchent toujours juste, ils ne se trompent jamais. Dans ses bras il la transporte. Leonora s'appuie contre sa poitrine, joue contre joue, leurs souffles se croisent et se confondent.

Quand il la dépose au sommet, ils s'embrassent face à l'abîme ténébreux et éblouissant. Là, une nuit de pleine lune, elle avait effleuré son visage de ses lèvres, quand Ascânio avait raconté la trahison d'Astrud. Dans la nuit sans lune le paysage est encore plus lourd de mystère, immense et sombre. Quand ils se défont du baiser, elle rappelle, voix de cristal :

« De ce côté, c'est la côte d'Afrique. Je n'ai pas oublié. Sauf que la lune que j'avais commandée n'est pas venue ce soir, saint Georges n'est pas mon ami. »

Ils s'asseyent devant la mer en furie, voulant rompre et pénétrer la terre. Si grande émotion, petit rire, craintif. Heureux, Ascânio est muet ; pourtant, il avait médité les phrases, choisi chaque mot. Leonora demande :

« Tout a bien été ?

— Tout. Très bien. Ensuite je te raconterai, dans le détail. Il se décide : Maintenant je veux te parler d'autre chose, de nous. »

Leonora l'interrompt, soudain tourmentée, le regard dans le lointain de l'océan, infiniment triste, brisé le cristal de la voix :

« Ascânio, il y a une chose que je veux te dire, que je dois te dire. »

Il lui met la main sur la bouche, vivement. Tout sauf ça. Il sait ce que Leonora veut lui dire, il ne peut pas permettre qu'elle confesse elle-même ce qui s'est passé. Il ne veut pas l'entendre de sa bouche, ce serait la pire des souffrances.

« Ne dis rien, je sais tout.

— Tu sais ? Qui te l'a dit ?

— Dona Carmosina. Dona Antonieta lui a demandé de me mettre au courant. Pour voir si je renonçais.

— Elle t'a tout dit ? les premières larmes jaillissent.

— Tout. Comment cette canaille de fiancé t'a trompée, a abusé de ton innocence. Tu te rappelles le voyage que j'ai fait à Rocinha ? C'est à ce moment-là. Mais ça n'a pas eu de conséquence. Pour moi, ce qui est arrivé n'a pas d'importance. Je te considère comme aussi pure que la Vierge Marie. »

525

Les larmes coulent sur la face de Leonora, pleurs silencieux Ascânio les sèche avec des baisers, il exige ·

« Je ne te demande qu'une chose : nous n'en parlerons jamais plus, pas un mot. D'accord ? »

Elle fait oui de la tête. Elle allait lui dire autre chose, raconter la vérité, mais maintenant, devant ce qu'elle vient d'entendre, où trouver le courage de parler ? Elle éclate en sanglots, Ascânio les calme d'un baiser.

Un bruit lointain, d'où vient-il ? De la falaise voisine, entrevue dans l'ombre ? On la distingue à peine, mais on entend de plus en plus distinctement un doux gémissement et des bribes de phrases qui se perdent dans le vent : ah, mon Pedro, mon amour... Ascânio scrute la nuit, Leonora ébauche un sourire, saisit ce prétexte pour sortir du cercle des quiproquos :

« C'est l'ingénieur et sa femme. Petite-Mère me l'a dit : toutes les nuits.

— Ça vaut la peine d'être marié..., envie Ascânio.

— Ascânio, quoi qu'il arrive, ne pense jamais que j'ai voulu te tromper. Jamais je n'ai eu d'autre amour de ma vie. Avant de te connaître, je ne savais pas ce que c'était qu'aimer. »

Quand il se baisse, ému, pour l'embrasser, Leonora le prend dans ses bras et, d'un geste inattendu, l'enserre de ses jambes, le faisant tomber sur son corps. Prends ton bouc par les cornes, fais-le culbuter, avait conseillé Petite-Mère. Ascânio tente encore de se libérer, il craint de perdre la tête et d'abuser de tant d'innocence et de confiance, faisant par amour ce que la canaille avait fait par ignoble calcul. Mais elle le tient fort, corps contre corps, il sent les seins, les cuisses, le ventre, il lui en coûte de se contenir. Leonora murmure :

« Pardonne-moi de ne pas être comme tu pensais. Viens, je suis à toi. Ou tu ne me veux pas ? les larmes coulent à nouveau.

— Ah, si je te veux ! »

Les soupirs s'amplifient sur la falaise voisine. Le vent, complice, soulève le bord de la robe de Leonora, elle s'ouvre. Face à la côte d'Afrique, Ascânio l'eut et, au lieu de l'hymen perdu, trouva le sillage fauve d'une comète. Pour la première fois de sa vie Leonora se donna par pur amour, sans aucun autre sentiment, bon ou mauvais. Elle pleure et rit. Elle était une chevrette sevrée, une biquette battue par la vie. A ce bout du monde, face à la côte d'Afrique, elle se fait femme,

complète et heureuse autant qu'on peut l'être ou l'avoir été
Elle a un soleil bleu et une lune noire.

Les soupirs d'amour se mêlent, montent des falaises. Robe
nuptiale de sable blanc, guirlande d'étoiles, fiancée défaite,
rose effeuillée. Les forces manquent à Leonora. A l'horizon se
lève le soleil bleu, dans l'abîme de la mer disparaît la lune
noire, les larmes s'éteignent, le rire s'éclaire. Ah, amour,
maintenant, oui, je peux mourir.

OÙ L'AUTEUR SE RÉPAND EN LOUANGES INAT-TENDUES — IL DOIT AVOIR SES RAISONS, À COUP SÛR.

On a beaucoup parlé de patriotisme et de patriotes dans ce
feuilleton. Dans ce domaine, il devient indispensable de
réparer une grave injustice et je dois d'urgence y remédier
avant d'introduire les lecteurs dans l'animée (et unique)
pension de femmes d'Agreste, que tient avec doigté et
efficacité Zuleika Cinderela.

On a loué à juste titre le désintéressement du commandant
Dário de Queluz, abandonnant une glorieuse carrière dans les
bateaux de guerre de l'Armada par amour pour les beautés, le
climat et la tranquillité d'Agreste. On a chanté les louanges
des poèmes dédiés, par le grand barde Gregório Eustáquio de
Matos Barbosa, à son sol natal, dont le paysage l'inspira ; on a
signalé l'importance pour la ville de son retour, affaibli par la
maladie, porteur d'un inestimable patrimoine : le succès, la
renommée, le souvenir d'amitiés illustres, les exemplaires des
livres publiés. On s'est longuement étendu sur l'attachement
d'Ascânio Trindade au municipe pauvre et arriéré qu'il veut
riche et progressiste ; son père mort, il aurait pu retourner à la
Faculté et, après son diplôme, exercer dans le Sud — il ne
manque pas de qualités, reconnues même par les directeurs de
la Brastânio. On a rappelé des noms du passé, hauts faits et
mérites.

On n'a pas parlé pourtant du dévouement incomparable à
Sant'Ana de l'Agreste de Zuleika Rosa do Carmo, la Cinde·

527

rela, à qui doivent tant la ville et le municipe. Non seulement son nom ne figure pas parmi ceux des patriotes notoires, mais sa présence est rare dans les innombrables pages de ce feuilleton, et presque toujours accidentelle. Une fois on l'a vue à l'église, entourée de filles, la nuit du Nouvel An ; au bar, les quatre amis ont bu à sa santé, sauf Astério, étant absent et bien marié. C'est tout. Injustice des plus grandes, je cherche à la rattraper.

Si elle n'était pas restée à Agreste, méprisant des offres diverses et avantageuses, non pas une ou deux, beaucoup, que serait devenue la joie de ce bourg perdu ? Que resterait-il aux jeunes (et aux moins jeunes), à part les chèvres ? Quelques loques répugnantes mendiant à l'impasse de l'Amertume, au Creux du Vieux, dans des coins perdus.

J'ai cité la pension de Zuleika dans la liste des centres culturels d'Agreste. J'ai encouru, ce faisant, d'âpres critiques de Fúlvio d'Alambert, rigoureux en questions de littérature et de moralité. Mais je demande : où font leur éducation et prennent contact avec la civilisation des grands centres les culs-terreux venant des plantations et des clos de Rocinha, le samedi, pour le marché ? Où trouver, en permanence, parfum et grâce, musique et danse, passion et galanteries, conversations, chant, récitatifs, un tango dans la rigueur des figures, outre la théorie et la pratique de la sexualité, science en telle vogue à l'époque actuelle ?

Bien plus tristes et solitaires seraient les jours et les nuits d'Agreste, surtout les nuits, si Zuleika, tentée par la cupidité, séduite par le faste, était partie chercher fortune et renom — ce pour quoi ne lui manquaient pas les qualités, physiques et morales. La vie quotidienne d'Agreste ne se distinguerait pas par la bonne entente, la discorde n'aurait pas attendu la Brastânio pour établir son règne. Zuleika Cinderela dispense agrément et cordialité parmi le peuple, elle est même responsable de l'harmonie de divers couples — sans les filles qui exercent à la pension, beaucoup de maris auraient déserté leur foyer pour chercher des lieux plus évolués.

Très tôt Zuleika refusa les invitations. De patronnes de pensions d'Esplanada, Mata de São João, Caldas do Cipó, Dias d'Ávila, Feira de Sant'Ana, Jequié, Itabuna, Aracaju et Salvador, toutes offrant de bonnes conditions car elle était une tentation de gamine, du vif-argent. On l'avait appelée Cinderela, Cendrillon, car elle venait directement des cuisines de la Fazenda Tapitanga, où le colonel Artur avait usé du droit de

528

cuissage avant qu'elle ait quatorze ans. Puis, femme faite établie avec la pension, ne lui manquèrent pas non plus de lucratives propositions de transporter à des centres plus peuplés et plus avancés ses capacités de femme d'affaires et d'administratrice : elle aurait pu s'enrichir.

Comme le commandant, Barbozinha, Ascânio, elle se révéla une irréductible patriote. Jamais elle n'accepta l'idée de laisser Agreste, se sachant non seulement chérie mais indispensable. Ne lui revenait-il pas, presque toujours, la délicate tâche d'initier les garçons de bonne famille ? Les pères consciencieux, attentifs à l'éducation de leurs fils pubères, remettaient entre les mains de Zuleika Cinderela l'avenir de leurs héritiers, les confiant à ses bons soins, par l'intermédiaire de parents et d'amis, la suppliant de s'occuper d'eux, d'en faire des hommes intègres et entiers. Par bonté et goût personnel, elle initiait aussi quelques galopins, pour rien. Petite de taille, un grand cœur.

Quand, à onze ans, amené par un cousin, Osnar vint la trouver, elle en avait vingt et était déjà réputée spécialiste en la matière. Aujourd'hui, ayant passé brillamment le cap de la cinquantaine, si l'on comptait les pucelages qu'elle a déflorés au cours de son existence, ce serait un record. Elle n'a plus sa verdeur de gamine, sa turbulence juvénile ; elle s'est posée, mais son allant est le même, plus grande sa gentillesse, et elle conserve cette beauté de corps bien fait, la sensualité irrésistible, les marques de variole se dissipant sur le visage toujours en fête.

S'il y avait une justice, si les citoyens d'Agreste n'étaient pas attachés à leurs préjugés hypocrites, Zuleika et son établissement modèle auraient été depuis longtemps proclamés d'utilité publique. Mais la vie est un réceptacle d'injustices — répétons ici cette vérité, un lieu commun de plus après tant d'autres accumulés dans les pages sans lustre de ce feuilleton.

DES ÉPOUSAILLES DE PETO.

Jamais on ne l'avait vu si propre, sérieux et élégant mais, pour étrange que cela paraisse, personne ne fit de facétie ni ne se moqua, à part *seu* Manuel :

« Hé là, Peto ! Tu vas faire ta première communion ? Tu as passé l'âge. Ou tu vas te marier ? »

Osnar interrompit le Portugais :

« Tu ne sais pas, Amiral, qu'aujourd'hui c'est l'anniversaire du sergent ? Offre-lui au moins un Coca-Cola.

— L'anniversaire ? Tope là ! mes félicitations. Et commande la boisson de ton choix. »

Réellement, il était méconnaissable, le négligé Peto. Les cheveux disciplinés pour une fois, à force de brillantine : il avait usé un pot entier, l'odeur spécifique domine celle des cigarettes et des cigares. Montre au poignet, modeste souvenir de ta tante Antonieta qui t'aime, chemise neuve et nouvelle ; imprimés sur l'étoffe, en rouge et bleu, les noms des capitales et des grandes villes du monde, avec les vœux et un baiser de la cousine Leonora — présents apportés par le frère, remis à l'heure du déjeuner d'anniversaire —, chaussures lustrées et pantalon long, le premier ; enfin sa mère s'était laissé convaincre. Même pour supporter l'oncle Astério, dans la partie amicale contre Seixas, Peto le fait avec une certaine retenue, de qui n'est plus un enfant étourdi.

Quand le clocher de la cathédrale sonne les neuf coups fatidiques et que les lumières s'éteignent, tandis que *seu* Manuel est occupé à allumer les lampes, Osnar fait un signe et Peto sort discrètement, il va attendre sur la place. Personne ne semble avoir remarqué son départ, la conversation se poursuit, animée ; au cas où l'oncle Astério le chercherait, Aminthas dira qu'il est rentré chez lui.

En le rejoignant sur la place, Osnar cherche à l'encourager :

« N'aie pas peur, Sergent.

— Qui a parlé de peur ? Je suis très bien. »

Dans l'obscurité, Osnar sourit. Ils répètent tous la même chose, lui aussi avait assuré qu'il était tranquille quand il avait suivi le cousin Epaminondas, que Dieu le garde. Dans sa poitrine, le cœur battant.

Avant de pénétrer dans le sentier, ils aperçoivent les gens sortant du cinéma Tupy, l'unique lieu éclairé dans la ville après neuf heures, et pour peu de temps : il a un générateur privé.

« Aujourd'hui, le padre est allé au cinéma », dit Osnar, distinguant une soutane.

« Ce n'est pas lui. C'est Ricardo. Il y est allé avec maman.

530

C'est un film sur un truc de religion. Il doit être drôlement tannant. »

Pour ne pas s'éloigner d'Osnar, Peto avait manqué une séance de cinéma pour la première fois en trois ans. A en juger par les éloges qu'en a faits le Padre Mariano, un vieux jeu, pendant le déjeuner, le film doit être une purge ; si un film ne contient pas de coups de feu et de la fesse, aux yeux de Peto il ne vaut rien. De toute façon, il y assistera demain, en matinée.

Ils marchent dans le sens opposé à l'entrée de la ville, ils se dirigent vers les parages de Jaqueira où, parmi des arbres au centre d'un terrain, se trouve, discrète, la pension de Zuleika Cinderela.

Dans la routine de la pension, le samedi est un jour spécial, de grande animation. Depuis l'après-midi jusqu'au début de la soirée, la fréquentent les gens venus pour le marché. Ils entrent dans la salle, s'asseyent pour attendre ou choisir une femme, demandent une bière ou un cognac, comptent et recomptent leur argent, parfois des pièces empaquetées entre les quatre coins d'un mouchoir. Certains sont des clients réguliers de telle ou telle, d'autres préfèrent varier. La clientèle rurale dure jusqu'à sept heures, jamais au-delà de sept heures et demie. A partir de neuf heures et demie, après le cinéma, commencent à arriver les garçons de la ville. Le samedi est un jour de fête, une nuit de coucher tardif, de gramophone et danse, de grosse consommation de boissons. Entre sept heures et demie et neuf heures et demie, il y a un temps presque mort ; les filles dînent, se reposent, quelques-unes vont au cinéma.

La salle est pratiquement vide quand Osnar et Peto apparaissent à la porte. A l'une des tables, deux femmes parlent, à une autre, Leléu flirte avec une fausse blonde dont il s'est toqué. Une toute jeune fille est sur le point de sortir, elle les croise à l'entrée :

« Bonsoir, *seu* Osnar, tu es Peto, n'est-ce pas ? J'ai entendu parler de toi.

— Où vas-tu, Maria Imaculada ? » La question dénote la surprise et la réprobation.

« Je vais et je viens, *seu* Osnar. Comptez sur moi. »

Dans la salle, Osnar s'adresse à Neco Suruba, garçon depuis des temps immémoriaux, il est entré dans la profession gamin, il a des cheveux blancs.

« Où est Zu ? »

Une des femmes devance la réponse :

« Dona Zuleika prend un bain, elle ne va pas tarder. »

Elle, comme sa camarade, sourit à Peto et l'examine. L'odeur de brillantine se répand, familière ; les paysans emploient la même marque, vendue en petits pots. Forte et bon marché

« Vous avez reçu la commande ? » Osnar s'adresse à nouveau à Neco.

« Elle est dans la glacière. » Outre le bar. seules la résidence de Modesto Pires et la pension des filles de joie ont un réfrigérateur (au kérosène), dans la ville.

A peine s'asseyent-ils à la table où sont les deux femmes que Zuleika Cinderela entre dans la salle et, avec elle, un bon arôme de savonnette et d'eau de Cologne qui tempère l'odeur forte de la brillantine. Les chaussures à talons hauts augmentent sa stature, cheveux lisses d'Indienne, corps bien tourné, attirant ; bague et bracelet fantaisies, une robe bleu hortensia. vague et décolletée, avec des poches blanches ; tout en elle est propre et coquet. Elle va droit à Peto, son sourire est un don du ciel qu'elle distribue :

« Bonsoir, Peto, sois le bienvenu. Tu veux prendre quelque chose ? Mes félicitations pour ton anniversaire. J'ai un cadeau en réserve pour toi » elle cligne de l'œil.

Comme Peto refuse de boire, elle lui tend la main et le convie d'un léger geste de tête. Osnar et les deux femmes suivent la scène, la blonde de Leléu s'est retournée pour voir. Peto se lève, il sent la curiosité qui l'entoure. Osnar demande de la bière.

La porte de la chambre refermée, Zuleika prend la lampe suspendue au mur, la pose sur la table de nuit, à côté du lit, ainsi elle peut mieux voir. Peto est debout, les yeux baissés. Ils sont tous deux de la même taille, ou presque.

« Tu es beau comme tout ! Je t'ai vu dans la rue, souvent. Toujours je pensais : quand est-ce qu'il viendra me voir ? Douce et tendre : J'ai demandé à Osnar : amène-le ici fêter son anniversaire. »

Elle déboutonne la chemise neuve de l'enfant :

« Que de noms de villes ! Paris, Rome. Le pape vit là. Tu l'as reçue en cadeau ? »

Peto fait oui de la tête ; il va dire : de ma cousine, mais il se retient à temps. Zuleika glisse la main sous sa chemise ouverte, caresse la poitrine et les côtes maigres, se rapproche et embrasse Peto derrière l'oreille avant de lui prendre la bouche. Quand elle le libère, Peto arrache ses chaussures, Cinderela lui enlève sa chemise, l'aide à baisser le pantalon long. Peto le retient pour qu'il ne tombe pas sur le dallage où il se salirait : pantalon long, le premier. D'un mouvement preste, Zuleika quitte ses chaussures, se serre contre Peto, sa main descend le long du corps de l'enfant, elle ouvre le caleçon, touche ses bourses, joue avec elles :

« Le joli oiseau. » Elle le prend dans la main et le flatte, doucement, offrant en même temps sa bouche au baiser.

Elle s'écarte et se tourne :

« Tire la fermeture Éclair de ma robe, petit amour. »

La fermeture Éclair descend, le corps nu apparaît devant les yeux de Peto. D'un mouvement d'épaule, Zuleika se débarrasse de la robe, l'enfant peut la voir tout entière, comme elle est belle !

« Tu me trouves belle ?

— Très.

— Tu as envie ? »

— Quelle question !

— Viens. »

Elle monte dans le lit, fait une place à Peto. Ils sont allongés côte à côte, se regardant. Il tend la main, gauchement, lui touche le sein. Plus petit que celui de la tante, plus gros que celui de Leonora, différent des deux, rond, on dirait une brioche sortant du four. Zuleika soupire à ce contact : chaque geste timide, chaque avance est un plaisir divin.

« Dis-moi : c'est vraiment la première fois ?

— Avec une femme, oui.

— Tu es allé avec un autre gamin ?

— Seulement avec des chèvres.

— Negra Flor, n'est-ce pas ?

— Elle, oui. »

Coquine de bête, polissonne. Peto est le troisième, parmi les plus récents, qui lui parle de la chèvre. Encore une fois Negra Flor l'avait précédée.

« Avec une femme c'est différent, tu vas voir. »

Elle change de position, maintenant sur le dos, elle ouvre les jambes, les yeux de Peto se posent sur la broussaille de poils noirs. La main de Zuleika Cinderela va le chercher.

« Viens, mon mâle, approche cet oiseau pour déguster ta petite femme. »

Elle l'embrasse tendrement, le caresse avec délicatesse, le

tait la monter, elle met sa langue dans l'oreille de Peto et murmure

« Que c'est bon ! Je suis capable de me toquer de toi. »

Elle croise les jambes sur le dos de l'enfant :

« Vas-y, enfonce-toi. »

Le maintenant pris entre ses cuisses, elle l'embrasse sur le visage et sur la bouche, remue les hanches, offre son sein ; goule suceuse, spéciale pour les oiseaux en pleine croissance, elle mord et caresse. Il faut qu'il apprenne et aime, sente comme c'est bon, se fasse un mâle entier et intègre, on le lui a confié pour ça. En même temps, Zuleika, la vieille Cinderela, se pâme de plaisir, savoure et déguste le pucelage du petit. Il n'y a pas de plaisir comparable dans la vie.

« Jouis avec moi, je jouis. »

La victoire chaque fois obtenue, le débutant terminant avec elle, au même instant, dans le même cri, renaissant de la mort à la même heure.

Quand Peto, heureux et fier, sort de la chambre et entre dans la salle, des applaudissements éclatent, frénétiques. La maison pleine, toutes les tables occupées, présente la bande du bar, *seu* Bardozinha, l'Arabe Chalita avec une gamine sur les genoux, Sabino le galopin, fidèle de Negra Flor, que Zuleika, une semaine avant, avait dépucelé par plaisir, sans que personne paye. Pour Peto, c'est Osnar qui paie, royalement. Entre tous ils ont réuni l'argent pour la fête.

Les femmes viennent une à une et l'embrassent sur la bouche. La fausse blonde l'appelle ma croquignole, l'autre mon sucre d'orge, la toute jeune qui était sortie et rentrée lui dit beau-frère, toutes follettes et charmantes. Peto s'assied à côté d'Aminthas, il sent la brillantine et la femelle.

Osnar se bat avec le bouchon du champagne — champagne national, bien sûr, nous sommes à la pension de Zuleika Cinderela, à Agreste, et pas au Refuge des Lords de *Madame* Antoinette à São Paulo. Le poète Matos Barbosa gonfle la poitrine, toussote pour s'éclaircir la voix, tire de sa poche une feuille de papier et, dans le silence le plus absolu, déclame le « Sonnet de l'Hyménée », composé pour la circonstance, une splendeur ! Neco Suruba apporte le gâteau d'anniversaire et de mariage.

Zuleika Cinderela, encore enivrée de plaisir, exige une copie du sonnet, fait mettre un tango sur le gramophone et, tournoyant dans sa robe bleue, se met à danser avec Barbozinha, visages collés, les cuisses s'entrelaçant dans les pas

534

fleuris et difficiles Peto, amoureux, suit les entrechats, mort de jalousie.

COMMENT LE SÉMINARISTE RICARDO, MET-TANT À L'ÉPREUVE (INTENSÉMENT) SA VOCA-TION, COMMET UNE IMPRUDENCE.

En retirant l'aube et l'étole, le dimanche après la messe, le Padre Mariano observe Ricardo qui s'agite dans la sacristie, transmet les ordres à Vavá Muriçoca, donne son avis sur l'inventaire demandé par l'Archevêché .

« Tu n'as pas communié, aujourd'hui, Ricardo ? Pourquoi ?

— Hier soir, j'ai péché, Padre, et je n'ai pas eu le temps de me confesser. J'ai discuté avec *seu* Modesto Pires, je me suis mis en colère, je lui ai manqué...

— Tu as manqué à *seu* Modesto Pires ? Toi ? » bouche bée, le Révérend hoche la tête, incrédule.

Son protégé s'est transformé durant ses vacances au Mangue Seco. En arrivant du séminaire, il était encore un enfant d'un physique avantageux, rieur et affable, préoccupé surtout de pêche et de football quand il n'était pas chez lui à étudier ou à la cathédrale, à aider. Brusquement, c'était devenu un adolescent, toujours rieur et affable, mais avec d'autres manières et un autre air, s'intéressant à des sujets sérieux, vibrant d'indignation contre l'installation de la fabrique de bioxyde de titane, osant discuter avec Modesto Pires et le critiquer. Quelle bête l'avait mordu ?

« J'ai dit ce que je pensais de cette fabrique et de ceux qui la défendent J'ai commis le péché de colère, Padre. »

Et il commet maintenant le péché de mensonge Il avait effectivement échangé quelques mots avec Modesto Pires mais sans en venir aux insultes. Il lui avait manqué, c'est évident : moins par son ton agressif dans la rue que par sa discrète activité au cinéma ; en y pensant, il sent un frisson de plaisir. Il y avait eu péché, oui, qui empêchait la communion, mais l'après-midi et le soir, celui de la chair ; dans le clocher de l'église, dans l'obscurité du cinéma, sur la rive du fleuve Le

535

prêtre sent la transformation survenue, mais il ne sait pas combien a changé le rythme de vie de son protégé. Pris dans un tourbillon d'événements, Ricardo met à l'épreuve sa vocation, traverse un chemin de lumières et de ténèbres. Ah ! Padre, ne cherchez pas à savoir quelle bête l'a mordu !

« Tu t'es confessé au frère Thimóteo ? Il continue à être ton directeur spirituel ?

— Oui, Padre. Il passe l'été au village.

— Et comment va ce saint homme ? Toujours délicat de santé ?

— Il dit que la plage lui a fait du bien.

— Dieu le garde. C'est une lumière de l'Église. »

Le Padre Mariano répète ce qu'il a entendu dire à Aracaju et à Salvador. Tous louent les vertus et le savoir du frère, même lorsqu'ils ne partagent pas ses thèses. Ricardo approuve avec enthousiame. Le frère Thimóteo lui a révélé l'existence de réalités et de problèmes dont le Padre Mariano ne lui avait jamais parlé, n'y ayant sans doute jamais réfléchi. Il lui a donné une nouvelle vision des devoirs du sacerdoce, qui ne se limitent pas aux obligations du culte qu'accomplit avec rigueur le curé d'Agreste. Il l'avait rapproché de Dieu.

Au séminaire, Ricardo avait imaginé un Dieu terrible et abstrait, éloigné de la vie et des hommes, qu'on était obligé de servir pour ne pas souffrir les peines de l'enfer durant l'éternité. Le Dieu du frère Thimóteo participe de la vie, comprend les problèmes des hommes, être familier et concret, aimable. Les paroles des prières, répétées au séminaire, sonnaient creux ; maintenant, il a appris leur sens réel avec le franciscain. Très aimant cœur, par exemple : Dieu est amour et paix, lui a dit le vieux moine. Quand Ricardo s'était jugé indigne de continuer à aspirer au sacerdoce, le frère avait conseillé :

« Tu as encore le temps de mettre à l'épreuve ta vocation avant de te décider. Si le monde s'impose, change de voie, sers Dieu comme un simple chrétien, ce n'est pas parce que tu ne porteras pas la soutane que tes mérites seront moindres. Au cas où ta vocation reste vive et que tu la ressentes comme une exigence intérieure, alors garde la soutane, accomplis ta destinée et la loi de Dieu. Mais n'aie jamais peur, ne fuis pas, ne t'esquive pas ni ne te refuse. Très aimant est le cœur de Dieu. »

Ricardo avait parlé au frère Thimóteo de Pedro l'ingénieur, matérialiste et athée, dissertant sur les injustices sociales, les crimes de la bourgeoisie et du capitalisme, la nécessité de transformer la société.

« Lui aussi sert Dieu, car il veut la justice et le bonheur des hommes, avait souri le vieillard. Même ceux qui disent ne pas croire en Dieu peuvent Le servir, du moment où ils aiment les hommes et travaillent pour eux. Pourquoi ne m'amènes-tu pas ton ami ? J'aimerais le connaître. »

Au village du Saco, Ricardo vit des heures exaltantes, en suivant les conversations de l'ingénieur et du frère. Pedro, impétueux, sincère et enthousiaste, nie l'existence de Dieu et de l'âme dans des discours enflammés. Le franciscain était venu du tumulte et de l'angoisse du monde à la méditation dans la cellule d'un couvent, il disserte d'une voix douce et use d'images poétiques. Pourtant, Ricardo découvre entre eux une ressemblance et une parenté, des points de convergence, un objectif commun : la préoccupation de l'être humain. Il cherche sa voie parmi les contradictions et les coïncidences, se dispose à soumettre sa vocation aux épreuves nécessaires, à ne pas se refuser aux discussions ni aux actes. Au moment voulu, il décidera. Pas avant, pourtant, d'avoir élucidé tous les doutes.

Sur la vedette, la nuit des requins et de la peur, aux côtés de Jonas, il avait senti combien il en coûte de commander, surtout si le prix du devoir est la cruauté et la violence. Jonas est un homme bon et jovial ; cependant, en cette heure extrême, la face du pêcheur s'était faite sombre et implacable. Par où passent les chemins qui conduisent à la joie et à la justice ? Voyant les hommes et les femmes en panique, les requins à fleur de l'eau, voyant la tante, Jonas, Daniel, Isaías, Budião, des personnes d'une bonté éprouvée, brandir la mort pour défendre la vie, Ricardo secoua les dernières entraves, prit le mors aux dents, décidé à galoper pour son propre compte, libre de sujétions.

Il accumule dans sa poitrine, pressés et confus, paroles, idées, événements. Tout a commencé avec l'arrivée de la tante, il y a un mois et demi, au plus. Au terminus de la marineti, Ricardo attendait une aïeule, plus qu'une tante, une grand-mère, veuve en larmes et en deuil. Il avait prié pour sa santé, à genoux sur les grains de maïs, accomplissant son vœu. De la marineti était descendue une déesse. A la fois, image de sainte et chèvre aux mamelles fournies, au dire d'Osnar, graveleux. Sainte et chèvre, comment est-ce possible ? C'est ainsi.

Bien des choses s'étaient produites depuis lors. Du premier soir dans les falaises avec Tieta, montant aux cieux, plongeant dans les enfers, jusqu'à cet après-midi de tempête parmi les vagues et les requins, menaçant les pauvres employés de la Brastânio, où il accomplit son dur devoir de citoyen, obligation terrible. Au Te Deum, ouvrant les portes de l'An Neuf sous le poids des regards des femmes, il avait aperçu Maria Imaculada. Une attache s'était rompue, un autre maillon s'était formé, début d'une chaîne. Beaucoup de choses en peu de temps, l'exaltation de la vie, l'horreur de la mort.

D'autres expériences sont plus faciles, ah, elles sont délicieuses ! La voie de l'épreuve passe parmi les femmes. La tante a allumé un brasier dans sa poitrine, l'incendie s'étend, comment l'éteindre ? Tieta ne suffit pas, Maria Imaculada ne suffit pas, car la braise couve et s'enflamme dès que Ricardo perçoit un regard humide de désir, l'insinuation d'un sourire. Il ne sait pas se refuser, il ne pense pas à se refuser. Pourquoi fuir après ce qu'il lui a été donné de voir et de faire ?

Il était venu, le matin, du Mangue Seco, en raison de l'anniversaire de Peto mais dans le but d'une nuit libre, entière, pour Maria Imaculada. Perpétua avait réduit les festivités à un déjeuner auquel elle n'avait invité que le Padre Mariano, outre Elisa, Astério et mère Tonha. Au prêtre, elle s'était plainte de l'absence de Tieta et de Leonora, mais elle l'avait fait sans conviction. Si elles avaient été à Agreste, Perpétua aurait été obligée de réunir chez elle une foule de gens, à commencer par l'antipathique dona Carmosina ; une grosse dépense. Ainsi, tout est pour le mieux. Tieta et Leonora n'étaient pas là mais elles avaient envoyé des cadeaux par l'intermédiaire de Ricardo. La tante riche avait donné une nouvelle preuve de générosité et d'affection à l'égard de ses neveux : la montre offerte à Peto a été appréciée par le Révérend :

« Un présent royal, dona Perpétua ; dona Antonieta est prodigue et elle adore ses neveux. Vos fils ont leur avenir assuré. Je ne doute pas qu'ils viennent à être — il baissa la voix car Elisa et Astério arrivaient — héritiers privilégiés. »

Les yeux de Perpétua s'illuminèrent, Dieu vous entende, Padre, et bénisse vos paroles. Elle attend le retour de sa sœur pour avoir une conversation sérieuse sur l'avenir de ses enfants. Tieta n'a pas d'héritiers directs et, entre ses neveux et ses beaux-enfants, elle a le devoir de préférer ceux qui ont son sang dans leurs veines, le sang des Esteves. Le danger, c'est cette sainte nitouche de Leonora, Petite-Mère par-ci, Petite-Mère par-là, plus qu'une belle-fille, presque une fille. Pourtant Perpétua a confiance en l'aide du Seigneur, débiteur correct. Ils avaient passé un accord, c'est le moment de s'exécuter pour le Seigneur.

Le déjeuner terminé, après deux doigts de conversation, le prêtre se retire, Ricardo l'accompagne. Il n'avait pas menti lorsqu'il avait parlé à Tieta d'engagements envers le Révérend. Il avait promis de l'aider dans l'inventaire des biens de la paroisse, exigé par l'archevêché. Le cardinal est préoccupé des vols répétés dans les églises, détournement de précieuses pièces de la statuaire, de riches objets du culte ; dans certains cas avec la complicité de prêtres et de sacristains, si l'on en croit murmures et dénonciations. Le Padre Mariano rougit en se rappelant le bois rongé, l'image pourrie de sainte Anne, non pas vendue, cédée, pour une poignée de cruzeiros, à ce satané peintre, pharisien qui faisait le dévot. Bien qu'il ait employé tout l'argent pour la cathédrale, il ne se sent pas blanchi.

A la sacristie, le Padre Mariano qui, indifférent à la chaleur, a mangé et bu (vin du rio Grande du Sud) comme un Chef-Monseigneur digne de ce nom, montre les tiroirs des commodes et dit à Ricardo :

« Les ornements sont là, les vieilleries dans le clocher. Nos chères et pieuses dames d'œuvre sortiront et trieront les pièces, tu les inscriras sur cette feuille. J'ai déjà établi la liste des autres objets. Je vais terminer mon bréviaire chez moi, je reviens d'ici peu. »

Ricardo connaît ces lectures du bréviaire, dans la chaise longue : elles durent cinq minutes. La sieste, elle, peut se prolonger jusqu'à l'heure de l'Angélus. Quant à Vavá Muriçoca, le dimanche après-midi personne ne peut compter sur lui avant le Salut, et encore. Les dames d'œuvre sont au nombre de trois, qui s'agitent autour des tiroirs ; dona Milita, dona Eulina et sa nièce, Cinira, un pied vers la sainte-Catherine, l'autre en l'air prêt à se lever pour faciliter. Faciliter quoi ? Voyons !

Tandis que les deux petites vieilles retirent les pièces et les trient, Cinira, voyant Ricardo qui attend, lui demande, le regard mouillé, s'il ne veut pas commencer par faire l'inventaire des vieilleries remisées dans le clocher. Elle peut l'aider. Les vieilleries, d'après la circulaire de l'archevêché, sont les biens les plus précieux, elles méritent attention et priorité Excellente idée, dona Cinira.

« Cinira. Je ne suis pas si vieille pour qu'on me dise dona.

— Eh bien allons, Cinira. »

Ils allèrent. Elle en avant, lui derrière avec papier et crayon. De hautes marches de pierres mènent au clocher. Ricardo admire les fortes cuisses de Cinira, couvertes d'un excitant duvet bleuté ; il ralentit le pas pour mieux observer. Dans le débarras, un réduit exigu, ils peuvent à peine se mouvoir. Cinira se penche pour ramasser un objet — vieux candélabres, statues cassées, reliquaire désaffecté — elle frôle Ricardo. Ils se touchent, qu'ils le veuillent ou pas. A chaque geste, ils se trouvent l'un contre l'autre et soudain — comment est-ce arrivé ? — ils se retrouvèrent enlacés, leurs bouches collées. Cinira soupire, s'amollit, Ricardo la soutient. C'est elle qui guida la main du séminariste vers ses parties ; elle soulève le pied et le pose sur le reliquaire, sa jambe faisant un angle propice. Comme à son habitude à la boutique de Plinio Xavier, seulement quand elle gémit et étouffe un cri elle plonge le bras sous la soutane pour demander sa bénédiction au Chef-Monseigneur.

Ils se séparent en silence, achèvent de dresser la petite liste d'objets hors d'usage. Dans l'escalier, il avance encore la bouche pour un baiser d'adieu. Ainsi commença le marathon.

Ayant du temps libre avant de retrouver Maria Imaculada, Ricardo accompagne sa mère au cinéma. Un événement, Perpétua au cinéma ; ça se produit rarement : quand le film est recommandé par le Saint-Office, comme celui-ci, l'histoire d'une religieuse nord-américaine récemment canonisée. Pendant le déjeuner, le Padre Mariano avait insisté :

« Ne le manquez pas. Il faut y aller, dona Perpétua. C'est un noble spectacle, une leçon de vertu. J'y ai assisté à Salvador en compagnie du chanoine Barbosa, de la Conception de la Plage. »

Quand ils entrent, la salle est bourrée. Juste deux places libres. L'une à la droite de Modesto Pires, habituellement réservée, à la séance du samedi, pour dona Aida. L'autre, deux rangs derrière, à la gauche de Carol — à sa droite s'assied toujours la servante, chien de garde — reste presque toujours vide. Aucune femme qui se respecte ne l'occupera jamais ; les hommes aimeraient bien, mais où trouver le courage pour affronter le courroux du richard et les bavardages du peuple ?

Perpétua s'installe auprès du patron de la tannerie qui la salue courtoisement, se levant pour la laisser passer. Ricardo s'assied près de Carol dont le regard reste distant et indifférent. Modesto Pires observe du coin de l'œil : un séminariste n'est pas vraiment un homme, il n'y a pas de danger. Le pire, c'est quand apparaît un étranger et que, voyant le siège tentateur aux côtés de la glorieuse mulâtresse, aussitôt il l'occupe. Avec les pires des intentions.

Les lumières s'éteignent, la séance commence par la projection d'un ciné-journal vieux de plusieurs mois. Ricardo sent le bout d'un soulier toucher son pied. L'attouchement se répète, se précise, les chaussures se rejoignent. Ensuite les jambes. Douce pression, chaleur suave ; tout ça craintivement, par mouvements infimes, un délice. Les yeux sur l'écran, Carol s'agite sur sa chaise, imperceptiblement : leurs genoux se touchent. La projection des Actualités de la semaine se termine, les lumières s'éclairent, Modesto Pires glisse un œil, Carol est sagement sur son siège, à côté de son accompagnatrice, éloignée au maximum du garçon en soutane. Le film débute et tout recommence, peu à peu, doucement, pied, jambe, genou. A un moment donné, à la moitié du film, Carol laisse tomber son éventail, se baisse et, en le ramassant, timide et hardie, elle glisse la main sous la soutane, caresse la jambe de Ricardo qui en est tout frissonnant. Un plaisir sans nom, désir sans pareil, émouvante nouveauté, presque rien, délicatesse et retenue, attouchements subtils, craintifs, suavissimes. Avec Cinira ç'avait été violent, presque féroce.

A peine le film terminé, Carol part, suivie de la servante, sans regarder personne, tandis que Modesto Pires accompagne Perpétua et Ricardo jusqu'à la rue suivante. Il se plaint d'être seul à Agreste, loin de sa famille, pour s'occuper de l'affaire des cocotiers qui traîne, s'éternise. Ils ne sont pas encore arrivés à un accord à cause des manœuvres de cet avocat de Josafá, un renard, et de la sottise de cet imbécile de Fidélio qui a cédé ses droits, devinez à qui ? Au commandant.

« Une absurdité, dona Perpétua : il existe des personnes qui sont contre l'installation, dans notre municipe, d'une grande industrie qui ne nous apportera que richesse. Le commandant est l'un d'eux, on ne dirait pas un homme qui a voyagé. »

Perpétua lève les yeux au ciel, en muet appui à la révolte de l'illustre citoyen, mais Ricardo, imprudent, se mêle à la conversation :

« La richesse ? Elle va amener la pollution, ça oui. Une misère. »

Devant tant d'audace, Modesto Pires se renfrogne, hausse le ton :

« Ne vous mêlez pas de ce qui n'est pas de votre compétence, jeune homme. »

A cause de l'ingénieur et de Carol, motifs différents mais également puissants, Ricardo ne supporte pas le patron de la tannerie :

« S'ils viennent polluer le Mangue Seco, on les fera fuir à coups de pied. » Il ne raconte pas qu'ils l'ont déjà fait ; il avait promis de garder le secret.

« Oh ! » Modesto Pires manque de tomber à la renverse.

Perpétua est étonnée par son fils :

« Ricardo, qu'est-ce que c'est ? Respecte *seu* Modesto.

— La tante...

— Tais-toi !

— Cette jeunesse a la tête tournée, dona Perpétua. Même les séminaristes ; je ne l'aurais jamais cru... » Modesto Pires va soigner sa vanité blessée dans le lit de Carol.

Perpétua commence à tancer Ricardo mais il lui explique, en riant sous cape, qu'il n'a fait que répéter les paroles de tante Antonieta, encore plus révoltée contre cette fabrique que le commandant. Tiraillée entre deux richards, Perpétua décide de rester neutre mais elle recommande à son fils de ne pas discuter avec des personnes dignes de respect en raison de leur âge et de leur position sociale. A propos de la tante : Tieta n'a pas manifesté l'intention de l'emmener à São Paulo ? La tante ? Elle en a parlé, oui. Ricardo ne précise pas quand elle l'a fait. Au lit, nue, défaillant dans ses bras, la voix mourante : je suis capable de faire une folie et de t'emmener avec moi à São Paulo, mon chevreau !

A peine Perpétua a-t-elle éteint la lampe que Ricardo ouvre la fenêtre de l'alcôve, saute dans la rue. A côté du manguier, Maria Imaculada attend :

« Tu as tardé, mon cœur. Je pensais que tu ne viendrais plus. Justement aujourd'hui où je suis pressée.

— Tu es pressée ? »

Une obligation à la pension, dona Zuleika exige la présence de toutes les filles pour une fête que l'on donne aujourd'hui, elle doit être commencée. Elle rit, gamine :

« Une fête de famille, mon cœur. C'est toi qui devrais être

là si tu ne portais pas la soutane. Je ne peux pas rester ; il n'y a pas moyen, mon cœur. »

Ricardo était venu du Mangue Seco dans l'intention de passer la nuit entière avec Maria Imaculada. Une nuit complètement libre, sans l'obligation de revenir en courant auprès de Tieta. Il avait conçu un plan audacieux : lui faire sauter la fenêtre de l'alcôve, la posséder sans hâte dans le même lit large, sur le moelleux matelas où il se délecte avec la tante quand ils sont à Agreste. Découvrant dans l'extrême jeunesse du corps, dans l'audace du comportement de la petite prostituée, espiègle, câline et osée, cette autre Tieta, bergère adolescente qui courait chèvres et hommes dans les collines et les talus ; aujourd'hui encore évoquée dans le bourg malgré le respect dû à la Pauliste riche, veuve d'un Commandeur du Pape, avec prestige et argent à gogo. Pétulante et avide chevrière qui défiait les préjugés, vivait sa vie sans freins, sans entraves, sans peur. Un jour, rossée et expulsée.

Il avait passé la semaine à rêver du corps de la petite, trouvant dans les exubérances actuelles de Tieta les formes à peine naissantes de Maria Imaculada. Dans l'intention de se régaler avec elle jusqu'à la pointe du jour, il était arrivé du Mangue Seco et il la trouve occupée, devant retourner à la fête. Maudite fête !

Sous les casuarines-pleureuses, il n'eut que le temps de s'étendre sur Maria Imaculada, sentir ses seins récents, ses hanches rondes, la courbe du ventre. Le cœur lourd, sans joie, en colère de la fête, des clients de la pension, jaloux de celui qui la mènera au lit. La nuit du samedi de l'anniversaire, les deux fils de Perpétua, les deux neveux de Tieta, connurent l'amertume de la jalousie, connurent l'envie de se mordre les poings, de briser la figure des hommes et de gifler les femmes une envie de pleurer.

Avec frénésie et rage, retenant ses larmes, ainsi il l'eut.

« Aujourd'hui, c'est trop, mon cœur. Tu vas me tuer de plaisir. »

Elle rajuste sa jupe, éclate de rire, propose :

« Demain je peux rester toute la nuit, si tu veux. Aujourd'hui non, mon cœur. »

Ricardo perd la tête, prend rendez-vous pour le lendemain, à la même heure, à l'extinction des lumières, sous le manguier. Folie, car il avait promis à la tante de retourner au Mangue Seco aussitôt après la messe du dimanche. Tieta l'attend, impatiente, maîtresse actuelle de chaque minute et de chaque geste sien. Il ne lui reste que ses obligations de séminariste, ses devoirs envers l'Église. Par chance, l'inventaire n'est pas encore terminé. Il s'en faut de peu mais ça sert d'excuse.

Par dona Carmosina il envoie un billet. Il ne peut abandonner le Padre Mariano dans cette situation, seul avec le travail énorme de l'inventaire, une tâche urgente, le cardinal a précisé une date. Mais lundi, sans faute, à la première heure il s'embarquera. Il signe : votre neveu qui vous adore et à qui vous manquez, Cardo.

DU PIQUANT DIALOGUE DANS LA BARQUE DE PIRICA ENTRE L'INDIGENTE ET LA PLUS INDIGENTE ENCORE.

A l'embarcadère, seules dona Carmosina et Elisa prennent place dans la barque de Pirica. Ricardo, le pauvre, retenu par ses devoirs de séminariste, était resté aider le Padre Mariano dans l'inventaire. Les autres invités iront plus tard, avec Astério, dans le canot d'Elieser : Barbozinha, Osnar, Aminthas, Seixas et Fidélio, le bienheureux Fidélio. Quel geste digne a eu ce garçon, Elisa ! Dona Milu aussi, aux prises avec un accouchement, sera des leurs si l'enfant naît à temps. Astério est parti à l'aube pour Belle Vue, le dimanche est le jour des comptes, il passe la matinée à la plantation. Les autres, ah ! les autres, ma fille, dorment, fatigués de la nuit de bamboche. Une bamboche monstre, ne cherche pas à en savoir la raison.

« Ah ! Raconte-moi, Carmô ! »

Rien à faire avec Carmô ! Il est à peine neuf heures du matin et elle est déjà au courant de tout ce qui s'est passé la veille au soir, des débordements de l'aube, des polissonneries des bohèmes. Tandis que la barque part et que Pirica surveille le moteur et le gouvernail, dona Carmosina décrit à Elisa les détails picaresques de la fête de l'initiation de Peto à la pension de Zuleika Cinderela.

544

« Peto ? Mais il a eu treize ans hier, un enfant... » Elisa n'en croit pas ses oreilles.

« Précisément. A treize ans, le citoyen brésilien atteint la majorité sexuelle, selon Osnar. » Dona Carmosina rit de bon cœur ; cet Osnar, ah ! est unique mais, quel dommage ! Il ne sert à rien de soupirer pour lui. « Aminthas est passé à la maison, avertir qu'ils viendraient en canot, à temps pour le déjeuner. Il arrivait de la fête, imagine-toi, vers les six heures et demie. Il m'a tout raconté. Zuleika est spécialiste, c'est elle qui a dépucelé toute la jeunesse d'Agreste. Elle prononce le mot dépuceler avec envie et gourmandise... »

Elisa est triste, morose. Dona Carmosina s'efforce de la faire sourire, tentant de l'intéresser à la vie de la ville. Le sujet piquant parvient à éveiller l'attention de la belle et mélancolique épouse d'Astério qui en profite pour satisfaire une vieille curiosité.

« Astério aussi ?

— Tous, à ce qu'il semble.

— Astério n'est pas homme à ça. Parfois il raconte les aventures des autres qu'il a entendues au billard. Il ne va pas plus loin. Je parie qu'il n'a jamais fréquenté la pension...

— Astério ? Alors, tu ne sais pas ? » Dona Carmosina fait les questions et les réponses : « Comment saurais-tu si je ne te l'ai jamais raconté ? Qui d'autre t'aurait raconté ? Ton mari a été terrible, ma fille, un noceur fameux.

— Noceur, fameux, Astério ? Je t'en prie, Carmô, je ne te crois pas.

— Non ? Eh bien tâche de croire. Fameux à la pension et en dehors, ma fille. Et par-dessus le marché, il avait ses particularités. Tu sais comment on l'appelait du temps où il était garçon, ton petit mari ?

— Non. Dis-moi ? » Sur la face et dans la voix d'Elisa apparaît une note de vivacité qui brise enfin l'indifférence et l'amertume.

— Tu ne vas pas te fâcher, hein ? Astério était connu sous le nom de Consolation du fiofo des vieilles filles. Suggestif, non ?

— Comment ? mi-ahurie, mi-souriante. Consolation ? Pourquoi ? Allons, Carmô, explique-moi. »

Suspicieuse, dona Carmosina scrute, de ses petits yeux, la face de son amie et protégée. Elisa ne serait-elle réellement pas au courant du surnom, des inclinations et des prouesses d'Astério ou fait-elle l'innocente ?

« Ne me dis pas que tu ne connais pas les préférences sexuelles de ton mari. Enfin, tu es mariée avec lui depuis plus de dix ans.

— Ses préférences ? Je te jure que je ne sais pas de quoi tu parles. S'il s'agit des choses que certains hommes et certaines femmes font, dit-on, je peux t'assurer qu'avec moi il n y a jamais rien eu de tout ça. Quand ça arrive, c'est toujours pareil, de la manière dont on fait des enfants. Ça a même un nom...

— Papa-maman, c'est la position classique. Osnar dit que c'est celle des demeurés. Cet Osnar... » Elle aime répéter ce nom, rime préférée de ses vers.

Dans la voix d'Elisa pointe une plainte, un manque :

« Et encore, quand il a envie.

— Eh bien si tu ne sais pas, apprends donc, ma fille, que ton mari était fameux pour... » bien qu'elles soient seules, Pirica attentif au gouvernail, elle approche sa bouche de l'oreille d'Elisa pour l'informer des bien connues prédilections d'Astério.

« Dans les fesses ? Mon Dieu ! Je n'en savais rien... » La vivacité lui revient sous le coup de la stupéfiante révélation, subite découverte du navigateur perdu en apercevant une terre lointaine et inconnue. « Ça ne m'est jamais venu à l'idée. Je n'y crois pas. »

Au lit, les nuits de fornication, à l'heure finale, la main de son mari lui frôle les hanches, timidement ; maintenant seulement Elisa donne sens et valeur à ce geste hésitant. Dona Carmosina a envie de lui révéler que, lors de leurs fiançailles et de leur mariage, la ville entière avait attribué à la forme somptueuse et exubérante du bassin d'Elisa, la passion délirante d'Astério. Mais elle se retient, car son objectif est d'animer son amie, de la faire revivre, surmonter la déception subie et non de lui fournir de nouveaux motifs de rancœur et de révolte contre Agreste. Elle revient aux détails de la fête de Peto :

« Aminthas m'a raconté que la fête était du tonnerre. Barbozinha, vieux sans vergogne, a fait un sonnet louant les qualités de Zuleika, la croque-minots. Barbozinha est un vrai poète, il affronte n'importe quel thème et s'en sort toujours bien. » Elle dit ça avec une pointe d'envie ; la construction d'un vers coûte efforts et veilles à dona Carmosina, tandis que Barbozinha, avec la plus grande facilité, fait rimer jeune emprunté avec patiente dextérité, verdeur avec candeur, il met le pucelage (de Peto) dans le fuselage (de Zuleika).

Mais Elisa reste sur la surprise de la révélation des vices (ou des délices) de son mari :

« Noceur et par-dessus le marché, vicieux. A la maison, tout le contraire.

— Tu es son épouse, Astério te respecte. Ainsi agit un bon mari. »

La moue de dépit sur les lèvres d'Elisa n'échappe pas à dona Carmosina : dépit et refus des mœurs du sertão. Après quoi elle se tient pour convaincue : jamais Astério n'avait pris Elisa par là où certainement il aurait désiré le faire. Plus forte que le désir s'imposait la loi non écrite mais gravée en chacun. L'épouse est la maîtresse de la maison, la mère des enfants, avec laquelle on accomplit les devoirs conjugaux dans la retenue et le respect. Pour le plaisir, les raffinements, les détours, il y a les putes à la pension de Zuleika. Ce n'est pas par hasard qu'Elisa se sent frustrée et rêve de s'en aller. A São Paulo, terre civilisée, les mœurs sont autres, le code féodal ne vaut pas. Qui sait, là Astério apprendrait qu'une épouse est une femme comme les autres, au lit elle veut l'incontinence d'un mâle et pas le respect d'un mari. Au cas où il ne l'apprendrait pas, alors...

Mais Tieta est sage, elle devine les intentions les plus cachées et, bonne sœur, bonne belle-sœur, défend le foyer et la tranquillité d'Elisa et d'Astério. Il revient à Elisa de se conformer, de chercher un motif de joie dans la résidence neuve et confortable pour laquelle ils déménageront le lendemain, dans la sécurité donnée par les terres et les chèvres de Belle Vue, de ne pas s'enterrer dans l'amertume, de retrouver l'équilibre. Qu'elle regarde son exemple à elle, Carmosina.

Bien plus grandes sont ses raisons de se sentir indigente, frustrée, amère, de haïr les hommes et la vie. Pas même le plaisir limité accordé aux épouses par les maris respectueux, elle n'a même pas eu ça. Ni mari ni fiancé, amoureux ou amant. Vierge sans tache, totale et complète. Elle n'a pas connu de mots d'amour, ni de hardiesses. Personne ne l'a voulue, personne ne lui a rien demandé ni ne lui a rien proposé. Pourtant, elle ne vit pas dans le désespoir, elle surmonte le manque, la solitude, elle aime la vie, a des amis, elle sait rire. Elisa abandonne son silence et sa moue :

« C'était comment le surnom ? Consolation...

— du fiofo des vieilles filles. On dit qu Astério a violé les arrières d'une quantité de dévotes. Derrière la banque du magasin Il vivait entre la banque et la pension de Zuleika. consolant. »

Dona Carmosina, il ne l'avait pas consolée, la traitant toujours avec déférence. Il aurait fort bien pu, l'occasion n'avait pas manqué. Hanches maigres, fesses plates. croupe tristonne, Carmosina hélas, ne lui avait pas inspiré le vice. Ni le sien ni celui des autres ; on dit qu'Osnar est une bonne langue, elle ne le sait que par ouï-dire. Si peu gâtée elle a gardé. pourtant, le goût de la vie.

Elle parvint à faire rire Elisa, oublier sa déception, revenir aux conversations gaies, sortir du puits où elle était tombée. Mais elle, dona Carmosina, dans la barque de Pirica, sent soudain une immense solitude, l'absence de tout espoir. Espoir d'un homme, plus aucun. Mais néanmoins elle continuera à défendre Agreste contre la pollution et à consumer ses nuits sur le cahier et le dictionnaire cherchant de nouvelles rimes à désir. plaisir, amour, Osnar.

Elle change de sujet, développe un autre thème, passionnant.

« Fidélio s'est révélé un homme de bien. Grâce à lui, les bandits de la Brastânio ne pourront pas acheter le terrain des cocotiers. Il ne s'est pas attaché à l'argent, il a refusé les offres, a donné une procuration au commandant. Un garçon droit et, par-dessus le marché, beau ! »

DE L'ASPHALTE SUR LES CRABES.

Ricardo lui avait manqué au moment où elle avait le plus besoin de soutien et de consolation, quand le triomphe eut un goût de désastre et que tout parut perdu. Ce n'est que dans la voracité et dans la tendresse de l'adolescent que Tieta aurait pu trouver un réconfort à la déception de la journée dont elle avait été frustrée, dimanche de désappointements et de ratages — l'ombre de la Brastânio se projeta sur l'inauguration du Bercail du Bouc Inácio et la pollua.

La mort de Zé Esteves avait réduit la fête projetée — une fête à tout casser — . à une discrète commémoration, déjeuner de peu d'invités, les intimes, bain de mer et aimables bavardages. Pourtant Tieta la voulait agréable et gaie. Après les jours de tourmente, le soleil illumina la splendeur du Mangue Seco, jamais le paysage n'avait été si beau, l'air si pur, la paix si complète. Durant toutes ces années d'exil, Tieta avait rêvé posséder dans les dunes du Mangue Seco un petit terrain à bâtir, y élever une cabane où se reposer. La mort de Felipe avait précipité son projet. Elle était venue affligée à la recherche de son commencement, à la rencontre de la gardienne de chèvres, de l'adolescente fougueuse et heureuse. En moins de deux mois elle avait parcouru tous les chemins et les sentiers, sans manquer la bonne lutte aux côtés des pêcheurs, la traversée parmi les requins, le face à face avec la mort, les grincements de dents et les cris d'amour dans l'emportement des nuits de rut, grimpée sur les falaises. Non seulement elle avait élevé la bicoque rêvée, mais elle l'avait fait comblée de tendresse et de plaisir, s'enfonçant dans la terre, le sable et les caresses à quatre mains. La fête d'inauguration du Bercail du Bouc Inácio, signe du succès du voyage, du victorieux retour de la petite chevrière maudite et chassée, symbole de la paix reconquise —, elle la désire parfaite de joie pure et simple, le jour dans la chaleur de l'amitié, la nuit dans le feu de la passion.

De joie, il exista bien peu, l'amitié se vit sujette à de dures épreuves et la nuit fut d'absence. Contents comme prévu, seuls Astério et Leonora.

En revenant des falaises, exultante, Leonora était tombée dans les bras de Tieta, riant et pleurant :

« Tu veux voir une personne heureuse, Petite-Mère ? Regarde-moi... J'ai suivi ton conseil... Si je mourais aujourd'hui, ça me serait égal.

— Ne sois pas sotte. Comment dit Barbozinha ? L'amour, on n'en meurt pas, on en vit. Retourne à Agreste avec Ascânio, profite des dernières nuits. Au bord du fleuve, il y a des coins de première, mais prends garde. N'oublie pas que je suis une veuve honnête et toi une fille de famille. Profites-en le plus que tu peux, chevrette, fais provision de regrets. Tu ne sais pas comme c'est bon de sentir des regrets. C'est ce dont tu manques.

Leonora resta exultante le dimanche durant car, lorsque Ascânio retira le dessin de Rufo du rouleau de métal pour l'exposer sur la table, elle dormait encore et n'eut pas connaissance de la discussion avec Tieta.

Ascânio aussi s'était couché euphorique dans le hamac accroché dans la véranda pour Ricardo. Il avait tardé à s'endormir, réfléchissant à ce qui était arrivé sur les falaises. La certitude d'être aimé par la plus belle et la plus parfaite des femmes le faisait se sentir invincible, capable de conquérir le monde. Pour le mettre aux pieds de Leonora. Il se réveilla au lever du soleil, courut à la plage, nagea, riant tout seul. Dans le hameau, il chercha à avoir des nouvelles de l'équipe de techniciens qui, avait annoncé le Dr Lucena, aurait dû venir au Mangue Seco il y a quelques jours. Une équipe nombreuse, elle ne pouvait être passée inaperçue. Il n'obtint pourtant aucune information. Jonas, tirant sur sa pipe de terre, montra la mer de son moignon :

« Il a fait un temps de chien. Par ici, il n'a accosté personne. Ou ils ont perdu la direction ou ils ont fait demi-tour

— Peut-être étaient-ils au Saco.

— Ça se peut. »

Au retour, il aperçoit Tieta à la porte du Bercail. Il compte gagner à ses projets matrimoniaux la marâtre de Leonora en inaugurant la plaque de la rue Antonieta-Esteves-Cantarelli, bientôt. Mais l'adhésion de la millionnaire à la cause de la Brastânio, il peut l'obtenir aujourd'hui, ce matin, tout de suite en lui faisant admirer l'œuvre du décorateur Rufo. Habitant São Paulo, veuve d'un industriel, possédant elle-même des actions dans des fabriques, dona Antonieta sera certainement sensible à cette « impressionnante vision du futur » comme, une fois de plus, il qualifie le suggestif dessin en couleur. Appui fondamental, celui de la marâtre de Leonora. Il entraînera toute la population, dona Carmosina et le commandant parleront dans le vide. Quant au barde Barbozinha, qui prêtre attention aux poètes ? La réaction inattendue de Tieta est pour lui un choc :

« Comment osez-vous me montrer cette ignominie le jour où j'inaugure ma bicoque du Mangue Seco ? Projets et plans ne servent qu'à tromper les crétins. » Elle parcourt du regard le panorama d'édifices, cheminées, maisons et routes. « Quelle horreur ! Si vous aimez vraiment Agreste, comme je le pense, Ascânio, abandonnez ça, rendez grâce à Dieu de ce que nous avons, ça paraît peu mais c'est beaucoup.

— Je m'étonne que vous parliez de la sorte, vous qui avez obtenu le branchement de la lumière de l'Hydroélectrique...

— La lumière est une chose, la pollution une autre. Vous êtes intelligent, vous savez que si cette industrie trouvait un autre endroit où s'installer, elle ne viendrait pas dans ces confins. Si vous espérez que je vous aiderai dans cette entreprise, apprenez que je suis contre. Ne comptez pas sur moi. »

Ascânio tente d'argumenter, il répète des phrases du Magnifique Docteur et de Rosalvo Lucena, mais Tieta lui coupe la parole :

« N'y perdez pas votre latin, vous ne me convaincrez pas. Je vous aime beaucoup mais j'aime encore plus Agreste, j'adore le Mangue Seco.

— Ma manière d'aimer Agreste est autre, dona Antonieta — dans la voix le ton souverain de Rosalvo Lucena — , je suis un administrateur, j'ai des responsabilités publiques...

— Eh bien, restez avec vos responsabilités, je reste avec mon opinion. Et gardez vos tableaux et vos discours pour Agreste. Aujourd'hui est un jour très particulier pour moi, je ne veux pas entendre de querelles ni de discussions, je veux beaucoup de joie. Allez vous promenez avec Leonora, elle n'a pas été au Saco, elle connaît à peine le Mangue Seco. Montrez-lui tout, profitez-en avant qu'il ne soit trop tard, il reste peu de temps, Ascânio. » Elle pense à Ricardo, elle murmure : « Très peu... »

Une trêve à nouveau se fait, la dernière. Pourtant les visages ne se détendent pas. Tieta conserve au fond des yeux le paysage d'acier et de béton tracé sur le dessin : les bâtiments des usines, les cheminées, les résidences des techniciens et des administrateurs, les maisons des ouvriers et, plus loin, à proximité des falaises, la somptueuse demeure, réservée sans doute aux directeurs de l'industrie. Le ciment armé remplacera les cocotiers, le mangue sera recouvert par l'asphalte de la route venant d'Agreste. Les cabanes avaient disparu, le hameau cessé d'exister, au lieu de canots, des embarcations chargées de tonneaux. Éteints, les crabes et les pêcheurs.

Avec la vision controversée du futur, Ascânio remise l'euphorie et la suffisance avec lesquelles il avait entamé son prêche matinal sur les mérites de la Brastânio. Quand elle parle du peu de temps dont il faut profiter, dona Antonieta fait allusion à l'installation de la fabrique, avec les inévitables modifications du paysage du Mangue Seco, ou à l'imminence de son retour à São Paulo et de celui de sa belle-fille ? Les poteaux de l'Hydroélectrique ont déjà atteint les terres du municipe, dona Antonieta a raison, le temps est court pour tant de choses à faire.

Tieta prépare du café quand elle entend le bruit du moteur de la barque de Pirica. Elle abandonne son hôte, part en courant vers la plage, à la rencontre de Ricardo :

« Leonora se réveille, elle s'occupe de vous. »

De la barque descendent dona Carmosina et Elisa, Ricardo n'est pas venu. Tieta reçoit et lit le message du « neveu qui vous adore et à qui vous manquez », elle froisse le morceau de papier, le jette sur le sable. Elle s'efforce de suivre la volubilité débordante de dona Carmosina qui a entrepris de narrer par le menu les sensationnels événements de la veille, la fête de l'anniversaire de Peto à la pension de Zuleika, l'initiation. En d'autres circonstances, la nouvelle aurait été prétexte à de longs commérages, mêlés de rires et de facéties. Elle suscite juste un commentaire presque indifférent :

« On a dépucelé le gamin ? Il était temps. Il passait son temps à lorgner mes cuisses. »

Les affaires de Peto l'intéressent peu. C'est l'autre enfant qui lui importe, celui qu'elle avait initié sur les falaises, le sien, à cette heure à la sacristie de la cathédrale, faisant la liste des soutanes et des statues. Pourquoi n'a-t-il pas laissé tout ça au curé et aux bigotes ? Comment peut-il être absent le jour de la fête d'inauguration du Bercail, de la maison qu'ils avaient bâtie tous deux, pétrissant ensemble la glaise des murs ? Il ne sait pas que le lit neuf, au matelas moelleux, attend d'être lui aussi inauguré ? Tieta n'aurait jamais imaginé pouvoir être jalouse de temples et d'autels, de cérémonies et de prières, vraiment ridicule ! Dona Carmosina l'entraîne à la Toca da Sogra, à la recherche du commandant.

A la cuisine, dona Laura dirige la préparation du déjeuner, Elisa va l'aider. Dans la véranda, dona Carmosina et le commandant réclament l'immédiat retour de Tieta à Agreste pour collaborer à la collecte de signatures contre les projets de la Brastânio. Le commandant, réveillé depuis cinq heures du matin, avait aperçu Ascânio dans le hameau, il avait su qu'il s'était enquis d'une caravane de techniciens de la Brastânio qui devaient arriver. Nombreuse, avait-il dit. Ce sera le commencement de l'invasion.

« J'ai demandé à Ascânio et je vous demande d'éviter aujourd'hui de discuter de cette affaire. Pour ne pas gâter ma fête.

— C'est bien, nous promettons de ne pas discuter mais vous promettez de rentrer à Agreste. Nous avons besoin de vous là-bas, dit le commandant.

— Accordez-moi au moins quelques jours dans ma bicoque. Elle m'a donné un gros travail et m'a coûté un argent fou.

— Nous ne pouvons pas perdre une minute, Tieta. Si vous ne prenez pas la tête, on n'arrivera à rien. Tout dépend de vous.

— Tout quoi ? Vous voulez que je me sente une criminelle ? Enfin, qui suis-je pour empêcher que l'on installe ici cette maudite fabrique ?

— Qui tu es ? Comme dit Modesto Pires, tu es la nouvelle patronne d'Agreste. Après Dieu, le peuple n'a confiance qu'en toi, décrète dona Carmosina.

— Personne plus que moi n'adore le Mangue Seco. L'été, on me voit rarement à Agreste. » Il y a une pointe de sévérité dans la voix du commandant. « Mais précisément parce que j'en suis fou, je suis prêt à rester en ville le temps qui sera nécessaire. C'est là-bas et pas ici qu'on peut faire quelque chose de concret.

— Qui vous le dit, commandant ? » Tieta considère ses amis en silence, baisse la voix : « Si quelque chose a été fait, susceptible de donner un résultat, ç'a été ici, au Mangue Seco. Je ne devrais pas le raconter, j'ai promis le secret. De toute façon, tôt ou tard vous le saurez.

— Quoi ? — impatiente, dona Carmosina.

— Cette fameuse équipe qu'Ascânio cherche... »

Sidérés, ils écoutent la stupéfiante aventure. Dona Carmosina met la main sur sa poitrine pour contenir son cœur : « J'en ai des palpitations. Je suis glacée. »

Le commandant Dário, homme d'ordre, recommande : « Faites comme si vous ne m'aviez rien dit. »

Tieta tente de sourire mais c'est un sourire sans joie. Elle se rappelle le dessin exposé sur la table et l'assurance dans la voix d'Ascânio : c'est une affaire définitivement résolue, dona Antonieta. A quoi sert d'aller à Agreste, s'emporter contre la Brastânio ? Tieta sait qu'elle n'a pas les moyens d'empêcher l'installation de l'industrie de bioxyde de titane sur le terrain des cocotiers du Mangue Seco. Les problèmes de cette envergure sont discutés et décidés au haut de l'échelle, entre les grands, le reste ne compte pas. Combien de fois Felipe avait-il obtenu, par des manœuvres, de l'argent et des influences, de passer par-dessus les lois et l'intérêt des autres, de l'immense majorité ? Au Refuge des Lords, dans la tranquillité des salons privés, se réalisaient des rencontres où étaient traités et obtenus des permis de construire, des emplacements pour des usines, des décrets, les faveurs les plus diverses, des trafics de toutes les espèces. Ah, commandant, vos articles dans les journaux ne serviront à rien, vos pétitions, vos sonnets de malédiction, toutes les protestations des pauvres diables d'Agreste. Pas même les requins dans la mer démontée, Carmô, pas même eux n'empêcheront la fin des crabes et des pêcheurs, la fin du Mangue Seco. Il reste seulement à profiter des derniers jours, bien peu. Elle va ouvrir la bouche pour dire tout ça mais elle se retient. Pourquoi attrister ses amis, et qui plus est un jour de fête ? Elle promet d'aller à Agreste le plus vite possible.

Osnar, Aminthas, Seixas et Fidélio débarquent du canot d'Elieser morts de fatigue, à l'heure du déjeuner. Après ils cherchent l'ombre des cocotiers pour la sieste. Plus fatigué encore, le barde Barbozinha. Il n'a plus la santé pour passer des nuits blanches, boire et danser. Il avait apporté le manuscrit des *Poèmes de la Malédiction* mais il ne les retire pas de sa poche ; il ne trouve pas l'atmosphère propice.

« Pourquoi Ricardo n'est-il pas venu ? » demande Tieta à Astério qui s'approche, accompagné d'Elisa. De tous les invités, il est le seul en forme, bien réveillé, de bonne humeur, satisfait de la vie.

« Il était à l'église, avec le padre et les dames d'œuvre. Occupé je ne sais à quoi. Je suis passé pour savoir si Perpétua venait, elle a dit que non, mais elle fait dire qu'un de ces jours elle va apparaître avec le Padre Mariano pour bénir la maison. A propos de maison, je voulais vous informer de ce que, demain, Elisa et moi nous déménageons.

Il avait décidé de ne pas attendre l'achèvement des travaux. La peinture et les finitions seraient faits eux dans la maison, pressant maître Liberato. Une fois de plus il remercie sa belle-sœur et bienfaitrice et demande :

« Vous voulez occuper tout de suite vos appartements ou resterez-vous chez Perpétua ?

— Je reste où je suis. Je suis allergique à la peinture fraîche. J'ai l'estomac brouillé à cause de l'odeur de la porte et de la fenêtre du Bercail, imagine dans une maison pareille. D'ailleurs, pour le peu de jours que je vais passer à Agreste, il ne vaut pas la peine de déménager. A mon prochain voyage, j'habiterai avec vous. » Si elle quittait la maison de Perpétua, comment faire pour dormir avec Ricardo les dernières nuits, les ultimes?

Tête basse, muette, grattant le sable du bout d'une palme, Elisa suit le dialogue. Le silence de sa sœur irrite Tieta :

« Tu n'as rien à dire, Elisa ? Tu n'es pas contente ? »

Elisa frémit :

« Je suis contente, oui, sœurette. Comment ne le serais-je pas ?

— Alors, pourquoi fais-tu cette tête d'enterrement ?

— Elisa, pauvrette, est comme ça depuis la mort du Vieux. Elle ne s'est pas refaite... », explique Astério.

Les yeux de Tieta vont de sa sœur à son beau-frère ; pour la deuxième fois en ce dimanche, elle va ouvrir la bouche mais, se repentant, elle la ferme sans rien dire : elle a de la sympathie pour ce pauvre bougre et la vérité presque toujours est cruelle, elle ne fait que blesser et meurtrir. Funeste dimanche. La fête a plutôt l'air d'une veillée funèbre.

A l'heure du départ, quand les invités s'apprêtent à s'embarquer, en voyant Tieta, immobile sur la plage, le visage grave, Leonora lâche le bras d'Ascânio, revient en courant :

« Je reste avec toi, Petite-Mère, je ne veux pas te laisser seule. »

La réponse est brusque :

« Pourquoi pas ? Quelle bête va me mordre ? » aussitôt elle adoucit sa voix, touche les cheveux blonds de la jeune fille, humides de salpêtre. « Ne sois pas sotte, chevrette. Va et profite, profite bien. Ne te préoccupe pas de moi. D'ici peu Ricardo arrive, dès qu'il a fini d'aider le curé. Comme compagnie, il suffit.

Le commandant et dona Laura lui disent au revoir :

« Nous vous attendons à Agreste, Tieta. Venez vite. »

Les embarcations fendent les vagues de la barre, s'éloignent sur le fleuve. Portant des paniers grouillant de crabes, les femmes du hameau marchent en bordure de la mer. La nuit s'annonce, immense.

LA RIVALE DE DIEU.

L'absence de Ricardo lui faisait mal dans tout le corps, de la pointe des pieds aux fils de ses cheveux bouclés, dans chaque muscle, au-dedans et au-dehors. Vide et nécessiteuse, désarçonnee.

Elle avait pensé que jamais elle ne reviendrait à sentir un trouble pareil, un désir qui lui rongeait la chair, une affliction qui lui broyait la poitrine. C'était arrivé une fois, bien des années auparavant, quand Lucas était parti, fuyant Agreste, sans laisser d'explication ni d'adresse. En arrivant, rayonnante, pour la fête dans le lit de dona Eufrosina et du défunt Dr Fulgêncio, dans la douce tiédeur du matelas moelleux, elle s'était heurtée à la fenêtre de la chambre fermée sur la ruelle et sur la passion de l'adolescente éblouie et avide. Déroutée, perdue, elle était restée à épier à travers les fentes des vénitiennes, cherchant l'ombre d'une silhouette ; l'oreille collée aux planches, tentant de percevoir une respiration. Combien d'heures était-elle restée là immobile, dans la nuit tiède, contre la fenêtre, avant de se traîner, malade, vers sa première solitude ? Rongée de désir, voulant l'avoir et ne le pouvant pas. Ça ne s'était plus produit. Depuis, ç'avait été toujours elle qui n'apparaissait pas, manquait au rendez-vous, était absente, fermait portes et fenêtres. Les portes du corps et du cœur.

Blanc drap de lin, matelas moelleux commandé à Estância, large estrade propice aux ébats extrêmes, odeur de peinture fraîche, tout flambant neuf pour la fête de l'inauguration. Tieta veilla, sans sommeil, dans la longue nuit sans fin, écoutant le vent sur les falaises et le choc des vagues, une autre fois seule et désarçonnée. Tout aux prières, aux cérémonies, aux affaires de la sacristie, Ricardo l'oublie et l'abandonne. Amant au temps partagé, au cœur partagé entre elle et Dieu.

Elle n'imagina pas Ricardo couchant avec une autre femme, elle ignorait l'existence de Maria Imaculada, avait cru pieusement à l'excuse gribouillée sur le billet remis par dona Carmosina, à l'inventaire des biens de la paroisse. Les femmes tournaient autour du séminariste, c'est certain, elle s'en était rendue compte. Lubrique, dona Edna ne cherche même pas à cacher son jeu, une nymphomane, une vraie pute ! Pour ce qui est du lit, pourtant, Tieta se sent rassurée.

Aucun homme, si inconstant ou coureur qu'il puisse être, ne l'avait laissée pour une autre. Lucas avait été le seul à prendre l'initiative d'une rupture. Les autres, sans exception, elle les avait abandonnés dès qu'elle avait senti les premiers symptômes de lassitude, évitant le cortège de disputes, prières, accusations, mensonges et tristesses des fins de romances. Elle s'en allait brusquement dès qu'elle éprouvait une sensation d'ennui. Pour conserver intact le souvenir de l'aventure, pour avoir des regrets, le plus possible. Passions, passades, liaisons, flirts, rapides ou prolongés, romantiques ou lascifs ne sont, tous, que de périssables aventures, ce qui ne les empêche pas d'être chacun, à un certain moment, l'amour exclusif, unique, définitif et éternel.

Ricardo est l'amour unique et exclusif, définitif et éternel, elle n'en a jamais eu d'autre, elle n'en aura jamais. Il le lui faut ici, à cet instant, immédiatement et sans faute. Le désir ronge sa chair, son orgueil est blessé. Bien qu'elle considère comme hors de question, impossible, toute histoire de lit, Tieta ne s'en sent pas moins abandonnée et offensée. Vide et nécessiteuse, elle passa la nuit la plus longue de sa vie, celle qui aurait dû être la plus heureuse et pleine.

Quand, enfin, elle s'endormit, elle eut un cauchemar atroce. Sous le ciel noir, dans la mer pourrie, cimetière de poissons et de crabes, flottaient des décombres du Bercail du Bouc Inácio et des cabanes des pêcheurs. A la sinistre ligne d'horizon elle distingua Ricardo, glorieux archange, et lui tendit les bras, tentant d'échapper à la mort. Indifférent, il s'éloigna dans le sillage de Dieu, la laissant se débattre, condamnée. Là où avait existé avant la splendeur paradisiaque du Mangue Seco s'élevait un paysage pauliste d'usines, de taudis de béton, fer et acier, fumée et mort.

Épilogue

*De la pollution du paradis
terrestre par le bioxyde
de titane ou le bâton
de la chevrière*

*Contenant un récit minutieux, poignant et émou-
vant des derniers jours des Paulistes à Agreste, quand
on connaît l'étendue de l'ambition humaine, de la
soif de pouvoir et comment le pouvoir corrompt, avec
des allusions à la corruption régnante ; où coulent des
larmes et explosent des rires, quelques-uns amers, se
plantent et se cueillent des cornes, une abondante
moisson, et sont proclamées les joies et les tristesses de
l'amour, pour arriver à dure peine à la fin de
l'histoire, avec droit à un fantastique voyage dans la
marineti de Jairo au son de la radio russe.*

DE L'ÉMINENT PERSONNAGE.

Aussitôt après le passage dans les rues d'Agreste de la volumineuse et suante importance du Dr Hélio Colombo, les événements se précipitèrent, acquérant un rythme vertigineux, plongeant le paisible bourg dans la confusion et la révolution.

Le séjour de l'éminent personnage fut des plus brefs. Il resta à peine quelques heures, un nombre limité de citoyens fit la connaissance du grand jurisconsulte et sut quels motifs l'amenaient dans ces lieux éloignés et déshérités. On ne peut pour autant réduire la signification et nier les conséquences de l'historique voyage car, dans la rencontre du Dr Colombo et d'Ascânio Trindade dans la salle de la mairie réside l'explication de toute la pagaille postérieure, de la presse, de la violence, du désespoir. Jours de tumulte et d'effroi : en moins de deux semaines, le peuple assista à de tels événements, tant et si grands, que sembla être arrivée la fin du monde, accomplissant enfin la prophétie du *beato* Posidônio.

Le bruit inusité d'une automobile freinant devant l'étude attira le Dr Franklin à la porte, à temps pour voir et reconnaître le glorieux maître extrayant péniblement son gros corps de l'automobile, avec l'aide du chauffeur. Le tabellion écarquilla les yeux : cocotiers bénis, Dieu nous garde ! Cette fois, celui qui s'aventure sur les précaires routes du sertão n'est pas un simple avocat d'Esplanada ou de Feira, pas un vieux renard des terres du cacao. Devant le tabellion se dresse, bougonnante, la vaste personne du Dr Hélio Colombo, cent et quelques kilos d'astuce et de savoir. Le Dr Franklin s'avance, tend la main, plat et empressé :

« Soyez le bienvenu à Sant'Ana de l'Agreste, auguste Maître ! Dr Franklin Lins, notaire, votre serviteur. A quoi devons-nous l'honneur d'une si illustre visite ? »

L'émérite professeur de la Faculté de droit de l'université fédérale de Bahia, chef de la plus grande étude d'avocat de l'État, répond à la poignée de main mais, décevant la curiosité de son aimable confrère, ne formule aucune déclaration sensationnelle, digne de sa réputation, ni n'ébauche de geste susceptible de définir le cours des événements qui allaient ébranler la ville et le municipe. Il souffle et gémit :

« Merci, cher collègue. Je sens qu'après ce voyage je ne serai jamais plus le même. J'ai de la poussière jusqu'au cœur. Pour toujours. »

Il secoue sa veste, des mètres et des mètres du meilleur casimir anglais, essuie son visage inondé de sueur, regarde à l'entour avec tristesse : ces canailles de la Brastânio le paieront cher. Ce n'est pas une vaine menace. Des besognes de cet ordre ne sont pas du ressort d'une consultation juridique. Maudit Mirko, exigeant qu'il vienne en personne examiner le problème et trouver la solution, promettant une attrayante secrétaire pour agrémenter le voyage, louant la beauté du lieu. L'attrayante personne n'apparut pas à l'heure du départ, le lieu est un trou et la route, bon Dieu ! Ah ! ce dernier morceau de chemin... Il fera payer chaque mètre, chaque trou, chaque bosse, l'absence de la secrétaire, la sueur, la poussière, la soif, l'infernal inconfort.

Après la poignée de main, le Dr Franklin risque :

« Si je peux me permettre, votre présence, maître, est due à la douceur du climat ou vous êtes venu à Agreste mû par des intérêts professionnels ? Mais entrez donc, je vous en prie.

— Avant, éclairez-moi, cher confrère : de la bière glacée. ça existe ici ? Il paraissait en douter. Si, par miracle, ça existe indiquez-moi où. Je meurs de soif.

— Au bar.

— Montrez-moi le chemin.

— Entrez et asseyez-vous, maître. J'envoie chercher la bière. »

Il se retourne pour appeler Bonaparte, découvre son fils derrière la porte, l'oreille ouverte.

« Cours au bar, rapporte quelques bouteilles de bière, bien fraîches. En un clin d'œil. Vole. »

Lent de nature, le gros Bonaparte, à l'aurore des temps nouveaux, se révèle à la hauteur de la situation. Suivi du chauffeur il part d'un pas accéléré, revient en soufflant comme un bœuf. Il agit ainsi non seulement pour obéir à son père mais surtout pour ne pas perdre un détail de la visite du grand avocat, si souvent célébré. Quel autre intérêt professionnel pouvait l'amener à Agreste, sinon le terrain des cocotiers aux nombreux héritiers, qui pouvait être le client de maître Colombo à part la Brastânio ? Bonaparte est un ami loyal, un complice dévoué : le Dr Marcolino collabore avec une louable générosité aux maigres vices du jeune greffier — cigarettes, bátidas, filles. Bonaparte cherche à répondre à de telles marques d'estime.

DES PRÉCIEUSES RARETÉS.

Tandis que son épouse s'excuse de ne pas servir un déjeuner digne de son noble convive, le Dr Franklin plaide le faux pour savoir le vrai.

« Pour vous, maître, évidemment, il n'existe pas de problème difficile. Mais celui du terrain des cocotiers est un embrouillamini de tous les diables, non ? S'il n'y avait pas l'intransigeance de Fidélio, ou plutôt du commandant... Vous voyez une issue, maître ? »

Le Dr Hélio Colombo arrête sa fourchette :

« Chère madame, si ce banquet est l'ordinaire de la maison, comment est un repas de fête ? Je me régale, chère madame. »

De tout le voyage, c'est le seul bon souvenir que conserve l'avocat : une table copieuse et raffinée. Les crevettes, le poisson court-bouillonné, la fricassée de homard, le chevreau rôti. En arrivant au dessert, la mauvaise humeur du grand homme s'était évanouie ; il était devenu aimable et fixait le couple avec sympathie (et le fils du couple, stupide et silencieux, une tête d'idiot, mais un respectable partenaire). Sincère dans ses éloges du déjeuner et dans ses remerciements à la maîtresse de maison, il se fait circonspect dans sa réponse à l'indiscret amphitryon :

« Le problème, hum... Je commence à me former une

opinion mais il est tôt pour se prononcer. Je veux réfléchir sur quelques détails avant de formuler un avis. »

Le Dr Franklin ne se laisse pas berner. Le maître lui avait demandé une relation minutieuse, l'avait criblé de questions, n'avait pas laissé un cheveu de côté, il avait étudié les vieux livres et examiné les documents récents. Hochant sa grosse tête, il avait commandé des copies à Bonaparte, il voulait les emporter avec lui. Enfin il avait souri d'un air entendu, et le Dr Franklin fut certain que le maître avait trouvé la solution, car il existe une solution susceptible de résoudre l'impasse, au bénéfice de la Brastânio, et si lui, pauvre tabellion de l'intérieur, l'avait découverte, comment aurait-elle échappé à l'expérience du grand avocat ? Il n'est pas surpris de la réserve de son convive, pourquoi devrait-il étaler ses cartes, révéler ses atouts ?

Le Dr Colombo soupire en goûtant la première cuillerée de flan : incomparable ! Encore au plaisir de sa dégustation, il prend l'initiative des questions, cherchant des informations sur les notables d'Agreste :

« Le candidat à la mairie, qui est-il ?

— Un garçon honorable. »

Une fugace ombre de doute passe dans les yeux du Dr Colombo, aussitôt elle s'éteint.

« Je parle du garçon qui est le candidat de la Brastânio, appelé... », il tire un papier de sa poche, lit : « ... Ascânio Trindade. Il a été récemment à Salvador.

— C'est bien lui. Je ne savais pas qu'il était le candidat de la Brastânio.

— Une façon de parler. Je me suis exprimé ainsi parce que, ce garçon, se révélant un administrateur visionnaire, s'est montré publiquement favorable à l'installation de la Brastânio dans le municipe. Il est naturel que la Brastânio voie sa candidature avec sympathie. Rien de plus. »

L'explication ne convainc pas le Dr Franklin, de plus en plus soucieux : ces derniers jours, il avait entendu de surprenants commentaires au sujet d'Ascânio. On le disait très changé depuis son voyage à la capitale. Parlant haut, plein de soi, faisant la loi. Le Dr Marcolino Pitombo avait parlé de beau coup. Effectivement, d'après ce que le Dr Franklin avait pu savoir, Ascânio serre de près la riche Pauliste, la belle-fille de dona Antonieta Cantarelli. Qu'y a-t-il de vrai dans tous ces bruits ? Parler de la vie d'autrui avait toujours été la distraction principale de la ville mais, avec le débat sur l'industrie de titane, les commérages s'étaient teintés de malveillance, cessant d'être plaisants ou pimentés pour devenir cyniques et incisifs. Peut-être Ascânio Trindade restait-il le même qu'avant, un garçon droit et honnête, subjugué par la perspective de grands progrès pour le municipe avec l'installation de l'usine. Ayant été l'ami du défunt Leovigildo, père d'Ascânio, le tabellion estimait le garçon enthousiaste et travailleur. Quand le colonel Artur da Tapitanga avait proposé son nom comme maire, avec la vacance ouverte à la mort du Dr Mauritônio, il avait applaudi ce choix. Pas seulement lui, toute la population. Soudain, Ascânio apparaît comme le candidat de la Bastânio et maître Colombo semble avoir des raisons de mettre en doute son honnêteté.

Reprenant une large part de flan, l'éminent professeur s'informe :

« D'après ce que j'ai compris, l'élection de ce jeune homme est chose faite, il se présente seul, il n'y a pas eu d'autres candidats, n'est-ce pas ?

— Jusqu'à maintenant, il est le seul. Il est vrai qu'il n'y a pas eu de candidature à proprement parler, car la date des élections n'est pas encore fixée.

— Vous vous trompez, cher ami. La date des élections vient d'être fixée. A la réunion d'hier du tribunal électoral. »

Un frisson parcourt le dos du Dr Franklin. Il avait lu dans un journal de la capitale des allusions à l'intérêt que portait la Brastânio à l'élection à la mairie d'Agreste. Elle faisait pression sur le tribunal pour qu'il fixe la date. Autrefois personne ne se préoccupait des élections dans le municipe perdu, fief immémorial du colonel Artur da Tapitanga. Une autre force politique se lève maintenant, assez puissante pour amener à Agreste, à son service, le professeur Hélio Colombo en personne, imbattable au prétoire et, à ce qu'on voit, à table.

Bonaparte, vaincu, abandonne la compétition, croise ses couverts. L'éminent maître est imparable : impavide, il attaque le confit d'araçá, une friandise aujourd'hui si rare, aussi difficile à trouver qu'un homme honnête, mon cher tabellion.

Suspendu à la place d'honneur, à l'entrée de la mairie, le beau dessin de Rufo, la « fascinante vision du futur », attire les curieux. Ils hochent la tête, unanimes pour admirer les dons artistiques du décorateur, divergents quant au contenu de l'ouvre. Formidable ! approuvent certains avec enthousiasme : Ascânio est un chef, il va redresser Agreste, transformer la région. D'autres, plus prudents, répètent les arguments du commandant et de dona Carmosina : si cette industrie était si bénéfique, pourquoi devrait-elle s'installer dans une zone pauvre et éloignée, dépourvue de ressources ? On dit qu'elle pourrit l'eau, empoisonne l'air. C'est dans les journaux. On n'en veut nulle part au monde. On l'a interdite à São Paulo et à Rio. On a tenté de l'imposer entre Ilhéus et Itabuna, le peuple s'est soulevé. Ou Ascânio est aveugle ou...

Ou quoi ? Ascânio est un homme intègre, sa vie est un livre ouvert, un citoyen au-dessus de tout soupçon, de toute insinuation...

Personne n'insinue rien, mais il est du domaine public qu'il a l'œil sur la Pauliste riche, héritière du Commandeur, belle-fille de dona Antonieta. Un prétendant pauvre, pauvrissime en l'occurrence, à la main d'une millionnaire, perd facilement la tête, et dans ces grandes sociétés l'argent coule à flots. Pour Ascânio, l'installation de la fabrique dans le municipe tombe à pic, qui peut nier l'évidence ?

Les discussions s'aigrissent. Le nombre des lecteurs des journaux de la capitale grossit — avant, seulement quelques privilégiés abonnés à *A Tarde*. Pour le compte de Chalita, toujours prêt à augmenter ses sources de revenus, arrivent par la marineti de Jairo des exemplaires des divers quotidiens de Salvador. Si le patron du cinéma a son opinion faite sur le problème de l'industrie du titane, il ne la divulgue pas, il met en vente le pour et le contre, il ramasse ses sous. La polémique autour de la Brastânio se nourrit de nouvelles et de bruits divers, de médisances, occupe la rue.

On lut et relut l'interview d'Ascânio, grandiloquente : « la Brastânio est la rédemption d'Agreste ; la richesse et le progrès pour le littoral nord de l'État ». Les jeunes filles admirèrent son portrait sur deux colonnes, le doigt vengeur, un jeune leader politique de grand avenir, le candidat du peuple à la mairie, au dire du reporter. Fit également sensation le cinglant éditorial de *A Tarde*, commentant ces déclarations · sous le titre de « Candidat du peuple ou de la Brastânio ? », on y qualifiait Ascânio de « play-boy roué, hôte de la Brastânio dans un hôtel de luxe ». Quant à la richesse et au progrès annoncés par le « léger et futé personnage », ce n'étaient que misère et pollution selon les intellectuels sergipanes qui signèrent la pétition de soutien au télégramme du maire d'Estância, des personnalités : le peintre Jenner Augusto, l'écrivain Mário Cabral, le professeur José Calasans, le journaliste Junot Silveira.

Stupeur et incrédulité suivirent les confuses nouvelles de menaces de mort contre une équipe de techniciens de la Brastânio, empêchés de débarquer au Mangue Seco. Par la population indignée, unie pour défendre le milieu ambiant — applaudissait Giovanni Guimarães. Par des agents internationaux de la subversion au service du communisme athée, commandés par une Russe qui n'était autre que la bolchevique Alexandra Kollontaï, dont les services compétents avaient signalé la présence au Brésil — dénonçait la gazette où avait paru l'interview d'Ascânio.

Enfin, couronnant le tout, le peuple fut informé de la date des élections. Pourquoi si proches ? — demandait le journaliste de *A Tarde* ? Parce que la Brastânio est pressée — répondait-il lui-même. Sur quoi, malgré les divergences d'opinion, jalousement défendues par chacun, tout le monde tombait fièrement d'accord sur un point : jamais Agreste n'avait été ainsi mise en vedette par la presse. Non moins fier se sentait le Magnifique Docteur. Angelo Bardi lui avait téléphoné de São Paulo pour le féliciter.

DES CAS DE CONSCIENCE (GÊNANTS ET INJUSTIFIÉS)

En écoutant maître Colombo, Ascânio éprouve une sensation identique à celle qu'il avait ressentie à Bahia, la semaine précédente. Une gêne désagréable, comme s'il ne marchait pas sur ses pieds, était conduit, mis devant le fait accompli, devait exécuter des décisions prises par d'autres, à son insu. Pourtant, la volonté de s'opposer, d'exiger des explications, de ne pas se laisser aveugler, de tirer au clair le pourquoi de chaque chose ne parvient pas à s'exprimer. Il se sent mal à l'aise mais il écoute et se tait.

Il constate une fois de plus le pouvoir de la Brastânio, en recevant à la mairie d'Agreste l'éminent professeur Hélio Colombo, dont il n'avait pas eu le temps d'être l'élève mais dont, comme tous ses camarades, il avait rêvé, être admis dans l'étude, au titre de stagiaire, après son diplôme. Le maître était là, en personne, reposé après le déjeuner et la sieste, exposant et résolvant le terrible problème des terrains de cocotiers qui avait causé tant de préoccupations à Ascânio. Porteur d'une heureuse nouvelle, l'arrêt du tribunal sur la date du vote. Avant même que le garçon ait pu lui dire combien il l'admirait, l'éminent avocat commença à mettre noir sur blanc l'imbroglio provoqué par Fidélio, à dicter sa conduite à Ascânio.

A la main, le rouleau de métal et la serviette de cuir, dans la poche la bague de fiançailles, la poitrine gonflée d'ambition et d'amour, Ascânio avait sauté triomphalement de la marineti de Jairo. La décision de la Société brésilienne de Titane, choisissant Sant'Ana de l'Agreste pour y installer ses usines, changeait la face du municipe et la vie du futur maire. Avec les arguments du Dr Lucena et le féerique dessin de Rufo, il comptait gagner le soutien de la marâtre de Leonora. Il ne restait que les discours du commandant, les objurgations de dona Carmosina, les vers, en majorité inédits, de Barbozinha. Du vent.

L'euphorie dura peu. Au Mangue Seco, le ferme refus de Tieta fut un rude coup. Ensuite, les motifs d'inquiétude et d'agacement se succédèrent, obstacles et injustices, incertitudes et soucis.

A l'agence des Postes, dona Carmosina lui avait jeté à la figure l'option accordée par Fidélio au commandant, se vengeant ainsi du « Vous avez vu, bavarde ? » sur lequel Ascânio l'avait quittée en montant dans la jeep. Grinçante :

« Je voudrais voir comment vont faire vos amis pour installer leur fabrique dans les cocotiers ? Heureusement, il y a des gens droits dans ce monde. »

Ascânio ne répondit pas, il laissa dona Carmosina parler seule, il voulait éviter les discussions, susceptibles d'amener à une rupture avec sa vieille amie de plus en plus excitée. Mais l'information, bientôt confirmée, montrait que tout ça n'était pas que du vent. Il ne trouvait pas de réponse à la question de l'employée des Postes : comment la Brastânio allait-elle acquérir les terres des cocotiers ? Les litiges de terres ont coutume de traîner interminablement aux tribunaux, ils durent des années et des années, celui-ci débute à peine : le juge d'Esplanada n'avait même pas donné suite à la procédure engagée par le Dr Marcolino au nom de Jarde et de Josafá Antunes.

Le Dr Hélio Colombo élimine l'obstacle et déclare que, pour trouver la bonne solution, il n'était pas nécessaire d'entreprendre ce terrible voyage, adouci seulement par le déjeuner dont le tabellion l'avait gratifié — il s'en lèche encore les babines. Dans la salle, Bonaparte somnole dans la torpeur de l'après-midi, affalé sur un banc. A côté de lui, les copies et une boîte de confit d'araça, cadeau pour le maître. Le Dr Colombo regarde avec sympathie le dormeur : un repos mérité, le jeune homme avait sacrifié la sieste pour préparer les copies. Idiot mais gentil. Il ordonne à Ascânio :

« Gardez le secret sur notre conversation. Mirko m'a dit que je peux me fier à vous. »

Solution simple, parfaite. A peine élu et en place, Ascânio expropriera toute l'aire des cocotiers, mesure d'utilité publique. Où trouver l'argent pour payer l'expropriation ? Les terrains expropriés seront vendus à la Brastânio. La mairie aura l'argent pour payer et encaissera encore quelque chose, faisant un bénéfice sur la tansaction. Une bonne affaire.

— Et si les héritiers n'acceptent pas ?

— Comment n'accepteraient-ils pas ? Ils n'existent pas encore en tant qu'héritiers. L'expropriation à un prix raisonnable est une véritable aubaine pour eux.

— Mais le commandant, lui, n'acceptera à aucune prix.

— Il ne peut pas empêcher l'expropriation par mesure d'utilité publique. Il peut aller en justice, ensuite. Il perdra son temps et son argent. Ne vous en inquiétez pas, allez de l'avant. Je m'occuperai de tout. Lors de votre entrée en fonction, je vous ferai tenir, par un confrère, un de mes auxiliaires à l'étude, l'arrêté d'expropriation, avec tous les articles, toute l'argumentation. Votre unique travail sera de signer. »

Son unique travail : signer. Sensation désagréable, gênante. Il met la main dans sa poche, touche la petite boîte où est la bague de fiançailles. Quand la mettra-t-il au doigt de Leonora? Le temps presse. Que peut-il faire sinon aller de l'avant ? De plus, en collaborant à l'installation de la Brastânio au Mangue Seco, il ne fait que servir les intérêts du municipe et du peuple. En y pensant bien, pourquoi des scrupules ?

EXEMPLE DES TOURMENTS D'UN CANDIDAT LEADER ET MARI OU DU CARACTÈRE SOUMIS À DE DURES ÉPREUVES.

Jeune, en bonne santé, vigoureux, passionné. Passionné, c'est peu dire : fou d'amour et se sachant payé de retour. Sans l'ombre d'un doute. Il avait reçu une preuve indiscutable (céleste), la plus grande de toutes : sa bien-aimée lui avait ouvert ses jambes, s'était donnée, sans rien demander en échange. Étant pauvre et elle riche, jamais il n'avait osé parler de mariage, n'avait fait ni propositions ni promesses. Une preuve d'amour infini, le geste de Leonora dans les falaises.

Héros principal de l'histoire ici racontée, jouissant d'une enviable santé, d'une puissance sexuelle récemment prouvée dans son triplé à la capitale de l'État, comment expliquer que ce jeune homme fringant et viril, ayant à sa disposition, éprise et ardente, la plus désirable et inaccessible des femmes, la femme de sa vie, n'en ait pas profité, cherchant même à éviter (ou du moins à retarder) la répétition de cette enivrante nuit d'amour ? A-t-on jamais vu contradiction aussi flagrante, absurdité pareille ? Quelles sont les raisons de cette démence ?

Débarquant du canot, le dimanche, Ascânio accompagna Leonora jusqu'à la porte de la maison de Perpétua. Il lui prit les mains, les yeux et la voix débordant de tendresse :

« Je rentre chez moi, pour aujourd'hui je vous laisse Vous devez vous reposer, vous n'avez presque pas dormi, vous êtes fatiguée. Si vous le permettez, demain, en allant à la mairie, je passerai vous dire bonjour. »

Elle permettra tout ce qu'Ascânio demande et veut — l'idéal serait qu'Ascânio désire la posséder cette nuit, dans les recoins du fleuve. Elle n'est pas si fatiguée et, le fût-elle, où trouver meilleur repos que dans ses bras? Elle se tait pourtant, à nouveau intimidée, attendant qu'Ascânio prenne l'initiative, ose et propose. Profites-en, chevrette, fais provision de regrets, le temps est court, avait recommandé Petite-Mère. Gâchée par les préjugés et les scrupules, se perd la nuit du dimanche.

Il s'approche pour le baiser d'adieu. Leonora s'accroche à son cou, les seins gonflés. Les corps s'unissent, les cuisses se rencontrent, une chaleur sourd du long baiser, désespéré, des lèvres, de la langue et des dents. Ascânio s'arrache et s'enfuit dans la rue, sous la trouble lumière des vieilles lampes.

Au lieu de le mener chez lui, ses pas le conduisent à la pension de Zuleika Cinderela où, souriante, Maria Imaculada l'accueille :

« *Seu* Ascânio... Il y a si longtemps que je vous attends... C'est si bon que vous soyez venu. »

En prenant la petite, jolie et mutine, Ascânio ne se calme pas, il constate que seul le corps de Leonora, et aucun autre, peut lui donner cette sensation de plénitude qui le rend invincible, maître du monde.

Pour la mériter à nouveau, il doit attendre. Le geste de Leonora, preuve d'amour infini, avait été également une preuve de confiance sans mesure. Pure et intègre, pas même la douloureuse expérience antérieure ne lui avait fait douter des sentiments et du caractère du nouveau prétendant : elle s'était remise entre ses mains car elle les jugeait propres, honorables. Le désir consume le jeune homme passionné, mais il se contrôle, il doit se montrer à la hauteur de la confiance de Leonora.

Il a dans sa poche une bague de fiançailles. Dès que dona Antonieta reviendra à Agreste, il ira la trouver pour une conversation franche et décisive : j'aime votre belle-fille et je la veux pour épouse. Je suis pauvre mais je suis devenu ambitieux. Fiez-vous à moi, je serai quelqu'un. Fiancé, la bague au doigt de Leonora, la date du mariage décidée, alors, qui sait... Mais avant, ce serait un ignoble abus, une conduite vile.

Dona Antonieta lui avait refusé son appui dans la campagne pour l'installation de la Brastânio. Comment réagira-t-elle à la demande en mariage ? Elle semble regarder leurs amours avec sympathie, peut-être parce qu'elle les juge une distraction de vacances sans lendemain. De là au mariage la distance est grande Comment agir si l'omnipotente belle-mère s'y oppose ?

Ascânio ne supporte pas même la pensée de ne plus avoir dans ses bras, abandonné et vibrant, le corps de Leonora. Maintenant qu'il l'avait touché et connu, il ne peut plus vivre sans le posséder. Il faut attendre pourtant. Il n'est pas facile d'être un homme digne, ça demande des efforts.

DES JOURS HEUREUX.

Les jours qui suivirent le dimanche raté de l'inauguration du Bercail du Bouc Inácio, la nuit de frustration, furent les plus heureux des vacances de Tieta, parmi les plus heureux de sa vie.

En projetant de revoir le Mangue Seco, elle avait rêvé retrouver la beauté et la paix. Gâtée, elle eut par-dessus le marché une passion dévorante, insolite parmi son ample glanage d'amours. Pour la première fois elle cessa d'être une capricieuse chevrette recherchée et conquise, se rendant, soumise, à l'appel, à la convoitise, à la séduction du mâle Brusquement rendue au paysage de son adolescence, chèvre aux lourdes mamelles, elle désira avec une ardeur irrépressible, séduisit et conquit un chevreau à peine sevré, le culbutant dans les dunes, le violant. Et par-dessus le marché, son neveu et séminariste. Folle, absurde, incomparable aventure, disputant à Dieu les précieuses minutes.

Jours de plénitude, de passion sublimée en amour unique et éternel, quand l'existence devient inconcevable sans l'existence de l'être aimé, ils seraient parfaits s'ils ne touchaient à leur fin. La tentation lui vient d'emmener Ricardo à São Paulo. Elle sait qu'elle ne peut pas et ne doit pas le faire : tôt ou tard la magie se rompra projetant sur le désir l'ombre de la lassitude et de l'ennui. C'est bien pour quoi elle n'admet pas de perdre un seul instant du bonheur sans pareil de cet amour encore immense et éternel. Interdits les voyages à Agreste, suspendues les charges de l'enfant de chœur, les obligations du lévite du Temple, le séminariste a ôté sa soutane, il se montre presque nu, en caleçon de bain.

Tieta ne pense pas tenir les promesses faites à dona Carmosina et au commandant, décidée à rester au Mangue Seco jusqu'au jour de la fête de la lumière, veille de son départ. A la fête, elle fera ses adieux à tout le monde, adieu mes amis, à une autre fois, j'emporte des regrets, ç'a été trop bon.

Elle ne voit pas de raisons de se sacrifier. Elle ne peut rien faire d'utile pour empêcher l'installation de la fabrique, sa présence à Agreste ne sera que temps et efforts perdus, vains. Heureuse et libre, elle vit des jours incomparables, bavardant avec Pedro et Marta, avec Jonas et les pêcheurs. Gémissant et riant dans les bras de Ricardo, au haut des dunes, à la frange de la mer, dans le hamac, le lit, le sable, l'écume des vagues, dans la coque du canot, la nuit, à l'aube, à la tombée du jour, dans les franges du matin. La nouvelle lune piquée sur les falaises, entre par la fenêtre du Bercail.

Ce serait bon de rester pour toujours, de vieillir là et d'attendre la mort, sans préoccupations ni obligations. Pourquoi faut-il abandonner le paradis ? Il est urgent de rentrer à São Paulo, de reprendre la direction du Refuge, de gagner de l'argent et de bien l'employer. De plus, dans très peu de temps, le Mangue Seco sera seulement un triste et sale paysage de ciment, fumée et déchets. Mieux vaut ne pas y penser, en profiter tant qu'existent encore la paix, la beauté, l'amour.

La plénitude dure depuis le matin du lundi, quand enfin Ricardo arriva et que Tieta le reçut fort mal :

« Si tu as fait exprès de gâcher ma fête, tu as réussi. Pourquoi n'es-tu pas resté définitivement à Agreste ?

— Mais vous aviez dit qu'il n'y aurait pas de fête, Tante.

— Depuis quand suis-je à nouveau Tante ? Nous sommes entourés de gens, par hasard ?

— Excusez-moi, mais jamais je ne vous ai vue si fâchée. Le Padre Mariano m'a retenu à cause de l'inventaire. Le cardinal...

— Que le cardinal aille au diable. Lui, le curé et toute sa clique. A quelle heure s'est terminé ce fameux inventaire ?

— Avant le Salut.

— Et pourquoi n'es-tu pas venu le soir même ?

— Quand le Salut s'est terminé il faisait déjà nuit, ça ne m'est pas venu à l'idée — ce qui ne lui vient pas à l'idée, c'est une bonne excuse. J'ai mangé, dit le chapelet avec Mère, je suis allé me coucher. J'ai rêvé... — il lève les yeux sur Tieta — ... j'ai rêvé à vous la nuit entière. Un de ces rêves ! »

Précisément parce qu'il ne donna pas d'excuse, Tieta le crut.

« Si tu me fais ça une autre fois, tu vas voir. Dorénavant, tu ne sors plus d'ici ni pour la messe ni pour aucune insanité. Jusqu'à ce que je m'en aille, Dieu, c'est terminé, la voix s'adoucit : Tu as vraiment rêvé de moi ?

— J'ai rêvé de vous fillette, plus jeune que moi, avant que vous vous en alliez. Exactement comme vous m'avez raconté, exactement, sans rien de changé, gamine. » N'était-ce pas la vérité ? Il ne manquait à Maria Imaculada que le bâton de chevrière.

« Raconte-moi, chevreau, tout ce qui s'est passé. »

OÙ LA BELLE LEONORA CONNAÎT ENFIN LES RECOINS DU FLEUVE.

Leonora se rend compte, confusément, des sentiments d'Ascânio. Dans les rigueurs de la vie, jamais elle n'a eu affaire à un homme comme lui et elle craint de le blesser, de le décevoir, de le perdre. Elle est intimidée, sans courage pour défendre le temps mesuré qui lui reste.

D'abord, le garçon l'avait pensé donzelle, chaste fille de famille, d'une éducation raffinée, richissime, attendant un mariage en rapport avec sa situation sociale. Ensuite, Petite-Mère avait inventé cette histoire de fiancé escroc, démasqué avant d'avoir fauché l'argent de la millionnaire mais après l'avoir mise à mal. Pour convertir en audace la réserve d'Ascânio, mettant à sa portée une Pauliste évoluée, sans préjugés provinciaux ni virginité, et ainsi transformer le platonique et déprimante idylle provinciale en amour emporté, lyrique et ardent, en agréable passe-temps de vacances. Petite-Mère l'avait emmenée en voyage pour soigner sa poitrine et son cœur. Dans le Sertão tu vas respirer l'air pur et connaître le plaisir d'un amour romantique, de ceux qui vous laissent bourrelé de regrets. Tu sais ce que c'est, coucher en écoutant des vers ? Il n'y a qu'à Agreste, chevrette. Air pur pour les poumons débilités par la pollution de la métropole, sentiments pour le cœur tari par l'aridité et la violence. Une provision de regrets pour les heures de solitude.

Le plan de Petite-Mère n'a obtenu qu'un succès partiel. Ascânio continue à l'imaginer ingénue fille de famille, encore plus digne de respect parce que trompée et éprouvée. Trompée, oui, mon amour, éprouvée de reste. Mais, hélas ! pas ingénue fille de famille, digne de respect. Le secret ne lui appartient pas, elle ne peut pas ouvrir la bouche et dire : mène-moi au lit, sans hésiter, je ne te demande rien, je ne mérite rien, je suis une fille publique, une rien du tout. Une malheureuse. A part les clients, eux ne comptent pas, j'ai eu d'autres hommes avant toi, mais seulement maintenant, ici à Agreste, j'ai aimé comme on doit aimer. Je t'aime, je veux être tienne et je veux que tu sois mien. Pour combien de temps, n'importe !

Elle ne peut raconter la vérité, néanmoins rien ne l'empêche de lui tendre les bras et de demander : allons jusqu'au bord du fleuve, prends-moi dans l'obscurité, à l'ombre des casuarines-pleureuses. Prends ton bouc par les cornes, avait enseigné Petite-Mère. Au haut des falaises, Leonora avait suivi le conseil. Elle s'en était bien trouvée.

Arpentant le trottoir de la place de la Cathédrale, dans le parcours habituel des amoureux, aux regards ternes, furtives pressions de main, baisers rapides, voyant le temps passer sans qu'Ascânio s'enhardisse, une nuit de plus menacée de s'enliser, Leonora vainc sa crainte, surmonte son inhibition et se décide :

« On ne sort jamais d'ici, de la place. J'avais envie d'aller à la Bassine de Catarina. C'est une si jolie promenade.

— Oui, c'est joli. Nous irons un de ces jours...

— Pourquoi pas aujourd'hui ?

— Il n'y a personne pour nous accompagner.

— Nous accompagner, pourquoi ? Je veux y aller avec toi, nous deux.

— Seuls ? il lui caresse la joue. Agreste n'est pas São Paulo, Nora. Demain tout le monde parlerait de toi. »

Tenant le sujet pour clos, Ascânio reprend ses discours sur ses projets d'administrateur et les perspectives ouvertes au municipe par la venue de la Brastânio. Leonora écoute distraitement, elle entend résonner au loin la voix de Petite-

Mère prends ton bouc par les cornes, chevrette Elle interrompt promenade et discours

« Tu m'aimes, Ascânio ? Vraiment ?

— Tu en doutes ? Je..

— Alors, pourquoi me fuis-tu ? Je ne t'ai pas plu ?

— Je te fuis ? Tu ne m'as pas plu ? Ne redis jamais ça ! Je t'aime et je ne veux pas qu'on parle mal de toi, tu comprends ? »

Leonora sourit et poursuit, douce et ferme :

« Je comprends, oui, c'est ce que je pensais. Laisse parler, ça m'est égal, elle le prend par la main : Emmène-moi au bord du fleuve, amour. Ou là où tu voudras, mon maître. »

Ascânio sent la sueur ruisseler sur son corps, pensées et sentiments se bousculent, impossible de les ordonner.

COMMENT LA PAIX FUT PERTURBÉE PAR UN SAINT HOMME.

Avec l'ingénieur et Budiâo, Ricardo était parti en canot pour pêcher. Tieta se repose dans le hamac quand elle distingue un bruit de pas sur le sable. Elle se redresse, un étranger s'approche. Sans l'avoir jamais vu, elle reconnaît le frère Thimóteo coiffé d'un chapeau de paille, souriant. Tieta court enfiler un vêtement par-dessus son maillot. Elle revient à temps pour demander sa bénédiction au franciscain.

« Dona Antonieta Cantarelli ? Tout le monde parle de vous, je ne voulais pas m'en aller sans vous connaître.

— Moi aussi, je souhaitais beaucoup vous connaître. Mon neveu Ricardo dit que vous êtes un saint.

— Un saint ? il rit. Je suis un pauvre pécheur. Que fait Ricardo ? Je ne l'ai pas vu ces derniers jours.

— Il était à Agreste, secondant le Padre Mariano, mais il est de retour. Il a été pêcher, il ne tardera pas.

— C'est un bon enfant. Dieu lui indiquera son chemin. Si vous le permettez, je vais l'attendre pour lui dire au revoir Mes vacances sont terminées , demain je serai à nouveau à São Cristovão.

— Vous êtes ici chez vous. Je vais chercher un siège »

Le Frère refuse le siège, il s'assied à côté de Tieta sur la balustrade de la véranda, encore agile malgré ses cheveux blancs. Les yeux fixés sur les falaises :

« São Cristovão est une vieille ville, une belle ville, les hommes qui l'ont construite ont honoré le Seigneur..

— Je ne connais pas mais j'en ai entendu parler.

— Rien, pourtant, ne peut se comparer au Mangue Seco. Cette région est privilégiée, c'est trop beau, un don de Dieu aux hommes. Je sais que vous avez fait ce que vous pouviez pour empêcher le crime que l'on veut commettre en installant une fabrique de bioxyde de titane. »

Tieta se sent rougir. Elle ne mérite pas ces éloges. Le commandant qui réclame sa présence à Agreste et elle là, coulant une vie douce, se prélassant avec son neveu.

« Je n'ai rien fait ou presque rien. Le commandant Dário me supplie d'aller à Agreste apporter mon aide, mais je reste ici, profitant de cette merveille tant que je peux. Carmosina m'accuse d'être égoïste mais, dites-moi, frère Thimóteo, à quoi sert que je file à Agreste demander au peuple de signer contre la fabrique, de protester ? La fabrique finira par s'installer de la même manière, ça ne dépend pas de moi, ni de Carmô, ni du commandant. N'ai-je pas raison ?

— Je crois que non, dona Tieta. Vous permettez que je vous appelle ainsi, n'est-ce pas ? Les protestations du peuple d'Agreste, seules, empêcheront difficilement l'installation de la fabrique, c'est certain, mais ça peut aider. De toute façon, nous devons faire tout ce qui est à notre portée pour empêcher ce crime, sans nous demander si nous réussirons ou pas. » Une brève pause, avant d'ajouter : « Quand vous êtes montée dans la barque, avec Jonas et les pêcheurs, vous ne vous êtes pas demandée si ça valait la peine. »

Prise par surprise, Tieta tente d'expliquer :

« Je me suis rappelée mes temps de fillette mal élevée, j'étais folle des bagarres...

— Je ne juge ni n'accuse, de quelle autre façon pourraient-ils protester ? Mais vous, vous pouvez beaucoup aider sans recourir à la violence. Le peuple d'Agreste a besoin d'être éclairé, un mot de vous peut convaincre les indécis. Dieu nous a confié la garde de ces biens, notre devoir est de les défendre. Sans quoi, nous serons complices des criminels : les indices de pollution de cette industrie sont terribles. Excusez-moi, dona

Tieta, de vous parler ainsi, mais vous m'avez demandé mon opinion... »

Dans la paix infinie de l'après-midi, la voix du frère, calme et fervente, le sourire timide et charmeur, troublent Tieta. Elle n'a pas le temps de répondre — répondre quoi ? — car Ricardo apparaît. En reconnaissant le frère, le séminariste laisse l'ingénieur en arrière, arrive en courant.

« Vous ici, frère Thimóteo ? Quelle surprise !

— Je suis venu te dire au revoir, mon fils, et j'ai eu le plaisir de faire connaissance et de parler avec dona Tieta. Je rentre demain au couvent. »

Portant un panier plein de poissons, l'ingénieur se joint au groupe :

« Marta et moi faisons aussi nos valises, il ne nous reste plus que deux jours. Le Mangue Seco, maintenant, c'est pour l'année prochaine, si d'ici là tout n'est pas déjà pourri. Quand j'y pense, ça me révolte...

— Nous parlions de ça, dona Tieta et moi. On prépare un crime, un grand crime. »

Ricardo accompagne le frère jusqu'au canot. Le frère Thimóteo lui donne sa bénédiction :

« Une personne sympathique, ta tante. Je sais combien tu l'aimes, elle va te manquer. Quand elle s'en ira, viens passer quelques jours avec moi, au couvent. »

Au lit, le soir, Tieta commente la visite :

« Est-ce qu'il se serait douté de quelque chose ?

— Il ne l'a jamais laissé entendre.

— Il connaissait l'histoire des vedettes, il m'en a parlé mais n'a pas critiqué. Diable de frère. Il en a fini avec ma tranquillité.

— Quoi ?

— Avec son histoire de devoir à accomplir. Je ne veux sortir d'ici que pour la fête et le départ... »

Felipe avait coutume de dire que pour vivre heureux, il fallait avant tout abolir sa conscience. Toi et tes problèmes de conscience, tu t'en trouveras mal... prévenait-il, la sachant préoccupée à cause d'une des petites du Refuge. Tieta prend Ricardo contre sa poitrine, tentant d'oublier les paroles du frère, elle n'aperçoit pas l'éclair d'espoir dans les yeux du garçon.

DU MYSTÉRIEUX CORRESPONDANT.

Comment avait pu se produire une indiscrétion de cette taille ? Maître Hélio Colombo n'avait parlé à personne de l'expropriation, sauf au garçon candidat. Ascânio Trindade, de son côté, avait gardé le secret absolu sur sa conversation avec l'avocat. Pourtant, peu de jours après, *A Tarde* publiait une « Correspondance d'Agreste », relatant le voyage de l'illustre jurisconsulte en qualité d'avocat conseil de la Brastânio. On parlait de sa matinée à l'étude, penché sur les livres et les documents, et de sa rencontre, l'après-midi, à la mairie, avec Ascânio Trindade, où il avait ordonné au candidat maire d'exproprier l'immense aire des cocotiers pour la revendre, dans sa totalité ou en partie, à la Société Brésilienne de Titane S.A., obtenant l'acquiescement immédiat de l'obéissant fonctionnaire. L'expropriation par mesure d'utilité publique était la solution trouvée par l'avocat pour assurer à son client la possession de l'aire, face à l'intransigeance de quelques héritiers, fermement décidés à s'abstenir de toute transaction avec l'entreprise si controversée, considérant que les effluves polluantes de l'industrie de titane pourraient causer d'irréprochables dommages à la région. Le correspondant avait employé le verbe « ordonner » et l'adjectif « obéissant ». Les exemplaires de la gazette passèrent de main en main.

Jamais on ne put éclaircir qui était le mystérieux correspondant. Le Dr Hélio Colombo, se rappelant sa courte visite à Agreste, le terrible voyage aller et retour, le chemin de mules, la poussière et la soif, la table bien garnie, la saveur et la taille des crevettes, la teinte dorée et le goût incomparable du flan, réfléchit sur les roueries et les finesses de ces gens de l'intérieur — paysans, lourdauds. Ils paraissent naïfs et sots, des buses. Allez donc, ce sont des finauds, ils roulent les grosses têtes des métropoles, en douceur. Le maître se remémore l'évidente curiosité du tabellion, ses questions insidieuses pendant le déjeuner. Il avait cru l'avoir égaré. Il entend encore les ronflements du sympathique gros, inexpressive tête de pleine lune, à demi-mort dans la salle de la mairie, porteur des copies et de la boîte de confit d'araça. Père et fils, quel tandem !

579

DU TOAST À LA LIQUEUR DE VIOLETTES.

Ce qui augmente la dépression de dona Carmosina, c'est que tout le monde pense à elle lorsqu'on tente d'identifier l'anonyme et bien informé correspondant. Aminthas vient lui présenter ses félicitations :

« Cousine, vous êtes la plus forte. Comment avez-vous découvert le pot-aux-roses ? »

Elle n'avait rien découvert, n'a aucun mérite, elle n'avait même pas su le passage du professeur Colombo dans la ville, elle est complètement hors du coup, dépitée. En plus de l'abattement consécutif à la nouvelle — l'avantage gagné grâce au noble geste de Fidélio était à l'eau — elle se voit tenue à l'écart des événements. Avant, on ne remuait pas une paille à Agreste sans qu'elle le sache. Maintenant, elle était prise par surprise, insensé ! Les petits yeux de dona Carmosina se voilent :

« Je l'ai su par le journal, comme vous. Et dire que j'ai ri au nez d'Ascânio... Maintenant, que faire ? Je suis démoralisée. »

Sombre, abattu, le commandant se joint à eux, il jette sur la table les feuillets de la pétition avec les signatures. C'est Tieta qui a raison, pétition ou rien, c'est la même chose. Il arrive à l'étude où il a parlé avec le Dr Franklin et a eu confirmation de la nouvelle. Même agissant au nom d'un héritier présomptif, il ne pourra rien faire pour empêcher l'acte d'expropriation pour raison d'utilité publique. Toute action en justice devra être postérieure, à quoi bon ? Une question liquidée, celle des cocotiers. Un climat de désolation s'étend sur l'agence des Postes. Seul Aminthas ne se laisse pas abattre et, de son ton badin, tente de ranimer ses amis :

« Le navire n'a pas encore coulé, commandant ! Et votre ressort, Carmô ? Je n'ai jamais vu personne se rendre si vite. Bien que je persiste à penser que cette fameuse fabrique ne va pas s'installer ici...

— Non ? Ils envoient à Agreste un avocat de l'envergure d'Hélio Colombo, ils emmènent Ascânio à la capitale...

— Play-boy roué..., raille Aminthas.

— ... ils font leurs combines avec lui, arrêtent la date des élections et vous doutez encore de leurs intentions ?

— J'admets qu'il y a des raisons pour y croire. Quoi qu'il en soit, nous devons agir comme si c'était certain... »

Il change subitement de sujet à l'approche d'indiscrets venant du bar et du commerce, intéressés par la conversation : Agreste a l'oreille dressée et la nouvelle de la prochaine expropriation des terres a éveillé l'intérêt général. Premier à arriver, Chalita s'adosse à la porte, se cure les dents :

« Bonjour, braves gens.

— Bonjour, pacha des pauvres, Aminthas ne se trouble pas.

— Comme je disais, les Beatles n'ont pas encore trouvé de rivaux. Après le déjeuner je passe chez vous, Carmô, je vous apporte le disque, vous verrez que j'ai raison. Au revoir, Commandant. »

Il croise à la porte Edmundo Ribeiro. Le receveur demande :

« Que dites-vous de la nouvelle ? Est-ce bien vrai ? De la façon dont vont les choses, d'ici deux ans personne ne va plus reconnaître Agreste. »

Chez dona Carmosina, tandis que dona Milu sert des écorces d'orange confites, Aminthas joue les orateurs :

« Répondez-moi, nobles amis : pour pouvoir décréter l'expropriation de l'aire, Ascânio doit être élu, non ?

— La date de l'élection est déjà fixée.

— Je le sais, je lis les journaux et j'écoute les potins. Mais, que je sache, notre play-boy rural n'est pas encore élu

— Peu s'en faut, constate le commandant.

— Peu s'en faut ou beaucoup, tout dépend.

— Dépend de quoi ? Vous doutez par hasard qu'il soit élu ? »

La voix du commandant reflète le découragement et l'impuissance, dona Carmosina écoute sans mot dire.

« On peut en douter, pourquoi pas ? Selon les circonstances, je parierais même qu'il ne sera pas élu.

— Comment pas élu ? Candidat unique, candidat du colonel Artur...

— Il suffit qu'il ne soit pas le candidat du colonel ou, en dernier recours, qu'il ne soit pas candidat unique..

581

— Vous voulez dire..., interrompt, intéressée, dona Carmosina.

— Qu'il suffit qu'apparaisse un autre candidat capable de battre Ascânio, soit auprès du colonel, soit aux urnes...

— Je me doutais où vous vouliez en venir. Mais je ne vois pas comment faire. Le colonel est le parrain d'Ascânio, il a confiance en lui, le jour de l'enterrement de Mauritônio il a dit que le nouveau maire serait Ascânio et tout le monde a été d'accord. Pourquoi changerait-il?

— Sait-on?... le vieux est lunatique, personne n'a encore cherché à savoir ce que le cacique pense de l'installation de la fabrique, s'il est pour ou contre. Ça ne coûte rien de lui parler, de tâcher de le convaincre. Mais s'il garde Ascânio, alors nous irons aux urnes.

— Aux urnes, Ascânio est imbattable.

— Imbattable? Peut-être l'a-t-il été, Carmô, il ne l'est plus. Avant, tous voyaient en lui un garçon travailleur et honnête, il n'y avait pas deux opinions sur Ascânio et tous le voulaient pour maire. Aujourd'hui, à juste titre ou non, pour beaucoup il est devenu un homme à la solde de la Brastânio, les yeux sur l'argent de Leonora. Entre nous, Ascânio n'est, à mon avis, qu'un joyeux idiot. Mais par ici, le moins qu'on dise de lui, c'est qu'il a la tête tournée. Vous ne vous rendez pas compte, Carmô, que l'unanimité, c'est fini? En commençant par nous qui sommes ici. Avant, nous étions tous des électeurs d'Ascânio, électeurs inconditionnels. Aujourd'hui, il n'a pas ma voix.

— Ni la mienne, renchérit le commandant.

— Je ne vois pourtant pas qui peut rivaliser avec lui.

— Vous êtes aveugle, cousine.

— Qui? Dites-moi!

— Le citoyen éminent, illustre fils d'Agreste, officier de notre glorieuse armada, le commandant Dário de Queluz!

— Moi? Vous êtes fou? Je ne suis pas politicien et ne prétends pas l'être.

— Précisément. Les politiciens sont en décadence, ceux qui commandent actuellement dans le pays, ce sont les militaires, non? Commandant, assumez votre poste!

— Moi? Jamais! »

Aminthas ne l'écoute pas :

— Ça va être dur, mais je considère que nous pourrons gagner si...

— Si?

— Si nous avons l'appui de dona Antonieta. Avec sainte Tieta de l'Agreste de notre côté, demandant des voix pour le commandant, c'est gagné.

— Je n'accepterai en aucun cas... », reprend le commandant, se levant pour appuyer sa décision.

Dona Carmosina se tourne vers lui, à nouveau indignée, sur le pied de guerre :

« Comment, vous n'acceptez pas ? Le patriotisme se prouve à des heures pareilles, commandant. »

Dona Milu apporte des petits verres, elle sert de la liqueur de violette. Les circonstances imposent un toast. En des temps anciens, la vieille dame a été un efficace agent électoral :

« A votre santé, commandant ! Je vais commencer la propagande dès aujourd'hui. J'ai un slogan pour la campagne : A bas la pourriture ! » Dona Milu savoure la liqueur, fait claquer ses lèvres.

CHAPITRE DES ÉVÉNEMENTS MÉMORABLES OÙ ASCÂNIO TRINDADE PERDIT SON ÉLOQUENCE ET LE CARAMBOLAGE — PREMIÈRE PARTIE : L'AFFAIRE DU DISCOURS.

Entre le passage du Dr Hélio Colombo par Agreste et la publication de la nouvelle dans la gazette de la capitale, par deux fois Ascânio Trindade fut sur le point de perdre la tête — la première, il laissa échapper le fil de son discours, la seconde, ce fut le carambolage.

L'affaire du discours se produisit dans un meeting improvisé pour saluer l'arrivée, dans les rues de la bourgade, des poteaux de l'Hydroélectrique. Quand l'ingénieur en chef descendit de la jeep et gravit l'escalier de la mairie, Ascânio Trindade dans la salle des actes, seul, médite sur des événements récents, survenus à son corps défendant, imposés par des tiers sans qu'il lui ait été permis d'opiner ou de discuter. Satisfaisants, pourtant.

Ignorant ses scrupules, méprisant les préjugés locaux, le retard sertanège, Leonora le transporte chaque nuit au paradis, c'est-à-dire à la Bassine de Catarina. Débrouillant un problème compliqué, le fameux avocat lui a ordonné d'exproprier les terres des cocotiers, à peine assumée sa charge de maire. Il avait accepté les deux solutions, les deux lui agréent. Une ombre de mécontentement persiste toutefois en lui, comme si, en ratifiant de telles initiatives et en y participant, il commettait un acte répréhensible. En les analysant, il n'y trouve rien de louche ou de malhonnête. Pourquoi alors la peur et le doute ? Uniquement parce qu'il lui manque l'étoffe d'un leader. Pris par les scrupules, les résistances et les susceptibilités provinciales, mentalité étroite, il s'effraie et vacille quand les circonstances exigent fermeté et audace. Mᵉ Colombo et Leonora représentent la mentalité ouverte et avancée des grandes villes. Surprenante Leonora, si fragile et si décidée, si discrète et si hardie !

La voix de l'ingénieur interrompt ses ruminations :

« Je viens vous convier à assister à la pose du premier poteau dans la ville. J'aimerais aussi inviter cette richarde, celle qui commande au gouvernement. Ainsi, j'aurais le plaisir de la connaître. »

Saisi par la nouvelle, Ascânio saute de sa chaise, enfile sa veste :

« Elle est au Mangue Seco, vous la connaîtrez le jour de la fête. Nous pouvons arrêter la date ?

— Disons le premier dimanche en quinze. »

Ascânio calcule, dix-sept jours exactement. En fixant la date de la grande festivité, l'ingénieur décide du jour du retour à São Paulo des Cantarelli, la veuve et l'héritière. Ascânio frémit : le court temps dont on a tant parlé cesse d'être une expression vague pour se transformer en fatal délai. D'ici dix-huit jours, dans la marineti de Jairo, partira d'Agreste la plus belle et la plus pure des femmes.

Rapide, la nouvelle se répand, mettant la ville en mouvement. Dans les mains joyeuses de Vavá Muriçoca, la cloche de la cathédrale sonne un carillon. Le Padre Mariano apparaît sur le parvis. Grâce à la dévote paroissienne, généreuse brebis du troupeau du Seigneur, Commanderesse du Pape, très méritante, a été installé un nouveau circuit électrique dans le temple, dont la façade, recouverte de lampes de couleur, attend la lumière de Paulo Afonso. Le Padre Mariano accélère le pas pour rejoindre Ascânio et l'ingénieur en chef.

Maniant pelles et pics, les ouvriers creusent le trou où se dressera le premier poteau, dans l'ancien chemin de Boue, future rue Dona Antonieta-Esteves-Cantarelli. Des rues et des ruelles des gens débouchent. Les derniers sceptiques se rendent à l'évidence : deux semaines encore et Agreste consommera la force et la lumière de l'Hydroélectrique du São Francisco. Une énergie capable de mettre en marche des industries, une lumière forte et brillante, vingt-quatre heures sur vingt-quatre, plus le trouble et faible éclairage du moteur, limité à trois heures quand il n'y a pas de panne. La lumière de Tieta. Le nom de la bienfaitrice passe de bouche en bouche, chanté et béni. Tous sont fiers de la richesse et de l'importance, du prestige et du pouvoir de leur concitoyenne, patronne de la ville et du municipe, fille prodigue et préférée. A elle, à elle seule, on doit ce miracle — vérité proclamée par l'ingénieur en chef lui-même.

Un incroyable miracle, précise-t-il, du haut d'une caisse de kérosène. Voyant des dizaines de citoyens serrés autour des ingénieurs et des ouvriers, commentant, prêts aux applaudissements, Ascânio envoie Sabino le galopin chercher une caisse ; un moment aussi solennel dans la vie d'Agreste ne peut se passer comme ça. Il improvise une tribune et un meeting et, pour l'ouvrir, convie l'ingénieur en chef, « commandant invincible de cette épique bataille du progrès, à qui nous exprimons notre gratitude ». Dépourvu de dons oratoires, l'ingénieur se borne à quatre phrases rapides. Il félicite le peuple de la région, mais refuse les remerciements, lui et son équipe n'ont fait qu'exécuter les ordres de la Compagnie, ordres qui d'abord lui avaient paru absurdes, car l'extension des fils électriques à Agreste avait été un « authentique, incroyable miracle ». Ils devaient uniquement remercier la puissante personne qui l'avait obtenue, et qu'il n'avait pas encore eu le plaisir de connaître. Quand il descend, il est présenté à quelques familiers de la puissante personne : sa sœur Perpétua, son neveu Peto, sa belle-fille Leonora, qu'il déshabille d'un regard gourmand et compétent. Un matériel de première, fameux.

Leonora trouve qu'Ascânio mérite une parcelle des applaudissements et de la gratitude car il s'était battu avec une obstination désespérée, supportant même des humiliations, pour l'obtention de cette victoire. Il n'avait rien obtenu, c'est vrai, mais ses efforts ne doivent pas pour autant être oubliés.

On ne lui ménage pas d'ailleurs les applaudissements quand il succède à l'ingénieur, sur la caisse. Surtout lorsqu'il parle du rôle de dona Antonieta Esteves Cantarelli, à qui le peuple d'Agreste sera éternellement reconnaissant. S'il en était resté là, il aurait certainement eu sa part de la gratitude exprimée par les assistants aux responsables des fils, poteaux, lampes et illumination. L'erreur d'Ascânio fut de vouloir profiter de l'occasion pour faire la propagande de la Brastânio. D'un geste impératif, il montre le sol, demandant : à qui doit-on l'asphalte sur lequel nous marchons, qui couvre pour toujours la boue séculaire à l'entrée de la ville ? Qui a envoyé des machines, des techniciens, des ouvriers ? La Brastânio dont la présence dans le municipe signifie la rédemption d'Agreste — dit-il, répétant le slogan de l'interview. Applaudissements et bravos mêlés de murmures et de quolibets, divisée l'opinion :

« A bas la pollution ! » crie dona Carmosina.

Ascânio n'y prête pas attention, il poursuit, enthousiaste et éloquent, mais bientôt une anonyme voix de fausset, évidemment déguisée, s'élève du cœur de la foule :

« Tais-toi, play-boy roué ! Tu es un vendu ! »

Ascânio bafouille au milieu de sa phrase, sans parvenir à repérer la canaille — si c'est un homme, qu'il apparaisse et répète —, il perd sa sûreté et son éloquence, abrège son discours. Quand il descend de la caisse, éclatent applaudissements et vivats : destinés au poteau que les ouvriers achèvent de mettre sur pied, merveille du siècle. Immense, en ciment, tendant les bras vers les lampes, fascinant.

SECONDE PARTIE DU CHAPITRE DES ÉVÉNEMENTS MÉMORABLES Où ASCÂNIO TRINDADE PERDIT SON ÉLOQUENCE ET LE CARAMBOLAGE — L'AFFAIRE DU BILLARD

L'incident du billard eut pour cadre le bar des Açores, où les parties décisives du tournoi annuel se réalisèrent enfin. En retard, car la Queue d'Or aurait due être proclamée en décembre. A Agreste, dernièrement, tout marche en désordre et à contretemps. La routine et l'harmonie cèdent la place à l'imprévu et aux dissensions. La méfiance et l'irritation s'étendent, à chaque pas se manifeste un évident esprit belliqueux.

La présence de la crème de la société, dames et demoiselles, donne un caractère de fête à la rencontre. Défilé de toilettes recherchées, comme si on allait également choisir la Reine des élégances. Les dames apparaissent pour apporter leur soutien, respirer l'excitante atmosphère du bistrot, surtout pour étaler leurs atours, plus prétentieux les uns que les autres. Les années précédentes, arborant les robes envoyées par Tieta, modes du Sud, Elisa tranchait sur les autres. Astério non plus n'avait pas grandes difficultés à vaincre ses partenaires. Le couple monopolisait les applaudissements : lui, tri-champion, elle souveraine ! Les choses avaient changé. Astério, aux prises avec l'élevage de chèvres et la plantation de manioc relâche son entraînement, tandis que Seixas et Fidélio passent des heures et des heures à caramboler. Quant à Elisa, elle trouve une rivale à la hauteur de sa beauté et de son élégance : la belle Pauliste Leonora Cantarelli, en vacances dans la ville.

La première partie fut gagnée par Fidélio, perdue par Seixas. A la marque et aux paris. Les cousines de Seixas avaient recruté camarades et amies pour grossir les rangs des supporters du cousin. Fidélio, solitaire, n'a recruté personne, les fans sont apparues de leur propre mouvement, nombreuses. On constata même des désertions dans les troupes de Seixas, preuve manifeste du relâchement des mœurs locales. La fièvre de la trahison gagna l'une des cousines, celle qui louchait, la plus jolie. Perdant toute retenue, elle applaudit debout un coup sensationnel de l'adversaire. Un scandale.

Dona Edna, dont les champions — le fidèle Terto (doux et cocu, mais bon mari) et le volubile Leléu — se trouvent depuis longtemps éliminés ne parviennent pas à cacher son dépit de ne pouvoir rivaliser avec Elisa et Leonora. Piquante et hardie, elle ne manque ni de charme ni d'allure, elle aime s'habiller ; il lui manque l'argent ou une sœur généreuse. Pour compenser, où qu'elle soit, les yeux aguicheurs sur les hommes présents, la langue bien pendue, elle épingle tout le monde. Langue habile en plus d'un art, elle excelle dans l'art de ridiculiser son prochain, distille le venin, parfois l'épingle se transforme en scalpel. Si on le lui reproche, elle explique : j'ai beau égratigner les autres, je ne serai jamais à la hauteur de ce qu'ils disent de moi. Durant le tournoi, même Peto n'échappe pas aux yeux doux et à l'aigre malice de dona Edna. Un Peto qui fait le jeune homme, pantalon long, souliers, cheveux lissés.

« Que t'est-il arrivé, Peto ? Tu es devenu un homme... »

Yeux dolents, séducteurs, la pointe de la langue qui frôle les lèvres pour laisser le petit en émoi. Amusant, le gamin, il empeste la brillantine. Mais celui qui inspire dona Edna, c'est l'autre, son frère, le petit curé à point, le divin clergeon. De Peto, dona Edna passe à Elisa qui l'agace prodigieusement : la prétentieuse habite maintenant une des meilleures résidences de la ville sans payer de loyer, ce qui rend encore plus insupportable l'air dolent et supérieur qu'elle affiche en permanence. Dona Edna est venue décidée à ne pas l'épargner et à humilier, en même temps, l'autre pimbêche, l'hypocrite Leonora. Laquelle des deux, la plus détestable ?

« Vous permettez, Elisa, que je soutienne votre riche petit mari ? N'ayez pas peur, je n'y toucherai pas... », elle rit d'un air de défi.

Peu importe la raison qui valut à Astério le privilège d'être soutenu par dona Edna. La vérité oblige à dire que c'est à elle qu'il dut la victoire quand, se considérant comme battu, il avait déjà posé sa canne.

Au contraire du passionnant duel entre Fidélio et Seixas où se succédèrent les coups brillantissimes, la partie entre Ascânio et Astério traîna en longueur. Équilibrée, c'est vrai, mais en maladresses et en erreurs. Les adversaires se révélèrent manquer d'entraînement et d'une extrême nervosité. N'étant pas en forme, ils déçurent le public et les parieurs.

Tout au long de la monotone compétition, Elisa feint ne pas entendre les provocations de dona Edna — critiques aux élégantes de seconde main, tendres paroles d'encouragement à Astério comme s'il était son mari ou son amant. Pour ne pas l'entendre, elle se concentre sur les détails de la partie. Elle ne comprend pas grand-chose au billard mais, néanmoins, se rend compte du jeu piteux d'Astério. Si par hasard il parvient à gagner Ascânio, également mauvais, il perdra face à Fidélio dont l'exhibition avait soulevé l'enthousiasme général. C'est drôle comme les hommes sont surprenants. Fidélio avait vécu jusqu'alors discrètement dans son coin, il ne faisait jamais parler de lui. Brusquement, avec l'affaire des cocotiers, il est devenu une des personnes les plus populaires de la ville. A ce qu'on dit, son effacement n'est que prudence et dissimulation ; un jouisseur invétéré. Oui, les hommes sont imprévisibles : si dona Carmosina ne lui avait pas conté tant d'histoires de

Fidélio, Elisa n'aurait jamais cru qu'il fut un don juan. Et que dire alors d'Astério, de ses goûts et préférences ? Apparemment, cette coureuse d'Edna, avec son derrière bas, n'a pas ses chances.

D'un geste brusque, Osnar jette au loin sa cigarette de maïs en voyant Astério, sur qui il avait parié gros, perdre sa dernière chance de victoire. La dernière car la partie arrivait à sa fin, il manquait trois points à Astério et à Ascânio un. La différence, pour un recordman du carambolage, un tri-champion, était peu de chose, car c'était son tour de jouer. Mais Astério s'était affolé, il avait perdu sa chance, laissant la boule à la portée d'Ascânio : il suffisait de calculer avec précision la force du coup pour marquer le point du triomphe. Astério pose sa canne, il ne peut plus rien faire, un jour noir. Il sent une contorsion dans l'estomac, la première depuis l'achat des terres de Jarde ; il se croyait guéri.

Ascânio contemple la table du billard, sourit, triomphant, à Leonora, passe de la craie sur son bâton, s'approche sans hâte, il considère la partie gagnée. Un silence se fait dans la salle, rompu par la voix de dona Edna, stridente :

« Osnar, vous qui êtes président du Club de la Bassine de Catarina, dites-moi si c'est vrai, le bruit qui court... »

Ascânio se penche sur le bord du billard, pointe son bâton, recule le bras, prêt à faire le carambolage.

« ... que le bord du fleuve n'a jamais été aussi fréquenté, qu'on n'y voit que des têtes nouvelles, des têtes d'étrangères... que l'étrangère ne rate pas une nuit... »

Le bâton frappe la boule, la déplace à peine, en faveur d'Astério. Sous l'effet de la voix de dona Edna, Ascânio perd le carambolage et la partie.

DE LA PREMIÈRE VICTOIRE DU CANDIDAT ÉCOLOGISTE, DONNANT AU LECTEUR LE PRIVILÈGE DE VOIR LE COMMANDANT DARIO DE QUELUZ REVÊTIR SON UNIFORME DE GALA.

« Mon Dieu, qu'est-il arrivé ? Regarde-le, Cardo... » Tieta montre le commandant Dário de Queluz, assis à l'avant de l'embarcation échouée sur le sable, enfilant des chaussettes et des chaussures blanches avant de toucher la plage.

« Comme si c'était le 7 septembre... », commente le séminariste, non moins stupéfait.

Une fois par an, le jour du 7 septembre, en hommage à la fête de l'Indépendance, le commandant Dário sort l'uniforme de l'armoire et de la naphtaline, le revêt et avec tous ses galons participe à la solennité commémorative, au groupe scolaire. Le reste de l'année, il porte un pantalon et une chemise sport à la ville, un short et une chemisette à la plage. Par quel mystère apparaît-il en uniforme, étincelant au soleil du Mangue Seco ? Jamais Tieta ne l'avait vu ainsi vêtu. Il est différent, supérieur et sévère, il impose le respect. Il doit être arrivé quelque chose de grave pour que le commandant revête sa tunique de gala et porte la médaille du mérite naval. Tieta et Ricardo courent à sa rencontre : « Où est Laura ? Elle est bien ? demande Tieta, préoccupée.

— Elle est bien, elle vous envoie son souvenir. Elle est restée à Agreste, je repars de suite. Je ne suis venu que pour avoir un entretien avec vous, Tieta, la voix sévère : Un entretien sérieux et privé. »

Inquiet, Ricardo regarde sa tante : aurait-ce un rapport avec eux ? Il va s'éloigner, le commandant le retient :

« Tu n'as pas besoin de t'en aller, Ricardo, tu n'es plus un enfant. Mais sois averti : rien de ce qui sera dit ici ne peut transpirer. L'entretien est secret. »

L'uniforme impose tenue et distance, fermeté des manières, pose quasi arrogante. Ils arrivent au Bercail où Tieta sert de l'eau de coco — une des préférences du commandant ; il n'y a pas de diurétique pareil, chère amie ! — elle met la bouilloire sur le feu pour passer un café.

« La date de l'élection est fixée, Tieta.

— On s'y attendait, non ? Carmô m'a dit que les journaux en parlaient... »

Le commandant Dário relate la visite du Dr Hélio Colombo, professeur de droit, avocat ultra-célèbre, un cerveau, envoyé à Agreste par la Brastânio. Vous savez pour quoi ? — demande-t-il, les yeux lançant des éclairs d'indignation, la voix sinistre, comme s'il dénonçait une conspiration monstrueuse, un sinistre complot. C'est d'ailleurs ce qu'il fait ; il tente de démasquer une louche machination, une abominable cabale. Ricardo écoute attentivement, les yeux écarquillés, indigné et solidaire ; Tieta ne comprend pas encore la raison de l'uniforme et de l'emphase, de l'attitude héroïque et dramatique du commandant.

« Savez-vous, mon amie, quel sera le premier acte d'Ascânio après son entrée en fonction ? Vous ne savez pas ? Je vais vous le dire : ce sera d'exproprier l'aire des cocotiers et ensuite de la céder à la Brastânio. C'est pourquoi je suis ici, Tieta, je suis venue vous chercher. »

Encore ahurie, Tieta s'efforce de rire :

— Vous vous êtes mis en tenue pour ça ? Ou vous allez m'emmener prisonnière ?... »

Le militaire ne s'associe pas à son rire ni à sa facétie ·

« Ne plaisantez pas avec des choses sérieuses, Tieta. L'unique manière de prévenir la catastrophe, de sauver Agreste, est d'empêcher l'élection d'Ascânio.

— L'empêcher ? De quelle façon ?

— En élisant un autre candidat.

— Lequel ? » un soupçon soudain altère sa voix. « Vous n'allez pas me dire que vous et cette folle de Carmô m'avez choisie...

— Ce serait la solution idéale si vous ne viviez pas à São Paulo. » Le commandant ôte sa casquette, essuie la sueur, se gratte la tête. « Vous me connaissez, Tieta, vous savez que je ne suis pas homme à mentir. J'ai quitté la marine et je suis revenu à Agreste parce que je désire vivre en paix le reste de ma vie. tranquille aux côtés de ma femme, dans ce coin de paradis. Vous savez que je n'ai pas d'autre ambition, je suis heureux ainsi. » C'était comme s'il avait retiré son uniforme, à nouveau simple et cordial, sans prétentions.

« Et qui ne le sait pas ? Moi aussi, certains jours à São Paulo, j'ai envie de tout lâcher et de venir définitivement à Agreste. Pour ça j'ai acheté une maison et un terrain. Un jour je vais faire la même chose que vous.

— Avec une usine de bioxyde de titane en activité ici, ce n'est plus la peine d'y penser, notre paradis va devenir une poubelle, comme ça s'est passé en Italie. Nous affrontons une situation exceptionnelle, Tieta. » Il change de ton, la voix étudiée, le geste ferme, l'œil belliqueux. « Si exceptionnelle que je me dispose à poser ma candidature, sur la suggestion d'un groupe d'amis De patriotes. Pour que cette candidature ne soit pas qu'un geste, pour que j'aie une chance de victoire, il est nécessaire que vous acceptiez de prendre la tête de la campagne. Tout dépend de vous. Je suis venu vous inviter, au nom de l'avenir d'Agreste, à lutter pour une cause sacrée. »

Tieta écoute, les yeux posés sur la face crispée de son ami. Pauvre commandant, commandant une bataille perdue. Fanatique du climat d'Agreste, de la sauvage beauté du Mangue Seco, il avait largué sa carrière, quitté l'uniforme pour y attendre la mort en jouissant de longues et nombreuses années de vie saine et tranquille. Tout ça est terminé, commandant. Il ne sert à rien de retirer l'uniforme de la garde-robe, de mettre la médaille sur la tunique.

« Vous pensez que nous, d'Agreste, pouvons influer pour que l'usine ne s'installe pas ici ? Je ne crois pas. Je sais comment ces choses se passent. Elles sont décidées à l'insu du pauvre monde, on ne demande pas l'opinion des gens. Vous allez quitter vos falaises, vous allez...

— Je vais faire mon devoir. C'est notre obligation, la mienne, la vôtre, celle de ceux qui savent ce que signifie cette industrie. Même si je devais me battre seul... Je vous ai dit, souvenez-vous, que je ferais tout pour éviter la pollution d'Agreste.

— Je me souviens... »

Ricardo intervient, d'une voix précipitée :

« Excusez-moi, Tante, mais le commandant a raison. Le frère Thimóteo a dit que nous devions agir sans nous poser de questions sur le résultat. Pedro aussi pense ainsi. »

Tieta revoit la figure maigre du Frère, la physionomie franche et sympathique de l'ingénieur, elle entend la voix fervente et calme du religieux, l'accent vibrant et passionné de l'athée, l'un et l'autre parlant de crime et d'obligation, perturbant le doux farniente, la faisant se sentir la dernière des oisives, des inutiles, des bonnes à rien. Maintenant arrive le commandant, en uniforme, solennel, exigeant qu'elle accomplisse son devoir. Pour vivre bien, répétait Felipe, homme sage, il est nécessaire avant tout d'abolir sa conscieoe La merde c'est qu'on n'y arrive pas toujours.

L'eau bout, Tieta passe le café, met des tasses sur la table Là, Ascânio Trindade avait déplié le dessin en couleur de Rufo, la fascinante vision du futur. Les yeux de Tieta s'assombrissent à nouveau en se rappelant l'asphalte répandu, recouvrant le Mangue, les lotissements dressés sur les décombres du hameau. Cabanes, crabes, pêcheurs, rêves adolescents, jours de passion, enterrés dans la pourriture du bioxyde de titane. Aucune gardienne de chèvres ne reviendra gravir les falaises, jamais plus.

COMMENT PERPÉTUA, MÈRE DÉVOUÉE, AVALE DES COULEUVRES ET FAIT CONTRE MAUVAISE FORTUNE BON CŒUR.

Le retour inattendu de Tieta, amenée par ses devoirs civiques à interrompre la paradisiaque saison à la plage — il arrive de ces choses dans ce monde, même Dieu n'y croirait pas —, fut salué avec un vif enthousiasme et force flatteries par Perpétua, déjà prête à aller au Mangue Seco pour une conversation décisive avec sa sœur sur l'avenir de ses fils, Cardo et Peto, afin de concrétiser des plans longuement mûris, mettre les points sur les « i », le blanc sur le noir. De préférence à l'étude, signé en bonne et due forme :

Elle accueille son fils et sa sœur avec un excès d'effusions, étranger à sa nature :

« Dieu te bénisse, mon fils, et te garde dans le bon chemin pour continuer à mériter la protection de ta tante. » Ah ! qui la vit et la voit : avant sèche et distante, maintenant ouvrant les bras à Tieta, chaleureuse, presque servile. « Grâce à Dieu tu es revenue, sœurette. Je n'en pouvais plus de regrets. Peto aussi, il t'adore, il ne parle que de toi, demande à Leonora.

— Oui. Peto est un amour... », confirme Leonora, encore surprise de la volte-face des plans de Tieta.

— Nous avons beaucoup à parler avant ton départ, sœurette. Je ne veux pas penser à ce jour. Vous allez trop me manquer... », elle fait un effort, étend sa flagornerie à la belle-fille de sa sœur. « Toi aussi, Nora.

— Ne parlez pas de choses tristes, dona Perpétua. »

En entendant la lamentation de l'impudente, Perpétua faisant contre mauvaise fortune bon cœur, hoche la tête d'un geste désolé, la voix sifflant un affectueux reproche :

« Imagine, Tieta, que cette petite sotte est coiffée d'Ascânio... Jolie et riche comme elle est, pouvant choisir à São Paulo le fiancé qu'elle voudrait, elle perd son temps à fréquenter un pauvre diable d'ici. Je ne dis pas que ce soit un mauvais garçon, mais il n'a pas où tomber mort Ce n'est pas parti pour elle, je l'ai avertie mille fois. »

Vibrant d'intérêt pour le bonheur de Leonora. Contre mauvaise fortune bon cœur — Perpétua étouffe le désir de clamer contre le manque de vergogne de l'intrigante, qui arrive à point d'heures toutes les nuits, rouge, la robe chiffonnée, venant de Dieu sait où. D'où, voyons : du fricotage au bord du fleuve, soir après soir, tout le monde commente. Perpétua ravale indignation et dégoût, l'avenir de ses fils exige des éloges, des sourires, le silence, elle paie le prix. A l'heure du règlement de comptes, le Seigneur Tout-Puissant, avec qui elle a passé un accord, mettra à son actif les couleuvres avalées, les nombreuses fois où elle a fait contre mauvaise fortune bon cœur. Comme maintenant, en recevant son fils et sa sœur venant du Mangue Seco, brûlés de soleil, sentant l'air marin, respirant la santé et la satisfaction :

« Heureuse la fille qui épousera Ascânio, dona Perpétua. C'est un homme merveilleux.

— Un minable, je t'en conjure.

— Heureusement, Perpétua, que je te trouve dans ces dispositions, car je pense à prolonger un peu plus mon séjour... J'allais partir le lendemain de la fête, peut-être resterai-je encore quelques jours... »

Tieta va dans l'alcôve, ranger ses affaires, Leonora la suit. Perpétua se tourne vers son fils, avant d'agir elle doit parler avec lui, savoir si sa tante avait à nouveau parlé de l'emmener à São Paulo, si elle avait fait des promesses, lesquelles et quand, si elle avait envisagé, par hasard, de l'adopter ? Pourquoi, ayant fixé la date de son départ, avait-elle décidé de le retarder ? Mais Ricardo, pressé, pose le ballot contenant ses effets et ses livres, gagne la rue, sous prétexte de demander sa bénédiction au Padre et de se présenter au commandant.

« Au commandant ? s'étonne Perpétua.

— Je vais travailler pour le commandant le reste des vacances.

— Qu'est-ce que c'est que cette histoire ?

— La tante vous expliquera, Mère ? Maintenant, je ne peux pas, je n'ai pas le temps. »

Il s'échappe par la porte, sans demander la permission. Sidérée, Perpétua reconnaît le ton de voix, le regard, le rire, l'audace ; depuis longtemps ils lui sont familiers. Ton de voix, regard, rire, audace — elle croyait voir Tieta gamine, à l'âge

594

de Ricardo, étrangère aux ordres du Père, à la violence, aux cris et chatiments, à la lanière et au bâton. Rebelle, maîtresse de sa volonté.

« Dieu me garde ! » gémit Perpétua, la main dans la poche de la jupe noire, touchant les grains du chapelet

DES URUBUS EN RONDE EFFRÉNÉE.

Avocats et héritiers trottent dans les rues d'Agreste, peu nombreuses et désertes, en réunions et chuchotements, accords et désaccords, une ronde effrénée. De la pension de dona Amorzinho à l'étude, de l'étude au bureau de Modesto Pires, à la tannerie, de là à la mairie. Tantôt ensemble, troupe solidaire combattants de la même cause incertaine, alliés dans la décision d'obtenir le maximum pour les terrains des cocotiers, hérités d'un vague trisaïeul. Tantôt chacun pour soi, en catimini, tentant de berner les autres, guerrilleros en traquenards et rouerie, désireux de happer la meilleure bouchée. Une bande d'urubus autour d'une charogne, selon l'expression de Modesto Pires.

Le Dr Marcolino Pitombo ne ressemble pas à un urubu, bien au contraire. Impeccable dans son complet blanc, chapeau panama, canne, sourire de bonne humeur, il ne manifeste ni irritation ni émoi quand Josafá, écumant, sort l'exemplaire de *A Tarde* rapportant la présence du professeur Colombo et sa conspiration avec Ascânio pour l'expropriation des terrains des cocotiers. La solution controversée avait laissé les héritiers perplexes et affligés. Le Dr Marcolino ne perd pas son flegme :

« Un coup magıstraı, exactement ce que je ferais si j'étais l'avocat de la Société. Je tire mon chapeau à maître Colombo, il a été droit dans le mille. Je ne vous avais pas dit, Josafá, que ce garçon, candidat maire, était un valet de la Brastânio ? Et, par-dessus le marché, idiot. » Il révèle non sans une certaine satisfaction : « J'étais déjà au courant de ces nouvelles.

— Vous le saviez ? Comment ?

— Je l'ai su le jour même. Par notre irremplaçable Bonaparte. Je lui ai glissé quelques piécettes, vous vous rappelez ? De l'argent bien employé. »

Durant tous ces jours il avait étudié le problème, traçant un nouveau plan d'actions et il le propose à ses clients. En vérité, à un seul des deux, Josafá. Le vieux Jarde, enfermé à la pension, ne s'intéresse à rien en ce monde. Josafá écoute, l'oreille basse. Il est atterré de la marche du procès : l'action engagée auprès du juge d'Esplanada s'éternise, l'argent retiré de la vente de lots s'évapore, Josafá craint que l'indemnisation versée par la mairie n'arrive pas à couvrir les frais. Il avait rêvé multiplier ce pécule par un coup spectaculaire, il sera content si, à la fin, il n'en est pas de sa poche.

« Nous devons être réalistes. La manœuvre de maître Colombo réduit notre champ d'action... »

Le Dr Marcolino voit une seule issue susceptible de leur faire tirer le meilleur prix possible des terrains, évitant en même temps de nouvelles dépenses : chercher un accord direct avec la Brastânio pour céder immédiatement à la Société les droits à l'héritage du légendaire Manuel Bezerra Antunes. Les droits transférés, il reviendra à la Brastânio de les faire reconnaître. Pour ça, les héritiers doivent agir unis. Devant la menace d'expropriation, l'intransigeance du jeune Fidélio perd sa raison d'être.

Josafá approuve l'idée, séduit surtout par la perspective de liquider la question au plus tôt, tirant un trait sous la colonne des dépenses, y compris les honoraires et les frais de séjour du Dr Marcolino. Il lui rend justice : un chicaneur compétent et honnête. Un autre tâcherait de prolonger au maximum ces vacances bien payées, laissant le procès se traîner au tribunal tant qu'il resterait de l'argent à Jarde et à Josafá.

Oui, jours adorables ; inoubliable saison ! A Agreste, le Dr Marcolino a gagné des couleurs, grossi, s'est délivré des crampes dans les mains et les bras qui l'inquiètent tant, a établi d'aimables relations avec les habitants de la ville. Au bar, il converse avec Osnar et Aminthas, joue au jacquet avec Chalita ; à l'agence des Postes, il lit des journaux, échange des idées avec dona Carmosina, une personne de beaucoup d'instruction à qui il ne cache pas son opinion sur l'industrie de bioxyde de titane ; sur le parvis de la cathédrale il discute religion avec le Padre Mariano, se révèle franc-maçon ; il fréquente la pension de Zuleika Cinderela, où il a coutume d'apparaître les fins d'après-midi — le climat d'Agreste, comme on le sait surabondamment, réalise des prodiges.

596

Tandis qu'il donne ces explications, le Dr Marcolino est pris de pitié et de rage — maudite fabrique, elle va en finir avec le climat miraculeux et avec la douceur de la vie :

« *Seu* Josafá, je vous dis que nous sommes tous complices d'un crime. Maudite profession que la mienne...

— Un crime de quoi, docteur ? Ici, ça ne vaut rien, ça se meurt. Peut-être même qu'avec la fabrique, les choses s'amélioreront... »

DES RAISONS DIFFICILES À EXPLIQUER ET À COMPRENDRE.

Dans l'alcôve, seule à seule avec Tieta, Leonora narre les joies et les tristesses :

« Petite-Mère, je ne sais comment te remercier de m'avoir amenée. Ç'a été si bon... C'est vrai que nous allons rester encore quelques temps ? » Elle prend la main de Tieta, la baise, pose sa joue contre elle, tendre et reconnaissante.

« Il se peut, encore quelques semaines, je ne sais pas trop. Mais, chevrette, attends d'être dans la marineti pour penser à la séparation. Jusque-là, profites-en le plus possible, oublie que tu dois t'en aller...

— Si je pouvais...

— Oublie-ça, t'ai-je dit. Et le bord du fleuve ? Raconte-moi.

— Tu n'imagines pas, Petite-Mère, comme ç'a été difficile de convaincre Ascânio. Il ne voulait pas en entendre parler, je l'ai traîné de force. Il a peur de ce qu'on va dire de moi, que mon nom soit dans toutes les bouches... Le pauvre, j'en ai des remords. L'autre jour, au billard, il a perdu la partie contre Astério parce qu'il a cru que dona Edna parlait de moi avec Osnar.

— Elle en est capable, la pute fieffée.

— A dire vrai, je ne sais pas. Nous prenons beaucoup de précautions, Ascânio est très prudent. Tu sais ce dont j'aurais envie ? De coucher une nuit entière avec lui, au moins une, avant de m'en aller. Dans un vrai lit, sur un matelas, les deux tous nus sans presse. sans peur, sans devoir parler bas Mais je ne vois pas où

« Tu ne vois pas ? Et chez lui ? Il vit seul, que je sache

— Seul, non. Il y a Rafa...

— La servante ? Ce n'est pas une vieille gâteuse, sourde, presque aveugle ? Alors, chevrette ? Je ne sais pas comment tu te débrouillerais sans moi...

— Est-ce qu'il marchera ? Il est si scrupuleux ! Ah, Petite-Mère, je ne m'habitue pas à l'idée de devoir m'en aller. Je vais mourir de regrets.

— Le regret, c'est comme l'amour, Nora. Il ne tue pas, il aide à vivre. »

Leonora ne se borne pas à la relation de ses amours, fugues nocturnes vers les recoins du fleuve, murmurant des poèmes, étouffant des soupirs. Elle parle aussi de désagréables épisodes ; avec cette histoire d'expropriation de terrain des cocotiers, Ascânio n'a pas une minute de tranquillité. Le plus triste de tout avait été la rupture de ses relations avec Carmosina. Ascânio avait tenté le possible et l'impossible pour éviter ce dénouement, cessant même d'apparaître à l'agence des Postes pour ne pas entendre les provocations et les calomnies. Mais, en apprenant la visite de la commère à la Fazenda Tapitanga, où elle s'était rendue dans le but de le mettre mal avec son parrain et protecteur, Ascânio ne se contint plus. La perfide en avait dit de toutes les couleurs contre la Brastânio, avait lu des coupures de journaux, avait critiqué l'appui de la mairie aux plans de la Société, avait parlé d'abus de confiance. Ébranlé, le colonel avait convoqué son filleul, avait exigé des explications, qu'avait-il été faire à Bahia, qu'est-ce que c'était que cette histoire d'expropriation ? Ascânio, indigné et blessé, sans entendre les prières de Leonora, avait adressé une lettre — une lettre émouvante, Petite-Mère, j'ai pleuré lorsqu'il me l'a lue — à l'intrigante, rompant leurs relations, mettant fin à une amitié « que je pensais à l'abri des divergences d'opinions ». Épistolière non moins compétente, dona Carmosina avait renvoyé les accusations de déloyauté et de perfidie dans une missive également dramatique : « Vous avez jeté mon amitié, prouvée dans des moments cruciaux, dans la poubelle de la Brastânio. »

« Quelle horreur, cette querelle, Petite-Mère. Avant, ils étaient tous si unis. J'aime beaucoup Carmosina, je meurs de tristesse. »

Tieta caresse la fauve chevelure de la jeune fille :

« Tu ne sais pas encore pourquoi je suis revenue du Mangue Seco.

— J'ai été surprise. Je pensais que tu ne reviendrais que le jour de la fête.

— C'était mon intention. Si tu es contente ici, je l'étais encore plus au Mangue Seco. Jouissant des délices du paradis, gardée par mon archange. Eh bien, j'ai tout lâché et je suis venue.

— Et pourquoi, Petite-Mère ?

— Parce que je n'ai pas pu m'en empêcher. J'ai tout fait pour ne pas venir et je suis venue. Le pire c'est que je sais qu'à la fin, ça ne servira à rien. Ce n'est pas Petite-Mère qui est venue, Nora. C'est Tieta, la fillette aux chèvres qui se battait avec la police aux côtés des pêcheurs. Je ne sais pas t'expliquer mais, si je n'étais pas venue, je crois que je n'aurais jamais plus eu le courage de mettre les pieds ici. »

Leonora n'est pas certaine de comprendre. Tieta se lève, va à la fenêtre, regarde la ruelle, pauvre Leonora !

« Je suis venue empêcher la candidature d'Ascânio. De gré ou de force.

— Ah, Petite-Mère ! Que vais-je devenir ?

— Ça n'a rien à voir avec tes amours. Ne t'en mêle pas, tu n'es pas d'ici, tu es de passage, cette affaire ne concerne que les gens d'Agreste. Tâche de soutenir ton homme si tu l'aimes autant que tu le dis. Il va en avoir besoin. »

OÙ LA CHAROGNE COMMENCE À PUER

Apoplectique, Modesto Pires crie, hors de lui :
« Bande d'urubus ! »

Canuto Tavares (deux fois Antunes) se dresse devant le patron de la tannerie :
« L'urubu le plus infect, c'est vous ! Usurier, agioteur ! »

Les Drs Baltazar Moreira et Gustavo Galvão, presque toujours d'accord, échangent des insultes ·
« Traître ! Hypocrite ! Canaille !

— Ignorant ! Primate ! Analphabète ! »

Le Dr Franklin, dans l'étude de qui se produit l'esclandre, tente de les apaiser :

« Messieurs, voyons messieurs, du calme... »

Il craint que, des insultes, ils ne passent aux coups. Dona Carlota, directrice de collège, est habituée au respect, elle commence une crise de nerfs. Le Dr Marcolino profite du malaise de l'hystérique vieille fille pour obtenir calme et silence :

« Nous allons entendre ce que le Dr Baltazar a à nous dire. Puisqu'il a pris l'initiative de s'adresser à la Brastânio...

— Je l'ai prise et je n'ai besoin de demander la permission de personne pour agir en accord avec les intérêts de mes clients. Si vous voulez m'écouter, je vous donnerai l'information, bien que je ne sois pas obligé de le faire... »

La pagaille commença quand, réunis à l'étude à la demande du Dr Marcolino, au milieu de son exposé le Dr Baltazar l'interrompit, annonçant :

« La mesure que mon confrère propose, je l'ai déjà prise, pour mon propre compte. Il ne vaut pas la peine de perdre du temps en répétant la même démarche. »

Pour son propre compte, c'est-à-dire pour le compte de dona Carlota et de Modesto Pires, à l'insu des autres, dans leur dos, trahisons, coup bas. L'assemblée devint tumultueuse. Mais le Dr Marcolino, toujours souriant, parvient à les calmer, décevant le jeune Bonaparte, amateur des scènes de bagarre : il avait eu l'espoir d'assister à un pugilat entre Canuto et Modesto Pires, la vie quotidienne d'Agreste devient excitante. Le Dr Marcolino propose que les épithètes soient retirées, de part et d'autre ; dona Carlota, assistée par le tabellion, revient à elle, encore tremblante.

Insultes, menaces, syncope, comme si le Dr Baltazar avait fauché pour dona Carlota l'argent de la Brastânio. Pourtant, comme l'explique l'avocat, les résultats de ses contacts avec la direction de la Société avaient été négatifs. Pour commencer, en le sachant défenseur d'un héritier des terrains des cocotiers, ils le renvoyèrent à l'étude de Mᵉ Colombo. Il ne parla pas de la longue et humiliante attente dans l'antichambre, au contraire, il souligna la courtoisie avec laquelle le maître l'avait reçu. Cordial mais catégorique. Selon lui, l'intérêt de la Brastânio pour Agreste était, pour l'instant, purement théorique, car le gouvernement de l'État ne s'était pas encore prononcé sur la localisation de l'industrie. Il y avait, c'est certain, des possibilités que la fabrique s'installe à Agreste mais, avant une décision des autorités compétentes, la Brastâ-nio se sentait empêchée d'établir des accords, de discuter de prix, d'acquérir des terrains. Là ou ailleurs, où que ce fût. Comment passer par-dessus le gouvernement, devancer une décision officielle, encore à l'étude ? De plus comment traiter avec des personnes qui n'étaient pas légalement reconnues, de pseudo-héritiers, sans droits assurés ? Avant de proposer un accord, ils devaient faire reconnaître leurs prétentions, car la Société, dans le cas où elle aurait à le faire, ne traiterait qu'avec des héritiers déclarés comme tels par la justice. Quant à la fameuse expropriation, là-dessus, il déclara ne rien savoir, ce ne devait être que des spéculations de la presse :

« Mais si le maire pense à exproprier l'aire pour la revaloriser, c'est son problème, pas le mien... »

Sur cette déclaration, évidemment fausse, maître Colombo avait donné congé à son cher confrère. Le Dr Baltazar termine son récit en affirmant, conciliant, qu'il avait toujours été dans ses intentions de relater ces démarches aux autres héritiers. Suit un silence méditatif, bientôt rompu par Canuto Tavares :

« A ce que je vois, nous sommes dans le pétrin... »

Ce n'est pas l'avis du Dr Marcolino qui réclame la réconci-liation générale en vue d'une action collective auprès du futur maire. Bien menée, l'expropriation pourra se révéler une solution acceptable. Inutile de tenter de l'empêcher, car c'est une mesure légitime ; ils doivent la rendre profitable. Qu'en pensent ses chers confrères ?

Dans la chaleur de l'après-midi, ils s'en vont, trottant dans les rues d'Agreste. A l'étude, le Dr Franklin serre ses narines entre ses doigts, murmurant :

« Ça sent mauvais... »

Bonaparte déplore :

« Je pensais que Canuto allait taper sur *seu* Modesto. Ç'aurait été sensationnel... Vous y pensez, Père ?

— Je ne veux pas y penser. »

601

COMMENT LE LECTEUR PREND CONNAISSANCE D'UN COMITÉ ÉLECTORAL ENCORE CLANDESTIN.

Homme-orchestre, Ricardo se transforme en une pièce maîtresse de la diligente équipe qui travaille en secret dans la cour de la villa du commandant, transformée en siège du comité électoral. Pour l'instant clandestin, car la candidature reste secrète, connue seulement de quelques conspirateurs. Le commandant avait approuvé le conseil de Tieta : ne le criez pas sur les toits avant que j'ai parlé avec Ascânio et le colonel Artur.

Ricardo aide aux travaux de menuiserie et de peinture, il va acheter de l'étoffe à la boutique de son oncle Astério, sert de liaison entre les conjurés, circulant entre l'agence des Postes, le bar, la maison de dona Milu, sans oublier ses obligations sacrées envers l'Église. A l'église, il retrouve Cinira, postulante dévote, ils grimpent les marches du clocher, elle devant, lui derrière pour contempler. Dans sa course à travers la ville, certainement pour raccourcir le chemin, il pénètre dans des impasses et des ruelles, tombe dans les bras de Maria Imaculada, toute frémissante et plaintive : je pensais que tu n'allais plus apparaître, mon cœur. Le soir, il participe à la conférence de l'état-major — dona Carmosina, Aminthas, le commandant — vibre aux plans de la campagne avant de se reposer sur les seins de Tieta. Dans le feu de ses dix-sept ans, dévoué et infatigable, il accomplit avec brio ses devoirs de citoyen et d'homme. D'homme-orchestre.

Porteur d'une pièce de calicot, dans la cour déserte à l'heure de la sieste, Ricardo entend un discret psch ! qui l'appelle, il ne voit personne. Plus fort, le bruit se répète, provenant de l'autre côté de la haie.

La cour du jardin est limitrophe avec la cour de la maison où vit, soumise mais non résignée, Carol.

Garantie de tranquillité pour Modesto Pires, à qui un sort injuste et le pouvoir de l'argent avaient donné des droits exclusifs sur la belle captive ; impossible meilleur voisinage. L'incurable monogamie du commandant est publique et notoire ; Osnar lui-même a perdu l'espoir de le faire entrer un jour dans la joyeuse société de la pension de Zuleika. S'ajoute un sentiment de gratitude, profond chez Carol, qui la rend toute dévouée à dona Laura. Les dames d'Agreste évitent tout contact avec la concubine du richard. Toutes, à l'exception de dona Laura de Queluz, née et élevée dans le Sud, libérale. Dona Milu aussi lui adresse la parole et la traite comme un être humain, mais dona Milu ne compte pas : veuve, âgée et sage-femme, elle au-dessus des canons locaux, au-delà du bien et du mal.

Une haie fleurie de fil de fer sur lequel s'enroulent des plantes grimpantes bleues et jaunes sépare les deux cours. Par les interstices de la haie, il arrive à Carol de regarder la cour voisine, presque toujours silencieuse et tranquille, même quand les maîtres de la maison sont à la ville. Parfois, Gripa, la servante, vient cueillir des citrons. Le matin tôt, le commandant se consacre à la gymnastique qui, ajoutée à la mer du Mangue Seco, l'aide à garder sa forme athlétique. L'admirer est un plaisir platonique, sans conséquences, pour les raisons déjà citées. L'intégrité du commandant et la gratitude de la protégée réduisent le spectacle à une pure émotion esthétique.

Cela étant, on imagine la surprise de Carol constatant un mouvement inhabituel de l'autre côté de la haie. En alerte, elle remarqua l'existence d'un étrange matériel de travail, planches, pieux, carton, peinture, à la disposition de la sensationnelle troupe. En font partie les beaux garçons du bar — Aminthas, qui lui cligne de l'œil et lui fait un signe, Seixas, celui qui soupire quand il passe sous sa fenêtre, Fidélio, des quatre le plus plaisant, réservé et malin, attendant une occasion propice, et ce dévergondé d'Osnar. Soudain, accompagnés de dona Carmosina, ils envahissaient la cour, déroulaient étoffe et carton, donnaient des coups de marteau, mêlaient les couleurs. Le commandant donnait des ordres. *Seu* Modesto, une nuit récente, a dit que le peuple d'Agreste a la tête à l'envers.

L'excitation de la superbe et interdite Carol arrive à son comble quand elle aperçoit, à travers les feuilles entrelacées, la silhouette inespérée et angélique de l'adolescent Ricardo, au pied léger et jambe velue. Elle s'endort avec lui dans ses tristes nuits d'abandon, caressant le traversin. Maintenant elle l'a là, à la portée de sa main. *Seu* Modesto sait ce qu'il dit, Agreste gagne un charme soudain.

Elle répète le psch !, Ricardo s'avance, met son visage dans la brèche, une couronne de fleurs sur la tête

Dans la pension de dona Amorzinho décline le vieux Jarde, Antunes, jadis agriculteur laborieux, jovial éleveur de chèvres. Il passe la majorité de son temps allongé sur le lit, morne, rien au monde ne l'intéresse. Josafá, de temps à autre, tente de le ranimer :

« D'ici quelques jours, Père, on vend le terrain et on empoche les sous, on file à Itábuna. Vous allez voir ce que c'est qu'une terre fertile, du bétail bien gras, de ces bêtes que ça fait plaisir, vous allez connaître les plantations de cacao. Ça, oui, ça vaut la peine, ce n'est pas ces caillasses d'ici, sèches, grillées. Ayez un peu de patience. »

Les yeux du vieux restent fixés sur les poutres du toit. Josafá se fâche :

« Vous vous sentez malade, Père ? Vous voulez que j'appelle le médecin ?

— Pas la peine. Je n'ai rien, non. »

Bon fils, Josafá perd son temps à lui raconter de menus détails sur la marche du procès, les allées et venues des avocats, les finasseries de Modesto Pires, les doutes sur Ascânio quand il ne décrit pas l'opulence du sud de l'État, la grandeur du cacao. Il n'est même pas sûr que le vieux l'écoute

— Vous entendez, Père ?

— Oui, oui, mon fils. »

Dans la chaleur de l'après-midi l'inertie augmente, Jarde ferme les yeux, indifférent à tout. Ou à presque tout, car il lui arrive, de loin en loin, de mettre ses espadrilles, de sortir de la chambre et de la pension, traversant la rue en direction du magasin d'Astério. Pour prendre des nouvelles de Belle Vue, des chèvres et de *seu* Mé. Les nouvelles sont bonnes, Jarde reprend des forces en les entendant, il lui arrive de sourire. Il disserte, avec Astério et Osnar, des mœurs des chèvres ; il n'y a pas d'animal, domestique ou sauvage, qui puisse se comparer Quant à *seu* Mé, même le colonel Artur da Tapitanga ne possède de mâle d'une telle compétence et supériorité. Un fameux bouc, confirme Osnar.

Quand il s'en va, le vieux retombe dans l'abattement, dans la mélancolie. Il se met debout, blême, chancelant, tête basse, la peau et les os. Astério qui a pitié, l'invite à l'accompagner dans sa course matinale au clos Jarde refuse, un geste las un filet de voix

« Pour quoi ? Pour voir ce qui ne m'appartient plus ? Je vous demande seulement de bien soigner les bêtes. »

Il se traîne, traverse la rue Osnar diagnostique ·

« Il a le noir.

— Le noir ? s'étonne Astério. Je n'ai jamais entendu parler de personne atteint du noir par ici. Le noir, c'était une maladie d'esclave.

— Oui, elle avait disparu avec le 13 Mai[1] Elle est revenue avec la fabrique. Ça pourrait bien devenir une épidémie. »

DES DERNIÈRES RETOUCHES DANS LA FORMATION D'UN LEADER OU COMMENT ASCÂNIO EN A RAS LE BOL.

Un leader se forge dans le fracas de la bataille, triomphant de l'adversité — avait lu Ascânio Trindade dans le volume *La Trajectoire des leaders, de Tiradentes à Vargas.* Il vérifie personnellement la vérité de cette affirmation. Dans le fracas de la bataille, en butte aux affronts et aux déceptions, aux insolences et aux menaces, Ascânio se modifie, mûrit, rectifie son échelle de valeurs, gagne de l'ambition (« un homme sans ambition ne sera jamais un gagnant », lui avait appris Rosalvo Lucena, un gagnant, lui), il devient un fort. Convaincu de la justesse de ses attitudes, décidé à aller jusqu'à la fin. Selon l'auteur des notes biographiques, presque toujours une force mystérieuse soutient le leader dans le combat, une étoile guide ses pas, un soleil illumine son chemin. Exact. Dans le cas du jeune leader d'Agreste, cette mystérieuse force vient de Leonora Cantarelli, étoile et soleil, inspiration et fin.

En elle se nourrissent son courage et sa détermination. Un leader doit beaucoup supporter s'il désire vaincre et commander. Sans cet élan d'amour, chaque nuit renouvelé, comment supporter et confondre avocats et héritiers ? Ensemble ou

1. Le 13 mai 1888, l'esclavage fut aboli au Brésil. (*N.d.T.*)

chacun pour soi, ils montent et descendent les escaliers de la mairie, ils les lui cassent... Une expression crue et triviale que jamais, avant, n'aurait employée le convenable Ascânio, peu porté sur ce genre de vocabulaire. Mais maintenant, il en a ras le bol, les gros mots lui échappent à tort et à travers.

Seuls ou en groupe, ils aboutissent toujours dans la salle des actes, tourmentant la vie du candidat, usant sa patience. Ils exigent des précisions, des promesses, des garanties. Il va exproprier ou pas ? L'aire entière ou seulement une partie ? Sur quelles bases sera fixée l'indemnisation ? Des experts ? Lesquels ? Bien qu'il ait abandonné la faculté de droit en seconde année, Ascânio affronte les arguments des avocats, la pression des héritiers. Il ne sert à rien de s'irriter. Il ne peut pas les renvoyer à la pute qui les a faits, comme il le souhaiterait tant. Il doit des égards à Modesto Pires, à dona Carlota, il est ami de Canuto Tavares et il a besoin d'eux surtout maintenant car l'élection peut cesser d'être un simple référendum de la volonté commune du colonel Artur de Tapitanga et du peuple.

Faisant mine de ne pas remarquer les insinuations, les paroles à mots couverts, les avertissements, il parvient à les calmer sans se compromettre. Si rigide avant, il apprend à être souple. Face à l'intransigeance de Fidélio, il n'y a pas d'autre solution au problème des terrains que l'expropriation. S'il en existe une, il aimerait la connaître, messieurs les avocats... L'expropriation, par conséquent, favorise les héritiers. La mairie ne veut porter préjudice à personne, l'installation de la fabrique doit être une source de richesse pour les citoyens du municipe, voilà sa pensée. Pourquoi ne s'occupent-ils pas de faire légaliser leurs droits ? Ainsi, le moment venu, si Fidélio ne fait pas marche arrière, ils pourront arrêter avec la mairie les détails de l'expropriation. Il navigue entre les héritiers et les avocats, évitant d'entrer en conflit avec les garants de sa candidature. Malgré ça, il s'est heurté avec le Dr Marcolino Pitombo, justement lui !

« Un mot de plus, docteur, et je vous invite à vous retirer de cette salle. » — Un leader doit savoir s'imposer quand il le faut.

En présence de Josafá, l'avocat, au milieu d'une conversation embrouillée, fait tout à coup allusion à « des compensations au cas où... » Insulté, Ascânio ne lui permet pas de terminer sa phrase, des sous-entendus flottent dans l'air. Tentative de corruption ? Devant sa réaction indignée, le

Dr Marcolino ne perd pas son calme ni son sourire · le cher ami est d'une susceptibilité à fleur de peau ; ainsi seulement peut s'expliquer qu'il prenne mal des paroles innocentes — calmez-vous, s'il vous plaît. Les explications furent acceptées mettons qu'on n'ait rien dit.

A la sortie, Josafá rappela à son impulsif défenseur une conversation antérieure :

« Je ne vous avais pas averti, docteur, qu'Ascânio était un homme droit ? Vous faisiez fausse route...

— J'avoue m'être trompé, oui, mais quand j'affirmais que le garçon était idiot. Ni idiot ni honnête. Peut-être l'a-t-il été, avant qu'on ne lui tende un fromage pareil. Mon cher Josafá, je vous ai déjà dit que toute honnêteté a son prix. Le nôtre est bas, il ne vaut pas la peine, il ne se compare pas avec celui de la Brastânio. N'oubliez pas que maître Colombo ait passé ici avant moi. »

Ascânio ne connut pas ce dialogue mais il eut connaissance des opinions variées sur les motifs déterminants de sa position. Son caractère et son honneur sont passionnément discutés — comme il arrive toujours aux leaders. Jamais il n'aurait imaginé que la rédemption d'Agreste (« la présence de la Brastânio est la rédemption d'Agreste » proclame la manchette du journal mural) lui vaille tant de vexations, tant d'humiliations. Malgré les excuses du Dr Marcolino, persistent dans ses oreilles les phrases captieuses ; le mot « compensations » après le quolibet insultant craché à sa figure lors du meeting improvisé de la pose du premier poteau : Valet de la Brastânio ! Vendu ! Il n'avait servi à rien de refuser l'aide proposée par le Dr Mirko pour les élections, précisément pour être à l'abri de tout soupçon : on l'accuse de la même manière.

Au fil de ces jours agités, il s'habitue à des situations équivoques qui, au début, lui avaient paru intolérables. En entendant le quolibet, il avait été comme fou, il avait défié le lâche, qu'il se montre et répète l'injure ! Il avait perdu la tête, au bar, en entendant dona Edna faire allusion à la Bassine de Catarina. Il avait fini par ne plus attacher d'importance aux racontars, un leader doit être au-dessus de telles mesquineries. Surtout lorsqu'il arrive des faits réellement graves, à côté desquels le quolibet anonyme, la phrase incomplète de l'avocat, les turpitudes de dona Edna ne signifient rien.

Dona Carmosina, amie fraternelle, dans le sein de qui il avait trouvé un lénitif à l'heure fatale de la trahison d'Astrud, marraine de ses amours avec Leonora, s'était comportée de

manière insolite, pour ne pas dire indigne Elle avait tenté de
le mettre mal avec le colonel Artur, à qui Ascânio devait son
emploi et sa candidature. Obtenant des résultats, ce qui est
pire.

Monté contre la Brastânio, le fazendeiro l'avait convoqué.
Je ne veux pas d'immondices à Agreste, avait-il dit. Ascânio
avait réfuté les affirmations et les arguments de l'employée
des Postes dont la position passionnée s'expliquait par l'amitié
qui la liait à Giovanni Guimarães. Il avait répété des phrases
de Mirko Stefano et de Rosalvo Lucena, s'était emporté
contre les ennemis du progrès de la patrie brésilienne. Le
colonel, les yeux mi-clos, la face lasse, écouta son plaidoyer
mais ne se tint pas pour satisfait, il lui lança, avec les articles
publiés dans l'*Estado de São Paulo*, la sentence du juge
italien ; l'*Estado de São Paulo* ne ment ni ne se trompe. Il leva
les yeux vers son filleul :

« C'est moi qui ai proposé ta candidature quand Mauritônio
est mort. Mais on dit par ici que tu es le candidat de cette
fabrique.

— Ce que je suis, je vous le dois, mon parrain. Mais ça
m'est égal qu'on me désigne comme le candidat de la
Brastânio, ce n'est pas un déshonneur. Au contraire, car nous
avons le même idéal : le progrès d'Agreste. On aura beau
dire, on aura beau faire, on ne me fera pas changer. J'irai
jusqu'au bout. Je vous remercie de tout ce que vous avez fait
pour moi, mais ne me demandez pas, parrain, de changer
d'opinion. » Un leader se forge dans le fracas de la lutte.

Il était à peine remis de l'entrevue, difficile et douloureuse
car son parrain baissait à vue d'œil, qu'il reçut un autre coup,
le pire de tous. Revenue du Mangue Seco, la marâtre de
Leonora, la citoyenne d'honneur, la Jeanne d'Arc du Sertão,
dona Antonieta Esteves Cantarelli, l'invite pour un entretien.
Nous deux, pas plus, avait-elle dit. Il avait été affolé, certain
que Tieta avait su ce qui s'était passé entre Leonora et lui, au
bord du fleuve ; les murmures de la ville étaient venus jusqu'à
ses oreilles. Il ne niera pas ; il saisira l'occasion, confessera son
amour profond et honnête, il veut se marier. Pauvre, mais
ambitieux et capable, il saura conquérir une place au soleil.
Ainsi il résoudra une bonne fois la situation. Dans sa poche la
bague de fiançailles. Quelle que soit la réaction de dona
Antonieta, il ne pense pas renoncer à Leonora. Il se prépare à
la rencontre.

Le nom de Leonora ne fut même pas prononcé durant la

conversation, il n y eut aucune allusion à leurs amours Dona Antonieta l'informa qu'elle était rentrée à Agreste à cause de l'affaire de la Brastânio. Quelques amis et elle étaient hostiles à l'installation de la Brastânio dans le municipe, comme il ne l'ignorait pas, et ils étaient décidés à lutter pour l'empêcher. Ils ne voulaient pas agir, pourtant, avant de l'avoir entendu, c'est pourquoi elle avait souhaité cet entretien. Elle l'estimait, elle le croyait honorable. Honorable mais naïf, se laissant éblouir par des hommes d'affaire sans entrailles, elle connaissait bien cette race. Pour Tieta et ses amis, l'idéal serait d'appuyer sans réserve la candidature d'Ascânio. Pour ce faire, il était nécessaire qu'il change de position, s'oppose à l'industrie de bioxyde de titane, d'une pollution mortelle. S'il s'agissait ainsi, ce serait la paix. Il revient à Ascânio de décider entre eux et la Brastânio. Elle ne demande pas une réponse immédiate mais elle la souhaite à bref délai, le temps presse.

« Je vous remercie d'être venu me parler avant d'entreprendre quoi que ce soit. Mais je ne remercie pas les autres. Dans la ville, tout le monde sait déjà que le commandant veut être candidat. Sur Carmosina...

— Il suffit que vous me disiez oui et nous serons tous de votre côté. Je suis venue vous parler au nom de tous. Réfléchissez, ensuite vous me répondrez.

— Je n'ai pas à réfléchir, dona Antonieta. La dernière chose que je désirais était de vous déplaire. Demandez-moi ce que vous voudrez, je le ferai en courant. Mais ne me demandez pas de retourner ma veste. Même si je reste seul à lutter pour le progrès d'Agreste, même si vous ne me pardonnez jamais et devenez mon ennemie...

— Holà ! du calme ! Qui parle d'inimitié ? Je n'ai rien à vous pardonner ou à ne pas vous pardonner. Vous pensez d'une manière, je pense d'une autre, nous allons régler ça aux élections mais nous ne sommes pas ennemis. Vous êtes encore très jeune, vous vous noyez dans un verre d'eau. Felipe était le plus grand adversaire du Dr Ademar, mais il s'entendait très bien avec lui. Ne mélangez pas les aulx et les haricots. »

Ils se séparèrent sur cette bonne parole mais Ascânio éprouvait ressentiment et aigreur. Il avait espéré que Tieta ne se mêlerait pas à l'affaire, se tiendrait en dehors du débat, restant au Mangue Seco comme elle l'avait annoncé, jusqu'au jour de la fête. Il ne lui avait pas parlé de l'hommage, de crainte qu'elle ne l'interprète mal ; voyant dans la plaque de la

609

rue une forme de corruption. Corruption, mot terrible, il était dans l'air.

Après le dîner, comme d'habitude, Ascânio vint chercher Leonora à la porte de chez Perpétua. Ils tournèrent sur la place tant que dura le sourd éclairage du moteur, avant de prendre les raccourcis vers l'ombre des casuarines-pleureuses. Il raconta à Leonora sa difficile conversation. Elle était au courant, Petite-Mère lui en avait parlé.

« Vous aussi, vous allez me demander de changer mes idées, de me rendre ? Après mon parrain et dona Antonieta, il ne manque plus que vous…, l'accent amer.

— Je ne te demande que de m'aimer, rien d'autre. » Elle lui baisa la main, de ce geste soumis, de tendresse et de dévotion. « Petite-Mère m'a dit : tu n'es pas d'ici, ne t'en mêle pas. C'est peut-être de l'égoïsme, Ascânio, mais je suis même contente parce que, avec cette complication, Petite-Mère a retardé le départ pour São Paulo. Il était fixé au lendemain de la fête, maintenant elle va rester pour aider le commandant. Ma grand-mère disait toujours que tout au monde a son bon côté. »

C'est bien vrai, réfléchit Ascânio. Si la conversation avec dona Antonieta l'avait dépité, sa rencontre avec son parrain l'avait effrayé. Le colonel estimait son filleul, il avait pensé lui donner sa fille en mariage, l'avait fait secrétaire de la mairie, l'avait proclamé candidat lors de la mort du Dr Mauritônio. Il ne lui avait pas retiré son appui malgré les intrigues de Carmosina, mais n'avait pas pour autant été convaincu des mérites de la Brastânio. La candidature du commandant va irriter le colonel, lui faire oublier des exigences dénuées de sens et jeter tout le poids de son prestige dans l'élection d'Ascânio. Le colonel Artur da Tapitanga n'a pas l'habitude de souffrir d'opposition, inexistante dans le municipe depuis tant et tant d'années.

Heureusement, car sinon Ascânio serait obligé de recourir à la Brastânio pour affronter les frais de la campagne, petits mais indispensables ; il n'a pas un sou. Il ne veut pas demander son aide à l'industrie, son orgueil est en jeu. Il avait dit au Dr Mirko : je n'en ai pas besoin, je suis élu. Plus tard, pourtant, qui sait ? Dans les jours à venir, après le vote, la prise de fonctions, l'expropriation, quand le complexe industriel élevé au Mangue Seco produira richesse et prestige pour Agreste, tous comprendront, feront justice au leader forgé dans la lutte et l'adversité. Même dona Carmosina et dona

610

Antonieta. La justesse de son attitude prouvée, il sera à l'aise pour accepter l'aide de la Brastânio pour les élections législatives. Le mari de Leonora Cantarelli ne peut réduire ses aspirations à la charge de maire et le prestige du colonel Artur de Figueiredo, le cacique vivrait-il jusque-là, n'est pas suffisant pour faire élire un député.

COMMENT LE VIEUX CAUDILLO ARTUR DA TAPITANGA RESTA SANS CANDIDAT.

Assis sur le banc de bois, dans la véranda de la casa grande, le colonel Artur de Figueiredo se chauffe au soleil. Des chèvres paissent à proximité, plus loin, est le bercail. Une voix forte de femme qui s'annonce au portail secoue son engourdissement : fichue chose, la vieillesse . les jambes faiblissent, dans la bouche fade la nourriture perd sa saveur, dur d'oreille, les sons arrivent faibles et lointains, vue basse, les gens et les choses se meuvent dans un brouillard. Il a des difficultés à reconnaître la visite qui s'approche, passant parmi les poules, les pintades et les canards.

« Qui vient là ?

— Des amis, colonel. »

La voix lui est familière. Il se lève, appuyé sur sa canne, force ses yeux .

« C'est toi, Tieta ? Dieu soit loué ! Je voulais te faire joindre, mais j'ai su que tu étais au Mangue Seco.

— Je suis revenue, colonel, et je suis aussitôt venue vous voir. Je n'ai pas oublié ma promesse. »

En s'approchant, Tieta constate combien avait décliné l'octogénaire en moins de quinze jours. Lorsqu'il était allé la voir le soir du Nouvel An, après la mort de Zé Esteves, c'était un vieillard vif et gai, rappelant des souvenirs ; piquant, coquin, exigeant sa venue pour lui faire connaître le bouc Fier-Brandon, le père du troupeau, sans rival dans l'histoire. Il s'était mué en un pâle aïeul, penché sur sa canne, la voix traînante, les yeux sans éclat, la peau et les os.

Il semble conserver pourtant sa force de caractère, ses

habitudes anciennes et ses intérêts précis — publics et privés. En embrassant Tieta, il palpe d'une main tremblante ses chairs fermes, ah, son bon vieux temps !

« Allons nous asseoir, ma fille, je veux que tu m'expliques ce qui se passe à Agreste. »

En riant, taquine, Tieta commente le tremblant pelotage :

« Le temps passe, et votre main, colonel, ne perd pas le nord. »

Fillette, gardienne de chèvres, elle s'enfuyait en le voyant sur son chemin. S'il la rejoignait, sa main courait sur sa poitrine et sur ses jambes.

« J'ai perdu le goût de presque tout, mais je n'ai pas perdu mon faible pour les femmes. Je suis comme un vieux bouc qui ne sert plus à rien mais va encore flairer le train des chèvres. » Il frappe le sol de sa canne, crie : « Merência ! »

La servante, un être informe, bossue, sans âge, tignasse blanche, reste à la porte, attendant des ordres, reconnaît Tieta :

« Tu es Tieta, pas vrai ? Tu es devenue blonde ou tu portes une perruque ?

— C'est bien moi, Merência. Après, j'irai là-bas vous parler.

— Fais-nous un café. Ne reste pas plantée là, femme.

— Quel âge a Merência, colonel ?

— Si elle n'a pas passé les cent ans, elle doit en approcher. Quand je suis né, c'était une gamine fougueuse. Maintenant, Tieta, éclaire-moi, dis-moi ce qui se passe. Je n'ai jamais entendu tant de sornettes de ma vie.

— Comment ça, colonel ?

— Ascânio, mon filleul, mon bras droit à la mairie, ne paraît plus le même garçon sensé, il est coiffé d'une certaine industrie qui prétend s'installer à Agreste, du côté du Mangue Seco, à ce qu'il m'a dit. Ascânio pense qu'ainsi le municipe va prospérer à nouveau, l'argent va couler. Il a été à la capitale, causer avec les capitalistes, il ne jure que par eux. Quand il m'en a parlé la première fois, j'ai trouvé la mariée trop belle, mais j'ai fermé ma bouche car ces temps modernes sont vraiment étranges, il arrive de ces choses que même le diable n'explique pas... » il fait une pause, change de sujet. « Comment as-tu réussi à faire mettre la lumière de Paulo Afonso à Agreste ? Même ici, on a planté un poteau. Le diable lui-même ne peut l'expliquer... » un reste de malice dans les yeux ternes, dans la voix cassée. « Pour que tu commandes à ces politiciens de São Paulo, je ne sais pas... »

Tieta rit, apporte du bois au feu du vieillard :

— J'ai mes ressources, colonel, mes armes secrètes...

— Ça, je sais. Depuis toute petite, tu n'es pas une personne... Ses yeux descendent du buste de Tieta à ses hanches. « Bien pourvue de la crémerie et du panier. Que Dieu garde les avantages qu'il t'a donnés. Ton défunt devait être un homme accommodant, un bon caractère... Il était comte, n'est-ce pas ?

— Commandeur, colonel.

— C'est tout la même chose. Ces monarchistes sont tous des faibles. Une race de cocus. Mais revenons à nos affaires : voilà que se présente ici dona Carmosina, une personne droite elle aussi, chargée de journaux — les gazettes auxquelles je m'abonne et qu'elle lit — elle se met à me réciter des articles de l'*Estado de São Paulo* et de *A Tarde,* deux journaux sérieux, disant que ladite fabrique est un désastre, qu'elle vient à Agreste parce que personne n'en veut nulle part, qu'elle détruit tout. J'ai commencé à me demander si on ne roulait pas Ascânio, il est encore jeune, facile à avoir. Je l'ai fait venir ici, lui ai parlé des articles, de cette saleté, de cette histoire de pollution. Quand Mauritônio est mort, j'ai recommandé à Ascânio : garde la ville propre, puisque tu ne peux pas ramener l'animation. Alors, qu'est-ce que c'est, mettre ici une fabrique dont personne ne veut ? Il m'a répondu qu'avec la fabrique l'animation va revenir, Agreste va connaître à nouveau la prospérité. Que cette histoire de pollution n'est qu'une invention de gens qui ne veulent pas que le Brésil aille de l'avant, qui sont contre le gouvernement, envoyés par la Russie, comme ce Giovanni qui a été ici et est devenu très ami de Carmosina. Mais moi, je lui ai montré que l'*Estado de São Paulo* aussi tapait sur cette industrie et l'*Estado* n'a rien à voir avec la Russie, que je sache, l'*Estado de São Paulo* n'est pas un journal à inventer des choses. Il n'a pas su répondre mais il m'a demandé de ne rien craindre, il ne voulait que le bien d'Agreste. Ça, je le crois, Ascânio est un bon petit, mais il peut avoir été berné. Toi, tu sais la vérité, tu vas me la dire. »

Tieta écoute sans interrompre. Le vieux parle lentement, hachant ses phrases, le souffle court. Il a à peine goûté au café apporté par Merência. De temps en temps une chèvre détale sur le terre-plein, le colonel lève les yeux.

« C'est pour vous voir et parler de ces choses que je suis

venue, colonel. J'aime aussi Ascânio, je pense que c'est un garçon droit. Il rêve aux temps passés, celui de son grand-père et le vôtre, il pense que la Brastânio va ramener cette animation et il se trompe. Si c'était une fabrique de tissus, de chaussures, tout le monde serait d'accord. Mais la Brastânio va fabriquer du bioxyde de titane...

— Que diable est-ce donc que ce bioxyde de titane?... Carmosina m'a expliqué mais elle est trop savante pour moi...

— Ce que c'est exactement, je n'en sais rien moi-même, je ne vous mentirai pas, colonel. Mais je sais que c'est l'industrie la pire du monde pour polluer. Elle va détruire notre climat qui est si bon, empester l'eau du fleuve et de la mer, en finir avec les pêcheurs.

— C'est vrai qu'elle empoisonne les poissons?

— Elle empoisonne tout, colonel, même les chèvres.

— Les chèvres aussi?

— C'est pourquoi, colonel, je suis ici pour vous dire que, si Ascânio continue à appuyer l'installation de la Brastânio, nous allons lancer la candidature du commandant Dãrio pour être maire. »

Le colonel Artur da Tapitanga frémit, saisi d'indignation, comme si Tieta l'avait giflé. Un éclair de colère dans les yeux, la voix, dans un effort suprême, s'affermit, violente :

« Nous, qui ? Comment ose-t-on parler de candidature sans me consulter ?

— Personne n'y songe, colonel, ne vous fâchez pas. Il n'y a pas encore de candidature. Le commandant, Carmosina, moi et d'autres amis voulons obtenir votre accord, c'est pourquoi je suis ici. Vous êtes le parrain d'Ascânio, le patron de sa candidature. Nous, nous ne sommes pas contre Ascânio, nous sommes contre la fabrique de bioxyde de titane. Il suffit qu'Ascânio dise qu'il n'a rien à voir avec la fabrique, qu'il ne va pas la favoriser et l'affaire est close. Mais s'il n'accepte pas, nous n'avons pas d'autre solution, colonel, car nous ne voulons pas qu'Agreste devienne... comme le journal a dit... une poubelle... »

Le vieux repose son menton sur sa canne, rien ne reste de sa colère, les yeux éteints, la voix lente et basse répète :

« Une poubelle... C'est bien ça. Carmosina me l'a lu. Je ne t'ai pas dit que j'ai parlé à Ascânio ? Je lui ai parlé, il y a des jours. Tu sais ce qu'il m'a répondu ? Qu'il était très honoré d'être le candidat de la fabrique, qu'il irait jusqu'au bout de toute façon. Que personne ne l'empêcherait d'arracher Agreste à la léthargie. »

La main décharnée cherche la main de Tieta, touche les doigts couverts de bagues, de pierres précieuses :

« Écoute, ma fille : tu parles avec un vieux bouc hors d'usage, lâché dans la campagne pour mourir. Le malheureux pense qu'il est encore le père du troupeau, il n'est plus rien, même les jeunes chevreaux le piétinent. Le colonel Artur de Figueiredo, qui faisait la pluie et le beau temps, est fini. Je ne nomme plus de candidat ni ne dispute d'élection. Tu ne vois pas ? D'un côté les capitalistes de la fabrique, ils ne sont même pas d'ici. De l'autre, toi, Tieta, que j'ai connue petite, pieds nus, gardant les chèvres, maintenant couverte de brillants. Je ne compte plus pour rien. » Dans la voix, fatigue et amertume.

Émue, Tieta lui caresse la main, affectueusement :

« Ne dites pas ça, colonel. Si vous lâchez Ascânio, il n'y a pas de fabrique qui le fasse élire. Vous êtes le maître de cette terre, vous commandez aux gens d'ici. C'est si vrai que si vous me le demandez ou me l'ordonnez, je renonce à la candidature à l'instant, tout de suite. Contre vous, je ne m'élève pas, même pour sauver les chèvres. »

Un sourire apparaît sur les lèvres fanées du vieillard :

« Je ne crois pas que ce titane tue les chèvres, Tieta, tu dis ça pour m'amadouer. Mais je ne te demande ni ne t'ordonne rien. Je ne m'en mêle plus, que chacun fasse comme il l'entend. Ascânio pense qu'il agit bien, c'est son affaire. Toi, Carmosina, le commandant, je ne sais qui d'autre, pensez le contraire. Si j'avais encore des ambitions d'argent, je serais bien capable d'appuyer cette industrie, de m'associer avec les étrangers, pour de l'argent les gens vendent même leur âme. Si j'avais encore l'amour de la vie, je vous appuierais, le pire homme du monde peut parfois avoir un grand geste. Je n'ai plus rien à gagner ou à perdre au monde, Tieta, j'ai perdu même le goût de commander. Mais je te remercie de ce que tu as dit, de la considération que tu as eue pour un vieux. Tes paroles ont mis du miel dans ma bouche, près de l'heure de la mort.

— Colonel, avant de m'en aller, je voudrais une chose

— Eh bien ordonne.

— Connaître Fier-Brandon, votre gros bouc. Pour comparer avec le bouc Inácio, un qui fut au vieux Zé Esteves.

— Je vais te faire conduire au bercail.

615

— Vous ne m'accompagnez pas ? Allons, donnez-moi le bras, levez-vous... », elle prend le bras du colonel et le serre contre son sein

Ils descendent ensemble les marches de la véranda :

« Tu n'es pas une personne. Tu es le diable fait femme, un profond soupir. Si j'avais dix ans de moins, si j'allais sur mes soixante-quinze ans, ah ! tu ne resterais pas veuve, je ne te laisserais pas. »

DU ZÈLE CIVIQUE ET DE LA JUSTICE DIVINE.

Le samedi, la ville se réveilla en pleine campagne électorale. VOTEZ CONTRE LA POLLUTION EN VOTANT POUR LE COMMANDANT DÁRIO DE QUELUZ, recommandaient des banderoles au nombre de quatre, placées aux points stratégiques, aux endroits de plus grande circulation. L'une, juste en face de la mairie. Des affiches invitent la population à participer en masse, le lendemain, dimanche, vers les cinq heures, après la matinée du cinéma et avant le salut, au grand meeting de lancement de la candidature du commandant Dário de Queluz. Le candidat prendra la parole et le poète Matos Barbosa déclamera les *Poèmes de la Malédiction*.

Banderoles et placards confectionnés dans la cour du bungalow du commandant par l'efficace équipe dont la belle Carol avait salué le zèle civique, remplie de joie et d'espoir. Chez dona Milu, dona Carmosina et Aminthas, deux cerveaux, avaient rédigé une espèce de manifeste au peuple, exposant les raisons de la candidature du commandant. Imprimé à Esplanada, sur papier jaune, le tract sera distribué à Agreste le samedi et le dimanche. Jours d'agitation souterraine, samedi d'événements sensationnels.

Agitation bénie ! Dans ses allées et venues, Ricardo, dit l'homme-orchestre, se décuple. De l'autre côté de la haie, défaille à l'heure de la sieste la concubine opprimée. Entre les plantes grimpantes ils échangent serments et promesses, tracent des plans. Le maître esclavagiste passera la fin de la

616

semaine au Mangue Seco, avec son épouse et ses petits-enfants. Dans le clocher de l'église, à la fin de l'après-midi, Cinira fixe le paysage tranquille du bourg, un pied déjà de vieille fille, l'autre levé (pour faciliter). Derrière le manguier, Maria Imaculada, infaillible à neuf heures précises, quand la lumière s'éteint, ouvrant le chemin des rivages du fleuve au romantique défilé des amoureux. Vite, vite, mon cœur, le temps est court. A la maison, Tieta attend, impatiente. Quant à dona Edna, elle espère son tour, finalement personne n'est de fer, pas même un séminariste adolescent, avide d'action, quasi fanatique.

Le vendredi, le silence du moteur n'interrompit pas les activités des partisans dévoués du commandant. Même Ricardo ne courut pas à la rencontre de Maria Imaculada. Avertie à l'avance, la petite avait accepté de sacrifier à la bonne cause ce moment compté de plaisir. Fidélio, Seixas, Ricardo, Peto, Sabino passent la nuit à poser banderoles et affiches sous la direction d'Aminthas et la surveillance d'Osnar. Ennemi de tout effort physique — je réserve mes forces pour les ébats amoureux — Osnar donne des ordres, dicte des règles. Le commandant supervise le travail, le visage grave, préoccupé par l'élaboration du discours pour le meeting, redoutable responsabilité. Pue-le-Bouc avait accordé d'abord l'appui de sa présence aux militants du milieu ambiant. Mais, ayant réussi à soustraire à la vigilance d'Osnar une bouteille de gnôle presque pleine, il avait disparu.

Ils finissent tous à la pension de Zuleika où les attendait une soupe de poisson commémorative, commandée par le bien-heureux Osnar. Tous moins le commandant, car incorruptible, et Ricardo, car séminariste. Le jeune homme, pourtant, ne se presse pas de se retirer. La veillée civique coïncidant avec le départ de Modesto Pires dans le sein de sa famille, une porte se trouve être à peine poussée dans la solitude d'Agreste, attendant le vaillant justicier.

Dans les péripéties de ces jours agités domina l'incompréhension, les esprits étaient divisés, envenimés. Mais quand certains faits vinrent à la surface et que les cornes de Modesto Pires furent publiques et admises, il y eut un accord unanime, on n'entendit ni accusations ni critiques envers les auteurs de cet exploit.

Auteurs, oui, ce qui ne retire pas à Ricardo la gloire d'avoir été le premier à vaincre les barrières prétendument infranchissables de respect aux puissants, de peur de la vengeance des potentats — et de faire justice. Justice divine, selon le peuple, las d'attendre le prometteur événement depuis que, il y a approximativement six ans, le patron de la tannerie avait importé des confins du Sergipe les grâces multiples de Carol, enrichi le patrimoine d'Agreste. Bornant pourtant la portée de son geste à la pratique d'une mesquine et égoïste exclusivité.

Pue-le-Bouc, de retour dans l'espoir d'une autre *cachaça*, trouve la place vide. Par les ruelles désertes, il distingue aux premières lueurs de l'aube, l'ombre robuste du bon samaritain qui franchit la porte de l'esclavage pour proclamer l'abolition. Ennemi des tyrannies et de la propriété privée, Pue-le-Bouc s'exclame pour un maigre auditoire, une chienne et deux roquets.

« Que soit faite la justice de Dieu ! Vas-y, le petit curé ! »

DU RETOUR DE L'ANIMATION OU COMMENT LE BÂTON VOLA.

Avec la fabrique va revenir l'animation, avait promis Ascânio Trindade au colonel Artur de Figueiredo. Quelques jours plus tard, les événements lui donnèrent raison ; il ne fut même pas nécessaire que s'établisse l'industrie pour que le marché d'Agreste retrouve un mouvement et un enthousiasme dignes des fameux temps d'autrefois. Effervescence d'une telle ampleur que le *beato* Posidônio, convaincu qu'était venu le jour du Jugement dernier, abandonna l'écuelle aux aumônes pour se consacrer tout entier à la rédemption des pêcheurs, brandissant le bâton rédempteur.

Le samedi, débarquant au petit matin sur la place du Marché (place Colonel-Francisco-Trindade — Intendant municipal, enseigne la plaque ; le peuple, rebelle, n'apprend pas), les paysans découvrirent quelques nouveautés, dont une banderole, tendue entre deux piquets plantés en terre, proposant la candidature du commandant, et une pancarte, convoquant au meeting. Cette dernière faisant pendant, sur un poteau bien au centre de la place, à l'affiche du cinéma qui annonce un sensationnel « bang ! bang ! » à la fin de la semaine . « Il y aura du sport ! », promet-on.

D'abord, banderole et pancarte éveillèrent peu d'intérêt La curiosité des croquants allait à des nouveautés plus grandes et plus voyantes : les nouveaux poteaux de l'Hydroélectrique du São Francisco, gigantesques, beaux, impressionnants. Deux d'entre eux étaient déjà debout ; les paysans allongeaient le cou, cherchant à distinguer les lampes. Un troisième, encore couché sur le sol, attira les curieux qui l'admirèrent, avec des exclamations de surprise.

Quelques-uns, plus lettrés, déchiffrèrent les mots de la banderole, rares ceux qui s'intéressèrent à la pancarte, la majorité ne savait pas lire. Ainsi, le marché commença normalement, venant seulement à gagner de l'ambiance lorsque Ricardo et Peto se mirent à distribuer les tracts. Là, ce fut le sauve-qui-peut.

Gumercindo Saruê, petit producteur de farine de manioc, avait contemplé les poteaux bouche bée ; il avait à peine regardé la banderole et n'avait pas remarqué la pancarte. Un gaillard, réputé comme un dur, coutumier des bagarres. Il avait été arrêté un dimanche de cachaça. Armé d'une faucille, il avait mis en fuite les deux fils de siá Jesuína, veuve féroce. La veuve n'eut de cesse qu'elle ne voie Saruê en taule — la prison d'Agreste, vide presque en permanence, occupe une salle à l'arrière de la mairie, avec barreaux aux fenêtres. Prenant connaissance de l'incident, Ascânio, abandonna le billard, calma la mère en colère, ouvrit la porte de la prison et renvoya Gumercindo en paix. Le géant, reconnaissant, jura :

« Comptez sur moi, *seu* docteur, à la vie et à la mort. »

Ce n'était pas des paroles vaines comme on le verra bientôt Ricardo et Peto étaient donc apparus au marché et avaient commencé à distribuer les prospectus rédigés par la virulente dona Carmosina avec la collaboration du sardonique Aminthas. Tandis que banderoles et pancartes se bornaient à annoncer la candidature du commandant, avec une brève allusion à la pollution, le tract s'étendait sur les raisons de la campagne, destinée à sauver Agreste, paradis menacé de pourriture. On citait des passages de la chronique de Giovanni Guimarães, on tapait sur la Brastânio, « entreprise multinationale destinée à remplir la panse des étrangers au prix de la misère du peuple ». On n'épargnait pas non plus Ascânio : « profitant du poste qu'il occupe, il se prête au jeu louche de ces criminels qui veulent transformer Agreste en poubelle »

Empêcher l'élection de ce « play-boy roué agent à la solde des fabricants de mort » était l'obligation de tous les citoyens du municipe.

Ricardo accomplissait un devoir dicté par le plus pur idéalisme ; Peto travaillait contre le salaire promis par Osnar, l'un des financiers de la candidature du commandant, mais les deux frères, le désintéressé et le mercenaire, exécutaient consciencieusement leur tâche, allant de l'un à l'autre, marchands et clients, distribuant les tracts de main en main. Sabino, retenu au magasin, ne participa pas au début de la fête.

Devant les sacs de farine de Gumercindo Saruê, Peto remit un prospectus au vendeur, un autre à l'acheteuse, dona Jacinta Freire, bigote des plus cancanières. Gumercindo, pensant qu'il s'agissait d'une publicité pour le cinéma, laissa le papier tomber à terre. Dona Jacinta, elle, interrompant ses achats, en commença la lecture, à haute voix ; le vendeur n'eut d'autre solution qu'écouter. En entendant le nom d'Ascânio, il dressa l'oreille, demanda des explications. Dona Jacinta satisfit volontiers sa curiosité. Elle indiqua la pancarte au centre de la place, montra la banderole, relut les insultes avec des gloussements dans la voix, elle était ravie. Incrédule, Gumercindo demanda :

« On veut tirer le Dr Ascânio de la mairie ?

— Pour mettre le commandant Dário. On dit qu'Ascânio... »

Homme d'action, Saruê cherche des yeux l'enfant qui distribue ce papier immonde et l'aperçoit plus loin, se reposant de son labeur en suçant un frigolo. Gumercindo fonce sur Peto, tend la main pour prendre la liasse de tracts, réussit à en tirer quelques-uns qu'il déchire avec rage, il veut le reste :

« Donne-moi ces saletés, morveux. »

Or, comme on le sait de reste, Peto est prompt. Unissant le geste à la parole, il vire un coup de pied dans les jarrets de Gumercindo et insulte sa mère.

« Qu'est-ce que c'est, compère ? » intervient Nhô Batista, un autre planteur de Rocinha, en voyant son ami, aveugle de haine, cherchant à attraper l'enfant.

« Ils veulent tirer le Dr Ascânio de la mairie ! »

La nouvelle se répand, court comme une traînée de poudre, c'est-à-dire, rapide et venimeuse, bouleversant le marché. La majorité des vendeurs, venus presque tous du district de

Rocinha, avait Ascânio en grande estime. Les habitants du bord du fleuve et de la mer, fournisseurs de poisson, coquillages, crabes et homards, ne juraient que par le commandant — numériquement en minorité, ils étaient craints, certains avaient une réputation de contrebandiers et de traditionnels lutteurs contre la police.

La chasse donnée à Peto à travers le marché, avec des coups sensationnels et beaucoup de marchandise renversée, marqua le début du désordre. Peto se sauve, lâchant une portée de porcs dans les jambes de Saruê et de ses acolytes. Il détale vers le bar en quête de renforts ; la dernière chose qu'il vit dans la confusion fut Ricardo attrapé par un groupe, les tracts se dispersant au vent. Du bar plein, tous vinrent.

De marché aussi animé, il n'y en eut jamais. Il battit celui du 4 juin 1938, où le célèbre caporal Euclides tenta de châtrer, sous les yeux du peuple, le violoneux Ubaldo Capadocio qui avait déshonoré sa couche, lui prenant son épouse Adélia. Capadocio en réchappa par miracle. Ne réchappèrent ni banderole ni affiches — les deux, car celle du cinéma, annonçant prophétiquement « du sport », fut également détruite. Il se trouve que les pêcheurs, d'abord ignorants de la cause du conflit, tardèrent à participer au festival. Mais quand ils comprirent l'affront fait au commandant, le bâton vola.

Le bâton vola de tous les côtés, beaucoup ne surent même pas le motif de la bagarre, tous s'en mêlèrent. Un préjudice de poids et général : des sacs et des sacs de farine, de haricots, de riz, de maïs, répandus, fruits et légumes piétinés, écrasés, pans de viande séchée à terre, poissons servant d'arme de combat et crabes lâchés parmi les champions. Le prophète Posidônio, ayant proclamé une fois de plus la fin du monde, abaissa son bâton sur les uns et les autres, indifférent aux positions politiques, ils étaient tous des pêcheurs condamnés.

Même Ascânio, venu de la mairie en hâte, ne réussit pas à arrêter la bataille. Pas plus que le commandant, arraché à la rédaction de son discours. Ni même le Padre Mariano dont l'intervention empêcha seulement que le commandant et Ascânio ne se prennent au collet.

Mais quand Tieta, alertée par Sabino, apparut sur la place, brandissant le bâton du vieux Zé Esteves, ressemblant à la Senhora Sant'Ana, et pénétra au milieu du peuple en criant : Arrêtez ça ! tous lui ouvrirent le passage et tout se calma. Trop tard pour sauver la banderole et l'affiche, mais à temps pour ramasser les morceaux de Ricardo. Juste à temps ; à peine avait-elle relevé et emmené son glorieux neveu (ecchymoses sur le visage et les jambes), que sur la place surgirent, venant d'horizons différents, la petite Maria Imaculada, la dévote Cinira, la prétendante Edna et Carol la libérée toutes sur le pied de guerre. Ricardo aussi a son électorat. Réduit mais de qualité

DE TIETA TOUT ORNÉE DE CORNES.

Les cris de Tieta réveillent Perpétua. Elle enfile sa jupe noire sur sa chemise de nuit, prend le chandelier, ouvre la porte à temps pour voir Ricardo qui fuit dans le corridor, encaissant sans broncher, nu comme un œuf, ah, Seigneur mon Dieu ! Folle de rage, envoyant au diable retenue, décence, convenances, méprisant toute espèce de prudence, la tante le poursuit jusqu'à la porte de la rue ; le bâton ronfle sur les côtes du neveu. Le bâton du vieux Zé Esteves, le même qui corrigea Tieta quand le Père sut, par l'intermédiaire de Perpétua, l'existence du commis voyageur.

Ricardo tente encore de se retourner pour saisir un caleçon, mais la furie, le bâton levé, au comble de sa douleur de cocue, l'atteint au visage, sur sa face angélique et perfide, comme l'avait atteint Zé Esteves un autre et lointain matin — elle aussi avait une face angélique. Elle barre le corridor, le bâton siffle, menace les célestes et traîtresses bourses du perfide, le divin et parjure outil. D'un saut, Ricardo gagne la rue, sauve ses précieux biens. Pas encore remis de sa surprise, égaré, il se voit sur la place, vêtu de zébrures, de vergogne et de sa bague de jade, la porte fermée avec violence sur la voix en colère qui l'expulse : — Disparais de ma présence !

Tieta tout ornée de cornes. Elle avait été les cueillir au bord du fleuve. Quand la lumière du moteur marqua l'heure combinée, elle était à son poste : elle assista à la rencontre derrière le manguier, suivit le voyou et la gamine jusqu'à l'obscurité de la Bassine de Catarina. Soumettant son orgueil à une dure épreuve, elle resta à l'écoute pour s'emplir d'indignation, suer la jalousie entière, goutte à goutte. Ouverte en plaies, avilie, couverte de boue, abjecte, ridicule, cocufiée. Elle écouta les rires, perdit le compte des soupirs, mesura le silence des baisers, apprit les mille nuances des mots : mon cœur, refrain répété : embrasse-moi encore, mon cœur, mords-moi ; enfonce-toi, mon cœur ; ne t'en va pas, mon cœur, reste encore ; ah, mon cœur !

Dès son retour du Mangue Seco, elle avait commencé à suspecter l'existence d'une autre rivalité, outre celle de Dieu : humaine et féminine. Elle se mit à l'écoute, recueillit des informations mais voulut avoir la certitude, tirer personnellement au clair, si impossible cela lui avait paru. Elle vit, entendit, quasi participa. C'était vrai. Elle s'était laissé tromper, elle. Tieta, vaniteuse et sûre d'elle, comme si elle avait été la plus sotte et la plus confiante des filles.

Comme elle le faisait tous les soirs, elle se dévêtit dans la chambre et se parfuma. Ainsi l'avait-elle attendu afin que les dernières étincelles de passion s'éteignent quand il la toucherait de ses mains encore chaudes du corps de la petite, et que ne restent que l'humiliation et la rage.

Jamais ça ne lui était arrivé. Lucas avait fui craignant de s'attacher, pas à cause d'une autre. Il avait fallu qu'elle revienne à Agreste pour qu'un homme ose. Un homme ? Un chevreau à peine sevré, vêtu d'une soutane, d'innocence et de peur, un enfant puceau, qu'elle avait défloré dans la nuit des dunes au clair de lune.

DU DIALOGUE DES DEUX SŒURS SUR DES AFFAIRES DE FAMILLE, CHAPITRE TANT SOIT PEU SORDIDE OÙ L'ON LAVE LE LINGE SALE ET MET LA MERDE DANS LE VENTILATEUR.

Nue, empanachée, couverte de cornes — et encore elle ne connaît pas la moitié de la messe — Tieta affronte sa sœur. Elle s'était dévêtue pour attendre le gredin, pour déguster toutes les épices de la trahison, parcourir l'échelle de la vilenie jusqu'à la fin, sentir le désespoir se transformer en haine quand il tendrait la main encore chaude de la chaleur de l'autre et toucherait son corps. C'est ce qui s'était passé.

Nudité agressive, belle et opulente, dans la splendeur des seins arrogants, des longues cuisses, de la croupe altière de balancier, de la noire et touffue forêt de poils — à part le bois des cornes, seulement le bâton. En la voyant de la sorte impudique et colérique, Perpétua avait décidé de remettre l'inévitable explication, la difficile confrontation. Pour une conversation toute de subtilités et sous-entendus, à mots couverts, il faut du calme, un esprit serein. Déconseillé en une heure où la tête est chaude, l'orgueil blessé. Dans la transaction du règlement des comptes, Tieta peut décider de se revancher du passé.

Perpétua tente de fermer la porte de sa chambre, de se recoucher, de fermer les yeux sur ce qu'elle a vu. Mais elle n'a pas le temps de terminer sa manœuvre de repli. Tieta voit clignoter la flamme du chandelier, elle devine sa sœur aux aguets, sa fureur est comble :

« Que fais-tu là, cachée, à espionner ? »

Découverte, Perpétua se montre, avance d'un pas :

« Qu'est-il arrivé ? Qu'est-ce que ça signifie ? »

La voix sifflante ne reflète ni scandale ni colère, rien que l'étonnement. Il est encore temps de sauver la moralité, de préserver les convenances. Prête à collaborer, Perpétua laisse la voie ouverte à une version satisfaisante : Ricardo vient de se révéler volontaire et désobéissant, il ne respecte pas les horaires, il mérite d'être tancé et puni. Quant à la nudité des personnages, elle s'explique par la chaleur de l'été, ou on n'en parle pas, un détail secondaire. Sauvées les apparences, les négociations deviendront plus faciles. Mais Tieta hors d'elle, méprise cette chance, met la merde dans le ventilateur :

« Ça signifie que ton chien de fils a osé me mettre les cornes avec une sale petite pute, chose qu'aucun homme ne m'a fait. »

Perpétua de la main étouffe un cri. Elle avance d'un pas, s'adosse au mur du cabinet :

« Ça veut dire que toi et Cardo... Quelle horreur, mon Dieu ! » stupeur et répulsion s'impriment sur sa face sévère mais à nouveau sa main arrête le lamento. A Agreste, le sommeil des voisins est léger : réveillés par l'éclat de Tieta, combien ne sont pas à l'écoute ?

Traînant le lourd fardeau de la trahison, l'abondante moisson de cornes, Tieta marche vers sa chambre, s'assied sur le lit, les jambes croisées, indécente posture. L'indignation et

624

la rage continuent implacables, maintenant tournées contre la sœur :

« Ne viens pas jouer l'innocente, faire celle qui ne savait pas alors que tu étais saoule de savoir.

— Qu'est-ce que tu veux dire ? Tu es folle ! Je t'ai reçue chez moi, à bras ouverts, pensant que tu avais changé. Tu n'as changé en rien, tu es la même dépravée qu'autrefois. Tu as détourné un enfant innocent, craignant Dieu, tu as gâché sa vie. Il allait être prêtre, maintenant il est excommunié... », elle étouffe un sanglot, mère en panique, atterrée. « Et tu as encore le courage de dire que je savais. *Vade retro !* » Ne pouvant plus biaiser, il lui reste à affronter la situation, à prendre l'offensive.

« Tu ne savais pas ? Cynique ! » le désir de Tieta est de gifler l'hypocrite, d'abaisser le bâton sur son dos comme elle l'a fait avec l'ignoble. « Qui a envoyé son fils la nuit au Mangue Seco quand elle a vu que j'étais folle de lui ? Avec l'œil sur mon argent, tu penses que je ne m'en suis pas rendue compte ? Mais tu as oublié de lui expliquer que je ne suis pas née pour porter des cornes. Je ne sais pas ce qui me retient de te frapper. »

Le chandelier à la main, dans le corridor, devant la porte de la chambre, acculée au mur, sueur froide sur le front, Perpétua réagit :

« Tu inventes des calomnies pour fuir tes responsabilités. » La voix agressive, le doigt accusateur. « Tu ne peux pas détourner un enfant innocent du chemin sacré du sacerdoce, briser sa carrière, sans...

— Sans payer, n'est-ce pas ? Tu ne penses qu'à l'argent. Autrefois, tu ne pensais qu'à trouver un homme prêt à te baiser, n'est-ce pas ?

— Je n'ai jamais eu ces pensées, je ne suis pas comme toi.

— Alors, pourquoi as-tu promis un fils à Dieu ? Ce n'était pas pour trouver un homme avec qui coucher ? Tu n'es pas comme moi, tu es pire. Tu as manigancé tout ça pour me prendre mon argent. Quand tu m'as cédé l'alcôve et l'as fait coucher là en face, c'était à dessein. J'aurais dû me méfier

— Mensonge ! Ça ne m'est pas passé par la tête..

— Ensuite, quand tu m'as vue l'œil sur lui, tu as monté ton coup, n'est-ce pas ?

— Inutile de continuer à inventer des faux-fuyants. Je veux savoir ce que tu vas faire pour dédommager mon fils. Et je veux le savoir tout de suite.

— Dédommager ton fils ? De quoi ? C'était un puceau, capable de finir tapette, j'ai fait de lui un homme. Comme si tu croyais qu'un curé doit être vierge.

— C'était un enfant immaculé, docile, respectueux, il ne pensait qu'à son devoir. Maintenant ce n'est plus le même, il a pris le mors aux dents. Tu as fait de lui ton pareil. Il est pareil à ce que tu étais, maudite ! Tu as abusé de lui. Tu as le courage de nier ?

— Ce que tu veux, c'est que je paye le pucelage de ton fils, n'est-ce pas ? »

Elle se lève, descend du lit, le corps lascif et outrageant. Roulant les hanches, elle se dirige vers l'armoire, prend la mallette où elle garde l'argent, l'ouvre et soulève le dessus, prend une liasse de billets et les lance en direction de sa sœur. Ils s'éparpillent sur le sol :

— Tiens, je paie le pucelage que j'ai mangé. C'était bon, ça valait la peine, je m'en suis repue. Va, ramasse ton dû, taulière de merde. Tu me répugnes. »

Perpétua pose le chandelier, pénètre dans la chambre, s'accroupit, cherche les billets. La voix s'élève du sol, geignarde mais adoucie, conciliante :

« Ce que tu dois faire, c'est adopter les deux enfants...

— Adopter ? Comme mes fils ? » à nouveau sur le lit, Tieta observe Perpétua à quatre pattes, réunissant et ramassant les billets. « C'est ça que tu désires... Pour qu'ils soient mes uniques héritiers, n'est-ce pas ? Ça ne te fait rien que je devienne la mère de mon mâle ? Tu exagères. »

En la voyant marcher à quatre pattes, le bras tendu sous le lit, à la recherche de quelque coupure égarée, les seins flasques se balançant sous la chemise de nuit, le chignon défait, les cheveux tombant sur son visage aigre de bigote, la laideur de sorcière et le regard brillant, Tieta est prise d'un sentiment mêlé d'admiration et de pitié qui s'ajoute à la rage — diable de femme capable de tout pour ses fils

« Et dire que tu as eu un homme qui t'a voulue, t'a désirée, a couché avec toi et t'a fait des enfants. C'est à ne pas croire. »

Une idée folle lui revient alors, une grotesque image qui, une certaine fois, lui avait traversé l'esprit : elle imagine Perpétua sur ce lit, sur le matelas moelleux, roulant avec son mari à l'heure de la fête, ahurissante vision ! Brusquement, la rage disparaît, Tieta commence à rire :

« Si tu me dis une chose, me raconte la vérité, je promets de te mettre sur mon testament. »

Perpétua relève son visage, méfiante et intéressée, cupide.

« A l'heure H, dis-moi, toi et le Major restiez à la papa-maman ou vous vous envoyiez en l'air ? Il aimait une pipe ? »

En pensant à sa sœur tentant l'igrec avec son mari, Tieta est secouée d'un fou rire incontrôlé. Elle veut s'arrêter et n'y parvient pas, le rire déborde en éclats de rire excessifs : elle voit Perpétua suspendue au battant du Major — bien muni, à en juger par son fils. Dans le rire s'en allèrent les cornes, toutes, celles plantées par Maria Imaculada au bord du fleuve, et les autres, dont jamais elle n'eut connaissance.

« Respecte les morts, malheureuse ! » Perpétua se relève indignée, les mains agrippant les billets, les yeux exorbité fixant le lit, sentant les odeurs, revoyant les gestes.

Un bruit de clef dans la porte, des pas légers dans le corridor. Perpétua s'efforce de prendre une contenance, elle enfouit l'argent dans les poches de sa jupe pour que l'autre dévergondée, de retour du péché — chaque nuit elle rentre plus tard —, ne soit pas au fait de ce qui s'est passé. En voyant du mouvement, de la lumière et des rires dans l'alcôve, Leonora s'approche :

« Bonsoir, dona Perpétua. De quoi ris-tu tant, Petite-Mère ? »

Petite-Mère ne parvient pas à maîtriser son fou rire, quelle vision comique ! Étant enfin parvenue à effacer de ses yeux la figure du Major, viril et passionné, ôtant le pyjama à rayures jaunes, Perpétua explique :

« Nous parlions, toutes les deux. Tieta a trouvé drôle une bêtise que j'ai dite…, elle soulève le chandelier. Demain nous poursuivrons, sœurette. »

Si Tieta pense avoir mis un point final à l'affaire avec ces billets, ah ! elle se trompe, elle ne connaît pas sa sœur aînée. Perpétua veut et doit obtenir un papier passé devant notaire, signature authentifiée, l'autre ne s'en tirera pas à moins. Elle va sortir mais retourne, rapide, ramasser un billet près de l'armoire. Il doit y en avoir d'autres. Elle reviendra demain, avant qu'Araci ne balaie la chambre.

Tieta rit encore quand Leonora commence, la voix désolée :

« Petite-Mère, ah, Petite-Mère ! Le pauvre Ascânio ! Il est désespéré… »

DE L'ESPADRILLE DU DIABLE, LANGUE ET ŒIL DE LA VILLE.

Au petit matin, Pue-le-Bouc ouvre les yeux dans le ruisseau où la *cachaça* l'avait jeté la nuit précédente. Ruisseau est une formule romanesque — il s'était endormi à la porte du ciné Tupy, à l'abri du vent et de la pluie. Se levant, il prend le chemin du Creux du Vieux. En traversant la place de la Cathédrale, il remarque du mouvement à la porte de la maison de Terto. Il s'arrête pour identifier qui est pressé de partir si tôt alors qu'il peut dormir tranquille — Terto, le mari dévoué, adore dormir très tard, dans le hamac suspendu sur la terrasse, du sommeil lourd et placide des bons cocus, satisfaits de leur état (ceux qui assument, comme écrirait un jeune auteur dans le vent).

En le voyant rôder à travers les rues et les ruelles de la ville, à des heures tardives, voyant tout et commentant, Amélia Dantas (actuellement Régis), surnommée Miel, ex-première dame du municipe, avait traité le mendiant d'espadrille du diable. Selon Barbozinha, Pue-le-Bouc est l'œil de la ville. L'œil du cul, ajoute Aminthas. Il a vu tant de choses, plus rien ne l'étonne. Il ne peut pourtant cacher sa surprise en reconnaissant, dans le citoyen fourré dans un vieux pantalon de Terto, le séminariste Ricardo. En chemise de nuit, suspendue au cou du garçon, dona Edna le quitte avec un gros baiser. Le pantalon de Terto, trop étroit, lui va mal, pourquoi le petit curé le porte-t-il? Il portait soutane quand Pue-le-Bouc l'avait surpris accompagnant la petiote, une pensionnaire de Zuleika, vers les rives du fleuve. Il avait un short et une chemise sport en franchissant la porte interdite de Carol, il n'y a pas quatre jours. En soutane, il l'avait aperçu encore la veille, gravissant les marches du clocher pour consoler l'impatiente vieille fille. Sans parler... Tais-toi, bouche.

Reprenant sa marche, choryphée de la ville, Pue-le-Bouc révèle et conseille :

« Bonnes gens, garez vos culs, la Colombe du Saint-Esprit est lâchée à Agreste ! »

628

DE LA CHEVRIÈRE ET DU JEUNE BOUC.

Ricardo traverse le jardin de la place, le pantalon trop étroit ne lui permet pas de courir. Il frappe à la porte du fond, Araci ouvre, pouffe de rire : *seu* Cardo est si drôle, ah, quel joli garçon ! Un jour, il la remarquera, si Dieu le veut.

Il entre, met sa soutane, il termine de préparer sa valise lorsqu'il sent que quelqu'un l'observe, il lève les yeux. Dans ses vêtements noirs, le chapelet à la main, Perpétua, sur le point d'aller à l'église. Menaçante, prête à l'accusation et au châtiment, sur le visage l'indignation et la répulsion, les yeux fusillant, la voix terrible — mais contenue pour ne pas réveiller les deux maudites :

« Que fais-tu, excommunié ?

— Je vais prendre la marineti pour Esplanada, d'ici peu.

— Prendre la marineti ? Sur l'ordre de qui ?

— De personne, Mère. A Esplanada, je prends l'omnibus pour Aracaju, je m'arrête en route à São Cristovão.

— Qu'est-ce que tu crois ? Tu n'as plus de mère à qui obéir ? Tu es devenu majeur ? Range tes choses et va te coucher. Plus tard tu me rendras des comptes, prépare-toi.

— Je vais passer quelques jours avec le frère Thimóteo au couvent. Il m'a invité. Quand Tieta... quand la tante sera partie, je reviendrai.

— Tu n'iras nulle part. Fais ce que je te dis. »

Elle sait qu'elle ne va pas être obéie, que jamais plus elle ne lui commandera. Sœur aînée, jamais elle ne commanda à Tieta, jamais par elle ne fut obéie.

— Je vous ai dit, Mère, que je vais à São Cristovão. Je ne suis pas devenu majeur, je suis devenu un homme, vous ne voyez pas ? Ne tentez pas de m'en empêcher, je ne veux pas partir en cachette. Je reviendrai, soyez tranquille.

— Tu ne parais plus mon fils. Tu es pareil à elle. C'était notre honte : le jour avec les chèvres, la nuit dans le péché. Tu veux prendre sa place. Tu n'as pas peur du châtiment de Dieu ? »

Depuis la mort du Major, elle sent pour la première fois une envie de pleurer.

« Mon Dieu aussi a changé, mère, il n'est plus semblable au vôtre. Mon Dieu pardonne, il ne châtie pas.

— Mais tu ne peux pas t'en aller ainsi, avant de tout régler Elle t'a détourné du bon chemin, t'a perverti me fait manquer à ma promesse. Elle doit compenser le mal qu'elle a fait. Elle a apporté le péché dans cette maison, t'a déshonoré, la maudite.

— Non, Mère. J'étais aveugle, elle m'a aidé à voir. Je ne sais pas si je vais être prêtre ou pas, il est encore tôt pour savoir. Mais soyez certaine que si je ne me fais pas ordonner, c'est que Dieu n'a pas voulu. Quand je le saurai, je vous le dirai. Mais je vais continuer à étudier, n'ayez pas peur.

— Tu jures que c'est bien au couvent que tu vas ?

— Je vous l'ai déjà dit. Maintenant, écoutez, Mère, la tante a été très bonne pour moi. Jamais je ne pourrai payer ce que je lui dois. »

Il prend la valise, sourit à sa Mère, tendre et serein :

« Votre bénédiction, Mère.

— Ah, mon Dieu ! » la martyre lève les yeux au ciel.

Quand il se dirige vers la sortie, Ricardo voit Tieta à la porte de l'alcôve, le corps bien-aimé vêtu d'un rayon de lumière du matin naissant.

« Adieu, Tante... Tieta !

— Adieu, Cardo. Tu peux m'appeler Tante. Dis au frère que je suis à Agreste, que ça va être une lutte à mort.

La porte de la rue se ferme sur Ricardo. Sans même regarder sa sœur, Tieta rentre dans la chambre. Gardienne de chèvres, elle se sent fière de son neveu. Pareille à elle, sans plus ni moins, Perpétua a raison. Jeune bouc, sans entraves, libre sur les collines, la tête haute, héritier de sa rébellion. Ce qui est passé est passé, un caprice fou, restent les regrets, tant !

DES FAITS ET DES RUMEURS, CHAPITRE OÙ L'ARABE CHALITA EXPRIME UNE VAGUE ESPÉRANCE

Les dix jours qui ébranlèrent Agreste, définissait Aminthas lecteur des auteurs interdits. paraphrasant John Reed à propos de cette brève et tumultueuse période. Lui-même avait contribué à ce climat de cauchemar grotesque : tirant d'invisibles ficelles, il était derrière quelques graves événements Bien que la responsabilité majeure fut généralement attribuée à dona Carmosina.

« Voyez ce que vous avez fait, Carmosina », accuse Edmundo Ribeiro, le receveur. en prenant un siège à l'agence des Postes. « Chaque jour une nouveauté, une bagarre, un scandale, un chambardement...

— Quand ce n'est pas deux ou trois. On n'a pas fini de commenter une embrouille qu'en commence une autre. Et des croquignolées... », renchérit l'Arabe Chalita, assis sur le pas de la porte. « Tout le monde a perdu la tête, je me demande comment ça va se terminer. »

Dona Carmosina dégage toute responsabilité :

« Moi ? Qu'ai-je fait ? Apparemment, on va finir par m'accuser d'avoir inventé la fabrique de bioxyde de titane. On était là, bien en paix...

— Si vous ne passiez pas votre temps à lire et à diffuser les nouvelles des journaux... », le receveur désigne le journal mural, qui couvre maintenant le mur principal de la salle.

« ... vous auriez pu vendre Agreste impunément .. »

Le ton et le langage des dialogues avaient changé. Avaient disparu la cordialité, la bonne humeur, les rites de gentillesse qui faisaient de la conversation   distraction principale de la communauté, gratuite, à la portée de tous — un plaisir raffiné. L'accent est devenu âpre, l'injure remplaçant la malice.

« Halte là ! s'exclame Edmundo Ribeiro. Je ne vends rien.

— Parce que vous n'avez pas réussi à mettre la dent dans les cocotiers, non que l'envie vous ait manqué. Mais vous soutenez cette bande de vénaux. Ou vous croyez que nous ne le savons pas ?

— Vous savez quoi ?

— Que vous avez souscrit dans la liste des contributions pour la candidature de Brastânio Trindade...

— Brastânio Trindade ! Elle est bonne... », rit l'Arabe Rien qui se compare à une causette avec des personnes intelligentes comme dona Carmosina, elle a de ces trouvailles... « A propos, qu'est-il allé faire à Esplanada ?

— Ascânio est parti ? » Dona Carmosina s'intéresse, préoccupée : « Quand ? »

— Aujourd'hui. Il m'a dit qu'il reviendrait demain. »

La marineti de Jairo s'arrête en face du cinéma, à côté de la maison de Chalita, présence infaillible au départ (horaire rigide) et à l'arrivée (horaire imprévisible) du véhicule, contrôlant les voyageurs.

« Quelle espèce de magouille est-il allé tramer ? Il a dit qu'il revenait demain ? Alors il n'est allé qu'à Esplanada, il n'a pas le temps d'aller à Salvador. Il est décontenancé. Il pensait que l'élection était dans le sac, il a baissé la crête après le meeting.

— Moi, je pense encore qu'il sera élu », considère le receveur. Je ne nie pas le prestige du commandant, mais vous savez comment sont les choses... Ascânio est déjà à la mairie et, plus important que tout, il est l'homme du colonel Artur... Parce que, pour le prestige, qui en a, c'est le colonel.

— Il a été l'homme du colonel, il ne l'est plus. Qui ignore que le colonel s'est désolidarisé de la candidature du Docteur Bioxyde ?

— Le Docteur Bioxyde, c'est trop..., se tord Chalita.

— Dites-moi une chose, *seu* Edmundo : c'est par générosité que Modesto Pires a ouvert cette liste de contributions, celle à laquelle vous avez souscrit ? Ou est-ce après que votre candidat est revenu de Tapitanga, la queue entre les jambes et les mains vides ? Vous savez ce que le colonel a répondu lorsqu'il lui a demandé de l'argent pour la campagne ? Qu'il s'adresse à la Brastânio. N'allez pas me dire que vous ne l'avez pas su.

— Je l'ai su, oui, Carmosina. Mais actuellement on dit tant de choses, on ne sait jamais ce qu'il faut croire. Il se peut bien que le colonel ait refusé son aide à Ascânio, le vieux est gâteux, de plus en plus ramolli. Mais il est vrai aussi qu'il n'a dit à personne de ne pas voter pour Ascânio. Si je mens, démentez-moi.

— A ceux qui sont allés là-bas savoir, le colonel Artur a dit que chacun vote pour qui il veut, en accord avec sa conscience. De gâteux, il n'a rien et ce n'est pas par avarice qu'il n'a pas répondu à la demande d'argent. Je vous dirai plus : le colonel n'appuie pas franchement la candidature du commandant parce qu'il a pitié de son filleul. Mais demandez à Vadeco Rosa ce qu'il a entendu à Tapitanga, et n'oubliez pas que Vadeco est conseiller municipal et tient un paquet de voix à Rocinha. Il me l'a raconté lui-même. Il a été demander des instructions, le colonel lui a dit d'appuyer qui il voulait et lui plaisait, qu'il n'avait pas d'ordres à donner ni de candidat comme maire, qu'il était retiré de la politique.

— Néanmoins, les gens de Rocinha ne jurent que par Ascânio, à commencer par Vadeco.

— Ne juraient, les choses changent. Après avoir parlé avec Tieta, Vadeco était très ébranlé. A Rocinha ils pensaient qu'Ascânio, une fois élu, allait acheter les terres du municipe au poids de l'or. Quand ils ont vu qu'il ne pense qu'à exproprier les terrains des cocotiers, ils étaient hors d'eux. Vous savez que Tieta va de maison en maison. Cette semaine, nous allons faire un meeting à Rocinha, elle va parler.

— Il n'y a pas de doute..., reconnaît le receveur. Dona Antonieta est un gros atout, c'est ce qui me fait peur. Le commandant, on le voit, s'est porté candidat à contrecœur contraint, je ne sais par qui...

— Par moi, à coup sûr, n'est-ce pas ? Sachez que l'accusation m'honore beaucoup

— Le pauvre, dès qu'il peut souffler, il file au Mangue Seco. En ce moment, il est à la plage, non ?

— Pour s'assurer les voix de là-bas. Mais il revient aussitôt.

— Les voix du Mangue Seco ? Ça ne fait pas une douzaine... Mais Tieta, elle, peut déséquilibrer la balance, si elle reste jusqu'au bout... Curieux : bien qu'elle combatte la candidature d'Ascânio, il semble qu'elle ne s'oppose pas à ses amours avec sa belle-fille. D'ailleurs, Carmosina, en matière d'amourette, celle-ci est à tirer son chapeau... »

Dona Carmosina évite ce sujet, la vie privée d'Ascânio n'est pas en cause, Leonora est un amour de créature. Mais, puisque le receveur a détourné la conversation des thèmes politiques pour d'autres, plus aimables, elle aimerait savoir...

« Quoi, Carmosina ?

— Si c'est vrai, ce qu'on dit... Que Modesto Pires a pris un associé...

— A la tannerie ?

— Non, *seu* Edmundo. Dans le lit de Carol. »

Qui répond, c'est l'Arabe Chalita, lissant avec satisfaction ses moustaches :

« Un seul, non. J'en connais au moins deux. » Un éclair passe dans ses yeux gourmands. « J'attends que ça se transforme en société anonyme... Pour acheter une petite action »

DE L'ENTRETIEN FINAL SUR LE DESTIN DES EAUX, DES POISSONS ET DES HOMMES, QUAND LA BRASTÂNIO CHOISIT UN NOUVEAU DIRECTEUR ET QUE, DANS L'ATMOSPHÈRE RAFFINÉE DU REFUGE DES LORDS, ON SERT — HORREUR! — DU WHISKY AU GUARANÁ.

Dans l'équipe minutieusement choisie se distingue, par l'élégance de son port, une jeune fille mince aux longues jambes. Plus que mince, maigrelette, un mannequin de défilé de haute couture, bien au goût du magnat Angelo Bardi. Convoquée pour lui, spécialement; l'administration du Refuge des Lords, au fait des appétits de ses vieux clients, les piliers de la maison, s'efforce de satisfaire leurs caprices. Le Dr Mirko Stefano se réjouit de la présence de la rousse ondoyante et piquante, ressemblant à Bety; dans leur précédente rencontre, Son Excellence l'avait confisquée, laissant le Magnifique frustré. Le Vieux Parlementaire n'a pas été oublié : une gamine d'une physionomie et d'une allure si impubères que, parfois, on la faisait passer pour vierge, avec succès. A l'intention du nouveau (envers qui avait été recommandée la plus grande déférence), la gérante, ignorant ses penchants, avait prévu trois petites, de types différents, mais toutes trois parfaites, *il n'aura que l'embarras du choix*[1]. Tout en servant du whisky aux puissants messieurs, les six belles exhibent leurs charmes — la plus vêtue porte un bikini, la svelte agite un voile vaporeux qui fait ressortir ses os. Arborant un sobre tailleur bien coupé, la gérante, petite et boulotte paraît la directrice d'un pensionnat de jeunes filles.

Regardant du coin de l'œil la nudité des filles, le citoyen à la posture rigide et cheveux ramenés, pour la première fois dans une telle ambiance, cherche à vaincre sa gêne. Dans sa jeunesse, il avait fréquenté des maisons closes, pour une occasion joyeuse il avait été à un rendez-vous, à Botafogo, à Rio de Janeiro; ensuite il s'était marié. Il ne court pas le risque d'être identifié, il est incognito et en civil. anonyme

1. En français dans le texte

comparse d'une partie fine avec des amis. Quand la rousse le sert, détournant ses yeux fascinés, il annonce :

« Je voudrais mon whisky au guaraná. »

Au guaraná ! Un silence surpris se fait. La maigrelette, à côté de Bardi, se retient de rire. Du whisky de cette marque rare et précieuse, on n'en sert à São Paulo qu'au Jockey Club et au Refuge des Lords. En Angleterre, on le boit pur, sans glace. Mais le Vieux Parlementaire, un lord, précise avec un flegme britannique et une impavide flagornerie :

« Whisky and guaraná, une formule brésilienne, très à la mode. J'en voudrais aussi.

Tous les goûts existent, pense la gérante. Se remettant du sacrilège, elle vainc sa répugnance et ordonne :

« Du guaraná, vite ! »

Le Dr Angelo Bardi détourne l'attention en demandant des nouvelles de sa chère amie qu'il ne voit pas depuis longtemps .

« Notre chère *Madame* Antoinette ne revient plus ?

— Elle est encore en France. Quand elle allait s'embarquer, son père est mort, le général. Du cœur, le pauvre.

— Le général ? » Celui aux cheveux ramenés, œil en biais sur les filles, domine son embarras, montre un soudain intérêt.

— *Madame* Antoinette est la fille d'un général français et d'une native de la Martinique... », la gérante répète la classique formule, air de professeur d'histoire faisant un cours.

— Comment ? celui aux cheveux ramenés s'étonne.

— Comme l'Impératrice Joséphine, celle de Napoléon Bonaparte, — illustre le Magnifique Docteur.

— Ah ! Une figure historique ! Très intéressant », il se sent plus à l'aise et prend force guaraná.

« Désirez-vous encore quelque chose ? » Devant la réponse négative, la gérante commande : « Allons, petites ! » elle marche en tête du gaillard peloton.

Le Vieux Parlementaire pose son verre :

« Nous voici donc ici, vainqueurs. Ça a demandé du travail et beaucoup d'habileté, un sujet explosif. Je ne le dis pas pour le flatter mais s'il n'y avait eu le rapport de notre ami ici présent... Les gens de la ligne dure tordaient le nez et les autorités bahianaises n'en démordaient pas : n'importe où sauf à Arembepe. Mais, enfin, ils ont cédé, abandonnant leur position intransigeante devant l'argumentation présentée par notre éminent porte-parole.

— Le développement national est prioritaire, contre lui ne

635

peuvent prévaloir des raisons sentimentales, encore moins des détails secondaires de localisation. J'ai là-bas, personnellement, constaté l'absurdité des allégations, mon rapport s'est fondé sur l'étude directe du problème. Je vais vous mettre au courant, dans leurs grandes lignes, de mes considérations et de mes conclusions. » L'éminent porte-parole s'éclaircit la voix d'un large trait de whisky au guaraná.

Il n'a pas demandé d'avis, il se lance dans l'énonciation des « grandes lignes », en vérité presque une conférence. Angelo Bardi écoute les yeux mi-clos, chaque parole vaut de l'or. Le Vieux Parlementaire paraît boire les phrases du conférencier, approuve et applaudit de la tête. Attentif, le Magnifique Docteur, dans une attitude de discrète révérence : quel péché a-t-il commis pour souffrir ce châtiment ? Personne n'osa interrompre.

A Bahia, à cette heure, Rosalvo Lucena, dans le cabinet du secrétaire, reçoit la bonne nouvelle : de nouvelles études, réalisées au plus haut niveau, ont ramené à une réévaluation du problème. De puissantes raisons d'ordre économique, social et politique déterminent la localisation de l'industrie de bioxyde de titane à Arembepe, le gouvernement de l'État fait volte-face, se soumet et approuve la demande de la Brastânio. Au Refuge des Lords, quand se tait la voix autoritaire et métallique, le magnat Bardi applaudit :

« Heureusement, nous possédons des hommes d'État qui voient loin, sont capables d'imposer les suprêmes raisons de l'intérêt national, écrasant les préjugés, déroutant la subversion. Je vous présente mes félicitations, mon illustre ami. »

Le Vieux Parlementaire abandonne son verre de whisky au guaraná, horrible mixture :

« Cher Bardi, un dernier détail avant que nous ne nous séparions. A quelle date aura lieu l'assemblée pour l'élargissement de la direction de la Brastânio ?

— Tout de suite. Nous serons demain à Salvador, nous ferons publier immédiatement les actes de convocation. » Il se tourne vers l'auteur du rapport qui se régale de son whisky au guaraná : « Ce sera un grand plaisir pour nous de compter, à la direction de la Brastânio, le Dr Gildo Verissimo, dont les capacités ne sont pas ignorées de nous...

— Ce n'est pas parce que c'est mon gendre..., approuve l'illustre ami... Mais la compétence ne lui manque pas Vous serez bien servis

— Nous en avons terminé », conclut le Vieux Parlementaire.

Angelo Bardi agite une petite clochette d'argent, la gérante se présente conduisant les petites. Celui à la posture rigide et aux cheveux ramenés, éminent porte-parole, illustre ami, se penche vers le Magnifique Docteur, lui demande à voix basse :

« Tous les frais sont payés ?

— Bien sûr...

— Tous ? Y compris...

— Y compris.

— Alors, dites-lui, ordonne-t-il en montrant la gérante, que je veux celle aux cheveux de feu... »

C'en était fait de la rousse, perdue pour la seconde fois, aléas du métier de directeur de relations publiques, plein de désappointements. Mais gratifiant aussi, réfléchit Mirko. Savoir qu'Agreste avait disparu de la carte, que jamais plus il n'aura à parcourir ces chemins de mules et à supporter cette chaleur sénégalaise, la poussière, la boue, l'inconfort, la bière chaude, sans parler des bandits et des requins de la côte déserte, misères et dangers qui l'entouraient et le menaçaient, le payait de toute peine — rousse ou chatain, blonde ou brune.

A aucun moment, tandis qu'il évoquait Agreste et le Mangue Seco, il ne pensa à Ascânio Trindade. Pour le Dr Mirko Stefano, Agreste et ses gens pauvres et laids, c'en était fini pour toujours.

OÙ RÉAPPARAÎT L'AUTEUR QUAND ON S'IMAGINAIT DÉJÀ DÉLIVRÉS DE CE LOURDAUD.

J'avais l'intention de ne pas interrompre le récit en arrivant à l'épilogue de ce monumental feuilleton (monumental, oui, il suffit de constater le nombre de pages). Étant neutre dans le débat mené à Agreste, je désirais rester en marge, simple spectateur. Mais je me vois contraint de modifier mes projets pour, une fois de plus, me défendre des critiques assenées à la forme et au contenu de mon travail par Fúlvio d'Alambert, fraternel et acerbe. J'en viens à supposer qu'un sentiment moins digne, l'envie sait-on? dicte ses restrictions lorsqu'il constate que je m'approche de la fin de cette entreprise littéraire. Il n'avait jamais cru que je parvienne à la réaliser.

Je ne pense pas répondre à une quantité de reproches mineurs, d'ordre grammatical ou stylistique, pour ne pas allonger mon intervention. Je n'en citerai qu'un : d'Alambert critique âprement l'emploi que je fais du verbe « contempler ». Montant en compagnie de Cinira l'escalier qui mène au clocher de l'église, Ricardo avance, « elle devant, lui derrière, contemplant ». Contempler, m'apprend d'Alambert, est un verbe transitif, il exige un complément d'objet direct, celui qui contemple, contemple quelque chose. D'après lui, j'ai caché aux lecteurs la cible de la plaisante contemplation du séminariste.

Je réponds en demandant aux lecteurs s'ils ont vraiment besoin d'objet direct pour deviner le paysage que contemple le jeune homme, alors que dans le sombre et étroit escalier il n'en existait d'autre que celui des cuisses et des fesses de la vieille fille? Après tout, ces détails de l'anatomie de la dévote, s'ils excitaient l'adolescent, ne sont pas d'une qualité à mériter l'intérêt du lecteur.

Une accusation plus sérieuse vise l'accélération finale du récit. Avant, les actions se succédaient lentement, occupant des pages et des pages, avec un luxe de détails, de continuelles répétitions, une absence criante d'économie littéraire, durant cinq longs épisodes interminables à lire. Brusquement, dans l'épilogue, le rythme se modifie, des ruptures s'opèrent dans le temps et l'espace de la fiction, détruisant l'unité du récit.

D'après Fúlvio, l'auteur est pris d'une telle hâte qu'il laisse le lecteur dans l'ignorance de faits du plus haut intérêt, les réduisant à de simples allusions. Il cite l'exemple du meeting de la place de la Cathédrale et la question des associés de Modesto Pires dans les faveurs de Carol. On connaît Ricardo, et les autres?

Je ne suis pas coupable de la modification du rythme du récit, si elle existe. Ce sont les événements qui se précipitent et se bousculent, malgré moi. Si nombreux en si peu de temps, pour les suivre je laisse de côté ceux qui ne me paraissent pas fondamentaux, fussent-ils spectaculaires ou amusants.

C'est le cas du meeting. Ayant lieu le lendemain du marché mouvementé, il attira un nombreux public. Le poète Barbozinha fut le premier à occuper la tribune, soit le devant du kiosque de la place, et à élever la voix (au sens littéral du terme car, faute de micro ou de haut-parleur, les orateurs usent de la force de leurs poumons). Le barde a ses inconditionnels, surtout parmi les vieilles filles — elles adorent le voir réciter des poèmes d'amour, le bras tendu, les yeux tournés vers le ciel, des trémolos dans la voix en lançant les rimes riches, chantant les émotions romantiques et sensuelles d'amours éternelles et parjures. Les muses inspiratrices de Barbozinha avaient été, en grande majorité, les filles des « châteaux » de Salvador, passions de son temps de bohème. Dans les *Poèmes de la Malédiction,* comme il l'expliqua lui-même, il avait fait vibrer les cordes du civisme et de l'indignation sur une lyre patriotique et accusatrice. Il obtint des applaudissements mais, à la fin, les fanatiques exigèrent à grands cris qu'il déclame ses vers fameux, des dizaines de fois récités dans les fêtes locales : la *Ballade du triste trouvère.* Sans les énergiques protestations de dona Carmosina — c'est un meeting politique, mon vieux ! — le poète serait encore sur l'estrade, disant la *Noire Élégie de la rue São Miguel,* le *Poème pour les lèvres de Luciana,* le *Sonnet écrit sur les seins d'Isadora* et autres pièces de résistance.

Pour son premier meeting, dona Carmosina s'en tira bien. Sans cesse prise à parti par Ascânio, elle avait eu le dessus, langue bien pendue et intrépide. La seule interruption qui la troubla ne vint pas d'Ascânio mais de Pue-le-Bouc, si ivre qu'il tenait à peine debout. En entendant dona Carmosina déclarer qu'elle parlait « au nom des mères de famille préoccupées de l'avenir de leurs fils et de leurs maris », le mendiant protesta :

« Ah ! Ça non... Une vieille fille encroûtée ne peut pas parler au nom des femmes mariées, elle n'a pas la compétence de la pacholette ! »

L'intervention avait tiré des rires à l'assistance, composée en bonne partie d'auditeurs plus intéressés par les échanges d'accusations et d'injures que par les graves questions débattues, le problème de la pollution et le degré de danger des effluents du bioxyde de titane, que maniait avec une évidente compétence dona Carmosina. Elle a beau me paraître trop encline à la chicane et au machiavélisme, je ne lui dénierai pas capacité et audace.

Nouveauté dans le bourg où les élections, jusqu'alors, ignoraient l'agitation et la propagande — il suffisait du mot

d'ordre du colonel Artur de Figueiredo pour éclairer ı électorat — le meeting se transforma en fête. Il fut si réussi
qu'aussitôt, sur la place, Ascânio Trindade décida d'en
organiser un le samedi suivant, sur la place du Marché — en
l'honneur de son grand-père dont elle portait en fait le nom,
place Colonel-Francisco-Trindade, le valeureux intendant, et
pour s'assurer l'appui des paysans. Pour le meeting, banderoles, tracts ; pour affronter la campagne du commandant, il lui
fallait de l'argent, mais ça ne lui semblait pas un problème
étant, comme il l'était, le candidat du colonel. Son parrain ne
l'avait jamais laissé tomber. Cette fois, il le fit, comme on sait,
l'obligeant à s'adresser à la Brastânio. Il avait été à Esplanada
pour, de là, téléphoner au Magnifique Docteur.

Le commandant clôtura le meeting par la présentation de
son programme électoral. Il ne permit pas les interventions,
dans la crainte de perdre le fil de son improvisation — apprise
par cœur à dure peine. Il avait passé des nuits blanches,
déclamant les paragraphes, sous le regard et les applaudissements de dona Laura. Il déclara avoir abandonné la tranquillité et le repos qu'il avait gagnés après une vie consacrée à la
Patrie (*applaudissements*) pour revêtir à nouveau l'uniforme
de la marine de guerre (*nouveaux applaudissements*) et se
mettre au service du peuple d'Agreste (*grands applaudissements*). Même en civil à la tribune, il était moralement en
uniforme, à son poste de combat (*bruyants applaudissements ;
cris de Bravo ! et Très bien !*) on l'accusait d'être ennemi du
progrès, vile calomnie. Contre le faux progrès, oui, contre
celui qui ne vise pas au bien de la communauté, celui qui
pollue, souille, empeste et emplit les poches des indutriels de
la mort (*cris de D'accord ! et de Pas d'accord ! — « La
Brastânio est la rédemption d'Agreste ! »*) Mais il saluait avec
enthousiasme le véritable progrès, celui dont ne profitent pas
seulement une demi-douzaine de malins mais toute la population, progrès symbolisé par les poteaux de l'Hydroélectique
du São Francisco (*bruyants applaudissements*), conquête que
le peuple doit exclusivement à notre bienheureuse et influente
concitoyenne, dona Antonieta Esteves Cantarelli, notre chère
Tieta... (*applaudissements, bravos, vivas, Vive Tieta ! Viva !
Vivôo !, les derniers mots de l'orateur se perdent dans l'ovation.*)
Une apothéose.

Quant aux associés de Modesto Pires, associés sans capital,
le richard restant l'unique capitaliste, commanditaire exclusif,
sur eux j'ai peu à dire. Peut-on considérer le séminariste

Ricardo comme un associé, au sens strict du mot ? Je ne crois pas. Il ouvrit la voie à la libéralisation de l'entreprise, auparavant privée, fermée et interdite, arrêtant là sa participation. S'il était resté à Agreste, certainement il aurait occupé une place importante dans la firme, c'est-à-dire dans le lit de Carol. A son retour, qui sait ?

Quant aux autres, je connais seulement Fidélio, l'actuelle Queue d'or. Oui, je ne peux le nier : le résultat du tournoi de billard, événement d'importance, on a oublié de le donner en temps voulu dans les pages tumultueuses de ce feuilleton. Il n'y a guère à relater. Fidélio gagna Astério dans la partie finale, disputée point par point, coup par coup. Astério avait repris son entraînement, il vendit cher sa défaite et son titre. Comme d'habitude, de nombreux supporters féminins soutinrent le rebelle héritier des cocotiers, ne restant à Astério que l'appui d'une Elisa mélancolique et quasi indifférente au résultat de la dispute. Dona Edna n'apparut pas, occupée sait-on par quoi ou par qui ? Leonora non plus. Ascânio étant éliminé elle n'avait rien à faire au bar, plein de chuchotements et de pointes.

Diverses admiratrices de Fidélio espéraient que le nouveau champion leur dédierait sa victoire, elles avaient chacune leurs raisons. Il préféra pourtant la célébrer avec Carol. Il poussa la porte défendue mais à peine jointe, car Modesto Pires restait au Mangue Seco. Faute de subsides — ah ! la pauvreté d'Agreste ! — la Queue d'Or n'est qu'un titre abstrait, il ne se concrétise pas en trophée, pas même en diplôme. Carol, pourtant, avec la sagesse et la malice des amantes des riches dans les petites villes, concrétisa facilement l'abstraction, la Queue d'Or prit forme, volume et saveur. Le richard les trouva s'adonnant à cette noble tâche lorsque, appelé d'urgence par des bruits alarmants sur la neutralité inattendue du colonel, il s'arracha aux tendres (et fades) bras de dona Aida et vint savoir ce qui se passait dans la ville. Il ne le sut que trop.

Modesto Pires étant un des plus irréductibles gardiens de la moralité publique d'Agreste et compte tenu de la nature secrète de Fidélio, on ignore la teneur de la conversation d'où naquit la société. Si elle commença, comme on le murmure, tumultueuse et agressive, elle se termina dans l'harmonie et l'accord car Fidélio sortit, selon divers témoins, par la porte de la rue, calme, décemment vêtu, souriant. Au contraire de ce qu'on avait attendu, Carol ne s'embarqua pas dans la marineti de Jairo, renvoyée aux plaies sergipanes · l'après-midi de ce même jour, elle faisait des achats dans les boutiques. dépen sant de l'argent. Cornes chères, celles de Modesto Pires, cornes d'or, comme il convient à un citoyen riche et vertueux Les actions de la société sont en hausse, plusieurs candidats veulent y entrer mais je ne crois pas que les espérances de Chalita puissent se réaliser. Société limitée, oui. Anonyme, certainement pas.

Accomplissant un devoir civique, Modesto Pires, ayant analysé la conjoncture politique, ouvrit avec une somme modique une souscription pour soutenir la campagne d'Ascânio Trindade. Il espère récupérer, avec des intérêts, l'investissement, après le scrutin.

Encore un dernier détail et je m'en vais, décidé à ne pas revenir. Fúlvio d'Alambert, soucieux de la vraisemblance des personnages, trouve que parfois je manque de mesure quand je pétris, pour lui donner vie, cette humble humanité sertanège. Comme exemple d'irréalisme, il prend le séminariste. L'activité sexuelle de Ricardo, ses prouesses physiques lui paraissent manifestement exagérées, au point que Pue-le-Bouc s'en étonne.

Cette restriction révèle une méconnaissance de la quotidienneté des petites villes mortes, des privations et de l'ennui des femmes condamnées au marasme et aux romans radiophoniques, au manque d'hommes. Par ailleurs, j'ignore la capacité des chers lecteurs à dix-huit ans. A moi, ne me paraissent pas anormaux les hauts faits de l'adolescent impétueux, débordant de vie, invincible guerrier. De plus, comme certainement on l'a compris, les lévites participent de la nature glorieuse des archanges.

DE LA VOIE SACRÉE POLLUÉE DANS LA LONGUE NUIT D'AGRESTE — PREMIÈRE STATION : LE MÉPRIS DANS LES FILS TÉLÉPHONIQUES.

Dans la fournaise de l'après-midi, la marineti se trouve en panne sur la route, les passagers souffrant en attendant que le moteur reparte. Le Padre Mariano entraîne Ascânio à l'ombre du véhicule, la sueur goutte sur sa soutane — il n'avait pas adopté la mode nouvelle du pantalon et de la chemise sport, si en vogue chez les prêtres de la capitale.

« Je ne sais pas, mon bon Ascânio, mais cette élection est une loterie. Si le colonel Artur s'en était mêlé, ç'allait être un combat de géants, lui d'un côté, dona Antonieta de l'autre. Mais notre Commanderesse a même réussi ça : écarter le colonel de la course, un véritable miracle », il hocha la tête, regard de compassion, il faillit dire que la candidature d'Ascânio était à l'eau. « A propos de la nouvelle installation électrique de la Cathédrale, j'ai dit à Monseigneur l'évêque auxiliaire : il est apparu une sainte à Agreste, en chair et en os, elle fait des miracles. »

Ascânio encaisse, il ne peut répliquer, il s'agit de la marâtre de Leonora. Sainte ? Le diable en personne, ennemie jurée de sa candidature à la mairie et de ses projets de fiançailles et de mariage. Chaque fois qu'il aborde ce sujet Leonora fuit, biaise, trouve une échappatoire. Douter de l'amour de la jeune fille, impossible, elle lui en avait donné les plus grandes preuves. Que pouvait-ce être, sinon le désaccord catégorique de la marâtre, désireuse d'un mariage millionnaire, digne de sa belle-fille ? Tieta était devenue le cauchemar d'Ascânio, oiseau noir, mauvais ange sur qui il butait à chaque instant. Deux jours avant, Cadeco Rosa, patron de quelques dizaines de voix, gêné, se grattant la tête, lui avait communiqué :

« Pour moi, un candidat doit avoir un garant de poids, que ce soit le colonel Artur ou dona Antonieta. Obtenez l'aval du colonel ou de dona Tieta et vous avez mes votes. »

Ennemie jurée, mauvais ange, oiseau noir, cauchemar d'Ascânio ; Commanderesse, sainte, aval du commandant. Le bavardage du Padre Mariano augmente l'affliction du candidat. Il revient d'Esplanada déprimé et inquiet. Une fois il s'était senti ainsi, insulté, blessé, objet d'humiliation et de mépris : quand il avait été à Paulo Afonso lutter pour l'énergie de l'Hydroélectrique pour le municipe. Les petits chefs s'étaient moqués de lui. Ensuite, avec deux simples télégrammes, dona Antonieta avait résolu l'affaire. Toujours elle.

Maintenant, encore pire. Il revient non seulement la tête basse mais inquiet, plein de doutes. Rien de concret, mais les manières des employés de la Brastânio, au téléphone, ne lui avaient pas plu. Il avait été surpris, surtout par Bety, aimable et rieuse la veille, lors du premier appel. Distante, sèche et pressée quand elle avait à nouveau répondu. Il avait la puce à l'oreille.

Quatre fois il avait eu en ligne Salvador, cherchant à parler au Magnifique pour lui exposer la situation, la lutte électorale, la nécessité de l'aide de la Brastânio. Peut-être le Dr Mirko était-il déjà au courant, *A Tarde* avait signalé le lancement de la candidature du commandant. Le docteur était absent, lui avait-on dit la veille et on l'avait mis en communication avec Bety. La secrétaire exécutive confirma l'information : le Magnifique Docteur avait été à São Paulo mais il rentrerait à Bahia le soir même. Elle proposa qu'il rappelle le lendemain. Gentille, la voix charmeuse, l'appelant trésor, demandant des nouvelles du mignon — le mignon était Osnar. A bientôt, parfait.

Le lendemain, c'est-à-dire ce matin, Ascânio téléphona à l'hôtel et, s'étant nommé, il sut qu'effectivement le Dr Stefano était rentré de voyage la veille au soir mais qu'il était parti tôt au bureau. Il appela alors la Brastânio — chaque communication représentait un absurde effort, une interminable attente ; heureusement la téléphoniste d'Esplanada connaissait Canuto Tavares et mit la meilleure bonne volonté. Quand il demanda à parler au Dr Mirko Stefano — je suis Ascânio Trindade, de Sant' Ana de l'Agreste, je téléphone d'Esplanada — on lui dit qu'on allait le mettre en communication avec le bureau du docteur, un instant. L'instant dura quelques minutes, Ascânio angoissé craignant que la ligne ne soit coupée. Enfin il entendit une voix anonyme, le Dr Stefano était absent, en voyage, sans date de retour prévue. Ascânio voulut parler à Bety, nouvelle attente avant que la voix annonce : la secrétaire était occupée, elle ne pouvait pas répondre. Une demi-heure plus tard, Ascânio insista et après beaucoup de difficultés obtint Bety, impatiente et brusque : le Dr Mirko était resté à São Paulo. A l'hôtel on l'avait informé qu'il était arrivé la veille au soir ? Au bureau on ne savait rien, il n'y était pas venu ni n'était attendu. S'il valait la peine de rappeler plus tard ? Aujourd'hui, certainement pas, pourquoi n'écrivait-il pas une lettre qu'il enverrait par la poste ? L'affaire est urgente et importante ? Elle ne peut rien faire et va raccrocher, elle n'a pas le temps de bavarder. Il tente de la retenir : écoutez, Bety, s'il vous plaît... Pressée, elle n'écouta pas la fin de la phrase, elle avait posé le téléphone. Tout ça lui avait paru étrange, lui avait causé une impression désagréable, il se sentait abattu. Il écrivit la lettre, en demandant une réponse d'urgence, il la mit à la poste.

Cet après-midi-là, la marineti cala trois fois. Jairo usa tout son répertoire : les termes les plus tendres, les mots les plus grossiers. Ils arrivèrent à Agreste à la tombée de la nuit, Chalita les reçut avec une triste nouvelle, la disparition du vieux Jarde Antunes. Il s'était couché après le déjeuner, avait fermé les yeux, ne les avait plus rouverts :

« Quand on s'en est aperçu, le corps était déjà froid. La veillée est là-bas, à la pension d'Amorzinho. »

DE LA VOIE SACRÉE POLLUÉE DANS LA LONGUE NUIT D'AGRESTE — DEUXIÈME STATION : LA BAGUE DE FIANÇAILLES ET LA COUPE DE FIEL.

Il veut prendre un bain avant de se présenter à la veillée. Assise sur le pas de la porte, fumant sa pipe, Rafa informe :

« Il y a du monde.

— Chez moi ? Qui ?

— Une femme. Elle est entrée. »

Leonora ? Qui ce peut être, sinon elle ?

Depuis deux jours Leonora tente de le convaincre qu'ils se rencontrent chez lui, lasse certainement de l'imprudente et inconfortable excursion nocturne aux rives du fleuve. Mais Ascânio désire que sa bien-aimée franchisse la porte de la vieille maison de famille en qualité de senhora Ascânio Trindade, en plein jour, venant de l'autel, son épouse. Dans ce lit de jacaranda où ont dormi ses parents, il entend qu'elle ne se couche que lorsque les lois des hommes et de Dieu auront consacré leurs relations.

Voilà que Leonora le met devant le fait accompli. Se levant du lit où elle s'était allongée, elle se jette à son cou, offre sa bouche au baiser :

« L'omnibus était en retard, Petite-Mère est allée à la veillée funèbre, je suis venue t'attendre ici. Si j'ai mal fait, pardonne-moi. Je mourais d'impatience, amour.

645

« — Moi aussi. L'heure de revenir n'arrivait plus. Mais, tu ne…

— Qu'est-ce qu'il y a ? » elle arrête le reproche d'un baiser. Les baisers se répètent, deviennent plus longs et ardents. Ascânio sent le corps de Leonora trembler, collé au sien. Il aimerait prendre un bain, se débarrasser de la poussière et des désagréments du voyage mais elle le tire vers le lit, caresse son visage fatigué.

« Tu es triste, mon amour. Tu n'as pas obtenu ce que tu voulais ? »

Ascânio pose la tête sur l'épaule de Leonora :

« Je n'ai pas obtenu de parler au Dr Mirko. Il n'est pas à Bahia, du moins c'est ce qu'on m'a dit. Une histoire embrouillée qui m'a laissé perplexe. »

Plus que perplexe — offensé, sombre, le moral bas. Leonora couvre sa face de baisers, tentant de lui redonner courage. Ascânio prend les mains de la jeune fille :

« Je n'ai que toi au monde, Nora. Personne d'autre. »

Au contact de ses doigts, il se rappelle la bague de fiançailles, don de la Brastânio en ces jours joyeux d'intimité et de confiance avec les directeurs de la Société. Elle était restée dans la poche de son autre costume, il va la chercher :

« Je veux te donner une chose… »

Il avait pensé l'offrir lors d'une petite cérémonie, en présence de la marâtre, de la famille et de quelques amis, lorsqu'il demanderait la main de Leonora. Il décide de renoncer à la solennité et au protocole. Pour avoir le droit d'entrer dans cette maison, Leonora doit être au moins sa fiancée. D'autre part, il mérite bien une joie qui compense le mépris des employés de la Brastânio.

Il met la bague à l'annulaire de la main droite de Leonora, le doigt convenable pour une bague de fiançailles. Pour la seconde fois il fait le même geste d'amour et d'engagement. La première, il avait déposé bague et confiance, promesse et cœur dans les mains d'une fiancée indigne. Il avait payé cher son erreur, brisé par la trahison, mort à l'amour. Mais un jour il était arrivé l'impossible : de la marineti de Jairo descendit la plus belle et la plus pure des femmes, celle qui à partir de maintenant est sa promise :

« J'ai apporté cette bague de Bahia pour toi, une bague de fiançailles. Pour te la remettre le grand jour, mais je ne vois pas le moyen de parler de ça avec ta marâtre. Dis-moi, Nora, veux-tu te marier avec moi ? »

Les yeux de Leonora fixés sur la bague, parfaite à son doigt, un bijou ancien. Pauvre Ascânio qui la pense une fille de famille ; combien lui avait coûté l'objet ? La voix brisée, presque un murmure :

« Ne parle pas de ça...

— De quoi ?

— De fiançailles, de mariage. Ça ne suffit pas que je sois à toi ? »

Ascânio pâlit, sa main tremblante se détache de celle de la jeune fille :

« Tu n'acceptes pas ? j'aurais dû le savoir. Riche comme tu es, pourquoi voudrais-tu m'épouser ?

— Je t'aime, Ascânio. Tu es tout pour moi. Jamais je n'ai aimé personne avant. Les autres que j'ai connus n'étaient que des erreurs.

— C'est ce que je pensais. Mais alors, pourquoi refuses-tu ?

— Je ne peux pas me marier avec toi. J'ai des raisons...

— Parce que tu es fragile de la poitrine ? Dans le climat d'ici, tu te guériras en un instant.

— Non, je ne suis pas malade, mais je ne peux pas.

— Je sais. Parce qu'elle ne veut pas, n'est-ce pas ? Importante comme elle est, comment permettrait-elle que sa belle-fille épouse un rien-du-tout, et par-dessus le marché qui a ses idées à lui...

— Petite-Mère ne s'occupe pas de ça.

— Alors, pourquoi ? »

Leonora couvre son visage de ses mains, retenant ses larmes. Ascânio s'emporte, le visage crispé, le cœur blessé :

« Un pauvre diable du sertão, sans feu ni lieu... Bon pour une aventure de vacances, pas plus. Pour se marier, les richards de São Paulo.

— Ce n'est rien de ça, amour, ne sois pas injuste. Je t'aime, je suis folle de toi. Tu veux que je sois ta concubine ou ta servante ? Ça, je peux l'être. Ton épouse, pas.

— Mais pourquoi diable ?

— Je ne peux pas te le dire, le secret n'est pas seulement mien... »

Ascânio prend à nouveau ses mains, caresse ses cheveux, baise ses yeux humides :

« Tu n'as pas confiance en moi ? Même pas ça ? Je ne t'ai pas prouvé déjà combien je t'aime ? Quand j'ai su ce qui était arrivé avec l'autre...

— Tout ça c'est un mensonge, mon amour. La vérité...

Dis, confie-toi à moi.

— Je ne suis pas riche, je ne suis pas fille de Commandeur, ni belle-fille de Petite-Mère.

— Hein ? Qui es-tu, alors ? »

Dans des sanglots, elle raconte tout. La banlieue misérable, le taudis, la faim, l'indigence, le trottoir, le Refuge. Ascânio s'éloigne, se lève, le masque d'horreur et de mort, comment avait-il pu être si imbécile ? Il écoute sidéré, boit la coupe de fiel. Pire que la première fois, quand il sut par une lettre. La boue se répand dans la chambre, recouvre le lit, grandit en vague immense, l'asphyxie. De cette bouche qu'il avait imaginée pure, innocente, coule le pus.

Leonora se tait, enfin. Elle lève des yeux suppliants sur Ascânio, prête à nouveau à s'offrir pour concubine, pour servante. Mais un cri perçant, d'animal blessé à mort, s'échappe de la bouche d'Ascânio. Leonora comprend que tout est terminé, sur la face de son amant elle voit seulement la haine et le dégoût. Son doigt montre la rue :

« Hors d'ici, putain ! Pour attraper un mâle, c'est dans la rue. »

Même sans rien avoir entendu de ce qui s'est dit dans la chambre, quand Leonora passe, chancelante, en larmes et se perd dans la nuit, Rafa crache, noire salive

« Sale femme. »

DE LA VOIE SACRÉE POLLUÉE DANS LA LONGUE NUIT D'AGRESTE — TROISIÈME STATION : LA SAINTE DÉPOUILLÉE DE SA TUNIQUE ET DE SON AURÉOLE

Beaucoup de gens à la veillée funèbre de Jarde mais il manque l'animation habituelle des bonnes veilles. Malgré la qualité des salaisons et des douceurs préparées par dona Amorzinho, la quantité de cachaça et de bière commandée au bar par Josafá, l'atmosphère est morne. Dans les groupes, réunis dans la salle d'entrée, où repose le corps, et sur le trottoir, n'éclatent pas les rires. Des thèmes graves dominent

648

les conversations ternes. Tieta converse avec le Padre Mariano qui lui demande des nouvelles de Ricardo. A São Cristovao, au couvent des franciscains, à l'invitation de frère Thimóteo? Votre neveu, ma très chère dona Antonieta, va être une lumière de l'Église. Avec l'aide de Dieu, l'exemple maternel, les enseignements de frère Thimóteo et la générosité de sa tante. Le Révérend en profite pour encenser la bienheureuse, posant sur sa gracieuse tête une auréole de sainte : figure de proue, pilier de l'Église, symbole d'insignes vertus. Tieta, couverte de la tunique de louanges, arbore un sourire modeste. Ah! si le curé savait quels sont les exemples donnés par la mère, les vertus inculquées par la tante! Heureusement qu'il reste l'aide de Dieu et les enseignements de frère Thimóteo.

Osnar s'efforce de dégeler la veillée, honorant la mémoire du défunt comme il se doit. Il narre pour le Dr Marcolino Pitombo et pour le gros Bonaparte la bonne histoire de la Polonaise. Inédite pour l'avocat, maintes fois répétée pour Bonaparte qui ne se lasse pas de l'écouter, chaque version présente de nouveaux détails, le greffier se régale.

Dans le cercueil, le corps maigre de Jarde, la face de cire. Sur une chaise à côté, Josafá reçoit les condoléances. Lauro Branco, intendant de la fazenda d'Osnar, voisin de Belle Vue, intime du défunt, est venu de là-haut dire adieu à son ami.

« Je suis venu pour moi et pour les chèvres, dit-il à Josafá. Puisse-t-il trouver au ciel un grand troupeau, à soigner! C'est tout ce qu'il aimait. »

On entend les neuf coups au clocher, la lumière des poteaux s'éteint, le bruit haletant du moteur se tait. Le jour des familles se termine, commence la nuit des perdus. Dona Amorzinho allume les lampes. De la nuit surgit une forme, ivre, malade ou fou?

Même dans l'obscurité, tous se rendent immédiatement compte de l'état de confusion et de désordre d'Ascânio Trindade. Osnar interrompt son récit :

« Qu'est-ce qu'il y a, capitaine Ascânio? »

Le capitaine de l'aurore du poème de Barbozinha entre dans la salle, défiguré, yeux de dément. Il découvre Tieta près du curé, tend le bras pour la désigner, crie des mots arrachés avec effort, d'une voix rauque, terrible, tumulaire :

« Vous savez ce qu'elle est? Vous pensez qu'elle est veuve, patronne de fabriques, mère de famille? Elle n'est qu'une maquerelle, elle a une maison de filles à São Paulo, elle vit de

649

ça. C'est l'autre qui me l'a raconté. Je lui ai demandé sa main en mariage, elle m'a répondu : je ne peux pas, je suis fille de joie. Elle fait la vie dans le rendez-vous de cette ordure qui est là, passant pour sainte. Deux traînées et un clown. »

DE LA VOIE SACRÉE POLLUÉE DANS LA LONGUE NUIT D'AGRESTE — QUATRIÈME STATION : LA CONDAMNÉE À LA VIE.

Dans la barque d'Eliezer, Tieta réclame, vite. Le clair de lune se reflète sur les eaux du fleuve, le corps de Tieta penché vers l'avant comme si elle pouvait ainsi donner une plus grande vélocité au bateau.

Peto, sur la place, avait indiqué la destination de Leonora. Quasi sans pouvoir parler, décomposée par les larmes, la cousine l'avait envoyé à la recherche de Pirica, elle était partie dans le canot à moteur, elle devait être arrivée au Mangue Seco.

Eliezer montre une lumière sur le fleuve, un bruit lointain, c'est le canot de retour. A un signal de Tieta, Pirica ralentit le moteur, les deux embarcations se balancent sur l'eau, côte à côte.

« Où est Leonora ?

— Elle est restée là-bas. Je lui ai demandé si elle voulait que j'attende, elle a dit que non, qu'elle allait rester quelques jours. Qu'est-ce qui lui est arrivé ? Elle n'arrête pas de pleurer, c'est à fendre le cœur. »

Au Mangue Seco, Eliezer cale la barque dans le sable, il accompagne Tieta qui débarque très vite. Dans la lumière du clair de lune ils aperçoivent le groupe à l'extrémité de la plage, près des falaises immenses. La nuit est infiniment douce et belle, les eaux calmes. Tieta court, suivie d'Eliezer.

Jonas lève la tête, parle :

« Elle s'est jetée des falaises, elle est montée sans que personne voie. Sa chance c'est que Daniel et Budião soient sortis pour pêcher. Ils ont entendu le choc du corps, Budião l'a ramenée au canot. »

Allongée sur le sable, tenue par deux femmes, se débattant, Leonora supplie qu'on la laisse mourir. Tieta se penche sur elle :

« Idiote ! »

En reconnaissant la voix, Leonora lève la tête :

« Pardonne-moi, Petite-Mère. Dis-leur qu'elles me lâchent, je veux mourir, personne ne peut m'empêcher. »

Tieta s'agenouille, redresse le buste de Leonora et la gifle. La main tombe, lourde, avec rage, sur l'une et l'autre joue de la jeune fille, les pêcheurs n'interviennent pas, ils la laissent faire. Leonora non plus ne réagit pas. Sur la plage, s'approche en courant le commandant Dário qu'on est allé avertir. Tieta arrête le châtiment, cherche à relever sa protégée :

« Allons-nous-en.

— Qu'y a-t-il, Tieta ? Qu'est-il arrivé ? » le commandant l'aide à mettre la jeune fille debout.

« Nora s'est disputée avec Ascânio, elle a tenté de se noyer, elle lui tend la main : Dites adieu à dona Laura, commandant.

— Adieu ? Pourquoi ?

— Je pars demain pour São Paulo.

— Et la campagne, Tieta ? Vous allez nous abandonner ?

— Je ne peux plus vous être utile, commandant. Mais tenez bon la barque, sauvez les crabes si vous pouvez. »

Dans le bateau, Tieta avertit Leonora :

« Si tu parles une autre fois de mourir, je t'assomme de coups. »

Le Mangue Seco se perd dans la distance eaux et sables noyés dans le clair de lune. Tieta contemple, les yeux secs.

Par l'entrebâillement des fenêtres, sur la place, il y en a qui observent les deux femmes, venant de l'embarcadère. Dona Edna, par exemple. Mais, dans la maison de Perpétua, portes et fenêtres sont closes. Sur le trottoir, jetés, les valises, sacs et sacoches de Tieta et Leonora.

DE LA VOIE SACRÉE POLLUÉE DANS LA LONGUE NUIT D'AGRESTE — CINQUIÈME STATION ENTRE LA CROIX ET LA DILIGENCE.

Dona Milu et dona Carmosina s'occupent de Leonora, changent ses vêtements, l'obligent à se coucher Dans la maison de la vieille accoucheuse, grandit un remue-ménage de tisanes et de remèdes — infusion de mélisse pour calmer les nerfs, jaune d'œuf battu pour réchauffer le corps et refaire les forces. Sabino arrive apportant sacs et mallettes, les plus gros bagages ont été portés à la marineti, dans le garage.

Tieta avise :

« Je vais jusque-là, je reviens. »

Dona Milu se préoccupe :

« Là, où ? Faire quoi ?

— N'ayez pas peur, maman Milu, je ne vais agresser personne. »

Dans les maisons apparemment endormies, les habitants sont réveillés, attentifs. Des rais de lumière s'échappent des fissures des portes, des lucarnes. Arrive à la rue une parole ou une autre, dite à voix plus haute. Même la veillée de Jarde a gagné de l'animation. Discussions au bar plein. Accent amer dans la voix d'Osnar :

« Cette foutue fabrique n'a pas encore commencé que tout est déjà pourri. »

Les fenêtres s'entrouvrent au passage de Tieta. Elle traverse la ville, entre dans les ruelles, va jusqu'aux rives du fleuve, elle ne se presse pas, peut-être disant adieu. Disant adieu et recrutant, elle ne va pas au hasard. *Madame* Antoinette, *voilà*[1] ! a un but et un objectif.

DE LA VOIE SACRÉE POLLUÉE DANS LA LONGUE NUIT D'AGRESTE — SIXIÈME STATION : LE JEUNE ET L'ALLELUIA.

« On dit que son négoce c'est une pension de filles. » Astério arrive du bar, à point d'heure, bouleversé.

Elisa se dresse sur le lit, les seins sautent de la chemise

1. En français dans le texte.

courte et transparente, héritée de Tieta, la moitié des fesses est à l'air Astério détourne les yeux. Nuit de nouveautés effroyables, propre à l'affliction et l'opprobre, sans place pour les honnêtes devoirs conjugaux, encore moins pour les pensées dépravées.

« Mensonges ! Une pension de filles ?

— C'est bien ça : un « château », un rendez-vous.

— Qu'est-ce que tu as su d'autre ?

— Elles sont chez Carmosina. Elles partent demain pour São Paulo.

— Quoi ? Tieta va demain à São Paulo ? »

Elle saute du lit, enfile un peignoir également hérité, met ses sandales, se dirige résolument vers la porte. Astério d'abord s'inquiète, ensuite il s'émeut : Elisa veut dire au revoir à sa sœur, passant par-dessus tout ; ils lui doivent beaucoup, que les mauvaises langues aillent au diable. Lui aussi désire dire adieu à Tieta. Elle peut être ce qu'elle est, elle reste une bonne sœur, une généreuse parente.

« Tu vas la voir ? J'y vais aussi. »

Elise se retourne, à la porte :

« Je m'en vais avec elle.

— Tu t'en vas avec elle ? Pour São Paulo ? » il ne comprend pas.

Elisa ne répond pas, elle disparaît, la maison de dona Milu est tout près. Quand elle voit qu'Astério la suit, elle presse le pas, accélère sa marche. Elle court, en apercevant Tieta qui arrive de la rue, elle crie :

« Tieta ! Sœurette ! »

Tieta attend à la porte, immobile, le visage fermé, le regard froid, hiératique. Elisa tend les bras, supplie :

« Emmène-moi avec toi, sœurette, ne m'abandonne pas...

— Je t'ai déjà dit...

— Je veux être pute à São Paulo. Ça m'est égal. »

Astério écoute, perplexe, une lancée dans l'estomac, la douleur aiguë. Tieta détourne les yeux de sa sœur vers son beau-frère, sympathise avec lui, le pauvre sot :

« Occupe-toi de ta femme, Astério, mets-la dans la ligne, apprends-lui à te respecter. Une fois déjà, je t'ai dit ce que tu devais faire. Pourquoi ne l'as-tu pas fait ?

— Petite sœur, pour l'amour de Dieu, ne me laisse pas. » Elisa s'agenouille par terre, devant Tieta.

« Emmène-la et fais ce que je t'ai dit, Astério. C'est maintenant ou jamais. » Un instant elle pose les yeux sur sa

653

sœur et elle a pitié. « Gardez la maison. Si vous avez besoin de quelque chose, faites-le savoir. »

Elisa perd totalement pudeur et retenue :

« Emmène-moi, Petite-Mère, mets-moi dans ta maison de filles. »

Tieta regarde son beau-frère : et alors ? Astério secoue sa perplexité, sa douleur d'estomac, ses préjugés, il arrache le bandeau de ses yeux, il tire son épouse par le bras :

« Lève-toi ! Allons !

— Lâche-moi !

— Lève-toi ! Tu n'as pas entendu ? »

La main claque sur sa figure. Tieta approuve de la tête.

« Merci, belle-sœur, pour tout. Au revoir. »

Il pousse Elisa, sidérée, en direction de la maison, une des meilleures résidences de la ville, acquise par Tieta pour un jour venir y attendre la mort, tranquillement, laissée maintenant à la disposition de sa sœur et de son beau-frère, en usufruit.

De bourrade en bourrade, ils arrivent dans la chambre à coucher. Elisa tente d'échapper ·

« Ne me touche pas. »

Le soufflet la fait rouler sur le lit. La chemise s'enroule autour du cou, les fesses se dressent devant la vue troublée d'Astério.

« Tu veux être pute, n'est-ce pas ? Eh bien, tu vas l'être et tout de suite », il tend la main, arrache le chiffon de nylon, la croupe entière exposée, tant de temps de jeûne. « Pour commencer, je vais te bouffer le croupion ! »

Un frisson parcourt le corps d'Elisa. Ses yeux s'élargissent. Répulsion, peur, surprise, curiosité, expectative ? Héroïne de roman radiophonique, agitée d'émotions contradictoires.

Ah, pour l'amour de Dieu ! Épouse soumise, elle monte de dos l'abrupt passage, courbe les épaules sous le poids du bois — entrailles de feu et de miel, Elisa entonne l'alléluia dans la nuit d'Agreste. Ah, la Queue d'Or !

DE LA VOIE SACRÉE POLLUÉE DANS LA LONGUE NUIT D'AGRESTE — SEPTIÈME STATION : LE CYRÉNÉEN BARBOZINHA S'OFFRE EN HOLOCAUSTE.

Tieta vient de se coucher quand, ravagé, le poète Barbozinha frappe à la porte de la maison de dona Milu et annonce :
« Des amis. »

Amis et amitié. Tieta vient de la chambre d'hôtes où Leonora s'était endormie à force de calmants. Barbozinha prend sa main et la porte à ses lèvres. Il est pathétique. La voix, marquée par l'embolie, est plus voilée que jamais :
« J'ai su que tu penses t'en aller. C'est vrai ?

— Demain, pour São Paulo.

— A cause de ce qu'on dit de toi ? Pars, si tu veux. Si tu veux rester et me faire l'honneur...

— Quel honneur, Barbozinha ?

— D'être la Senhora Gregório Melchiades de Matos Barbosa...

— Tu m'offres le mariage ? Pour me tirer de la boue ?

— Je sais que je ne suis plus le garçon de ce temps-là, la carcasse est à demi ruinée, mais j'ai un nom honorable...

— ...et tu danses encore un tango comme personne... »

Tieta rit, un bon rire, joyeux, de pur contentement, un rire qui lui remplit les yeux de larmes.

« Maintenant, non, mon poète. Je t'aime beaucoup et je ne veux pas te voir cocu, tu n'aimerais pas. Quand je serai très vieille, je reviendrai pour toujours et on se mariera. En attendant, soigne ta carcasse et écris des vers pour moi.

Elle l'embrasse sur les deux joues et laisse enfin ses larmes couler

DE LA NOUVELLE ET DU SOUPIR DE SOULAGEMENT.

« Fameux appareil ! vante l'Arabe Chalita. Les années passent et elle pète le feu. »

Il parle de la radio russe dans le matin à peine levé. Devant le cinéma, avec l'aide de Sabino, Jairo règle le moteur de la marineti en attendant les passagers : l'heure de départ est stricte. Fier du compliment, il confie :

« On m'a offert de la changer contre une neuve, japonaise. J'ai refusé. »

Le speaker du *Grand Journal du matin,* d'une populaire station de la capitale, appelle l'attention des auditeurs sur une importante nouvelle qui sera divulguée après la publicité. Transmission limpide, sans parasites, justifiant les éloges de Chalita. Serviette sur l'épaule, le Dr Franklin Lins se joint au groupe. Chaque jour à cette heure, avant le départ de la marineti, le tabellion va se baigner au fleuve.

La voix neutre de l'annonceur reprend les informations :

« *Une nouvelle de dernière heure. Dans l'après-midi d'hier, le gouvernement a officiellement accordé son autorisation à la Société Brésilienne de Titane S.A. d'établir à Arembepe deux usines jumelées qui produiront du bioxyde de titane. Afin que soit réalisé dans les plus brefs délais ce grand projet si discuté, les travaux commenceront immédiatement sur les terrains déjà acquis par la Société.* »

Une série de violentes décharges salue la nouvelle. Si l'on tient compte des origines du vénérable appareil, on dirait qu'il s'agit d'une protestation.

« Vous avez entendu ce que j'ai entendu ? demande le Dr Franklin.

— C'est cette fabrique qu'Ascânio voulait amener au Mangue Seco, non ? » l'œil de l'Arabe s'allume. Comme si les événements de la veille ne suffisaient pas, encore cette nouveauté. La journée s'annonce excitante.

« Ça veut dire que cette fabrique ne sera pas ici ? » Jairo interrompt l'examen du moteur de la marineti.

« Elle va être à Arembepe, tout près de la capitale, vous n'avez pas entendu ? C'est un des endroits dont on parlait, explique le tabellion.

— Putain ! »

Le Dr Franklin Lins reprend son souffle, il ajuste la serviette sur son épaule :

« Maintenant nous pouvons respirer à nouveau... », il allume une cigarette de maïs, se dirige vers le fleuve, l'air béat

OU TIETA FAIT UN SIGNE D'ADIEU.

Mauvais jour, peu de passagers. Tieta dit au revoir à dona Carmosina

« Pardon pour les complications, Carmô. »

La tête basse, mouchoir à la main, mouillé de larmes, Leonora se cache à l'intérieur de la marineti, prostrée sur un banc. Venant de la place de la Cathédrale, à toutes jambes, apparaît Peto, apportant le bâton du vieux Zé Esteves, héritage de Tieta :

« Vous avez oublié la houlette, Tante, il baisse la voix, ajoute : Je vais vous regretter. »

Il va perdre l'aimable vision des seins et des cuisses. Il monte pour parler à Leonora, provoque des sanglots étouffés. Adieu, cousine.

Peto repart chez lui en courant, laissant l'inoubliable souvenir de sa gentillesse simple et l'odeur tenace de la brillantine.

Empoignant le bâton, gardienne de chèvres, Tieta s'assied à côté de Leonora. Elle la laisse pleurer, il est encore tôt pour engager conversation. Jairo encaisse le prix des billets, de passager en passager. Tieta paie pour trois :

« Nous deux et cette chevrette là derrière. »

Elle montre Maria Imaculada, sur un banc du fond, tenant la malle de fer-blanc. Jairo s'installe au volant, met le contact, il manque encore quatre minutes pour l'heure exacte. Tieta le fait presser :

« Mets le pied au plancher, Jairo, nous allons voir si cette bête est capable de nous mener jusqu'à Esplanada. »

Jairo consulte sa montre :

« Si vous voulez, nous pouvons aller droit à São Paulo, pour l'Impératrice des Chemins il n'y a pas de distance. Et pardessus le marché, en musique...

Il règle la radio russe. Tieta fait un signe d'adieu à dona Carmosina debout sur le trottoir. La marineti avance, si légère qu'on dirait un aéronef. Délivrée des pierres, trous et bosses, elle s'élève sur le chemin de mules, traverse le ciel d'Agreste.

Et ici se termine l'histoire du retour de la fille prodigue à la terre où elle naquit et des événements survenus durant son court séjour.

DES PLAQUES, NOTE FINALE DE L'AUTEUR.

Ça y est. Bien ou mal, je suis arrivé au bout, j'écris le mot fin. Dans les feuilletons à succès, me souffle Fúlvio d'Alambert, l'auteur a coutume de fournir une notice sur les divers personnages et ce qui leur est arrivé après. Je ne pense pas le faire. Je laisse à l'imagination et à la conscience des lecteurs le destin futur des personnages et la morale de l'histoire.

Malgré tout, pour répondre à la critique et dans l'espoir de gagner son indulgence, j'ajouterai qu'Agreste fait une lente convalescence. Ayant ôté l'uniforme de candidat, le commandant Dário de Queluz profite de chaque minute de l'été au Mangue Seco pour rattraper les jours perdus dans la pollution de la politique. Quant à Ascânio Trindade, on l'a vu pleurer sur l'épaule de dona Carmosina.

L'inauguration de la lumière provenant de l'usine de Paulo Afonso fut une grande fête. On donna à l'ancien chemin de Boue, à l'entrée de la ville, le nom de l'actuel président-directeur général de l'Hydroélectrique du São Francisco. Les autorités présentes découvrirent la plaque bleue émaillée, faite avec soin malgré la hâte, dans un atelier de la capitale : RUE DEPUTE... C'était comment, le nom ?

La plaque bleue dura peu, elle disparut pendant la nuit. A sa place on en cloua une. en bois, confectionnée par une main artisanale et anonyme : RUE DE LA LUMIÈRE DE TIETA.

Main artisanale et anonyme. Main du peuple.

Bahia Londres, Bahia, 1976-1977.

Table des matières

659

Beato Posidônıo, prophète antique, avec dialogues romantiques et scènes fortes (pour compenser).

Le progrès arrive au cafouchon de Judas ou la Jeanne d'Arc du sertão.
Avec Martiens et Vénusiennes, vaisseau spatial et femelles sublimes ; où l'on traite de la production de bioxyde de titane et du sort des eaux et des poissons et expose les termes du débat qui divise Agreste et en finit avec le marasme et la paix, tandis qu'on assiste à la naissance de la convoitise, de la soif de pouvoir, de l'ambition et à l'épanouissement de l'amour ; avec, en plus, pastorale, Bumba-meu-boi et autres éléments folkloriques dont manquait ce pathétique feuilleton.

Des fêtes de Noël et du Nouvel An ou le matriarcat des Esteves.
Avec Papa Noël descendant des cieux en hélicoptère, poèmes de louanges et de malédiction, Te Deum et feu d'artifice, un cri d'alarme ébranlant la ville, instructive polémique dans la presse sur les dangers et les avantages de l'industrie de bioxyde de titane, quand dans le municipe s'inaugurent journaux muraux et la bourse des immeubles et qu'on découvre l'importance du nom d'Antunes — des rites de la mort et des afflictions de la vie.

Du soleil bleu et de la lune noire ou la rivale de Dieu.
Avec machines gigantesques, asphalte coulant dans la rue, le Mangue, la plage et les crabes, offrant une grandiose vision du futur ; où l'on assiste à la formation d'un dirigeant au service du progrès et où l'on porte un toast à l'amitié ; où explose au Mangue Seco un violent mouvement de masse, où Agreste importe des avocats

et des méthodes juridiques et des personnages secondaires deviennent importants ; avec les épousailles d'un puceau, des rêves secrets, des révélations familiales, imprudences, audaces, grincements de dents et un mot prononcé en allemand — où l'on voit Tieta suffoquée d'amour, absence et mort.

De la pollution du paradis terrestre par le bioxyde de titane ou le bâton de la chevrière.
Contenant un récit minutieux, poignant et émouvant des derniers jours des Paulistes à Agreste, quand on connaît l'étendue de l'ambition humaine, de la soif de pouvoir et comment le pouvoir corrompt, avec des allusions à la corruption régnante ; où coulent des larmes et explosent des rires, quelques-uns amers, se plantent et se cueillent des cornes, une moisson abondante, et sont proclamées les joies et les tristesses de l'amour, pour arriver à dure peine à la fin de l'histoire, avec droit à un fantastique voyage dans la marineti de Jairo au son de la radio russe.

IMPRIMERIE
L'ÉCLAIREUR
BEAUCEVILLE
7922